Inhoud

2 Verklaring van d

4 Kaart van de be
bezienswaardigl

8 Kaart van de reis

12 Kaart van de verblijfplaatsen

15 Inleiding tot de reis

16 Streken en landschappen

33 De prehistorie

36 Geschiedenis

40 Kunst

53 Taal en letterkunde

54 Steden en bezienswaardigheden

335 Praktische inlichtingen

350 Voornaamste toeristische evenementen

352 Openingstijden en toegangsprijzen

377 Alfabetische inhoudsopgave

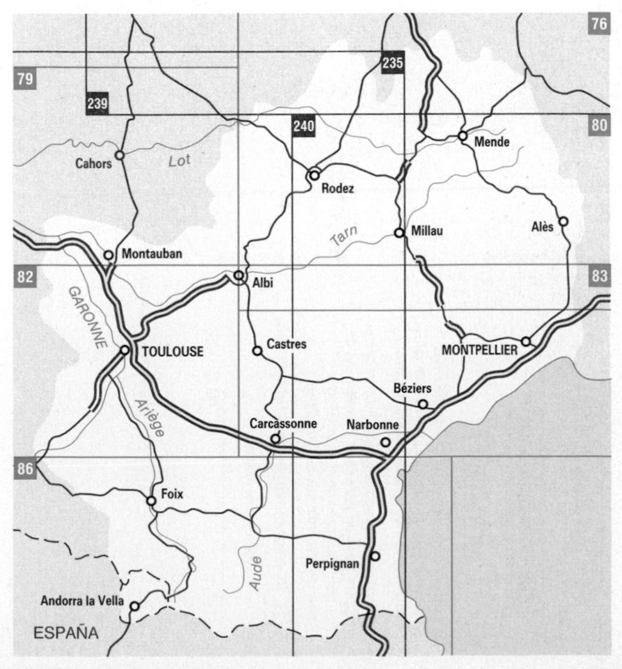

Belangrijkste bezienswaardigheden
De reis waard ★★★
Een omweg waard ★★
Interessant ★
De zwartgedrukte namen duiden de steden en bezienswaardigheden aan die in deze gids zijn beschreven. Raadpleeg de inhoudsopgave.
De belangrijkste wintersportplaatsen, kuuroorden en badplaatsen staan op deze kaart. De kaart van de verblijfplaatsen geeft de indeling naar de verschillende categorieën aan.
61 Nr. en grens van een departement.
Woordenlijst : zie blz.11
0
30 km
LIMOGES
CLERMONT-FERRAND
CLERMONT-FERRAND
VICHY
ST-ÉTIENNE
MONTÉLIMAR
VALENCE
BORDEAUX
BRIVE-LA-GAILLARDE
BRIVE-LA-GAILLARDE
Dordogne
19
46
15
43
48
07
Aurillac
St-Flour
le Puy-en-Velay
Langogne
Figeac
Cahors
Mur-de-Barrez
Sarrans
Gorges de la Truyère
Couesque
Laguiole
Entraygues-sur-Truyère
Puy de Montabès
Nasbinals
Parc des loups du Gévaudan
CONQUES
Gorges du Lot
Estaing
AUBRAC
Marvejols
Mende
Bagnols-les-Bains
le Chassezac
la Garde-Guérin
Site du Bancarel
Vallée du Lot
Espalion
Perse
St-Côme-d'Olt
Mont Lozère
Col de Finiels
Villefort
Pic Cassini
Peyrusse-le-Roc
Bozouls
Route du Col de Montmirat
Col de Montmirat
les Bouzèdes
Villefranche-de-Rouergue
Sabot de Malepeyre
le Pont-de-Montvert
Mas Camargues
Portes
Aveyron
L. de Pont-de-Salars
Rodez
Sévérac-le-Château
GRANDS CAUSSES
GORGES DU TARN
AVEN ARMAND
Truyère
Allier
Loire
Lot
Lot
Lot
A 75
A 75
A 75
N 122
D 922
D 921
N 102
D 906
N 88
N 88
N 88
N 88
N 102
D 920
D 904
N 140
D 15
D 900
N 106
D 13
D 921
D 920
D 901
D 911
D 988
N 140
D 998
N 20
D 911
N 88
N106
D 911

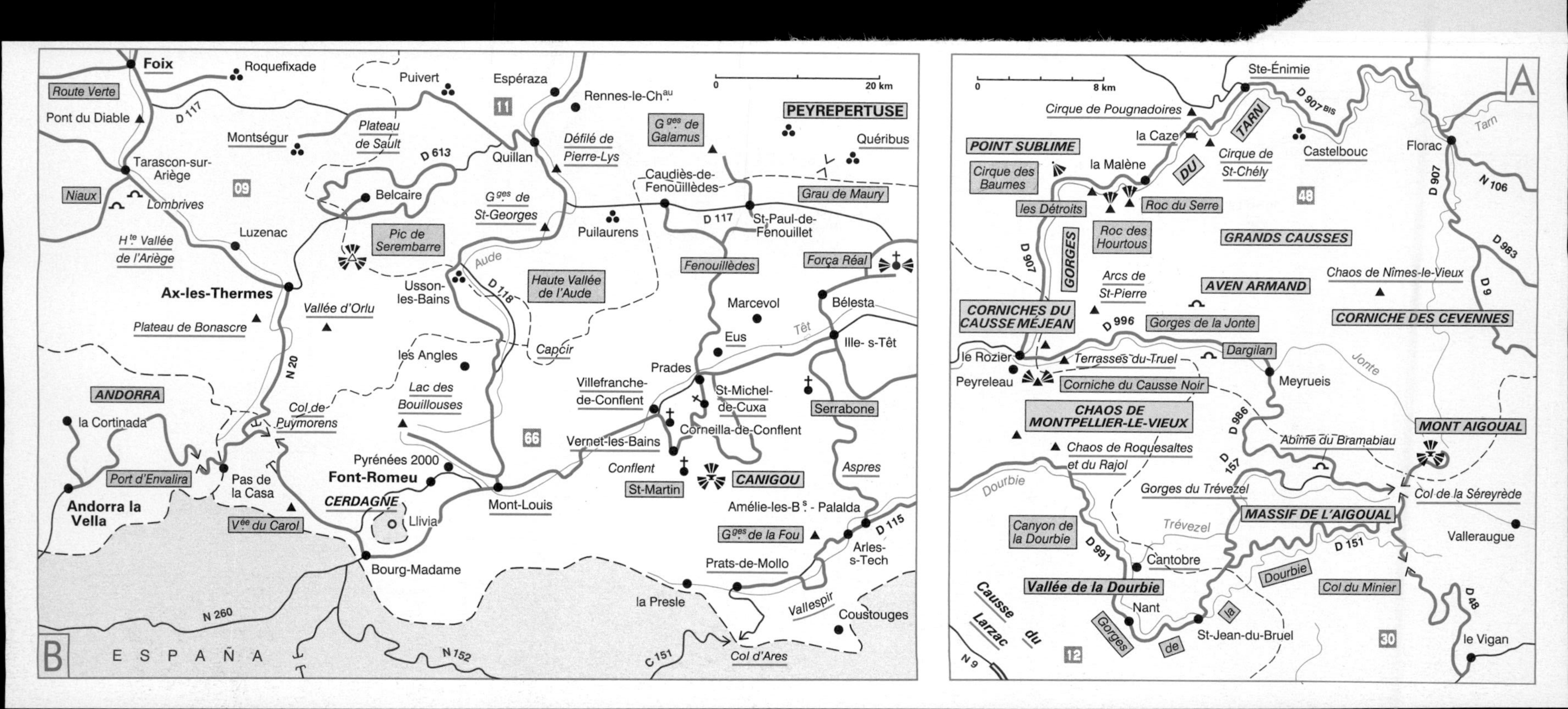
B
Foix
Roquefixade
Route Verte
Pont du Diable
D 117
Montségur
Tarascon-sur-Ariège
Niaux
Lombrives
09
Hte Vallée de l'Ariège
Luzenac
Ax-les-Thermes
Plateau de Bonascre
Vallée d'Orlu
ANDORRA
la Cortinada
Andorra la Vella
Port d'Envalira
Pas de la Casa
Vée du Carol
Col de Puymorens
N 20
Puivert
Plateau de Sault
D 613
Belcaire
Pic de Serembarre
Espéraza
11
Quillan
Rennes-le-Chau
Défilé de Pierre-Lys
Gges de St-Georges
Aude
Usson-les-Bains
D 118
Haute Vallée de l'Aude
Capcir
les Angles
Lac des Bouillouses
Pyrénées 2000
Font-Romeu
CERDAGNE
Llivia
Bourg-Madame
Mont-Louis
66
Puilaurens
Gges de Galamus
Caudiès-de-Fenouillèdes
D 117
St-Paul-de-Fenouillet
Fenouillèdes
PEYREPERTUSE
Quéribus
Grau de Maury
0
20 km
Força Réal
Marcevol
Eus
Prades
Villefranche-de-Conflent
St-Michel-de-Cuxa
Corneilla-de-Conflent
Vernet-les-Bains
Conflent
St-Martin
CANIGOU
Bélesta
Têt
Ille-s-Têt
Serrabone
Aspres
Amélie-les-Bs. - Palalda
Gges de la Fou
D 115
Arles-s-Tech
Prats-de-Mollo
la Presle
Vallespir
Coustouges
Col d'Ares
C 151
N 152
N 260
E S P A Ñ A
A
0
8 km
Ste-Énimie
Cirque de Pougnadoires
D 907 BIS
TARN
DU
GORGES
la Caze
Cirque de St-Chély
Castelbouc
POINT SUBLIME
Cirque des Baumes
la Malène
Roc du Serre
les Détroits
Roc des Hourtous
48
GRANDS CAUSSES
D 907
Arcs de St-Pierre
AVEN ARMAND
Chaos de Nîmes-le-Vieux
CORNICHES DU CAUSSE MÉJEAN
D 996
Gorges de la Jonte
CORNICHE DES CEVENNES
Florac
Tarn
N 106
D 983
D 9
le Rozier
Peyreleau
Terrasses du Truel
Dargilan
Corniche du Causse Noir
Meyrueis
Jonte
CHAOS DE MONTPELLIER-LE-VIEUX
Chaos de Roquesaltes et du Rajol
D 986
Abîme du Bramabiau
MONT AIGOUAL
D 157
Gorges du Trévezel
Col de la Séreyrède
Dourbie
Canyon de la Dourbie
Trévezel
MASSIF DE L'AIGOUAL
Valleraugue
D 991
Cantobre
D 151
Vallée de la Dourbie
Dourbie
Col du Minier
Causse du Larzac
Nant
la
de
Gorges
St-Jean-du-Bruel
30
12
D 48
le Vigan
N 9

Reisroutes

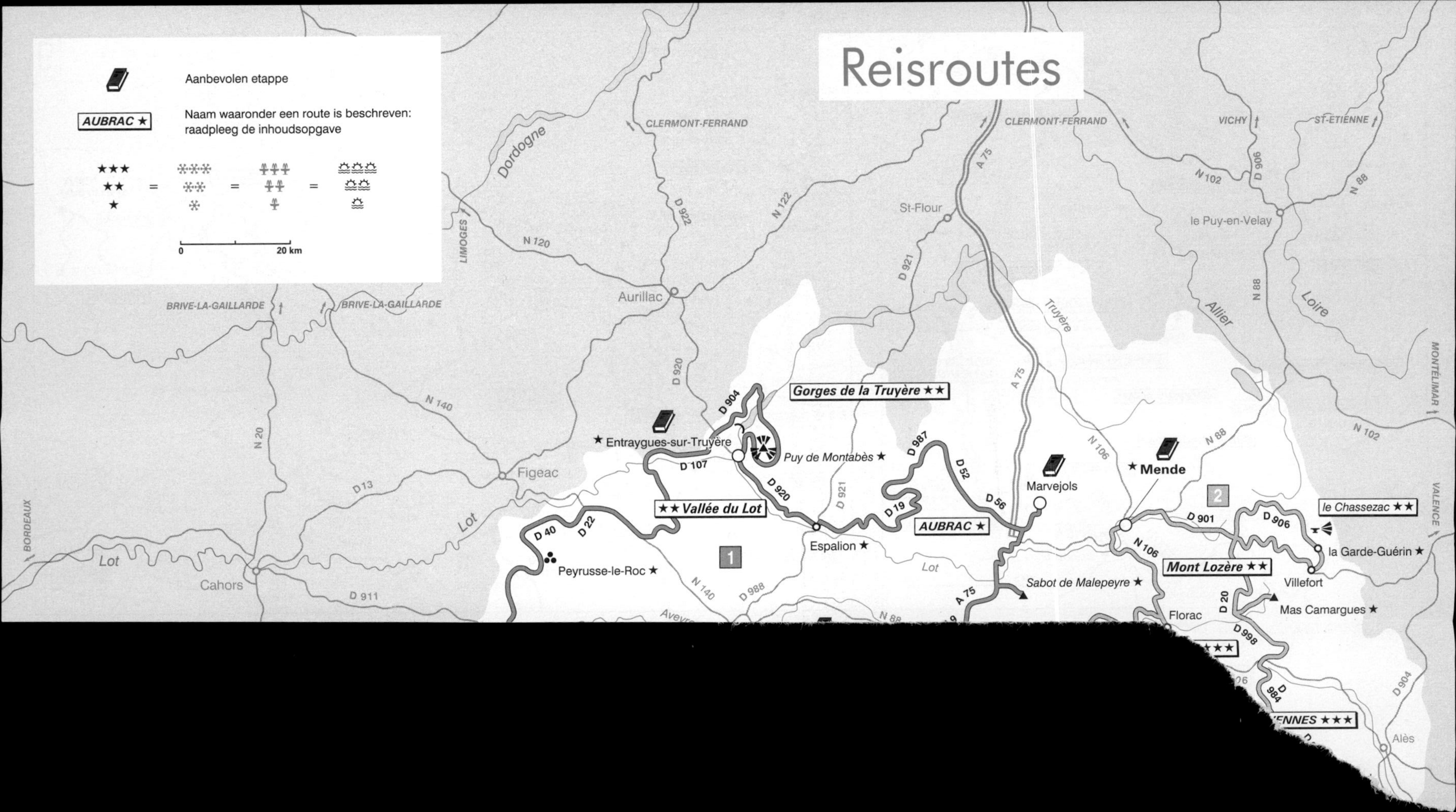

Aanbevolen etappe
AUBRAC ★
Naam waaronder een route is beschreven: raadpleeg de inhoudsopgave
0
20 km
CLERMONT-FERRAND
VICHY
ST-ETIENNE
MONTÉLIMAR
VALENCE
LIMOGES
BRIVE-LA-GAILLARDE
BORDEAUX
Dordogne
Loire
Allier
Truyère
Lot
St-Flour
le Puy-en-Velay
Aurillac
Figeac
Cahors
Entraygues-sur-Truyère ★
Puy de Montabès ★
Gorges de la Truyère ★★
★★ Vallée du Lot
AUBRAC ★
Espalion ★
Marvejols
★ Mende
Peyrusse-le-Roc ★
Sabot de Malepeyre ★
Mont Lozère ★★
le Chassezac ★★
la Garde-Guérin ★
Villefort
Mas Camargues ★
Florac
Alès
A 75
N 120
N 122
N 140
N 102
N 88
N 106
N 20
D 922
D 921
D 920
D 904
D 107
D 987
D 52
D 56
D 19
D 22
D 40
D 13
D 911
D 988
D 906
D 901
D 20
D 998
D 984
1
2

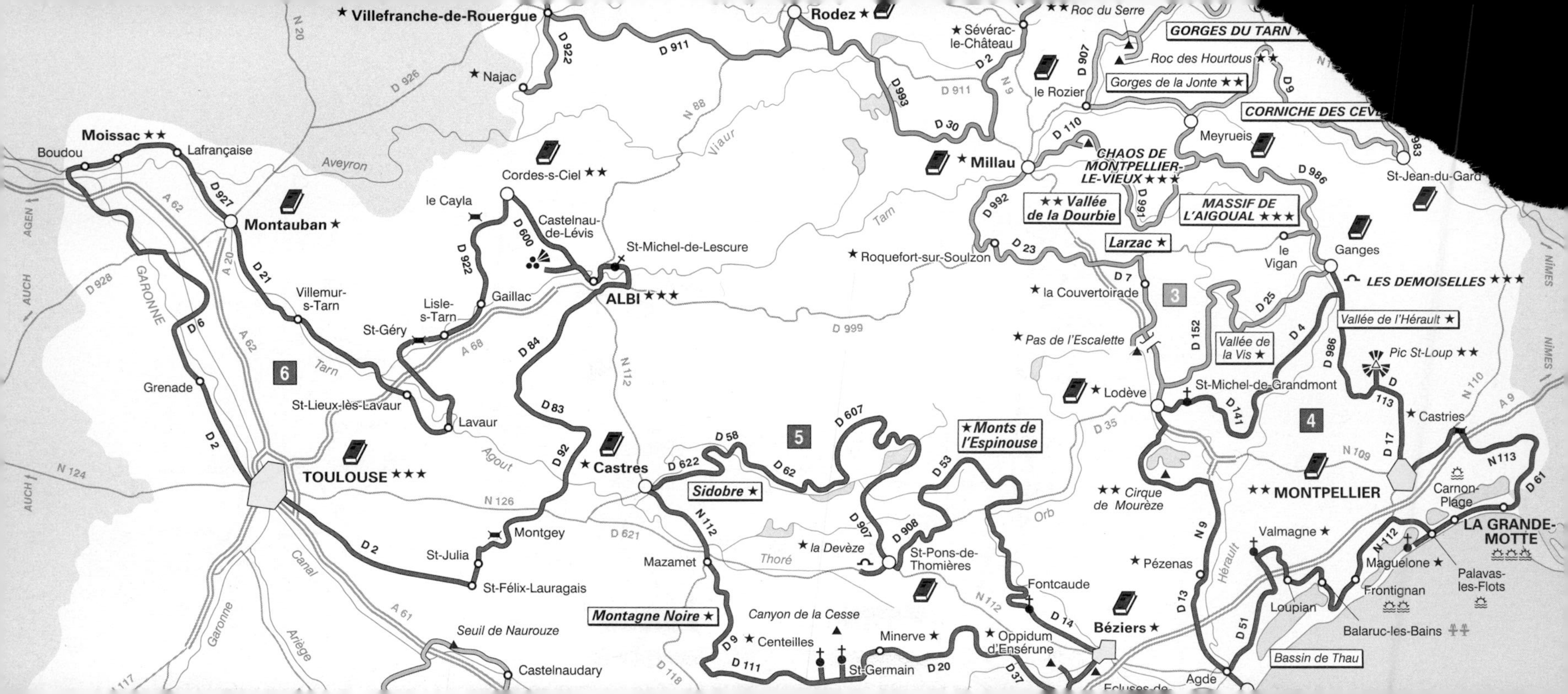

★ Villefranche-de-Rouergue
Rodez ★
★★ Roc du Serre
GORGES DU TARN
★ Sévérac-le-Château
Roc des Hourtous ★★
Gorges de la Jonte ★★
CORNICHE DES CEV
★ Najac
le Rozier
Moissac ★★
Boudou
Lafrançaise
Aveyron
Cordes-s-Ciel ★★
★ Millau
CHAOS DE MONTPELLIER-LE-VIEUX ★★★
Meyrueis
St-Jean-du-Gard
Montauban ★
le Cayla
Castelnau-de-Lévis
★★ Vallée de la Dourbie
MASSIF DE L'AIGOUAL ★★★
St-Michel-de-Lescure
★ Roquefort-sur-Soulzon
Larzac ★
le Vigan
Ganges
LES DEMOISELLES ★★★
GARONNE
ALBI ★★★
★ la Couvertoirade
Villemur-s-Tarn
Gaillac
Lisle-s-Tarn
St-Géry
Vallée de l'Hérault ★
Vallée de la Vis ★
★ Pas de l'Escalette
Pic St-Loup ★★
Tarn
Grenade
St-Lieux-lès-Lavaur
★ Lodève
St-Michel-de-Grandmont
Lavaur
★ Monts de l'Espinouse
★ Castries
TOULOUSE ★★★
★ Castres
Agout
Sidobre ★
★★ Cirque de Mourèze
★★ MONTPELLIER
Carnon-Plage
LA GRANDE-MOTTE
Montgey
St-Julia
St-Félix-Lauragais
Mazamet
★ la Devèze
Thoré
St-Pons-de-Thomières
Orb
Valmagne ★
★ Pézenas
Hérault
Maguelone ★
Palavas-les-Flots
Frontignan
Fontcaude
Loupian
Balaruc-les-Bains
Canal
Montagne Noire ★
Canyon de la Cesse
★ Centeilles
Minerve ★
★ Oppidum d'Ensérune
Béziers ★
Seuil de Naurouze
Castelnaudary
St-Germain
Garonne
Ariège
Bassin de Thau
Agde
AGEN
AUCH
NÎMES
D 922
D 911
D 926
N 20
D 993
D 30
D 911
N 9
D 2
D 907
D 9
D 110
D 992
D 991
D 986
D 927
A 62
A 20
D 600
D 922
D 21
D 23
D 7
D 25
D 928
D 6
A 62
A 68
D 84
N 88
D 999
D 152
D 4
D 986
D 113
N 110
A 9
D 83
N 112
D 607
D 58
D 62
D 622
D 35
D 141
D 53
D 92
N 124
D 2
N 126
D 621
N 112
D 907
D 908
N 109
D 17
N 113
D 61
N 112
N 9
D 13
D 51
A 61
N 112
D 14
D 9
D 111
D 20
D 37
D 118
N 117

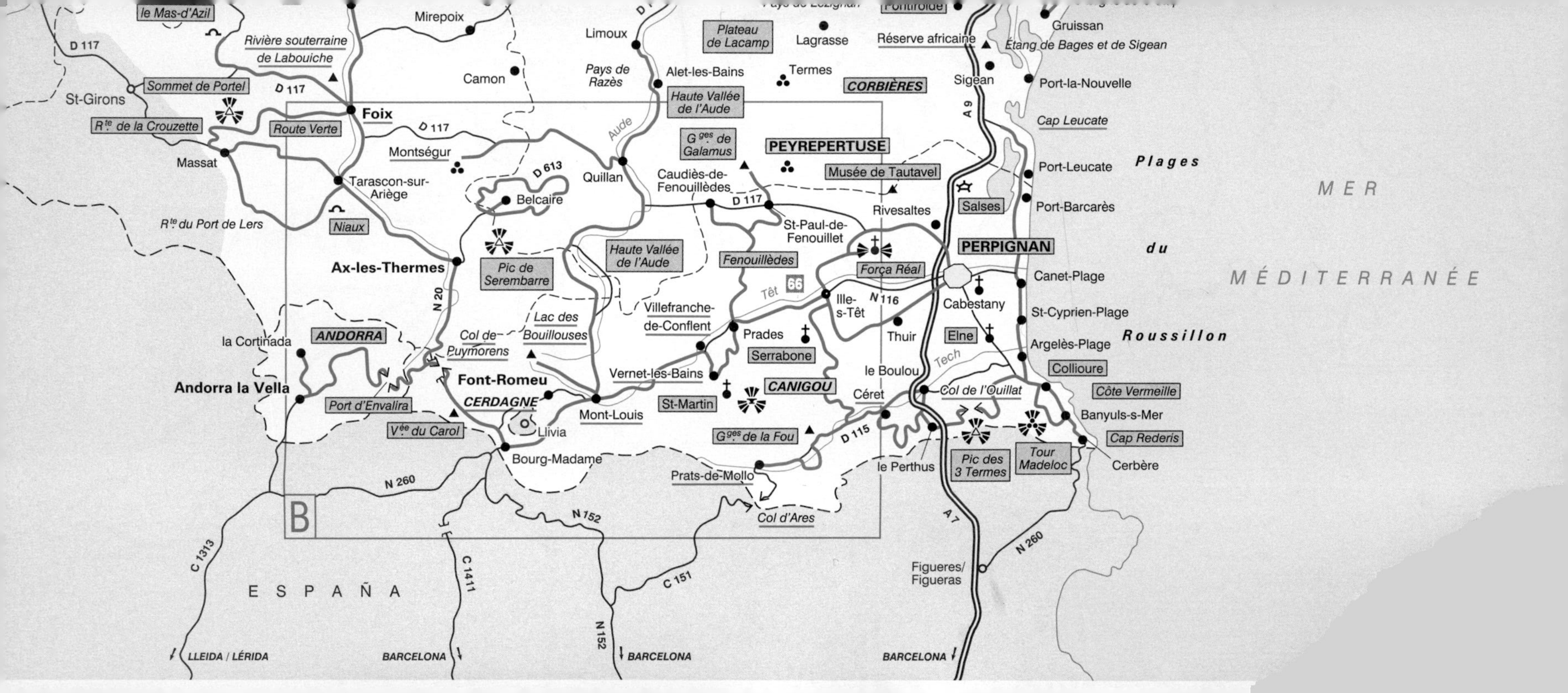

le Mas-d'Azil
Mirepoix
Limoux
Plateau de Lacamp
Lagrasse
Réserve africaine
Gruissan
Étang de Bages et de Sigean
D 117
Rivière souterraine de Labouiche
Camon
Pays de Razès
Alet-les-Bains
Termes
CORBIÈRES
Sigean
Port-la-Nouvelle
St-Girons
Sommet de Portel
Foix
Haute Vallée de l'Aude
Cap Leucate
Rte de la Crouzette
Route Verte
Aude
Ges de Galamus
PEYREPERTUSE
A 9
Plages
MER
Massat
Montségur
D 613
Quillan
Caudiès-de-Fenouillèdes
Musée de Tautavel
Port-Leucate
Tarascon-sur-Ariège
Belcaire
D 117
St-Paul-de-Fenouillet
Rivesaltes
Salses
Port-Barcarès
Rte du Port de Lers
Niaux
Haute Vallée de l'Aude
Fenouillèdes
PERPIGNAN
du
Ax-les-Thermes
Pic de Serembarre
Força Réal
Canet-Plage
MÉDITERRANÉE
Têt
66
N 116
Cabestany
N 20
Lac des Bouillouses
Villefranche-de-Conflent
Ille-s-Têt
St-Cyprien-Plage
la Cortinada
ANDORRA
Col de Puymorens
Prades
Thuir
Elne
Roussillon
Argelès-Plage
Serrabone
Tech
Vernet-les-Bains
le Boulou
Collioure
Andorra la Vella
Font-Romeu
CANIGOU
Céret
Col de l'Ouillat
Côte Vermeille
Port d'Envalira
CERDAGNE
St-Martin
Mont-Louis
Banyuls-s-Mer
Vée du Carol
Llivia
Ges de la Fou
D 115
Cap Rederis
Bourg-Madame
le Perthus
Pic des 3 Termes
Tour Madeloc
Cerbère
N 260
Prats-de-Mollo
B
N 152
Col d'Ares
A 7
N 260
C 1313
C 1411
Figueres/Figueras
ESPAÑA
C 151
N 152
LLEIDA / LÉRIDA
BARCELONA
BARCELONA
BARCELONA

Moissac
Lafrançaise
N 113
A 62
AGEN
AUCH
D 928
GARONNE
Montauban
A 20
82
Aveyron
D 926
Vindrac
Cordes-s-Ciel
Mauriac
ALBI
Gaillac
St-Géry
Villemur-s-Tarn
Tarn
Grenade
A 68
81
N 88
Viaur
Lac de Villefranche-de-Panat
Comberoumal
Millau
Tarn
Roquefort-sur-Soulzon
D 999
N 112
TOULOUSE
N 124
32
31
Lavaur
Agout
Magrin
Pays du Pastel
N 126
Montgey
St-Julia
St-Félix-Lauragais
Lauragais
Montmaur
Seuil de Naurouze
Port-Lauragais
Castelnaudary
Canal du
A 61
Garonne
Ariège
N 20
N 117
D 627
ST-GAUDENS
Fanjeaux
Pamiers
D 119
11
Castres
Sidobre
D 621
Revel
Bassin de St-Ferréol
Mazamet
D 118
Montagne Noire
Lastours
CARCASSONNE
Cabrespine
Pic de Nore
Thoré
la Devèze
St-Pons-de-Thomières
Minerve
Centeilles
Oppidum d'Ensérune
Midi
Aude
Lézignan-Corbières
Narbonne
Narbonne-Plage
Lac de Lauzas
Monts de l'Espinouse
Col de l'Ourtigas
Mont Caroux
Lamalou-les-Bains
Olargues
D 908
Gorges d'Héric
Orb
N 112
Fontcaude
Béziers
St-Michel-de-Mourcairol
Cirque de Mourèze
Lac du Salagou
34
Pézenas
N 9
Lac d'Avène
D 35
Lodève
GRANDS CAUSSES
Pas de l'Escalette
A 75
le Caylar
la Couvertoirade
Alzon
le Rozier
MONT AIGOUAL
CHAOS DE MONTPELLIER-LE-VIEUX
MASSIF DE L'AIGOUAL
CIRQUE DE NAVACELLES
D 814
Gorges de la Vis
Vallée de la Vis
CORNICHE DES CEVENNES
St-Jean-du-Gard
Trabuc
Alès
le Mas-Soubeyran
Col de l'Asclier
Bambouseraie de Prafrance
Anduze
30
Ganges
LES DEMOISELLES
Vallée de l'Hérault
NÎMES
Pic St-Loup
St-Guilhem-le-Désert
Clamouse
Parc zoologique de Lunaret
Gignac
N 109
N 110
A 9
Castries
la Mogère
MONTPELLIER
Hérault
Valmagne
Loupian
Maguelone
LA GRANDE-MOTTE
Carnon-Plage
Palavas-les-Flots
Frontignan
Balaruc-les-Bains
Mont-St-Clair
Sète
Bassin de Thau
Agde
LE CAP D'AGDE
Valras-Plage

LE CAP D'AGDE
CARCASSONNE ★★★
★ Narbonne
lez-Ensérune
Fonseranes
Midi
du
Aude
Montagne de la Clape
Prouille
Fanjeaux
D 6
Pamiers
D 119
D 623
Mirepoix
D 118
A 61
D 3
Lagrasse
D 613
★★ Fontfroide
Réserve africaine ★
Sigean
Port-la-Nouvelle
★★ Plateau de Lacamp
Durfort
Limoux
D 627
D 628
ST-GAUDENS
D 117
St-Girons
D 17
Foix ★
7
Haute Vallée de l'Aude ★★
Termes
D 613
★★★ PEYREPERTUSE
Aguilar
Tuchan
Pas de l'Escale
A 9
Plages
Route Verte ★★
D 618
Massat
Tarascon-sur-Ariège
★ Montségur
Plateau de Sault ★
Quillan
★★ Gges de Galamus
★ Quéribus
★★ Tautavel
Salses ★★
Port-Leucate
MER
du
R^te du Port de Lers
D 8
N 20
D 613
Puilaurens
Caudiès-de-Fenouillèdes
St-Paul-de-Fenouillet
D 117
Rivesaltes
PERPIGNAN ★★
MÉDITERRANÉE
Haute Vallée de l'Ariège ★
Ax-les-Thermes
D 118
Têt
Toulouges
Mas-Palégry
Canet-Plage
Roussillon
Prades
Thuir
D 612
★★ Elne
D 81
Argelès-Plage
ANDORRA ★★
l'Hospitalet
★ Vernet-les-Bains
Aspres ★
8
Tech
Collioure ★★
la Cortinada
N 2
Font-Romeu
N 116
Andorra la Vella
CERDAGNE ★
D 618
Conflent
Arles
D 115
le Boulou
N 114
Côte Vermeille ★★
Cerbère
Llivia
★ Mont-Louis
★★★ CANIGOU
Amélie-les-Bs Palalda
Pic des 3 Termes ★★
★ Prats-de-Mollo
Vallespir ★
N 260
C 1313
N 152
C 151
A 7
ESPAÑA
C 1411
Figueres/Figueras
LLEIDA / LÉRIDA
BARCELONA
BARCELONA
BARCELONA

Woordenlijst

Abîme Kloof, afgrond
Aven Karstput
Bambouseraie Bamboebos
Bassin Bekken, stroomgebied
Cap Kaap
Cascade Waterval
Causse Kalksteenplateau
Chaos Rotsmassa
Château, Chau Kasteel
Cirque Keteldal
Col Pas
Corniche Weg boven een steile helling, overhangende rotswand
Côte Kust
Défilé Nauwe doorgang tussen bergrotsen
Étang Vijver, bergmeer
Forêt Bos
Gorges, Gges Kloven
Gouffre Kloof
Grotte Grot
Haute, Hte Boven
Lac Meer
Mas Herenboerderij
Massif Massief, bergmassief
Mont, Mt Berg
Montagne Berg
Musée Museum
Parc Park
Pays Streek, land
Pic Bergtop
Plage Strand
Plateau, Plau Hoogvlakte, plateau
Port Haven
Puy Top, gevormd door een vulkaankegel
Ravin Ravijn
Rivière souterraine Ondergrondse rivier
Route, Rte Route, weg
Site Archeologische vindplaats
Sommet Top
Terrasses Terrassen
Tour Toren
Vallée, Vée Vallei, dal
Viaduc Viaduct

1 De Rouergue en de Aubrac : 600 km (4 dagen)

2 De Cevennen en de Gorges du Tarn : 550 km (4 dagen)

3 De Cevennen en de Causse du Larzac : 400 km (4 dagen)

4 De Bas Languedoc : 400 km (4 dagen)

5 De Monts de l'Espinouse en de Montagne Noire : 500 km (3 dagen)

6 De streek rond Albi - Toulouse en Montauban : 450 km (3 dagen)

7 De Corbières - Foix - Carcassonne : 800 km (7 dagen)

8 Perpignan - de Roussillon - Andorra - de Ariège : 900 km (7 dagen)

Verblijfplaatsen

In het hoofdstuk "Praktische inlichtingen" achter in de gids staan gegevens die nuttig zijn voor het kiezen van een verblijfplaats

Mur-de-Barrez
Ste-Geneviève-sur-Argence
la Chaldette
Laguiole
Nasbinals
St-Chély-d'Apcher
le Malzieu
St-Alban-s-Limagnole
Aumont-Aubrac
Langogne
Châteauneuf-de-Randon
St-chély-d'Aubrac
Aubrac
Brameloup
Estaing
Espalion
Marvejols
MENDE
Bagnols-les-Bains
le Bleymard-Mont-Lozère
VILLEFORT
Ste-Eulalie d'Olt
St-Geniez d'Olt
Chanac
la Canourgue
STE-ÉNIMIE
Ispagnac
le Mas de la Barque
Génolhac
la Malène
FLORAC
Lac de Pont-de-Salars
Sévérac-le-Château
les Vignes
Pont-de-Salars
Parc national des Cévennes
St-Étienne-Vallée-Française
Lac de Pareloup
le Rozier
MEYRUEIS
Salles-Curan
Rivière-sur-Tarn
Prat-Peyrot
Mislet
ALÈS
MILLAU
L'Espérou
Valleraugue
St-Jean-du-Gard
Lac de Villefranche-de-Panat
St-Jean-du-Bruel
Nant
Lasalle
Anduze
Parc régional des Grands Causses
le Vigan
St-Sernin-sur-Rance
St-Bauzille-de-Putois
NÎMES
Belmont-sur-Rance
Sommières
Lac d'Avène
les Bains-d'Avène
Lacaune
Aniane
Lac de Lauzas
Lac du Salagou
Gignac
la Salvetat-sur-Agout
régional
Clermont-l'Hérault
MONTPELLIER
LA GRANDE-MOTTE
Fraisse-sur-Agout
Lac de la Raviège
LAMALOU-LES-BAINS
Carnon-Plage
Olargues
Haut Languedoc
Roquebrun
PAVALAS-LES-FLOTS
Pézenas
Bouzigues
BALARUC-LES-BAINS
Labastide-Rouairoux
Cessenon-sur-Orb
Mèze
Frontignan-Plage
Bassin de Thau
BÉZIERS
SÈTE
Marseillan-Plage
Vias-Plage
Port-Ambonne
Portiragnes-Plage
Vendres
LE CAP D'AGDE
Sérignan-Plage
NARBONNE
Valras-Plage
St-Pierre-s-Mer
Fabrezan
Narbonne-Plage
Gruissan
Port-la-Nouvelle
la Franqui
Port-Leucate
Port-Barcarès
PERPIGNAN
CANET-EN-ROUSSILLON
Canet-Plage
St-Cyprien-Plage
Argelès-Plage
le Boulou
Port-Vendres
COLLIOURE
Banyuls-sur-Mer
Cerbère
AMÉLIE-LES-BAINS-PALALDA
Truyère
Allier
Loire
Lot
Tarn
Gard
Hérault
Orb
Midi
Aude
Agly
Têt
Tech
D 921
A 75
N 88
N 102
D 104
D 920
N 106
D 907B
N 9
D 904
D 992
A 9
N 110
N 109
D 13
N 112
D 117
N 116
D 81
N 114
D 115
A 7
Wintersportplaats
Kuuroord
Badplaats
De categorie waarin deze plaatsen zijn ondergebracht, is afhankelijk van de beschikbare voorzieningen:
voor de wintersportplaatsen
voor de kuuroorden
voor de badplaatsen
Andere verblijfplaats
Weekendbestemming
Stad voor een etappe
Jachthaven
0
20 km

DE JAARGETIJDEN

Wie zich vooral interesseert voor de kunststeden, de abdijen en het culturele erfgoed van de beschreven streken, kan zijn reis in een willekeurig seizoen organiseren.
Het klimaat wordt, met name in de hoger gelegen gebieden, gekenmerkt door grote tegenstellingen, wat uiteraard een sterke invloed heeft op het landschap.

Voorjaar - Dit is de beste periode om te genieten van de voorjaarsbloemen in de bergen en de bloeiende fruitbomen in de Roussillon. Voor een tocht in de Causses is het voorjaar (en ook de zomer) de beste tijd omdat men er dan niet met extreme temperaturen wordt geconfronteerd (behalve onder in de kloven); ook liefhebbers van trektochten, van kano en kajak, van speleologie en van klimmen kunnen het beste hun plannen maken voor het voorjaarsseizoen.

Zomer - De zomer brengt vaak droogte met zich mee, vooral in de kuststreken. Tochten in de Pyreneeën, een verblijf in een van de badplaatsen en pleziervaart op de rivieren horen tot de activiteiten die geschikt zijn voor dit seizoen. Wie echt niet van de warmte houdt, kan frisse lucht vinden in de hogere gebieden ofwel in een van de vele grotten.

Herfst - Aan de Middellandse-Zeekust is het in de herfst nog zacht weer en dit is een goed moment om een tocht te maken door de Corbières en de daar in de buurt gelegen kastelen van de katharen te gaan bekijken. Voor de oostelijke streken breekt met de herfst een regentijd aan, maar het is ook het seizoen van de druivenoogst en de kleuren in de Cevennen en de Montagne Noire zijn prachtig.

Winter - Zowel de wintersportplaatsen van Andorra als de Capcir en de Cerdagne zijn geschikt voor alle vormen van skisport. Langlaufers kunnen hun hart ook ophalen in de Aubrac, de Mont Lozère en het Massif de l'Aigoual.

Inleiding tot de reis

Ille-sur-Têt en de Canigou.

J.-D. Sudres/SCOPE

Streken en landschappen

De streken die in deze gids worden beschreven, zijn rijk aan natuurgebieden van uitzonderlijke schoonheid. In het noorden strekken zich de ronde toppen van de Auvergne uit tot in de **Aubrac**, met zijn verlaten groene vlakten en uitgestrekte weidegronden; op dagen dat er veemarkt is in Laissac en Nasbinals heerst daar echter grote bedrijvigheid. 's Winters worden de verlaten besneeuwde landschappen alleen bezocht door langlaufers. Verder naar het oosten op de heuvelachtige plateaus van de **Margeride**, worden weilanden afgewisseld door bossen, die een bron van inkomsten voor de plaatselijke bevolking betekenen. Als men in de richting van de rivier de Lot afdaalt, openbaart zich een totaal ander en zeer bijzonder landschap. Tussen uitgestrekte kalksteenplateaus met steile wanden, liggen diep uitgesleten dalen. Deze droge vlakten, die bezaaid zijn met stenen en in het algemeen een schrale en onvruchtbare bodem hebben, worden de **Causses** genoemd. De schilderachtige gorges, waar in de diepte een riviertje stroomt dat snel in een kolkende watermassa kan veranderen, heten hier cañons. Ten oosten van dit uitzonderlijke gebied verrijzen de **Cevennen**, een onherbergzaam gebied van grillige bergketens met kronkelige uitlopers. Eeuwenlang is dit gebied nauwelijks toegankelijk geweest en tegenwoordig is het er nog steeds vrij stil, waardoor er nog veel te ontdekken valt, een genoegen dat steeds zeldzamer wordt.

Ten westen van de Grands Causses strekken zich de **Ségalas** uit, heuvels en groene dalen.

De overgang tussen de Causses en de Cevennen en de vlakte van de **Bas Languedoc** met haar wijngaarden wordt gevormd door de kalkhoudende heuvels van de **Garrigues**. In dit zonovergoten landschap, dat sterk mediterraan aandoet, groeien tussen de rotsblokken hier en daar steeneiken en kruiden; olijfbomen, moerbeibomen en wijnstokken leveren de belangrijkste bronnen van bestaan aan de plaatselijke bevolking. De vlakten en aangrenzende hellingen tussen de Garrigues en de kaarsrechte kuststrook met vele binnenmeren, zijn overal bedekt met wijngaarden. Dit landschap komt in de zomer tot leven door stromen vakantiegangers die de **kust van de Languedoc** komen opzoeken en in het najaar zorgt de bedrijvigheid rond de druivenoogst voor veel levendigheid.

Verder naar het zuiden vormen de **Pyreneeën** een natuurlijke grens tussen Frankrijk en Spanje. Aan de Franse kant is het gebergte niet erg breed maar wel zeer steil; het wordt doorsneden door dalen die door hoge wanden van elkaar gescheiden zijn en die een verbinding vormen met de kuststreek en de vlakten. Vanaf de Montcalm (3 078 m) via de Pic Neulos (1 256 m) in de Albères wordt het gebergte steeds lager en loopt tenslotte uit in zee. Deze bergketen is ontstaan tegen het einde van het Mesozoïcum en in de loop van het Tertiair. Vervolgens sleet het gebergte door erosie af, waardoor sedimentlagen uit het primaire tijdperk weer aan de oppervlakte kwamen en zelfs in het midden de kristalstructuur bloot kwam te liggen.

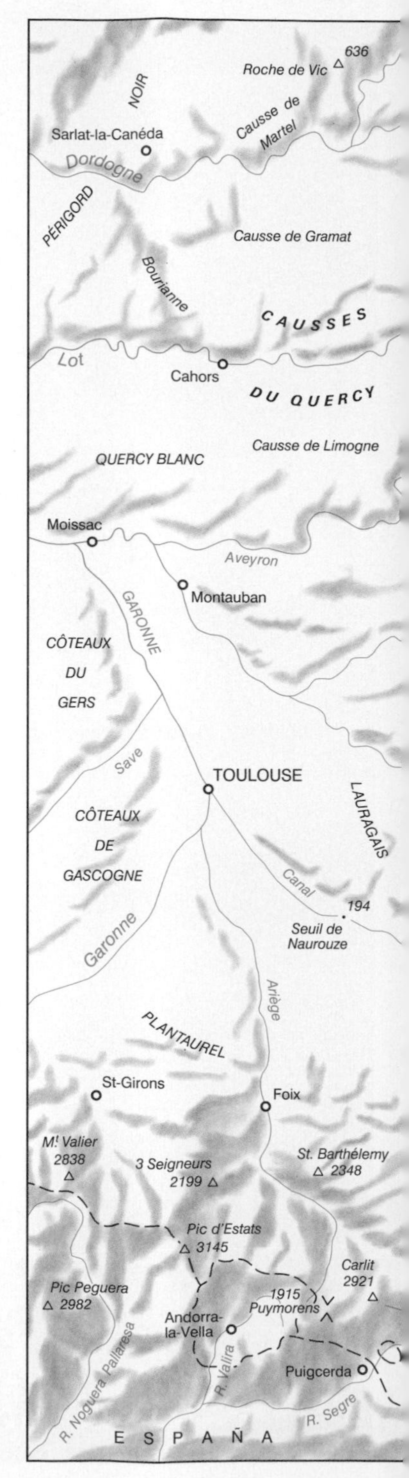

CAUSSES, CEVENNEN EN TARN

De Causses

De Causses, grote kalkhoudende plateaus net diep uitgesleten cañons ten zuiden van het Centraal Massief, vormen een van de meest wonderlijke streken van Frankrijk.
In het oosten wordt het gebied begrensd door de Cevennen, in het noorden door de vallei van de Lot en in het zuiden gaat het over in de vlakten van de Hérault

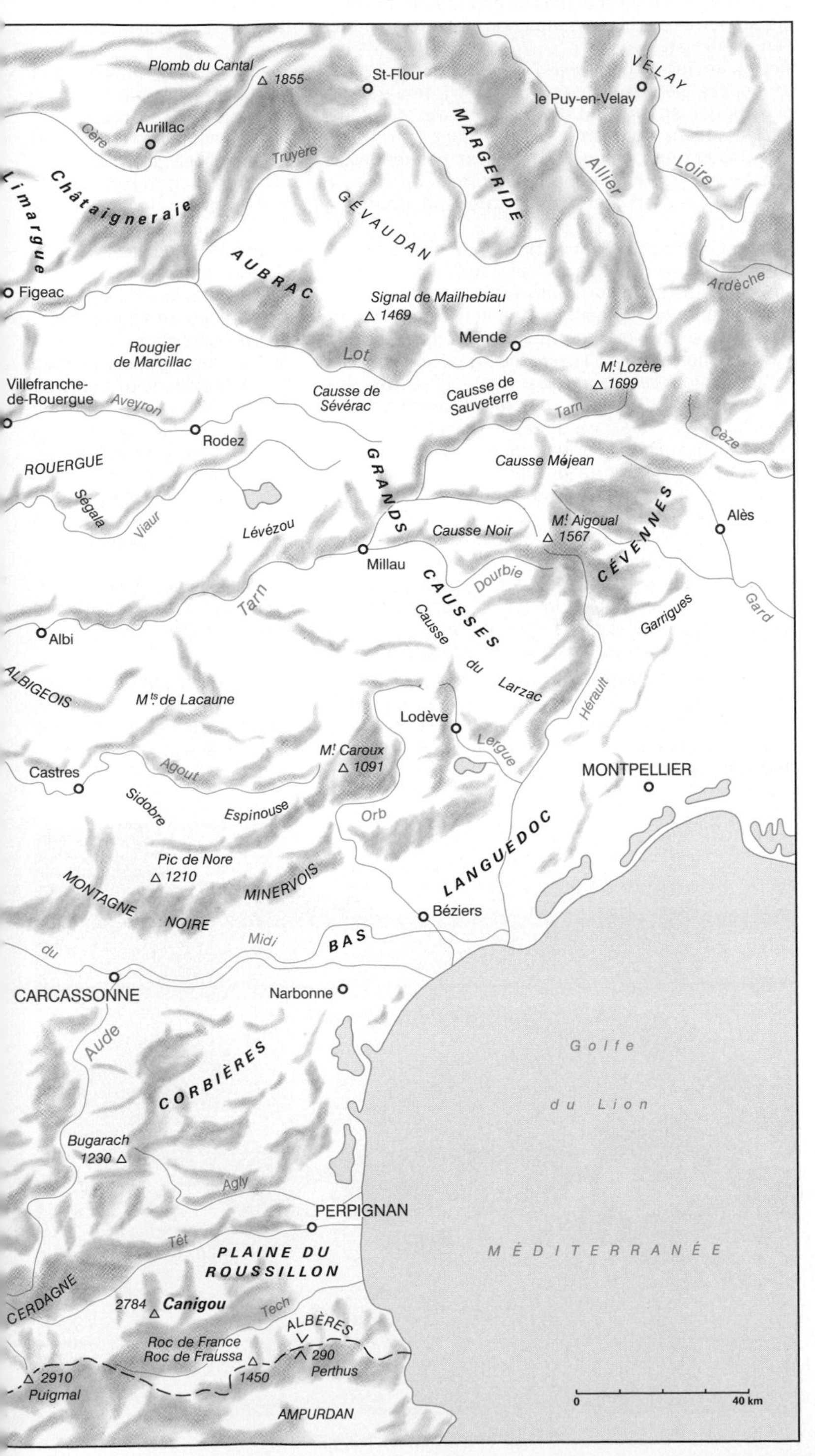

en de Bas Languedoc; in het westen sluit het gebied aan op de plateaus van de Lévézou en de Ségalas en vervolgens op de Causses du Quercy, die de oostelijke grens vormen van het Bassin d'Aquitaine.

Het landschap - Het verlaten en met stenen bezaaide landschap van de Causses strekt zich tot in het grijze oneindige uit en steekt scherp af tegen de diepe en vruchtbare dalen. De uitgestrekte plateaus, die afgezien van een enkel heuveltje of een kleine verzakking nagenoeg vlak zijn en waar geen water te vinden is, maken een grootse en onherbergzame indruk.
Door de kalkstenen bodem is de grond zeer droog, want deze zuigt al het regenwater als een spons op. In tegenstelling tot de dorre oppervlakte, speelt er zich onderaards van allerlei af.
Deze plateaus op ongeveer 1 000 m hoogte hebben een uitgesproken klimaat, met droge, zeer hete zomers en strenge winters met dikke pakken sneeuw die maanden blijft liggen en de wind die gierend over de onafzienbare kale vlakten raast.
In het westen staan langs de overhangende rotswanden - naast nieuwe aanplant van Oostenrijkse dennen - nog wat beukenbosjes, zomereiken en grove dennen, een bewijs dat er oorspronkelijk hier en daar wel bossen zijn geweest, die in de middeleeuwen sterk zijn uitgedund doordat men er grote kudden schapen liet grazen.
Aan de oostkant bloeien er tussen de overige begroeiing distels en bosjes lavendel, die lichtblauwe vlekken in het landschap vormen. Ook zijn er jeneverbessen te vinden, soms in de vorm van flinke struiken, dan weer als smalle bomen van zo'n tien meter hoog. Zij hebben veel licht nodig, maar zijn goed tegen de kou bestand. Het groen is stekelig en de vruchten lijken op blauw-zwarte kegeltjes.
Van oudsher zijn de Causses het gebied van schapen omdat deze genoeg hebben aan de schrale begroeiing. Eeuwenlang werden de schapen gehouden voor hun wol, die de grondstof vormde voor de textielnijverheid (o.a. keperstof) in de steden en voor hun mest waarmee de arme grond enigszins kon worden verrijkt. Nu worden ze vooral gehouden voor hun melk - er zijn ongeveer 500 000 ooien in het "rayon" van Roquefort - die in de beroemde caves tot kaas wordt verwerkt en zo een belangrijke bron van inkomsten vertegenwoordigt. In Millau, de hoofdstad van de Causses die op de plaats ligt waar Tarn en Dourbie samenvloeien, worden lamsvellen bewerkt. De "Bleu de Causses", kaas bereid uit koeienmelk, wordt in de omgeving van Millau gemaakt.
Aan het kalksteenreliëf (dat door geografen ook wel karstreliëf wordt genoemd, naar de **Karst**, een gebied in het noorden van Slovenië) zijn veel woorden ontleend die specifiek zijn voor de streek *(lavognes, cloups, sotchs, avens; zie ook het hoofdstuk Grotten en karstpijpen verderop).*

Drinkplaatsen of lavognes - Met het woord lavogne wordt in het gebied van de Causses een aangelegde drinkplaats voor het vee aangeduid.
De bodem van zo'n drinkplaats bestaat uit een laag klei of uit stenen en is daardoor ondoordringbaar. In de omgeving van Roquefort bevindt zich een groot aantal lavognes (ook wel lavagnes genaamd).

Delon/PIX

Een drinkplaats of lavogne.

Ruïnevormige rotsen in Roquesaltes.

Ruïnevormige rotsen - In de uitgestrekte terreininzinkingen en op enkele steile rotswanden is soms een wonderlijk landschap te zien van stenen die fantastische vormen hebben aangenomen. Deze rotsformaties hebben hun naam te danken aan hun afmetingen en de manier waarop zij verticaal in het landschap verrijzen, zodat zij doen denken aan steden waarvan de straten, de monumentale poorten, de vestingmuren en de torens zouden zijn ingestort.
Dit grappige natuurverschijnsel heeft zijn ontstaan te danken aan een steensoort die **dolomie** wordt genoemd (naar de ontdekker, de geograaf Dolomieu), en die als bijzonderheid heeft dat zij bestaat uit het oplosbare calciumcarbonaat en het veel minder oplosbare magnesiumcarbonaat. Door chemische erosie op de plaatsen waar het water langs kan sijpelen, zijn hier en daar deze "ruïnes" uitgesleten die vaak wel tien meter hoog en van boven rond zijn; deze pilaren, bogen, torens, dierenfiguren en andere schilderachtige steile rotsen spraken sterk tot de verbeelding van het volk, dat ze de naam ruïnes heeft gegeven.
Op de kleihoudende residu's die de erosie achterlaat, kan een vegetatie groeien die nog bijdraagt aan de schoonheid van het natuurverschijnsel.
Bijzonder interessant zijn de prachtige "ruïneformaties" van Montpellier-le-Vieux, Nîmes-le-Vieux, Mourèze, Arcs de St-Pierre, Roquesaltes en Le Rajol.

De cañons - Dit woord, afkomstig van het Spaanse cañon, wordt gebruikt om een zeer diep, dwars door dikke lagen kalksteen uitgesleten dal aan te duiden. De Gorges du Tarn tussen Les Vignes en Le Rosier, de Gorges de la Jonte en die van La Dourbie zijn prachtige voorbeelden van cañons. Na een bocht in de weg lijkt het of de grond plotseling wegzinkt; het weidse uitzicht over de Causses maakt dan plaats voor een duizelingwekkend landschap van steile rotswanden. Soms is een cañon wel 500 m diep en lijkt het of er een stuk in de plateaus is uitgezaagd. Boven de rotswanden verrijzen nog grillig gevormde rotspunten van soms wel 100 m hoog, in alle kleurschakeringen tussen rood en zwart.
Aan de talloze grotten (of baumes, naar het plaatselijke woord "balma" dat al vóór de komst van de Romeinen werd gebruikt) die in de wanden van de cañons te vinden zijn, hebben veel plaatsen en gehuchten hun naam ontleend: Cirque de Baumes, Les Baumes-Hautes in de Gorges du Tarn, La Baume-Auriol op de Causse du Larzac, St-Jean-de-Balmes op de Causse Noir, enz.

De Lévézou en de Ségalas

Tussen de Grands Causses en de Causses du Quercy liggen het gebied Le Lévézou en een aantal plateaus die bekendstaan onder de naam Les Ségalas, omdat hier heel lang rogge (seigle in het Frans) werd verbouwd.

De Lévézou - Dit is een klein massief van kristallijn gesteente. Het is een onherbergzaam en dunbevolkt gebied tussen Millau en Rodez. Het hoogste punt is de Puech del Pal op 1 155 m. Op de heidevelden grazen hier en daar kudden schapen.
Aangezien het een eind van de grote spoorlijnen af ligt, heeft Le Lévézou geen nieuwe impulsen gekregen zoals de Ségalas. Misschien dat er wat nieuwe bedrijvigheid ontstaat nu de rivieren gebruikt worden om waterkracht op te wekken, en ook het toerisme gestimuleerd wordt (Lacs de Pont-de-Salars, du Bage, de Pareloup, de Villefranche-de-Panat).

De Ségalas - Pas in de 19de eeuw begonnen de Ségalas, die altijd arm waren in tegenstelling tot Le Fromental (het land waar tarwe [froment] werd verbouwd in de Aquitaine), tot bloei te komen. In die tijd kwam men op het idee gebruik te maken van de steenkool die in het nabije Bassin de Carmaux werd gevonden en van de kalksteen uit de Aquitaine om kalk te maken. Met de aanleg van spoorwegen (Carmaux-Rodez, Capdenac-Rodez) werd het mogelijk meststoffen, waar veel vraag naar was, te vervoeren. De heidevelden en de roggeakkers maakten plaats voor de verbouw van klaver, tarwe, maïs en gerst. De veeteelt kwam ook tot ontwikkeling: in het westen vooral runderen en varkens, en in het oosten en zuidoosten, de streek van Roquefort, voornamelijk schapen. Tegenwoordig zien de Ségalas er vruchtbaar uit met bosjes en weilanden omzoomd door meidoornheggen. In het licht golvende landschap staat hier en daar een kapel op een heuvel (puech). Wie in de Ségalas wandelt, komt - vooral in de omgeving van Camarès en Marcillac - door gebieden waar de aarde rood van kleur is door een hoog gehalte aan ijzeroxyde. Omdat dit bijzonder vruchtbare grond is, vindt men hier veel fruitteelt.
Rodez is de grootste stad in de Ségalas; Villefranche-de-Rouergue ligt op de grens van de Ségalas en de Causses du Quercy.

H. van Ingen/EXPLORER

Feestelijke tocht naar de zomerweiden van de Aubrac.

De Aubrac en de Margeride

De Aubrac - De Monts de l'Aubrac strekken zich uit van het noordwesten naar het zuidoosten, tussen de dalen van de Truyère en de Lot. Zij zijn ontstaan uit enorme stromen basaltgesteente van enkele honderden meters dik, die op een ondergrond van graniet rusten. Het asymmetrische gebergte loopt in het noordoosten geleidelijk af naar de Truyère en komt niet hoger dan ongeveer 1 000 m; de zuidwestkant heeft een steile wand doorsneden met ravijnen.
Boven de 850 m is de Aubrac één groot weideland, maar toch heeft het gebied een zeer gevarieerde flora: in het voorjaar bloeien er verschillende soorten narcissen in overvloed. Het westelijke deel wordt doorsneden door beukenbossen, heidegronden en enkele meertjes. De bodem is arm en er is dan ook weinig landbouw. Dit is een van de gebieden in Frankrijk met de laagste bevolkingsdichtheid: 14 inwoners per km², tegen een landelijk gemiddelde van 96 per km². De strenge winters duren lang en ieder jaar verdwijnt het plateau enige maanden onder de sneeuw.
Veeteelt is de belangrijkste bron van inkomsten in dit gebied. Vroeger kwamen grote kudden schapen uit de Bas Languedoc 's zomers naar de Aubrac toe; nu zijn er uitsluitend runderen op de graslanden te vinden. Van oudsher gaan de koeien, die overwinterd hebben aan de voet van de Aubrac, in mei weer naar boven. Pas tegen half oktober keren zij naar de stallen terug. In enkele burons (hutten) wordt door kaasboeren (cantalès) nog de Fourme de Laguiole gemaakt. De veemarkten in Laissac en Nasbinals zijn vooral belangrijk in het voor- en najaar en vormen dan een kleurig schouwspel. Wie door dit massief rijdt, moet op de drailles letten; dat zijn paden, soms met stapelmuurtjes erlangs, waar de kudden schapen langs lopen als ze van de winterstal naar de zomerweide (en omgekeerd) trekken.

De Margeride - De Margeride, een granietmassief dat parallel loopt aan de vulkanische bergen van de Velay in het noorden, strekt zich uit tussen de Allier in het oosten en de hoge vulkanische plateaus van de Aubrac in het westen. De Signal du Randon steekt met zijn 1 551 m boven de andere bergtoppen uit.

Het hoogste gedeelte, de **"Montagne"**, ligt op gemiddeld 1 400 m. Het is een landschap van licht heuvelachtige plateaus met uitgestrekte en eentonige weidevelden, onderbroken door dennen-, sparren- en berkenbossen. Ten noorden van Mende liggen plateaus (Palais du Roi, La Boulaine) waar overal granietrotsen uitsteken, die door erosie zijn veranderd in zuilenrijen, obelisken en ronde blokken die vaak in wankel evenwicht op elkaar liggen.
Onder de "Montagne" strekken zich de sterk golvende **"Plaines"** uit met hun talrijke rotspieken. Hier is het land al wat dichter bevolkt; de mensen wonen in grote boerderijen die afgelegen of in gehuchten bij elkaar liggen. De belangrijkste bestaansmiddelen in de Margeride zijn hout, vee en ook wel uranium. Ten westen van de keten strekt zich de **Gévaudan** uit, een lager plateau (1 000 tot 1 200 m). Het is een soort corridor waar de Aubrac bovenuit steekt.

"La bête du Gévaudan"

De Cevennen

Ten zuidoosten van het Centraal Massief vormen de Cevennen, waar de bodem uit leisteen en graniet bestaat, geen bergketen in de strikte zin des woords. Van de Tanargue tot de Aigoual vormen de toppen een aaneenschakeling van nauwelijks golvende plateaus die er vrij troosteloos uitzien en bedekt zijn met veen: dit is wat genoemd wordt het "gazon" van de Aigoual of het "plat" van de Mont Lozère. Er is een duidelijk contrast tussen de mediterrane flank, die erg steil afloopt, en de Atlantische zijde die wat glooiender is, aan weerskanten van de waterscheiding die via het meest oostelijke punt van de Mont Lozère loopt, over de Col de Jalcreste (op de N 106, ten oosten van Florac) en de Col du Minier.

De bergkammen – De toppen zijn niet erg hoog. De Mont Lozère, met zijn lange, ronde graniettoppen, bereikt een hoogte van 1 699 m. De Mont Aigoual, vanwaar zich bij helder weer een schitterend panorama ontvouwt, is niet hoger dan 1 567 m. De bergkammen zijn bedekt met vrij schrale weiden, die alleen geschikt zijn voor schapen. Her en der verspreid liggen wat gehuchten waar de schapenhouders wonen. De uit granietblokken opgetrokken huizen zijn er erg laag gehouden, zodat de wind er minder vat op heeft. Iets lager verschijnen de steeneik, heide, het kastanjebos en kleine dorpen.

De bovendalen – De talloze rivieren volgen diepe ravijnen met steile, maar niet verticale wanden. Deze wanden zijn grillig gevormd door erosie; het rotsgesteente is niet te vergelijken met het kalksteen op de causses omdat in dit gebied graniet en leisteen het beeld bepalen en de bodem hier geen water doorlaat.
Enkele van deze ravijnen, met hun onstuimige rivieren die rijk zijn aan forel, en met hun met gras begroeide hellingen waar hier en daar appelbomen staan, hebben iets weg van een alpenlandschap.

Laporte/IMAGES PHOTOTHÈQUE

Landschap in de Cevennen.

De benedendalen – Deze lopen alle naar het zuiden en vormen de overgang tussen de Cevennen en het mediterrane gebied. De zon is er al krachtig; behalve de groene weiden ziet men er dan ook op de beschutte hellingen terrascultuur: wijnstokken, olijfbomen en moerbeibomen. In het hele gebied wordt lavendel gedistilleerd. Als herinnering aan de intensieve zijderupsteelt ziet men er talloze, voormalige zijderupskwekerijen, grote bouwsels die van buiten gemakkelijk te herkennen zijn aan de smalle ramen.

In het land van de Cevennen – De bevolking neemt in de bovendalen steeds meer in aantal af en leeft er slechts van wat karige gewassen. Langs de oevers van de beekjes wisselen de weidevelden met appelbomen en de akkers elkaar af. Maar de tamme kastanje is hier heer en meester; vrijwel alle hellingen zijn ermee bedekt en deze boomsoort laat zo slechts weinig ruimte over voor hoog opgroeiende wijnstokken, moestuinen en fruitbomen, die men vooral beneden in de dalen en rond bronnen ziet.
In sommige dorpen aan de rand van de Mont Lozère en op de Margeride hebben de schapenhouders besloten samen te werken. De schapen vormen nu één gemeenschappelijke kudde, die door één enkele herder overdag naar boven wordt gebracht. 's Avonds komen de beesten weer naar beneden, waar zij in omheinde ruimten overnachten om er de bodem te bemesten.

Bij de kaart van de reisroutes voor in de gids staat een lijst van Franse en Nederlandse aardrijkskundige termen die vaak op de kaarten en in de teksten voorkomen: Abîme (kloof, afgrond), Forêt (bos), Pic (bergtop), enz.

DE BAS LANGUEDOC EN HET DAL VAN DE GARONNE

De Bas Languedoc

De Languedoc strekt zich uit van de Rhône tot aan de Garonne, met Toulouse als hoofdstad van de Bas Languedoc en Montpellier als hoofdstad van de Haut Languedoc of Mediterrane Languedoc. De Bas Languedoc omvat een strook van ongeveer veertig kilometer breed langs de Middellandse Zee.

De Garrigues – Dit is een gebied van kalkhoudende plateaus en kleine bergketens, waar de Hérault, de Vidourle en de Gard doorheen stromen. De Pic St-Loup en de Montagne d'Hortus vormen de weinige oneffenheden in deze uitgestrekte vlakten. Net als de Causses zijn de Garrigues (uit het Occitaans garric, hetgeen kermeseik betekent) in het Mesozoïcum ontstaan door afzetting van zeeslib; zij hebben een schaarse maar geurige vegetatie die bestaat uit groepjes dwergkermeseiken, bosjes tijm en lavendel, zonneroosjes en weidegronden waarvan het gras door de droogte bruin is geworden.
In het voorjaar is dit droge land, dat ook een geliefd jachtgebied is, bezaaid met kleurige bloemen. De Garrigues worden voornamelijk door schapen bevolkt.

De vlakte – Ten zuiden van de Garrigues liggen langs de zee, tussen de talrijke binnenmeren, zanderige vlakten bedekt met wijngaarden. Er zijn slechts enkele kalksteenheuvels, zoals de Montagne de la Gardiole bij Montpellier, de Mont St-Clair bij Sète, de Montagne de la Clape bij Narbonne en de Montagne d'Agde (Pic St-Loup), een verlengstuk van de vulkanische massa van de Escandorgue.
De wijngaarden van de Languedoc produceerden jarenlang tafelwijnen; door grondige studie van de bodemgesteldheid en het klimaat alsmede door weloverwogen kruisingen van druivenrassen beginnen zij nu echter weer naam te maken.

De kust – In de kuststrook van dit gebied zijn talrijke binnenmeren te vinden. De **barres** of **lidos** die tussen deze meren en de zee liggen, zijn door de inwerking van golven en stromingen ontstaan. Doordat de Rhône grind en zand met zich meevoert en naar de kust van de Languedoc brengt, is tenslotte een zandbank ontstaan voor de ingang van de baai. Door deze barre veranderde iedere baai in een ondiepe lagune die afgesloten raakte van de open zee. De bank groeide gestaag en stak tenslotte boven water uit. Zo ontstonden binnenmeren met brak water, waarin paling, harder, zeebaars, zeebrasem en een aantal soorten schelpdieren goed gedijen. De rivieren de Aude en de Orb hebben zulke binnenmeren niet doen ontstaan; zij hebben ook geen delta kunnen vormen, doordat de stroming voor de kust het slib voortdurend weer wegspoelde.
Door verzanding kwamen oude havens zoals Maguelone en Agde steeds verder landinwaarts te liggen. Alleen het Bassin de Thau, een echte binnenzee, is geschikt voor de scheepvaart; de oester- en mosselcultuur is er tamelijk belangrijk geworden. Twee vissershaventjes, Marseillan en Mèze, kunnen nu ook door pleziervaartuigen worden aangedaan.
Sète, dat in de 17de eeuw gesticht werd, is voortdurend gegroeid, maar alleen door een niet aflatende strijd tegen verzanding, kon het de tweede Middellandse-Zeehaven blijven.

Carcanague/IMAGES PHOTOTHÈQUE

Oesterpark in het Bassin de Thau.

Het dal van de Garonne

De Garonne, een rivier met frequente hoogwaterstanden, vormt met haar zijrivieren een breed dal dat de Aquitaine met de Languedoc verbindt.
Aan weerszijden zijn heuvels gevormd in de dikke onderlaag van **molasse**, die kenmerkend is voor de streek rond Toulouse. De molasse is ontstaan uit lagen puin uit de Pyreneeën, dat in het midden van het Tertiair is losgerukt - zand, mergel, klei en kalk, materialen die weinig weerstand bieden - een zacht geheel waarin zich gemakkelijk een hydrografisch stelsel heeft kunnen vormen.
Het randgebied heeft een golvend reliëf: in het zuiden, aan de voet van de Pyreneeën, liggen kleine berghellingen van kiezelzand, in het noorden lopen een oud plateau en sedimentheuvels (de Tarnais) in elkaar over.
De geografische Albigeois omvat een groot deel van de plateaus ten zuidoosten van het Bassin Aquitain. Het landschap bestaat afwisselend uit molasseheuvels (geelachtig, zacht zandsteen) waartussen stukken beddingen van kalksteen en klei liggen, en kleine causses (Cordes, Blaye) of bergtoppen (puechs) waarop vaak een dorpje troont.

GROTTEN EN KARSTPIJPEN

Grotten en karstpijpen, waarvan de opening aan de oppervlakte van de causse ligt of in een plooiing van het terrein, bieden de mogelijkheid door te dringen in een wonderlijke, ondergrondse wereld waar de werking van het water een duidelijk contrast vormt met de dorre plateaus.

Waterinfiltratie - Op de kalkplateaus van de Causses blijft het regenwater niet aan de oppervlakte, maar dringt direct in de bodem door. Dit koolzuurhoudende water lost het calciumcarbonaat in het kalkgesteente op, waardoor inzinkingen in het terrein ontstaan. De kleine inzinkingen worden cloups genoemd, de grotere heten sotchs. Als het water heel diep in de grond doordringt via de talloze spleten die in de kalkstenen korst zijn ontstaan, worden door uitschuring en oplossing van het rotsgesteente natuurlijke pijpen of schachten gevormd, de zogenaamde **avens** of **igues**. Deze avens worden geleidelijk groter, gaan over in ondergrondse gangen die zich vertakken, onderling met elkaar in verbinding staan en zich verbreden tot grotten.

Ondergrondse rivieren en karstbronnen - Door de verdwijning van een waterloop in een aven op de causse en de opeenhoping van infiltratiewater op het niveau van de ondoorlatende aardlaag (mergel of klei) is een compleet stelsel van ondergrondse rivieren ontstaan, waarvan de loop zich soms over enkele kilometers uitstrekt. Deze rivieren volgen de glooiingen van de aardlagen, komen bij elkaar, schuren tenslotte gangen uit, verbreden hun bedding en storten vaak als waterval naar beneden. Wanneer de ondoorlatende aardlaag langs een heuvel of een berghelling aan de oppervlakte komt, verschijnt de stroom weer in de openlucht in de vorm van een min of meer krachtige bron: dat is wat een karstbron of résurgence wordt genoemd. Als het water zachtjes stroomt, ontstaan meertjes stroomopwaarts van natuurlijke dammen die **gours** heten. Deze worden geleidelijk gevormd door afzetting van calciumcarbonaat aan de rand van waterplassen die ermee verzadigd zijn. De zo ontstane, lage scheidingsmuurtjes bemoeilijken sommige passages. In de grot van Dargilan zijn dergelijke typische gours te zien.

Men neemt aan dat er ondergronds talloze rivieren stromen, hoewel deze moeilijk toegankelijk zijn (hetzij via de karstbron, hetzij via de aven). Enkele konden door speleologen worden gelokaliseerd: op de Causse du Larzac werd de ondergrondse rivier de Sorgues ontdekt via de **Aven du Mas Raynal**; op de Causse du Comtal, ten noorden van Rodez, werd de Salles-la-Source ontdekt, die te zien is via de **Gouffre du Tindoul de la Vayssière**. Ook de Bonheur, die in de "Alcôve" van de Bramabiau te voorschijn komt, is zo'n ondergrondse rivier.

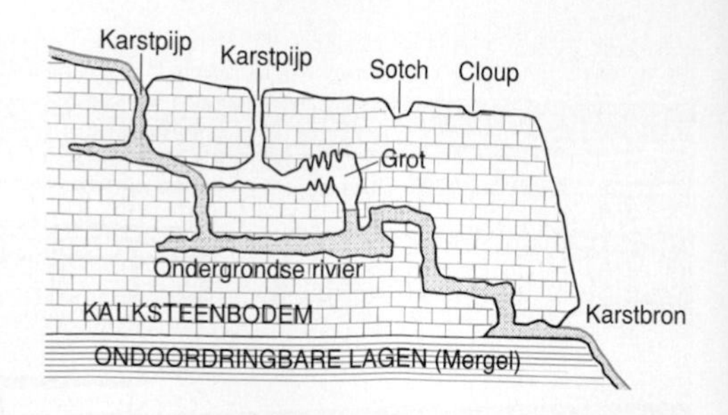

Soms wordt boven het ondergrondse water de kalkkorst verder opgelost: het gewelf brokkelt af en er ontstaat een koepel waarvan de top dicht tegen de oppervlakte ligt. Wanneer het gewelf van de koepel erg dun wordt, stort deze tenslotte in en ontstaat er een enorm gat, een zogenoemde gouffre.

Speleologie – De eerste speleologen waren vermoedelijk de mensen in het Paleolithicum (vroegere steentijd), die ongeveer 50 000 jaar geleden ingangen van grotten en rotsholen opzochten om er te wonen. Later, in het Neolithicum (latere steentijd) gebruikte de mens de grotten als begraafplaats.
In de oudheid trotseren enkele waaghalzen de gevaren van de ondergrondse wereld in de hoop er kostbare metalen te vinden. In de middeleeuwen worden de grotten echter behoedzaam vermeden, omdat men dacht dat er helse wezens huisden.
In de 18de eeuw begint men de grotten systematisch te onderzoeken. Maar pas vanaf 1890 doet de speleologie dankzij E.-A. Martel zich als wetenschap gelden. De kennis van de ondergrondse wereld is nog zeer onvolledig, want talrijke gouffres zijn nog niet door speleologen onderzocht.

Édouard-Alfred Martel (1859-1938) – De ontdekking van de Causses is onlosmakelijk met deze naam verbonden. Martel, advocaat bij de handelsrechtbank te Parijs, zocht in toeristisch en geologisch onderzoek een afleiding voor zijn werk als jurist. Als ontdekkingsreiziger en onverschrokken alpinist trekt hij door Italië, Duitsland, Oostenrijk, Engeland en Spanje, bezoekt er de beroemdste grotten en ontdekt er andere. Talloze zalen en gangen waarvan men het bestaan tot dan toe niet had vermoed, worden naar hem genoemd.
De meeste tijd en energie besteedt hij echter aan grotonderzoek in Frankrijk. Vanaf 1883 bestudeert hij systematisch de Causses, een gebied dat nog volkomen onbekend was. Een reeks ondergrondse verkenningen, die hij met gevaar voor eigen leven onderneemt, brengt honderden opmerkelijke bezienswaardigheden aan het licht, ongekende wonderen van moeder natuur...
Ook voor de Pyreneeën, de Vercors en de Dévoluy heeft hij belangstelling. Zijn gedurfde afdaling in de Grand Canyon du Verdon bereidde de weg voor een van de mooiste excursies die men kan maken.

Schoonheid en gevaren van ondergrondse rivieren – Martel was ook een geleerde. Met de geweldige rijkdom aan kennis die hij door zijn waarnemingen heeft vergaard, wijdt hij zich vol overgave aan het onderzoek naar de wetten van de erosie in kalkgronden en vestigt een nieuwe wetenschap: ondergrondse geografie of speleologie. Zijn talloze publicaties brengen hem internationale roem.
Martel was ook een groot weldoener van de Causses. Door zijn studie van de ondergrondse watercirculatie kon de Franse gezondheidszorg de besmetting van het water voorkomen, een gevaar dat in het gebied reëel aanwezig was.
Bovendien hebben zijn ontdekkingen en de bekendheid die hij daaraan heeft gegeven, het toerisme naar deze arme streek gehaald, die daarvan profijt heeft getrokken.

Reis naar het rijk der duisternis – Allereerst moet de speleoloog de wegen vinden waarlangs hij in de aarde kan doordringen. In de winter kunnen nevelsluiers, die ontstaan wanneer warme lucht uit de grotten ontsnapt, een kostbare aanwijzing vormen. De aanwezigheid van dieren die in grotten leven, zoals vleermuizen of kauwen (soort kraaien) duidt soms op de nabijheid van een grot. Andere speleologen gaan liever op zoek naar résurgences.
Zodra dit vooronderzoek is voltooid, kan de expeditie beginnen. Met een helm op die hem tegen vallende stenen beschermt en waarop hij een lamp vastmaakt, gekleed in een waterdicht pak om rivieren over te steken of zich te beschermen tegen water dat zich elk ogenblik op hem kan storten, en met laarzen aan, beweegt de speleoloog zich voorwaarts door gangen die soms zo smal zijn dat hij zich in allerlei kronkels moet wringen om erdoorheen te kunnen. Ondergelopen gangen, waardoor vaak een duikerpak gebruikt moet worden, meren waarvan de rand niet duidelijk te zien is, en door klei glibberig geworden wanden zijn de gewoonste obstakels die men tegenkomt. Daarbij komt nog het plotseling wassende water als gevolg van onweer, en de versperringen die door de gours worden gevormd.

Om een oplossing te vinden voor de vermoeidheid waarmee sommige langdurige expedities gepaard gaan, is met succes geprobeerd ondergronds te kamperen. In de meeste grotten is het gehalte aan kooldioxyde niet hoger dan bovengronds; naast het psychische onbehagen dat een verblijf onder de grond altijd met zich meebrengt, vormt de hoge luchtvochtigheid het grootste probleem. Speleologie is zowel een vak als een sport, die elke poging tot individuele prestaties uitsluit om redenen van apparatuur en veiligheid. Vele takken van wetenschap profiteren van de ontdekkingen van de speleologie: prehistorie, archeologie, geologie, biologie, fysica, chemie en, sinds recentere datum, ook de psychologie. In 1962 bracht Michel Siffre twee maanden door in de Gouffre Scarasson ten westen van de Col de Tende, waarmee hij de "tijdeloze" experimenten introduceerde.

R. Delon/CASTELET

Stalactieten met kristallen in de Grotte de Clamouse.

De fauna – Sinds het laat-Paleolithicum is de holenbeer uit de grotten verdwenen. Soms loopt er een of andere das, steenmarter of bunzing per ongeluk de onderaardse diepten in, of worden vissen meegesleurd door het wassende water in de rivieren. Zij zijn slechts toevallige gasten, maar alle grotten worden permanent bewoond door vleermuizen. Alleen 's nachts verlaten zij hun spelonk om op jacht te gaan en keren pas in de vroege ochtend terug. Zij bedekken hele gewelven die zij met hun klauwen diep inkerven. Dankzij een heuse radar kunnen zij zich gemakkelijk in het donker verplaatsen. Hun uitwerpselen, het guano, vormen gigantische kegels die de speleologen angst inboezemen. Behalve door vleermuizen worden de grotten bevolkt door een groot aantal ongewervelde dieren, schildvleugeligen (kevers), duizendpootachtigen, enz. Het ondergrondse laboratorium van Moulis in de Ariège *(niet voor het publiek toegankelijk)* is gewijd aan de studie van deze holendieren.

Organisatie van de speleologie in Frankrijk – De vele speleologische clubs die Frankrijk telt, zijn merendeels aangesloten bij de Fédération Française de Spéléologie. Deze federatie omvat nu zowel het Comité National de Spéléologie als de Société de Spéléologie. Deze laatste werd door Martel opgericht en in 1930 nieuw leven ingeblazen door **Robert de Joly** (1887-1968), een enthousiast speleoloog uit de Languedoc. Op de École française de Spéléologie (school voor speleologie) worden stagiairs van allerlei niveaus door ervaren speleologen begeleid *(adres in het hoofdstuk Praktische inlichtingen achter in de gids).*

HET BOS

Vroeger waren de Causses en de Cevennen bedekt met bossen, waar wilde dieren huisden. In de 18de eeuw werd het gebied drie jaar lang geterroriseerd door "La Bête du Gévaudan". Dit dier, vermoedelijk een wolf, verslond niet alleen jonge meisjes en kinderen maar ook de jagers die zo moedig waren te proberen hem op te sporen. In oude volksverhalen uit deze streek speelt het dier een belangrijke rol.

De gevaarlijke ontbossing – De meeste beukenbossen werden verwoest door de glasblazers, die houtskool nodig hadden voor hun bedrijf. In de Cevennen zijn de gevolgen van de ontbossing bijzonder ernstig vanwege de hevige onweersbuien. Het water dat niet door de vegetatie kan worden vastgehouden, stroomt naar beneden en stort zich in de dalen, waar de rivieren sterk zwellen. Het water kan dan zelfs een hoogte van 18 tot 20 m bereiken.

Een vijand van het bos: het schaap – Langs de **drailles**, de paden die werden gevolgd door de kudden schapen op weg naar een ander weidegebied, en op de bergkammen en de plateaus hebben de schapen, die de bladeren en het jonge groen afgrazen, ook bijgedragen aan de vernietiging van het bos. In het midden van de 19de eeuw restten nog slechts flarden van de immense bossen die de streek vroeger bedekten. Toen ondernam Georges Fabre *(zie onder Aigoual)* de herbebossing van het massief.

Hoe men de herbebossing aanpakt – Herbebossing door directe bezaaiing, waarbij het zaad in wijde bogen wordt uitgestrooid, wordt praktisch niet meer toegepast. Bij bebossing door middel van beplanting, de meest gebruikte methode, worden op het terrein stekken "in potjes" of als "naakte wortels" uitgezet. Deze jonge aanplant komt van boomkwekerijen waar de ceders één jaar en de andere boomsoorten drie tot vier jaar zijn opgekweekt. Bijna 14 000 ha is door Fabre en zijn opvolgers opnieuw bebost. Het Franse Staatsbosbeheer kan trots zijn op deze nieuwe begroeiing.
Toch is het werk nog niet klaar; andere gebieden waar de situatie sterk achteruit is gegaan, moeten worden bebost. Ook moet pioniersvegetatie, op basis van dennen, worden vervangen door populaties die minder brandgevoelig, productiever en beter afgestemd zijn op de omstandigheden van het natuurlijke milieu.

De tamme kastanje – Ook al vormt de tamme kastanje niet meer de voedingsbron van de Cevennen-bewoner, toch blijft deze boom een vorstelijk sieraad voor de Cevennen. Meestal ziet men de tamme kastanje op 600 m hoogte en soms, op gunstig gelegen hellingen, zelfs op 950 m. Om te kunnen groeien moet de kastanjeboom zijn krachtige wortels hechten in het leisteen, het graniet, het zandsteen of het zand, maar de kastanje mijdt kalkgronden. De boom is al in mei getooid met bladeren, staat in juni in bloei en tegen half september verschijnen de eerste kastanjes. Helaas is de tamme kastanjeboom een bedreigde soort. Na de houtkap hebben de loten bijzondere aandacht nodig: er zou gesnoeid en geënt moeten worden ter bescherming tegen de schade die door de kudden wordt aangericht. De verwoestingen als gevolg van schimmelziekten zoals de "inktziekte" en de "schorsbrand" maken de bescherming van het kastanjebos er niet gemakkelijker op.

LE PARC NATUREL RÉGIONAL DU HAUT LANGUEDOC

Dit regionale natuurpark werd in 1973 officieel in het leven geroepen om de natuurlijke rijkdommen te behouden in een streek die het Massif du Caroux-Espinouse, de Sidobre en een deel vande Montagne Noire en de Monts de Lacaune omvat. Met het park werd een nieuwe impuls gegeven aan deze gebieden, die in al hun eenzaamheid zo prachtig zijn, maar waar ook geen enkele industrie zich vestigt en er welvaart brengt.

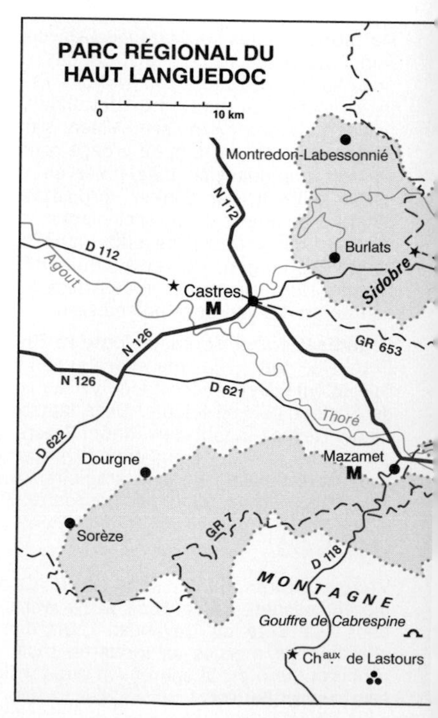

Activiteiten – Afhankelijk van het seizoen kan men in het Parc du Haut Languedoc talloze takken van sport beoefenen, zoals kano- en kajakvaren op de Orb en de Agout, watersport op de meren, klimmen in het Massif du Caroux, speleologie, wandeltochten door het hele park, mountainbike, langlaufen, enz.
Natuurmonumenten als de Caroux, waar de moeflon leeft, de mediterrane tuin van Roquebrun of de Grotte de la Dévèze lenen zich uitstekend voor een ontdekkingstocht door het natuurlijke milieu.
Door de VVV's en het maison du parc in St-Pons-de-Thomières worden vele suggesties geboden voor rondritten, uitstapjes en wandeltochten.

LE PARC NATUREL RÉGIONAL DES GRANDS CAUSSES

De stichting van dit park dateert uit 1995; het heeft een oppervlakte van 315 640 ha. Het park omvat 94 gemeenten die samen 64 000 inwoners tellen.
De doelstelling van het park is veelzijdig: het in stand houden en herwaarderen van natuur en architectuur, steun verlenen aan landbouw en veeteelt (bescherming van bedreigde schapenrassen; uitbreiding van overnachtingsmogelijkheden), promotie van de producten van de boerderij en van kunstnijverheid.
Inmiddels zijn maatregelen genomen voor het behoud van de kleine, karakteristieke constructies die men her en der op de Grands Causses ziet en die waardevolle getuigen van het verleden zijn: broodovens, herdershutten, drinkplaatsen, duiventillen en fonteinen.

Enkele regionale termen

Balme of **baume:** grot, natuurlijke schuilplaats.
Buron: kleine, stenen herdershut op de weiden.
Can: kleine causse.
Causse: kalkplateau waarvan het oppervlak droog en steenachtig is.
Cazelle, Chazelle: herdershut met stapelmuren.
Cros: klein dal, kom.
Devèze: terrein waarover de kudden trekken.
Draille: pad dat vroeger werd gebruikt voor de seizoenstrek van het vee tussen twee weidegebieden, veelal langs de bergkam.
Gour: natuurlijk, ondergronds dammetje.
Grau: doorvaart die een waterloop of een lagune met de zee verbindt.
Lauze: platte natuursteen, lei- of kalksteen, die als dakbedekking wordt gebruikt.
Lavogne: ingerichte drinkplaats voor het vee.
Ombrée: schaduwzijde
Planèze: basaltplateau begrensd door dalen die op één punt samenkomen.
Puech: top, heuveltje.
Serre: smalle, langgerekte bergkam tussen twee diepe dalen.
Soulane: zonzijde

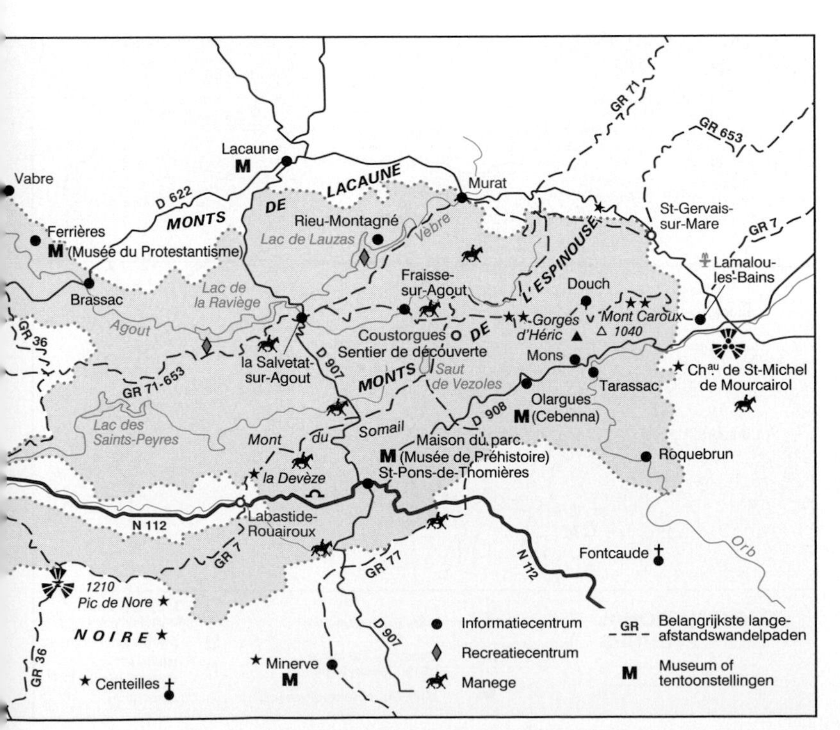

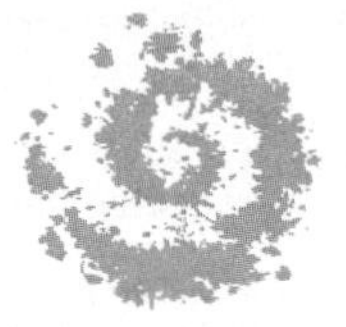

LE PARC NATIONAL DES CÉVENNES

Dit nationale park, dat een oppervlakte beslaat van 91 500 ha en omsloten is door een randgebied van 237 000 ha, werd officieel in september 1970 gesticht. Door zijn uitgestrektheid is het het grootste van de zeven nationale natuurparken die Frankrijk telt.

Het park heeft een gevarieerd karakter: afhankelijk van de berghellingen heerst er een mediterraan of een Atlantisch klimaat. Wat het reliëf betreft, heeft het zowel besneeuwde toppen (Mont Lozère, Mont Aigoual, Montagne du Bougès) als benedendalen waar mimosa bloeit; de bodem is leisteenachtig ten zuidoosten van Florac en rond de Montagne du Bougès, granietachtig op de Mont Lozère en de Montagne du Lingas, kalksteenachtig op de Causse Méjean. Bijna twee derde van de oppervlakte van het park is bedekt met bos, het randgebied daarbij inbegrepen. Maar het meest karakteristieke landschap en een van de minst bekende is ongetwijfeld dat van de Mont Lozère, een bergrug met een afgeplat reliëf, die een lengte heeft van ongeveer 30 km; het is op ruim 1 500 m hoogte een uitgestrekte, boomloze woestenij waar de wind vrij spel heeft.

Het park zelf werd tot beschermd gebied verklaard om het milieu te behouden: het landschap, flora en fauna; de grote roofvogels zijn hier heer en meester. Bovendien zijn het hert, de eekhoorn, de bever, de korhaan en de vale gier er weer uitgezet. Naast het behoud van landbouw en veeteelt is het belangrijkste doel een halt toe te roepen aan de aantasting van het milieu, dat wordt bedreigd door het verval van de gehuchten en het vertrek van hun bewoners. Dit is het enige nationale park van Frankrijk waar in het centrale gebied het hele jaar door mensen wonen (600 inw.).

Toeristische activiteiten die bijzonder goed zijn afgestemd op de weidse ruimten, zoals allerlei soorten wandeltochten en overnachtingen in gerenoveerde boerenhuizen, dragen bij aan een demografisch en economisch herstel.

In 1984 is het park een band aangegaan met het Parc National du Saguenay (Québec, Canada) en, sinds 1987, in het kader van een programma voor wetenschappelijke samenwerking, onderhoudt het Réserve de la biosphère Cévennes een band met het reservaat van Montsény in Spaans Catalonië.

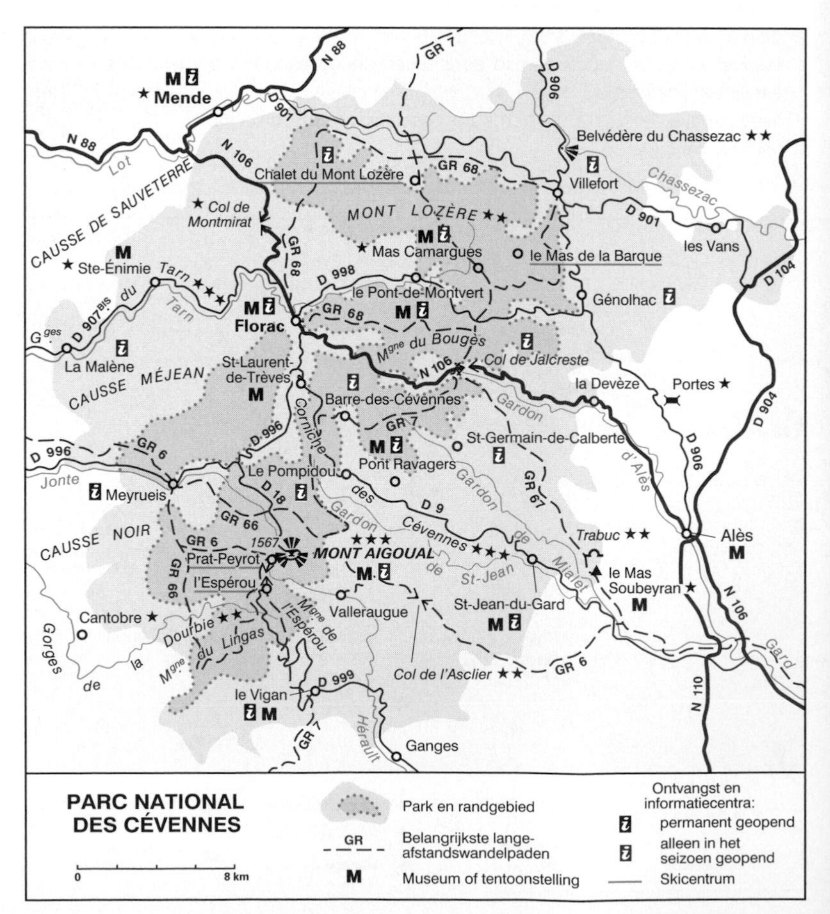

Ontvangst en informatie - Op het kaartje van het park is de lokatie aangegeven van de informatiecentra, die tijdens het seizoen doorgaans het vertrekpunt zijn voor rondleidingen van een dag.
Het belangrijkste centrum bevindt zich in het kasteel van Florac, waar de administratieve diensten van het park zijn gehuisvest; er is ook een tentoonstelling te zien over de natuur in het park.
Om de bezoekers te helpen bij het ontdekken van de natuur, de oude ambachten en de lokale bouwkunst worden door **ecomusea** bezichtigingen georganiseerd en zijn observatiepaden uitgezet. Enkele van die musea zijn het Ecomusée du Mont Lozère, het Ecomusée de la Cévenne en het toekomstige Ecomusée du Causse Méjean.

DE PYRENEEËN

De Centrale Pyreneeën

De Pyreneeën worden gekenmerkt door een structuur van grote, naast elkaar liggende geologische eenheden die in de lengterichting lopen.

Het voorgebergte - De Petites Pyrénées en de Plantaurel zijn het resultaat van plooiingen van de aardkorst, zoals die ook in het Juragebergte hebben plaatsgevonden. Hieruit is een landschap ontstaan dat wordt gevormd door een rij bergkammen van kalkgesteente, die doorsneden worden door de zogenaamde cluses (kloven), zoals de bergengte van Boussens aan de Garonne en die van Labarre aan de Ariège. Via deze kloven kunnen de rivieren zich een weg naar de vlakte banen.

De uitlopers - Deze gebieden uit het Mesozoïcum, d.w.z. de Krijt- of de Juraperiode, zijn krachtiger geplooid. De kalk- of zandsteenachtige bergkammen, die sterk zijn ingesneden, maken in de streek rond Foix plaats voor kristallijne massieven van donker rotsgesteente die losstaan van de axiale zone, zoals het Massif du St-Barthélemy.

De axiale zone - Deze sector vormt de echte Pyreneese bergrug. Tussen de primaire sedimenten rijzen granietkernen op die vooral te herkennen zijn aan het reliëf van hun kammen, die door gletsjererosie fijn zijn ingekerfd. De granietmassieven zijn het rijkst aan meren.

Dalen en toppen - Het ontbreken van een groot dal dat, binnen de keten en parallel aan de kamlijn, de dwarsdalen met elkaar zou verbinden, vormt een obstakel voor het verkeer, dat in de winter te kampen heeft met onbegaanbare passen. De dwarsdalen hebben lange tijd onder dit isolement geleden, maar de lokale gebruiken zijn er wel door bewaard gebleven.

De Mediterrane Pyreneeën

De Mediterrane Pyreneeën, het meest ontwikkelde deel van de bergketen, worden in het noorden begrensd door een massief, de Corbières, waarvan de uitlopers tot in het zicht van de Montagne Noire, de meest zuidelijke plooi van het Centraal Massief, de scheiding vormen tussen het Bassin Aquitain en de vlakten van de mediterrane Languedoc.

De bergen - De kalkstenen uitlopers tussen de **Corbières** en de axiale zone verschillen in reliëf en landschap van de sedimentlagen ten noorden van de Centrale Pyreneeën. Na het **Plateau de Sault**, een soort beboste causse, volgen rijen bergkammen elkaar op. Hun spitse silhouet rijst op boven de uitgeholde plooi van de **Fenouillèdes**. De rivier de Aude, die in de axiale zone ontspringt, slijt in deze korst schitterende gorges uit.
Deze oostelijke Pyreneeën, die bij de opheffing van het totale gebergte het sterkst omhoog kwamen, zijn tot geringere hoogten teruggebracht dan de Centrale Pyreneeën. Doordat ze als eerste zijn verschenen, zijn zij langer aan erosie onderhevig geweest. Bovendien heeft de ijstijd er niet lang geduurd en de invloed daarvan bleef beperkt tot de omgeving van het Massif du Carlit, dat korte tijd met een dikke ijskap was bedekt.
De **Cerdagne** en de **Capcir**, hooggelegen erosiebekkens in het gebergte (1 200 m en 1 600 m), zijn gevuld met klei, mergel en grind, die zich daar aan het eind van het Tertiair hebben opgehoopt. Er liggen dorpjes en er worden diverse gewassen verbouwd.
Ten oosten van de Canigou (2 784 m) loopt het gebergte de depressie van de Middellandse Zee in. De **Albères**, laatste kristallijne uitloper van de keten, vormt de scheiding tussen twee inzinkingsdalen: in het noorden de Roussillon, in het zuiden (in Spanje) de Ampurdan.

De Roussillon - De parallel lopende dalen van de Têt en de Tech accentueren de zware massa van de **Canigou**. Via deze dalen kunnen mediterrane invloeden doordringen tot in het hart van het gebergte.
De kuuroorden staan er bekend om de heldere en droge lucht en de vegetatie (sinaasappelbomen en oleanders).

J.-D. Sudres/SCOPE

De Canigou.

De kustrivieren zijn onderhevig aan plotselinge schommelingen in het regime. De overstromingen die in de herfst van het jaar 1940 plaatsvonden, zijn er nog niet vergeten: tussen 16 en 19 oktober viel op Amélie bijna evenveel water (758 mm) als in een normaal jaar. Men schatte dat in die drie dagen de Tech over enkele kilometers 1/3 meer te verwerken had gekregen dan het totale transport van de Rhône in een jaar.
De vlakte van de Roussillon, die zich over 40 km uitstrekt, is een voormalige baai die aan het einde van het Tertiair, begin Kwartair werd opgevuld met puin uit de bergmassieven. De kiezelachtige en droge terrassen (**Les Aspres**), die door brede dalen worden doorsneden en bezaaid zijn met heuveltjes, zijn het domein van fruitbomen en wijnstokken.
Een zanderige kuststrook scheidt de zee van het moerasachtige gebied van de **salanques**, waar zich een enkele honderden meters dikke laag van sedimenten uit de Agly en de Têt heeft opgehoopt.

Traditie en moderne tijd

Het gebied Pyrénées-Roussillon-Albigeois, dat zich uitstrekt over de twee regio's Midi-Pyrénées en Languedoc-Roussillon, vertoont vele, contrasterende facetten, waarbij traditie en moderne tijd hand in hand gaan.

De bergen

Het traditionele plattelandsleven – Het berglandschap is in drie zones te verdelen: beneden liggen bebouwde akkers en dorpen, in het midden volgen bossen en maaiweiden, en helemaal bovenin de bergweiden. Koren, rogge en maïs worden nog verbouwd in de Haut Vallespir, de Cerdagne en de Conflent. De wijnstok en de olijfboom groeiden vroeger tot in de dalen van de mediterrane Pyreneeën, maar zijn er nu vrijwel geheel verdwenen. De maaiweiden liggen alleen op de meest vochtige hellingen. De bossen met steeneiken, grove dennen en beuken, die in de dorpsgebieden liggen, zijn als gevolg van ontginningen deels uitgedund en maken zo plaats voor heidevelden met brem of voor garrigues.
Deze bergdalen, waar de dorpen zich tot grotere woonkernen hebben verenigd, hebben het karakter van een fraai, open bocagelandschap (percelen die onregelmatig zijn en omzoomd door heggen of bomen).
Door modernisering heeft de seizoenstrek van het vee kunnen blijven bestaan en dankzij de aanwezigheid van grote kudden worden de bergweiden nog voldoende onderhouden.
Het traditionele plattelandsleven speelt nog slechts een geringe rol in de economie van het bergland.
De ontvolking heeft met name de kleine, doodlopende dalen getroffen, de geïsoleerde dorpjes aan de zuidzijde waar braakland en heidevelden geleidelijk in de plaats zijn gekomen voor de gewassen en weidevelden.

De opleving – De industriële bestemming van de Pyreneeën berust op de exploitatie van de energiebronnen.
De ouderwetse, Catalaanse ijzersmeden gebruikten houtskool. Al in 1901 is men echter begonnen met de aanleg van hydro-elektrische installaties in het gebergte en die werkzaamheden worden voortgezet (het complex van l'Hospitalet dateert uit 1960).

Maar er hebben zich ook velerlei andere industrieën ontwikkeld (talkgroeven bij Luzenac, cementindustrie, textiel, aluminium, gedifferentieerde metaalnijverheid, houtindustrie, enz.), waardoor de economische bedrijvigheid in de dalen op peil wordt gehouden. Deze industrialisatie blijft echter beperkt en is niet voldoende om de ontvolking een halt toe te roepen. Bovendien raakt de industrie verouderd en kampt dan ook met ernstige aanpassingsproblemen.

Door de bedrijvigste dalen lopen drukke wegen. In die dalen concentreert zich de bevolking en zijn de meeste voorzieningen te vinden. Men richt er zich vooral op het toerisme om de ontwikkeling te stimuleren.

In de kuuroorden en de wintersportplaatsen blijft de accommodatiecapaciteit steeds verder toenemen. De recente veranderingen hebben tot een andere samenstelling van de bevolking geleid, waarbij het vertrek van de autochtonen wordt gecompenseerd door de vestiging van nieuwe bewoners uit Frankrijk en daarbuiten.

De kuststreek

De tuin van de Roussillon - Met zijn boomgaarden, groenteteelt en wijnstokken lijkt de Roussillon op een grote tuin.

Dankzij een uiterst rationeel irrigatienetwerk en het gebruik van kassen, plastic beschuttingen en tunnels is de groenteproductie toegenomen.

Tomaten, primeuraardappelen en wintersla (kropsla, andijviesla) zijn de belangrijkste producten van de groenteteelt, terwijl wat het fruit betreft perziken, nectarines en abrikozen een essentiële rol spelen. Deze soorten worden voornamelijk geteeld in de vlakte van de Roussillon, maar groeien ook in het middelgebergte, tot 600 m hoogte.

Ook worden vroegrijpe kersen geoogst in de boomgaarden van Céret, appels in de Vallespir en vooral in de middelhoge zone van de Conflent.

De woonkernen in de Roussillon worden voornamelijk gevormd door dorpjes, maar in sommige streken liggen ook zogenaamde mas (herenboerderijen) op vrij grote afstand van elkaar, wat meestal verband houdt met grotere landbouwbedrijven. In steden als Perpignan, Elne en Ille-sur-Têt brengen de veilingen de nodige bedrijvigheid met zich mee.

St-Cyprien.

De wijngaard - De wijnstok is te vinden op de hellingen langs de Agly, op de kiezelachtige hellingen van de Aspres en langs de Côte Vermeille, de meest karakteristieke streek in de kustvlakte van de Roussillon. Door de vele wijnstokvariëteiten op de hellingen kan een groot assortiment wijnen worden geproduceerd, van witte "groenachtig gekleurde" wijnen tot rosé- en koppige rode wijnen. De **Côtes du Roussillon** komen van de zonovergoten mergel- en schistbodem van de zuidelijke helling van de Corbières, alsmede van de droge terrassen tussen de Aspres en de Albères.
Het grootste deel van de productie bestaat echter nog steeds uit de zogenaamde Vins Doux Naturels (zoete aperitiefwijnen) als Rivesaltes, Banyuls en Maury.
De productie van land- en tafelwijnen neemt af ten gunste van de ontwikkeling van de betere kwaliteitswijnen.
De wijnindustrie biedt bovendien enkele extra afzetgebieden: aperitieven (Thuir), vermout en likeuren.

De zeevisserij - In de havens langs de Côte Vermeille en de kuststreek van de Aude ligt een zeer gevarieerde vissersvloot, die vier specialisaties kent.
Het vissen met de **lamparo** (lamp) is voornamelijk gericht op de vangst van sardines en ansjovis. Bij deze vistechniek wordt gebruik gemaakt van krachtige lampen die zijn geïnstalleerd op een aparte boot die naast de eigenlijke vissersboot vaart.
De visserij op de rode tonijn wordt beoefend aan boord van stevige schuiten die de volle zee op kunnen. Het vistuig bestaat uit een groot, draaiend schuifnet.
De trawlvisserij, geconcentreerd in Port-Vendres, Port-La-Nouvelle en St-Cyprien, maakt gebruik van netten in de vorm van een zak, die op volle zee over de bodem worden gesleept.
De visserij met klein vistuig (maasnetten, schakelnetten, grondbeugen) wordt zowel op zee beoefend als op de lagunen langs de kust (paling).
Daarnaast groeit de productie van oesters in het Étang de Leucate en van mosselen op volle zee, ter hoogte van Gruissan en Fleury-d'Aude.

De stranden - Vanaf de monding van de Aude ligt langs de Golfe du Lion 70 km vlakke kust. Daarna volgen tot aan de Spaanse grens de rotsachtige insnijdingen van de Côte Vermeille.
Nadat de kuststreek van de Languedoc-Roussillon was opengelegd voor het toerisme, zijn moderne centra aan de stranden verrezen. Zij contrasteren sterk met de havens langs de rotskust, die in smalle baaien liggen en nog steeds de sfeer uitademen van hun aloude bestemming als vissersplaatsjes.

Het binnenland: tussen de Aude en de Garonne

Landbouwstreken - De traditionele polycultuur (tarwe, maïs, druiven) was kleinschalig. De kleine landbouwbedrijven hebben zich nu ontwikkeld onder invloed van de technische vooruitgang en de noodzakelijke specialisatie. De cultuurgronden zijn te onderscheiden in de **terreforts**, een kleiachtige grondsoort die zwaar te bewerken maar vruchtbaar is en waarop graangewassen worden verbouwd, en de **boulbènes**, aanslibbingsgronden, die lichter en armer zijn en bestaan uit zand, kleileem en kiezelsteen.
De Toulousain en de Lauragais gaan door voor rijke landbouwgebieden, de "graanschuur" van Zuid-Frankrijk, ondanks de verregaande ontvolking van het platteland. De aanslibbingsvlakten van de Garonne en de Tarn zijn daarentegen het domein van de fruitbomen (golden delicious, peren, perziken, aardbeien). Ook de groenteteelt speelt een belangrijke rol in het agrarische bestaan; in combinatie daarmee wordt vaak pluimvee gehouden.
Afgezien van de hellingen van Gaillac in het westen concentreert de wijnbouw zich in de streek rond Carcassonne en Limoux.
Het huis op het platteland verandert al naar gelang het landschap. In de Lauragais en de Toulousain worden lage, bakstenen huizen gebouwd, waarvan de verschillende delen (woongedeelte, paardenstal, schuur, opslagplaats) onder één dak zijn gebracht dat vrij laag is. In de Bas Languedoc daarentegen wordt het huis hoger: op de benedenverdieping de koeienstal en wijnopslagplaats, op de eerste verdieping het woongedeelte (vroeger één grote ruimte), daarboven de hooizolder.

Moderne industrie - Rond de lucht- en ruimtevaartcentra in Toulouse heeft zich een structuur van kleine bedrijven ontwikkeld. Zo dragen chemie, elektrometallurgie, textiel, leer, voedingsmiddelenindustrie en de exploitatie van graniet bij tot de lokale economische ontwikkeling. In de Carmausin wordt de steenkool alleen nog in dagbouw gewonnen bij La Découverte Ste-Marie.
Het Canal du Midi speelt slechts een bescheiden rol in het handelsverkeer, voor de toeristen wordt het een steeds grotere trekpleister.
De agglomeratie van Toulouse (bijna 550 000 inwoners) is het aantrekkelijke centrum van de regio Midi-Pyrénées. Dankzij het grote potentieel op het gebied van wetenschappelijk onderzoek, de speerpuntindustrieën en de dienstensector speelt de agglomeratie tot ver buiten de regionale grenzen een belangrijke rol.

De Prehistorie

Het Kwartair begon ongeveer twee miljoen jaar geleden en werd gekenmerkt door het ontstaan van gletsjers die het hooggebergte bedekten (Günz-, Mindel-, Riss- en Würm-ijstijd). De belangrijkste gebeurtenis in deze vroege tijden blijft echter de komst van de eerste mensen in Europa, met name in de Pyreneeën.
Dankzij de archeologie en de wetenschappelijke middelen voor datering heeft men evolutiefasen kunnen onderscheiden - Paleolithicum, Mesolithicum, Neolithicum - die zelf ook weer in talrijke perioden zijn onderverdeeld. *Zie het overzicht.*

Het vroeg-Paleolithicum - Het vroeg-Paleolithicum wordt in de Pyreneeën vertegenwoordigd door de **"Mens van Tautavel"** *(zie onder Tautavel)*. In 1971 en 1979 werden in een zeer oude sedimentlaag van de **Caune de l'Arago** schedelresten van deze mens gevonden door een team onder leiding van professor H. de Lumley.
De mens van Tautavel behoort tot de Homo erectus, die 450 000 jaar geleden in de Roussillon leefde. Hij was 20 tot 25 jaar oud, stond rechtop en was ongeveer 1,65 m lang. Zijn gelaat werd gekenmerkt door een plat, wijkend voorhoofd, uitstekende jukbeenderen, rechthoekige oogkassen met daarboven een dikke plooi. Men heeft geen sporen van vuurhaarden gevonden, zodat men ervan uitgaat dat deze grote jager geen gebruik maakte van vuur en rauw vlees at.
De eerste jagers die zich in de Caune de l'Arago vestigden, gebruikten deze als uitkijkpost om het komen en gaan van de dieren in de gaten te houden die in de Verdouble kwamen drinken, als tijdelijk kamp, als plaats om het gevangen wild in stukken te hakken en als werkplaats voor het maken van werktuigen.
Dankzij de palynologie (studie van fossiele stuifmeelkorrels) heeft men de kenmerken van de flora en fauna in de verschillende tijdperken kunnen vaststellen. Ook al brachten klimaatwisselingen veranderingen met zich mee (van de steppe met grasachtige planten tot het loofbos), toch heeft men kunnen constateren dat de mediterrane plantensoorten (dennen, eiken, notenbomen, platanen, wilde wingerd, enz.) zich voortdurend hebben weten te handhaven. De streek was rijk aan wild: onder de grote herbivoren bevonden zich het rendier, het damhert, de thar (soort berggeit), de prairieneushoorn, de bizon, de muskusos maar ook het hert en de eeuwenoude moeflon. De carnivoren (beren, wolven, honden, poolvossen, holenleeuwen, wilde katten) waren in trek om hun pels. Het kleine wild werd vertegenwoordigd door knaagdieren (hazen, woel- en bosmuizen, bevers) en door vogels die nog steeds voorkomen (koningsarend, lammergier, duif, steenpatrijs, alpenkraai).
De gevonden werktuigen zijn in het algemeen klein (schrapers, krabbers), de grootste waren bewerkte rolstenen van gemiddeld 6 tot 10 cm (eenzijdig bewerkte chopper tools of hakwerktuigen, min of meer scherpe tweezijdig bewerkte vuistbijlen, veelvlakkige werktuigen). De mens gebruikte het in de omgeving voorkomende materiaal zoals kwarts, leisteen en, in mindere mate, kalksteen, vuursteen en jaspis.

Het midden-Paleolithicum - Uit de aanwezigheid van talloze Moustérien-vindplaatsen blijkt dat de Neanderthaler door de Pyreneeën trok. Deze mens was groter dan de "homo erectus" en had een sterk ontwikkeld schedelvolume. Hij heeft zich moeten aanpassen aan de klimatologische omstandigheden van de Würm-ijstijd. De Neanderthalers perfectioneerden hun werktuigen. Zij maakten talrijke vuistbijlen, messen met kromme omgeslagen rand, stenen beitels, krabbers, stekers en allerlei voorwerpen met inkepingen. De evolutie blijkt ook uit de bouw van grote woonkernen en vooral uit het aanleggen van graven.

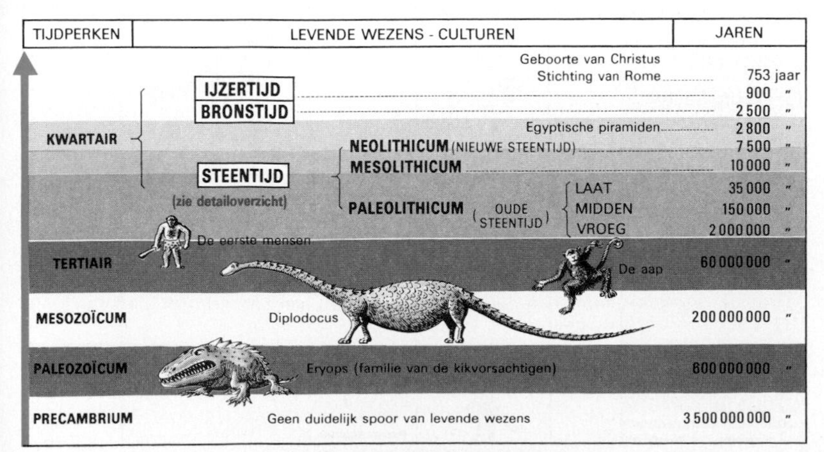

Dit overzicht van beneden naar boven lezen

Het laat-Paleolithicum - Met de homo sapiens was de mens in ruime mate in de Pyreneeën vertegenwoordigd. Bij de stenen werktuigen voegen zich, in het Aurignacien, gereedschappen van been en hoorn. De aanwezigheid van werpspiezen, stekers en spatels wijst ook op een technische perfectionering, die nog duidelijker naar voren komt in het Solutréen en het Magdalénien.
Het einde van de laatste ijstijd (Würm IV) brengt een verandering teweeg in het landschap en de fauna, waar dan het hert en het everzwijn voortaan overheersen. De mens jaagt nog steeds, maar gaat nu ook op zoek naar eetbare schaal- en schelpdieren. De meest wezenlijke verandering blijft echter het ontstaan van kunst. De gebeeldhouwde menselijke voorstellingen (de "venusbeeldjes" uit het Aurignacien) en de holenkunst zijn van uitzonderlijk groot belang. De zwart of rood geschilderde afbeeldingen van dieren in de grot van **Niaux** zijn van een aangrijpend realisme.

Het Mesolithicum - Na de ijstijd krijgt het landschap in de Pyreneeën zijn definitieve vorm.
In feite is het Mesolithicum een tussenfase waarin velerlei culturen tot ontwikkeling zijn gekomen. De Azilien-cultuur (naar de naam van de grot van **Mas d'Azil**), die aan het einde van het laat-Paleolithicum opkomt, wijst op het belang van de harpoen, terwijl de kunst zich beperkt tot de raadselachtige rolstenen met tekens.

Het Neolithicum - De algemene toepassing van het polijsten van stenen en het gebruik van keramiek geven de overgang aan naar het Neolithicum. Deze evolutie gaat gepaard met een doorslaggevende verandering in de middelen van bestaan en de levenswijze. In de oostelijke Pyreneeën en de Ariège voltrekken de veranderingen zich echter langzamer. Men heeft geconstateerd dat de lokale, postpaleolithische bevolking er gebleven is en dat zich daarbij enkele groepen van buiten de Pyreneeën hebben gevoegd. De grot bleef hier als onderkomen fungeren en keramiek was er pas laat bekend.

STEENTIJD

PERIODEN	KLIMAAT	FAUNA	MENSEN-RASSEN	CULTUURFASEN	VIND-PLAATSEN
-2 500 NEOLITHICUM	Warme			Pijlpunten Bijlen van gepolijste steen	
-7 500 MESOLITHICUM	tijd				
AZILIEN					Mas d'Azil
-10 000 MAGDALÉNIEN	Würm-		Cro-Magnon-type	Venusbeeldjes Naalden met oog Burijnen Harpoenen	Trois Frères
SOLUTRÉEN					Niaux
LAAT AURIGNACIEN	ijstijd	Tijdperk van het rendier, Mammoeten Beren, Holehyena's Wolharige neushooms, Nijlpaarden		Kling met bolle, omgebogen rug Werpspiezen	Bédeilhac
PÉRIGORDIEN			Homo sapiens	Diverse benen werktuigen	
-35 000 MOUSTÉRIEN				Ovaalvormige afslagen Klingen, Schijven	
MIDDEN LEVALLOISIEN	Warme tijd	Tijdperk van de mammoet, Olifanten	Neandertaler	Punten, Schrapers Tweezijdige vuursteenbewerking	
-150 000 TAYACIEN		De eerste mammoeten			
ACHEULÉEN	Riss-ijstijd				
	Warme	Runderen Leeuwen		Vuistbijlen van vuursteen of kwartsiet Stekers Schrapers Zagen	
PALEOLITHICUM	tijd	Bizons Neushooms Tijgers			
VROEG CLACTONIEN	Mindel-ijstijd		Mens van Tautavel	Vuistbijlen Tweezijdig bewerkte vuurstenen	Caune de l'Arago
ABBEVILLIEN (PEBBLE-TOOLCULTUUR)	Warme tijd	Nijlpaarden Neushoorns Grote beren	Mens van Java Pithecanthropus (Oost-Indië)		
	Günz-ijstijd				
-2 miljoen					
-3 miljoen			Lucy Australopithecus (Ethiopië) Homo erectus		

Dit overzicht van beneden naar boven lezen

René Delon/CASTELET

Niaux - Rotstekeningen.

Meer naar het noorden heeft de grot van Font-Juvénal, tussen de Aude en de Montagne Noire, kostbare etnologische informatie blootgegeven. De landbouw en de veeteelt zijn vanaf 4000 v.Chr. de middelen van bestaan: men verbouwt koren- en gerstsoorten. Tegelijkertijd beantwoordt de inrichting van de woning aan huiselijke bezigheden die steeds complexer worden, wat blijkt uit de ontdekking van platte vuurhaarden voor het koken, verbrandingsgaten om hoge temperaturen te verkrijgen, structuren om iets te steunen of vast te houden (palen en tegels) en opslagruimten. Plattelandsgemeenschappen in de Narbonnais, die gespecialiseerd zijn in een bepaalde activiteit en daarbij goed ontwikkelde werktuigen gebruiken, beginnen onder elkaar te ruilen of te handelen. Via het westen verspreiden zich in de loop van het derde millennium v.Chr. de megalieten (dolmens en menhirs) in de Pyreneeën. Het middelgebergte is dan het dichtstbevolkt. Men doet er aan veeteelt, terwijl de bewapening essentiële vooruitgang boekt (pijlen, bijlen en messen); sieraden (kettingen en armbanden) en aardewerk (kommen en vazen) worden algemeen gebruikt. In Catalonië duurt de megalitische cultuur tot in de Bronstijd voort.

De Pyreneese dolmens (2500-1500 v.Chr.) - De eerste dolmens, die in de vorige eeuw werden ontdekt, gaven aanleiding tot "romantische" interpretaties. Ze werden aangezien voor druïdenaltaren waarop mensenoffers werden gebracht.
Driekwart van de **dolmens** bevindt zich op hoogten tussen 600 en 1 000 m. Oorspronkelijk waren ze bedekt met een aarden **tumulus** (grafheuvel) of een stapel stenen, met een maximale afmeting van 20 m. De tumulus kon omringd zijn door een cirkel van stenen. De belangrijkste dolmens, in gebieden met een permanente bevolking, bevatten de overblijfselen van honderden mensen. Op de hooggelegen weiden zijn de dolmens kleiner en werden later vervangen door **cistae** (stenen kisten), individuele graven van herders die in de zomer waren gestorven.

Geschiedenis

De Oudheid

Voor Chr.	
1800-700	Bronstijd. Einde van de megalitische cultuur in de Pyreneeën.
1000-600	Einde van de Bronstijd en eerste IJzertijd. Eerste externe invloeden vanaf het continent en later vanuit het Middellandse-Zeegebied.
600-50	Stichting van Marseille door de Griekse Phocaeërs. De Pyrénées Orientales (oostelijke Pyreneeën) vormen een mozaïek van kleine volken.
6de eeuw	De Kelten vallen Gallië binnen.
214	Hannibal trekt door de Pyreneeën en de Roussillon.
2de eeuw	Verovering door de Romeinen. Zij installeren zich in wat later de Bas Languedoc wordt genoemd.
118	Stichting van Narbonne op het kruispunt van de Via Domitia en de Via Aquitania.
58-52	Caesar verovert Gallië.
27	De Bas Languedoc wordt bij Gallia Narbonensis ingelijfd. Begin van een lange periode van welvaart.
Na Chr.	
3de en 4de eeuw	Het christendom verspreidt zich in de streek. Verval van Narbonne en Toulouse.
313	Bij het Edict van Milaan verleent Constantijn de Grote godsdienstvrijheid aan de christenen.
356	Concilie te Béziers, ariaanse ketterij.

De invasies, de Middeleeuwen

3de-5de eeuw	Invasie van de Alamannen, de Vandalen en dan de Westgoten. Toulouse wordt de hoofdstad van het Westgotische rijk.
507	Slag bij Vouillé: de Westgoten worden verslagen; hun rijk omvat daarna nog slechts Septimanië (Carcassonne, Narbonne, Agde, Nîmes, Elne, enz.).
719	Inname van Narbonne door de Saracenen.
732	Karel Martel verslaat de Saracenen bij Poitiers.
759	Pippijn de Korte herovert Narbonne.
801	Karel de Grote organiseert de Spaanse Mark, Catalonië (Gothia) wordt bij het keizerrijk gevoegd, maar behoudt zijn autonomie.
843	Bij het Verdrag van Verdun wordt het keizerrijk van Karel de Grote verdeeld: Karel de Kale verwerft het gebied dat zich uitstrekt van het westen van de Rhône tot aan de Atlantische Oceaan.
877	Bij de dood van Karel de Kale bestaan al de meeste grote vorstenhuizen die tot de 13de eeuw in Zuid-Frankrijk zullen heersen. De graven van Toulouse bezitten het oude Septimanië en de Rouergue; de Gévaudan behoort tot het geslacht D'Auvergne.
10de eeuw	Godsdienstige bloei met de pelgrimstocht naar Santiago de Compostela.
987	Hugues Capet wordt tot koning van Frankrijk gekroond.
11de eeuw	Consolidatie van de macht van de graven van Toulouse. Golf van religieuze bouwwerken en rondreis van paus Urbanus II door de Languedoc.
1095	Eerste kruistocht.
1112	De graaf van Barcelona wordt burggraaf van Béziers, Agde, de Gévaudan en Millau.
12de-13de eeuw	Bloei van de kunst van de troubadours en opkomst van de bastides.

Inlijving bij het Franse Koninkrijk

GIRAUDON

Het zegel van Raymond VI, graaf van Toulouse.

1140-1200 Verspreiding van de katharse ketterij.

1152 Huwelijk van Hendrik II Plantagenêt met Eleanora van Aquitanië.

1204 De koning van Aragon is heerser over Montpellier, de Gévaudan en Millau.

1207 Excommunicatie van Raymond VI, graaf van Toulouse.

1209 Kruistocht tegen de Albigenzen *(details in het hoofdstuk De katharen).* Inname van Béziers en Carcassonne door Simon de Montfort.

1213 Slag bij Muret.

1226 Nieuwe kruistocht: Lodewijk VIII verovert de Languedoc.

1229 Het Verdrag van Parijs maakt een einde aan de strijd tegen de Albigenzen. Lodewijk IX de Heilige lijft de hele Bas Languedoc in. Stichting van de universiteit van Toulouse.

1250-1320 De Inquisitie dwingt de laatste haarden van het katharisme tot overgave.

Arch. Snark/EDIMEDIA

De slag bij Muret.
Simon de Montfort verslaat de Albigenzen.

1270 Dood van Lodewijk IX de Heilige.

1276-1344 Perpignan is hoofdstad van het koninkrijk Mallorca-Balearen dat werd gesticht door Jakob I van Aragon; ook de Cerdagne, de Roussillon en Montpellier maken deel uit van dit koninkrijk.

1290 De graven van Foix erven de Béarn.

1292 Pézenas, de Rouergue en de Gévaudan worden bij de Kroon ingelijfd.

1312 Ontbinding van de orde van de tempeliers op verzoek van Filips de Schone; de omvangrijke bezittingen van de tempeliers in de Causses worden toegekend aan de hospitaalridders van de johannieterorde (of de orde van "Malta").

1331-1391 Leven van Gaston Fébus.

1337 Begin van de Honderdjarige Oorlog, die tot 1453 zal duren.

1348 De zwarte pest velt een derde van de bevolking van de Languedoc.

1349 De koning van Mallorca verkoopt de heerlijkheid Montpellier aan Filips van Valois.

1350-1450 De Pyreneeën maken een lange periode van oorlogen, onlusten, hongersnood en epidemieën door.

1360 Verdrag van Brétigny: einde van het eerste deel van de Honderdjarige Oorlog. Saintonge, Poitou, Agenais, Quercy, Rouergue en de Périgord gaan over in handen van de koning van Engeland. De Languedoc wordt dan in drie baljuwschappen verdeeld: Toulouse, Carcassonne en Beaucaire.

1361 Het land wordt geteisterd door rondtrekkende bendes soldaten.

1420 Karel VII doet zijn intree in Toulouse.

1462 Inmenging van Lodewijk XI in de Roussillon.

Godsdienstoorlogen

1484	De Albrets, de "koningen van Navarra", krijgen een overheersende positie in het Pyreneese deel van de Gascogne (Foix, Béarn, Bigorre).
1512	De Albrets worden door Ferdinand de Katholieke afgezet.
1539	Edict van Villers-Cotteret waarbij het Frans verplicht wordt gesteld als juridische taal.
1560-1598	Godsdienstoorlogen.
1598	Edict van Nantes. De protestanten krijgen godsdienstvrijheid en vrijplaatsen.
1607	Hendrik IV lijft zijn eigen koninklijk domein (Basse-Navarre en de leengoederen Foix en de Béarn) bij Frankrijk in.
1610	Hendrik IV vermoord en hervatting van de godsdiensttwisten.
1629	Vrede van Alès. De protestanten behouden hun godsdienstvrijheid, maar raken hun vrijplaatsen kwijt.
1643-1715	Regering van Lodewijk XIV.
1659	Verdrag van de Pyreneeën: inlijving van de Roussillon en de Cerdagne.
1666-1680	Aanleg van het Canal du Midi door Riquet.
1685	Herroeping van het Edict van Nantes.

Ontstaan van het Pyreneïsme

1746	Het proefschrift van Th. de Bordeu over het mineraalwater in Aquitanië draagt bij tot de specialisatie en de bloei van de kuuroorden.
1787	Ramond de Carbonnières, de eerste "pyreneïst", verblijft in Barèges.

De moderne tijd

1790	De Languedoc wordt in departementen onderverdeeld.
1804-1815	Eerste Keizerrijk. Ontdekking van nieuwe warmwaterbronnen.
1852-1914	Tweede Keizerrijk en Derde Republiek. Ontwikkeling van het bergbeklimmen en het wetenschappelijk bergonderzoek.
1875	De wijngaarden in de Languedoc door de druifluis verwoest.
1907	Opstand van de wijnbouwers in de Languedoc.
1920	Opwekking van witte steenkool in de Pyreneeën.
1940-1944	Belangrijke rol van het Verzet in de Pyreneeën.
1955	Oprichting van de Compagnie Nationale d'Aménagement du Bas-Rhône-Languedoc, een maatschappij die voor irrigatie van de streek moet zorgen.
1963	Plan voor de ruimtelijke ordening van de kuststreek Languedoc-Roussillon.
1969	Eerste vlucht van de Concorde 001.
1970	Stichting van het Parc National des Cévennes en oprichting van Airbus Industrie.
1973	Stichting van het Parc naturel régional du Haut Languedoc.
1992	Ingebruikneming van diverse stukken van de autosnelweg (A 75) die Clermont-Ferrand met Béziers verbindt.
1995	Stichting van het Parc naturel régional des Grands Causses.

De Via Domitia

De Via Domitia is de oudste Romeinse weg die in Gallië is aangelegd. Hij is genoemd naar Cneus Domitius Ahenobarbus, proconsul van de nieuwe provincie Narbonensis, die de heerweg in de jaren 118-117 v.Chr. liet aanleggen. De heerweg volgt een route die in de oudheid door de Liguriërs en de Iberiërs werd gebruikt en die loopt van Beaucaire (aan de Rhône) naar Le Perthus (departement Pyrénées-Orientales); deze route was de verbindingsweg tussen Rome en Spanje. Voorbij de Rhône sluit de Via Domitia aan op de Via Aurelia. De Via Domitiana liep langs de steden Beaucaire (Ugernum), Nîmes, Béziers, Narbonne en Perpignan (Ruscino); zij telde vele bruggen, mijlpalen (1 mijl = 1481,50 m) en relais.
Oorspronkelijk waren de Romeinse heerwegen aangelegd om het transport van de legioenen naar de grenzen van het keizerrijk te bevorderen; het waren echter ook handelswegen, waarvan het bestaan bovendien de verspreiding van ideeën ten goede kwam.

Cartier/IMAGES PHOTOTHÈQUE

De kathaarse ridders in "betonnen pij" (Francis Cabrel) langs de autosnelweg.

De katharen

De onderdrukking van de kathaarse beweging in de 13de eeuw heeft een zwaar stempel gedrukt op de geschiedenis van de Languedoc, die daarna parallel ging lopen met die van het Franse koninkrijk.

De kathaarse doctrine - De oorsprong van het katharisme ligt verzonken in een labyrint van complexe, oosterse invloeden, die zich in de 11de en 12de eeuw in Europa verspreidden en zich omstreeks 1160 verankerden in de Languedoc.
Het katharisme stelt als fundamenteel uitgangspunt de scheiding tussen Goed en Kwaad: God die goed is en heerst over een spirituele wereld van licht en schoonheid staat tegenover de materiële wereld die door Satan wordt geregeerd; de mens is dan ook slechts een geest die door een list van de duivel in de materie is opgesloten. De katharen, die gekweld worden door angst voor het Kwaad, willen de mens dus van de materie bevrijden en hem zijn goddelijke reinheid teruggeven. Zij interpreteren de bijbelse teksten op hun eigen manier en staan lijnrecht tegenover de christelijke orthodoxie: zij ontkennen bijvoorbeeld de goddelijkheid van Christus, die zij echter wel trachten te imiteren.

De kathaarse kerk - Aan het hoofd van deze nieuwe kerk staan vier bisschoppen: de bisschop van Albi (primaatschap waaraan de naam "Albigens" is ontleend) en die van Toulouse, Carcassonne en Agen. Nog belangrijker is de hiërarchie van de voorbestemming, waarbij onderscheid wordt gemaakt tussen de **Perfecti** (de volmaakten) en de **Gelovigen**. Als reactie op de verslapping van de katholieke geestelijkheid verbinden de Perfecti zich tot een sober leven: hun ascetisch ideaal brengt hen ertoe armoede, kuisheid, geduld en nederigheid boven alle andere deugden te stellen. Als mannen van God die al naar het licht zijn teruggeroepen, worden zij door de eenvoudige gelovigen vereerd en verzorgd.
De kathaarse kerk dient slechts één sacrament toe, het **consolamentum**. Het ritueel wisselt, al naar gelang het om de wijding van een Perfectus gaat of om de zegening die is voorbehouden aan de Gelovigen die op sterven liggen; alleen deze zegening opent de poort naar de wereld van het licht. Andere liturgische gebruiken brengen de geloofsgenoten bijeen: gebedsbijeenkomsten, openbare schuldbelijdenissen, enz. De overtuigingen, leefregels en rituelen van de katharen botsten met de katholieke mentaliteit. De weigering van de traditionele sacramenten van de doop en het huwelijk, een zekere vrijheid van zeden en gebruiken (met name ten aanzien van geld en handel) leidden tot een ware polemiek met de geestelijken.

Een gunstig klimaat - De ketterij boekt eerst succes in de steden, centra van cultuur en uitwisseling, en breidt zich daarna op het platteland uit. "Is het toeval dat de streek waar het katharisme tot grootste bloei komt, tussen Carcassonne en Toulouse, Foix en Limoux, Castres en Cordes, exact overeenkomt met het grote gebied van de lakenindustrie in de Languedoc, van waaruit men via Narbonne naar de Oriënt exporteert?" (E. Le Roy Ladurie - Frans historicus). De **Uitverkorenen** (Perfecti) behoorden inderdaad meestal tot het milieu van de textielambachten en -handel. Grote leenheren zoals Roger Trencavel, burggraaf van Béziers en Carcassonne, Raymond Roger, graaf van Foix, beschermden de ketters. De vrouwen, die zeer zeker niet werden uitgesloten, stichtten zelf ook gemeenschappen van Uitverkorenen.

De kunst

ABC VAN DE ARCHITECTUUR

Ten behoeve van de lezers die minder vertrouwd zijn met de terminologie van de architectuur volgen hieronder enkele algemene aanwijzingen voor kerkelijke bouwkunst, en een alfabetische lijst van termen die in de beschrijvingen van monumenten en kunstwerken in deze gids gebruikt zijn.

Kerkelijke bouwkunst

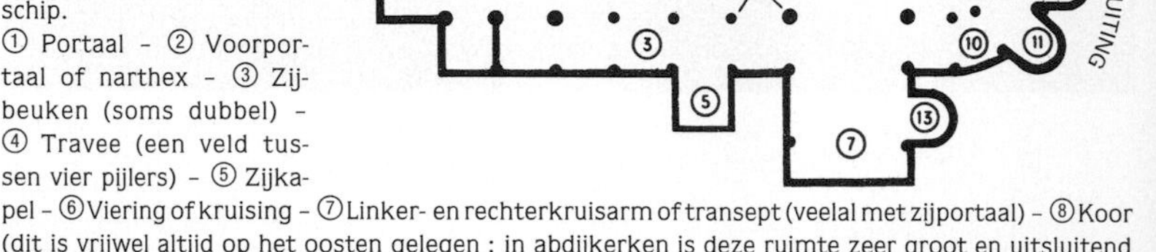

illustratie I ▶

Plattegrond van een kerk: de plattegrond heeft de vorm van een Latijns kruis; de armen van het kruis worden gevormd door het dwarsschip.
① Portaal - ② Voorportaal of narthex - ③ Zijbeuken (soms dubbel) - ④ Travee (een veld tussen vier pijlers) - ⑤ Zijkapel - ⑥ Viering of kruising - ⑦ Linker- en rechterkruisarm of transept (veelal met zijportaal) - ⑧ Koor (dit is vrijwel altijd op het oosten gelegen ; in abdijkerken is deze ruimte zeer groot en uitsluitend toegankelijk voor de monniken) - ⑨ Plaats van het hoofdaltaar - ⑩ Kooromgang (in bedevaartkerken kunnen pelgrims vanuit de kooromgang, die aansluit op de zijbeuken, de relikwieën in het koor zien) - ⑪ Koorkapel of straalkapel - ⑫ Centrale straalkapel (vaak aan Maria gewijd) - ⑬ Kapel van een kruisarm.

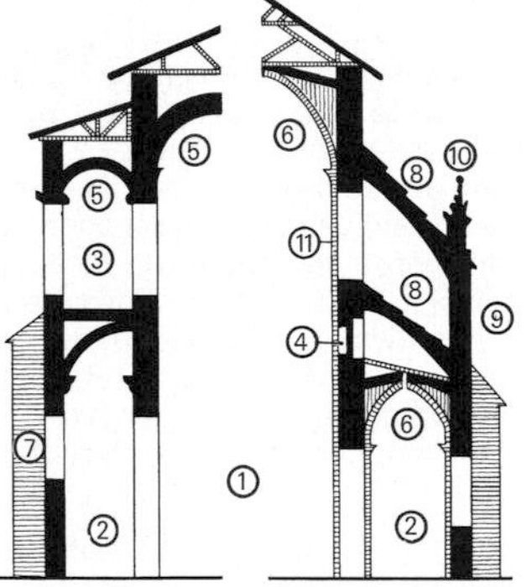

◀ illustratie II

Dwarsdoorsnede van een kerk: ① Schip - ② Zijbeuk - ③ Tribune of zijbeukgalerij - ④ Triforium - ⑤ Tongewelf - ⑥ Half tongewelf - ⑦ Spitsboog - ⑧ Contrefort (ter verzwaring van muurwerk) - ⑨ Luchtboog - ⑩ Steunbeer - ⑪ Pinakel - ⑫ Bovenlicht.

◀ illustratie III

Gotische kathedraal: ① Hoofdportaal - ② Galerij - ③ Roosvenster - ④ Klokketoren (soms bekroond met een spits) - ⑤ Waterspuwer voor afvoer van regenwater - ⑥ Contrefort - ⑦ Steunbeer - ⑧ Vlucht of spanning van luchtboog - ⑨ Tweeledige luchtboog - ⑩ Pinakel - ⑪ Zijkapel - ⑫ Straalkapel - ⑬ Bovenlicht - ⑭ Zijportaal - ⑮ Wimberg (driehoekige afdekking portaal) - ⑯ Siertorentje - ⑰ Dakruiter (boven de kruising van schip en dwarsschip gebouwd).

◀ illustratie IV

Kruisgewelf:
① Scheiboog - ② Graat - ③ Gordelboog.

illustratie V ▶

Half koepelgewelf: overwelft een halfronde absis.

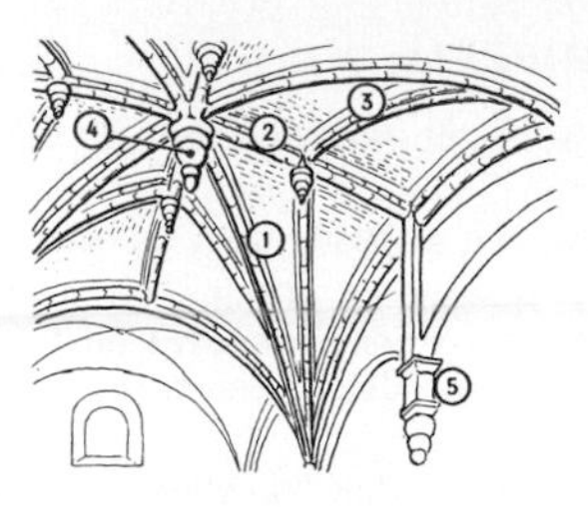

illustratie VI

Stergewelf: ① Spitsboog - ② Lierne (verbindingsrib) - ③ Tierceron (verdelingsrib) - ④ Sluitsteen - ⑤ Cul-de-lampe.

illustratie VII

Kruisribgewelf: ① Diagonaalboog - ② Gordelboog - ③ Schild- of muraalboog - ④ Steunbeer - ⑤ Sluitsteen.

▼ illustratie VIII

Portaal: ① Archivolt - ② Booglijst - ③ Timpaan - ④ Latei - ⑤ Dagkant - ⑥ Dag, soms versierd met beelden - ⑦ Trumeau, muurdam, waarvoor meestal een beeld staat - ⑧ Hengsel of ander ijzerwerk.

illustratie IX ▶

Bogen en pijlers: ① Gewelfribben - ② Dekplaat - ③ Kapiteel - ④ Schacht - ⑤ Basement - ⑥ Halfzuil - ⑦ Kantelaaf (overgangslid tussen een muur en een pilaster) - ⑧ Bovendorpel - ⑨ Ontlastingsboog - ⑩ Fries.

Vestingbouw

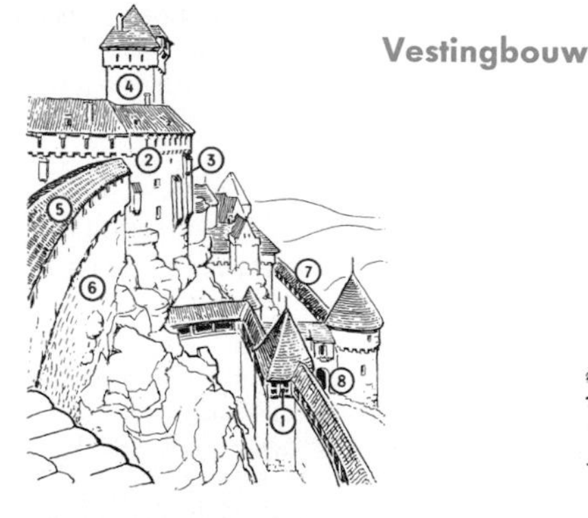

illustratie X

Versterkte ringmuur: ① Hordijs (galerij in hout) - ② Machicoulis (uitkragende kantelen) - ③ Pekneus - ④ Donjon - ⑤ Overdekte weergang - ⑥ Courtine - ⑦ Buitenste verdedigingsmuur - ⑧ Poterne.

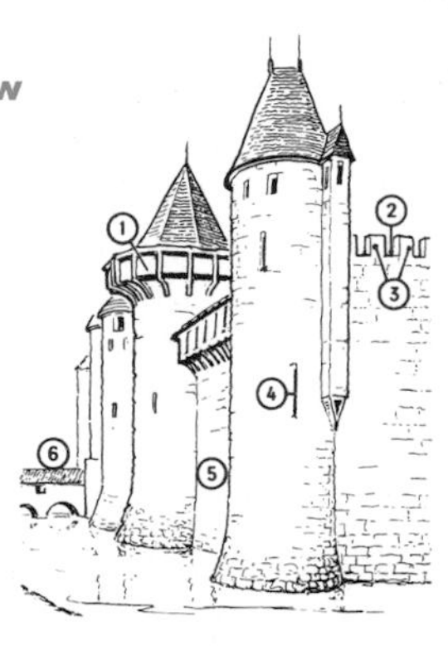

illustratie XI

Torens en courtines: ① Hordijs - ② Moordgat - ③ Kanteel - ④ Schietgat of moordgat - ⑤ Courtine - ⑥ Vaste brug.

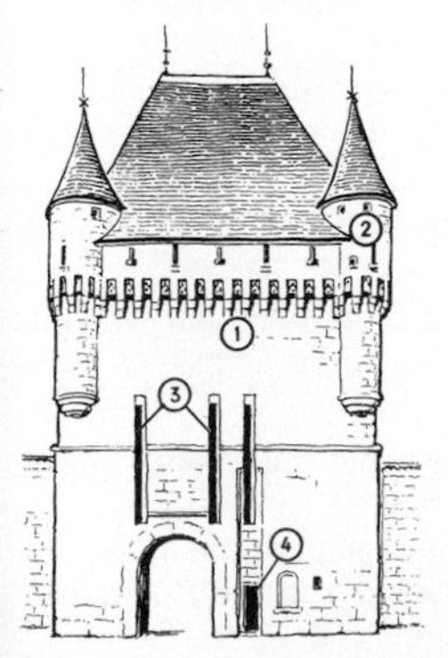

◀ illustratie XII

Versterkte poort: ① Machicoulis - ② Spietorentje voor de wacht - ③ Sleuf voor de ophaalbrug - ④ Poterne: sluip- of uitvalspoortje, gemakkelijk te verdedigen bij bezetting.

illustratie XIII ▶

Gebruikelijke versterkingen: ① Toegang - ② Ophaalbrug - ③ Glacis - ④ Halvemaan - ⑤ Gracht - ⑥ Bastion - ⑦ Wachttorentje - ⑧ Stad - ⑨ Paradeveld.

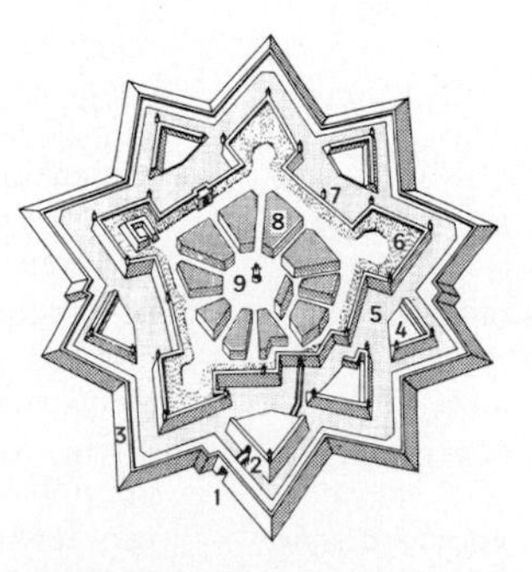

ENKELE KUNSTHISTORISCHE BEGRIPPEN

absis	afsluiting (halfrond) van het schip, koor of van een zijbeuk van een kerk
accoladeboog	boog waarvan de vorm aan een accolade doet denken
altaarstuk	achterbouw van het altaar, rustend op of hangend boven de altaartafel; het is beschilderd of gebeeldhouwd en bestaat vaak uit verscheidene beweegbare delen. Een triptiek is een altaarstuk met drie panelen
antefix	siertegel langs de rand van een antiek bouwwerk
barbacane	vooruitgeschoven bolwerk dat dient ter bescherming van een bruggenhoofd of poort
bas-reliëf	beeldhouwwerk dat voor minder dan de helft uitsteekt boven het vlak waarin het is aangebracht
bossage	ruw bewerkt blok natuursteen; bossage was vooral in de mode tijdens de renaissance
claustra	stenen rooster met een geometrisch motief
cloisonné	email dat gegoten is in vakjes die gevormd worden door smalle, opstaande metaalranden; het tegenovergestelde van émail champlevé, waarbij het email wordt aangebracht in groefjes in de ondergrond
colonnet	kleine kolom of zuil
console	kraagsteen of houten kraagstuk ter ondersteuning van een kroonlijst of balkon
doksaal	wand die in een kerk het koor van het schip scheidt
flamboyant	decoratieve stijl van de laatste periode van de gotiek (15de eeuw), zo genoemd vanwege de vorm van venster- en nistraceringen die doen denken aan oprijzende vlammen
fresco	wandschildering die op een nog vochtige pleisterlaag wordt gemaakt
fronton	bekroning, meestal driehoekig, van een gevel (ook wel van een raam of deur)
gekoppeld	paarsgewijs samengevoegd (gekoppelde bogen, gekoppelde zuilen)
gewelfvak	veld tussen de graten of ribben van een kruisribgewelf
glacis	*zie illustratie XIII*
haut-reliëf	beeldhouwwerk dat voor meer dan de helft uitsteekt boven het vlak waarin het is aangebracht (tussenvorm tussen het bas-reliëf en de rondebosse, een nog sterker uitspringend reliëf)
jaquemart	door een mechaniek aangedreven beeld van een krijgsman die met een hamer de uren op een klok slaat
kapiteel	bekroning van een zuil, veelal versierd
keperbogen	boog in de vorm van een mijter (pre-Romaans, vroeg-Romaans en tot het eind van de middeleeuwen)
klokkengevel	verhoogde gevel waarin een of meer rijen openingen zijn aangebracht om de klokken in op te hangen
koorbanken	houten zetels met hoge rugleuning aan weerszijden van het koor van een kerk, bestemd voor de geestelijken (ook koorstoelen genoemd)
kooromgang	gang om het koor; vaak voorzien van kapellen
korfboog	afgeplatte boog, zeer veel toegepast aan het einde van de middeleeuwen en tijdens de renaissance
kruisribgewelf	vierhoekig gewelf waarvan de kappen rusten op elkaar kruisende ribben, dan wel op ribben die bij een sluitsteen samenkomen
lambrisering	wandbekleding (hout, stuc, marmer, enz.) ter bescherming en versiering
lancetboog	verhoogde, gelijkzijdige spitsboog die op de punt van een lans lijkt
latei	*zie illustratie VIII*
liseen	platte, weinig vooruitspringende verticale muurband, veelal gecombineerd met Lombardische bogen
Lombardische bogen	een reeks blinde boogjes, meestal onder een daklijst en gecombineerd met lisenen; kenmerkend voor de Romaanse bouwkunst uit Lombardije

misericorde — kleine steun aan de onderkant van de opklapbare zitting van een koorbank, waarop de geestelijken konden zitten terwijl het leek alsof zij stonden

modillon — ornament in de vorm van een omgekeerde console, aangebracht tegen een muur ter ondersteuning van een buste, een vaas, enz

mozarabisch — Christelijke mengstijl van pre-Romaanse en Moorse elementen, ontstaan in het door de Moren bezette gebied in Spanje en meegebracht naar streken die tot het christendom waren bekeerd

ontlastingsboog — boog die is aangebracht ter verlichting van het muurwerk

peristilium — zuilengalerij rond een binnenplaats, gebouw of aan de voorkant van een gebouw (ook peristyle genoemd)

◀ illustratie XIV
Koepel met trompen:
① Achthoekige koepel - ② Tromp - ③ Arcade van de kruising.

illustratie XV ▶
Koepel met pendentiefs:
① Cirkelvormige koepel - ② Pendentief - ③ Arcade van de kruising.

illustratie XVI
Doksaal: verving in de grote kerken de triomfbalk; hier werd uit het epistel en uit het Evangelie voorgelezen. De meeste verdwenen vanaf de 17de eeuw: zij onttrokken het altaar aan het oog van de gelovigen.

illustratie XVII
Orgel:
① Grote orgelkast - ② Kleine orgelkast - ③ Kariatide - ④ Tribune.

illustratie XVIII ▶
Renaissance-ornamenten:
① Schelp - ② Vaas - ③ Rankenversiering - ④ Draak - ⑤ Naakt kinderfiguurtje of putto - ⑥ Amor - ⑦ Hoorn des overvloeds - ⑧ Sater.

illustratie XIX
Koorgestoelte:
① Koo oof: - ② Parciose - ③ Wang - ④ Misericorde.

illustratie XX
Altaar met retabel: ① Retabel - ② Predella - ③ Bekroning - ④ Altaartafel - ⑤ Antependium of voorhang. Sommige retabels hebben meer dan één altaar; in de huidige liturgie worden zij steeds minder gebruikt.

pilaster	vierkante, platte zuil die enigszins uitspringt uit een muur
rankwerk	aan het plantenrijk ontleende, gebeeldhouwde of geschilderde versieringen die veelal een fries vormen
retabel	*zie onder altaarstuk*
rondboog	half cirkelvormige boog
sluitsteen	bovenste, (versierde) steen in de top van een gewelf of boog
spitsboog	diagonale boog ter ondersteuning van een gewelf
stèle of stele	staande steen met inscripties of beeldhouwwerk, als grafmonument of ter herdenking van een overwinning
terra sigillata	aardewerk dat versierd is met kleine figuren of met reliëf
timpaan	veld in een fronton (zie boven), veelal versierd met beeldhouwwerk
triforium	smalle galerij boven de zijbeuken van een kerk
triomfboog	boog die de opening van het koor naar het schip van een kerk vormt
triptiek	schilderij of beeldhouwwerk in de vorm van een drieluik waarvan de buitenste delen naar binnen kunnen worden geklapt
tromp	overgangslid (koepel- of kegelvormig) naar een veelhoekige of ronde bovenbouw
tweelichtvenster	tweeledig venster met een middenstijl
vakwerk	constructie waarbij de muren worden gevormd door een geraamte van houten stijlen, regels en schoren; de zo ontstane vakken worden opgevuld met licht metselwerk
vensterkruis	stenen, kruisvormige verdeling van een venster
vlechtwerk	versiering bestaande uit banden of koorden van steen of ander materiaal, die met elkaar verstrengeld zijn
voluut	gebeeldhouwde versiering in de vorm van een krul of spiraal, waarvan het middelpunt het oog wordt genoemd

PREHISTORIE EN OUDHEID

In de Causses en de Cevennen zijn nog veel overblijfselen van de beschavingen uit het Neolithicum te vinden.

Megalieten - Dit woord, dat "grote stenen" betekent, is een verzamelnaam voor dolmens, menhirs, overdekte gangen, alignements (of steenrijen) en cromlechs (stenen die verticaal in rijen of kringen staan opgesteld ter afbakening van een bepaalde plek). In het departement Aveyron bevindt zich de grootste concentratie dolmens van heel Frankrijk, maar in de Gard, de Lozère en de Hérault zijn er ook heel wat te vinden. Menhirs, die zeldzamer zijn, komen met name voor in de Gard en de Aveyron. Deskundigen schatten dat de eerste megalitische monumenten dateren van kort voor de bronstijd (die omstreeks 1800 v.Chr. begint).

Menhirs - Deze reusachtige stenen, die stevig in de grond waren ingegraven, hadden waarschijnlijk een symbolische betekenis.
Hiervan getuigen de menhir-beelden die gevonden zijn in het zuidelijke deel van de Aveyron en waarvan de meeste te zien zijn in het Musée Fenaille in Rodez.
De gebeeldhouwde godin die werd gevonden in St-Sernin-sur-Rance is een van de mooiste voorbeelden van dit soort menhirs. Plaatsen als "Pierre Plantée", "Pierrefitte" en "Pierrefiche" danken hun naam aan de aanwezigheid van deze stenen.

Dolmens - Deze constructies bestaan uit grote stenen die als basis dienen voor een platte steen die erbovenop is gelegd, en hebben waarschijnlijk als graftombe dienst gedaan. Oorspronkelijk lagen sommige ervan onder tumuli, grafheuvels van aarde en stenen.
Misschien behoorden de bouwers van deze raadselachtige megalitische monumenten tot een volk dat van overzee was gekomen en dat aan de oorspronkelijke bewoners leerde hoe zulke blokken moesten worden opgezet. Hiervoor waren zowel samenwerking als voor die tijd geavanceerde technieken vereist. Blijkbaar was men heel handig, want er werd gebruik gemaakt van een glijgoot, het schietlood en rollen om de blokken die vaak meer dan 350 ton wogen te verplaatsen. Ook moesten er wegen worden aangelegd. Ter vergelijking: toen de obelisk van Luxor in 1836 op de Place de la Concorde in Parijs moest worden geplaatst, werd dit beschouwd als een enorme prestatie, terwijl dit monument niet meer dan 220 ton weegt.

De brons- en de ijzertijd - Uit deze perioden dateren de fraai gevormde kelken en de mooie sieraden die in het Musée Ignon-Fabre in Mende te bewonderen zijn.

Het Gallo-Romeinse tijdperk - Het Gaufresenque-aardewerk, dat in de buurt van Millau werd vervaardigd in de 1ste eeuw na Chr., genoot grote bekendheid bij de Romeinen. Ongeveer in dezelfde periode was Banassac beroemd om de kwaliteit van zijn terracotta.

MILITAIRE BOUWKUNST

Overblijfselen van middeleeuwse vestingwerken komen veel voor in de Languedoc.
Door de oorlog tegen de Albigenzen, de troepen soldaten die tijdens de Honderdjarige Oorlog een spoor van vernieling achter zich lieten, en de nabijheid van het hertogdom Guyenne, dat tot 1453 in handen van de Engelsen zou blijven, waren de landheren genoodzaakt zich goed te verdedigen. Zij bouwden hun kastelen aan de ingang van de cañons of boven op steile rotsen.
Aan de zuidkant van de Montagne Noire wemelde het van de forten, die nu tot ruïnes zijn vervallen, maar nog steeds een groots en ongenaakbaar aanzien aan het landschap verlenen.

Kastelen - Buiten de steden, die verdedigd konden worden door versterking en uitbreiding van de Gallo-Romeinse ommuringen (zoals **Carcassonne**), verrezen vestingwerken op de hoger gelegen plaatsen. Oorspronkelijk waren deze **mottes** - natuurlijke verhogingen door mensenhand aangelegd, die een eenvoudige schuilplaats boden - nogal primitief. Maar al spoedig werden de mottes, waarvan er steeds meer kwamen, steeds geperfectioneerder en tenslotte groeiden zij uit tot onneembare vestingen, net als de kastelen van de katharen, die een zuiver militaire functie hadden.
Aan het eind van de 11de eeuw verschijnen de **donjons**; dit zijn stenen verdedigingstorens, die soms rechthoekig, zoals bij Peyrepertuse, of rond (in Catalonië) waren. Kenmerkend voor deze torens zijn de dikke muren en de smalle openingen. Binnen onderscheidt men verschillende verdiepingen: de donkere en gewelfde benedenverdieping dient als opslagplaats; de hoger gelegen verdiepingen dienen als ontmoetingsplaats of woonvertrek. Toegang is alleen mogelijk via de eerste verdieping langs een intrekbare ladder of loopbrug.
De torens werden niet vaak gebruikt voor bewoning. Vele ervan lijken trouwens eenvoudige verdedigingstorens en dienden om een garnizoen in onder te brengen. De leenheer nam liever zijn intrek in een ruimer bouwwerk (**de basse-cour**), dat naast de toren lag en er al dan niet aan vastgebouwd was.
Geleidelijk aan komt er in de 13de en 14de eeuw meer comfort door uitbreiding van het woongedeelte. De toren gaat dan deel uitmaken van de gebouwen eromheen en wordt omgeven door een of meerdere ommuringen met kleinere torens. Het kasteel van **Puilaurens** is met zijn ommuring en vier hoektorens een mooi voorbeeld van deze ontwikkeling, terwijl de donjon van **Arques** kenmerkend is voor een militair bouwwerk uit de 13de eeuw.

Uitkijktorens - Deze torens zijn vooral veel te vinden in de Corbières, de Fenouillèdes, de Vallespir en de Albères, en worden o.a. **atalayes**, **guardias** of **farahons** genoemd.
Toentertijd werden er vanaf deze torens boodschappen doorgegeven; 's nachts gebeurde dit door middel van vuren en overdag door middel van rooksignalen. Dankzij een code kon men precies doorgeven wat voor gevaar er dreigde en hoe ernstig dit was.
Deze hele keten optische "telegraafpalen" kon worden gereconstrueerd in de bergen van Catalonië. In de tijd van de Catalaanse graven, tijdens de late middeleeuwen, kwam deze keten uit in de Aspres bij het kasteel van **Castelnou**, en in de tijd van de koningen van Aragon in Perpignan.

Versterkte kerken - Tegen het einde van de 10de eeuw wordt het in het zuiden gebruikelijk om kerken te versterken.
De kerk is van oudsher een vrijplaats; het door de godsvrede vastgelegde onschendbare gebied *(zie onder Toulouges)* strekt zich uit tot 30 passen rondom het bouwwerk.
Dankzij de solide muren en de klokkentoren, die zeer geschikt is als uitkijkpost, is het een toevluchtsoord voor de bevolking. Waarschijnlijk zijn de **machicoulis** *(zie illustratie X, blz. 41)* voor het eerst in Frankrijk verschenen op de kerken in de Languedoc tegen het einde van de 12de eeuw. Deze machicoulis stonden van oudsher op kraagstenen of werden uitgespaard in de rijen bogen tussen de steunberen, zoals in Beaumont-de-Lomagne.
Het versterken van kerken werd echter streng gereglementeerd tijdens de oorlog tegen de Albigenzen. De graaf van Toulouse en zijn vazallen werd namelijk verweten dat zij herhaaldelijk misbruik hadden gemaakt van hun rechten, en zo kregen de bisschoppen weer na lange tijd hun monopolie terug.
Voor de Languedoc betekent de 13de eeuw dat het gebied bij het koninkrijk wordt ingelijfd en dat de orthodoxie zegeviert over de ketterij. Vanaf die tijd worden in de streek grote bakstenen kerken gebouwd in de gotische stijl van Toulouse. Het grondplan en de ligging van deze kerken hadden vooral een verdedigend karakter.
In 1282 legde Bernard de Castanet, bisschop van Albi, de eerste steen voor de Cathédrale Ste-Cécile; door de indrukwekkende, 40 meter hoge muren en haar donjon-klokkentoren, maakt de kathedraal de indruk van een massief fort in het hart van een gebied waar de ketters nu onderworpen zijn.

Goed bewaarde versterkte kerken en dorpen vindt men nog in de hoger gelegen dalen van de Pyreneeën: bij de kerk van Stes-Juste-et-Rufine in Prats-de-Mollo lopen daken en versterkingen merkwaardig door elkaar heen.
Een van de fraaiste voorbeelden van zo'n geheel is te zien in Villefranche-de-Conflent, waarvan de muren onder Vauban zijn vernieuwd.

Bastides (Vestingsteden) – In 1152 trouwt Aliénor van Aquitaine met Henri Plantagenêt, graaf van Anjou en leenheer van Maine, Touraine en Normandië. Bij elkaar gevoegd, is hun gebied nu net zo groot als dat van de koning van Frankrijk. Als Henri Plantagenêt door vererving twee jaar later koning van Engeland wordt onder de naam Hendrik II, is het evenwicht verbroken. De strijd tussen Engeland en Frankrijk die dan losbreekt, zal drie eeuwen duren. De bastides worden in de 13de eeuw door de koning van Frankrijk en die van Engeland opgetrokken, omdat zij dachten op die manier hun positie te versterken en hun aanspraak op het land te rechtvaardigen.
De steden – zowel de Franse als de Engelse – werden volgens een geometrische plattegrond gebouwd, op enkele uitzonderingen na als dit niet mogelijk was door hoogteverschillen in het terrein. Vaak hadden ze de vorm van een schaakbord: de kaarsrechte straten staan loodrecht op elkaar. In het midden van de stad ligt een plein omringd door overdekte arcaden (de couverts).
Villefranche-de-Rouergue is een mooi voorbeeld van deze verrassende "nieuwe steden" uit de 13de en 14de eeuw.

De belegeringsoorlogen

Als een kasteel niet bij verrassing kon worden ingenomen, was er vaak een lange belegering nodig om het te veroveren.
Voor de aanvallers waren de kathaarse forten zeker het meest afschrikwekkend. Deze stonden op overhangende rotsen, boven duizelingwekkend hoge en steile rotswanden, waardoor geen enkele belegeringstechniek kon worden toegepast. In 1210 waren gebrek aan water en ziekte de enige oorzaken van de overgave van het kasteel van **Termes** en in 1255 viel het laatste bolwerk van de katharen, **Quéribus** omdat er verraad in het spel was.
De grote belegeringen duurden vaak maanden, en er groeide een hele versterkte stad rond de vesting die veroverd moest worden.
Om een gat in de muur te slaan, groeven de geniesoldaten mijngangen, die instortten als de stutten in brand vlogen. Stormrammen werden in stelling gebracht. De "engeigneurs" lieten hele gevaartes bouwen die voor het laatst waren uitgeprobeerd bij de kruistochten.

Het kanon doet zijn intrede

De primitieve donderbussen raken steeds verder geperfectioneerd. Tegen het midden van de 15de eeuw wordt de koninklijke artillerie, onder de bezielende leiding van twee geniekanonniers, de gebroeders Bureau, de beste ter wereld. Geen enkel feodaal fort is hier nog tegen bestand. In een jaar tijd herovert Karel VII zestig vestingen op de Engelsen, die zij pas na een belegering van vier tot zes maanden hadden kunnen innemen. De militaire bouwkunst ondergaat een volledige verandering: de torens worden lage en sterke bolwerken, de courtines worden lager en zijn nu soms wel 12 m dik.
In de 17de eeuw brengt **Vauban** nog aanzienlijke verbeteringen aan in deze nieuwe verdedigingswerken.
In het **Fort van Salses** zijn de veranderingen die de artillerie nodig heeft gemaakt heel goed te zien. Het fort ligt half onder de grond en is ingenieus voorzien van courtines met afgeronde top, zodat het moeilijk te beklimmen is en kogels afgeketst worden.

KERKELIJKE BOUWKUNST

De Romaanse kunst

De Languedoc is een doorgangsgebied en ondergaat daardoor verschillende invloeden van buitenaf: uit de Auvergne door de Église Ste-Foy in Conques; uit de Provence door de Abbaye St-Victor in Marseille, waaronder aan het eind van de 11de eeuw talrijke priorijen kwamen te vallen; uit de Aquitaine door de Basilique St-Sernin in Toulouse en door de Église St-Pierre in Moissac. In de Rouergue gebruikt men liever rood- of grijsachtige zandsteen dan leisteen, die moeilijker is te bewerken. In het zuiden gaan baksteen en natuursteen harmonieus samen.

De eerste Romaanse bouwwerken – Deze verschenen in het begin van de 11de eeuw, toen de kerkelijke bouwkunst tot bloei kwam dankzij de welvaart van de katholieke Kerk. Kenmerkend is het grove metselwerk van blokken steen en specie. Bij de koorsluiting zijn de muren vaak versierd met lisenen.
Binnen wordt het schip door een tongewelf met rondbogen overspannen en eindigt in een absis met half koepelgewelf. Iets later verschijnt het kruisgewelf, dat ontstaat op het snijpunt van twee tongewelven. Dit gewelf is vaak toegepast in crypten en zijbeuken.

Bacon/IMAGES PHOTOTHÈQUE

Conques – De Ste-Foy-abdijkerk.

Deze stijl maakt een strenge indruk; de weinige ramen zijn smal en de omlijstingen lopen wijd uit. Omdat de muren makkelijk zouden bezwijken onder de zware stenen gewelven, konden slechts heel weinig ramen worden uitgespaard en moesten zijbeuken gebouwd worden die tot aan de onderkant van de gewelven reikten en zo het schip ondersteunden. Enkele voorbeelden uit deze periode zijn de kerken van Las Planques in het Viaur-dal, Ambialet en St-Guilhem-le-Désert.

De Romaanse kerken van de streken tussen Gévaudan en Bas Languedoc – De plattegronden van deze kerken zijn zeer gevarieerd, maar zij hebben bijna overal een eenbeukig schip, hetgeen aan het eind van de 11de eeuw zelfs bij de grote bouwwerken (de kathedraal van Maguelone, St-Étienne in Agde en de abdijkerk van St-Pons) wordt overgenomen.
De grote eenvoud van de buitenkant en de indrukwekkende, door arcaden verstevigde muren zijn terug te voeren op invloeden uit de Provence. In de kleine en eenvoudige kerken op het platteland, waar men over minder geld beschikt, zijn kooromgangen en straalkapellen, die zo karakteristiek zijn voor bedevaartkerken als de Ste-Foy in Conques en de St-Sernin in Toulouse, veel zeldzamer.

De Catalaanse bakermat – In de abdijkerk van **St-Michel-de-Cuxa**, in de Conflent, zijn verschillende invloeden merkbaar: een smal en laag transept, een langgerekt koor met absissen, zijbeuken en een tongewelf dat alles overkoepelt zorgen voor een complexe aanblik, die typisch is voor de vroeg-Romaanse kunst. De kerk van **St-Martin-du-Canigou** is eenvormiger; dit soort kerken wordt in de 11de eeuw steeds vaker gebouwd. Zo ziet men bij monumenten uit deze periode steeds meer dat het schip door een tongewelf overdekt wordt en op zuilen rust.
In de volgende fase krijgen de kerken tongewelven met gordelbogen (Arles-sur-Tech, Elne) en de versieringen worden talrijker. Vervolgens komt daar nog de koepel op trompen bij, een van de opmerkelijkste scheppingen van de Catalaanse kunst.
De kerken in de bergen, die vaak buiten de grote doorgangsroutes bleven en ruw opgetrokken waren uit steenbrokken, onderscheiden zich door een fraaie vierkante toren, versierd met arcaturen en lisenen, die nog tot de 13de eeuw werden toegepast. Voor het beeldhouwwerk is grijs of roze marmer gebruikt, afkomstig uit de groeven van de Conflent en de Roussillon.
In de werkplaatsen in de Pyreneeën worden steeds meer altaren gemaakt en kapitelen, eerst met eenvoudige bloemmotieven, later met hele taferelen. De decoratie van de priorij van **Serrabonne**, vooral de versiering van de tribune die de monniken diende tot koor, is ongetwijfeld het mooiste voorbeeld van Romaanse kunst in de Roussillon. Muurschilderingen op de meestal vlakke muren, waarin weinig ramen waren aangebracht, vormen een belangrijk onderdeel van de kunst uit deze periode. De afbeeldingen in de absis hebben vaak thema's als Christus in Majesteit (Majestas Domini), de Apocalyps en het Laatste Oordeel om, net als de kerkportalen in de Languedoc, de gelovigen op te roepen aan hun zielenheil te werken.

Moissac – De abdij van Moissac is een belangrijke pleisterplaats op de bedevaartroute naar Santiago de Compostela en heeft in de 11de en 12de eeuw een grote uitstraling in de hele Languedoc.

J. Dieuzaide

Moissac - De kloostergang.

Het portaal en de kloostergang zijn absolute hoogtepunten van de Romaanse kunst. Het **timpaan**, een in steen uitgevoerde miniatuur, heeft school gemaakt. Het toont een Christus in Majesteit, omgeven door de symbolen van de vier evangelisten. Uit de compositie blijkt een oosterse invloed die via Spanje is binnengekomen. Zo doen ook de drie- en meerlobbige arcaturen aan de mozarabische kunst denken.

De rijke versieringen zijn ook terug te vinden in het prachtige beeldhouwwerk in de **kloostergang**. Van de apostelen, gebeeldhouwd op hoekpijlers, zijn de hoofden van opzij en de lichamen van voren uitgebeeld. De kapitelen van de galerijen laten een grote verscheidenheid aan motieven zien, zowel geometrisch als uit het planten- en het dierenrijk, evenals hele voorstellingen. De stijl van Moissac vertoont zeker enige overeenkomst met die van Toulouse, ook een bakermat van de middeleeuwse romaanse beeldhouwkunst.

Toulouse - Toulouse was het onbetwiste centrum toen de Romaanse school in de Languedoc het hoogtepunt van haar bloeiperiode bereikte.

De **St-Sernin**, een belangrijk bedevaartcentrum, is de grootste Romaanse basiliek van het Westen. Het bouwwerk is volgens een groots plan opgetrokken uit een subtiele combinatie van natuur- en baksteen. De kerk is volledig overkoepeld, waarbij de verschillende technieken van de Romaanse bouwkunst zijn toegepast: boven het middenschip zijn tongewelven met rondbogen en gordelbogen aangebracht, boven de tribunes halve rondbogen, kruisgewelven boven de zijbeuken en een koepel op de kruising van het transept. De gebeeldhouwde decoraties werden in minder dan veertig jaar (van 1080 tot 1118) voltooid in de werkplaats van Bernard Gilduin. De taferelen op de portalen tonen door hun symboliek en rangschikking een oprecht en diep geloof, dat regelrecht geïnspireerd is op het Oude en het Nieuwe Testament. De **Porte Miégeville** in de zuider zijbeuk werd in 1100 voltooid: hier zijn interessante invloeden te zien van de Spaanse werkplaatsen uit Jaca en Compostela (koning David links op de latei is ook te zien op een portaal in Santiago de Compostela, evenals de afbeelding van de H. Jacob links van het timpaan).

De gebeeldhouwde decoratie van de kapitelen is opvallend origineel: een mengeling van Corinthische bladeren uit de oudheid met diermotieven en menselijke figuren. Jammer genoeg zijn de kloostergangen van de Abbaye St-Sernin, van het Monastère de N.-D.-de-la-Daurade en van de Cathédrale St-Etienne in de 19de eeuw afgebroken.

De gotiek van het zuiden

In Zuid-Frankrijk heeft de gotiek de grondbeginselen van die stijl niet uit het noorden overgenomen; de nieuwe bouwstijl bleef er nauw verbonden met de Romaanse tradities. Eigenlijk is alleen het koor van de kathedraal van Narbonne opgetrokken in de "Franse" gotische stijl.

De stijl van de Languedoc - In de 13de eeuw ontstaat een gotische kunst die typerend voor de Languedoc genoemd kan worden en gekenmerkt wordt door het gebruik van baksteen. Een ander kenmerk is vaak een klokkengevel of een opengewerkte klokkentoren met keperbogen, geïnspireerd op

Dumas/IMAGES PHOTOTHÈQUE

Toulouse - De klokkengevel van Notre-Dame-de-Taur.

de klokkentoren van Notre-Dame-du-Taur in Toulouse en op de bovenste verdiepingen van die van de Basilique St-Sernin. Bij het ontbreken van luchtbogen worden de gewelven ondersteund door massieve steunberen waartussen kapellen zijn gebouwd.
Binnen is het tamelijk donker in het enkele schip dat even breed als hoog is en eindigt in een smallere, veelhoekige absis. Het schip was groot genoeg om plaats te bieden aan grote aantallen mensen, die door de geestelijkheid tot kerkgang werden aangespoord na het einde van de kruistochten tegen de Albigenzen.
De grote, blinde muren zijn vaak gedecoreerd met muurschilderingen.

Apa/PIX

Albi - Het doksaal van de Cathédrale Ste-Cécile.

De bedelorden - In 1216 richten de dominicanen (of Jacobins) het eerste klooster van hun orde op in Toulouse. De franciscanen (of Cordeliers) nemen er ook hun intrek in 1222, nog tijdens het leven van de H. Franciscus van Assisi, die de orde heeft gesticht (de kerk is in 1871 afgebrand). De kerk van de dominicanen met haar gedurfd gewelf en palmvormige zuilen en de streng aandoende kloostergang met zijn dubbele zuiltjes maken van het gebouw een sierlijk geheel, dat een sfeer van diepe spiritualiteit ademt.

De kerken in de bastides - Bij de aanleg van de bastides werden ook talrijke kerken gebouwd. Zij hadden hun hoofdingang in de vestingmuur of in de omgeving van het enige plein in het midden van de vestingstad, waar markt werd gehouden en dat omgeven was door couverts (overdekte arcaden); in Mirepoix zijn deze arcaden het best bewaard gebleven. In de bastides werd de zuidelijke gotiek des te beter geïntegreerd omdat er maar weinig ruimte beschikbaar was.
Hoewel de Église St-Jacques in Montauban in de loop der eeuwen vaak is gewijzigd, hoort zij tot de bouwschool van de Languedoc door haar enkelvoudige schip en haar achthoekige klokkentoren van baksteen. De kerk van Granada in Spanje is geïnspireerd op de Église des Jacobins in Toulouse.

De kathedraal van Albi - Deze kathedraal is het zuiverste voorbeeld van de zuidelijke gotische kunst. Dit machtige bouwwerk bestaat uit een enkel schip met twaalf traveeën, dat 100 m lang en 30 m hoog is, en flinke steunberen en smalle openingen heeft. Al ziet de kerk er enigszins als een fort uit, de lijnen zijn toch sierlijk en zuiver. Het geheel is evenwichtig en goed geproportioneerd; zijbeuken, transept of kooromgang ontbreken. Met de bouw van de kathedraal is in 1282 begonnen en de werkzaamheden werden pas 200 jaar later beëindigd. Na 1500 verandert de bouwstijl als vanzelf in de flamboyante gotiek; de koorafsluiting en het **doksaal** stammen uit die periode, net als de bovenste drie verdiepingen van de klokkentoren. In 1533 wordt een portaal in de vorm van een baldakijn aan het bouwwerk toegevoegd.

D'après photo Lauros/GIRAUDON

Montpellier - Hôtel de Mirman.

BURGERLIJKE BOUWKUNST

In de 17de en de 18de eeuw verrijzen, met name in Montpellier en Pézenas, fraaie herenhuizen in de stijl van de Italiaanse renaissance. De gevels die op de binnenplaats uitkijken, bestaan afwisselend uit boven elkaar gelegen loggia's en colonnades met fraaie balustrades en frontons. De interieurs zijn ook overvloedig versierd en overal zijn monumentale trappenhuizen te zien. Aan het einde van de 17de eeuw verandert de architect **d'Aviler** het aanzicht van de herenhuizen; hij decoreert meer de straatkant en vooral het voorportaal. D'Aviler vervangt de oude lateien door een sterk afgeplatte boog die de naam davilerte krijgt; daarboven plaatst hij een driehoekig fronton dat in meerdere of mindere mate is bewerkt. Prachtige buitentrappen met balustrades herinneren nog aan de voorafgaande periode. Tegen het einde van de eeuw verdwijnen de boven elkaar geplaatste pilasters en bouworden, de ramen verliezen hun omlijsting, maar de gevels worden verfraaid met beeldhouwwerken en smeedijzeren balkons. Er kan gezegd worden dat Montpellier op architectuurgebied uitblonk, met vertegenwoordigers als d'Aviler, de familie Giral en Jacques Donnat. Ook op het gebied van siersmeedwerk en houtbewerking telde de stad grote meesters. Onder de kunstschilders komen eveneens bekende en zelfs beroemde namen voor, zoals Antoine Ranc, Hyacinthe Rigaud, Jean de Troy (17de eeuw), Jean Raoux, Joseph-Marie Vien (18de eeuw). Weer een ander aspect van deze vruchtbare periode is te zien in de prachtige fonteinen, de watertoren en het aquaduct van Le Peyrou.

TRADITIONELE BOUWKUNST OP HET PLATTELAND

De huizen op het platteland hadden een praktisch doel en de activiteiten van de streek waar ze staan zijn er goed aan af te lezen. De ligging, indeling en de gebruikte bouwmaterialen getuigen van een diepgewortelde streektraditie. Zo nemen in de Causses, de Cevennen en de Aubrac, waar de schapenfokkerij een grote rol speelt, de schaapskooien een belangrijke plaats in; op de vlakte van de Bas Languedoc daarentegen is de chai (wijnopslagplaats) het belangrijkst.
De materialen die voor de bouw worden gebruikt, komen meestal uit de onmiddellijke omgeving, zodat het huis nog meer een geheel vormt met het landschap.
Verschillende soorten dakbedekking zijn o.a. vulkanische lavasteen, fijn leisteen en vooral de platen schiststeen uit de Cevennen, die gewoonlijk, evenals de dunne plakken kalksteen uit de Causses, **lauzes** worden genoemd.
Tegenwoordig passen de huizen op het platteland zich aan de nieuwe leefpatronen aan; zij ondergaan de invloed van nieuwe bouwtechnieken en dit is dikwijls ook te wijten aan het verdwijnen van de ambachtslieden die de traditionele bouwkunst beheersten. Zo hebben ook de voortschrijdende landbouwtechnieken het aanzien van de traditionele woning veranderd; de reusachtige graanzolders zijn aan het verdwijnen sinds het graan in silo's wordt opgeslagen.

De huizen op de Causses – Op de kalkhoudende Causses staan de huizen in groepjes bij elkaar langs de rivieren of zijn verspreid over het land gebouwd, zo dicht mogelijk bij het bouwland. De behuizingen, robuuste bouwsels met een bovenverdieping en dikke muren, zijn toegankelijk via een buitentrap. De put ligt vlak bij de keuken en speelt een belangrijke rol, net als in andere streken waar het water schaars is. Het witachtige kalksteen wordt zowel voor de muren als voor de daken gebruikt. Woonhuis en schaapskooi zijn afzonderlijke gebouwen, die soms een heel eind uit elkaar staan. In het woonhuis bevinden de cave en de opslagplaats voor gereedschap en werktuigen zich op de benedenverdieping; op de eerste verdieping wordt gewoond.

De burons in de Aubrac – De buron is een stevig, uit basalt en graniet opgetrokken bouwsel met een enkele opening; het staat midden in het weideland, meestal tegen een helling en in de nabijheid van waterbronnen. Het gebouwtje dient de herder vanaf mei tot eind oktober tot tijdelijke behuizing, als de koeien op de hoger gelegen zomerweiden grazen. Onder het dak van platte natuursteen bevindt zich een vertrek dat zowel woonvertrek als kaasmakerij is; aan deze ruimte grenst een kelder waar de kaas kan rijpen. Slechts een klein aantal burons is nog in gebruik.

Huis in de Cevennen.

Huis op de Causses.

Huis in de Rouergue.

Schuur met dak van bremtakken (Monts de l'Espinouse).

Behuizing van een herder in de Aubrac.

Wijnbouwershuizen (departement Hérault).

De huizen in de Cevennen - Deze stevige huizen zijn gebouwd om een streng klimaat te kunnen doorstaan; ze staan in de dalen, halverwege de hellingen. Leisteen is het materiaal dat gebruikt wordt voor de daken en muren; de ramen zijn klein. Afhankelijk van de streek bestaan de lateien, de omlijstingen van de ramen en de hoekankers uit zand- of kalksteen, waardoor een aardig kleurcontrast ontstaat; voor de bouw wordt ook kastanjehout gebruikt. Het woongedeelte bevindt zich op de eerste verdieping en is te bereiken via een stenen trap die het aanzien krijgt van een echte brug als het huis op een helling staat. Op de benedenverdieping liggen de stal en de schuur. Op de tweede verdieping werden vaak zijderupsen geteeld. Op de daken van ruwe stukken leisteen is alleen aan de schoorstenen extra aandacht besteed. Soms is de nokafdekking versierd met schuin opgezette stukken leisteen (dak met lignolets of met "molenwieken").
Ten oosten van de Cevennen, in de richting van de bergen van de Vivarais, zijn de huizen van een zuidelijker type met daken van holle dakpannen en een daklijst die "Genuees" wordt genoemd.

Huizen in de Rouergue - De muren bestaan uit grote blokken schist of graniet. De daken zijn bedekt met platen schist- of leisteen met dakramen die aan de kant van de voorgevel dienst doen als fronton en de rand van het dak sieren. Ook hier wordt dezelfde verticale indeling aangetroffen; op de benedenverdieping liggen de cave en de opslagplaats, op de eerste verdieping bevindt zich het woongedeelte. Onder de hanenbalken worden de kastanjes uitgespreid om er te drogen. Onder de buitentrap die toegang geeft tot de woning ligt vaak de varkensstal. Als de boer welvarend is, bestaat het huis uit verschillende gebouwen, woongedeelte, stal, schuur en een torentje dat dienst doet als duiventil, die rond een binnenplaats liggen waar men via een poort met een afdak binnenkomt. Hier en daar ziet men nog verspreid in de weilanden ronde hutten met stapelmuren en een puntdak. De eigenaardige, schilderachtige huisjes lijken op de bories in de Haute Provence en worden door de boeren gebruikt als schuilplaats of als schuur om gereedschap op te bergen.
In het dal van de Lot staan schuren waarvan de daken lijken op een omgekeerde scheepskiel en waaronder een reusachtige hoeveelheid hooi kan worden opgeborgen.

Boerderijen op de Monts de l'Espinouse - De Monts de l'Espinouse zijn niet alleen met beuken-, eiken- en kastanjebossen begroeid, maar ook met weideland en bremstruiken. De muren die aan de regen en noordwestenwind blootstaan, worden met leisteen tegen het vocht beschermd. In Fraisse-sur-Agout staan nog een paar huizen met daken van bremtakken. De schuur van de boerderij in Prat d'Alaric *(zie onder Espinouse)* bestaat uit twee verdiepingen (beneden de stal en boven de schuur). Bouwmaterialen zijn graniet en gneis voor de muren, hout voor de kapconstructie en gebinten en bremtakken voor het dak. De trapgevels zijn karakteristiek voor deze schuren.

De huizen in de Languedoc - De Bas Languedoc, in de buurt van Montpellier en de zee, is het gebied van de wijnbouw; het heeft een mediterraan klimaat. De huizen van de wijnboeren in deze streek hebben kleine ramen, zodat het er 's zomers binnen altijd heerlijk koel blijft. Het pleisterwerk wordt van oudsher van zand gemaakt en is okerachtig of zachtroze van kleur.
In de Haut Languedoc, in de buurt van Toulouse, waar graan wordt verbouwd en zeer veel kleibanken voorkomen, worden voor de bouw vrijwel uitsluitend bakstenen gebruikt.
Een gemeenschappelijk kenmerk van alle huizen in de Languedoc zijn de vrij vlakke daken, die bedekt zijn met holle dakpannen, "Romeinse" dakpannen genoemd.

Huizen in de Bas Languedoc - In de voorgevel ziet men vaak een driehoekig fronton. Het huis staat los van de stal en de schuur. De langwerpige wijnopslagplaats strekt zich uit over de gehele benedenverdieping en heeft halfronde raampjes. In de voorgevel zitten in principe twee deuren: een grote met een rondboog die toegang geeft tot de wijnopslagplaats, en een kleinere waarachter de trap ligt die naar de eerste verdieping leidt, waar zich het woongedeelte bevindt.

Huizen in de Haut Languedoc - In het gebied van Castres, evenals in de aangrenzende Albigeois, zijn de muren helemaal uit baksteen opgetrokken. In het oostelijke gedeelte van de Haut Languedoc wordt baksteen echter alleen gebruikt ter verfraaiing van de omlijstingen rond deuren en ramen; soms ook is een strook baksteen onder de daklijst aangebracht.
Veel boerderijen in de Haut Languedoc hebben een **duiventil**, die soms aan het hoofdgebouw is aangebouwd, maar meestal op een zonnige plaats vlakbij staat. Eeuwenlang waren de duiven een kostbare bron van mest voor de schrale gronden; ook waren duiventillen het concrete bewijs van een bepaald recht of privilege.

Capitelles (of cazelles), mazets - **Capitelles** zijn hutten met een enkele, meestal ronde stapelmuur die uit lei- en kalksteen is opgetrokken. Deze hutten bieden herders bescherming bij slecht weer en dienen ook als bewaarplaats voor gereedschap. Onder **mazets** verstaat men kleine vierkante bouwsels met een punt- of tentdak, waar de wijnboeren kunnen schuilen bij onweer en dergelijke.

Taal en letterkunde

Het begrip "Languedoc" is in de 13de eeuw ontstaan uit een formule die de koninklijke ambtenaren gebruikten om de gronden aan te duiden die tussen de Rhône en de Garonne lagen en die rechtstreeks aan de koning toebehoorden.

De Langue d'Oc

Uit het samensmelten van het Latijn dat de Romeinen spraken en de spreektaal van de Galliërs zijn twee talen ontstaan die tot de Romaanse talen worden gerekend: de langue d'oïl en de langue d'oc. Om ja te zeggen, gebruikte men in de ene taal het woord oïl en in de andere het woord oc; in de 13de eeuw kregen de talen om die reden hun respectieve namen. De langue d'oc wordt tegenwoordig het Occitaans genoemd en het gebied waar deze taal nog wordt gesproken, omvat de streken rond Périgueux, Bordeaux, Bayonne, Pau, Limoges, Clermont-Ferrand, Foix, Narbonne, Valence, Briançon en Nice. Net als andere talen kent het Occitaans een aantal regionale varianten, waarvan het bekende Provençaals er een is; een andere variant is het zogenaamde Languedocien. In de 12de en 13de eeuw was het Occitaans de verfijnde lyrische taal die gebruikt werd door de troubadours aan de hoven van de edelen in Occitanië, Noord-Italië en tot over de Pyreneeën.

De kruistocht tegen de Albigenzen (1209-1229) luidt het verval in van de troubadourspoëzie; het proza is in opkomst. In 1323 trachten een paar dichters uit de omgeving van Toulouse de oude vorm van poëzie in ere te herstellen door een soort poëziewedstrijden in het leven te roepen: de Jeux Floraux. In de 16de eeuw raakt het Occitaans in ongebruik als schrijf- en als officiële taal. De genadeslag krijgt de taal door het Edict van Villers-Cotteret, dat bepaalt dat alle aktes in het Frans opgesteld dienen te worden. Als schrijftaal kent het Occitaans in de 19de eeuw een zekere opleving omdat de troubadours opnieuw in de belangstelling komen te staan. Rochegude, afkomstig uit Albi, publiceert in 1819 een anthologie met originele gedichten en de oprichting van het literaire gezelschap *Le Félibrige (zie de Groene Michelingids Provence)* getuigt eveneens van een opleving. In 1869 verschijnt in Montpellier het tijdschrift "Revue des Langues Romanes" en sindsdien hebben velen aan de universiteit van die stad een bijdrage geleverd aan de ontwikkeling van de Occitaanse cultuur. Twee verenigingen die in Toulouse zijn gevestigd, de "Escola Occitana" (opgericht in 1919) en het "Institut d'Études Occitanes" (opgericht in 1945) hebben voor een taalhervorming gezorgd en bewerkstelligen de ontwikkeling van de geschreven taal in alle streken waar oorspronkelijk Occitaans werd gesproken. Het Occitaans wordt nog veel gebruikt als spreektaal. Uitzendingen op radio en televisie zorgen voor een zekere culturele opleving en zijn een inspiratiebron voor de Occitaans sprekende bevolking.

De troubadours – In de 11de eeuw komt aan de Zuid- Franse hoven de dichtkunst van de troubadours tot bloei; dit zijn dichters die zelf hun liederen "bedachten" (trobar = uitvinden, dichten). Men vindt troubadours zowel onder de prinsen als onder de armen, maar allen bezingen hetzelfde thema: de zuivere, ridderlijke liefde, die werd geïnspireerd door een geïdealiseerde vrouw. Tot de bekendste troubadours horen **Guilhem** (overleden in 1126), **Jaufré Rudel**, heer van Blaye, **Bernard de Ventadour** en **Peire Vidal**, de zoon van een ambachtsman uit Toulouse.

TALANDIER

Peire Vidal.

Het Catalaans

Catalaans is nauw verbonden met Occitaans. Het taalgebied strekt zich uit van Salses in de Roussillon tot aan Valencia in Spanje; in het westen wordt het begrensd door Andorra en de Capcir. De bloeitijd van het Catalaans ligt in de 13de eeuw, toen de schrijver en filosoof Ramon Llull er grote bekendheid aan gaf. Net als de langue d'oc, raakt het Catalaans in de 16de eeuw in vergetelheid. Tijdens de Spaanse centralistische monarchie onder Filips II wordt het Castiliaans (d.w.z. de Spaanse taal) dwingend opgelegd, hetgeen ten koste van de streektalen gaat. In het dagelijks leven wordt nog steeds Catalaans gesproken, en een opleving van de literatuur die in de vorige eeuw begon, helpt de culturele identiteit van de Roussillon te bestendigen.

Help ons met het voortdurend en nauwkeurig bijwerken van deze Michelingids.

Zend ons uw opmerkingen en suggesties.

Michelin
Willebroekkaai 33
1000 Brussel.

Ste-Énimie in de Gorges du Tarn.

Steden en Bezienswaardigheden

A. Kumurdjian

AGDE

17 583 inwoners
Michelinkaart nr. 83 vouwbladen 15, 16, of 240 vouwbladen 26, 10.

Agde, de vroegere stadstaat van de Elysieken, een Ligurische volksstam, werd 2 500 jaar geleden gesticht door de Griekse Phocaeërs onder de naam Agathé ("de goede"). De stad, die haar welvaart dankt aan de handel met de Oriënt en aan haar wijngaarden en olijfbomen, vertoont alle kenmerken van een hoge beschaving. In de 5de eeuw wordt Agde een bisschopsstad. Ondanks perioden van recessie (invasies van barbaren en Saracenen) houdt de haven tot de 12de eeuw een grote bedrijvigheid, maar de toenemende concurrentie van Montpellier, Aigues-Mortes en vooral Sète betekent tenslotte haar ondergang. Door aanslibbing van de Rhône moeten de boten tegenwoordig eerst 4 km de rivier opvaren om bij de haven te komen.
Agde ligt vlak bij de Mont St-Loup, een heuvel van vulkanische oorsprong, waarvan het lavasteen op grote schaal voor de bouw van de stad is gebruikt. Agde is een stad van (wijn)boeren en vissers. Net als in Sète vormen de zogenaamde joutes nautiques, traditionele watersteekspelen, een bron van vermaak voor de bevolking.

BEZIENSWAARDIGHEDEN

★ **Ancienne cathédrale St-Etienne** ⏲ - Deze voormalige vestingkerk uit de 12de eeuw staat waarschijnlijk op de plaats van een 9de-eeuws Karolingisch bouwwerk. Daar de kerk tijdens de godsdienstoorlogen was beschadigd, werd zij eerst in de 17de en daarna aan het einde van de 19de eeuw gerestaureerd. Het lavasteen dat voor de bouw is gebruikt, geeft haar nog meer het strenge uiterlijk van een fort. De 2 tot 3 m dikke muren worden bekroond met machicoulis op bogen en met kantelen. De 35 m hoge klokkentoren is een fraaie vierkante donjon met machicoulis, met op de hoeken een torentje en uitkijkposten (14de eeuw).
In de 19de eeuw verdwenen de huizen die de westgevel aan het gezicht onttrokken. In deze gevel langs de Hérault werd een portaal aangebracht.
Van het **kerkinterieur** dient vermeld te worden het spitstongewelf boven het schip dat door slechts één gordelboog wordt ondersteund. In het gewelf is een oculus te zien waardoor de verdedigers voedsel en munitie met een touw omhoog hesen. Het rechthoekige koor steekt buiten het schip uit waardoor het een T-vorm krijgt. Het koor is versierd met een retabel van veelkleurig marmer uit de 17de eeuw. De twee marmeren kapitelen van de zuilen van de triomfboog zouden van elders komen en al eerder dienst gedaan hebben. Opmerkelijk is de uit marmer gehouwen preekstoel uit de 18de eeuw.

Musée agathois ⏲ - Dit museum is gehuisvest in een oud patriciërshuis uit de renaissance, dat in de 17de eeuw verbouwd werd om als ziekenhuis dienst te doen. De tentoongestelde verzamelingen betreffen kunst en volksgebruiken. Zowel de traditionele middelen van bestaan (scheepvaart, visserij, wijnbouw, kunstnijverheid) als het dagelijks leven van de inwoners van Agde worden geïllustreerd door allerhande voorwerpen, schilderijen, aardewerk en klederdrachten (verzameling kanten mutsen uit Agde en omgeving). Stijlkamers, maquettes van boten, werken van kunstenaars uit de streek, souvenirs van zeelieden uit Agde, liturgische voorwerpen, ex-voto's, een mooie verzameling amforen uit de vroegere Griekse haven en de voormalige apotheek van het ziekenhuis geven een goede indruk van het rijke verleden van Agde.

OMGEVING

Le Grau-d'Agde - *4 km. De stad uitrijden langs de Quai des Chantiers (zuidkant stadsplattegrond) en de D 32 volgen.*
De weg loopt langs de monding van de Hérault, die een goed beschutte haven biedt. Aan het einde ervan ligt een mooi zandstrand.

Le Cap d'Agde - *5 km. De stad uitrijden via de Rue Ernest-Renan en de Rue de Brescou (zuidoostkant stadsplattegrond) en de D 32^E volgen.* *Zie onder Cap d'Agde.*

U wilt zelf uw reisprogramma's opstellen:
Raadpleeg eerst de kaart van de reisroutes.
Daarop vindt u de beschreven routes, de toeristische streken,
de belangrijkste steden en bezienswaardigheden.
Zoek vervolgens de beschrijvingen op. De belangrijkste toeristische centra zijn tevens het uitgangspunt voor tochten in de omgeving.

Massif de l'AIGOUAL★★★

Michelinkaart nr. 80 vouwbladen 5, 6, 15, 16, of 240 vouwbladen 10, 14.

De wegen in het Massif de l'Aigoual zijn bijna allemaal even schilderachtig, of ze nu dwars door de jonge bossen van het gebergte lopen of over de bergkammen vanwaar men een zeer weids uitzicht heeft.
Het observatorium op de top biedt bij helder weer een schitterend vergezicht. Door de hellingen van het massief lopen indrukwekkende dalen, zogenaamde gorges, zoals dat van de Dourbie, de Jonte en de Trévezel.
De Aigoual werd in juli 1944 het centrum van de belangrijke verzetsgroep "Aigoual-Cévennes", die haar hoofdkwartier in L'Espérou had.
Een deel van het gebergte ligt in het Parc national des Cévennes *(zie de Inleiding)*.

ENKELE GEOGRAFISCHE GEGEVENS

Een gigantisch waterreservoir – De Mont Aigoual is met zijn 1 567 m het hoogste punt van de zuidelijke uitlopers van de Cevennen, die voornamelijk bestaan uit graniet en schist, en is een van de belangrijkste waterreservoirs van het Massif Central. Bij de top komen de wolken uit de richting van de Atlantische Oceaan voortdurend in botsing met het vocht dat uit de Middellandse Zee opstijgt; vandaar de naam Aiqualis (waterrijk, regenachtig). De gemiddelde neerslag bedraagt 2,25 m per jaar.
Het regenwater zoekt zijn weg door twee zeer verschillende gebieden. Aan de kant van de Middellandse Zee wisselen diepe dalen en scherp gekartelde bergkammen van schist elkaar af; in het westen daarentegen, naar de Atlantische Oceaan, verbinden zacht glooiende heuvels het massief met de uitgestrekte kalksteenplateaus van de Causses.

De herbebossing van de Aigoual – Zo'n honderd jaar geleden bood het massief de troosteloze aanblik van kale bergen.
In 1875 begint **Georges Fabre** van Staatsbosbeheer met de herbebossing. Hij toont allereerst aan dat een deel van het zand in de haven van Bordeaux uit de Aigoual afkomstig is. Daarna slaagt hij erin een wet te laten aannemen die hem in staat stelt grond van gemeenten of particulieren te kopen. Hierdoor kan hij het systeem van de "extensieve perimeter" invoeren, waarbij de dunne rijen bomen die de grond langs de rivieren moeten vasthouden, worden vervangen door breed beplante percelen. Ondanks de tegenstand van sommige gemeenten die hun weidegronden weigeren te verkopen en de vijandige houding van herders die de jonge aanplant zelfs in brand steken, slaagt Fabre erin het gebergte langzamerhand weer zijn oude luister terug te geven.

Boswachter en weldoener – Fabre deed echter nog meer dan herbebossen. Hij legde rond de Aigoual een net aan van wegen en paden, restaureerde boswachterswoningen, legde bomentuinen aan (zoals het arboretum l'Hort-de-Dieu, *zie verderop*) om de groei van boomsoorten te bestuderen en bouwde een observatorium voor meteorologisch onderzoek.

Salles/CAMPAGNE CAMPAGNE

Het Massif de l'Aigoual.

BEZICHTIGING

De hieronder beschreven tocht voert door het hele massief. Het is zelfs mogelijk om met de auto op de top van de Aigoual te komen. Bij voorkeur de richting Meyrueis-Le Vigan aanhouden, omdat de afdaling naar de vallei van de Arre dan langs de prachtige weg van de Col du Minier voert.

Van november tot mei kunnen de wegen door sneeuwval onbegaanbaar zijn.

De Aigoual is bij uitstek een wandelgebied en ligt op het kruispunt van de Grote Routepaden GR 6 (Alpen-Oceaan) en GR 7 (Vogezen-Pyreneeën) die kunnen worden uitgebreid met vele andere wandelroutes in het massief, waaronder de GR 66, te vinden in de topo-guide (gids voor voettochten) "Tour du Mont Aigoual".

1 Van Meyrueis naar de Mont Aigoual

32 km - ongeveer drie uur - schema hieronder

Meyrueis - Dit kleine plaatsje is gunstig gelegen aan de samenvloeiing van de Bétuzon, de Brèze en de Jonte; bovendien ligt het aan de ingang van de cañon van de Jonte en aan de rand van de Causse Noire, de Causse Méjean en de Aigoual. De **tour de l'Horloge** is een overblijfsel van de vroegere versterkingen. 2 km ten zuiden van Meyrueis staat het **Château de Roquedols** ⊙ *(via de D 986 en zodra men Meyrueis uit is en kleine weg links; vanaf de parkeerplaats is het een kwartier lopen langs een mooi bospad).* Vierkant kasteel (15de-16de eeuw) met ronde torens; mooie renaissancetrap, antiek meubilair, koetsen. Informatiecentrum van het Parc national des Cévennes.

De tocht van Meyrueis naar de Col de Montjardin voert eerst door een bos langs de linkeroever van de Bétuzon en daarna langs de rand van de Causse Noir. Vanaf de bergpas heeft men een weids uitzicht over dit kalksteenplateau en die van de Larzac en even later ook over de bergen van de Aigoual en de Espérou. Vervolgens loopt de weg door een bos met overwegend lariksen. Deze steile weg die uit de schist van de berghelling is gehouwen, biedt fraaie doorkijkjes op de oude zilverloodmijnen van Villemagne. Iets verderop, aan de rechterkant, ligt het curieuze Cirque de l'Alcôve, een rotsachtig keteldal waar de Bramabiau zich na zijn ondergrondse gang door de Causse de Camprieu in een waterval naar beneden stort.

★ **Abîme de Bramabiau** - *Zie onder Bramabiau.*
Een paar honderd meter verderop kruist de route die van de weg van de **Gorges du Trévezel**★ *(zie onder Vallée de la Dourbie).*
Na de kleine Causse de Camprieu voert de weg langs de Trévezel en door de jonge bossen van de Aigoual (beuken en naaldbomen).

★ **Col de la Séreyrède** - Deze bergpas ligt op 1 300 m hoogte op de scheidslijn tussen de twee watergebieden. Aan de voet van de pas ligt de vallei van de Hérault waarboven in de verte de gekartelde bergkammen van de Cevennen, de zogeheten serres, uitsteken. Achter het boswachtershuis heeft men een fraai uitzicht op het Bonheur-dal. Over de Séreyrède-pas trokken vroeger, tijdens de jaarlijkse seizoentrek, duizenden schapen over een speciaal pad, de **draille du Languedoc**, van de dorre kalkgronden van de Languedoc naar de grazige weiden van de Aubrac, de Mont Lozère en de Margeride (de D 18 in het noorden en de GR 7 in het zuiden volgen deze draille tot aan L'Espérou, waar de weg naar Valleraugue afbuigt). De drailles worden nu praktisch niet meer gebruikt, maar zijn nog te herkennen aan de groeven die zij door het serre-landschap van de Cevennen trekken.
Tegenwoordig wordt het grootste deel van de 25 000 schapen per vrachtwagen naar hun zomerweiden vervoerd.
Een mooie weg verbindt de Séreyrède-pas met de top van de Mont Aigoual. Na duizelingwekkende vergezichten op de vallei van de Hérault waar de weg naar Valleraugue doorheen slingert, duikt men weer het bos in.

Sentier des Botanistes - *1,5 km voor de top wordt dit wandelpad aangegeven. Duur: 20 min. te voet.*
Het pad loopt in een lus om de top van de Trépaloup boven **L'Hort-de-Dieu** (tuin van God), een arboretum dat met steun van Georges Fabre door de botanist Charles Flahault werd aangelegd om de groei van exotische boomsoorten te bestuderen. Het pad biedt eerst prachtige vergezichten op de zuidkant van de Aigoual met zijn bergkammen van schist en de reeks serres van de Cevennen daarachter, en vervolgens op de beboste oost- en noordkant van het gebergte. Vanaf de bergkam van de Aigoual reikt het uitzicht tot de Cevennen en de Causse Méjean.

★★★ **Mont Aigoual** - Het observatorium dat Staatsbosbeheer in 1887 op de top van de berg liet bouwen en dat nu door de Franse meteorologische dienst wordt gebruikt, is bijzonder gunstig gelegen. Het steekt hoog boven het stroomgebied van de Gard, Hérault en Tarn uit en met behulp van steeds meer geavanceerde apparatuur kan de richting en de snelheid van de wind worden bepaald die hevige stortbuien met zich meebrengt als hij uit de richting van de Middellandse Zee komt, en voor een zacht regenbuitje zorgt, dat een weldaad voor de begroeiing is, als hij van de Atlantische Oceaan afkomt.

In de wintermaanden, met name in januari, is het zicht uitzonderlijk goed en zijn zowel de Mont Blanc als de Maladetta te onderscheiden. In de zomer is het raadzaam niet op de heetste uren van de dag naar de top te gaan, omdat het dan vaak heiig is. Wie 's nachts naar boven gaat, kan de zon zien opgaan: bij helder weer een grandioos schouwspel. September leent zich daar het beste voor. Bij de oriëntatietafel op de toren van het observatorium heeft men een schitterend **panorama**★★★ over de Causses en de Cevennen en, bij helder weer, over de bergen van de Cantal, over de Mont Ventoux, de Alpen, de laagvlakte van de Languedoc, de Middellandse Zee en de Pyreneeën.
Het Parc national des Cévennes *(zie de Inleiding)* organiseert in de zomer rondwandelingen langs de top onder leiding van een gids *(duur 1 uur)*.
In het observatorium is de **expositie Météo-France** ⊘ te zien, een interessante tentoonstelling over de manier waarop weersvoorspellingen vroeger tot stand kwamen en hoe dat tegenwoordig gebeurt, en worden demonstraties gegeven van het Météotel-systeem (ontvangst en interpretatie van satellietbeelden).

2 Van de Mont Aigoual naar Le Vigan

39 km - ongeveer anderhalf uur - schema hierboven

Terugrijden naar de Séreyrède-pas.

Bij het verlaten van de pas ziet men links, aan de overkant van de vallei, in een diep ravijn de waterval die door de Hérault wordt gevormd; de rivier ontspringt niet ver hiervandaan.

L'Espérou – Dit door bossen en weiden omringde vakantieoord (1 230 m) dat op het zuiden ligt en goed beschut is tegen de noorderwind, wordt 's zomers druk bezocht; 's winters vormen de skipisten bij **Prat-Peyrot** een grote attractie.

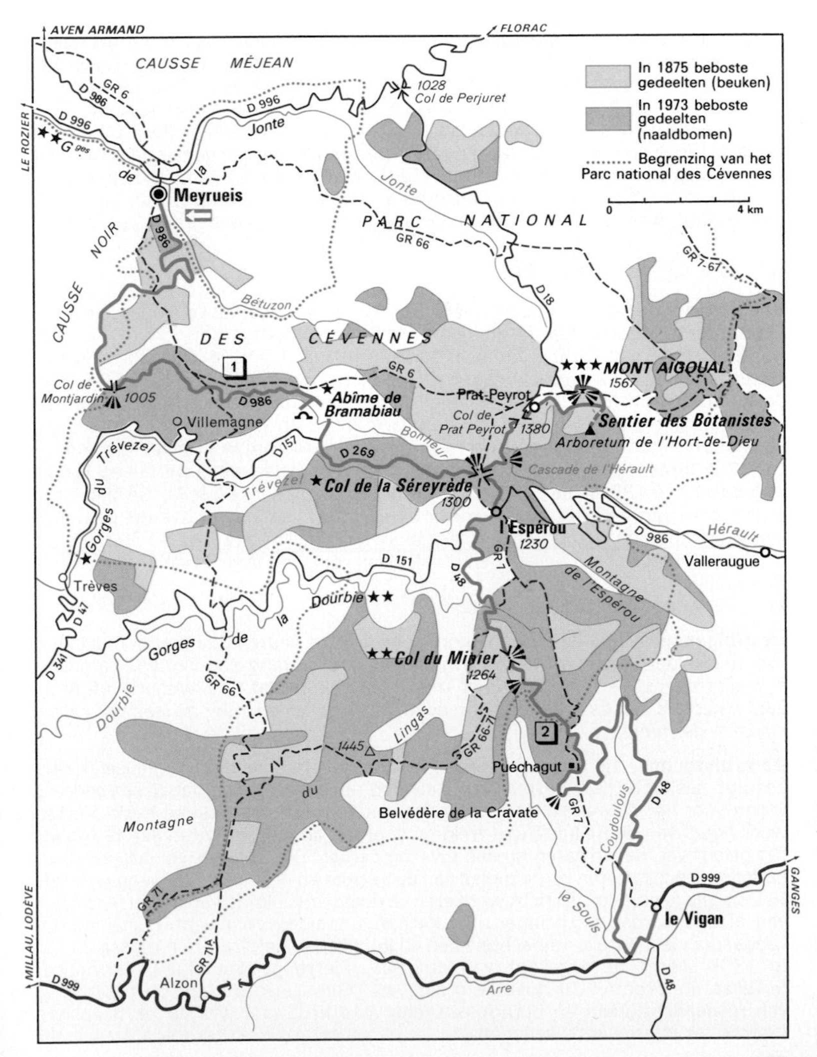

★★ **Col du Minier** – 1 264 m. Een gedenksteen herinnert aan generaal **Huntziger** (commandant van het 2de leger te Sedan in de Franse Ardennen) en zijn kameraden die in november 1941 bij een vliegtuigongeluk om het leven kwamen. Bij helder weer reikt het zicht tot aan de Middellandse Zee.
Aan het begin van de lange afdaling aan de mediterrane kant, die begint bij de Minier-pas, loopt de weg hoog boven het ravijn van de Souls en biedt een prachtig uitzicht over de Causse de Montdardier en de Montagne de la Séranne. Daarna voert de weg tussen granieten rotsblokken.
Rechts bevindt zich het boswachtershuis van **Puéchagut** met een arboretum voor het bestuderen van exotische boomsoorten. In een bocht naar links ligt dan de Belvédère de la Cravate met zijn magnifieke uitzicht over het bekken van de Arre, de Causse du Larzac, de Montagne de la Séranne, de top van de St-Loup en, in de verte, de Middellandse Zee. Iets verderop loopt de weg boven het dal van de Coudoulous dat aan weerszijden met kastanjebomen is begroeid. Het laatste gedeelte voor Le Vigan doet echt zuidelijk aan met zijn wijnstokken, moerbeibomen, olijfbomen en cipressen.

Le Vigan – *Zie onder deze naam.*

ALBI★★★

agglomeratie 62 182 inwoners
Michelinkaart nr. 80 vouwblad 11, of 82 vouwblad 10, of 235 vouwblad 23.
Plattegrond agglomeratie in de Rode Michelingids France.

"Albi la Rouge", de stad van rode baksteen, ligt aan de oever van de Tarn, die op dit punt zojuist de laatste uitlopers van het Centraal Massief achter zich heeft gelaten. Het bekoorlijke stadsbeeld wordt gedomineerd door het imposante silhouet van de versterkte kathedraal en biedt op verschillende plaatsen een boeiend schouwspel: vanaf de **Pont Vieux**★ (**Y**) (11de eeuw), op de ruime Place Ste-Cécile en in de kronkelende steegjes met middeleeuwse huizen van het oude centrum.
Maar Albi heeft ook moderne stadswijken met rechte, brede straten. De levendige Place du Vigan en Place Jean-Jaurès herinneren aan de bedrijvige handelsstad die Albi eens was en aan zijn agrarische markt, die vooral belangrijk was in de bloeiperiode van de wedeteelt *(zieookonderMagrin)*. De industrie in de stad (staal, kunstvezels, elektronica) was lange tijd verbonden met het steenkolenbekken van Carmaux.

UIT DE GESCHIEDENIS

Religieuze hoofdstad – De wereldlijke macht van de bisschoppen neemt toe naarmate de ketterij van de Albigenzen zich ontwikkelt.
Na het concilie van Lombers, dat in 1176 bijeenkomt om de leer van de katharen te veroordelen, de kruistocht tegen de Albigenzen in 1209, het in 1229 in Meaux gesloten vredesverdrag en het instellen van de Inquisitie, leiden de bisschoppen het leven van een grand seigneur en zijn voortdurend op oorlogspad of in processen verwikkeld, maar zij zijn ook grote mecenassen. **Bernard de Combret**, die van 1254 tot 1271 bisschop is, begint met de bouw van het Palais de la Berbie en **Bernard de Castanet** (1276-1308) met de bouw van de Cathédrale Ste-Cécile. De paus neemt echter aanstoot aan het machtsmisbruik van deze laatste en dwingt hem zich in een klooster terug te trekken. Later moet ook **Louis d'Amboise** (1473-1502) aftreden, na een ambtsperiode vol pracht en praal, als gevolg van onophoudelijke twisten met de bevolking.
In 1678 wordt Albi een aartsbisdom.

De Albigenzen – Met deze naam worden in de 12de eeuw de aanhangers aangeduid van de leer der katharen – een term die pas later ingang zou vinden – omdat Albi hun voornaamste schuilplaats is en misschien ook omdat de inwoners van Albi een aantal ketters van de brandstapel redden. *Meer gegevens over de leer der katharen staan in de Inleiding.*

De kruistocht – Als Giovanni Lotario in 1198 als **Innocentius III** de pauselijke troon bestijgt, besluit hij deze ketterij van "zuiveren" uit te roeien, omdat zij een bedreiging vormt voor het dogma en de instellingen van de rooms-katholieke Kerk. Vertegenwoordigers van de Heilige Stoel trekken door het land en trachten aan te tonen dat het geloof van de katharen op een dwaling berust. De losse zeden van priesters en bisschoppen zijn koren op de molen van de ketters en deze worden weggestuurd. De H. Dominicus predikt, verricht wonderen en doet in navolging van de Perfecti afstand van al zijn aardse bezittingen. De katharen breiden zich echter snel uit in de Languedoc; leenheren, ambachtslieden en kooplieden bekeren zich massaal.
In 1208 wordt de afgezant van de paus, Pierre de Castelnau, vermoord bij St-Gilles. Innocentius III doet de graaf van Toulouse in de ban op beschuldiging van medeplichtigheid en brengt een leger van kruisvaarders op de been om de ketters tot overgave te dwingen.

Allereerst wordt Béziers geplunderd en de bevolking uitgemoord, daarna valt Carcassonne. In 1209 wordt **Simon de Montfort** gekozen tot leider van de kruistocht; Bram, Minerve en Lavaur zijn op hun beurt het toneel van gruwelijke slachtingen. Het **Vredesverdrag van Meaux** (of van Parijs) maakt in 1229 tenslotte een einde aan de expeditie en plaatst de Languedoc onder het gezag van de koning. Deze twintig bloedige jaren zijn evenwel niet genoeg om de Albigenzen te onderwerpen. Pas na het instellen van de Inquisitie en vooral nadat in 1244 meer dan tweehonderd katharen op de brandstapel van Montségur omkwamen, wordt hun definitief de mond gesnoerd.

Henri de Toulouse-Lautrec - Deze beroemde schilder werd in 1864 geboren in het Hôtel du Bosc *(zie verderop)*; hij was de zoon van graaf Alphonse de Toulouse-Lautrec Montfa en diens volle nicht Adèle Tapié de Celeyran. Zijn jeugd werd getekend door twee ongevallen, in 1878 en 1879, waardoor hij zijn benen niet meer normaal kon gebruiken. Een mannenlijf op zwakke, onvolgroeide beentjes, dat is het mismaakte figuur van graaf De Toulouse-Lautrec, een van Frankrijks grootste "zedenschilders". In 1882 vestigde hij zich in Parijs op Montmartre en bewoog zich daar aan de zelfkant van de maatschappij. De mensen die hij er ontmoette, fascineerden hem en hij trachtte hun eigenheid weer te geven; zijn modellen tekende hij in hun vertrouwde omgeving: bordelen, renbanen, circustenten, cabarets. Vanaf 1891 bracht zijn talent als lithograaf hem grote faam en de muren van Parijs hingen vol met zijn affiches. Afgeleefd door de drank en een leven vol uitspattingen werd hij in 1899 opgenomen in een inrichting in Neuilly, maar hij was nauwelijks weer beter of hij nam zijn oude gewoonten weer op, ondanks de waakzaamheid van zijn vriend Paul Viaud. Op sterven na dood verliet hij in 1901 de Franse hoofdstad; op 9 september overleed de schilder op het familiekasteel Malromé bij Langon (Gironde). Hij ligt begraven op het kerkhof van Verdelais.

PIX

De Cathédrale Ste-Cécile en de oude stadswijk van Albi

★★★ CATHÉDRALE SAINTE-CÉCILE (Y) ⏲ *bezichtiging: drie kwartier*

Na de kruistocht tegen de Albigenzen wil de Kerk van Rome laten zien dat haar gezag definitief is hersteld. Bisschop Bernard de Combret vangt in 1265 aan met de bouw van het bisschoppelijk paleis en Bernard de Castanet in 1282 met die van een kathedraal. Deze moet het symbool worden van de herwonnen grandeur en macht van de Kerk, aangezien uit de jongste gebeurtenissen is gebleken dat het geloof soms wat geweld moet gebruiken om te worden gehoord. De Ste-Cécile-kathedraal wordt dan ook als een fort opgetrokken. De ruwbouw wordt in een eeuw voltooid; nadien zorgen de achtereenvolgende bisschoppen voor de afwerking.

Alvorens dit imposante bouwwerk te bezichtigen, kan men het uit de verte, vanaf de Pont du 22-Août, bewonderen en zo een indruk krijgen van de enorme afmetingen; vanuit de straatjes in het oude centrum, die op de Place Ste-Cécile uitkomen, vangt men hier en daar een glimp van de kathedraal op.

Buitenkant

Het is moeilijk voldoende afstand te nemen om een juiste indruk te krijgen van de gigantische afmetingen van de uit rode baksteen opgetrokken kathedraal. Het eenvoudige pannendak dat vlak boven de ramen direct op de gewelven rustte, is in 1849 vervangen door een rand met namaakmachicoulis en een weergang waarboven torentjes uitsteken. Architect Daly moest dit nieuwe dak aanbrengen om de schilderingen in het schip te behouden.
Tussen de ramen trekt elke halftoren een inwendige steunbeer door.

Portaal en baldakijn - De hoofdingang bevindt zich in het midden van de zuidvleugel, te bereiken via een poort uit het begin van de 15de eeuw, die de kathedraal met een voormalige verdedigingstoren verbindt. Een statige trap leidt naar het portaal in de vorm van een stenen baldakijn dat Louis I d'Amboise (1520) liet bouwen. De weelderige versiering ervan staat in scherp contrast met het sobere bakstenen metselwerk van de gevel zelf.

Klokkentoren - Op de vierkante toren, die veel weg heeft van een donjon en oorspronkelijk niet boven het schip uitstak, liet Louis I d'Amboise tussen 1485 en 1492 drie verdiepingen zetten, waarvan de achterkant tegen de beide oostelijke torentjes gebouwd is, terwijl de westelijke torentjes niet boven de eerste verdieping uitkomen. Vandaar het zo karakteristieke silhouet van het monument.

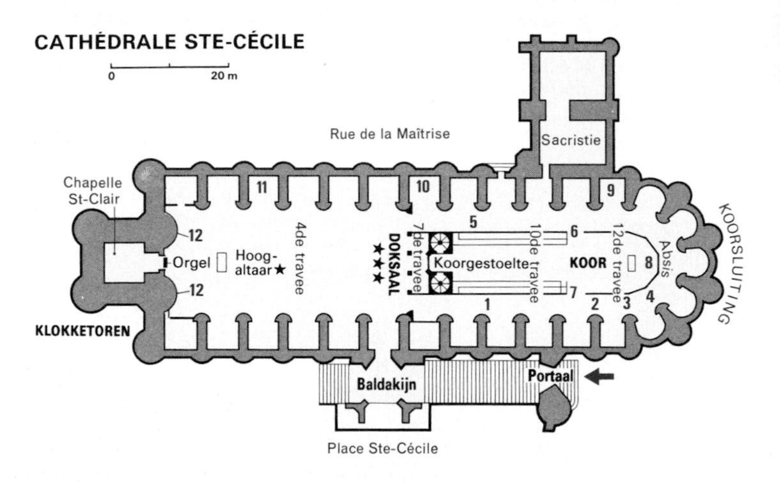

Interieur

Door rechts van het grote orgel te gaan staan, krijgt men een indruk hoe de kathedraal er oorspronkelijk heeft uitgezien. Als men zowel het doksaal wegdenkt als de galerij die in de 15de eeuw werd aangebouwd en die nu de fraaie lijn van de kapellen doorbreekt, dan ziet men een ruim schip, met spitsbogen overwelfd, zonder transept, aan de binnenkant gestut door steunberen die door kapellen worden gescheiden.

Koor ⌚ **en doksaal★★★** - De kerk werd in 1480 gewijd. Rond die tijd besluit Louis I d'Amboise het koor te laten bouwen, dat wordt afgesloten door een op kantwerk lijkend **doksaal★★★**. De flamboyante gotiek die dan ten einde loopt, is hier nog in volle glorie aanwezig met ingewikkelde vlechtmotieven, pinakels, kunstig met elkaar verweven bogen en rijk versierde sluitstenen aan de gewelven. Boven de ingang van het doksaal bevinden zich aan het gewelf de beelden van de H. Cecilia en de H. Valerianus *(voor meer bijzonderheden over het Grote Gewelf, zie verderop)*.
De hoofdingang is een toonbeeld van sierlijkheid en de sloten zijn ware juweeltjes. Van de 96 beelden die eens het doksaal sierden, zijn na de Franse Revolutie alleen Maria aan de rechterkant van Christus aan het kruis, Johannes aan de linkerkant en daaronder Adam en Eva overgebleven. Bij de ingang van het doksaal, achter het hoge kruis, houdt de H. Cecilia de palm der martelaren en een orgel in haar hand.
Vanuit het koor heeft men een fraai zicht op het monumentale **orgel** dat tussen 1734 en 1736 door C. Moucherel werd gebouwd. Het bestaat eigenlijk uit twee op elkaar geplaatste delen die door atlanten worden gesteund. De verfijnde orgelkast is versierd met cherubijnen die verschillende muziekinstrumenten bespelen, waarboven de beelden van de H. Cecilia en de H. Valerianus uittorenen. De laatste restauratie dateert van 1981.

Het ruime koor beslaat de helft van het schip en getuigt van de plechtigheid waarmee de functies van het kapittel gepaard gingen. Het buitenste hek bestaat uit accoladebogen met maaswerk waarin het monogram van Christus te zien is. Deze bogen zijn van elkaar gescheiden door pilaren met op elke pilaar het standbeeld van een figuur uit het Oude Testament. Met de beelden van de koorsluiting van Albi bereikt het naturalisme van de gotische beeldhouwkunst zijn hoogtepunt; de Bourgondische invloed is duidelijk zichtbaar in de realistische uitdrukking van de gezichten, de wat zware plooival van de gewaden en het veelal gedrongen postuur van de figuren. Judith (**1**), de profeten Sefanja (**2**), Jesaja (**3**) en Jeremia (**4**) en, aan de noordkant, Esther (**5**) zijn opvallend mooi.
Aan de binnenzijde van het koor prijken boven de twee zijdeuren de beelden van Karel de Grote (**6**) en Constantijn (**7**). Men moet tegenover het hoogaltaar gaan staan om de schilderingen van de kapellen in al hun fonkelende pracht door de openingen van de arcaden te ontwaren. Boven het eigenlijke sanctuarium troont de H. Maagd met het Kind (**8**) omringd door engelen. Tegen de pilaren staan de twaalf apostelen.
Om het koor heen staan twee rijen prachtig bewerkte koorstoelen. Daarboven een fries met engeltjes omgeven door op steen geschilderde arabesken.
De ramen van de vijf hoge vensters van de absis dateren uit de 14de eeuw en zijn in de 19de eeuw gerestaureerd. Van de zijkapellen verdienen vooral de aandacht de chapelle de la Sainte-Croix (**9**), de kapel bij de noordingang van het koor (**10**) met een schilderij van de Heilige Familie (16de eeuw), en tenslotte de chapelle du Rosaire (**11**), waarin zich een kostbaar drieluik van de school van Siena bevindt.
Aan de voet van het orgel staat het zwart marmeren **hoogaltaar★** van Jean-Paul Froidevaux (gewijd in 1980). Het is versierd met felgekleurd email dat aan de achterkant de H. Cecilia afbeeldt en op de drie andere zijden een wingerd. Rondom het altaar een vers uit het evangelie naar Matteüs over het mysterie van de eucharistie.

Het Laatste Oordeel (**12**) - De westelijke muur (onder het grote orgel) wordt gesierd door een reusachtig grote schildering uit het einde van de 15de eeuw. In 1693 werd het helaas zwaar beschadigd bij de bouw van de St-Clair-kapel en verdween het hele centrale deel, met name de Christusfiguur.
De hier gebruikte techniek is alla tempera, dat wil zeggen dat de fijngewreven verfstoffen met eidooier en lijm werden gefixeerd; tegen het gewelf zijn daarentegen fresco's aangebracht.
De bakstenen muur die als ondergrond dient, geeft de schildering een luchtig, transparant effect als het licht erop speelt.
Vermoedelijk compenseert deze wandschildering het gebrek aan beeldhouwwerk op de westgevel, die in kathedralen traditioneel is bestemd voor het Laatste Oordeel.
De schildering bestaat uit drie delen. Bovenin stelt een groep engelen de hemel voor. In het midden en rechts van de verdwenen Christusfiguur (links dus) staan de uitverkorenen in drie rijen: bovenaan de apostelen in witte gewaden en met een gouden stralenkrans; daaronder de heiligen, die al voor de rechter zijn verschenen en tot de hemel zijn toegelaten en onder wie men hooggeplaatste personen herkent; helemaal onderaan bevinden zich degenen die uit de dood zijn opgestaan en zojuist zijn uitverkoren, het gelaat nog naar de opperste rechter gewend en het boek van hun leven opengeslagen voor hen. Aan de rechterkant hun tegenhangers, de verdoemden, die in de duisternis van de hel worden gegooid. De lege ruimte boven hen belichaamt de onherstelbare breuk met God als gevolg van hun zonden. Het laatste deel stelt de hel voor met de straffen behorend bij de zeven hoofdzonden (de straf voor luiheid in het midden is verdwenen). Het soort kwelling houdt verband met de aard van de ondeugd waardoor zij werden verdoemd. Van links naar rechts herkent men achtereenvolgens: hovaardigheid, nijd, gramschap, gierigheid, gulzigheid en onkuisheid.
Na voltooiing van dit werk verlieten de Franse kunstenaars Ste-Cécile en deed Louis II d'Amboise een beroep op Italiaanse kunstenaars om de muren en het gewelf te verfraaien.

Het Grote Gewelf - Het sobere schip van de kathedraal van Albi is met schitterende schilderingen versierd door Bolognese kunstenaars. Zij lieten zich daarbij inspireren door de pracht en praal van het Quattrocento (15de eeuw), de grote eeuw van de Italiaanse renaissance. Tegen de hemelsblauwe achtergrond komt het wit en grijs van de rankendecoraties, die nog met goud doorweven zijn, prachtig uit.
Vele portretten van heiligen en figuren uit het Oude Testament sieren het Grote Gewelf. Er zijn twaalf traveeën. Bij de 4de travee, gerekend vanaf de klokkentoren, is in het westelijke gewelfvak Christus te zien die zijn wonden aan Thomas toont; in het oostelijke, de Transfiguratie. In het westelijke vlak van de 7de travee: de H. Cecilia en haar echtgenoot, de H. Valerianus; in het

oostelijke, de Annunciatie. De 10de travee is het rijkst versierd: in het westelijke gewelfvlak, de gelijkenis van de wijze en dwaze maagden; daartegenover, Christus in een aureool van licht die de Maagd Maria kroont. Bij het begin van de absis (12de travee) wordt tenslotte de wederkomst van Christus op aarde (parousie) afgebeeld, waarbij Hij wordt omringd door engelen en de vier evangelistensymbolen.

★ PALAIS DE LA BERBIE (Y) *bezichtiging: twee uur*

Bernard de Combret heeft omstreeks 1265 de aanzet gegeven tot de bouw van dit bisschoppelijk paleis, vlak bij de nu verdwenen 12de-eeuwse kathedraal. De naam Berbie is een verbastering van "bisbia", "bisschop" in het plaatselijke dialect. Bernard de Castanet veranderde het oorspronkelijke gebouw in een vesting met een zware donjon en versterkte ommuring; vanaf het terras aan de oever van de Tarn krijgt men een goed beeld van de omvang ervan. Deze vestingmuur was oorspronkelijk bestemd om de toegang tot de donjon te verdedigen, maar werd in de loop van de eeuwen ingrijpend veranderd. Aan het einde van de 17de eeuw werden op het voormalige exercitieterrein bloemperken aangelegd en de westtoren kreeg een hexagonaal dak. De weergang werd veranderd in een schaduwrijke promenade waarlangs marmeren beelden van Bacchus en de Seizoenen (18de eeuw) staan.
Het hoofdgebouw met leidak aan de oostzijde dateert uit het einde van de 15de eeuw. Louis I d'Amboise gaf de torentjes een peperbusdak, sierlijk opengewerkt met stenen dakkapelletjes waarvan er slechts één is overgebleven.
Na de afkondiging van het Edict van Nantes in 1598 verloor het paleis zijn functie van citadel. De torens werden van hun spits ontdaan, de vestingmuur aan de westkant werd ontmanteld en de noordtoren van de donjon verlaagd. Nadien hielden de prelaten zich voornamelijk bezig met het interieur van het kasteel, dat sedert 1922 in gebruik is als Toulouse-Lautrec-museum, op initiatief van Maurice Joyant, een trouwe vriend van de schilder.

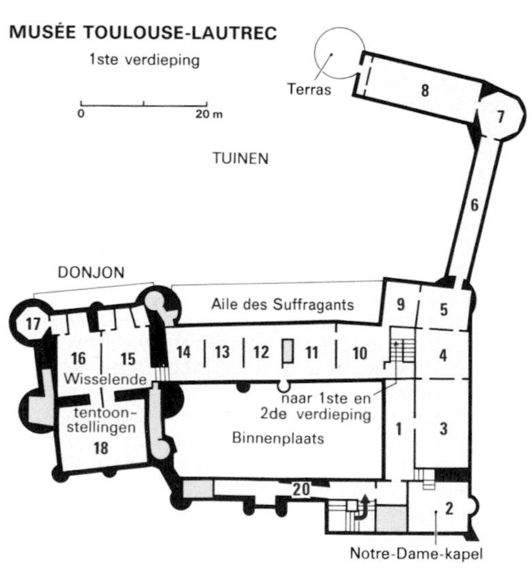

★★★ Musée Toulouse-Lautrec ⓥ – Een statige trap uit de 17de eeuw voert naar de oudheidkundige zaal (**20**) op de eerste verdieping. Bijzonder is hier de *Venus van Courbet* die bij Penne in de Tarn werd gevonden en 20 000 jaar oud is (laat-Périgordien). De Notre-Dame-kapel (**2**) uit de 13de eeuw heeft een spitsbooggewelf en is gedecoreerd door Antoine Lombard uit Marseille. Bisschop Le Goux de la Berchère (1687-1703) bracht hier de zeven schilderijen met zijn wapen aan.
De talrijke andere zalen werden ingericht in de 17de eeuw. In de gang (**1**) hangt werk van Georges de la Tour en zijn navolgers. Interessant zijn de fraaie plafonds in de grote Salon Daillon du Lude (**3**), waar een schilderij van Guardi hangt. In zaal **4** begint de **Toulouse-Lautrec-collectie** met portretten die tijdgenoten van deze kunstenaar maakten; uit het portret van Javal spreekt het edele voorkomen van Lautrec. Het portret ten voeten uit van Vuillard toont het mismaakte mannenlijf. Het museum van Albi bezit de grootste verzameling werken van Lautrec; deze werd door de moeder van de kunstenaar, gravin De Toulouse-Lautrec, in 1922 aan de stad Albi nagelaten en is met andere schenkingen van de familie aangevuld. In zaal **5** en in de lange gang (**6**) zijn vroege werken tentoongesteld, waaruit duidelijk de grote belangstelling van Lautrec voor mens en dier blijkt. Het schilderij *Artillerist die zijn paard zadelt* maakte hij op zestienjarige leeftijd. Veel werken herinneren aan het verblijf van Toulouse-Lautrec op het familiegoed van moederszijde in Céleyran (bij Narbonne). Opvallend zijn de verschillende manieren waarop hij door de jaren heen zijn werk signeerde: Henri de Toulouse Lautrec, Montfa, alleen de initialen H.L. of H.T.L., Tréclau, een anagram van Lautrec, geschreven in een olifant, muis of kat.

Portret van Désiré Dihau door Toulouse-Lautrec.

In de ronde zaal aan het einde van de gang (**7** - tekeningen) en de daaropvolgende grote zaal (**8** - schilderijen), hangen beroemde portretten en werken uit zijn Parijse tijd. Onder de personen die hij heeft afgebeeld, bevindt zich Suzanne Valadon, de moeder van Utrillo: *La Buveuse ou "Gueule de Bois". De Engelse van de "Star"* is een herinnering aan Le Havre; alvorens zich in te schepen voor Bordeaux wilde hij de glimlach vastleggen van de blonde Miss Dolly die hij in een café-chantant in de haven had ontmoet. *De hoedenmaakster* valt op door de sfeer van clair-obscur. Hier hangt ook een portret van dokter Gabriel Tapié de Celeyran, zijn volle neef die hem met zijn toegewijde vriendschap terzijde stond. De tekeningen van circusvoorstellingen zijn reproducties van werken die Toulouse-Lautrec uit zijn hoofd maakte toen hij een ontwenningskuur deed in Neuilly (1899). Deze zaal geeft toegang tot het terras: mooi uitzicht op de Tarn, de Vieux Pont en de Franse tuinen van het Berbie-paleis.

In zaal **9** is een aantal schetsen te zien van "le jeune Routy", een man die op het domein van Céleyran werkte; uit deze schetsen is te zien dat Lautrec zijn portretten met veel zorg voorbereidde. In de vertrekken in de noordvleugel van het paleis (**10** - **14**), waar bisschoppen werden ondergebracht die te gast waren, hangen verschillende beroemde werken. Bijzonder interessant is (in zaal **10**) de voorstudie voor het affiche ten behoeve van *La Revue blanche* (1895), een met kleur verlevendigde houtskooltekening als hommage aan de schoonheid van Missia Godebski, de vrouw van een van de gebroeders Natanson, de directeuren van *La Revue blanche*.

In zaal **11** valt de aandacht op een van Lautrecs bekendste werken: *In de salon van de Rue des Moulins*. De voorstudie in pastel en het schilderij uit 1894 hangen tegenover elkaar. Toulouse-Lautrec is een begenadigd tekenaar die haarscherp weet te observeren en zijn personages genadeloos neerzet. Vervolgens trekt een bonte stoet figuren uit de wereld van de music-hall en het theater voorbij: Valentin le Désossé, die in de *Moulin de la Galette* kwam om met La Goulue te dansen; Aristide Bruant, de chansonnier die in zijn cabaret *Le Mirliton* smartlappen in het bargoens (argot) ten beste gaf; Caudieux, de artiest uit het café-chantant; Jane Avril, die vanwege haar uitbundige dansen La Mélinite (meliniet is een uiterst explosieve stof) werd genoemd en van wie de verfijnde gelaatsuitdrukking en gedistingeerde houding dikwijls door de kunstenaar zijn uitgebeeld; Yvette Guilbert, de zangeres die hem verbood haar portretten aan de openbaarheid prijs te geven omdat zij ze kwetsend vond, maar die hij desondanks hardnekkig bleef achtervolgen.

De tweede verdieping hangt vol met tekeningen, affiches en lithografieën. In zaal **23** is ook de wandelstok te zien die de kunstenaar na zijn ontslag uit het rusthuis van Neuilly gebruikte. De stok was hol, zodat hij hem met cognac kon vullen en zo zijn vriend en bewaker Paul Viaud om de tuin kon leiden.

De derde verdieping is gewijd aan moderne en hedendaagse kunst. Hier zijn onder meer tekeningen die Louis Anquetin van de dichter Verlaine maakte, sculpturen van Maillol, Bourdelle en P. Belmondo en schilderijen van Yves Brayer, Matisse, Bonnard, Vuillard, Marquet en Dufy te zien. Tevens heeft men vanaf de rotonde een **uitzicht** op de rivier, de bruggen over de Tarn en de molens van Albi.

★ DE OUDE STADSWIJK (LE VIEIL ALBI) *bezichtiging: een uur*

Vanuit de Place Ste-Cécile de gelijknamige straat inslaan en vervolgens de Rue St-Clair (2de rechts).

Deze straat is genoemd naar de eerste bisschop van Albi.

Maison du vieil Albi (**Z B**) - Dit huis, dat uit baksteen en hout is opgetrokken en een uitspringende bovenverdieping heeft, staat op de tweesprong van de schilderachtige Rue de la Croix-Blanche en Rue Puech-Berenguier. Het is geheel in middeleeuwse stijl gerestaureerd en biedt ruimte aan exposities van ambachtskunsten en historische documenten over de stad.

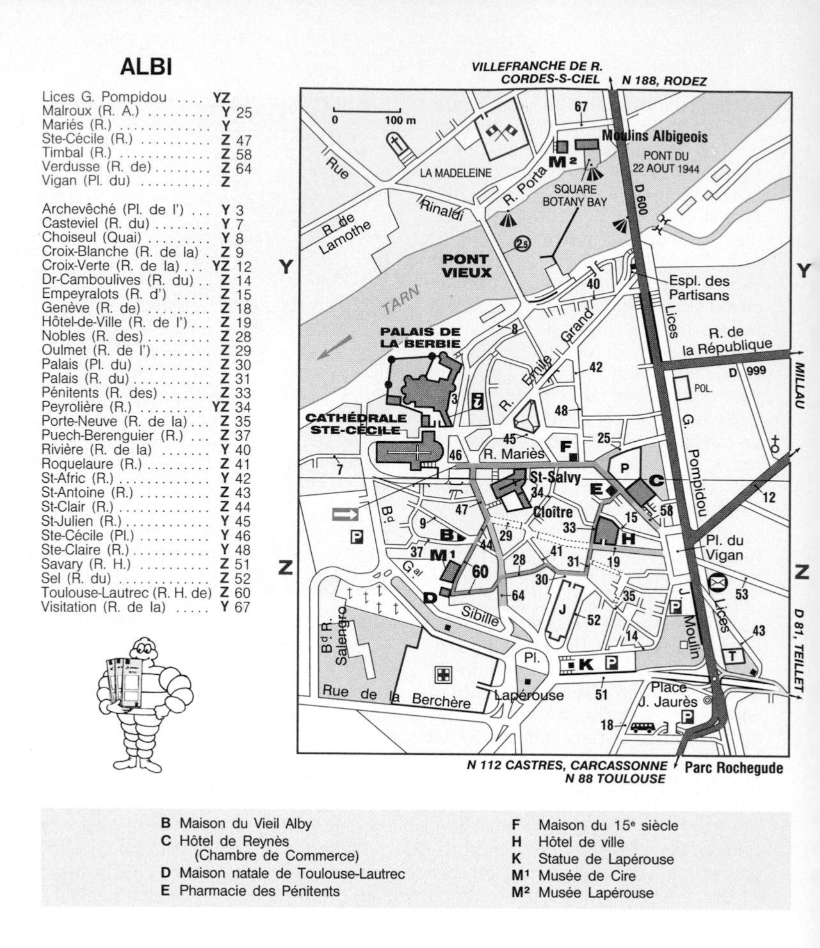

Rue Toulouse-Lautrec (**Z 60**) – Aan de rechterkant van deze straat staan achtereenvolgens het Maison Lapérouse, waarin het **Musée de Cire** (**Z M**[1]) is gehuisvest, en het Hôtel du Bosc, het geboortehuis (maison natale) van Toulouse-Lautrec (**Z D**) dat op de plaats staat van de 14de-eeuwse verdedigingswerken, waarvan twee torens en een gedeelte van de weergang zijn overgebleven.

De Rue des Nobles, de Rue du Palais (het paleis van justitie bevindt zich in het voormalige karmelietenklooster uit de 16de eeuw) en de Rue des Pénitents volgen. Bijzonder fraai is de renaissancearchitectuur van het stadhuis (**Z H**).

Hôtel de Reynès (**Z C**) – *Zetel van de Kamer van Koophandel en Fabrieken.* Dit renaissance-huis van baksteen en natuursteen behoorde toe aan een rijke koopmansfamilie. De binnenplaats heeft twee fraaie boven elkaar gebouwde galerijen die eindigen bij een hoektoren uit de 14de eeuw. De middenstijlen van de vensters stellen vrouwenfiguren voor, maar het interessantst zijn de bustes van François I en Eleonore van Oostenrijk.

★ **Pharmacie des Pénitents (of Maison Enjalbert)** (**Z E**) – Deze voormalige apotheek uit de 16e eeuw is met haar vakwerk en in verschillende richtingen gemetselde bakstenen kenmerkend voor de bouwstijl van Albi.
In de Rue Mariès staat op nr. 6 (**Z F**) een mooi huis uit de 15de eeuw, opgetrokken uit baksteen en hout.

Église Saint-Salvy (**Y Z**) – De Heilige Salvy was eerst advocaat voordat hij monnik en later (6de eeuw) bisschop van Albi werd. Hij bracht het christendom onder de bevolking en werd begraven op de plek waar nu de naar hem genoemde kerk staat. De bouw van deze kerk heeft een bewogen geschiedenis gehad: op de funderingen uit de Karolingische tijd werden in de 11de eeuw een Romaanse kerk en kloostergang neergezet; twee eeuwen later werd de bouw, die door de kruistocht tegen de Albigenzen stil was komen te liggen, in gotische stijl voortgezet. Deze combinatie van stijlen is terug te vinden in de zware klokkentoren aan de noordkant. Op de natuurstenen Romaanse toren met lisenen (11de eeuw) is een gotische verdieping (12de eeuw) gebouwd met daarop een bakstenen constructie uit de 15de eeuw. Op het gekanteelde torentje ernaast, "la Gacholle", dat als wachttoren dienst deed, zijn naast elkaar het wapen van de stad Albi en het blazoen van het kapittel te zien.

De kerk aan de noordzijde binnengaan. Van het Romaanse portaal, verminkt door een toevoeging in classicistische stijl, zijn alleen de archivolt, booglijsten en twee kapitelen overgebleven. De eerste vier traveeën zijn Romaans en hebben nog hun oorspronkelijke kapitelen uit de 12de eeuw. Twee koorkapellen, die buiten de as van de zijbeuken liggen, dateren nog uit de beginperiode van de bouw.
Het koor en de andere traveeën zijn laat-gotisch. Hierin staan zes standbeelden van priesters, schriftgeleerden en ouderlingen, de vertegenwoordigers van het volk in het Sanhedrin (rechtscollege in Jeruzalem).
Interessant is in de eerste zijkapel rechts een Christus aan de geselpaal uit de 15de eeuw en een primitieve, op hout geschilderde Graflegging.
De sacristie bevat een 15de-eeuwse stenen Piëta uit de 15de eeuw en een houten beeld van de H. Salvy uit de 12de eeuw, waarvan een replica boven het hoofdportaal van de kerk en een ander boven het hoogaltaar hangen.
De **kloostergang** *(toegang via een deur in de zuidmuur)* werd in de 13de eeuw door Vidal de Malvesi herbouwd. Alleen de oostgalerij staat nog. Interessant zijn daarvan de versierde Romaanse kapitelen en de gotische bladkapitelen.
De kunstenaar en zijn broer rusten in een mausoleum met nisgraf dat tegen de kerk is aangebouwd.

Daarna teruglopen naar de Place Ste-Cécile.

VERDERE BEZIENSWAARDIGHEDEN

Moulins albigeois (**Y**) - In deze fraai gerestaureerde, bakstenen molens zijn nu een hotel, de regionale raad voor toerisme, een aantal woningen en het Lapérouse-museum gehuisvest.
Vanaf het terras op het Square Botany Bay, mooi **uitzicht**★ over de Tarn, de Pont Vieux en de wijken op de linkeroever waarboven de kathedraal uitsteekt.

Musée Lapérouse (**Y M²**) ⓥ - *Ingang in de Rue Porta.*
In de fraai gewelfde zalen van dit museum komen de expedities van Jean-François de Galaup de Lapérouse weer tot leven. Deze admiraal, die in 1741 op het landgoed Le Go in de omgeving van Albi werd geboren, ondernam in 1785 een wetenschappelijke expeditie aan boord van de fregatten de *Boussole* en de *Astrolabe*. Hij was aan boord van dit laatste schip toen het voor de kust van het eiland Vanikoro, ten noorden van de Nieuwe Hebriden, verging. Begin 1788 had De Lapérouse Botany Bay in Australië aangedaan.
Navigatie-instrumenten, kaarten en maquettes van boten vertellen over de zeevaart in de 18de eeuw. Een videofilm doet vier eeuwen avonturen op de Stille Oceaan herleven. De laatste zoektocht naar het wrak van de *Astrolabe* werd in 1986 ondernomen onder leiding van een internationaal team.

Musée de Cire (**Z M¹**) ⓥ - In dit wassenbeeldenmuseum, gehuisvest in de kelders van het voormalige huis van de zeevaarder Lapérouse, zijn diorama's te zien met wassen beelden van beroemde personages uit Albi, zoals Henri de Toulouse-Lautrec, de H. Salvy, Simon de Montfort, Bertrand de Castanet en Lapérouse, en belangrijke episoden uit de geschiedenis van de stad. Men krijgt er tevens een indruk van de mijnbouw en de wedeteelt in de omgeving.

Statue de Lapérouse (**Z K**) - Het standbeeld van Lapérouse op het gelijknamige plein herinnert aan deze illustere inwoner van Albi.

►► Parc Rochegude.

OMGEVING

★ **Église St-Michel** in **Lescure** ⓥ - *5 km in noordoostelijke richting. De borden Carmaux-Rodez volgen en bij het bord Lescure rechts afslaan.*
Deze vroegere priorijkerk op de begraafplaats van Lescure werd in de 11de eeuw gebouwd door de monniken van de benedictijnenabdij van Gaillac. Vooral het Romaanse portaal uit het begin van de 12de eeuw is interessant. Vier van de kapitelen zijn met taferelen versierd. Links zijn de Verleiding van Adam en Eva en Abrahams offer te zien en rechts, op het eerste kapiteel, de verdoemenis van de woekeraar en op het volgende twee taferelen: de vrek die wordt bestraft en de arme Lazarus die wordt beloond. Door haar kapitelen heeft de St-Michel veel weg van de St-Sernin-basiliek in Toulouse en de St-Pierre-kerk in Moissac.

Notre-Dame-de-la-Drèche - *5 km in noordelijke richting. De borden Carmaux Rodez volgen en even later, links, de borden Cagnac-les-Mines.*
Dit heiligdom is hooggelegen op een klein plateau in het Tarn-landschap; het valt op door zijn warme tinten van roze baksteen en zijn imposante afmetingen. Het bouwwerk verrees in de 19de eeuw op de plek waar een 13de-eeuwse kerk had gestaan, ter ere van de Gouden Maagd van Clermont die een grote bron van inspiratie is geweest. Notre-Dame-de-la-Drèche betekent in de oude streektaal

"Onze-Lieve-Vrouwe-van-de-zonnige-helling". Binnen is de bovenkant van de achthoekige rotonde versierd met wandschilderingen van Bernard Bénézet, uitgevoerd door pater Léon Valette, die het leven van Maria uitbeelden.
In het kleine **Musée-sacristie** ⓥ verdient vooral een altaarvoorhang van goudbrokaat de aandacht; het werd door de clarissen van Mazamet geweven naar het thema van de wandschilderingen in de kerk.

Castelnau-de-Lévis - *7 km. Albi richting Cordes uitrijden en daarna in een bocht links de D1 naar Castelnau-de-Lévis nemen.*
Van deze 13de-eeuwse-vesting zijn alleen nog de smalle vierkante toren en enkele ruïnes over. Weids uitzicht over Albi met zijn imposante kathedraal en over de vallei van de Tarn.

ALÈS

agglomeratie 76 856 inwoners
Michelinkaart nr. 80 vouwblad 18, of 240 vouwblad 11.

In het centrum van een gebied dat nog steeds de sporen van mijnbouw en zijderupsenteelt *(zie onder St-Jean-du-Gard)* draagt, ligt aan de voet van de Cevennen Alès, een stad met mooie boulevards en brede, drukke straten. In de zomer worden hier tal van festivals georganiseerd, die veel mensen trekken.
Vanuit Alès lopen de GR 44 C en de GR 44 D, Grote Routepaden die aansluiting geven op het net van voetpaden dat de hele Cevennen bestrijkt, van de Mont Lozère tot de Mont Aigoual.

GESCHIEDENIS

Alès in de oudheid - De stad (die tot 1926 "Alais" heette) ontleent haar naam aan "Alestum", dat waarschijnlijk van Keltische oorsprong is. Alès is ontstaan op het kruispunt van de verbindingswegen tussen Nîmes en de Auvergne, op een heuvel waar de Gardon in een lus omheen ligt en heeft zich van daaruit verder uitgebreid. Op deze heuvel staat tegenwoordig het Fort Vauban. Op de Colline de l'Ermitage, in het zuidwesten, stond vroeger een oppidum.

De Vrede van Alès - In Alès werd in 1629 het Edict van Gratie getekend waarbij Lodewijk XIII de hugenoten vergiffenis schonk. Na de inname van La Rochelle (1628), een bolwerk van het protestantisme, probeert hugenotenleider **hertog van Rohan**, een schoonzoon van de staatsman Sully, nog stand te houden in de Cevennen waar hij zich in Anduze verschanst *(zie voor bijzonderheden onder Anduze)*. Lodewijk XIII en Richelieu grijpen echter snel in. Privas wordt ingenomen en platgebrand. De hertog organiseert het verzet in Alès; hij laat de bevolking zweren tot het bittere einde toe te vechten en keert daarna terug naar Anduze. De koning stuurt een leger en na een beleg van negen dagen capituleert Alès. Voor de hertog van Rohan is de strijd verloren en hij moet met kardinaal Richelieu gaan onderhandelen. De Vrede van Alès maakt een einde aan de politieke zelfstandigheid van de hugenoten en zij raken hun vrijplaatsen kwijt, maar de door het **Edict van Nantes** toegestane godsdienstvrijheid wordt bekrachtigd. De hertog ontvangt een schadeloosstelling van 300 000 oude Franse ponden, die hij onder zijn strijdmakkers verdeelt.

Louis Pasteur in Alès - In 1847 breekt er een geheimzinnige epidemie uit onder de zijderupsen, de voornaamste bron van inkomsten in de streek. Elk jaar breidt de zijderupsziekte zich uit en men besluit allereerst om moerbeibomen te kappen. De beroemde scheikundige J.-B. Dumas, die uit Alès afkomstig is, wordt verzocht de plaag te bestuderen, maar hij bereikt geen enkel resultaat; 3 500 kwekers zijn ten einde raad als Dumas ten slotte in 1865 de hulp van Pasteur inroept, die de opdracht aanvaardt vanuit zijn maatschappelijke betrokkenheid. De vier jaren die hij aan het onderzoek in Alès besteedt, behoren tot de meest aangrijpende van zijn illustere loopbaan.

Onderzoek en rouw - De wetenschapper ondervraagt eerst de telers om nauwkeurige gegevens over de epidemie te verzamelen. Het blijkt dat zij al van alles hebben geprobeerd: kina, rum, absint, wijn, mosterd, poedersuiker, roet, as, teer. Pasteur is pas negen dagen in Alès als zijn vader sterft in Arbois, in de Franse Jura. Hetzelfde jaar overlijdt zijn jongste dochtertje van twee in Parijs. Hij probeert zijn verdriet te overwinnen en pakt in februari 1866 het onderzoek weer op, maar twee maanden later bezwijkt een van zijn andere dochters aan tyfus. Pasteur is intens verdrietig.
In januari 1867 vindt hij een middel tegen de plaag. Men hoeft alleen de wijfjes van de vlinders onder de microscoop te leggen en eitjes die bepaalde kenmerken vertonen, te verwijderen. De onderzoeksresultaten worden keer op keer geverifieerd en in 1868 is de door Pasteur aangegeven methode al een enorm succes.

Terug in Parijs wordt Pasteur, die dan pas 48 jaar is, getroffen door een attaque gevolgd door verlammingsverschijnselen, maar aan het begin van het jaar daarop gaat hij weer naar Alès om met wonderbaarlijke energie het werk van zijn medewerkers te coördineren. Het probleem is nu definitief opgelost.
Alès heeft ter ere van zijn weldoener een **standbeeld** (**A B**) opgericht in de Jardins du Bosquet.

Industriële veranderingen - Al in de 12de eeuw was de stad welvarend geworden dankzij handel en lakenindustrie. In de 19de eeuw werd Alès op een heel ander gebied een belangrijke industriestad omdat steenkool uit de bekkens van Alès, Grand'Combe en Bessèges werd aangevoerd, en ook ijzer, lood, zink en asfalt. Tegenwoordig wordt de steenkool er alleen nog in open groeven gewonnen. Alès is nog steeds een belangrijk industriegebied in de Languedoc, met name voor de metaalnijverheid, chemie (Rhône-Poulenc in Salindres) en werktuigbouwkunde. De tegenwoordige economische activiteiten van Alès, die door de Nationale Hogeschool voor Mijnbouw flink worden gestimuleerd, zijn vooral gericht op het midden- en kleinbedrijf en de aanleg van een industrieel, wetenschappelijk en technologisch park.

BEZIENSWAARDIGHEDEN

Cathédrale St-Jean-Baptiste (**A**) ⓥ - Van deze 18de-eeuwse kathedraal is de westgevel nog Romaans, maar wel al met een gotisch voorportaal. Voor het overige dateert het bouwwerk uit de 18de eeuw. Binnen in de kerk hangen enkele schilderijen: de *Opvoeding van Maria* van Devéria en de *Annunciatie* van Jalabert in het dwarsschip en de *Maria-ten-hemel-Opneming* van Mignard in de *chapelle de la Vierge*.

Ancien Évêché (**AB F**) - Voormalig bisschoppelijk paleis uit de 18de eeuw.

Musée du Colombier (**B**) ⓥ - Het Château du Colombier ligt in een mooi park en is thans in gebruik als museum; het dankt zijn naam aan een duiventil (colombier), die er vlak naast staat.
De kunstverzameling bestrijkt een periode van de 16de tot en met de 20ste eeuw, waaronder het *Drieluik van de Heilige Drieëenheid* van Jean Bellegambe (begin 16de eeuw), schilderijen van Van Loo, Mieris, Bassano, de Fluwelen Brueghel,

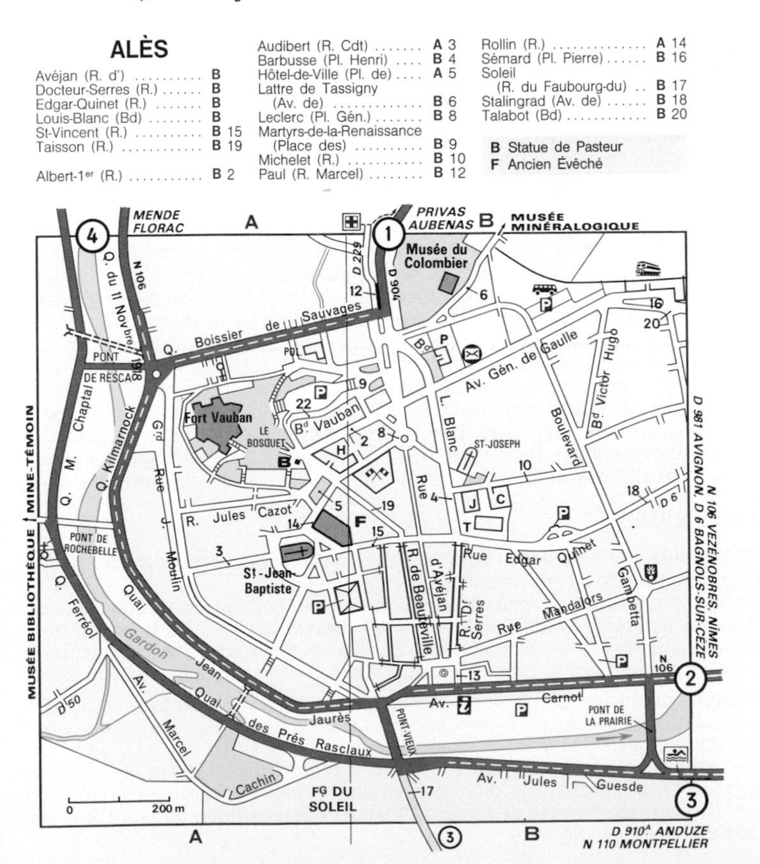

Masereel, Mayodon, Marinot, Benn, enz. Verder zijn er archeologische vondsten uit de streek, fraai siersmeedwerk en voorwerpen uit het verleden van Alès te bewonderen.

Fort Vauban (**A**) – Het fort ligt boven op een heuvel die als park is ingericht. Uitzicht op Alès en zijn buitenwijken. De binnenplaats van deze voormalige gevangenis is voor het publiek toegankelijk.

★ **Musée minéralogique de l'École des mines** ⓥ – *6, Avenue de Clavières, in de wijk Chantilly. Te bereiken vanuit het centrum van de stad via de Avenue de Lattre-de-Tassigny en de Avenue Pierre-Coiras.*
Dit museum is gevestigd in een gebouw van de Hogeschool voor Mijnbouw; het bezit een mineralogische verzameling van meer dan duizend stukken uit de hele wereld, waaronder enkele zeer zeldzame (opaal uit Australië, chalcedoon uit Marokko, morionkwarts uit de Aveyron). Reliëfdia's geven een beeld van de schittering van de mineralen en de verscheidenheid van vorm en kleur. De paleontologische collectie bevat ter plaatse gevonden fossielen en gesteenten. Een overzicht van de natuurlijke rijkdommen van de Languedoc-Roussillon maakt de tentoonstelling compleet.

★ **Musée-Bibliothèque Pierre-André Benoit** ⓥ – *Montée des Lauriers, Rochebelle. De Pont de Rochebelle over de Gardon oversteken, daarna de borden volgen.*
In het Château de Rochebelle (18de eeuw, gerestaureerd), de voormalige residentie van de bisschoppen van Alès, is de schenking ondergebracht die P.-A. Benoit aan zijn geboortestad en de Bibliothèque Nationale deed. P.-A. Benoit (1921-1993) is zowel uitgever-drukker, als schrijver, tekenaar en schilder. Zijn bijzonder interessante verzameling is voortgekomen uit zijn ontmoetingen en correspondentie met onder meer Char, Claudel, Tzara, Seuphor, Braque, Picasso, Miró, Jean Hugo en Villon. P.-A. Benoit heeft geïllustreerde boeken uitgegeven, dikwijls van klein formaat en in een beperkte oplage. Daarnaast verzamelde hij kunstwerken en boeken van vrienden.
Om ze in goede staat te bewaren, worden de grafische werken en boeken bij toerbeurt tentoongesteld of zijn ze in tijdelijke exposities te bezichtigen op de benedenverdieping of in de door Benoit ingerichte bibliotheek (tweede verdieping). In de zalen op de eerste verdieping is zijn collectie schilderijen te bewonderen: mooie olieverfdoeken van Camille Bryen, schilderijen van Picabia uit de jaren 1946-1953, composities met vogels van Braque, landschappen van L. Survage en miniaturen.

★ **Mine-témoin** ⓥ – *3 km ten westen van de plattegrond. De Gardon via de Pont de Rochebelle oversteken en de noordelijke richting aanhouden via de Rue du Faubourg de Rochebelle; links de Chemin de St-Raby inslaan en vervolgens rechts de Chemin de la Cité Ste-Marie. Temperatuur: 13°C tot 15°C. Audiovisuele presentatie: 20 min. (vorming van steenkool en winningstechnieken).*
De 650 m lange galerijen die in de berg zijn gegraven waar in de 13de eeuw de benedictijnen al kolen dolven, geven een beeld van de geschiedenis van de mijnbouw in de Cevennen vanaf het begin van de industriële revolutie tot vandaag de dag. Talloze machines, gereedschap en de inrichting van de galerijen zelf laten de ontwikkeling zien van alle facetten van mijnarbeid: de afbouw (vanaf de pikhamer en de boorhamer tot aan de snijmachine die onder aan de kolenwand begint en de losse stukken zelf bijeenraapt), het transport (eerst in manden en daarna in wagentjes die door mensen werden geduwd of door dieren werden getrokken en later op rails kwamen te staan, en tenslotte de locomotief en soms zelfs de hangende monorailbaan), het stutten (aanvankelijk werden de galerijen gestut met echte gewelven van rondhout dat met de bijl was gehakt en zonder klinknagels in elkaar was gezet, daarna met metalen frames in ronde of spitsboogvorm en nog later met verrijdbare mijnstutten die opgeschoven werden naarmate het werk vorderde), de veiligheidsvoorzieningen (ventilatie, helmen, alarminstallaties, controle op het vervoer van de mijnwerkers, enz.).

EXCURSIES

L'Ermitage – *3 km. Alès in zuidwestelijke richting uitrijden via de D 50 en de weg naar St-Jean-du-Pin, vervolgens rechts afslaan.*
Rechts van de weg ziet men de overblijfselen van het oude oppidum. Vanuit de kapel op de heuvel *(oriëntatietafels)* **weids uitzicht** over Alès, de Mont Lozère en de Cevennen in het noordoosten en noorden; in het zuiden ziet men achter de valleien van de Gardon d'Anduze en de Gardon d'Alès de garrigues bij Nîmes.

★ **Château de Portes** ⓥ – *20 km. Alès uitrijden via ① op de plattegrond, richting Aubenas, daarna links de D 906 nemen. De auto op de pas laten staan en om het kasteel heen wandelen.*
Hooggelegen op de waterscheiding tussen het stroomgebied van de Gardon en de vallei van de Luech steekt dit oude bastion eenzaam boven een weids landschap uit. Hier vonden vroeger de bedevaartgangers bescherming op hun tocht door de Cevennen naar St-Gilles.

De middeleeuwse vesting heeft een vierkant grondplan; de aanbouw in de renaissance door de heren van Budos, die het kasteel van 1320 tot het einde van de 17de eeuw in hun bezit hadden, geeft het geheel een aparte vorm. De combinatie van het veelhoekige grondplan en het vooruitstekende deel met zijn kunstige steenwerk vormt een architectonisch hoogstandje.
Tijdens de Franse Revolutie deed het kasteel dienst als gevangenis. Tegen het einde van de 19de eeuw begon het scheuren te vertonen tengevolge van de exploitatie van ondergrondse mijnen in de berg. In 1969 is er een vereniging opgericht, de "Renaissance du château de Portes", die zich inzet voor het behoud van het kasteel en evenementen organiseert. Het renaissancegebouw, waar zowel tentoonstellingen als concerten worden georganiseerd, bevat monumentale schoorsteenmantels die uit één stuk steen zijn gehouwen.
Vanaf de top van het kasteel strekt zich voor de bezoeker in noordelijke richting een **panorama**★ uit over het lage gebied van Chamborigaud met daarboven de Mont Lozère en de uitlopers van de Tanargue.

Château de Rousson ⏲ - *10 km. Alès uitrijden via ① op de plattegrond (D 904). Voorbij Les Rosiers de derde weg rechts nemen.*
Jacques d'Agulhac de Beaumefort kocht in 1588 het landgoed van Rousson en liet er tussen 1600 en 1615 een kasteel bouwen. Het is een robuust gebouw met vier hoektorens, dat door de eeuwen heen nauwelijks is veranderd. De familie De Bary, die het in 1910 aankocht, restaureerde het wel, maar wijzigde alleen een paar openingen en verbreedde het noordoostelijke gedeelte naar de binnenplaats.
De hoofdgevel op het zuidoosten heeft een rij kruisvensters en een imposante poort met bossage uit de tijd van Lodewijk XIII. Binnen in het kasteel vindt men oude **tegelvloeren** met gevarieerde motieven, die nog in goede staat verkeren. Bezienswaardig zijn ook de grote schouw en de broodoven in de keuken op de benedenverdieping en een oude zeemanskist in de galerij op de eerste etage. Vanaf de terrassen mooi uitzicht over de Aigoual en de Mont Ventoux.

Via de D 904 terugrijden richting St-Ambroix; de eerste weg rechts afslaan.

Vanuit het dorp **Rousson**, dat halverwege de berg ligt waar vroeger het oorspronkelijke fort stond, fraai uitzicht op de Cevennen.

Parc ornithologique des Isles ⏲ - *20 km. Alès uitrijden via ① op de plattegrond (D 904). Les Mages inrijden en rechts de D 132 nemen. Het Parc des Isles ligt 800 m voorbij Saint-Julien-de-Cassagnas.*
In dit ornithologische park zijn honderden vogels uit de hele wereld te bewonderen: hoenderachtigen, zwem-, waad-, roof- en klimvogels (mooie verzameling parkieten en papegaaien).

★ **Bambouseraie de Prafrance** - *17 km. Alès uitrijden via ③ op de plattegrond (N 110), vervolgens rechts de D 910^A nemen en weer rechts de D 129. Zie beschrijving onder Prafrance.*

Vézénobres - *11 km. Alès uitrijden via ② op de plattegrond (N 106).*
In dit dorp, dat schilderachtig gelegen is op een heuvel boven het punt waar de Gardon d'Alès en de Gardon d'Anduze samenstromen, zijn nog wat resten uit de middeleeuwen terug te vinden: de Sabran-poort, een overblijfsel van de oude vestingmuren, de ruïnes van de burcht en een paar huizen uit de 12de, 14de en 15de eeuw. De trappen nemen om op het hoogste punt van het dorp te komen. Van daaruit zeer weids **panorama**★ over de streek met op de achtergrond de Cevennen (oriëntatietafel).

AMÉLIE-LES-BAINS-PALALDA ♆♆

3 239 inwoners
Michelinkaart nr. 86 vouwbladen 18, 19, of 235 vouwblad 56, of 240 vouwblad 45.
Plattegrond in de Rode Michelingids France.

Amélie, dat vroeger Bains-d'Arles (de baden van Arles) heette, dankt zijn naam aan koningin Amélie, de echtgenote van koning Louis-Philippe, en zijn bloei aan generaal De Castellane die er in 1854 een militair hospitaal opende en wandelpaden op de heuvels in de omgeving liet aanleggen.

Het zuidelijkste kuuroord van Frankrijk - Het kuuroord Amélie-les-Bains-Palalda, dat op 230 m hoogte in de Vallespir *(zie onder deze naam)* ligt, staat dankzij het zwavelhoudende water bekend om de behandeling van reuma en aandoeningen aan de luchtwegen (kuren het hele jaar mogelijk). De mediterrane plantengroei in de tuinen - mimosa, oleanders, palmbomen en agaven - is tekenend voor het zachte klimaat: bijzonder zuivere lucht, weinig harde wind en veel zon. Amélie bezit één badinrichting voor militairen en twee voor burgers: de Thermes du Mondony bij het einde van de Mondony-kloof en de Thermes romains met een gerestaureerd Romeins bad.

★ **Palalda** - *3 km van het centrum van Amélie.*
Deze middeleeuwse plaats ligt hoog boven de rivier de Tech en maakt administratief deel uit van Amélie. Palalda is een fraai voorbeeld van een Catalaans dorp. Door de smalle, soms zeer steile en met bloemen versierde straten wandelen. Iets hogerop is het pleintje met de St-Martin-kerk, het museum en het gemeentehuis het leukste punt.

Kerk - Interessant in deze kerk is het mooie altaarstuk waarop het leven van de H. Martinus staat afgebeeld.

Museum ⏲ - Het museum bezit twee afdelingen.
In het **Musée des Traditions et Arts populaires** is gereedschap te bezichtigen dat voor thans verdwenen of gemechaniseerde ambachten werd gebruikt. In één zaal is te zien hoe men vroeger espadrilles maakte. Twintig meter lager, aan de Place de la Nation, zijn een keuken en een slaapkamer uit het begin van deze eeuw nagebouwd. Opvallend zijn de "truc", een Catalaans kaartspel, en de "cargolade", een gerecht van gegrilde wijngaardslakken met een scherpe knoflooksaus waarbij een Rivesaltes of een Banyuls wordt gedronken.
In het **Musée de la Poste en Roussillon** geven schilderijen, documenten en diverse voorwerpen een overzicht van de geschiedenis van de posterijen in de streek. Men kan er zien hoe een postkantoor er aan het einde van de 19de eeuw uitzag. Interessant is het schema waarop wordt uitgelegd hoe de "vuurtorens" in de Roussillon werkten; door middel van rooksignalen kon het hele gebied binnen een kwartier worden gewaarschuwd als er een vijandige inval op komst was *(zie de Inleiding)*.
Onder de tentoongestelde apparaten staat een zeldzaam exemplaar van de "Daguin", een stempelmachine. Opmerkelijk is tenslotte ook het uniform van de postiljon en vooral zijn reusachtige laarzen.

Gorges du Mondony - *Een halfuur lopen heen en terug. Bij de Thermes romains vertrekken en langs het Hôtel des Gorges naar het terras lopen dat boven het einde van de kloven uitsteekt. Daarna het wandelpad langs de steile helling en de tunnels door volgen.*
Een heerlijk frisse wandeling.

IN DE OMGEVING

★ **Vallée du Mondony** - *6 km tot aan Mas Pagris. Een indrukwekkende tocht langs steile hellingen (uitwijkplaatsen op de laatste 2 km).*
Stroomopwaarts heeft de Avenue du Vallespir aan de rand van Amélie-les-Bains een vertakking waarbij Montalba staat aangegeven; deze weg klimt omhoog langs de rotswand van de geïsoleerde hoogte van Fort-les-Bains en mijdt door zijn hoogte de Gorges du Mondory. Daarna loopt de weg in etappes verder omhoog, biedt een uitzicht op de grillige Roc St-Sauveur en ligt hoog boven de uitgestorven vallei, die overal met steeneiken is begroeid. Men laat links de antenne van Montalba achter zich en rijdt verder tussen de granieten rotsen van de kloof tot het kleine bassin van Mas Pagris, het vertrekpunt voor wandelingen in de hooggelegen vallei van de Terme.

ANDORRA★★

Michelinkaart nr. 86 vouwbladen 14, 15, of 235 vouwbladen 50, 54.

Andorra, dat een oppervlakte bestrijkt van 464 km², trekt veel toeristen die geïnteresseerd zijn in de woeste schoonheid van het landschap en zijn patriarchale tradities.
De levenswijze in Andorra is in minder dan een halve eeuw verbazingwekkend veranderd. De eerste voor motorvoertuigen begaanbare verbindingen met de buitenwereld werden aan de Spaanse kant in 1913 geopend en aan de Franse kant pas in 1931. Het kleine staatje vertoont dan ook tekenen van een wat ongestructureerde groei, zoals het grote aantal flatgebouwen en zakenpanden in de vallei van de Gran Valira bewijst.
De aandacht gaat nu uit naar de hoogvlakten en de zijdalen, waar kleine bergweggetjes nog het gevoel geven even "terug in de tijd" te zijn.
Andorra telt 61 599 inwoners (1992), die voor het merendeel Catalaans spreken en in zeven "parochies" of gemeenten zijn ingedeeld: Canillo, Encamp, Ordino, La Massana, Andorra-la-Vella, Sant Juliá de Lória en Escaldes-Engordany.

Douaneformaliteiten – Nederlandse toeristen dienen in het bezit te zijn van een geldig paspoort, Belgische toeristen van een geldige identiteitskaart.
Voor automobilisten is de groene kaart verplicht.

Munteenheid – Franse en Spaanse valuta zijn beide in gebruik.

Posterijen – In Andorra-la-Vella zijn zowel Franse als Spaanse postkantoren te vinden.

De dochter van Karel de Grote – "De machtige Karel de Grote, mijn vader, heeft mij van de Arabieren bevrijd." Zo begint het volkslied van Andorra dat trots verder gaat: "Ik alleen blijf de enige dochter van keizer Karel de Grote. Gelovig en vrij, elf eeuwen lang, gelovig en vrij wil ik zijn tussen mijn beide onverschrokken voogden en mijn twee prinselijke beschermheren."
Het co-vorstendom Andorra kende tot 1993 het stelsel van de "paréage", een erfenis uit het feodale tijdperk. In een paréage-overeenkomst werden de bevoegdheden en rechten op een stuk grond dat twee naburige heren gemeenschappelijk in leen hadden, afgebakend. Het bijzondere van Andorra is dat de leenheren, hoewel ze door vererving op een gegeven moment twee verschillende nationaliteiten hadden, dit feodale statuut hebben laten voortbestaan en dus geen van beiden aanspraak konden maken op de volledige heerschappij over het gebied. De in 1278 gesloten paréage-akte bepaalde dat de Spaanse bisschop van Urgel samen met de Franse graaf van Foix (Roger-Bernard III) de functie van staatshoofd zou vervullen. De bisschoppen van Urgel oefenen deze functie nog steeds uit, maar de rechten van de graven van Foix zijn via Henri IV overgegaan op het Franse staatshoofd.
Na het referendum van 1993 heeft Andorra een nieuwe grondwet gekregen waarbij het vorstendom volledig soeverein is geworden. De officiële taal is het Catalaans. Het vorstendom heeft een samenwerkingsverdrag gesloten met Frankrijk en Spanje, de eerste landen die zijn onafhankelijkheid erkenden; inmiddels is Andorra ook lid geworden van de Verenigde Naties.

Een uitgesproken vrijheidszin – De inwoners van Andorra hebben een buitengewoon sterk ontwikkelde vrijheidszin en onafhankelijkheidsdrang.
De uitvoerende macht is in handen van de "Algemene Raad", die in het Casa de la Vall zitting houdt. Deze raad telt minimaal 28 en maximaal 42 leden, die met algemeen kiesrecht voor vier jaar worden gekozen en elk van de zeven parochies vertegenwoordigen. De "Algemene Raad" benoemt een eerste en een tweede syndicus. Na elke nieuwe verkiezing wordt het hoofd van de regering gekozen. De "Comuns" zijn de gemeenteraden die de parochies besturen en hun belangen behartigen. De rechterlijke macht wordt uitgeoefend door het tribunaal der baljuws, het tribunaal van de Corts en het hoger gerechtshof van Andorra.
In Andorra bestaat geen dienstplicht, er worden geen directe belastingen geheven en binnenlandse poststukken zijn vrij van port. Er is nog steeds weinig privébezit, aangezien vrijwel alle grond eigendom is van de gemeenten.

Arbeid en feestdagen – Het sterk patriarchale leven was vroeger grotendeels aan veeteelt en landbouw gewijd.
Tussen de hooggelegen zomerweiden en de dorpjes staan nog de primitieve "cortals", een soort schuren waar de herders vroeger onderdak vonden en die zo langzamerhand met motorvoertuigen te bereiken zijn. Op de zonzijde van de bergen bestaat nog terrascultuur. Tabaksplantages zijn tot 1 600 m hoogte te vinden; tabak vormt de hoofdteelt in de vallei van Sant Juliá de Lória.
Uit het feit dat de nationale feestdag gevierd wordt op de naamdag van N.-D.-de-Meritxell (8 september) blijkt hoe diep het katholieke geloof in de samenleving van Andorra is geworteld. De mis wordt zowel door de geestelijke als de wereldlijke gezagdragers bijgewoond. Zoals bij elke Catalaanse "aplec" (bedevaart) volgt daarna een feestmaal in de openlucht, op de omliggende weiden. Zowel de aanleg van hydro-elektrische installaties, als de nieuwe vakantieoorden ("urbanitzacio") en de stroom buitenlandse toeristen hebben het leven in Andorra ingrijpend veranderd.

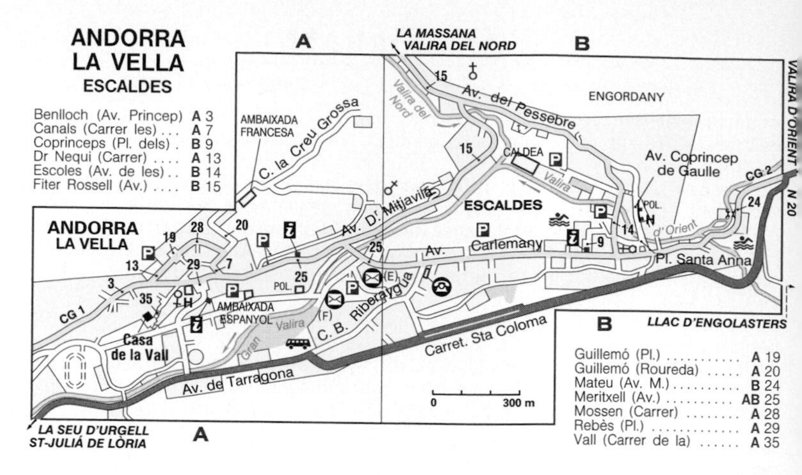

ANDORRA LA VELLA

De "hoofdstad" van Andorra, waarin de huizen opeengehoopt staan op een terras aan de steile rand boven het dal van de Gran Valira, is een levendig handelscentrum. Naar het oosten toe loopt de stad over in het al even drukke Escaldes, dat wat ruimer is opgezet op de kleine vlakte waar de twee bovenste takken van de bergstroom samenvloeien.
Even buiten de doorgangswegen is het oude karakter van Andorra la Vella echter bewaard gebleven, zoals in de smalle steegjes en het Casa de la Vall waar de staatszaken nog steeds worden besproken.

Casa de la Vall (**A**) ⏲ - Hier zetelen het parlement en het gerechtshof van Andorra en hebben de zittingen van de "Zeer Doorluchtige Algemene Raad" plaats. Het is een massief gebouw met een 16de-eeuws aanzien, dat echter in 1963 ingrijpend is gerestaureerd, waarbij de verdedigingswerken zijn aangevuld met een tweede wachttoren op het zuiden. De poort gaat open onder lange, zware sluitstenen die kenmerkend zijn voor de Aragonese kasteelbouw. Het in 1761 aangebrachte wapen van Andorra illustreert het regime van het co-vorstendom: links, de mijter en staf van de bisschoppen van Urgel en de vier rode banden van Catalonië; rechts de drie banden van de graven van Foix en de twee "voorbijtrekkende koeien" van de Béarn. Binnen maakt het gebouw door zijn plafonds en lambriseringen een statige indruk. De ontvangstruimte op de 1ste verdieping - vroeger de eetzaal - is met 16de-eeuwse wandschilderingen verfraaid. In de raadzaal waar de Algemene Raad bijeenkomt, staat nog de beroemde "kast met de zeven sleutels", die zeven verschillende sloten telt (elke parochie heeft heer eigen sleutel) en waarin de archieven worden bewaard.

Caldea

Caldea is een groot watercentrum waar men zich heerlijk kan ontspannen. Het ligt op 1 000 m hoogte en haalt water op 68°C uit de bronnen van Escaldes-Engordany. Het futuristische gebouw van de Franse architect Jean-Michel Ruols lijkt op een reusachtige glazen kathedraal. Van de totaal 25 000 m² nemen de waterruimten 6 000 m² in. Er zijn legio mogelijkheden voor ontspanning en vertier: Indo-Romeinse baden, Turkse baden, jacuzzis, bubbelbaden, verwarmde marmeren ligbanken, nevel sproeiende fonteinen, enz. Diverse horecagelegenheden, een winkelgalerij en een bar met panoramisch uitzicht op 80 m hoogte maken dit centrum tot een bijzonder aantrekkelijk waterparadijs. Inlichtingen: tel. 628-65777.

★ 1 VALL DE VALIRA DEL ORIENT

Van Andorra la Vella naar de weg over de Puymorens-pas

36 km - ongeveer anderhalf uur - kaartje hieronder

De Port d'Envalira kan door sneeuwval versperd zijn, maar deze bergpas wordt altijd binnen 24 uur weer vrij gemaakt. Bij zeer slecht weer is het mogelijk dat de afrit via de Route du Puymorens alleen richting Porté en de Cerdagne open is.

Bij Escaldes verlaat de weg de bebouwde kom en gaat het ruige dal in, langs het gebouw van Radio Andorra met zijn verrassende neo-Romaanse klokkentoren. Voorbij Encamp komt men via een steil omhooglopende weg boven de versperring van **Les Bons**, met onder de ruïne van een kasteel een gehucht met een mooie **ligging**★. Deze burcht moest de doorgang en de Sant Roma-kapel verdedigen. Rechts de **N.-D. de Meritxell-kapel**, die in 1976 werd herbouwd; het is het nationale heiligdom van Andorra.

Canillo – De tegen de rots gebouwde kerk heeft de hoogste klokkentoren van Andorra. Daarnaast staat het witte knekelhuis met de grafkelders; dit soort bouwwerken komt men veelvuldig tegen op het Iberisch schiereiland.

Sant Joan de Caselles ⓥ – Deze afgelegen kerk is een fraai staaltje van Romaanse bouwkunst met haar drie verdiepingen hoge klokkentoren met brede muuropeningen. In de kerk staat achter het grillig gevormde smeedijzeren koorhek een beschilderd altaarstuk van de hand van de Meester van Canillo (1525), dat het leven van Johannes en zijn apocalyptische visioenen uitbeeldt. Tijdens de laatste restauratie (1963) heeft men een Romaanse afbeelding van de **kruisiging**★ weten te herstellen. De losse stukken stuc van de Christusfiguur zijn weer op hun oorspronkelijke plaats op de muur gelijmd, nadat het fresco dat het tafereel op de Calvarieberg aanvult (de zon, de maan, Longinus, de een lans dragende soldaat en Stefaton, de soldaat die de spons aanreikt) werd vrijgemaakt.

De weg loopt in een lus door het schilderachtige dal van Inclès met zijn grazige weiden.

Soldeu El Tarter – Skioord (1 826 m).

Op weg naar de hoge Port d'Envalira ziet men in het zuidwesten de gletsjerkom Cirque des Pessons. Rechts is een afslag naar het skioord Grau Roig.

★★ **Port d'Envalira** – 2 407 m. Dit is de hoogste bergpas in de Pyreneeën, waar een goed begaanbare weg overheen loopt. De pas markeert de scheidslijn tussen het water aan de kant van de Middellandse Zee (Valira) en dat aan de kant van de Atlantische Oceaan (Ariège) en biedt een **panorama** over de bergen van Andorra, met ver weg in het westen de hoogste top (2 946 m) bij de Coma Pedrosa. Tijdens de afdaling naar de Pas de la Casa, mooi uitzicht op de Étang de Font-Nègre en het **Cirque de Font-Nègre**.

✻ **Pas de la Casa** – 2 091 m. Deze kleine grenspost, de hoogste van Andorra, is tegenwoordig een belangrijk skicentrum.

De N 22 voert door een onherbergzaam landschap en sluit aan op de N 20, de weg over de Puymorens-pas.

★ 2 VALL DE VALIRA DEL NORD

Van Andorra la Vella naar La Cortinada *9 km*

In deze groene vallei zijn nog sporen te vinden van het vroegere leven in de bergen. Via de snel stijgende weg laat men algauw Andorra-Escaldes achter zich.

Garg. de Sant Antoni – Vanaf een brug over de Valira del Nord ziet men rechts de oude boogbrug waarover vroeger het muildierpad liep.

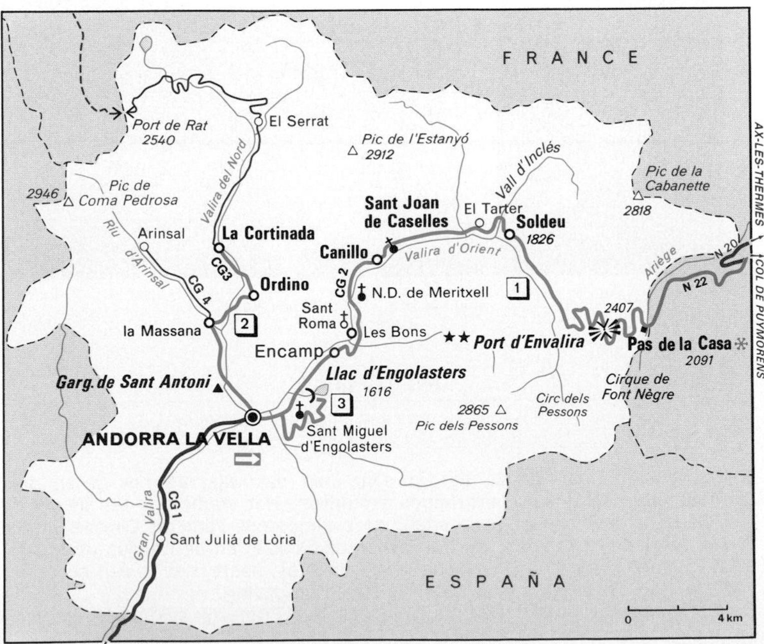

Voorbij deze bergengte ontvouwt de vallei zich in haar volle glorie tegen een achtergrond van kale bergen. Vanuit de vallei van Arinsal, mooi uitzicht op de toppen van de Coma Pedrosa.

Via La Massana, een aardig vakantieoord, naar Ordino rijden.

Ordino – *De auto boven in het dorp op het plein bij de kerk laten staan.* Ordino is een schilderachtig dorp; aan de voet van de kerk lopen kleine steegjes. Interessant is het grillig gevormde smeedijzeren hekwerk in de kerk, zoals men dat in veel heiligdommen in de buurt van de voormalige "Catalaanse smederijen" tegenkomt. Dicht bij de kerk bevindt zich nog een mooi voorbeeld van oud siersmeedwerk: het 18 m lange balkon van het "huis van Don Guillem", waarin vroeger een meestersmid woonde.

La Cortinada – Een leuk plaatsje. Beneden de kerk en het kerkhof met knekelhuis staat een oud herenhuis met buitengalerijen en een duiventil.

De weg gaat verder naar het noorden. In de toekomst moet hij via de Port de Rat, een pas die 2 540 m hoog is, een verbinding vormen met het Vicdessos-dal (zie het kaartje onder Foix).

3 LLACH D'ENGOLASTERS

Een rit van 9 km met een wandeling van een halfuur heen en terug

Escaldes in oostelijke richting uitrijden via de Route de France; na de bebouwde kom rechtsom de bergweg naar Engolasters inslaan.

Op de met weiden bedekte hoogvlakte van Engolasters, waar zich de sportcomplexen van Andorra la Vella bevinden, verrijst de ranke Romaanse toren van de **Sant Miquel-kerk.**
Vanuit het eindpunt van de weg de bergkam oversteken onder de naaldbomen door en direct daarna (te voet) naar de stuwdam afdalen. Door deze dam is de oppervlakte van het meer op (1 616 m hoogte) 10 m hoger komen te liggen. Het donkere woud weerspiegelt zich in het water. Aan het andere uiteinde zijn de antennes van Radio Andorra te zien.

IMAGES PHOTOTHÈQUE

Engolasters – Sant Miquel-kerk.

ANDUZE

2 913 inwoners
Michelinkaart nr. 80 vouwblad 17, of 240 vouwblad 15.

Het schilderachtige Anduze ligt in een klein dal waarvan het groen scherp contrasteert met de kale bergtoppen eromheen. Het stadje ligt aan de voet van een diepe, nauwe "cluse" (dwarsdal), de zogenoemde **Porte des Cévennes** of **Portail du Pas**, waar de rivierdalen van de Gardon de St-Jean en de Gardon de Mialet bij elkaar komen. Vanaf de D 910, de weg naar Alès, heeft men in een bocht 1 km vóór de stad een mooi uitzicht op Anduze en omgeving.
De grote geglazuurde vazen uit Anduze zijn in heel Frankrijk bekend en sierden ooit de orangerie van Versailles.

GESCHIEDENIS

In 1557 doet het calvinisme zijn intrede in Anduze en vindt daar veel weerklank. De stad, die zich vrijwel geheel tot het hervormde geloof had bekeerd en daarom "het Genève van de Cevennen" heette, werd gekozen tot zetel van de Algemene Vergadering van de Hugenoten in de Bas Languedoc (1579).
Als na de moord op Hendrik IV de godsdienststrijd weer in alle hevigheid oplaait, wordt Anduze het centrum van het protestantse verzet onder leiding van de bekende **hertog van Rohan**, die de walmuur laat versterken door vooruitgeschoven verdedigingswerken en forten laat bouwen op de omringende heuvels.
Gesteund door de volledig protestantse Cevennen neemt Rohan zo een sterke positie in. Wanneer Louis XIII en Richelieu in 1629 naar de Languedoc optrekken, vinden zij het dan ook raadzaam Alès aan te vallen, dat zich overgeeft. Anduze wordt nooit belegerd; het ondergaat echter hetzelfde lot als alle protestantse vestingsteden: na de Vrede van Alès wordt het ontmanteld. Alleen de Tour de l'Horloge ontkomt aan de sloophamer.
Later, in de 18de eeuw, speelt Anduze een belangrijke rol in de bevoorrading van de camisards (zie onder Mas Soubeyran).
Wanneer de onlusten voorbij zijn, wordt de stad weer welvarend. In 1774 bouwen de Staten van de Languedoc de "quai", een dijk om Anduze tegen de vreselijke overstromingen van de Gardon te beschermen.
De stad legt zich toe op de wijnbouw, fruitteelt en de teelt van moerbeibomen voor de zijde-industrie die daar ontstaat, en bezit tevens distilleerderijen en pottenbakkerijen. Lange tijd is Anduze even belangrijk als Alès, maar in de 19de eeuw wint Alès het definitief door zijn rijke steenkolenbekken.

BEZIENSWAARDIGHEDEN

Tour de l'Horloge - Deze toren op het langwerpige plein van de voormalige burcht dateert uit 1320. Hij is het enige overblijfsel van de oude vestingwerken en werd in 1629 gespaard omdat er toentertijd al een uurwerk in zat.

Temple protestant - Deze protestantse kerk met haar strenge voorgevel verrees in 1823 op de plaats van voormalige kazernes, niet ver van de Tour de l'Horloge. De ingang gaat schuil onder een kleine zuilengalerij.

De oude stad - Het is een waar genoegen om door de kleine kronkelige straatjes van de oude stad te dwalen, zoals de Rue Bouquerie. Via de stadspoort die aan de burcht grenst, komt men op een plein met een markthal en een merkwaardige overdekte **fontein**. De fontein heeft een dak in de vorm van een pagode, bedekt met geglazuurde pannen die in 1649 speciaal door de pottenbakkers van Anduze zijn vervaardigd.

Ancien parc du couvent des Cordeliers - In dit park, dat vroeger bij een franciscanenklooster hoorde, zijn schitterende exotische boomsoorten te bewonderen en met name reusachtige bamboeplanten. Vanaf een met kastanjebomen beplant terras op het hoogste punt van het park heeft men een mooi uitzicht over het dal van de Gardon.

EXCURSIES

★ **Bambouseraie de Prafrance** - *2 km via de D 129. Zie onder Prafrance.*

★ **Musée du Désert; grotte de Trabuc** - *11 km in noordelijke richting via Générargues en het dal van de Gardon de Mialet; na Luziers rechts afslaan richting Le Mas Soubeyran en Trabuc (zie onder deze namen). Bezichtiging: ongeveer anderhalf uur.*

Toeristentreintje tussen Anduze en St-Jean-du-Gard - *Zie onder St-Jean-du-Gard.*

J. Guillard/SCOPE

Anduze - Fontein.

Haute vallée de l'ARIÈGE★

Michelinkaart nr. 86 vouwbladen 4, 5, 15, of 235 vouwbladen 38, 42, 46, 50.

De Ariège ontspringt bij de grens met Andorra in het Cirque de Font-Nègre en stroomt na 170 km net voor Toulouse in de Garonne uit.
In haar bovenstroom volgt de rivier een gletsjerbaan die ter hoogte van Ax breder wordt en van richting verandert. De sporen van de oude gletsjer zijn in de buurt van Tarascon heel duidelijk zichtbaar. Via de bergengte van Labarre baant de Ariège zich een weg door het kalksteen van de Plantaurel-keten en verlaat bij de laagvlakte van Pamiers, die door aanslibbing is ontstaan, het gebied van de Pyreneeën.

Een "mineralogisch museum" – Door de grote rijkdom aan ertsen en mineralen is het departement Ariège een mijnstreek bij uitstek die nu eens geëxploiteerd, dan weer verlaten wordt, al naar gelang de ontwikkelingen op de wereldmarkt. IJzer, bauxiet, zink, mangaan en recentelijk wolfraam (bij Salau) zijn op grote schaal gewonnen. Tegenwoordig is alleen nog de talk die in **Luzenac** wordt gewonnen van nationaal belang (10% van de wereldproductie).

★VAN DE COL DE PUYMORENS NAAR TARASCON-SUR-ARIÈGE *54 km – ongeveer een halve dag*

De Route du Puymorens vormt de verbinding tussen de Cerdagne, Catalonië, de Pyreneeën in het departement Ariège, Foix en Toulouse. Dankzij een 4 820 m lange tunnel hoeft men sinds eind 1994 niet meer over de pas te rijden, die 's winters moeilijk begaanbaar is.

★ **Col de Puymorens** – 1 915 m. De sneeuwvelden op deze bergpas zijn te bereiken via een weg die althans aan de zuidkant steeds vrij wordt gemaakt, of met de skiliften van **Porté-Puymorens**. De afdaling volgt het tracé van de oude weg met eenrichtingsverkeer, waar nog kudden wilde paarden rondlopen, en komt uit in **l'Hospitalet**, het eerste dorp (1 436 m) in het Ariège-dal. Het kale, onherbergzame landschap wordt vriendelijker naarmate men verder daalt.

Centrale de Mérens – 1 100 m. Voor deze volledig geautomatiseerde elektriciteitscentrale wordt, dankzij de ophoging van de Étang de Lanoux, water gehaald uit het stroomgebied van de Garonne, dat op zijn beurt door de zijrivieren van de Sègre (stroomgebied van de Ebro) wordt gevoed. Om dit verlies aan water aan Spaanse kant te compenseren, is een overeenkomst met Spanje gesloten. Op een oriëntatietafel kan men de namen zien van de bergtoppen achter de vallei.

Mérens-les-Vals – Dit dorp werd opnieuw opgebouwd nadat de "Miquelets" (vanaf de 16de eeuw gevreesde ongeregelde Spaanse troepen) in 1811 Mérens-d'en-Haut in brand hadden gestoken tijdens de Napoleontische oorlog tegen Spanje. De kleine, egaal zwarte Mérens-paarden stammen van een van de oudste Europese rassen af. In de stoeterij van Tarbes worden deze paarden nog raszuiver gefokt.
De weg loopt langs de civieltechnische werken van de spoorlijn over de Pyreneeën, een van de hoogste in Europa. Hij leidt door de Gorges de Mérens, vanwaar men de kabelbaan naar boven naar het Plateau du Saquet kan nemen. De weg daalt verder af door de schitterende bossen die de bovenloop van de Ariège omzomen. Rechts is de Dent d'Orlu zichtbaar.

Ax-les-Thermes – *Zie onder deze naam.*
Voorbij Ax voert de weg langs de linkeroever van de Ariège. Aan de overkant bevindt zich de kerk van Unac met haar fraaie Romaanse klokkentoren.

Luzenac – *Zie onder Ax-les-Thermes.*
Het contrast tussen de zonkant van het gebergte, waar akkerland en huizen elkaar afwisselen, en de beboste schaduwzijde valt steeds meer op. De ruïnes van het Château de Lordat en de Ermitage St-Pierre, vlak naast elkaar gelegen op vooruitstekende rotsen, zijn reeds van verre zichtbaar. Rechts de Pic St-Barthélemy (2 348 m). Aan het einde van het bassin van Les Cabannes, bij de uitgang van de Aston-vallei, voert de weg door de streek die de naam Sabarthès draagt en waarvan de steile hellingen vol grotten het Val d'Ariège vormen, een diep en regelmatig uitgeslepen gletsjerdal.

Grotte de Lombrives – *Zie onder Lombrives.*

Tarascon-sur-Ariège – Het Bassin de Tarascon heeft een gunstige **ligging** midden in de Val d'Ariège. De rivier heeft zich hier een weg gebaand door de kalkrotsen en dit aanlokkelijke landschap wordt nog verfraaid door de Vicdessos, een zijrivier van de Ariège. Tarascon is niet alleen een toeristisch oord maar ook een van de belangrijkste plaatsen in de Pyreneeën voor liefhebbers van wetenschappelijke speleologie (met name voor studie van het Neolithicum). Dit is niet verwonderlijk omdat in deze streek, die in de middeleeuwen de naam Sabarthès kreeg, een vijftigtal prehistorische grotten te vinden is. Tot deze grotten behoren de **Grotte de Niaux**★★ *(zie onder Niaux)*, de **Grotte de Lombrives**

(zie onder Lombrives), de **Grotte de la Vache** ⊙ *(8 km ten zuiden van Tarascon)*, waar wapens, gereedschap en vooral uit bot of geweien van herten vervaardigd snijwerk een indruk geven van de levensomstandigheden van 13 000 jaar geleden. De **Grotte de Bédeilhac** ⊙ is bekend om haar rotstekeningen uit het Magdalénien; omdat het gewelf van de zaal achter in de grot (800 m van de ingang) ondoorlaatbaar is, verkeren de afbeeldingen (o.a. een grote bizon, een prachtig rendier, paarden) nog in uitstekende staat.
In Banat, ten noordwesten van Tarascon, bevindt zich het **Parc pyrénéen de l'Art préhistorique** ⊙, waar een facsimile op ware grootte te zien is van de schilderingen van de Salon Noir in de Grotte de Niaux. De schilderingen zijn in hun oorspronkelijke staat weergegeven, d.w.z. voordat zij werden aangetast.

VAN TARASCON-SUR-ARIÈGE NAAR PAMIERS

37 km - ongeveer een halve dag - zie schema onder Foix

Aan het begin van de tocht, in de dalkom van Tarascon, staan links grote opeenstapelingen morenen met zwerfblokken, daar waar het tongvormige uiteinde van de gletsjer is teruggeweken; twee van deze blokken zijn even voor Bompas goed zichtbaar langs de weg. Links de Roc de Soudour (1 070 m). De Romaanse kerk van **Mercus-Garrabet**, met slechts een kerkhof eromheen, staat verlaten op een rotsachtige hoogte. De geïsoleerde hoogten op de andere oever aan het einde van de vallei, geven het landschap een ongeordend aanzien met een uitgesproken reliëf.

Le Pont du Diable - Men komt bij deze brug via een spoorwegovergang aan het begin van de N 20 en langs de zeer steile weg naar de bergkloof in de diepte (drie scherpe haarspeldbochten). Deze mooie brug over de Ariège met zijn machtige, haast geruisloze stroom overgaan en de auto op de linkeroever laten staan. Het uitsteeksel onder de hoofdboog van de brug bewijst dat er in elk geval in de 14de eeuw een verhoging moet zijn aangebracht. Interessant zijn de versterkingen op de linkeroever (poort en benedenkamer). Deze brug boezemde de inwoners van het graafschap grote angst in: meer dan tien keer werd er opnieuw begonnen, maar telkens stortte het overdag gedane werk 's nacht weer in, aldus de legende. Vandaar de naam "Duivelsbrug".
Voorbij de Pont du Diable ligt aan de overkant van de rivier de rand van het morenenterras waarin de Ariège zo'n vijftig meter wegzakt. Verderop zijn de sporen te zien van de oude gletsjer die daar een dikte van 100 tot 400 meter kon bereiken. Na de aftakking naar Lavelanet ziet men de **Pain de Sucre** (het suikerbrood) voor zich, een geïsoleerde hoogte die boven het dorp Montgaillard uittorent.

★ **Foix** - *Zie onder deze naam.*
In Foix richting Vernajoul (D 1) nemen; daar aangekomen links afslaan.

★ **Onderaardse rivier van Labouiche** - *Zie onder Labouiche.*
Tussen Foix en Varilhes loopt de weg langs de Ariège dwars door de bergen van de Plantaurel om via de laagvlakte bij Pamiers uit te komen.

Pamiers - Pamiers ligt op de rand van een vruchtbare vlakte en is de belangrijkste stad van het departement Ariège. Sinds de plaats in 1295 een bisdom werd, zijn er vier kloosterorden gevestigd. Pamiers is een goed vertrekpunt voor tochten in de Ariège en in de Pyreneeën.
Tot de bezienswaardigheden van Pamiers behoren: de **Cathédrale St-Antonin** (12de eeuw) en de **Église N.-D.-du-Camp**, met een indrukwekkende, uit baksteen opgetrokken voorgevel; verder verschillende **oude torens**. Pamiers is de geboortestad van de componist Gabriel Fauré.

ARLES-SUR-TECH

2 837 inwoners
Michelinkaart nr. 86 vouwblad 18, of 235 vouwblad 56, of 240 vouwblad 45.

De stad aan de oever van de Tech is omstreeks 900 ontstaan rond een abdij waarvan de kerk en de kloostergang bewaard zijn gebleven. Het is een centrum van religieuze en folkloristische tradities in de Haut-Vallespir; er worden nog steeds traditionele Catalaanse stoffen geweven.

★ **Kerk** - *Bezichtiging: een halfuur.* Bezienswaardig is op het timpaan de Christusfiguur aan een Grieks kruis, met in medaillons gevatte evangelistensymbolen (1ste helft van de 11de eeuw, net als de hele voorgevel). Alvorens de kerk binnen te gaan, ziet men links van de hoofdingang, achter een hek, een witmarmeren sarcofaag uit de 4de eeuw, de **Sainte Tombe**, waaruit elk jaar enkele honderden liters helder water sijpelen. Tot op heden is er nog geen enkele wetenschappelijke verklaring voor dit verschijnsel gevonden. Daarboven een mooi grafbeeld (begin 13de eeuw) van Guillaume Gaucelme de Taillet.

Interieur - Het schip is verrassend hoog (17 m onder het gewelf). Opvallend zijn de arcaden die uit twee verschillende eeuwen dateren. De lage, opengewerkte booggewelven stammen uit de 11de eeuw, toen de kerk nog een vrij lichte dakconstructie had. Toen de kerk in de 12de eeuw werd overwelfd, moesten de dragers worden versterkt om het zware gewelf te kunnen dragen; de pijlers werden inwendig verdubbeld en langs de muren van het schip werden hoge blindbogen aangebracht.
In de 1ste kapel rechts verbeeldt het grote barokke altaarstuk in dertien panelen de martelgang van Abdon en Sennen, heiligen die vroeger in de hele Roussillon werden geëerd als beschermers in geval van rampen, en de overbrenging van de relieken van deze jonge Koerdische prinsen, eerst per boot en daarna op muilezels, in vaten. De 2de kapel bevat drie voorstellingen van Christus (in afwachting van het vonnis, aan het kruis en liggend in een glazen reliekschrijn), die door hun realisme eraan herinneren dat Catalonië niet ver weg ligt. Deze afbeeldingen, "misteris" genaamd, worden door de broeders penitenten gedragen tijdens de processie in de nacht van Goede Vrijdag.

Kloostergang - *Toegang via een deur achter in de linkerzijbeuk.* Deze gotische kloostergang dateert uit de 13de eeuw.

El Palau Santa Maria ⓥ - Dit voormalige abdijpaleis heeft nog enkele gevelelementen uit de 13de eeuw. Het is privébezit en wordt nog bewoond, doch is wel voor het publiek opengesteld. Interessant is een verzameling schilderijen van de Spaanse kunstenaar Pallarès-Lleó, waarop de geschiedenis van de heiligen Abdon en Sennen wordt uitgebeeld, alsmede het leven van abt Arnulfus.

EXCURSIES

Coustouges - *20 km in zuidelijke richting - ongeveer drie kwartier - Arles-sur-Tech in westelijke richting via de D 115 uitrijden en links de D 3 inslaan.*
De weg steekt de Tech over en loopt op de rechteroever door kastanjebossen omhoog naar het zijdal van de Quéra. Rechts een merkwaardige piramidevormige berg waarop de Tour de Cos staat (1 116 m). Vanuit een bocht in een ravijn, mooi uitzicht op Montferrer en Corsavy aan de rechterhand.

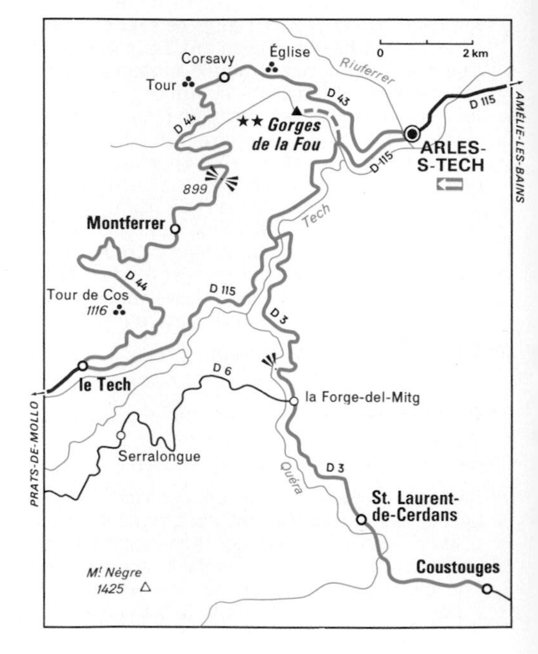

Coustouges - Dit kleine bergdorp, dat dicht bij de Spaanse grens ligt, heeft een versterkte kerk uit de 12de eeuw. Wie door de deur aan de zuidkant gaat, komt door een Romaans portaal met beeldhouwwerk het schip binnen. In tegenstelling tot andere kerken in de Roussillon is voor dit portaal geen marmer maar een zachte steensoort gebruikt. Interessant zijn ook het smeedijzeren koorhek en de gewelven van de zijkapellen van het koor.

Corsavy en **Montferrer** - *36 km - ongeveer twee uur.*
Na Arles-sur-Tech volgt de steil omhooglopende weg (D 43) het tracé van de bergkam tussen het groene Riuferrer-dal en de bovenste kloof van de Gorges de la Fou.
De ruïnes van de oude parochiekerk van Corsavy zijn weldra te zien. De weg daalt geleidelijk en men komt door het dorp. Rechts de voormalige wachttoren. De D 44 nemen die weer omhoogvoert en die een beek, de Fou, oversteekt (prachtig uitzicht). In een bocht rechts, op het hoogste punt van de weg (899 m), ontvouwt zich een magnifiek panorama over het Massif du Canigou, de Albères, de Roussillon en de Middellandse Zee.

Montferrer - De kerk heeft een fraaie Romaanse klokkentoren. Links de ruïnes van een kasteel.
De D 44 volgen tot de vallei van de Tech.

Le Tech - *Zie onder Vallespir.*

Links de D 115 nemen die langs de Tech loopt. Alvorens weer in Arles-sur-Tech te komen, de auto bij het pad laten staan dat, links, naar de prachtige Gorges de la Fou leidt.

★★ **Gorges de la Fou** ⏲ - *anderhalf uur te voet heen en terug (de 1 200 m lange tocht door de kloof voert over goed onderhouden loopbruggen).*
De Gorges de la Fou werden voor het eerst in 1928 verkend. Op sommige plekken is de kloof slechts 3 m breed, terwijl de wanden tot meer dan 100 m hoogte reiken. Donkere gedeelten, waar watervallen met donderend geraas naar beneden kletteren, en lichtere gedeelten wisselen elkaar af. Opvallend zijn enkele rotsblokken die volledig ingeklemd zitten.

Col de l'ASCLIER★★

Michelinkaart nr. 80 vouwbladen 16, 17, of 240 vouwblad 15.
Ten noordoosten van Le Vigan.

Deze tocht voert van het Gardon-dal naar dat van de Hérault, aan de voet van de Mont Aigoual, en gaat dus een zogenaamde barre (serre) van de Cevennen over.

VAN ST-JEAN-DU-GARD NAAR PONT-D'HÉRAULT

44 km - ongeveer anderhalf uur

Tussen St-Jean-du-Gard en Peyregrosse moet men uiterst voorzichtig rijden op de zeer kronkelige en soms smalle weg, vooral tussen L'Estréchure en de Col de l'Asclier: wel zijn er uitwijkplaatsen aangebracht om tegenliggers te laten passeren. Vanwege sneeuwval is de Col de l'Asclier van december tot eind maart gewoonlijk gesloten.

St-Jean-du-Gard - *Zie onder deze naam.*

Ten noordwesten van St-Jean-du-Gard loopt de D 907 omhoog met de Gardon de St-Jean mee en volgt alle kronkels van deze rivier.

Voor L'Estréchure links de D 152 nemen, richting Col de l'Asclier.

Na Milliérines wordt het landschap heel ruig. De weg loopt boven de kleine zijdalen van de Gardon de St-Jean en vervolgens in een bocht om het ravijn van de Hierle heen. Iets verderop, links, komt men bij de Col de l'Asclier.

★★ **Col de l'Asclier** - 905 m. De weg loopt onder een brug door van de "draille de la Margeride", het pad waarover de schapen vroeger naar hun graasweiden trokken. Vanaf de pas ontvouwt zich een schitterend **panorama**★★ naar het westen: vooraan het ravijn van N.-D.-de-la-Rouvière; links in de verte de Pic

Meschinet/CAMPAGNE CAMPAGNE

De Col de l'Asclier.

d'Anjeau en de rotsen van de Tude; voorbij de Pic d'Anjeau, aan de horizon, de kalkhoudende bergkam van de Montagne de la Séranne; meer naar rechts de Causse de Blandas waarvan de steile hellingen naar het Arre-dal afdalen; nog meer naar rechts de bergen van de Lingas en de Espérou (Massif de l'Aigoual).
Na de Col de l'Asclier biedt de D 20 een mooi uitzicht op het diepe ravijn van N.-D.-de-la-Rouvière en het Massif de l'Aigoual; van hieruit kan men de Col de la Séreyrède zien met het boswachtershuis en het observatorium op de top van de Aigoual.

Col de la Triballe - 612 m. Vanaf deze bergpas, zeer weids uitzicht over de Cevennen. Beneden ligt het dorp St-Martial.
Via de schilderachtige D 420 daalt men af naar de vallei van de Hérault; opmerkelijk zijn de merkwaardig gegroepeerde huizen op de hellingen.

In Peyregrosse, direct na de brug over de Hérault, links de D 986 nemen.

De weg loopt langs de Hérault tot **Pont-d'Hérault**, waar de rivier met de Arre samenvloeit.

Bij iedere routebeschrijving staat aangegeven hoeveel tijd u ongeveer nodig heeft voor de bezichtiging van de bezienswaardigheden en voor het afleggen van het traject.
De tijdsduur bij de routebeschrijvingen geeft aan hoeveel tijd u nodig heeft voor het bezichtigen van de aanbevolen bezienswaardigheden en voor het traject.

Les ASPRES★

Michelinkaart nr. 86 vouwblad 18, of 235 vouwbladen 52, 56, of 240 vouwbladen 41, 45.

Les Aspres is de naam van het gebied dat in het noorden door de vallei van de Têt, in het zuiden door het Tech-dal, in het oosten door de vlakte van Perpignan en in het westen door het Massif du Canigou wordt begrensd. Het is een ongerepte streek die begroeid is met olijfbomen en kurkeiken en waar maar weinig mensen wonen. Toeristen die op zoek zijn naar stilte, zullen hier volop genieten van de schoonheid van het mediterrane landschap tegen een decor van schist en graniet. De priorij van Serrabone ligt verlaten in het sobere landschap.

VAN ILLE-SUR-TÊT NAAR AMÉLIE-LES-BAINS

56 km - ongeveer drie uur

Ille-sur-Têt - *Zie onder Perpignan, la Plaine du Roussillon.*

Ille-sur-Têt in zuidelijke richting uitrijden (D 2) en via de D 16 naar Bouleternère gaan.

Voorbij de boomgaarden van de vallei van de Têt voert de D 618 *(linksaf)* door de garrigues en langs de Gorges du Boulès.

Na 7,5 km rechts afslaan richting Serrabone.

★★ **Prieuré de Serrabone** - *Zie onder Serrabone.*

Col Fourtou - 646 m. Naar achteren toe uitzicht op de Bugarach, de hoogste top van de Corbières (1 230 m), en naar voren toe op de bergen die de Vallespir begrenzen: de Roc de France en, meer naar rechts, de Pilon de Belmatx met zijn gekartelde bergrug. Rechts wordt de Canigou zichtbaar.

Chapelle de la Trinité - Romaanse kerk. De deur heeft scharnieren met een spiraalvormige versiering. In de kerk, een Christusbeeld uit de 12de eeuw en een barok altaarstuk dat de Drieëenheid voorstelt: de Heilige Geest als jongeling naast Christus als volwassene en de Eeuwige Vader als grijsaard.

Château de Belpuig - *Vanaf de Chapelle de la Trinité een wandeling over de heide van een halfuur heen en terug.*
Sombere ruïnes die echter prachtig gelegen zijn op een geïsoleerde hoogte met een weids **uitzicht★** over de Canigou, de Albères, de kust van de Roussillon en de Languedoc, en de Corbières (Pic de Bugarach).
Voorbij de Col Xatard gaat de weg naar beneden richting Amélie-les-Bains, langs de dorpen St-Marsal en Taulis, om de bovenloop van de Ample heen, over de hellingen die rijk begroeid zijn met steeneiken en kastanjebomen.

Amélie-les-Bains - *Zie onder deze naam.*

L'AUBRAC★

Michelinkaart nr. 76 vouwbladen 13, 14, of 80 vouwbladen 3 t/m 5, of 240 vouwbladen 1, 2, 5, 6.

Het Massif d'Aubrac, het meest zuidelijke van de vulkanische massieven van Auvergne, heeft zware, stompe vormen. Het landschap bestaat uit uitgestrekte weiden waar 's zomers koeien grazen.
De plaatsen Aubrac, Brameloup, Lacalm, Laguiole (Avyron), Nasbinals, Bonnecombe (Lozère) en St-Urcize (Cantal) zijn wintersportplaatsen voor langlaufers; sinds 1985 horen zij tot de **Espace Nordique des Monts d'Aubrac.**
Opmerkelijk zijn de **drailles**, de paden met soms een stapelmuurtje erlangs waarover de kudden twee keer per jaar tijdens de seizoentrek liepen.

A. Kumurdjian

Winter in de Aubrac.

1 DE BERGHELLINGEN AAN DE KANT VAN DE ROUERGUE

Rondrit vanuit Nasbinals *117 km - vier uur*

Nasbinals - Nasbinals heeft een klein Romaans kerkje en is bekend om de gezellig drukke **veemarkten** ⓥ die er verschillende keren per jaar worden gehouden.

Nasbinals via de D 987 in zuidwestelijke richting uitrijden.

De weg voert door de uitgestrekte weidevelden die bij Aubrac door de staatsbossen van Aubrac en Rigambal worden doorkruist.

Aubrac - 1 300 m. 's Zomers is Aubrac erg in trek vanwege de overvloed aan zon en de heerlijk zuivere lucht.
In de winter wordt Aubrac druk bezocht door wintersportliefhebbers. Men kan er een glas "lo gaspo" (wei) drinken en "aligot" eten, een streekgerecht van aardappelpuree met kaas *(recept, zie de Praktische Inlichtingen)*.
Een dikke vierkante toren, een Romaanse kerk en een 16de-eeuws bouwwerk dat nu als boswachtershuis dienstdoet, is al wat nog herinnert aan de voormalige "dômerie" van de "frères hospitaliers d'Aubrac", de monniken-ridders die zich van de 12de tot en met de 17de eeuw tot taak hadden gesteld pelgrims op weg naar Rocamadour of Santiago de Compostela in deze verlaten streek te begeleiden en te beschermen.

De D 533 volgen die naar het lieflijke dal van de Boralde de St-Chély afdaalt; vervolgens links de D 19 nemen richting Bonnefon.

Bonnefon - Een klein dorpje waarboven de zogeheten "tour-grenier" (zolder-toren) uitsteekt, een vierkante 15de-eeuwse toren gebouwd door de monniken van Aubrac *(zie hierboven)*.

Na Bonnefon links de D 629 nemen en steeds rechts aanhouden.

De weg slingert hier langs de steile berghelling en biedt een fraai uitzicht over de vallei van de Lot en over de Causse de Sévérac. Na een boswachterswoning duikt de weg het bos van Aubrac in, een woud met hoge beuken en hier en daar sparren.

Brameloup - Deze kleine wintersportplaats beschikt over breed opengebaande pistes door het bos.

Omkeren en links de D 19 inslaan.

Prades-d'Aubrac - De 16de-eeuwse kerk heeft een zware achthoekige klokkentoren. Vanaf de rand van het dorp reikt het uitzicht tot over de vallei van de Lot.

Niet alleen door het weidse panorama over de "causses" en de "ségalas" van de Rouergue, maar ook vanwege het snel wisselende landschap is de afdaling naar de Lot een bijzonder aantrekkelijke route. Na de immense weidegronden op de plateaus, met hier en daar een zielige beuk, komen eerst heidevelden en daarna wat grasland en schrale bouwlanden. Rechts begint de vallei van de Boralde. De akkers worden talrijker en de weg voert door kastanjebossen en daarna door boomgaarden. Op de hellingen die gunstig op het zuiden liggen, maar te bergachtig zijn, is praktisch geen wijnbouw meer te vinden.

★ **St-Côme-d'Olt** - Het versterkte stadje St-Côme-d'Olt telt drie oude stadspoorten en de 15de- en 16de-eeuwse huizen staan er aan smalle steegjes. Bezienswaardig zijn de **kerk** met haar originele, flamboyante klokkentoren (16de eeuw) en renaissanceportaal en het **kasteel**, dat tegenwoordig als stadhuis dienst doet.

★ **Espalion** - *Zie onder deze naam.*

Espalion via de D 921 in noordelijke richting uitrijden.

De weg stijgt richting Laguiole. Mooi uitzicht, rechts, op de Monts d'Aubrac en, links, op het Plateau de la Viadène.

Laguiole - *Zie onder deze naam.*

Bij Laguiole de D 15 inslaan.

Ten oosten van Laguiole loopt de weg - vanwaar het zicht eerst tot het Plateau de la Viadène en de Rouergue reikt en daarna over de Margeride - door uitgestrekte weidegronden en enkele beukenbossen. Dit is een van de hoogst gelegen wegen van de Aubrac.

In Aubrac weer de D 987 nemen om naar Nasbinals terug te rijden.

2 DE BERGHELLINGEN AAN DE KANT VAN DE LOZÈRE

Rondrit vanuit Nasbinals *97 km - ongeveer vier uur*

Wegens sneeuwval is de Col de Bonnecombe van december tot en met april gesloten.

Nasbinals - *Zie hierboven.*

Nasbinals via de D 900 in zuidoostelijke richting uitrijden en daarna rechts de D 52 inslaan.

Grotte en Cascade de Déroc - *Een wandeling naar deze grot en waterval duurt een halfuur heen en terug. De auto op de D 52 laten staan en links, in de richting van een boerderij, een slechte weg inslaan die door lage muurtjes wordt begrensd.*

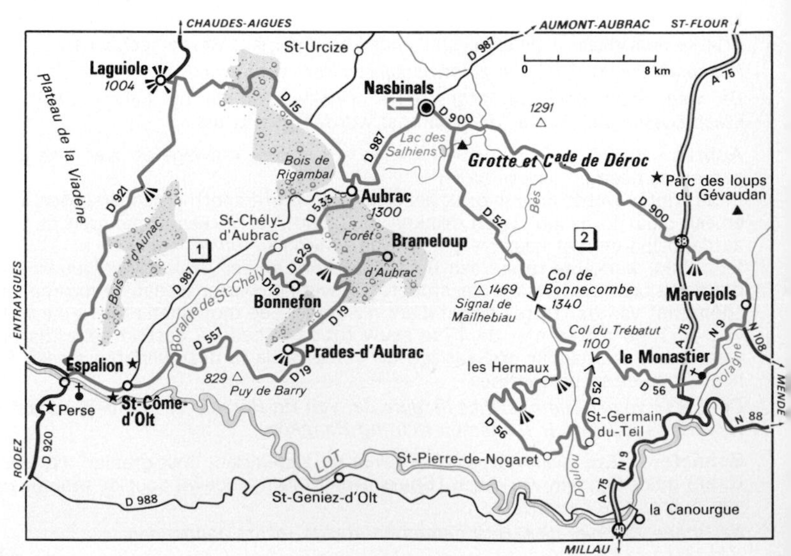

Deze weg leidt naar een beekje dat men aan de linkeroever volgt en op een gegeven ogenblik oversteekt om naar de rand van het ravijn te lopen, waar in de diepte een andere zijrivier van de Bes snel naar beneden stroomt. De waterval begint bij een rand van basalt die boven een grot uitsteekt.
De D 52 loopt kort daarna omhoog naar het woeste merengebied, langs het Lac des Salhiens en door weidegronden naar de **Col de Bonnecombe**. De afdaling naar St-Pierre-de-Nogaret via Les Hermaux biedt een fraai **uitzicht**★ over de vallei van de Lot en het hele gebied van de Causses. Via een schilderachtige kronkelweg die dwars door de bossen het kleine dal van de Doulou oversteekt, komt men bij St-Germain-du-Teil.

Links de D 52 nemen om naar de Col du Trébatut te rijden, een kruispunt van wegen waar men rechts de D 56 inslaat om naar de Vallée de la Colagne te gaan.

Le Monastier - Deze 11de eeuwse kerk, die in de 16de eeuw is verbouwd, bezit prachtige met taferelen en bladwerk versierde kapitelen.

★ **Marvejols** - *Zie onder deze naam.*

Als men de berg oprijdt heeft men vanaf de D 900 vrij uitzicht over Marvejols, de Margeride, de Mont Lozère, de Causses en, aan de horizon, de Cevennen. Daarna voert de weg eerst door dennenbossen en daarna langs akkers en de voor de Aubrac zo karakteristieke weidegronden, alvorens weer bij Nasbinals uit te komen.

Haute vallée de l'AUDE★★

Michelinkaart nr. 86 vouwbladen 7, 16, 17, of 235 vouwbladen 43, 47, 51.

De Aude ontspringt aan de oostelijke helling van de Carlit en stroomt eerst parallel aan de Têt om daarna naar het noorden af te buigen. De Col de la Quillane (1 714 m) markeert de waterscheiding tussen beide stroomgebieden. De Aude loopt vervolgens door de hoogvlakte van de Capcir, die wordt geïsoleerd door de dichtbeboste en langdurig besneeuwde bergen eromheen. De Capcir ligt minder beschut tegen de noordelijke wind dan de Cerdagne en kent dan ook strenge winters; dankzij de zuivere lucht en de felle zon is een verblijf in de bergen echter aangenaam.
De rivier zwelt vaak sterk; regenwater en gesmolten sneeuw kunnen het debiet veranderen in een verhouding van 1 op 1 000. Enorme massa's slib worden door de stroom meegesleurd.
Om te hoge waterstanden te voorkomen zijn twee reservoirs met stuwdammen aangelegd - Matemale en Puyvalador - die het overtollige water trapsgewijs naar hydro-elektrische centrales afvoeren; de centrales in Nantilla en St-Georges vormen de onderste trap in dit systeem. In september 1993 heeft het gebied rond Couiza, waar de Aude en de Sals samenvloeien, zwaar te lijden gehad van overstromingen.

De bossen in het bovendal van de Aude - Het departement Pyrénées-Orientales heeft prachtige bossen. De grove dennen van het Forêt de la Matte (Capcir) behoren tot de mooiste van Frankrijk. Hun lange, kaarsrechte stammen zijn vaak meer dan 20 m hoog; zij zijn goed te zien vanaf de D 118 en D 52, tussen **Formiguères** en **Les Angles.**
De vrij steile hellingen van de Capcir zijn begroeid met bergdennen, grove dennen of sparren en zijn bereikbaar via bosweggetjes, dikwijls verhard maar soms ook moeilijk begaanbaar, die boeiende wandeltochten bieden: de Étang de Balcère in het Forêt des Angles, de bergmeren van Campoureils op meer dan 2 200 m hoogte, de weg over de Col de Sansa via de Col de Creu door het Forêt de Matemale.
Meer naar het noorden komt de combinatie van sparren en beuken veelvuldig voor in de indrukwekkende wouden: Forêt du Carcanet en Forêt des Hares in Le Donézan, de bossen rond Quillan en vooral die van het Plateau de Sault.

Hoedenmaken - In 1804 probeerden enkele bewoners van Bugarach, in de Corbières, in hun streek deze activiteit van de grond te krijgen; zij hadden het maken van hoeden tijdens hun gevangenschap in Opper-Silezië geleerd. Aangetrokken door het water vestigden zij zich in 1820 eerst in Espéraza en later ook in Quillan, Couiza en Chalabre. In het begin voorzagen wol en konijnenbont uit de omgeving in de behoefte, maar de fabrikanten moesten al snel grondstoffen invoeren en gingen hun hoeden en "cloches" (het halffabrikaat) exporteren.
De productie is echter sterk verminderd toen het dragen van hoeden uit de mode raakte. Er is nog een fabriek in bedrijf in Montazels; de meeste andere zijn overgeschakeld op het vervaardigen van schoenen, meubels, schuimplastic (Espéraza) of decoratieve formicapanelen.

★ LE CAPCIR

van Mont-Louis naar Usson-les-Bains *36 km - ongeveer een uur*

★ **Mont-Louis** - *Zie onder deze naam.*

Mont-Louis in noordelijke riching uitrijden via de D 118.

De licht stijgende weg biedt een mooi uitzicht op de citadel die voor het Massif du Cambras d'Abzé uit een kroon van boomtoppen oprijst. Na de waterscheiding op de Col de la Quillane begint de Capcir. Het landschap is open, met veel akkerbouw, maar het strenge klimaat is de dorpen met hun lage huizen van roestkleurig gepatineerd leisteen aan te zien. Het stuwmeer van Matemale ligt onder in het dal. Links strekt zich het dennenbos van La Matte uit.
Bij de splitsing links de D 32 nemen naar Quérigut; de rechter afslag voert door het Forêt du Carcanet (sparren, beuken, iepen).

Le Donézan - De Donézan, waar de dorpen op ongeveer 1 200 m hoogte liggen, is een van de meest ongerepte streken van de Pyreneeën. Het gebied ligt in een dalkom die in het graniet van de Plateaux du Quérigut is uitgesleten. Het water van de berghellingen vloeit in de Aude. Le Donézan maakte deel uit van het graafschap Foix, dat later de Ariège werd.

Usson-les-Bains - De imposante ruïnes van het kasteel hoog boven op een eenzame rots aan de linkerhand staan op de plek waar de Bruyante en de Aude samenkomen.

★★ LES GORGES

van Usson-les-Bains naar Quillan

30 km - ongeveer een uur (een bezoek aan de Grottes de L'Aguzou niet meegerekend)

Usson-les-Bains - *Zie hierboven.*

De schilderachtige weg loopt langs de rand van het Plateau de Sault.

Grottes de l'Aguzou ⓥ - Deze in 1965 ontdekte grotten zijn te bezichtigen. Het uitgebreide stelsel onderaardse gangen is rijk aan formaties en prachtig aragoniet.
In de **Gorges de l'Aude**, een ongeveer 10 km lange kloof, raast de stroom bruisend tussen de hoge bergwanden door, die met een weelderige flora zijn begroeid. De centrale van Nantilla, die haar water via persleidingen krijgt, vormt de onderste trap in het aanvoersysteem van de krachtigste hydro-elektrische installatie in het bovendal van de Aude.

★ **Gorges de St-Georges** - Dit zijn de smalste kloven in het bovendal van de Aude; zij zijn verticaal in de kale rots ontstaan.

★ **Défilé de Pierre-Lys** - Indrukwekkende nauwe doorgang tussen de bergrotsen waar hier en daar nog wat struikgewas groeit. De naam van de laatste tunnel, de **Trou du Curé** (het gat van de pastoor), is een herinnering aan de eerwaarde Félix Armand (1742-1823), de pastoor van St-Martin-Lys die de doorgang met pikhamers liet openen.

Quillan - Quillan wordt druk bezocht door toeristen; het is een uitstekend vertrekpunt voor excursies in het beboste voorgebergte van de Pyreneeën.

LE PAYS DE RAZÈS

van Quillan naar Limoux *35 km - ongeveer twee en een half uur*

Mooie door platanen beschaduwde weg, die echter zeer druk is.

Quillan - *Zie hierboven.*

Stroomafwaarts van Quillan gaat de vallei over in een wat troosteloze streek, het oude Pays de Razès.

Espéraza - Espéraza, dat in een bocht van de Aude ligt, was vroeger een belangrijk centrum voor hoedenmakerij; in het **musée de la Chapellerie** ⓥ, dat is ingericht als een hoedenfabriek, krijgt de bezoeker een goede indruk van het twintigtal etappes die het vervaardigen van vilthoeden telt.
Het **musée des Dinosaures** ⓥ herinnert aan het feit dat in de omgeving van Espéraza fossielen van dinosaurussen zijn gevonden (skelet van 11 m lang, diorama, videofilm).

Couiza - Industriestad (schoenen). Het voormalige **kasteel** ⓥ van de hertogen van Joyeuse uit het midden van de 16de eeuw heeft ronde hoektorens. Het silhouet is opvallend en vertoont gelijkenissen met veel bouwwerken in de Languedoc en de Cevennen. Het kasteel, dat in goede staat verkeert, is tegenwoordig ingericht als hotel.
Door een poort met bossages komt men op de sobere renaissancebinnenplaats, waar zuilen en hoofdgestellen een façade met galerij sieren.

Rennes-le-Château - *Vanaf de D 118 4 km over een smalle, steile weg (uitzicht op Coustaussa en de ruïnes van zijn 12de-eeuwse kasteel). Zie beschrijving onder Corbières.*

Alet-les-Bains - Vlak bij de weg staan de indrukwekkende **ruïnes van de kathedraal** ⓥ. Toen paus Johannes XXII in 1318 besloot de benedictijnenabdij van Alet tot zetel van een bisdom te verheffen, werd de 11de-eeuwse, Romaanse abdijkerk een kathedraal. De bouw van een nieuw koor in gotische stijl werd niet voltooid en in 1577 brachten de hugenoten veel schade toe aan de kathedraal. De Romaanse koorsluiting, waarvan de vijf zijden opgetrokken zijn uit rood of okerkleurig zandsteen, is bewaard gebleven; de versieringselementen zijn prachtig. Ook de absis en de kapittelzaal verdienen de aandacht (mooie kapitelen).
In het door 12de-eeuwse muren omringde oude stadje staan nog mooie huizen: het **Place de la République** telt een aantal gerestaureerde vakwerkgevels en fraaie stenen huizen uit de 16de eeuw.

Net voorbij Alet heeft het water van de Aude een plooi van het Massif des Corbières aangetast; de vallei wordt opnieuw door hoge bergen omsloten: de **Étroit d'Alet.**

Limoux - Limoux, dat een deel van zijn 14de-eeuwse stadswal heeft behouden, is vooral bekend om zijn carnaval *(zie de praktische inlichtingen achter in de gids)* met optochten van gemaskerden, en om de mousserende wijn die in de omgeving wordt verbouwd: **la blanquette** (wijnkelders) ⓥ.

Batigney/IMAGES PHOTOTHÈQUE

Het carnavalsfeest in Limoux.

AVEN ARMAND***

Michelinkaart nr. 80 onder aan vouwblad 5 en 240 vouwblad 10
Schema, zie onder Grands Causses.

In het gebied van de Causse Méjean *(zie onder Grands Causses)*, die door zijn immense uitgestrektheid een monotone en desolate indruk maakt, ligt de Aven Armand, een van de mooiste grotten ter wereld.

De ontdekking - In 1883 begon E.-A. Martel *(zie de Inleiding)* de Causses systematisch af te kammen, op zoek naar grotten. Op zijn gevaarlijke ontdekkingstochten werd hij vergezeld door **Louis Armand**, een slotenmaker uit Le Rozier.
Op 18 september 1897 kwam Armand hevig opgewonden terug van de Causse Méjean en zei tegen Martel: "Luister goed en praat er met niemand over. Ik ben bij toeval op een groot gat gestuit en ik geloof dat ik een tweede Dargilan heb gevonden, misschien wel nog belangrijker."
Terwijl hij uit het dorp La Parade naar beneden ging, had hij de enorme opening gezien, die door de boeren in de omgeving de "aven" (karstpijp) werd genoemd. De grote stenen die hij erin had gegooid, leken in onpeilbare diepten te vallen.

HET ONTSTAAN VAN DE AVEN ARMAND

Voorbereidende fase: het kalksteen wordt aangetast omdat het sijpelende water dat naar het grondwater stroomt een oplossende werking heeft. Dit grondwater, dat met de Jonte in verbinding staat, komt door de eeuwen heen steeds lager te staan naarmate de rivier de bedding uitdiept. Door de steeds grotere scheuren stort een deel van het gesteente in en ontstaan grote verticale schachten die de holte met de oppervlakte verbinden.

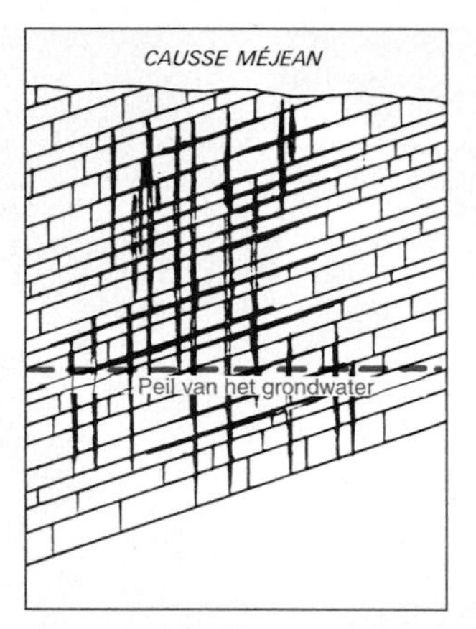

1ste fase
Verbreding van de scheuren in het netwerk van grondwater, dat zich in een breukgebied bevindt. Ontstaan van schachten en van karren aan de oppervlakte.

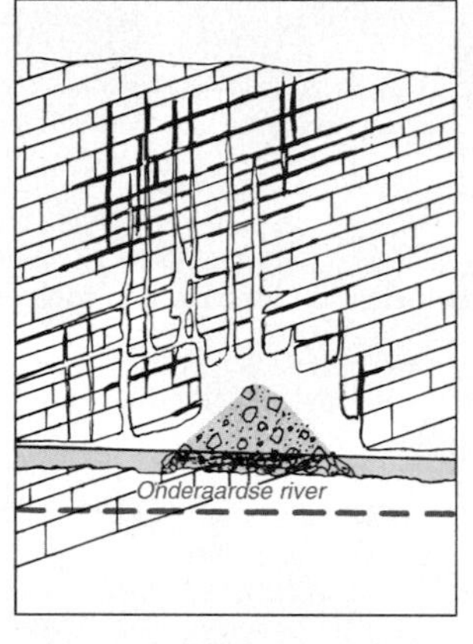

2de fase
Ontstaan van een ronde ruimte. Door de oplossende werking van het water stort een deel van de gewelflaag in, waardoor er een opeenhoping van puin ontstaat.

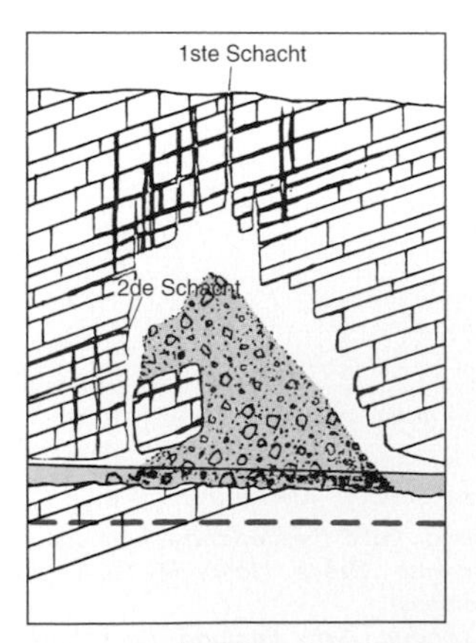

3de fase
De corrosie zet zich voort en er komt steeds meer puin. Er ontstaat een 2de schacht tussen het puin en de rotswand.

huidige fase
Een deel van het calcietcarbonaat dat door het water wordt meegevoerd, blijft op het gewelf en de bodem liggen. Hierdoor ontstaan afzettingen.

De volgende dag om halfdrie was hij terug bij de rand van de afgrond met 1 000 kilo materieel en een groot aantal werklieden; Armand Viré nam ook deel aan de expeditie.
Uit een eerste peiling bleek dat de grot 75 m diep is. Louis Armand kon vrij gemakkelijk naar beneden komen. Vreugdekreten klonken door de telefoon: "Fantastisch! Grandioos! Nog mooier dan Dargilan! Een echt woud van stenen!" Om 6 uur was Armand laaiend enthousiast weer boven.
Op 20 september daalden Viré en Martel op hun beurt in de grot af.
De dag na de ontdekking besloot Martel deze "aven" naar zijn toegewijde helper te noemen; Armand kreeg ook de eigendomsrechten. Een soort consortium werd gevormd om de grot voor het publiek toegankelijk te maken en te exploiteren. De werkzaamheden begonnen in juni 1926 en het jaar daarop werd de Aven Armand opengesteld.

BEZICHTIGING ◷ *ongeveer drie kwartier; temperatuur: 10°C*

Belvédère - Een 200 m lange tunnel, gegraven om de toegang tot de grot te vergemakkelijken, loopt vrijwel tot aan de voet van de 75 m diepe schacht waarlangs de onderzoekers zijn afgedaald. De vakkundig aangebrachte elektrische verlichting versterkt nog de feeërieke sfeer in de zaal die "Le Rêve des Mille et Une Nuits" (het sprookje van duizend-en-één-nacht) wordt genoemd.
Vóór de bezichtiging van deze grote zaal, kan men vanaf het balkon *(voor iedereen toegankelijk)* waar de tunnel op uitkomt, eerst van een onvergetelijk schouwspel genieten. Van hieruit ziet men in de diepte de zaal die 60 bij 100 m groot is en een hoogte van 45 m heeft.

La "Forêt Vierge" - Op het puin dat van het gewelf is neergestort, zijn schitterende afzettingen ontstaan, die aan een versteend bos doen denken. De grillig gevormde "stenen bomen", die hier en daar vrij dicht op elkaar staan, hebben aan de voet soms een doorsnede van 3 m en enkele reiken tot een hoogte van 15 à 25 m. Aan hun stammen, die op die van palmbomen en cipressen lijken, ontspruiten onregelmatig gevormde bladeren van soms wel enkele tientallen centimeters breedte. Deze in totaal 400 stalagmieten vormen het schitterende "Forêt Vierge" (maagdelijk woud); een wonderlijke fantasiewereld van arabesken, naalden, palmbladeren en elegante piramiden met zware koepels, waar overal kleine calcietkristallen fonkelen.
Als men door de zaal loopt *(de trappen hebben leuningen, maar de treden zijn soms glad)*, ziet men hoe gevarieerd de formaties zijn: enkele meters hoge, ranke kaarsen, vreemde figuren met monsterlijke gezichten, knotsen, boerenkolen, fraai gevormde vruchten en vooral de magnifieke zuil met uitkraging, die door een dunne console wordt gedragen en waarboven de grote, 30 m hoge stalagmiet uittorent. De spectaculaire nieuwe verlichting laat de afzettingen tot in de kleinste details uitkomen en geeft een vaak zeer verrassende kijk op de grot.

AX-LES-THERMES ⚚

1 488 inwoners
Michelinkaart nr. 86 vouwblad 15, of 235 vouwbladen 46, 50.

In het dal van de Ariège, daar waar de Oriège en de Lauze in deze rivier uitmonden, ligt Ax-les-Thermes, zowel kuuroord als zomervakantieplaats en wintersportcentrum.
De tachtig bronnen met temperaturen variërend van 18°C tot 78°C voorzien drie badinrichtingen van water: le Couloubret, le Modèle en le Teich. Men komt er vooral om reumatische klachten, aandoeningen van de luchtwegen en bepaalde huidziekten te laten behandelen. De Promenade du Couloubret ligt midden in de plaats.

Bassin des Ladres - Dit bassin op het Place du Breilh wordt 's morgens met dampend warm water gevuld en kan dan als openbare wasplaats dienst doen. Koning Lodewijk IX de Heilige had het laten aanleggen voor de soldaten die tijdens de kruistochten lepra hadden opgelopen.
Het ziekenhuis dat zijn naam draagt, het Hôpital St-Louis (1846), is met zijn torentje een goed voorbeeld van de stijl van 19de-eeuwse kuuroorden.

EXCURSIES

★ **Vallée d'Orlu** - *8,5 km. Ax uitrijden via de weg naar de Puymorens-pas; vlak voor de brug over de Oriège deze weg verlaten en op de rechteroever van de rivier blijven.*
De weg loopt langs het stuwmeer van Orgeix waarin het gelijknamige landhuis zich weerspiegelt. De voormalige smederij van Orlu is omgeven door steile rotsen waarlangs helder water stroomt.

★ **Plateau de Bonascre** - *8 km. Ax uitrijden via de N 20, richting Tarascon; vrijwel direct links de D 820 inslaan.*
De weg loopt snel omhoog in haarspeldbochten met uitzicht over de drie rivierdalen die bij Ax samenkomen: de Val d'Ariège (richting Tarascon), de Vallée d'Orlu waarboven de Dent d'Orlu uitsteekt en het bovendal van de Ariège.

Op het Plateau de Bonascre gaat vanuit de wintersportplaats **Ax-Bonascre-le Saquet**, een **kabelbaan** ⏲ omhoog naar het **Plateau du Saquet** (2 030 m).
Met de auto verder rijden en na het vakantieverblijf "Sup-Aéro" links aanhouden op de bosweg van Les Campels, die langs de berghelling is aangelegd. 1 500 m verderop heeft men een magnifiek **uitzicht**★★ over het bovendal van de Ariège tot aan de bergen op de grens met Andorra. Opmerkelijk is hoe de tracés van de weg en van de spoorbaan door elkaar lopen.

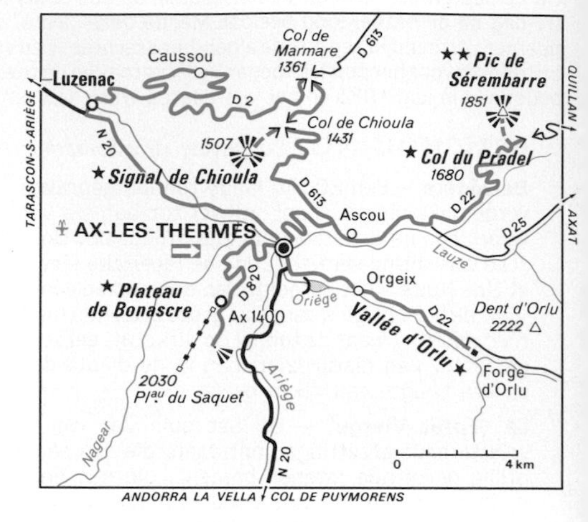

★ **Col du Pradel** - *30 km. Ax-les-Thermes in oostelijke richting uitrijden via de weg naar Quillan; na 3,5 km rechts afslaan richting Ascou en na weer 3,5 km links de D 22 nemen. De smalle weg over de Col du Pradel is van 15 november tot 15 mei gesloten.*
De Dent d'Orlu (2 222 m), een puntige bergtop die kenmerkend is voor de Haute Ariège, tekent zich in het zuidoosten af. Via scherpe haarspeldbochten die dwars door weidevelden lopen, bereikt men de pas (1 680 m). Mooi uitzicht op de bergen die de bovenloop van de Ariège omlijsten.

Van de Col du Pradel kan men naar de Pic de Sérembarre lopen (anderhalf uur heen en terug).

★★ **Pic de Sérembarre** - 1 851 m. Vanaf de top ontvouwt zich naar het zuiden een **panorama** over de bergketen van de Pyreneeën, van de Pic Carlit links tot de bergen van Andorra, de Centrale Pyreneeën (het Maladeta-massief in Spanje) en de Pic du Midi de Bigorre rechts; naar het oosten en noorden ziet men de Corbières en het Plateau de Sault liggen.

★ **Signal de Chioula** - *Rondrit van 38 km - ongeveer 3 uur - Ax-les-Thermes in noordelijke richting uitrijden via de D 613, die in haarspeldbochten boven het bovendal van de Ariège kronkelt.*

Op de Col de Chioula voert een breed voetpad (drie kwartier heen en terug) naar het Signal de Chioula (1 507 m). Vergezicht over de toppen van de Haute Ariège.

Op de Col de Marmare de D 2 nemen. In de haarspeldbocht bij Cos heeft men weer uitzicht over de Val d'Ariège. Let in de buurt van Caussou, een dorp dat in een streek met terrascultuur ligt, op de ijzeren kruizen, voortbrengsels van de vroegere metaalindustrie.

Over de D 2 komt men weer beneden in het dal van de Ariège.

Luzenac - Deze plaats is sinds het eind van de 19de eeuw bekend vanwege de steengroeven van Trimouns (op 1 700 tot 1 850 m hoogte in het Massif du St-Barthélemy), die de grondstof leveren voor de talkfabriek in het dal. De **tocht naar Trimouns**★★ *(rondrit van 39 km, ongeveer 3 uur)* voert over **Unac**, waar een aardige romaanse kerk staat, en de **Route des Corniches** (D 2) naar het **Château de Lordat** *(bezichtiging bij regenachtig weer niet aan te bevelen)*, een op een kalkstenen rotspunt gelegen burcht, die vervallen is tot een ruïne. De **Carrière de Trimouns**★ ⏲ behoort tot de belangrijkste winplaatsen voor talk in de wereld. **Uitzicht**★ op de talklagen en indrukwekkend **panorama**★★ van de bergen van de Haute Ariège. Via Lordat en **Vernaux**, met zijn uit tufsteen opgetrokken Romaanse kerk, komt men weer in Luzenac.

De N 20 gaat terug naar Ax-les-Thermes.

Achter in de gids staan belangrijke praktische inlichtingen:
- *namen en adressen van organisaties die nuttige informatie kunnen verschaffen;*
- *toeristische evenementen;*
- *openingstijden en toegangsprijzen van bezienswaardigheden.*

BALARUC-LES-BAINS ⚕⚕

5 013 inwoners
Michelinkaart nr. 83 vouwblad 16, of 240 vouwblad 27.

Balaruc-les-Bains is een gezellig druk vakantieoord op de oever van het Bassin de Thau, waar het heerlijk toeven is voor wie van buitenlucht en watersport houdt. 's Avonds weerspiegelen de lichtjes van Sète en de Mont St-Clair zich in het water. Dankzij de toepassing van modder (uit zee) dat men laat weken in ter plaatse opgevangen gechloreerd natriumhoudend warm bronwater, worden goede resultaten geboekt bij de behandeling van bot- en reumatische aandoeningen. Balaruc-les-Bains is het op twee na drukst bezochte kuuroord in Frankrijk.

Balaruc-le-Vieux – *4 km in noordelijke richting.*
Het dorp ligt op een heuvel boven het Bassin de Thau. Het heeft zijn cirkelvormige plattegrond behouden en is karakteristiek voor de Languedoc. Enkele huizen hebben nog een statige rondboogdeur.

BANYULS-SUR-MER

4 662 inwoners
Michelinkaart nr. 86 vouwblad 20, of 240 vouwblad 46.
Schema, zie onder Côte Vermeille.

Banyuls-sur-Mer is de meest zuidelijk gelegen badplaats van Frankrijk. Het stadje heeft een alleraardigste jachthaven (zeilboten) en ligt harmonieus tussen de met wijnstokken beplante hellingen, rond een baai; deze baai wordt in tweeën gedeeld door een uitloper van het gebergte waarop het oude stadsdeel is gebouwd. Dankzij de beschutte ligging gedijen hier exotische boomsoorten (johannesbroodbomen, eucalyptussen, verschillende soorten palmbomen), die door de bioloog Charles-Victor Naudin (1815-1899) naar Frankrijk zijn gebracht en daarna langs de hele Franse Rivièra zijn verspreid. Niet lang geleden is hier ook een centrum voor thalassotherapie geopend.

De zee – De diepe, heldere en visrijke kustwateren van de Côte Vermeille hebben de aandacht van wetenschappers getrokken vanwege hun biologische rijkdom. Dit heeft geleid tot de oprichting van het "Laboratoire Arago" (Universiteit van Paris VI), een onderzoeks- en onderwijscentrum voor oceanografie, mariene biologie en ecologie. Tussen Banyuls en Cerbère is een natuurreservaat aangelegd.
Het grootste strand (zand en kiezelsteentjes) ligt goed beschut aan de inham die aan de oostkant wordt afgesloten door het Ile Petite en het Ile Grosse (oorlogsmonument van de beeldhouwer Maillol). Deze eilanden zijn door een dijk met het vasteland verbonden.

Aquarium ⏲ – Het aquarium geeft een duidelijk beeld van de fauna in de Middellandse Zee.

Wijngaarden en gebergte – De wijngaarden strekken zich uit over de laatste hellingen van de Albères, de uitlopers van de Pyreneeën en de steile hellingen van het bassin van de Baillaury. Op de schisthellingen met terrassen die door lage muurtjes worden gestut, zijn op de meest kritieke plaatsen kruiselings geulen aangelegd om het overtollige water te laten afvloeien.
Van de druiven wordt wijn gemaakt volgens de eeuwenoude methodes die door de tempeliers zijn ontwikkeld. Na een langdurige rijping in eikenhouten vaten in kelders of in de openlucht, verkrijgt men een zeer goede wijn: de **Banyuls.** Het is een zoete, droge of minder droge wijn, die als aperitief of bij een dessert wordt gedronken, maar ook heel goed past bij gerechten als ganzenlever, pittige kazen en wild.
Een aantal **wijnkelders** ⏲ is te bezichtigen, waaronder twee op de weg langs het Balcon de Madeloc.

Graf van Maillol – *4 km in zuidwestelijke richting. Banyuls uitrijden, richting Les Arères. Na een boerderij waar kunstnijverheid wordt verkocht in een haakse bocht naar links afslaan.*
De weg voert langs het kleine dal van de Baillaury. **Aristide Maillol** (1861-1944) werd in Banyuls geboren. Op twintigjarige leeftijd ging hij naar Parijs om zich in de schilderkunst te bekwamen. Onder invloed van de beweging van de "Nabis" legde hij zich toe op keramiek en de tapijtwerkerskunst. Maillol was al over de veertig toen zijn grote talent als beeldhouwer bleek. Als schilder en tekenaar had hij met modellen gewerkt en de inspiratie voor zijn beeldhouwwerken haalde hij uit zijn schetsboeken. Zijn scherpe observatievermogen, het zoeken naar evenwicht in de beweging en zijn gevoel voor monumentaliteit, hebben tot opmerkelijke composities geleid: robuuste beelden die ondanks de dikwijls massieve vormen altijd even gracieus zijn.
De kunstenaar ligt begraven in de tuin van de boerderij in de hete, stoffige vallei, waar hij zich graag 's zomers terugtrok (bronzen beeld: *La Pensée,* 1905).

BÉZIERS★

agglomeratie 76 304 inwoners
Michelinkaart nr. 83 vouwbladen 14, 15, of 240 vouwblad 26.
Plattegrond in de Rode Michelingids France.

De belangrijkste wijnstad van de Languedoc en geboorteplaats van Pierre-Paul **Riquet** (die het Canal du Midi liet graven) was reeds een stad voordat zij in 36 of 35 v.Chr. een Romeinse nederzetting werd, die onder de naam Julia Baeterrae deel uitmaakte van de provincie Gallia Narbonensis. Het forum lag met zijn tempels en zijn markt vermoedelijk voor het huidige stadhuis.
Tussen de Rue St-Jacques en de Place du Cirque staan de oude gebouwen nog in de vorm van een ovaal, een teken dat er onder de tuinen en garages een Romeins amfitheater ligt, dat wordt opgegraven. In de 3de eeuw werden de stenen van dit amfitheater gebruikt voor de bouw van een vestingmuur om de stad tegen de invasies van de barbaren te beschermen.
Béziers is gebouwd op een plateau boven de linkeroever van de Orb, waar de stad ook al lag voor de komst van de Romeinen.
De inwoners van Béziers houden van feesten; er worden het hele jaar door evenementen georganiseerd, zoals de Printemps des Vins, de Feria d'Été en het Festival de Béziers et de la Côte languedocienne *(zie de Praktische inlichtingen achter in de gids)*. Het oudste feest is een herinnering aan Aphrodisius, de eerste bisschop van Béziers en beschermheilige van de stad, die aan hem haar embleem dankt: de kameel (volgens de legende was de heilige van Egyptische afkomst). De sportieve prestaties van het populaire rugbyteam (A.S.B.) hebben overigens ook bijgedragen aan de bekendheid van Béziers.

Het bloedbad van 1209 – Tijdens de kruistocht tegen de Albigenzen slaan de kruisvaarders in 1209 het beleg voor Béziers. De katholieke inwoners worden opgeroepen de stad voor de bestorming te verlaten, maar weigeren te vertrekken. De inwoners van Béziers leveren zij aan zij slag voor de muren van de stad, maar worden op de vlucht gejaagd door de kruisvaarders, die hen tot in de stad achtervolgen. Er wordt een verschrikkelijk bloedbad aangericht; kinderen noch grijsaards worden gespaard en zelfs tot in de kerken wordt gemoord. Vervolgens wordt de stad geplunderd en in brand gestoken.
De stad herrijst uiteindelijk uit haar as, maar het duurt lang eer zij opbloeit. Pas met de aanleg van een spoorweg en de opkomst van de wijnbouw in de 19de eeuw krijgt zij haar vroegere bedrijvigheid en rijkdom terug.

WEGWIJS IN BÉZIERS

Rondleidingen – In juli en augustus worden er door de Association Promotion Patrimoine du Biterrois rondleidingen georganiseerd. Vertrekpunt: Place de la Fontaine, Rue du 4-Septembre. ☎ 67 36 74 76.

Even wat drinken – Langs de Allées Paul-Riquet zijn veel café-restaurants met schaduwrijke terrassen gevestigd; langs de oostkant vindt men bioscopen, langs de westkant bars. Aan de Place Jean-Jaurès, waarvan de fonteinen 's avonds zijn verlicht, vindt men ook café's.

Feesten en voorstellingen – De Feria de Béziers – rond 15 augustus – is het belangrijkste evenement van het zomerseizoen.
Arena – Avenue Emile-Claparède, stierengevechten.
Palais des Congrès et des Expositions – recitals, tentoonstellingen.
Théâtre municipal: klassieke muziek, ballet, opera.
Théâtre des Franciscains: toneelvoorstellingen en tentoonstellingen.
Théâtre de Verdure: variétévoorstellingen, concerten, toneel, in de zomer op het Plateau des Poètes.

Markten – De centrale markthallen zijn open op dinsdag en zondag. Andere markten waar voedingsmiddelen worden verkocht, worden gehouden op dinsdagochtend op de Place Emile-Zola, woensdagochtend in de Iranget-wijk en vrijdagochtend op de Place David d'Angers.

★ANCIENNE CATHÉDRALE ST-NAZAIRE (BZ)

Deze op een terras boven de Orb gebouwde kathedraal was van 760 tot 1789 het symbool van de macht van de bisschoppen van het bisdom Béziers. Het Romaanse bouwwerk werd in 1209 beschadigd en van 1215 tot in de 14de eeuw voortdurend verbouwd.
In de westgevel, die geflankeerd wordt door twee versterkte torens (eind 14de eeuw), bevindt zich een mooi roosvenster van 10 m doorsnee. De versterkingen tegen de koorsluiting zijn decoratief: de bogen tussen de steunberen doen dienst als machicoulis. Sommige vensters hebben fraai siersmeedwerk uit de 13de eeuw. De voet van de klokkentoren is een overblijfsel van het Romaanse bouwwerk.

Meissonnier/CAMPAGNE CAMPAGNE

De Cathédrale St-Nazaire en de Pont Vieux.

Interieur – *Via de poort aan de noordzijde van het transept binnengaan.*
In de travee voor het koor, een overblijfsel van de Romaanse kathedraal, zijn bewerkte kapitelen uit de 11de eeuw te zien. De met knoppenkapitelen versierde colonnetten erboven zijn evenals de gewelven met spitsbogen in de 13de eeuw toegevoegd, toen dit deel van de kathedraal werd opgehoogd.
Opmerkelijk is de fraaie 13de-eeuwse koornis, die in de 18de eeuw werd veranderd. De sacristie links daaronder is met een mooie stervormige koepel uit de 15e eeuw overwelfd.

Kloostergang – *Via de zuidkant om de kathedraal heen lopen.*
In de galerijen bevindt zich een museum met sarcofagen, kapitelen en grafstenen uit de Romeinse tijd.
Een trap geeft toegang tot de bisschoppelijke tuin, vanwaar men een mooi uitzicht heeft op de Église St-Jude en de rivier de Orb met de Pont Vieux uit de 13de eeuw; de Pont Neuf dateert uit de 19de eeuw.

★ **Belvédère** (**BZ**) – Het terras bij de kathedraal biedt een interessant uitzicht over de omgeving van Béziers. Op de voorgrond de Orb die door de wijngaarden loopt, het met bomen omzoomde Canal du Midi en het oppidum van Ensérune. In de verte verrijzen de Mont Caroux, de Pic de Nore in het westen en, bij helder weer, de Canigou.

VERDERE BEZIENSWAARDIGHEDEN

★ **Musée St-Jacques** (**BZ M[1]**) ⓥ – Dit museum is gehuisvest in de voormalige kazerne die in 1702 naar de tekeningen van architect Charles d'Aviler werd voltooid. Het bezit belangrijke collecties op het gebied van archeologie, etnologie en natuurlijke historie uit Béziers en omgeving.
In de grote ontvangsthal krijgt de bezoeker dankzij diorama's een goed beeld van de rijke fauna van land en water. Er staat ook een reeks Griekse, Iberische en Romeinse amforen die zijn gevonden voor de kust van Cap d'Agde, waar veel schepen zijn vergaan. Interessant is ook een nagebouwde "capitelle", een stenen schuilhut voor herders in de garrigues.
De verschillende ruimten die op de hal uitkomen *(rechts van de ingang beginnen),* zijn aan uiteenlopende thema's gewijd. Het eerst komen de geologie en de vulkanische formaties van de Languedoc aan de beurt, dan het leven in de prehistorie, van het bronzen tot het ijzeren tijdperk.
Een belangrijke afdeling is gewijd aan het Gallo-Romeinse erfgoed en omvat vele overblijfselen die in Béziers zijn opgegraven: aardewerk met het zegel van de ateliers van Graufesenque *(zie onder Millau),* "dolia" (grote potten), mijlpaaltjes die langs de Via Domitia stonden. Het pronkstuk is de "schat van Béziers": drie

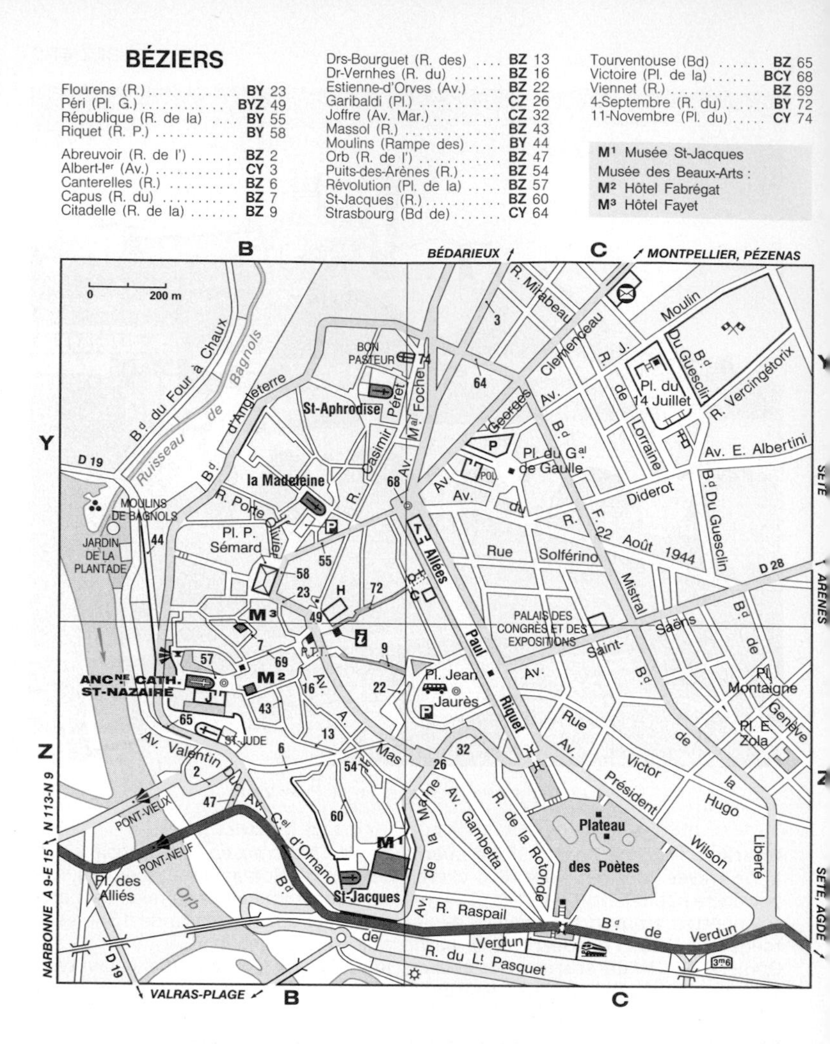

grote schalen van geciseleerd zilver die in 1983 zijn gevonden in een wijngaard even buiten de stad. Grafzuilen en votiefaltaren illustreren de begrafenisriten uit de 1ste en 2de eeuw.
De plaatselijke heilige, Aphrodises, heeft in het museum een speciale plaats gekregen. De Romaanse en gotische middeleeuwen zijn onder meer vertegenwoordigd door versierde kapitelen uit de 12de eeuw en 14de-eeuwse bas-reliëfs. Van het economische leven worden diverse aspecten belicht: de visserij, de wijnbouw, de aanleg van het Canal du Midi. De voorliefde voor de Grieks-Romeinse oudheid in de 19de eeuw wordt geïllustreerd door een verzameling Griekse vazen. Met audiovisuele middelen wordt een beeld gegeven van de operavoorstellingen die van 1898 tot 1926 in de arena werden gegeven.

Musée des Beaux-Arts (**BYZ**) ⊙ – De collectie van dit museum voor schone kunsten is verdeeld over twee patriciërshuizen in de wijk rond de kathedraal. In het **Hôtel Fabrégat** (**M²**) hangen onder meer werken van Martin Schaffner, Dominiquin, Guido Reni, Pillement, J. Gamelin (een schilder uit de Languedoc), Géricault, Devéria, Delacroix, Corot, Daubigny, Othon Friesz, Soutine, De Chirico, Kisling, Dufy en Utrillo.
Daarnaast is er een honderdtal tekeningen van J.-M. Vien te zien, alle tekeningen van Jean Moulin en een grote schenking van Maurice Marinot (schilderijen, tekeningen, glaswerk).
In het **Hôtel Fayet** (**M³**) zijn 19de-eeuwse schilderijen, een donatie van J.-G. Goulinat (1883-1972) en de inrichting van het atelier van **J.-A. Injalbert** (1845-1933), een beeldhouwer uit Béziers, tentoongesteld.

Allées Paul-Riquet (**CYZ**) – Een brede door platanen beschaduwde 600 m lange boulevard, waar het heel gezellig is. In het midden staat een standbeeld van Paul-Riquet, gemaakt door David d'Angers (ook wel Pierre Jean David genoemd). De voorgevel van de schouwburg (**T**) uit het midden van de 19de eeuw is versierd met allegorische bas-reliëfs, eveneens van de hand van David d'Angers.

Plateau des Poètes (**CZ**) – In het verlengde van de Allées Paul-Riquet ligt deze heuvelachtige Engelse tuin, die in de 19de eeuw door de gebroeders Bühler is aangelegd. Het park is beplant met exotische boomsoorten als Kaukasische iepen, Californische redwoods en Libanese ceders en magnolia's. De naam "plateau van de dichters" is te danken aan de borstbeelden van beroemde dichters die langs de wandelpaden staan opgesteld. Fontein van de Titaan door Injalbert.

Basilique St-Aphrodise (**BY**) – Het oorspronkelijke gebouw was tot 760 als domkerk in gebruik.
Links, onder de tribune, staat de doopvont die uit een mooie **sarcofaag** (4de-5de eeuw) is gemaakt waarop een leeuwenjacht is afgebeeld. Tegenover de preekstoel een beschilderde houten Christusfiguur uit de 16de eeuw. In de ruimte tussen koorhek en hoofdaltaar bevindt zich een bronzen Christusbeeld van de hand van Injalbert. In de Romaanse crypte is een fraai Christushoofd te zien.

►► Église de la Madeleine (**BY**) – Église St-Jacques (**BZ**).

EXCURSIES

Schutsluizen (Écluses) van Fonséranes – *De N 9 richting Narbonne nemen en daarna de borden "les Neuf Écluses" volgen.*
Deze acht dicht bij elkaar gelegen schutsluizen zien eruit als een 312 m lange trap; hierdoor kon een hoogteverschil van 25 m worden overbrugd. Ze zijn nu vervangen door een enkele sluis die ernaast is aangelegd.
Dankzij de in 1857 stroomafwaarts gebouwde kanaalbrug, waarmee het Canal du Midi boven over de Orb wordt geleid, hoeven de boten niet meer de destijds zo gevreesde oversteek te maken. *Voor meer bijzonderheden over het Canal du Midi: zie onder Naurouze.*

★ **Oppidum d'Ensérune** – *13 km. Béziers via de N 9 uitrijden. Na 10 km, ter hoogte van Nissan-lès-Ensérune, rechts de D 162ᴱ naar het oppidum nemen. Zie de beschrijving onder Ensérune.*

Sérignan – *11 km in zuidelijke richting via de D 19, richting Valras.*
Op de rechteroever van de Orb verrijst de voormalige **kapittelkerk** uit de 12de, 13de en 14de eeuw. De buitenkant draagt nog sporen van de versterkingen: schietgaten, machicoulis, restanten van wachttorentjes.
Binnen eindigt het hoofdschip, dat een cassettenplafond heeft en aan weerskanten een zijbeuk met kruisribgewelven, in een elegante zevenkantige absis. In een kleine kapel links van het koor hangt een fraai ivoren crucifix, een geschenk van paus Pius VII, dat aan Benvenuto Cellini wordt toegeschreven.

Valras-Plage – *15 km over de D 19.*
Deze vissers- en jachthaven aan de monding van de Orb heeft een zandstrand dat zich uitstrekt tot de Grau de Vendres, de vaargeul aan de monding van de Aude. In het Théâtre de la Mer worden 's zomers diverse voorstellingen gegeven.

Abbaye de Fontcaude – *18 km in noordwestelijke richting. Béziers in de richting Narbonne uitrijden en vervolgens rechts de N 112 en de D 14 nemen. Na Cazouls-lès-Béziers links de D 134ᴱ inslaan.*
Deze in een klein dal gelegen norbertijnenabdij is gesticht in 1154; bij aankomst heeft men een aardig zicht op de overblijfselen van de Romaanse gebouwen. De abdij kende een bloeitijd in de middeleeuwen, maar tijdens de godsdienstoorlogen trad het verval in; ten tijde van de Franse Revolutie kwamen de gebouwen leeg te staan. Sindsdien zijn er opgravings- en restauratiewerkzaamheden verricht en tegenwoordig worden er 's zomers concerten gegeven. Van de **abdijkerk** ⊙ zijn het transept en de koorsluiting, die goed te zien is als men om de kerk heen loopt, nog vrijwel intact. Van de **kloostergebouwen** dienen vermeld te worden de overblijfselen van de kloostergang en de kapittelzaal. In het **museum** zijn fragmenten van bijzonder fijn bewerkte kapitelen uit de kloostergang tentoongesteld, die vermoedelijk uit de 13de eeuw dateren.

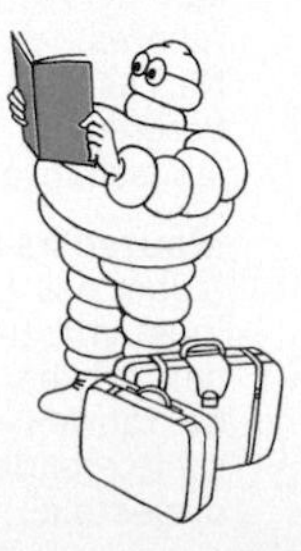

Le BOULOU ⚕

4 436 inwoners
Michelinkaart nr. 86 vouwblad 19, of 240 vouwblad 41.

Le Boulou is een kuuroord gelegen aan de voet van de Albères op de linkeroever van de Tech (de oude naam "El Voló" die door de Keltiberiërs werd gebruikt, betekent "klif"). Het stadje ligt op het kruispunt van de as Perpignan-Spanje en de as Argelès-Amélie-les-Bains en vormt zo een goed vertrekpunt voor excursies in de Roussillon.
Van haar middeleeuwse verleden heeft de stad aan de oostkant, niet ver van de Tech, nog een vierkante toren, een overblijfsel van de 14de-eeuwse stadswal, en de Chapelle St-Antoine uit het begin van de 15de eeuw.
Le Boulou ligt aan de rand van bossen met kurkeiken, die twee grote kurkfabrieken van grondstoffen voorzien.

Église Notre-Dame d'El Voló - Van deze oorspronkelijk Romaanse kerk uit de 12de eeuw bestaat nog de fraaie witmarmeren **poort** van de Meester van Cabestany. Boven de met vlechtwerk versierde boog dragen zeven bewerkte kraagstenen een fries met afbeeldingen uit Jezus' kinderjaren.
Bezienswaardig zijn in de kerk het barokke altaarstuk van het hoogaltaar en links van het schip een 15de-eeuwse predella, waarop twee panelen zijn geplaatst die, links, Johannes de Doper en, rechts, Johannes de Evangelist, voorstellen (15de eeuw).

EXCURSIES

La Route des Albères - Het Massif des Albères is de laatste oostelijke uitloper van de kristallijnen gesteenten van de Pyreneeën. Alvorens in de diepte van de Middellandse Zee te verdwijnen, omsluit dit gebergte met zijn nauwelijks gekartelde bergruggen twee lager gelegen gebieden: in het noorden de Roussillon en in het zuiden (in Spanje) de Ampurdan, oude baaien die door tertiaire aanslibbingen over honderden meters (800 m in de Roussillon) zijn opgevuld. Het hoogste punt van het gebergte is de Pic Neulos (1 256 m).

1 Over de Pic de Fontfrède

49 km - ongeveer een halve dag

Le Boulou in westelijke richting uitrijden via de D 115.

★ **Céret** - *Zie onder deze naam.*

Céret in zuidwestelijke richting uitrijden via de D 13^F, de weg naar Fontfrède.

Deze schilderachtige weg loopt door kastanjebossen omhoog en biedt op talrijke punten een mooi uitzicht.
Op de Col de la Brousse (860 m) niet de weg naar Las Illas nemen, maar rechts afslaan en over de zeer bochtige weg naar de Col de Fontfrède rijden. Hier staat een gedenksteen juni 1940-juni 1944, ter herinnering aan degenen die via deze bergpas Frankrijk ontvluchtten om zich bij het verzet te voegen. Bij de fontein is een picknickplaats aangelegd.

Over een brede weg met haarspeldbochten kan men naar de top van de Pic de Fontfrède rijden.

Pic de Fontfrède - 1 093 m. Deze bergtop biedt een mooi **uitzicht**★ over de Roussillon links, de Middellandse Zee rechts, die aan weerszijden van de bergrug van de Albères zichtbaar is (baai van Rosas in Spanje), de Canigou met zijn drie toppen en de wal die wordt gevormd door het Corbières-gebergte.

Terugrijden naar de Col de la Brousse en rechts afslaan richting Las Illas.

De weg kronkelt door een dichte vegetatie. Daarna ziet men terrasgewijs aangelegde tuinen, een paar verspreide boerderijen, elk met een eigen toegangsweg, en kudden geiten met rinkelende halsbellen. De Mas de la Case Nove, in een grote bocht aan de linkerkant van de weg, en vlak daarna de Mas Llansou aan de rechterkant, zijn karakteristiek voor de traditionele behuizing in de Albères.
Na Las Illas volgt de weg de loop van de gelijknamige rivier en biedt vanaf de berghelling mooie uitkijkjes op de kloven. Alle rotsen zijn begroeid, zodat het landschap groen aandoet.

Maureillas-Las-Illas - In dit aardige plaatsje, dat door bossen met kurkeiken (suberaies genoemd) en door boomgaarden is omgeven, is een kurkmuseum ingericht, het **Musée du Liège** ⏱; daar is het hele productieproces te volgen, vanaf het lichten van de kurk uit de boom tot het merken van de fleskurk in de fabriek. Opvallend zijn met name vreemde sculpturen van kurk en zes schitterende eikenhouten wijnvaten waarin kunstnijverheidsproducten zijn uitgestald.

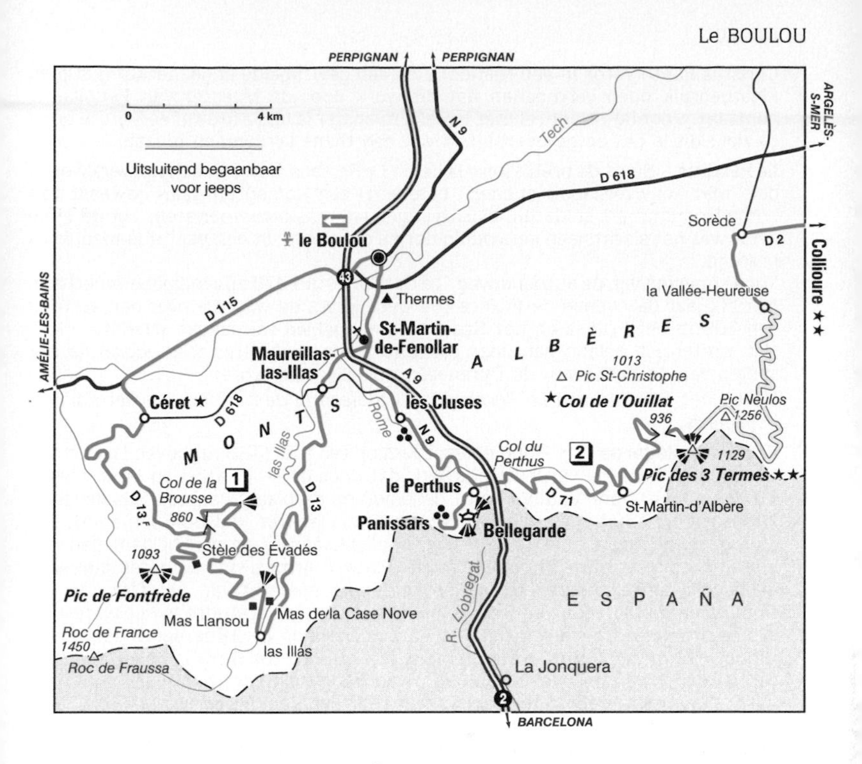

Chapelle St-Martin-de-Fenollar – Deze bescheiden kapel heeft een vroeg-Romaans grondplan met een enkel schip en een trapeziumvormige koorsluiting. Het schip dat oorspronkelijk een houten gebint had, kreeg later een gordelbooggewelf. De kapel werd in de 9de eeuw door de benedictijnen uit Arles-sur-Tech gebouwd en heeft in het koor nog interessante 12de-eeuwse **muurschilderingen**★, die het mysterie van de menswording van Christus verbeelden: onderaan de Aankondiging aan Maria, Christus' geboorte, de Aanbidding van de drie Koningen en hun terugkeer naar het oosten; daarboven de 24 oudsten uit de Apocalyps; aan het gewelf Christus Koning, omringd door de vier evangelisten, uitgebeeld als engelen die ieder hun eigen symbool en een boek vasthouden. Kunstenaars als Picasso en Braque raakten onder de bekoring van deze schildering met haar krachtige penseelstreken en frisse okergele, rode, groene en blauwe tinten.

De N 9 voert langs de thermaalinrichting weer terug naar Le Boulou.

2 Door de Vallée de la Rome en over de Pic des Trois Termes

53 km - ongeveer een halve dag

Le Boulou in zuidelijke richting uitrijden via de N 9, richting Le Perthus.

De **Vallée de la Rome**, het dal waar de Via Domitia (aangelegd tussen 120 en 177 v.Chr.) al meer dan 2 000 jaar doorheen loopt, vormt nog steeds een belangrijke verbindingsweg tussen Frankrijk en Spanje. Liefhebbers van geschiedenis en archeologie kunnen de autosnelweg "La Catalane" beter links laten liggen om een aantal megalitische, Gallo-Romeinse en middeleeuwse overblijfselen te ontdekken te midden van een wonderschoon landschap waar alle mogelijke tinten groen een schitterend mozaïek vormen.

Chapelle St-Martin-de-Fenollar – *Zie hierboven.*

Terugkeren naar de N 9.

Les Cluses – Les Cluses is de verzamelnaam voor de kleine dorpjes aan weerszijden van de nauwe bergengte (clusa in het Latijn) waardoor de Via Domitia en de rivier de Rome liepen. Er zijn ook nog overblijfselen van Romeinse vestingwerken uit de 3de-4de eeuw: op de linkeroever het **Château des Maures** of Castell dell Moros en op de rechteroever het **Fort de la Cluse Haute**. Vanuit de belvédère op de "Dressera" (oude Romeinse weg over een bergkam) ziet men in de diepte de ruïnes van een poort, misschien een oud huis waar tol werd geheven op de koopwaar die tussen Gallia Narbonensis en Taraconensis werd vervoerd.

Naast dit fort staat de **Église St-Nazaire**, een vroeg-Romaanse kerk met drie schepen (eind 10de-begin 11de eeuw) die uitlopen in absissen met halfkoepels, waarvan de middelste nog overblijfselen van fresco's vertoont waarop men

Christus Pantocrator in een mandorla en een gevleugelde engel herkent; stijl en kleurgebruik doen vermoeden dat dit werk door de Meester van Fenollar is gemaakt. Voor de zuidgevel met tweelichtvenster is iets achteraf een grote boog te zien; dit is het enige overblijfsel van een thans verdwenen portaal.

Le Perthus – Sinds de prehistorie is het in Le Perthus (van een Latijns werkwoord dat "met houweelslagen openen" betekent) een komen en gaan geweest van nomadenstammen, soldaten, vluchtelingen en, tenslotte, toeristen. Tot de 19de eeuw was het slechts een eenvoudig dorpje dat alleen uit een paar douanehuisjes bestond.
Tot de opening van de autosnelweg "La Catalane" in 1976 zijn miljoenen toeristen hier elk jaar de Avenue de France overgetrokken, de weg die over een afstand van 200 m het Franse en het Spaanse grondgebied van elkaar scheidt.
Het strategisch belang van deze col (290 m) in de Albères trad vooral na het sluiten van de Vrede van de Pyreneeën duidelijk naar voren.

Vanuit het centrum van Le Perthus links afslaan in de richting van het Fort de Bellegarde.

Fort de Bellegarde ⓥ – Hoog en eenzaam op een rots (420 m) boven Le Perthus verrijst dit machtige verdedigingswerk dat door de H. Hilarius en later tussen 1679 en 1688 door Vauban werd gebouwd op de plaats van een Spaans fort. Iets lager, naar het zuiden, staat eerst een kleiner fort, dat op Spanje uitkijkt. Men gaat het grote fort binnen over een ophaalbrug en een hellend pad dat uitkomt op een ruim binnenplein, de Place d'Armes. In de gerestaureerde gebouwen zijn exposities te zien over de geschiedenis van het fort, de Via Domitia en de trofeeën van Pompejus. In het Bastion St-André is het waterputsysteem bewaard gebleven dat het garnizoen sinds de 18de eeuw gebruikte. De put (62 m diep en met een doorsnede van 5,85 tot 6 m) is helemaal in de rots uitgehouwen en over een hoogte van 50 m van parementwerk voorzien. Aan de oostkant staat een gedenksteen voor generaal **Dugommier** (1738-1794), de commandant van het Franse leger in de Oostelijke Pyreneeën die Bellegarde op de Spanjaarden heroverde en daar tot 1800 begraven lag.
Vanaf het grote terras ontvouwt zich een weids **panorama**★★: in het westen de Canigou en de Pic de Fontfrède; in het noorden het Rome-dal met zijn nauwe doorgang bij Les Cluses, de piramide van Ricardo Bofill langs de autosnelweg (symbool voor de verbinding tussen het Franse en het Spaanse Catalonië) en het langgerekte plaatsje Le Perthus; in het zuiden de opgravingen van Panissars en in Spanje de vallei van de Rio LLobregat met op de achtergrond de stad La Jonquera.

Site archéologique de Panissars – De Col de Panissars was in de oudheid onder de naam Summum Pyrenaeum de belangrijkste weg over de Pyreneeën. Deze bergpas markeert zowel de waterscheiding als de grens tussen Frankrijk en Spanje en ook het punt waar de Via Domitia en de Via Augusta bij elkaar komen (de Via Augusta loopt naar het Spaanse Cádiz). In 1984 zijn op deze plek de funderingen opgegraven van een Romeins bouwwerk dat de door de rotsen gebaande weg overspande. Het zijn vermoedelijk overblijfselen van de triomfboog die voor Pompejus werd opgericht na zijn overwinning op Sertorius in Spanje (71 v.Chr.). Erboven liggen de ruïnes van de priorij van Ste-Marie (11de-17de eeuw), waarvan de kerk en de bijgebouwen zijn blootgelegd. Ten westen van de opgravingen liggen, verspreid over de bergkam, de ruïnes van een dorp. Grenspaal nr. 567 dateert uit de 18de eeuw.

Terugkeren en ten noorden van Le Perthus rechts de D 71 nemen, richting Col de l'Ouillat.

De weg voert eerst tussen kastanjebomen door en komt dan uit op het met rogge bebouwde terras van St-Martin-de-l'Albère (schitterende eiken). Mooi uitzicht op de Canigou en de zuidelijke hellingen van de Albères; in het noorden heeft de berg St-Christophe het profiel van een mens die omhoogkijkt.
In een bocht rechts, uitzicht op de Pic des Trois Termes.

★ **Col de l'Ouillat** – 936 m. Een mooie plek om even uit te rusten op het belvédère-terras aan de rand van het staatsbos van Laroque-des-Albères met zijn prachtige pijnbomen (Pinus laricio).
De weg, die door een streek met eerst beuken en daarna naaldbomen voert, komt uit aan de voet van een puntige rots, de Pic des Trois Termes.

★★ **Pic des Trois Termes** – 1 129 m. **Vergezicht** over de ravijnen en bergkammen van de Albères, de laagvlakte van de Roussillon met haar lange rij kustmeren en de door de Conflent en de Vallespir gevormde insnijdingen.
Aan de Spaanse kant uitzicht over de Costa Brava, voorbij de Creus-kaap tot de ronding van de Rosas-baai.

Langs dezelfde weg terugrijden.

Het is ook mogelijk om via Sorède naar de laagvlakte van de Roussillon te rijden, maar de onverharde weg tussen de Pic des Trois Termes en Sorède is alleen voor jeeps begaanbaar.

BOZOULS★

2 060 inwoners
Michelinkaart nr. 80 vouwblad 3, of 240 vouwblad 5.

Bozouls is beroemd om zijn "trou" *(zie hieronder).*
Ten zuiden van de D 20 is de moderne kerk (1964) van Bozouls reeds van verre te zien. De kerk heeft de vorm van de boeg van een schip en bezit een Mariabeeld van Denys Puech, een in Bozouls geboren beeldhouwer.

★ **Trou de Bozouls** - Vanaf het terras vlak bij het oorlogsmonument van de hand van Denys Puech, heeft men het beste uitzicht op deze 800 m diepe cañon, het diepe dal dat de Dourdou heeft uitgeslepen in de Causse du Comtal. De steile bergwand is bezaaid met grotten. Op het vooruitstekende deel waar de rivier in een lus omheen stroomt, staan een Romaanse kerk en de gebouwen van het klooster Ste-Catherine op de rand van de afgrond.

Ancienne église Ste-Fauste - Deze kerk bezit enkele merkwaardige kapitelen. Het 12de-eeuwse schip met zijn tongewelf en rondbogen was oorspronkelijk bedekt met kalkplaten (zgn. lauzes) waarop nog een dikke laag aarde lag. Onder dit enorme gewicht dreigden de zuilen te bezwijken en in het begin van de 17de eeuw moest het oude gewelf daarom door een houten constructie worden vervangen.
Vanaf het lommerrijke terras links van de kerk, mooi uitzicht op de cañon du Dourdou.

Abîme de BRAMABIAU

Michelinkaart nr. 80 vouwbladen 15, 16, of 240 vouwblad 10.
Schema, zie onder Aigoual.

De rivier de Bonheur, die aan de voet van de Mont Aigoual bij de Col de la Séreyrède ontspringt, stroomde vroeger over de kleine Causse de Camprieu om daarna in een waterval naar het benedendal uit te stromen.
Door de eeuwen heen heeft de rivier de Bonheur haar bedding steeds dieper in de causse uitgeschuurd. Na een ondergrondse loop van meer dan 700 m dringt de rivier zich door een smalle, diepe spleet naar buiten en stroomt uit in een rotsachtig keteldal, de Alcôve, waar zij een prachtige waterval vormt. Het geluid van de waterval doet in het voorjaar soms aan het loeien van een koe denken; vandaar de naam Bramabiau (Brame-Biâou betekent "loeiende koe"), die de rivier stroomafwaarts draagt tot het punt waar zij met de Trévezel samenkomt.
De eerste onderaardse oversteek maakten E.-A. Martel en zijn metgezellen op 27 en 28 juni 1888, bij een lage waterstand. Tijdens hun moeizame tocht ontdekten zij buiten de hoofdloop van 700 m meer dan 1 000 m zijgangen. Van 1890 tot 1892 en later in 1924 werd nog 7 km ondergrondse aftakkingen verkend.
Dit bijna 10 km lange labyrint bestaat uit zalen met een doorsnede van 20 tot 40 m en een hoogte van soms wel 50 m, die door bijzonder smalle gangen en talrijke watervallen met elkaar verbonden zijn. Bramabiau is "een opvallend voorbeeld van nog steeds werkzame ondergrondse erosie", aldus E.-A. Martel. Door het water zullen de grotten in cañons veranderen, de gangen langzamerhand breder worden en de gewelven instorten; over duizenden jaren zal de Bonheur wellicht opnieuw in de openlucht stromen, op de bodem van een diepe cañon.

D. Faure/SCOPE
De karstbron van de Bonheur.

CAUSSE DE CAMPRIEU
De Alcôve
Karstbron
Watervallen
Karstpijp
Ingang

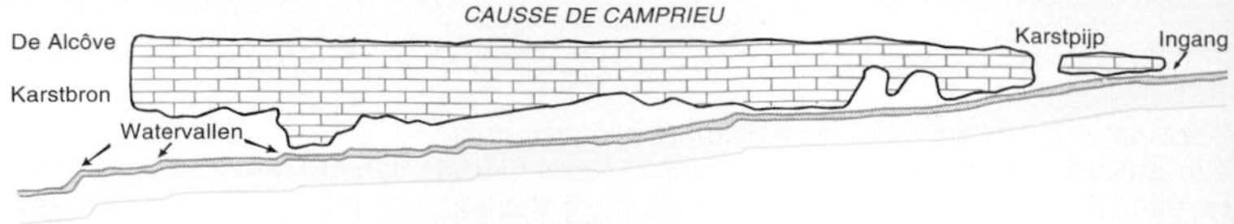

Ondergrondse loop van de Bonheur.

BEZICHTIGING ⊙

ongeveer anderhalf uur met inbegrip van de wandeling naar de grot, temperatuur 8°C

Sinds een paar jaar worden de voorzieningen voor bezoekers op grotere hoogte aangebracht, om te voorkomen dat de rivier al te veel schade aanricht als zij sterk gezwollen is, wat bijna elk voorjaar het geval is.
Bij het gebouwtje waar "Bramabiau" op staat, het zacht glooiende voetpad nemen dat door het bos naar de rivier leidt. Onderweg heeft men hier en daar een fraai uitzicht op de overkant van de rivier en de rand van het kalksteenplateau dat door de vroegere cañon van de Bonheur is uitgesleten. Bij de rivier de brug oversteken en weer omhooglopen naar de Alcôve, aan de voet van de steile rots waar een schitterende waterval zich naar beneden stort.
Het punt waar de onderaardse rivier weer aan de oppervlakte komt, de karstbron, is tevens de toegang tot de ondergrondse wereld. Door de hoge waterstanden is niet de hele onderaardse loop van de rivier voor het publiek toegankelijk. Na de Bramabiau te zijn overgestoken tussen de eerste waterval (in de openlucht) en de tweede (onder de grond), die de Échelle (ladder) wordt genoemd, voert het pad door een bijzonder hoge gang, waarin door ondergrondse erosie diepe scheuren zijn ontstaan, naar de Salle du Havre. Vandaar kan men dankzij onlangs aangebrachte voorzieningen naar de Grand Aven gaan, waar het werk van de schilder Jean Truel te bewonderen is. Een pad dat langs de rots is aangelegd en meer dan 20 m boven de rivier ligt, loopt door de Galerie Martel, boven de Pas du Diable; men komt uit op de plek waar de grot over 200 m is uitgehold in een ader van witachtig bariet, die in het Petit Labyrinthe uitmondt. Via enkele treden komt men in de Salle de l'Étoile waarvan het plafond bestaat uit rotsblokken die door calciet aan elkaar zijn geklonterd. Teruglopend naar het punt waar de onderaardse stroom weer te voorschijn komt, neemt men een trap naar boven; het uitzicht op de meer dan 50 m lager gelegen rivier is duizelingwekkend (mooie tegenlichteffecten).

Bij de kaart van de reisroutes voor in de gids staat een lijst van Franse en Nederlandse aardrijkskundige termen die vaak op de kaarten en in de teksten voorkomen: Abîme (kloof, afgrond), Forêt (bos), Pic (bergtop), enz.

Le CANIGOU★★★

Michelinkaart nr. 86 vouwbladen 17, 18, of 235 vouwbladen 51, 52, 55.

Ooit vereerden de Catalanen de Canigou en ook nu nog komen zij zowel van de Franse als van de Spaanse kant het eerste Sint-Jansvuur op de top ontsteken. Het massief, waar de sneeuw in de hoogte lang blijft liggen, rijst hoog boven de boomgaarden van de Roussillon op. De top ligt aan drie kanten helemaal vrij door de insnijding van de Têt (Conflent), de laagvlakte van de Roussillon en het Tech-dal (Vallespir).
Al ten tijde van Lodewijk XIV ontdekten de geografen die de meridiaan van Parijs moesten vaststellen, dat de Canigou op enkele graden na (7'48" ten oosten) op deze lijn ligt en zij berekenden de hoogte van de berg in verhouding tot de zeespiegel. Bij gebrek aan nauwkeurige opmetingen in de andere massieven werd de Canigou ten onrechte lang beschouwd als het hoogste punt van de Pyreneeën.

Allerlei krachttoeren – Sinds de eerste beklimming, die volgens de kronieken in 1285 plaatvond en op naam staat van koning Peter III van Aragon, hebben sportieve Catalanen op allerlei mogelijke manieren getracht de berg te bedwingen. Het Chalet des Cortalets werd in 1901 per fiets bereikt, in 1903 op ski's en daarna per automobiel, een Gladiator 10 CV. In 1907 reed een luitenant van de gendarmerie te paard naar de top, zonder ook maar een enkele keer af te stappen. Door het uitbreken van de Eerste Wereldoorlog kwam het plan om een tandradbaan aan te leggen te vervallen; tussen Vernet-les-Bains en Prats-de-Mollo bestaan alleen boswegen.

★★★ WEGEN OVER DE CANIGOU

1 van Vernet-les-Bains naar Mariailles

12 km - ongeveer drie kwartier

Deze weg is de enige manier om met de eigen auto de Canigou te bereiken. Naar Casteil in het zuiden rijden en vervolgens naar de Col de Jou. Hier bij de splitsing links afslaan richting Mariailles, waar men de auto laat staan om naar de top van de Canigou te lopen *(zes uur heen en terug voor een geoefende wandelaar)*.

2 van Vernet-les-Bains naar het Chalet-Hôtel des Cortalets

23 km - ongeveer anderhalf uur

De oude weg naar Les Cortalets werd in 1899 door Staatsbosbeheer aangelegd ten behoeve van de Club Alpin (alpinistenvereniging).

Deze bosweg is alleen 's zomers bij droog weer begaanbaar met een 4 WD of een jeep.

Vanuit Vernet-les-Bains ⌚ worden excursies per jeep of landrover georganiseerd. De weg is moeilijk begaanbaar vanwege het slechte wegdek en de buitengewoon sterke stijging (31 haarspeldbochten). Het lastigste stuk is een helling van 21% waar de weg erg smal is. Op dit punt is een reling aangebracht.

★ **Vernet-les-Bains** - *Zie onder deze naam.*

De D 27 richting Prades volgen. Na Fillols rechts afslaan.

Direct aan het begin van de pas (842 m) stijgt de weg in snel opeenvolgende haarspeldbochten over de rotsachtige bergkam tussen de vallei van Fillols en die van Taurinya. Links, uitzicht op Prades en St-Michel-de-Cuxa. De weg wordt

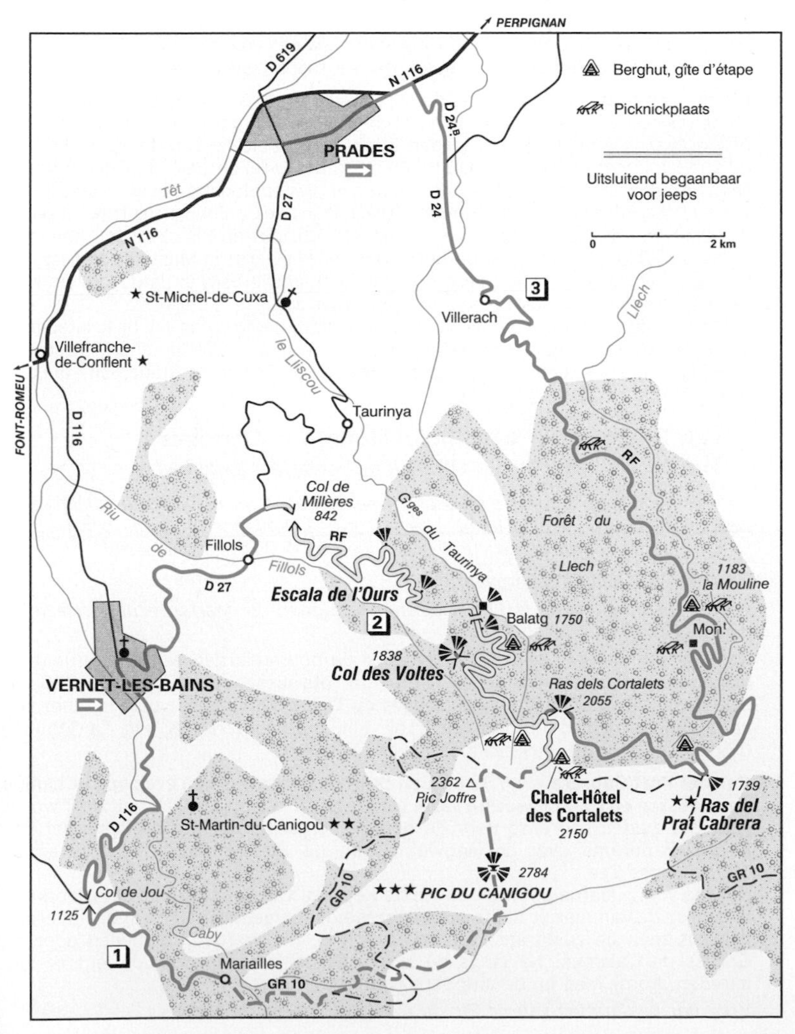

moeilijk begaanbaar bij de pijnbomen en de stapels losse rotsblokken. In een brede bocht naar links heeft men een grandioos uitzicht over de Cerdagne en de Fenouillèdes. Prades verdwijnt steeds meer in de verte. De weg stijgt sterk door prachtige bossen (mooie boomstammen).

Escala de l'Ours - Het meest spectaculaire gedeelte van de weg die hoog langs de berghelling loopt, voert door een smalle, fraai gewelfde tunnel in een rots. Aan weerskanten ervan zijn openingen gemaakt van waaruit men een adembenemend uitzicht heeft op de Gorges du Taurinya, enkele honderden meters lager.
Na het boswachtershuis van Balatg is er steeds minder begroeiing en de arven (Pinus cembra) die hier en daar nog voorkomen, zijn hoe langer hoe kaler. De weg voert langs de hooggelegen zomerweiden.

Col des Voltes - 1 838 m. Uitzicht op de noordkant van de Canigou en het stroomgebied van de Cady.

Op de Ras (d.w.z. de pas) des Cortalets (2 055 m) bij de picknickplaats niet de weg naar de Gorges du Llech nemen, maar rechts afslaan.

Chalet-Hôtel des Cortalets - Dit chalet-hotel ligt op 2 150 m hoogte aan het einde van het keteldal dat door de Canigou en zijn twee noordelijke uitlopers wordt gevormd: de Pic Joffre en de Pic Barbet.

van het Chalet-Hôtel des Cortalets naar de top van de Canigou

een wandeling van drie en een half uur heen en terug

Aan de westkant van het chalet het voetpad nemen dat met wit en rood is aangegeven. Dit pad loopt eerst langs een bergmeer en daarna omhoog over de oostkant van de Pic Joffre. Niet richting Vernet afdalen, maar links het pad nemen dat omhoogloopt onder de bergkam. Via een voetpad met haarspeldbochten tussen de rotsen is het mogelijk om de top te beklimmen.

★★★ **Pic du Canigou** - 2 784 m. Op de top staan een kruis en de bouwval van een stenen gebouwtje dat in de 18de en 19de eeuw werd gebruikt voor wetenschappelijke waarnemingen. In het zuiden klinkt het geluid op van de halsbellen van de kudden in het kleine Cady-dal. Bij de oriëntatietafel ontdekt men een immens **panorama**: naar het noordoosten, het oosten en het zuidoosten, over de laagvlakte van de Roussillon en de Middellandse-Zeekust. Als de Canigou zich aftekent tegen de schijf van de ondergaande zon (rond 10 februari en 28 oktober), kan men de berg 253 km verder vanaf de Notre-Dame-de-la-Garde in Marseille zien liggen. Het zicht wordt niet belemmerd door de veel lagere bergen van de Albères en reikt tot ver in Catalonië, langs de Costa Brava.
In het noordwesten en westen volgen de massieve bergketens van de kristallijnen schol van de Oostelijke Pyreneeën elkaar op (Madrès, Carlit, enz.), in scherp contrast tot de kalkhoudende bergkammen van de Corbières (Bugarach), die veel grilliger zijn.

3 van Prades naar het Chalet-Hôtel des Cortalets via de Gorges du Llech *20 km - ongeveer anderhalf uur*

De weg die alleen 's zomers bij droog weer begaanbaar is, wordt hobbelig in de Gorges du Llech; de weg loopt over 10 km bovenlangs de steile berghelling. Vanuit Prades ⓥ worden excursies per jeep of 4 WD georganiseerd.

Prades - *Zie onder deze naam.*

Prades uitrijden via de N 116, richting Perpignan en daarna rechts afslaan en de D 24[B] nemen.

Na Villerach slingert de D 24 eerst door de boomgaarden van de Conflent en dringt daarna de kloven binnen. De in de rots uitgehouwen weg ligt 200 tot 300 m boven de bodem van de Gorges du Llech. Vervolgens voert hij door een bergachtiger gebied om tenslotte bij het boswachtershuis van La Mouline (hoogte: 1 183 m - picknickplaats) uit te komen.

★★ **Ras del Prat Cabrera** - 1 739 m. Een prima gelegenheid om even op het bankje uit te rusten en over de woeste vallei van de Lentilla te kijken. Het uitzicht wordt naar het zuiden begrensd door de hogere bergkammen van de Serra del Roc Nègre. Panorama over de laagvlakte van de Roussillon, de Albères en de Middellandse Zee.
De weg voert daarna door het bovenste keteldal van het Llech-dal dat met arven is begroeid. Van hieruit heeft men zeer weidse **vergezichten**★★★: in het noorden herkent men de zuidgrens van de Corbières, die wordt doorsneden door de Gorges de Galamus. Na langs de boomgaarden van de Bas-Conflent te zijn gereden, komt men bij de uitlopers van de Canigou.

Voor het beklimmen van de Pic du Canigou, zie hierboven.

Le CAP D'AGDE☼☼☼

Michelinkaart nr. 83 vouwblad 16, of 240 vouwblad 30.

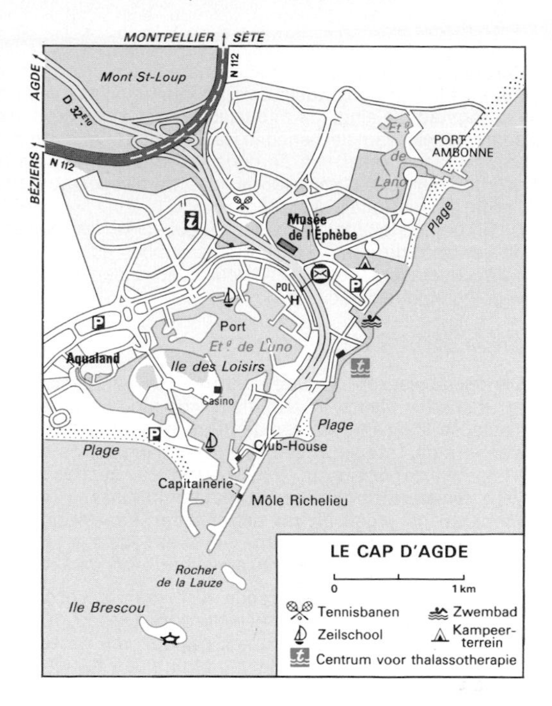

In het verlengde van deze kaap, die is ontstaan uit een stroom lava van de Mont St-Loup, ligt de Môle Richelieu, de pier die herinnert aan Richelieus plan om het vasteland door een lange dijk met het eiland Brescou te verbinden. De uitvoering van dit project werd na de dood van de kardinaal stopgezet.

In 1970 werd in het kader van het bestemmingsplan voor de kuststrook van de Languedoc de nieuwe vakantieplaats Cap d'Agde gebouwd op deze schitterende lokatie aan de Middellandse Zee. Er werd een grote, goed beschutte haven aangelegd met niet minder dan 1 750 ligplaatsen, verspreid over acht openbare en privéjachthavens.

De architectuur van de dorpskern is geïnspireerd op de traditionele bouwstijl van de Languedoc. De 3 of 4 verdiepingen hoge gebouwen met dakpannen weerspiegelen hun vrolijke pasteltinten in het water van de havens of worden tegen de zon beschermd door de smalle kronkelige straatjes die op "piazzas" uitkomen.

Musée de l'Éphèbe (onderwaterarcheologie) ⓥ – Al meer dan 25 jaar worden er in de delta van de Hérault, zowel in zee als in de kustmeren, opgravingen gedaan. Bij de ingang van het museum worden de technieken uitgelegd die bij dit soort opgravingen worden toegepast. Daarop volgt de presentatie van oude schepen uit de Griekse en de Romeinse tijd en een collectie amforen (naar soorten en in chronologische volgorde tentoongesteld). Men krijgt een interessant beeld van de handel over zee in de oudheid. In de ruimte die is gewijdaan kunstwerken uit de oudheid, valt vooral op de magnifieke **Ephebe van Agde★★**, een bronzen beeld van een Griekse held in hellenistische stijl, dat in 1964 in de Hérault werd gevonden. Tot slot wordt aandacht besteed aan een Romeins scheepswrak en aan de scheepvaart in de middeleeuwen en in de 16de, 17de en 18de eeuw.

Musée de l'Éphèbe, Le Cap d'Agde

De Ephebe van Agde.

Aqualand ⓥ – Via gigantische glijbanen duikt men in de golfslagbaden van dit 3,5 ha grote waterpretpark, waar jong en oud zich met allerlei attracties kunnen vermaken. Het complex biedt tevens ruimte aan winkels en eetgelegenheden.

Achter in de gids staan belangrijke praktische inlichtingen:
- *namen en adressen van organisaties die nuttige informatie kunnen verschaffen;*
- *toeristische evenementen;*
- *openingstijden en toegangsprijzen van bezienswaardigheden.*

CARCASSONNE***

43 470 inwoners
Michelinkaart nr. 86 vouwblad 7, of 235 vouwblad 39.
Plattegrond in de Rode Michelingids France.

Carcassonne, waarvan de benedenstad zich uitstrekt langs de linkeroever van de Aude, is het grote handelscentrum van de wijnstreek de Aude. Maar het is ook een vestingstad die sinds de middeleeuwen onveranderd lijkt. Veel belangrijker dan de bedrijvigheid van de benedenstad, althans voor de toerist, zijn de reputatie en aantrekkingskracht van de oude vestingstad, die als achtergrond dient voor een groots vuurwerk, **l'embrasement**, dat traditiegetrouw wordt afgestoken op 14 juli, Frankrijks nationale feestdag.
De beroemde lakennijverheid is nu geheel verdwenen en heeft plaats gemaakt voor de vervaardiging van synthetische rubber en autoaccessoires. Men vindt er ook confectieateliers, bedrijven voor het assembleren van landbouwmachines en voedingsmiddelenindustrie.

GESCHIEDENIS

De heuvel waarop de oude stad (la Cité) van Carcassonne is gebouwd, neemt een strategische plaats in aan de verbindingsweg tussen de Middellandse Zee en Toulouse. Daarom besloten de Romeinen in Carcassonne, stad van Gallia Narbonensis, al in de 1ste eeuw een versterkt kamp op te slaan. In de 5de eeuw nemen de Visigoten de vesting in, van waaruit zij, beschermd door de zware muren, hun veroveringen uitbreiden, eerst met het koninkrijk Toulouse en later met Septimanië. Carcassonne groeit uit tot een belangrijke vestingstad en na de bekering van de Visigoten tot het katholicisme wordt er zelfs een bisdom gevestigd. In de 8ste eeuw komt de vesting onder de heerschappij van de Franken.

Een trotse stad – Gedurende 400 jaar is Carcassonne de hoofdstad van een graafschap en daarna van een burggraafschap, met als leenheren de graven van Toulouse. De stad kent dan een periode van grote welvaart, die in de 13de eeuw wordt onderbroken door de vervolging van de Albigenzen.

Carcassonne.

Het leger van de kruisridders dat uit het noorden door het Rhône-dal afzakt, dringt in juli 1209 de Languedoc binnen om de ketters te straffen. Als graaf Raymond IV van Toulouse in St-Gilles-du-Gard *(zie de Groene Michelingids Provence)* wordt vastgehouden voor openbare boetedoening, moet zijn neef en vazal **Raymond-Roger Trencavel**, burggraaf van Carcassonne, de invasie het hoofd bieden. Na de plundering van Béziers slaat het leger onder leiding van de gezant Arnaud-Amaury op 1 augustus het beleg voor Carcassonne. In die tijd wordt de stad slechts beschermd door een enkele verdedigingsmuur. Ondanks de inzet van Trencavel, die dan pas 24 jaar is, moet de stad zich na twee weken overgeven door gebrek aan water.
De Legerraad benoemt dan Simon de Montfort tot burggraaf van Carcassonne in de plaats van Trencavel. Nog datzelfde jaar wordt Trencavel levenloos aangetroffen.

Een onneembare vesting (13de eeuw) - In 1240 probeert de zoon van Trencavel vergeefs zijn erfenis terug te krijgen. Hij slaat het beleg voor Carcassonne; het geschut slaat grote gaten in de muren, maar een leger van de Franse koning dwingt hem de aftocht te blazen. Koning Lodewijk IX de Heilige laat dan alle huizen die aan de voet van de vestingmuren waren gebouwd met de grond gelijkmaken. Als straf voor hun opstandigheid worden de inwoners voor zeven jaar verbannen; daarna krijgen zij toestemming een stad te bouwen op de andere oever van de Aude: de huidige benedenstad. De oude stad wordt hersteld en versterkt. Het werk wordt voortgezet onder Filips de Stoute. Carcassonne is dan zo goed versterkt dat het als een onneembare vesting wordt beschouwd.

Verval en nieuwe bloei - Nadat de Roussillon bij de Vrede van de Pyreneeën bij Frankrijk is ingelijfd, neemt de militaire betekenis van Carcassonne sterk af: de stad ligt op 50 mijl (1 mijl = ca. 4 km) van de grens. Perpignan neemt de rol van wachtpost over. Er gaan zelfs stemmen op om Carcassonne af te breken.
Tijdens de romantiek raken de middeleeuwen echter weer in de belangstelling. Een plaatselijke archeoloog, Cros-Mayrevieille, pleit zijn leven lang voor het herstel van zijn geboortestad. De architect Viollet-le-Duc (1814-1879) wordt naar Carcassonne gestuurd en schrijft zo'n enthousiast rapport, dat de Commissie van Historische Monumenten in 1844 besluit met de restauratie van Carcassonne te beginnen.

IMAGES PHOTOTHÈQUE

★★★ LA CITÉ *bezichtiging: twee uur*

De Cité van Carcassonne op de rechteroever van de Aude is de grootste vestingstad van Europa, opgebouwd uit een versterkte kern, het Château Comtal (grafelijk kasteel), met daar omheen een dubbele muur.
Tussen de buitenmuur met 14 torens en de binnenmuur (24 torens) bevinden zich dwingels (lices).
De oude stad heeft tegenwoordig ca. 140 inwoners en er is o.a. een school en een postkantoor, zodat het geen dode stad is waar alleen het toerisme voor levendigheid zorgt.

Toegang – De auto laten staan op een van de parkeerplaatsen buiten de muren, voor de Porte Narbonnaise (oostkant).

Porte Narbonnaise – Dit is de hoofdingang en tevens de enige poort waar wagens doorheen konden. Een poortgebouw met kantelen op de brug over de gracht en een barbacane (bolwerk) met schietgaten leiden naar de twee Tours Narbonnaises die aan weerszijden van de poort staan. Deze torens zijn massieve bouwwerken met vooruitspringende randen die dienden om aanvallen af te slaan en geschut af te weren. Boven de boog, tussen de torens, is een oud Mariabeeld aangebracht.
In de 13de-eeuwse zalen, die door Viollet-le-Duc zijn gerestaureerd, worden **wisselende tentoonstellingen** van moderne schilderkunst gehouden.

Rue Cros-Mayrevieille (**D 24**) – Door deze straat komt men regelrecht bij het kasteel uit, maar het is aardig om in de middeleeuwse stad wat rond te lopen door de interessante en kronkelige straatjes, vol winkeltjes met souvenirs en kunstnijverheid. Rechts van de Place du Château bevindt zich een bijna 40 m diepe put.

Het kasteel van de graaf (Château Comtal) en de westelijke vestingmuur

Château Comtal ⏲ – Dit kasteel, dat in de 12de eeuw tegen de Gallo-Romeinse muur werd gebouwd door Bernard Aton Trencavel, was oorspronkelijk het paleis van de burggraven. Na de inlijving van Carcassonne bij het Franse koninkrijk (1226) werd het veranderd in een citadel. In de tijd van Lodewijk IX de Heilige is het omgeven door een brede slotgracht en een grote, halfronde barbacane (net als alle andere Gallo-Romeinse torens, die echter "westgotisch" worden genoemd, *zie verderop*). Hierdoor is het een echte vesting binnen de vesting.
Vanaf de brug ziet men aan de rechterkant de hordijzen.

De bezichtiging begint in het museum.

Musée lapidaire – In dit museum zijn overblijfselen uit de oude stad en haar omgeving tentoongesteld: een wasbekken (12de eeuw) uit de abdij van Lagrasse, een **kruisbeeld**★ uit Villanière (eind 15de eeuw), mooie ramen uit het franciscanenklooster, fijn bewerkte beeldjes, mijlpalen, ronde grafstenen uit de Lauragais (kathaarse grafstenen genoemd) en een liggend grafbeeld van een ridder die op het slagveld is gesneuveld.
Er is ook een zaal waar de geschiedenis van de oude stad in beeld wordt gebracht.

Cour d'honneur – Rondom dit ruime plein staan nieuwe bouwwerken. Het gebouw aan de zuidzijde heeft een voorgevel waarvan het onderste gedeelte Romaans is, het middelste gedeelte gotisch, terwijl het bovenste gedeelte uit de renaissance dateert. Het vakwerk is nog duidelijk zichtbaar. Rechts zijn de deuren van gevangeniscellen.

Cour du midi – Op de zuidwesthoek van deze binnenplaats verrijst de hoogste toren, de Tour de Guet, die erg goed bewaard is gebleven. Een houten trap leidt naar de top.

Westelijke vestingmuur – Een deel van deze muur wordt gevormd door het kasteel van de burggraven; ook andere torens maken deel uit van de muur.

Tour de la Justice – De leden van het geslacht Trencavel, burggraven van Béziers en Carcassonne, die de kant van de katharen hadden gekozen, zochten, samen met de graaf van Toulouse, hun toevlucht in deze toren om tijdens de kruistocht tegen de katharen te ontkomen aan het leger van Simon de Montfort. De ronde toren werd gebouwd tijdens de regeerperiode van Lodewijk IX de Heilige, op de plaats van een Gallo-Romeinse toren. De openingen waren van rolluiken voorzien die konden worden opgehesen, zodat de belegerden de onderkant van de muren konden zien zonder zelf gezien te worden.

Tour de Balthazar.

Château Comtal.

Aan de hand van de tekeningen hierboven kan men zich een beter beeld vormen van het verdedigingssysteem van de oude stad.

Schietgaten:

1 - Langwerpige schietgaten over 3 of 4 verdiepingen.

2 - Bulstergaten voor het bevestigen van de hordijzen.

3 - Hordijs: uitbouw van balken en planken van waaruit projectielen naar beneden gegooid kunnen worden.

4 - Schietgat (afwisselend een kanteel met en een kanteel zonder schietgat).

Constructies:

5 - Uitspringende muurvoet in het metselwerk: de verdikking maakt ondermijning moeilijker; ook kaatsten projectielen die vanaf een hordijs werden gelanceerd hierdoor af en werden aldus verspreid.

6 - Vooruitspringende rand (verticaal) van metselwerk: deze zorgt ervoor dat projectielen en stormrammen van de vijand afketsten.

Perioden waarin de versterkingen tot stand kwamen:

- Gallo-Romeinse tijd (3de-4de eeuw): de muren werden gemetseld met lagen kleine houwstenen, afgewisseld met lagen baksteen, waardoor het metselwerk goed horizontaal bleef. Als de fundamenten worden blootgelegd, zijn de onderste lagen van afwisselend bloksteen en specie goed te zien.
- Periode tussen de twee belegeringen (1209 en 1240) en tijdens de regering van Lodewijk IX de Heilige: de vestingmuren hebben een regelmatig metselwerk van middelgrote rechthoekige grijze stenen. In de 13de eeuw werden de funderingen van het Gallo-Romeinse gedeelte voortdurend vernieuwd en versterkt, zodat op sommige plekken de onderkant van jongere datum is dan de bovenkant. Hierdoor ontstonden zogeheten "westgotische" bouwsels. Deze smalle bouwsels hadden naar buiten toe een halfronde uitbouw en aan de binnenkant een vlakke muur, waardoor zij niet alleen als verdedigingswerk dienst deden, maar ook plaats boden aan verschillende zalen en opslagruimten boven elkaar.
  Langs de buitenmuur werden veel torens gebouwd in hoefijzervorm met een opening aan de achterkant; andere torens die helemaal dicht waren, konden als vluchtschans dienen om van daaruit de vijand te bestoken als die erin geslaagd was de dwingel te bereiken.
- Regering van Filips de Stoute: de muren vertonen bossagemetselwerk en de torens hebben vaak een uitspringende rand. Uit deze tijd stammen de mooiste toevoegingen: o.a. het poortgebouw van de Porte Narbonnaise, de Tour du Trésau (of Trésor) en de Tour de l'Inquisition.

Tour de l'Inquisition - Zoals de naam al aangeeft, zetelde in deze toren het Tribunaal van de Inquisitie. Een centrale pilaar waaraan kettingen zijn bevestigd en een cel zijn stille getuigen van de martelingen die de ketters hier ondergingen.

Tour carrée de l'Évêque - Deze vierkante bisschopstoren staat dwars op de dwingel, waardoor er geen verbinding is tussen het noordelijke en het zuidelijke deel daarvan. Met uitzondering van de bovenste weergang, was deze toren alleen bestemd voor de bisschop, en daarom geriefelijker ingericht. Vanuit de tweede zaal heeft men een mooi uitzicht op het kasteel.

Château (Pl. du) C
Combéléran (Mtée G.) .... D 21
Cros-Mayrevieille (R.) .... D 24
Gaffe (R. de la)........ C
Grand-Puits (R. du)............ CD
Marcou (Pl.)........... D
Médiévale (Voie)....... D 36
Nadaud (R. G.) ...... CD
Plô (R. du).......... CD
Pont (Pl. A.-P.)......... C
Porte-d'Aude (Mtée de la) C
Porte-d'Aude (R.) C
Prado (Pl. du) .... D
St-Jean (Pl.) C
St-Jean (R.) .... C 46
St-Louis (R.) C
St-Saëns (R. C.) .... D 48
St-Sernin (R.) .... D 49
Trencavel (R. R.-R.) C
Trivalle (R.)........... CD
Viollet-le-Duc (R.)....... C 56

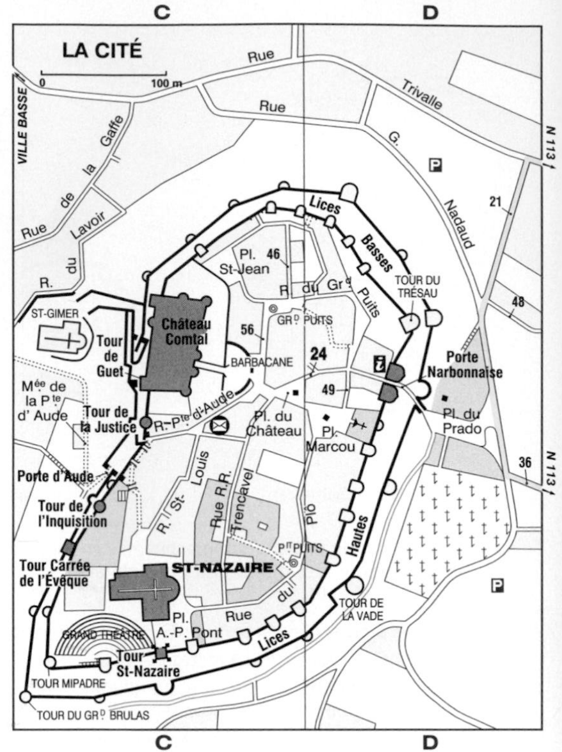

De dwingel (Les lices)

De ruimte of rondweg tussen de twee muren heet de dwingel. Opmerkelijk is dat de weergangen, de courtines, de kantelen en de hordijzen allemaal op verschillende hoogten zitten omdat ze de glooiingen van het terrein buiten de muren volgen. De dwingel is te bereiken via de Tour St-Nazaire of de Porte d'Aude.

Tour St-Nazaire – Mooie vierkante toren, met een door een uitkijktorentje verborgen uitvalspoortje, dat alleen via een ladder was te bereiken. Binnenin is een put bewaard gebleven, evenals een oven (op de eerste verdieping). De toren diende ter bescherming van de kerk, die iets verder naar achteren staat in de oude stad. Boven op de toren bevindt zich een oriëntatietafel.

Porte d'Aude – Deze poort wordt bereikt via de Montée d'Aude, een versterkte weg die aan de voet van de heuvel begint (aan de westkant, bij de Église St-Gimer), en is het belangrijkste onderdeel van de dwingel. Hij wordt van alle kanten beschermd: door het grote en het kleine poortgebouw, de Place d'Armes en diverse poorten.

Les lices basses – De laaggelegen dwingel ligt aan de west- en de noordkant. Vanaf de Tour Mipadre of Tour d'Angle wordt de dwingel steeds smaller in de richting van de Tour de l'Évêque, die daar de doorgang verspert. Aan de andere kant van de Porte d'Aude loopt men voor het kasteel van de burggraven langs en komt bij het oudste, westgotische gedeelte in het noorden. Daar zijn de courtines en de torens van de binnenmuur heel hoog; duidelijk zichtbaar zijn de oorspronkelijke, platte daken in Zuid-Franse stijl op de torens van de buitenmuur (de torens die gerestaureerd zijn door Viollet-le-Duc hebben puntige daken).

Les lices hautes – De zeer brede, hooggelegen dwingel begint aan de oostkant bij de Tour Trésau (of Trésor) en heeft aan weerszijden een slotgracht. Voorbij de Porte Narbonnaise aan de linkerkant staat op de buitenste muur, enigszins naar voren, de Tour de la Vade, een donjon van drie verdiepingen, van waaruit de hele oostkant in het oog kon worden gehouden. De wandeling langs de zuidkant tot aan de Tour du Grand Brulas (hoektoren), tegenover de Tour Mipadre, is ook zeer de moeite waard.

★ Basilique St-Nazaire

Van de oorspronkelijke kerk die door paus Urbanus II in 1096 werd ingezegend, is alleen het schip over. De Romaanse absis en koorkapellen zijn vervangen door een gotisch dwarsschip en koor (1269-1320). De westelijke voorgevel is veranderd door Viollet-le-Duc: omdat de architect ten onrechte meende dat de kerk deel uitmaakte van een versterkte "westgotische" ommuring, heeft hij kantelen boven op deze klokkengevel geplaatst.

Eenmaal binnen ziet men beter het contrast tussen het middenschip onder het tongewelf, een voorbeeld van de eenvoudige en strenge Zuid-Franse Romaanse kunst, en het koor dat verlicht wordt door de ramen van de absis en die van de zes straalkapellen. Dit rijk opengewerkte geheel vormt een architecturaal meesterwerk door de perfecte verhoudingen, het eenvoudige en lichte lijnenspel en de smaakvolle decoraties. Later werden zijkapellen toegevoegd aan de zuidkant en de noordkant van het Romaanse middenschip.
De **gebrandschilderde ramen**★★ van de St-Nazaire-kerk (13de en 14de eeuw) worden beschouwd als de mooiste van Zuid-Frankrijk.
Bijzondere **beelden**★★, die doen denken aan die in Reims en Amiens, sieren de kooromgang.
Verschillende graven van bisschoppen, onder andere van Pierre de Roquefort (14de eeuw) in de kapel links, en van Guillaume Razouls (13de eeuw) in de kapel in de rechterdwarsbeuk, zijn bijzonder de moeite waard.

DE BENEDENSTAD

De kern van de huidige stad wordt gevormd door de "bourg" (het stadje) die Lodewijk IX de Heilige liet bouwen, en die wordt begrensd door de boulevards die op de plaats van de vroegere vestingmuren zijn aangelegd. De plattegrond is er een van kaarsrechte straten zoals in "moderne" steden gebruikelijk is. Deze wat saaie rechtlijnigheid wordt alleen doorbroken door de esplanade van de Place Carnot, waar de Neptunusfontein (1770) voor een vrolijke noot zorgt, en waar op dinsdag, donderdag en zaterdag een kleurrijke groentemarkt wordt gehouden. De hoge toren (15de eeuw) van de Église St-Vincent steekt overal bovenuit.

Musée des Beaux-Arts ⓥ - *Ingang: Rue de Verdun.*
In het Museum voor Schone Kunsten zijn schilderijen van 17de- en 18de-eeuwse Hollandse en Vlaamse meesters te bewonderen, die prachtig tentoongesteld zijn en harmoniëren met een collectie porselein. De regionale schilderkunst is vertegenwoordigd met grote portretten van Rigaud en Rivalz en met strijdtaferelen van de uit Carcassonne afkomstige schilder Jacques Gamelin (1738-1803). Er hangt ook een schilderij van Chardin, *Toebereidselen voor een middagmaal*. In het museum zijn ook herinneringen te vinden aan de familie De Chénier, die zich in de Languedoc gevestigd had: portretten van de dichter André de Chénier en van zijn moeder in Griekse klederdracht (de vader van André de Chénier was consul in Constantinopel geweest en was daar getrouwd). De schilderkunst uit de 19de eeuw is ruimschoots vertegenwoordigd door Courbet en een aantal andere schilders.

CASTELNAUDARY

10 970 inwoners
Michelinkaart nr. 82 vouwblad 20, of 235 vouwbladen 35, 39.

Door haar ligging aan het Canal du Midi is deze stad jarenlang een druk centrum van handelsverkeer geweest. Nu heeft de **pleziervaart** ⓥ deze rol gedeeltelijk overgenomen. Castelnaudary is bekend om zijn cassouletproductie en zijn potten- en steenbakkerijen.

Een beroemde veldslag - In de 17de eeuw was de vlakte waar de **Fresquel** doorheen stroomt het toneel van een beroemde veldslag: de Bataille du Fresquel.
Op initiatief van Richelieu wordt de Staten van de Languedoc (een symbool van de onafhankelijkheid van de provincie ten opzichte van de monarchie) het recht ontnomen belastingen te heffen. Henri de Montmorency, gouverneur van de provincie, stelt zijn zwaard in dienst van de Staten en op 1 september 1632 gaat hij bij Castelnaudary de strijd aan met het leger van de koning. Hij wordt gevangengenomen en op last van kardinaal Richelieu berecht en ter dood gebracht in Toulouse.

Thuries/IMAGES PHOTOTHÈQUE

Cassoulet.

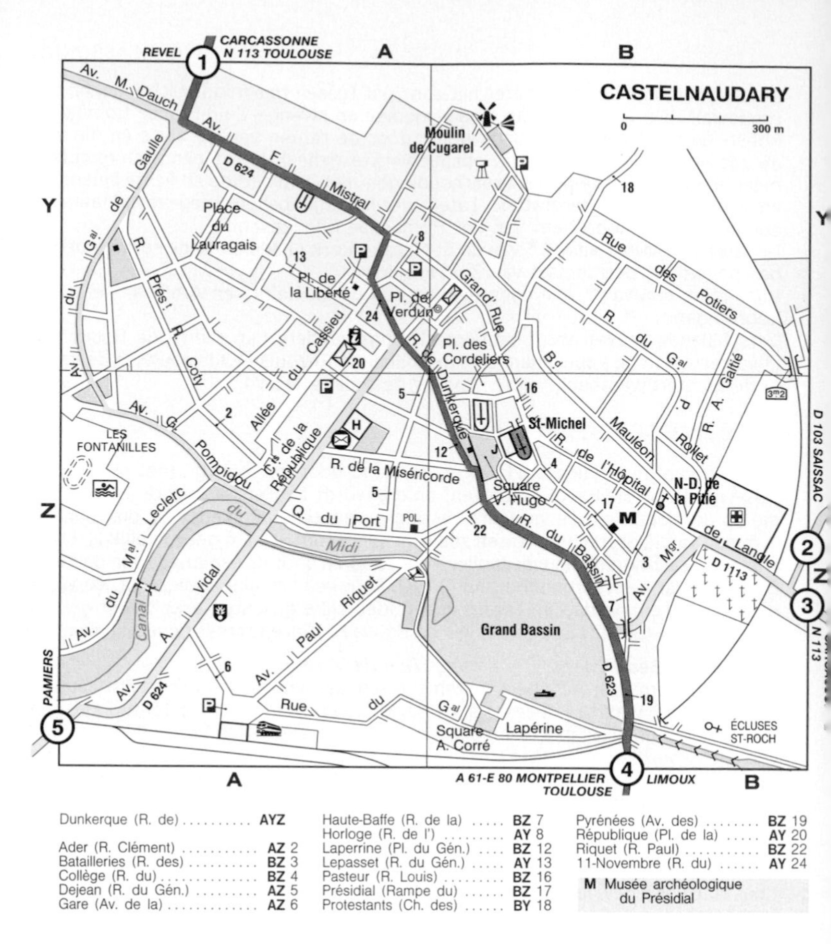

Dunkerque (R. de)	AYZ	Haute-Baffe (R. de la)	BZ 7	Pyrénées (Av. des)	BZ 19
		Horloge (R. de l')	AY 8	République (Pl. de la)	AY 20
Ader (R. Clément)	AZ 2	Laperrine (Pl. du Gén.)	BZ 12	Riquet (R. Paul)	BZ 22
Batailleries (R. des)	BZ 3	Lepasset (R. du Gén.)	AY 13	11-Novembre (R. du)	AY 24
Collège (R. du)	BZ 4	Pasteur (R. Louis)	BZ 16		
Dejean (R. du Gén.)	AZ 5	Présidial (Rampe du)	BZ 17		
Gare (Av. de la)	AZ 6	Protestants (Ch. des)	BY 18		

M Musée archéologique du Présidial

BEZIENSWAARDIGHEDEN

Église St-Michel (**BZ**) – Deze kerk werd in het begin van de 14de eeuw als kapittelkerk opgericht. Zeer de moeite waard zijn de klokkentoren, tevens poort, van 56 m hoog, de noordgevel waarin zich twee portalen bevinden (in gotische- en renaissancestijl) en waarin prachtige roosvensters te zien zijn. In de tweede kapel van het gotische schip rechts een mooi 16de-eeuws, uit steen gehouwen kruis. Het orgel uit de 18de eeuw is van Cavaillé-Coll.

Présidial (**BZ M**) – De rechtbank van de Sénéchaussée (baljuw) werd in de 16de eeuw gebouwd op de plaats van het kasteel waaraan de stad haar ontstaan dankt. Dit gebouw werd gedeeltelijk verwoest onder Lodewijk XIII en vervolgens hersteld en uitgebreid. Sinds de Revolutie was er aan de ene kant een school in gevestigd en aan de andere kant een gevangenis, die tot 1926 in gebruik was. Alleen het linkergedeelte van de voorgevel met drie kruisvensters stamt uit de 16de eeuw. In dit gebouw is het **musée archéologique du Présidial** ⏲ gevestigd, een archeologisch museum waar men een overzicht krijgt van de manier waarop de bewoning zich in dit gebied heeft ontwikkeld (woonvormen, dodensteden, plaatsen waar erediensten werden gehouden), vanaf de protohistorie, via het Gallo-Romeinse tijdperk en de middeleeuwen tot onze tijd toe. Ook is er een zaal gewijd aan verschillende regionale keramische producten en pottenbakkerstechnieken.

Chapelle Notre-Dame-de-la-Pitié (**BZ**) – In deze kapel vindt men een mooie reeks vergulde houten panelen uit de 18de eeuw waarop – zonder enige chronologische volgorde – tien episoden uit het leven van Christus te zien zijn.

Le Grand Bassin (**BZ**) – Dit bassin wordt gevoed door het Canal du Midi en vormt zowel een stuwmeertje als een wateroppervlak voor pleziervaart.

Moulin de Cugarel ⏲ (**BY**) – Aan het begin van de 20ste eeuw waren er nog een tiental molens in bedrijf op de heuvels boven Castelnaudary. Vanaf de Moulin de Cugarel op de hoogte van Pech heeft men een mooi uitzicht over de vlakte van de Lauragais. De molen dateert uit de 17de eeuw en is gerestaureerd; ook de draaibare kap en het oude maalsysteem zijn in hun vroegere staat teruggebracht. Castelnaudary was vroeger ook belangrijk voor de meelindustrie; de maalderijen werden aangedreven door het water van het Canal du Midi.

►► In de omgeving: St-Papoul, abdij ⏲ – Seuil de Naurouze, zie onder Naurouze.

CASTRES*

44 811 inwoners
Michelinkaart nr. 83 vouwblad 1, of 235 vouwblad 31.

Castres is gebouwd op de oevers van de Agout. Op deze rivier kunnen tochtjes worden gemaakt per trekschuit (**promenades en coche d'eau**) ⊙. De stad is een geschikt uitgangspunt voor excursies naar de Sidobre, de Monts de Lacaune en de Montagne Noire.
Door de strakke, sobere gevels en het uitgestrekte industrieterrein van Melou en La Chartreuse in het zuidwesten, maakt de stad een bedrijvige indruk.
De economie van de streek wordt bepaald door de textielindustrie. Evenals in Mazamet en Labastide, leeft in Castres nog steeds de traditie voort van de "peyrats", ontstaan in de 14de eeuw. De wevers, die tevens boer waren, verwerkten de wol van hun schapen; de ververs gebruikten meekrap en wede, planten die in de omringende vlakten verbouwd werden en hun de kleurstoffen leverden. Aan die welvaart kwam een einde door de godsdienstoorlogen en door de moeilijke tijden die volgden op de herroeping van het Edict van Nantes. De stad kwam pas weer tot bloei in de 18de eeuw dankzij de jaarmarkten.
Tegenwoordig heeft Castres met de streek eromheen nog steeds de belangrijkste productie in Frankrijk van gekamde wol en is de stad, na Roubaix-Tourcoing, de een na belangrijkste plaats voor de wolindustrie.
Het is een centrum van ateliers en fabrieken, o.a. voor gebreide artikelen, gespecialiseerde spinnerijen en werkplaatsen waar stoffen worden geverfd en geappreteerd. De stad telt 35 000 spinspillen en 600 weefmachines, die samen meer dan 8 000 ton garen spinnen en 8 miljoen meter kledingstof produceren.
Naast de traditionele activiteiten van de textiel- en de leerindustrie zijn andere industrieën ontstaan op het gebied van houtverwerking, mechanica, chemische en farmaceutische producten, graniet en in zout geconserveerde levensmiddelen.
Het Parc de Gourjade ten noorden van de stad is voor recreatiedoeleinden aangelegd (kampeer- en golfterrein).

UIT DE GESCHIEDENIS

Castres is aanvankelijk ontstaan op de rechteroever van de Agout rondom een kamp dat door de Romeinen werd opgeslagen om de rust te herstellen in het Gallische Rutenië, en groeide later verder uit rond een benedictijnenklooster dat in de 9de eeuw was gesticht. In de 10de eeuw kwam Castres onder de heerschappij van de burggraven van Albi en Lautrec, maar al in de 11de eeuw kreeg het van de burggraaf van Albi recht tot zelfbestuur met de instelling van een raad van "consuls" of "capitouls".
De stad, die zich afzijdig had gehouden van de kathaarse ketterij en zich aan Simon de Montfort had onderworpen, leed ernstig onder de godsdienstoorlogen. De Reformatie kreeg er veel aanhangers en vanaf 1563, toen de consuls het katholicisme hadden afgezworen, werd Castres een stad van hugenoten. De Vrede van Alès, de troonsbestijging van Hendrik IV en de afkondiging van het Edict van Nantes maakten een eind aan de onrust.
Maar de gewelddadigheden die deze periode hadden gekenmerkt, bleven nog lang voortduren.
Zo moesten de protestanten zich na de Herroeping van het Edict van Nantes opnieuw schuilhouden en tijdens de Revolutie ontaardden politieke botsingen vaak in godsdiensttwisten.

Jean Jaurès – Deze grote staatsman wordt op 3 september 1859 in Castres geboren en brengt een groot deel van zijn jeugd door in Saïx, een klein dorpje aan de Agout, ten zuidwesten van Castres. Hij is leerling aan het lyceum dat later naar hem wordt genoemd; vervolgens studeert hij aan de École normale supérieure in Parijs. Hij wordt filosofieleraar aan het lyceum in Albi en doceert aan de universiteit van Toulouse.
Jaurès voelt zich tot de politiek aangetrokken en wordt in 1885 eerst gekozen tot afgevaardigde van de republikeinen voor het departement Tarn en later tot socialistisch afgevaardigde van Carmaux, waar hij zich in 1893 aan de zijde van de mijnwerkers schaart.
Zijn stellingname ten gunste van Dreyfus leidt tot een verkiezingsnederlaag. Kort na de oprichting van de verenigde socialistische partij (S.F.I.O.) in 1905 wordt hij toch de leider van de socialisten. Als de oorlog nadert, laat hij zijn invloedrijke stem horen in een pleidooi voor vrede en spant hij zich in voor een verbroedering van de volkeren over de grenzen heen. Op 31 juli 1914 wordt hij in het Café du Croissant in Parijs vermoord. Zijn stoffelijk overschot is in 1924 naar het Panthéon in Parijs overgebracht.

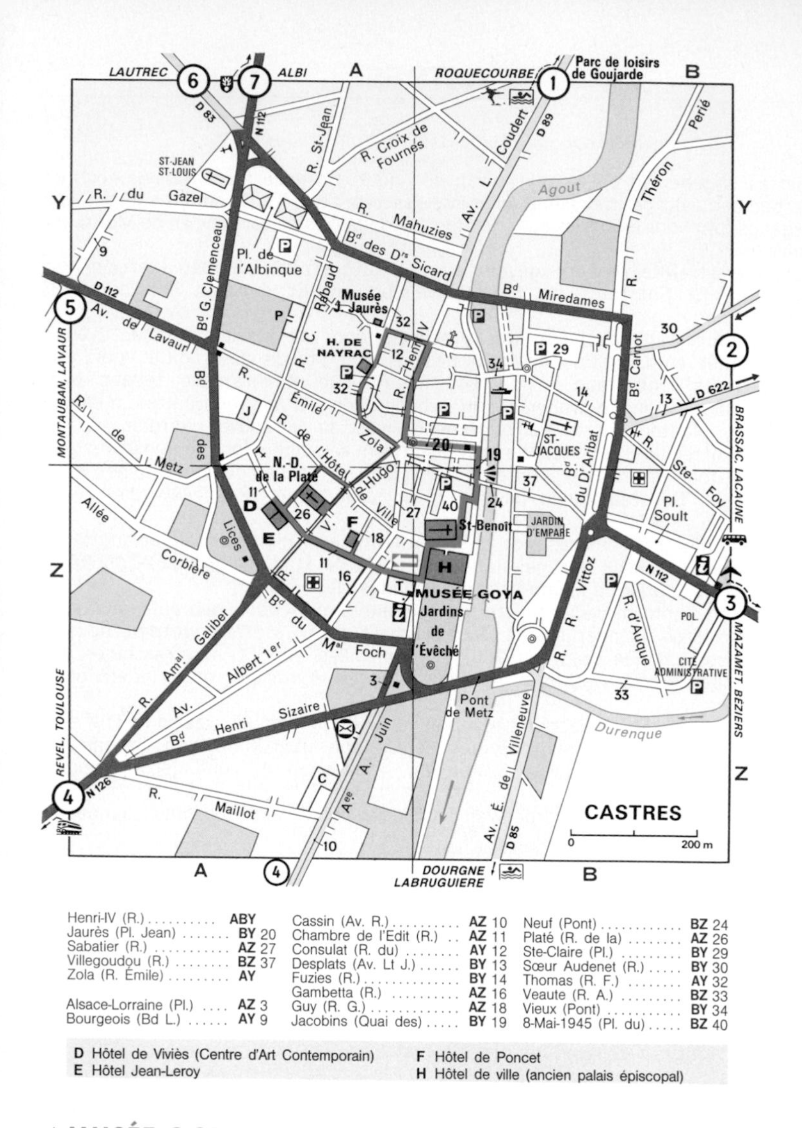

Henri-IV (R.)	ABY	Cassin (Av. R.)	AZ 10	Neuf (Pont)	BZ 24
Jaurès (Pl. Jean)	BY 20	Chambre de l'Edit (R.)	AZ 11	Platé (R. de la)	AZ 26
Sabatier (R.)	AZ 27	Consulat (R. du)	AY 12	Ste-Claire (Pl.)	BY 29
Villegoudou (R.)	BZ 37	Desplats (Av. Lt J.)	BY 13	Sœur Audenet (R.)	BY 30
Zola (R. Émile)	AY	Fuzies (R.)	BY 14	Thomas (R. F.)	AY 32
		Gambetta (R.)	AZ 16	Veaute (R. A.)	BZ 33
Alsace-Lorraine (Pl.)	AZ 3	Guy (R. G.)	AZ 18	Vieux (Pont)	BY 34
Bourgeois (Bd L.)	AY 9	Jacobins (Quai des)	BY 19	8-Mai-1945 (Pl. du)	BZ 40

D Hôtel de Viviès (Centre d'Art Contemporain)
E Hôtel Jean-Leroy
F Hôtel de Poncet
H Hôtel de ville (ancien palais épiscopal)

★ MUSÉE GOYA (BZ) ⏲ *bezichtiging: een uur*

Dit museum bevindt zich op de tweede verdieping van het stadhuis in het vroegere bisschoppelijk paleis *(zie verderop)*.

Het museum herbergt talrijke werken van Spaanse schilders en het is vooral bekend door zijn buitengewone collectie **werken van Goya★★**, die in 1893 geschonken zijn door de zoon van Marcel Briguiboul, een verzamelaar en schilder uit Castres.

Een ruime zaal, waarvan het plafond rust op een fries van medaillons met daarin de wapenschilden van de bisschoppen van Castres, bevat 16de-eeuwse wandtapijten en een mooie schouw van rood marmer uit Caunes-Minervois *(ten zuidoosten van Castres)*.

In de zaal ernaast zijn 14de-eeuwse Spaanse primitieven tentoongesteld; vervolgens komt men in drie zalen die zijn gewijd aan de 17de eeuw, de "gouden eeuw" voor Spanje met werken van Murillo, Valdès Leal en Ribera.

De werken van Goya zijn in drie zalen bijeengebracht. Francisco de Goya y Lucientes werd in 1746 geboren in Fuendetodos, ten zuiden van Zaragoza; in 1786 werd hij benoemd tot hofschilder en kreeg toen de opdracht talrijke hooggeplaatste personen te portretteren.

In de hier bij elkaar gebrachte schilderijen en gravures zijn de verschillende stadia van zijn ontwikkeling terug te vinden.

In de eerste zaal valt een schilderij van buitengewone afmetingen op, *De Junta van de Filippijnen, voorgezeten door Ferdinand VII*, dat omstreeks 1814 geschilderd is en waarvan de voorstelling een zeer matte indruk maakt. De schilder heeft de nadruk gelegd op de ovaalvormige rugleuningen van de zetels en de koning en zijn raadsheren vastgelegd in een verstarde houding, die iedere vorm van menselijkheid mist. De indruk van logge onbeweeglijkheid wordt nog

versterkt door grote geometrische vlakken die kil aandoen, terwijl het gezelschap zit te dommelen, geeuwt van verveling en zich belangrijk voordoet.
Zijn zelfportret met bril en het portret van Francisco del Mazo laten zien dat Goya gezichtsuitdrukkingen goed kon weergeven.
Zijn gravures hangen in twee kleine zaaltjes.
In vitrines hangt de serie *De verschrikkingen van de oorlog*, waartoe hij door de Onafhankelijkheidsoorlog van 1808-1814 werd geïnspireerd. Aan de muur hangen *De grillen*, de tweede druk van een verzameling van 80 etsen die in 1799 zijn gemaakt. Uit deze serie komen de eenzaamheid en de overpeinzingen van Goya, die sinds 1792 aan doofheid leed, sterk naar voren.

Lauros/GIRAUDON

Goya - Zelfportret.

Goya heeft voor zijn met heksen en monsters bevolkte afbeeldingen thema's gekozen als de vergankelijkheid van jeugd en schoonheid, de ijdele behaagzucht van vrouwen, de onrechtvaardigheid van een maatschappij waarin arme mensen door ezels worden onderdrukt; andere thema's zijn de afkeer van mensen tegen de Inquisitie die hen vervolgt of de vervreemding van hen die vastzitten aan allerlei bijgeloof.
De kritische hofschilder liep het risico zich problemen op de hals te halen; hij schonk de koperplaten van *De grillen* dan ook aan Karel IV, waardoor er een einde kwam aan de verkoop van de prenten.

HET OUDE CASTRES *bezichtiging: anderhalf uur*

Vertrek vanaf het theater.

Het theater ligt tegenover prachtige **Franse tuinen**, die in 1676 ontworpen zijn door Le Nôtre.

Hôtel de ville (**BZ H**) - Het stadhuis is gevestigd in het voormalige **bisschoppelijk paleis** (Castres was van 1317 tot 1790 de zetel van een bisdom), dat in 1669 gebouwd is naar een ontwerp van Mansart. Als men de binnenplaats opkomt, ziet men rechts de **Tour St-Benoît**, een zware, Romaanse constructie met een sierlijk portaal. Deze toren is het enige overblijfsel van de vroegere St-Benoît-abdij.

Cathédrale St-Benoît (**BZ**) - Deze kathedraal, gewijd aan de H. Benedictus van Nursia, is gebouwd op de plaats waar de abdij stond die in de 9de eeuw door de benedictijnen was gesticht. In 1677 werd de bouw aan de architect Caillou opgedragen; hij bouwde het koor en Eustache Lagon nam het werk in 1710 over.
De barokke kathedraal is indrukwekkend door haar zeer ruime afmetingen. Het baldakijn van het hoofdaltaar rust op zuilen van marmer uit Caunes; erboven hangt een schilderij dat de Verrijzenis van Christus voorstelt, een werk van Gabriel Briard (1725-1777).
Rondom het koor staan vier laat-17de-eeuwse marmeren beelden. De zijkapellen bevatten een kostbare verzameling schilderijen, afkomstig uit het kartuizerklooster van Saïx. De meeste werken zijn van de hand van de Chevalier de Rivalz, een 18de-eeuwse schilder uit Toulouse.

De Place du 8-mai-1945 oversteken.

Op dit plein bevindt zich aan de kant van de koorsluiting van de kathedraal een mooie galerij; bij de bouw daarvan zijn de zuilen van de vroegere kloostergang gebruikt.
Op het plein zijn enkele huizen met vakwerk gerestaureerd.

Quai des Jacobins (**BYZ 19**) - Vanaf deze kade en vanaf de Pont Neuf heeft men een mooi **uitzicht** op de huizen langs de Agout.
In de middeleeuwen lieten wevers en lakenververs deze woningen bouwen boven grote stenen kelders, die rechtstreeks op de rivier uitkwamen. Hun heldere kleuren weerspiegelen zich in het water en geven een prachtig harmonieus beeld, vooral als men ze vanuit een trekschuit bewondert *(zie begin beschrijving Castres).*

Place Jean-Jaurès (**BY 20**) - De prachtige, goed onderhouden gevels (de meeste gebouwen op dit plein dateren uit de eerste helft van de 19de eeuw) vormen een mooi geheel. Het standbeeld van Jean Jaurès, gemaakt door Gaston Pech, beheerst het hele beeld van het plein; de fontein ertegenover is een kopie op kleine schaal van een van de fonteinen van de Place de la Concorde in Parijs. Elke dag, behalve maandag en woensdag, wordt op het plein een kleurrijke markt gehouden.

Het Place Jean-Jaurès oversteken, rechts de Rue Henri-IV inslaan en vervolgens links de Rue du Consulat.

Centre national en Musée Jean-Jaurès (**AY**) ⓥ - Dit museum is behalve aan het leven en het werk van de grote staatsman ook gewijd aan maatschappelijke thema's en vraagstukken uit het einde van de 19de en het begin van de 20ste eeuw. In het gebouw bevindt zich tevens een documentatiecentrum over de geschiedenis van het socialisme; ook worden er symposia en wisselende tentoonstellingen gehouden.

★ **Hôtel de Nayrac** (**AY**) - *Rue Frédéric-Thomas 12.*
Dit prachtige herenhuis is opgetrokken uit natuur- en baksteen; het is een mooi voorbeeld van de 16de-eeuwse renaissancestijl uit Toulouse. Rondom een binnenplaats zijn de drie gevels met kruisvensters met elkaar verbonden door twee hoektorens, waarvan de gewelven op trompen rusten.

De Rue Emile-Zola en de Rue Victor-Hugo volgen.

Église N.-D.-de-la-Platé (**AZ**) - Dit barokke bouwwerk werd in de jaren 1743-1755 herbouwd. In het midden van het hoofdaltaar bevindt zich een prachtig beeld van marmer uit Carrara, dat de Maria-ten-Hemelopneming voorstelt. Het wordt toegeschreven aan twee Italiaanse kunstenaars, I. en A. Baratta, leerlingen van Bernini. In de ruimte met de doopvonten ziet men de Doop van Christus. Tegenover het altaar bevindt zich het mooie 18de-eeuwse orgel.

Terugkeren en links de Rue de l'Hôtel-de-Ville inslaan.

Op nr. 31 kan men een rondboogdeur bewonderen met gegroefde zuilen waarboven een fronton met gebeeldhouwde wapens (pistool, sabel, kanon, enz.) is aangebracht.

Links de Rue de la Platé inslaan.

Hôtel de Viviès (**AZ D**) - *Rue du Chambre-de-l'Édit 35.*
Door een monumentale poort komt men op een binnenplaats van een 16de-eeuws gebouw met een vierkante hoektoren. In dit patriciërshuis is het **Centre d'Art Contemporain** (Centrum voor Hedendaagse Kunst) ⓥ gevestigd.

De Rue Chambre-de-l'Édit voert terug naar het theater.

►► Hôtel Jean-Leroy (**AZ E**) - Hôtel de Poncet (**AZ F**).

CASTRIES★

3 992 inwoners
Michelinkaart nr. 83 vouwblad 7, of 240 vouwblad 23.
12 km ten noordoosten van Montpellier.

De heuvel waarop het dorp Castries en het imposante kasteel zijn gebouwd, rijst op temidden van de garrigue.

★ **Château de Castries** ⓥ - Dit kasteel is in de 16de eeuw gebouwd door Pierre de Castries (uitspreken: Kastre) op dezelfde heuvel waar al eerder een Romeins legerkamp en daarna een gotisch kasteel hadden gestaan. Het huidige kasteel in renaissancestijl is nog steeds eigendom van de familie De Castries. Er is een heel groot voorplein waarop een borstbeeld van Lodewijk XIV prijkt, gemaakt door Puget. Een van de vleugels werd helaas tijdens de godsdienstoorlogen verwoest; de stenen werden gebruikt voor de aanleg van een reeks terrassen die naar de door Le Nôtre ontworpen tuinen voeren.
Binnen leidt een statige trap, waarlangs doeken uit de school van Boucher (1760) hangen, naar de grote zaal van de Staten van de Languedoc. Daar is een groot schilderij te zien dat herinnert aan de vergaderingen die er werden gehouden. Verder staat er ook een prachtige Zuid-Duitse kachel met plateelwerk en een tafelblad van Meissen-porselein (eind 18de, begin 19de eeuw) dat het Parisoordeel voorstelt.
In de bibliotheek kan men mooie familieportretten bewonderen, evenals prachtig ingebonden boeken. In de eetzaal staat een olijfhouten buffet in Provençaalse Louis-XV-stijl; ook hangt er een schilderij van Rigaud, dat kardinaal De Fleury voorstelt. In de keuken is linnengoed te zien.
Als men, na het kasteel te hebben bezocht, vanaf de N 110 de D 26 naar Guzargues neemt, heeft men een mooi **uitzicht** op het **aquaduct** dat is gebouwd door Riquet (die ook het Canal du Midi heeft aangelegd) om het kasteel van water te voorzien.

Le CAYLAR

339 inwoners
Michelinkaart nr. 80 vouwblad 15, of 240 vouwblad 18.
Schema, zie onder Grands Causses.

Caylar betekent rots en dit dorp dankt zijn naam dan ook aan de grillige rotsen die erboven verrijzen. Uit de verte doet het geheel denken aan een imposante vestingstad met grote donjons. Van dichterbij is echter te zien dat dit "kasteel" in feite bestaat uit door water uitgesleten rotsen.

Kerk – In deze kerk zijn een 16de-eeuws houten Christusbeeld en (in de Mariakapel) een fraai bewerkt 15de-eeuws stenen altaarstuk te bewonderen, waarop taferelen uit de jeugd van Christus zijn afgebeeld.

Tour de l'Horloge – Deze toren is een overblijfsel van de oude versterkingswerken.

Oude huizen – Enkele van deze huizen bezitten nog 14de- en 15de-eeuwse ramen en deuren.

Chapelle du Rocastel – Deze kleine Romaanse kapel, gebouwd op de helling van de Rocastel tussen de rotsen boven het dorp, bevat een stenen altaar uit de 12de eeuw. De kapel maakte deel uit van de vesting die op last van Richelieu werd afgebroken; alleen een stuk muur is daar nog van over.
Vanaf de hoogste rots heeft men een aardig uitzicht over de uitgestrekte dolomietrotsen.

La CERDAGNE★

Michelinkaart nr. 86 vouwbladen 15, 16, of 235 vouwbladen 50, 51, 54, 55.

De Cerdagne, "meitat de Franca, meitat d'Espanya" (half Frans, half Spaans), een streek die gekenmerkt wordt door een gelijkmatig reliëf, ligt in de Oostelijke Pyreneeën. Deze dalkom bestrijkt het hoger gelegen stroomgebied van de Sègre, een zijrivier van de Èbre, tussen de St-Martin-bergpas (ca. 1 000 m) en de Col de la Perche (1 579 m). Deze zonnige en goed beschutte kom maakt een vredige en landelijke indruk; het in een gouden licht badende landschap doet denken aan een lappendeken van weilanden en cultuurgrond, waar beekjes met aan weerszijden elzen en wilgen doorheen stromen.
In het Tertiair was dit bekken gevuld met een groot meer. Eromheen liggen machtige bergen: in het noorden is aan de zonzijde (**soulane** in het plaatselijke dialect) het Massif du Carlit met zijn granietrotsen te zien (2 921 m); in het zuiden, aan de schaduwzijde (**ombrée**), de kleine keten van Puigmal (2 910 m), die in de lengte doorsneden wordt door diepe ravijnen, begroeid met dennenbossen.
Veeteelt en wintersport (Font-Romeu) vormen de belangrijkste middelen van bestaan in deze streek.

De bakermat van de Catalaanse staat – Nadat de Roussillon en Catalonië heroverd waren op de Moren, werd de Cerdagne een kleine bergstaat die zich steeds meer losmaakte van het Frankische bewind in het Spaanse grensgebied.
Een van de landheren uit het gebied, Wilfred le Velu, kreeg in 878 de heerschappij over de graafschappen Barcelona en Gerona. In de 10de eeuw waren zijn erfgenamen in feite heer en meester in hun graafschap en heersten over de Sègre-vallei, de Capcir, de Conflent, de Fenouillèdes en de hoogvlakte van de Roussillon. Dit geslacht stierf in 1117 uit. Het staatje, dat vanaf die tijd vanuit Barcelona werd bestuurd door de Catalaanse koningen van Aragon, raakte toen zijn oorspronkelijke karakter kwijt.
De herinnering aan de graven van Cerdagne leeft voort in de kerkelijke geschiedenis en de monumenten: Wilfred le Velu stichtte de abdijen van Ripoll en San Juan de las Abadesas, evenals het bisdom Vic; in de 11de eeuw breidde graaf Guifred de abdij van St-Martin-du-Canigou uit; zijn broer, abt Oliva, een groot bouwmeester en verlichte geest, maakte Ripoll en St-Michel-de-Cuxa tot culturele centra die hun weerga niet kenden.
In de plaatsen Corneilla-de-Conflent, Hix en Llivia herinneren mooie kerken nog aan hun verleden als "hoofdstad".

Het Franse gedeelte van de Cerdagne – Bij de Vrede van de Pyreneeën werd in 1659 de nieuwe Frans-Spaanse grens in de Cerdagne niet tot in details vastgelegd, aangezien men het er nog niet over eens was geworden welke bergen de natuurlijke grens tussen beide landen zouden vormen. Het verdrag dat de Cerdagne zou verdelen, werd in 1660 in **Llivia** getekend. Daarbij werd bepaald dat Spanje het graafschap behield, met uitzondering van de Carol-vallei en een strook land waardoor de onderdanen van de Franse koning een verbinding hielden tussen de Carol-vallei, de Capcir en de Conflent.
In ruil daarvoor moest Spanje 33 dorpen afstaan aan Frankrijk; de keuze werd gemaakt uit de plaatsjes die het dichtst bij de grens liggen. Llivia, dat als "stad" werd beschouwd, ontsnapte echter aan die regeling en bleef Spaans. Sindsdien vormt deze stad een enclave op Frans grondgebied.

★★ 1 VALLÉE DU CAROL

van de Col de Puymorens tot Bourg-Madame

27 km - ongeveer een uur

Als men het hooggelegen dal van de Ariège verlaat, komt men in een steeds dieper dal.

★ **Col de Puymorens** - *Zie onder Ariège.*

Op deze pas verandert het landschap. Hier ligt de grens van de waterscheiding: het water van de Ariège, een zijrivier van de Garonne, stroomt naar de Atlantische Oceaan, en dat van de Sègre, een zijtak van de Èbre, stroomt richting Spanje.
Als men de weg naar beneden afrijdt, heeft men na een brug over een lawinegang, een mooi uitzicht op het dorp Porté-Puymorens, dat tegen de zonhelling ligt, het Carol-dal dat er hier wat minder onherbergzaam uitziet en de barrière van rotsblokken waarboven de ruïne van de Tour Cerdane verrijst.
De weg duikt het Font-Vive-dal in, waarboven de toppen van de Col Rouge en de eerste steile hellingen van de Pic Carlit (2 921 m) te zien zijn.
Voorbij Porté wringt de weg zich door de bergengte van de Faou. Links heeft men een aardig uitzicht op het dorpje Carol en de ruïnes van twee torens die achter het viaduct liggen. In de buurt van Enveitg wordt de nauwe, ingesloten weg weer breder en komt uit op een vruchtbare hoogvlakte (gemiddelde hoogte: 1 200 m). De bergtoppen die om de vlakte heen liggen, lijken hierdoor minder hoog.
Voordat men in Bourg-Madame komt, is links het Grand Hôtel van Font-Romeu te zien, en daarvoor de "stad" Llivia, de Spaanse enclave. Puigcerdà ligt rechts boven op een heuvel.

Bourg-Madame - In 1815 heeft de graaf van Angoulême dit stadje Bourg-Madame genoemd, ter ere van zijn vrouw, Madame Royale. De graaf keerde via deze route naar Frankrijk terug na een verblijf in Spanje, waar hij na de val van Napoleon heen was gevlucht. Al eerder had het gehucht Guingettes d'Hix handig gebruik weten te maken van zijn gunstige ligging aan het grensriviertje de Rahur om zijn bedrijvigheid (nijverheid, marskramerij en smokkel) uit te breiden.

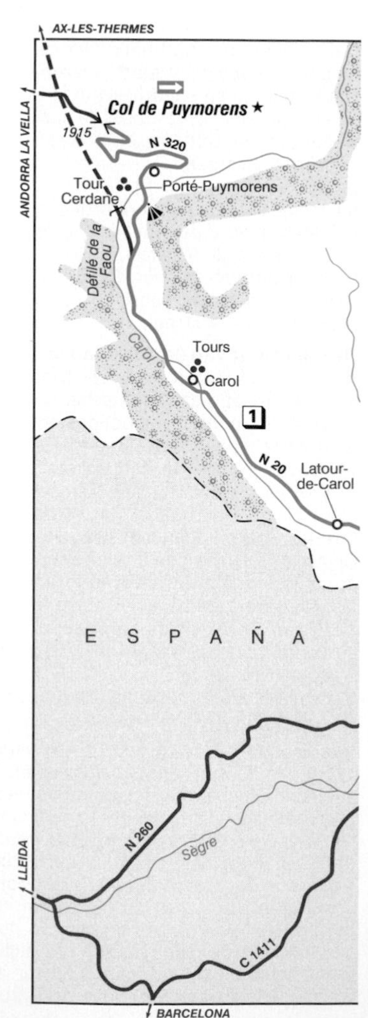

★ 2 ROUTE DE LA SOULANE (WEG LANGS DE ZONZIJDE)

van Bourg-Madame naar Mont-Louis

36 km - ongeveer twee uur

Bourg-Madame - *Zie hierboven.*

Bourg-Madame in noordelijke richting uitrijden (N 20). Bij Ur rechtsaf de D 618 nemen en bij Villeneuve-des-Escaldes linksaf de D 10.

Dorres - In de **kerk** *(zelden geopend voor bezichtiging)* kan men op het linkerzijaltaar een mooi voorbeeld zien van de overvloedig versierde beelden die getuigen van een typisch Catalaanse smaak: een "soledat" (Maria, Moeder van Smarten); in de kapel rechts, achter een hek, staat een indrukwekkend beeld van een Zwarte Maagd. Voorbij Hotel Marty begint een verharde weg die *(een halfuur heen en terug, te voet)* naar een zwavelhoudende bron (41°C) voert. Zowel de inwoners zelf als de zomergasten komen hier in de openlucht kuren.

Terugrijden naar de D 618.

Angoustrine - Te voet omhoog naar de Romaanse **kerk** ⌚ om daar de prachtige **altaarstukken**★ te bewonderen. Vooral het altaarstuk gewijd aan de H.-Martinus is de moeite waard: in de middelste nis ziet men een ruiter en op de beschilderde panelen o.a. de wonderbaarlijke redding door de H. Martinus van een zeeman en een gehangene. De weg, die vlak boven het dal is aangelegd, loopt met scherpe bochten omhoog en biedt een steeds weidser uitzicht over de vlakte.

Chaos de Targasonne – De enorme opeenstapeling granietblokken die in het Kwartair door gletsjers hier terecht zijn gekomen, vormt door haar grillige vormen een boeiend schouwspel.
Op 2 km afstand van de Chaos de Targasonne heeft men een fraai uitzicht op de bergen aan de grens, van de Canigou tot de Puigmal, en op de bergen van de Sierra del Cadi, die veel grilliger van vorm zijn. Op de schaars begroeide hellingen van de Soulane grazen kudden schapen.

Odeillo – In het zomerseizoen (als het vee in de wei staat, d.w.z. van juni tot en met september), kan in deze kerk een 15de-eeuws Mariabeeld (Vierge de l'Ermitage) bewonderd worden. De overige maanden wordt dit beeld vervangen door een 13de-eeuws beeld van Maria met Kind, de Maagd van Font-Romeu.
De **four solaire** ⓥ is een zonneoven, waarvan de concave spiegel de zonnestralen die op de de helling van de Soulane schijnen, weerkaatst; hij is in 1969 in gebruik genomen. Boven elkaar staan langs de helling 63 spiegels opgesteld die op de zon gericht kunnen worden en die de zonnestralen weerkaatsen op de parabolische spiegel van 1 800 m² die uit 9 500 segmenten bestaat.
De zonne-energie (1 000 thermische kW) wordt hier geconcentreerd op een ruimte van 80 cm doorsnee waar de temperatuur kan stijgen tot boven de 3 500°C. Door deze installatie kunnen hittebestendige verbindingen, mineralen en nieuwe proefmaterialen aan thermische schokken worden blootgesteld.

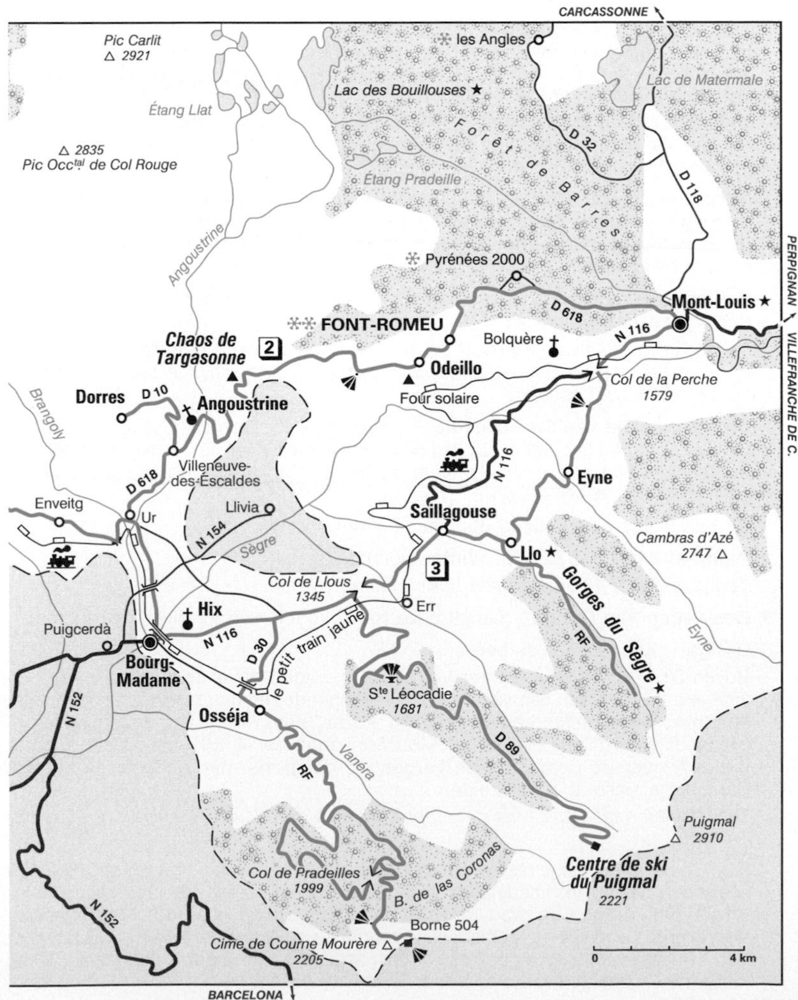

Nu nadert men de bebouwde kom van Font-Romeu. Behalve het indrukwekkende Grand Hôtel, is nu ook het monument van Christus Koning te zien. In de verte, bij het begin van de Perche, aan het uiterste eind van de bergketen die boven de rechteroever van de Têt ligt, tekent de Canigou zich af.

✶✶ **Font-Romeu** - *Zie onder deze naam.*

De weg loopt door het dennenbos van **Bolquère**, een schilderachtig dorpje, waarvan men de kerk op een uitstekende rots kan zien liggen. Men komt bij de hoogvlakte van Mont-Louis aan, van waaruit de vallei van de Aude en de Conflent bereikt kunnen worden.

★ **Mont-Louis** - *Zie onder deze naam.*

3 ROUTE DE L'OMBRÉE (WEG LANGS DE SCHADUWZIJDE)

Van Mont-Louis naar Bourg-Madame *112 km - een halve dag*

Vanuit Mont-Louis komt men via de N 116 bij de grazige weiden van de Col de la Perche, waar de stroomdalen van de Têt (Conflent) en de Sègre (Cerdagne) op 1 579 m hoogte bij elkaar komen. In het zuiden verrijst de Cambras d'Azé met zijn bijzonder regelmatig gevormde gletsjerkom. Naarmate men de weg naar Eyne omhoogrijdt langs de hooggelegen velden, wordt het **panorama**★ over de Cerdagne steeds weidser; van links naar rechts ziet men de Sierra del Cadi, met haar vrij grillige toppen, Puigcerdà, gelegen op een morenenheuvel die uit het dal oprijst, het gebergte op de grens met Andorra (Pic de Campcardos) en het Massif du Carlit.
De weg komt nu dicht in de buurt van het einde van de vier dalen die het Massif du Puigmal doorsnijden: de dalen van Eyne, Llo, Err en Osséja.

Eyne - Mooi uitzicht op de omgeving en het tegen de heuvel gebouwde dorpje. Vanaf de slingerende weg naar beneden ziet men de ruigere omgeving van Llo.

★ **Llo** - Een pittoresk dorpje dat trapsgewijs tegen de steile hellingen is gebouwd aan het einde van een ravijn dat in verbinding staat met de Sègre. Een zogenaamde atalaye of uitkijktoren neemt een prominente plaats in het landschap in.
Het kerkportaal van de lager gelegen Romaanse kerk heeft in het midden van het portaal een boogronding die met motieven in de vorm van spijkerkoppen, spiralen en mensenhoofden is versierd.

★ **Gorges du Sègre** - Vertrekken bij de kerk van Llo. De Sègre komt uit het Massif du Puigmal stromen door kloven die begaanbaar zijn tot aan de derde brug over de bergstroom. In het voorbijgaan is vanaf de dalkant een opmerkelijk puntige rots te bewonderen.

Saillagouse - Een van de plaatsen waar de vermaarde vleeswaren uit de streek Cerdagne vandaan komen.

Na de Col de Llous, links de D 89 nemen naar de wintersportplaats Puigmal: bij de rand van het bos aangekomen, direct na een scherpe bocht, rechts de verharde bosweg opgaan.

Oriëntatietafel van Ste-Léocadie - 1 681 m. Deze bevindt zich iets onder aan de weg links, bij het begin van de bocht. **Panorama**★ over de Cerdagne, tegenover de doorkijk van de Carol-vallei waar de Pic de Fontfrède verrijst.

Terug naar de D 89 en rechts afslaan.

De bergweg loopt omhoog door het Err-dal.

Puigmal 2900 - 2 221 m. Wintersportplaats.

Terug op de N 116 tweemaal links afslaan (D 30).

★ **Boswegen van Osséja** - Langs deze route liggen talrijke picknickplaatsen.

Osséja - Kuuroord in de bergen.

Boven Osséja niet de weg naar Valcebollère volgen maar de bosweg inslaan die zich aan de rand van een van de grootste alpendennenbossen van de Pyreneeën afsplitst. Door rechts aan te houden, komt men via de Col de Pradeilles bij grenspaal 504 (Cime de Courne Mourère, ongeveer 2 205 m) op de Puigmal. **Uitzicht**★ over de Cerdagne, de bergen op de grens met Andorra en over de Catalaanse siërra's in het zuiden.

Terugrijden naar Osséja via de andere tak van de bosweg en bij de N 116 links afslaan.

Hix - Deze voormalige residentie van de graven van Cerdagne was tot in de 12de eeuw een belangrijk handelscentrum. Hix verviel tot een gehucht toen koning Alfons van Aragon de stad in 1177 liet verplaatsen naar de "Mont Cerdan" (Puygcerdà), een veiliger gebied, en veranderde in 1815 vooral van karakter, toen het "Quartier des Guinguettes" werd afgescheiden onder de naam Bourg-Madame en het gemeentehuis daar kwam te staan.

In de kleine Romaanse **kerk** ⓥ zijn twee mooie kunstwerken te zien. Het grote altaarstuk rechts, dat in de 16de eeuw geschilderd is en aan de H. Martinus werd gewijd, bevat een zittende H. Maagd die stamt uit de 13de eeuw.

Op de predella zijn van links naar rechts te zien: de H. Helena, de Maagd Maria, Christus, de H. Johannes en de H. Jacobus de Oudere. Het Romaanse beeld van Christus met loshangend haar straalt grote mildheid uit.

Bourg-Madame - *Zie hierboven.*

Le petit train jaune (het gele treintje) ⓥ: ***De toeristische tocht door de Cerdagne kan worden aangevuld met een rit over het smalspoortraject van de Franse Spoorwegen (SNCF): Latour-de-Carol-Villefranche-Vernet-les-Bains. De treinen rijden volgens dienstregeling. Het traject van Mont-Louis naar Olette (Haut Conflent), dat o.a. over de Pont Gisclard en het Séjournéviaduct loopt, is het mooist.***

J.-D. Sudres/SCOPE

Het gele treintje op het Viaduc Séjourné.

CÉRET★

7 285 inwoners

Michelinkaart nr. 86 vouwblad 19, of 235 vouwblad 45 - Schema, zie onder Boulou.

Céret, dat in de Vallespir ligt, is met zijn "corridas" en "sardanas" (stierengevechten en Catalaanse dansen) een stad die de Catalaanse tradities ten noorden van de Pyreneeën in ere houdt. De omgeving is rijk aan boomgaarden die kunstmatig bevloeid worden, waardoor het stadje een levendige handel in primeurs heeft: vanaf half april zijn de kersen er al rijp en zij worden dan ook als eerste op de Franse markt gebracht. In het stadje bloeit tegenwoordig ook de ambachtskunst.

De "school van Céret" - In het begin van deze eeuw vestigde de Catalaanse kunstenaar Manolo Hugué (1872-1945), een vriend van Picasso, zich in Céret. Al snel arriveerden naast de componist Déodat de Séverac (Manolo heeft een standbeeld van hem gemaakt, dat naast het VVV-kantoor staat), Picasso zelf, Braque en Juan Gris, ook Auguste Herbin, Moïse Kisling en de dichter en schilder Max Jacob.
Na een onderbreking door de Eerste Wereldoorlog kon het kunstenaarsleven weer opbloeien. Manolo, Pierre Brune en Pinkus Krémègne moedigden velen aan om naar Céret te komen; tot degenen die er verbleven, behoren o.a. Masson en Soutine in 1919, Chagall in 1928-1929. Brune nam het initiatief een museum voor moderne kunst op te richten, dat in 1950 werd geopend met een tentoonstelling van werken die geschonken waren door kunstenaars die in Céret verbleven. Sinds 1966 worden er belangrijke tentoonstellingen van hedendaagse kunst georganiseerd.

BEZIENSWAARDIGHEDEN

De oude stad - Over de promenades tussen de Place de la République en de Place de la Liberté is het heerlijk slenteren in de schaduw van reusachtige platanen. Aan de Place de la République is van de oude omwallingen nog een versterkte poort over, de Porte de France, en op de Place Pablo-Picasso is nog een restant van de Porte d'Espagne te zien. Tegenover de arena staat een beeld van smeedijzer gecombineerd met roestvrij staal, *Sardane de la Paix* (Dans van de vrede), dat in 1973 aan Picasso is opgedragen en tot stand kwam naar een ontwerp van de kunstenaar zelf.

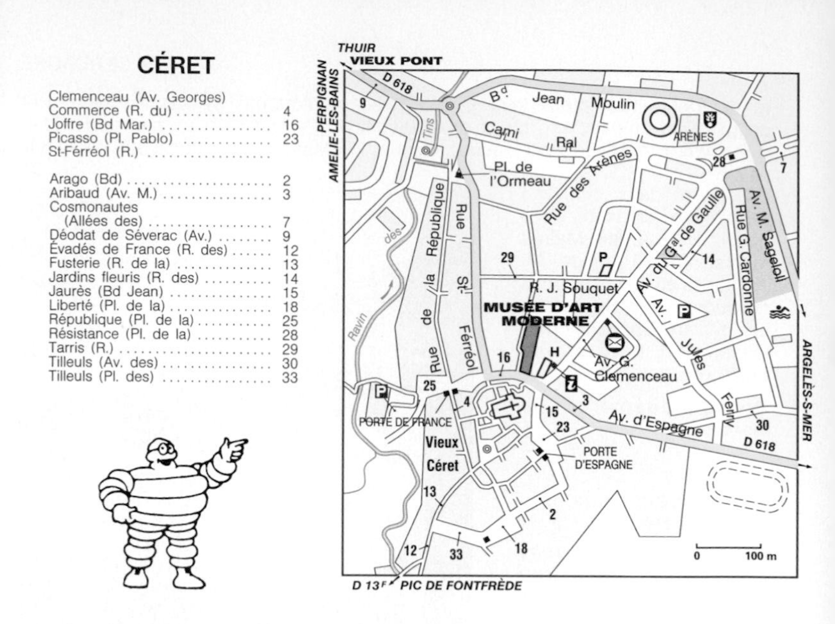

Zoals vele andere steden in de Roussillon, heeft Céret aan Aristide Maillol opdracht gegeven het Oorlogsmonument van 1914-1918 te vervaardigen.

★★ **Musée d'Art moderne** ⓥ – Jaume Freixa, een architect uit Barcelona, heeft dit moderne gebouw ontworpen; de strakke voorgevel ligt aan de Boulevard Maréchal Joffre. Aan weerszijden van de toegang van het museum siert een tweeluik van Antoni Tapiès, uitgevoerd op platen van geëmailleerd lavasteen, de muren.

De ruime zalen liggen op harmonieuze wijze rondom patio's; het licht dat hierdoor volop naar binnen valt, doet de geëxposeerde werken goed tot hun recht komen. Op de benedenverdieping zijn, naast wisselende tentoonstellingen, keramische kunst van Picasso en kunstwerken uit de periode 1960-1970 te bewonderen. De eerste verdieping is gewijd aan hedendaagse kunst van o.a. Tony Grand, Joan Brossa, Perejaume, Viallat en Tapiès.

Een bibliotheek, een auditorium en een educatieve dienst maken dit museum tot een levendig centrum, dat bovendien een actief aankoopbeleid voert, waarbij het zich vooral richt op werken van Zuid-Franse, met name Catalaanse kunstenaars.

★ **Vieux Pont** – Deze 14de-eeuwse "duivelsbrug" (Pont du Diable), die niets aan waarde heeft ingeboet door de vlakbij gelegen moderne verkeersbrug en de spoorbrug, overspant de Tech op 22 m hoogte boven de rivier met één enkele boog, die 45 m lang is. Van hieraf heeft men een prachtig uitzicht op het Massif du Canigou aan de ene kant en op de Albères en de Col du Perthus aan de andere kant.

Stroomafwaarts naar een zagerij lopen om van daaraf de brug goed te kunnen bewonderen.

Corniche des CÉVENNES★★★

Michelinkaart nr. 80 vouwbladen 6, 16, 17, of 240 vouwbladen 6, 10, 11.
Schema, zie onder Florac.

De "Corniche des Cévennes" is de schilderachtige weg die via de bergkam tussen de rivieren de Gardon de Ste-Croix en de Gardon de St-Jean van St-Jean-du-Gard naar Florac loopt. Deze weg werd in het begin van de 18de eeuw aangelegd, zodat de legers van Lodewijk XIV door de Cevennen konden trekken om de protestanten te bestrijden *(zie onder Mas Soubeyran)*.

VAN FLORAC NAAR ST-JEAN-DU-GARD

53 km - ongeveer anderhalf uur

Om optimaal te genieten van deze prachtige weg, kan men de route het beste rijden met helder weer, aan het eind van de middag, als het strijklicht de scherpe toppen en de diepe dalen goed tot hun recht doet komen. Bij een onweerslucht zal het schouwspel nog indrukwekkender zijn en een onvergetelijke herinnering achterlaten.

Florac - *Zie onder deze naam.*

Florac in zuidelijke richting uitrijden via de D 907.

De weg loopt eerst door de vallei van de Tarnon, langs de voet van de steile Causse Méjean, en gaat vervolgens omhoog naar St-Laurent-de-Trèves.

St-Laurent-de-Trèves - Op de uitstekende kalkrotsen boven het dorpje zijn 190 miljoen jaar oude overblijfselen van dinosaurussen aangetroffen. In die tijd lag hier een lagune waar deze ongeveer vier meter hoge tweevoeters leefden. In de vroegere kerk is een **audiovisuele presentatie** ⏲ te zien over het leven van de dinosaurus in het algemeen en de omgeving in het bijzonder.
Vanaf dit punt heeft men van het zuiden naar het noorden een prachtig **uitzicht★** over de Causse Méjean, de Mont Aigoual en de Mont Lozère. Op de Col du Rey begint de eigenlijke Corniche des Cévennes. De weg loopt over het onherbergzame kalksteenplateau dat **Can de l'Hospitalet** heet. In dit woeste landschap van met rotsen bezaaide velden kwamen in de 18de eeuw de Camisards bij elkaar *(zie onder Mas Soubeyran).*
Verderop loopt de weg langs de rand van het plateau boven de Vallée Française waar de Gardon de Ste-Croix doorheen stroomt.

Col des Faïsses - Op deze col heeft men naar beide kanten een mooi uitzicht over de Cevennen.
De weg loopt door het dorp l'Hospitalet. Vanaf de kale, rotsachtige hoogvlakte heeft men een prachtig uitzicht op de Mont Lozère, het stadje Barre-des-Cévennes, de Vallée Française en het Massif de l'Aigoual.
Ter hoogte van le Pompidou maakt het kalksteen plaats voor leisteen. De weg loopt vervolgens over een bergkam, tussen kastanjebomen en schrale graslanden door, waar in het voorjaar witte narcissen bloeien. Tot aan St-Roman-de-Tousque rijdt men boven de Vallée Française; aan de overkant biedt een wirwar van kleine heuvelruggen en dalen een prachtig uitzicht. Bij helder weer kan men in de verte de Mont Ventoux ontdekken.

St-Roman-de-Tousque - Schilderachtig dorpje dat te midden van kastanjebomen en weilanden ligt.
De weg volgt nu de andere zijde van de bergkam en loopt boven de Vallée Borgne.

St-André-de-Valborgne - *2 km voor de Col de l'Exil rechts afslaan: de D 39 en dan de D 907. 30 km heen en terug.*
Het kleine stadje St-André ligt in de Vallée Borgne, een dal waar de Gardon de St-Jean doorheen stroomt en dat begrensd wordt door de bergrug van de Cevennen. De oude huizen langs de smalle straten getuigen van de economische welvaart die de zijde- industrie met zich meegebracht had.
Op de Col de l'Exil ziet men de Vallée Française weer verschijnen nadat de weg opnieuw de bergkam is overgestoken. Het uitzicht op de Cevennen en de Mont Lozère is werkelijk prachtig.
Op de Col St-Pierre begint de schilderachtige, kronkelende afdaling naar St-Jean-du-Gard.

St-Jean-du-Gard - *Zie onder deze naam.*

Corniche des Cévennes.

Grotte de CLAMOUSE★★

Michelinkaart nr. 83 vouwblad 6, of 240 vouwblad 18.
3 km ten zuiden van St-Guilhem-le-Désert. Schema, zie onder Hérault.

De grot van Clamouse *(illustratie, zie Inleiding)* ligt in het zuidelijk deel van de Causse du Larzac, waar de Gorges de l'Hérault uitkomen in de vlakte van Aniane. In de zomer van 1945 kon tijdens een periode van uitzonderlijke droogte de ondergrondse rivier van de bron van de Clamouse overgestoken worden en werd deze grot ontdekt. De helderwitte afzettingen en de originele kristallen verrasten de eerste bezoekers.
De grot dankt haar naam aan het feit dat het water van de onderaardse rivier, die onderaan de weg tevoorschijn komt, vooral na flinke regenbuien met veel geraas (in het plaatselijke dialect: clamouse) in de Hérault stort.
Maar volgens de ontroerende legende is deze naam ontleend aan de kreet van verdriet van een moeder (clamouse betekent ook gehuil) wiens zoon, een schaapherder, in een aven op de causse was verdwenen; het levenloze lichaam van de jongen kwam met het water van een résurgence te voorschijn.

BEZICHTIGING ⓥ *ongeveer een uur, temperatuur: 17°C*

Verschillende door de natuur gevormde ruimten voeren naar de Gabriel Vila-zaal, ook wel Salle du Sable (zaal van het zand) genaamd omdat door sterke chemische erosie een depot ontstaat. Men loopt zelfs door de oude rivierbedding, die bij hoogwater nog onderloopt. Dit eerste gedeelte van de grot is sterk aangetast en heeft grillige vormen, waardoor een enigszins spookachtig decor ontstaat. Dit is het resultaat van het langzaam maar zeker oplossen van het dolomietgesteente waaruit de grot bestaat.
Het decor is ontstaan toen dit bovenste deel van de grot nog helemaal onder water stond. De Hérault heeft in de loop van de tijd zijn bedding verder naar de diepte uitgesleten en de ondergrondse aftakkingen kwamen ook op een lager niveau; de gangen waar de bezoeker doorheen loopt, kwamen droog te staan. Vanaf dat moment - dat wil zeggen enkele miljoenen jaren geleden - ontstonden de eerste formaties.
In de daaropvolgende zalen zijn twee soorten formaties te zien: enerzijds de klassieke stalagmieten, stalactieten, zuilen, schijven en draperieën van calciumcarbonaat, die soms gekleurd zijn door oxydatie van metaaldeeltjes; anderzijds de fijne kristallisaties, jonge formaties (enkele duizenden jaren oud), die helder wit zijn en veel minder vaak voorkomen. Tot deze laatste horen de zogenaamde kristalboeketten van aragoniet, de rijen naalden, de grillige excentrieken, en de erwtensteentjes in de gours.
Le Couloir Blanc (witte gang) en Le Cimetière (kerkhof) zijn schitterend door de grote verscheidenheid aan fijne kristallisaties. Ook La Méduse (de kwal), een grote, doorschijnend witte formatie achter aan Le Cimetière, vormt een wonderbaarlijk tafereel.
Een kunstmatige tunnel brengt de bezoeker buiten, waar men een prachtig uitzicht heeft over het dal van de Hérault. Er is ook een tentoonstelling te zien over Clamouse in het prehistorische tijdperk.

COLLIOURE★★

2 726 inwoners
Michelinkaart nr. 86 vouwblad 20, of 240 vouwblad 42.
Schema, zie onder Côte Vermeille.

Collioure, een mooi stadje aan de Côte Vermeille, dat tegen de uitlopers van de Albères ligt, is zo aantrekkelijk dat er jaarlijks een grote stroom toeristen naar toe trekt.
Collioure is bekend door zijn ansjovis (men vindt er bedrijven voor het inpekelen van vis en conservenfabrieken), die bij Port-Vendres wordt gevangen.

★★ **De ligging van het stadje** - Collioure ligt in een nog onbedorven omgeving en geniet bovendien het voordeel van veel zon, een blauwe lucht en een heldere zee. Het geheel eigen karakter van het stadje is te danken aan een aantal elementen: de versterkte kerk, die zo dicht bij zee staat dat men zou denken dat zij in de Middellandse Zee ligt, de oude straten met fleurige balkonnetjes, de schilderachtige trappen, de boulevard, de caféterrassen en de winkels met kleurige etalages. Verder is er het oude Château Royal, dat ingeklemd ligt tussen twee haventjes met visnetten die te drogen hangen en vrolijk gekleurde Catalaanse vissersboten met hun typische mast.
Vele schilders raakten in de ban van het kleurrijke schouwspel dat Collioure biedt en hebben het op hun doeken vastgelegd. Al omstreeks 1910 kwamen de eerste fauvisten hier bijeen: Derain, Bracque, Othon, Friesz, Matisse, enz. Later verbleven ook Picasso en Foujita in Collioure.
Ook vandaag de dag is het Boramar-strand nog een geliefd onderwerp voor veel kunstschilders.

Dumas/IMAGES PHOTOTHÈQUE

Catalaanse vissersboten in Collioure.

Aan de oever van het "Catalaanse meer" – In de middeleeuwen was Collioure de belangrijkste handelshaven van de Roussillon, vanwaar het beroemde "opgemaakte" laken van Perpignan werd uitgevoerd. In die periode beheerste de Catalaanse vloot de Middellandse Zee tot aan de Levant.
In 1463 vielen de troepen van Lodewijk XI binnen en begon er een moeilijke tijd voor de stad. Rondom de vierkante donjon, gebouwd door de koningen van Majorca op een uitstekende rots die de haven in tweeën deelt, verrees een kasteel. Karel V en Filips II maakten er een citadel van die nog versterkt werd door de forten St-Elme en Miradou. Nadat het vredesverdrag van de Pyreneeën was getekend, legde Vauban de laatste hand aan de verdedigingswerken: in 1670 werd de omheinde cité met de grond gelijkgemaakt en maakte plaats voor een brede glacis. Vanaf dat moment was de benedenstad het belangrijkste gedeelte van Collioure.

BEZIENSWAARDIGHEDEN

Naar de oude haven (ook wel Port d'Amont genaamd) lopen via de Quai de l'Amirauté, langs het "ravijn" van de Douy dat meestal droog ligt, en verder langs het Boramar-strand.

Église Notre-Dame-des-Anges – Deze kerk is gebouwd in de jaren 1684-1691 ter vervanging van de kerk in de bovenstad, die op last van Vauban was afgebroken. De toren, met zijn bijzondere roze koepel, deed voor de oude haven dienst als vuurtoren.
In het donkere interieur zijn negen verbazingwekkend mooie, in hout uitgesneden en vergulde **altaarstukken★** te zien (links van het koor hangt een verklarende tekst). Het altaarstuk uit 1698 boven het hoofdaltaar is het werk van de Catalaan Joseph Sunyer. Het is een enorm drieluik van drie verdiepingen, dat net zo groot is als het achterkoor, zodat de absis daarachter volledig schuilgaat. Dit altaarstuk heeft dezelfde churriguereske stijl (een overladen barokstijl, genoemd naar de Churriguera, een Spaans architectengeslacht uit de 17de en 18de eeuw), als de altaarstukken in Spaanse kerken uit die tijd.
In het midden ziet men Maria's Tenhemelopneming, helemaal bovenaan de Heilige Vader tussen Gerechtigheid en Barmhartigheid. Alle beelden zijn bijzonder fijn bewerkt. Opmerkelijk is ook het altaarstuk van het Heilige Sacrament (links van het koor), eveneens van de hand van Joseph Sunyer. Het is van bescheidener afmetingen, maar eveneens prachtig bewerkt.

Kerkschat ⊙ – In de sacristie van de Notre-Dame-des-Anges is een mooi meubelstuk in Louis-XIII-stijl te zien, evenals 15de-eeuwse schilderijen, een 16de-eeuwse reliekhouder en een Mariabeeld uit de 17de eeuw dat in de afgebroken kerk zou hebben gestaan.

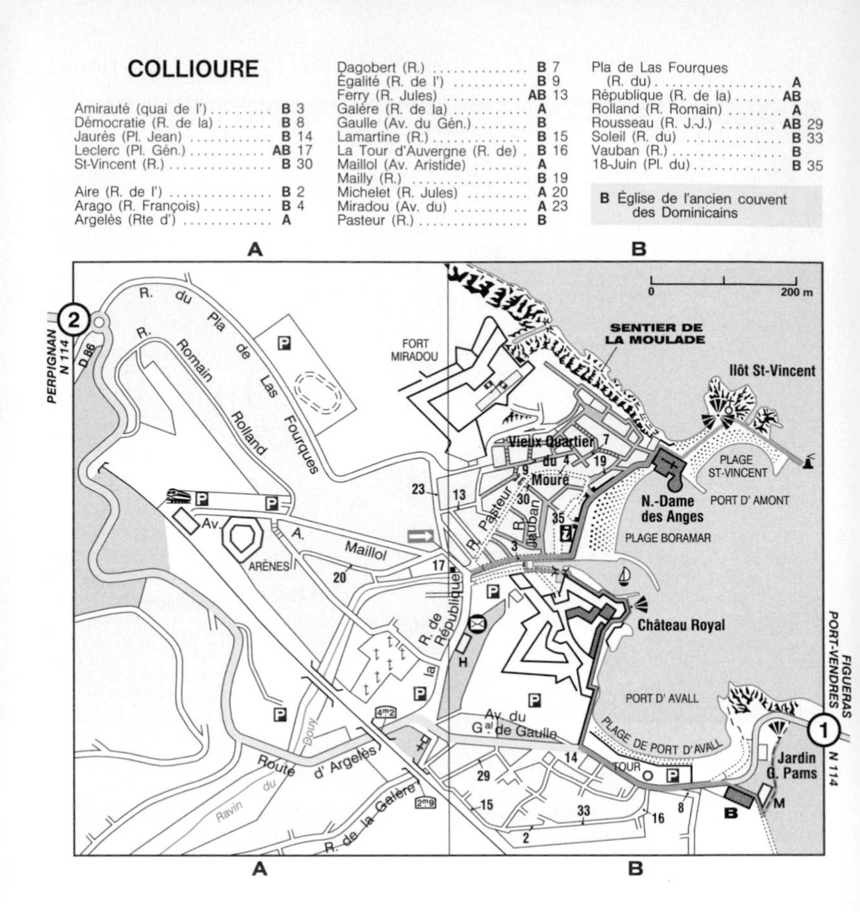

Ancien îlot St-Vincent – De verbinding tussen dit voormalige eilandje en de kerk loopt tussen twee stranden door. Achter het kapelletje heeft men een prachtig uitzicht over de Côte Vermeille. Van hieruit leidt een dijkje naar de vuurtoren.

Achter de kerk langs weer teruglopen.

★ **Sentier de la Moulade** – *Drie kwartier heen en terug te voet vanaf het oude St-Vincent-kasteel.* Over dit pad, mooi aangelegd tussen de zee en de rotsen, kan een leuke wandeling gemaakt worden. In noordelijke richting zijn Argelès-sur-Mer, St-Cyprien en Canet-Plage te zien.

Vieux Quartier du Mouré – In deze oude wijk vlak bij de kerk is het heerlijk flaneren door de steil omhooglopende, fleurige straatjes.

Achter de jachthaven de Douy oversteken.

Door de kade te volgen, komt men langs de indrukwekkende muren van het Château Royal.

Château Royal ⏲ – Dit imposante kasteel, gebouwd op een plek die oorspronkelijk door de Romeinen werd bewoond, verrijst vlak aan zee tussen de Port d'Avall en de Port d'Amont. Voordat het toebehoorde aan het koninkrijk Aragon, was het tussen 1276 en 1344 het zomerverblijf van de koningen van Majorca. Vauban liet de buitenste muur bijbouwen en het dorpje, dat aan de voet van het kasteel lag, afbreken om plaats te maken voor een glacis.

Bij de bezichtiging van het kasteel krijgt men het souterrain, de Place d'Armes, de 16de-eeuwse gevangenis (met daarin een Catalaanse smederij), de 13de-eeuwse kapel, het voorplein, het slaapvertrek van de koningin, de woonvertrekken, de vestingmuren en de weergang te zien. In het 17de-eeuwse kazernement zijn tentoonstellingen ondergebracht, o.a. over de wijnbouw, de kurkproductie, het vervaardigen van zwepen in Sorède en van touwschoenen en over Catalaanse boten. Enkele zalen zijn bestemd voor wisselende tentoonstellingen.

Vanaf de parkeerplaats bij het kasteel, aan de kant van de Douy, heeft men een mooi **uitzicht** over de stad en de haven; daarachter verrijzen de Albères.

Doorlopen tot het strand: Plage de Port d'Avall, ook Faubourg-strand genoemd.

Onderweg kan men even stoppen om naar de leuke, kleurige scheepjes of het jeu de boules te kijken, dat hier gespeeld wordt op de talrijke, druk bezochte banen onder de palmbomen.

►► Église de l'ancien couvent des Dominicains (**B B**) – Jardin Gaston-Pams (**B**).

Prieuré de COMBEROUMAL★

Michelinkaart nr. 80 vouwblad 13, of 240 vouwblad 9.
3 km ten westen van St-Beauzély.

De auto laten staan aan het begin van de oprit naar de priorij.

De **prieuré de Comberoumal** ⊙ werd gesticht in de 12de eeuw en opgeheven in 1772. Van alle priorijen van de orde van Grammont is deze het best bewaard gebleven. Hier krijgt men een uitstekende indruk van de eenzaamheid en de soberheid die de kluizenaar Étienne de Muret en zijn volgelingen, de oprichters van deze orde, er zochten. Zij streefden armoede en meditatie na; daardoor is hun kunst sober, maar toch heel mooi (let op de kwaliteit van het metselwerk).

De Romaanse priorij bestaat uit vier gebouwen; zij stonden aan een kleine kloostergang die helaas verwoest is. Aan de noordkant staat een kerk met een schip waarvan het tongewelf al een beetje de vorm van spitsbogen heeft en dat verlicht wordt door één enkel raam achterin. Daarentegen baadt het bredere koor in het licht dat binnenstroomt door drie grote ramen. De in de loop der tijd veranderde westvleugel was bestemd voor gasten. Hier ziet men een Romaanse schouw met een rond rookkanaal. De zuidvleugel is veranderd toen er een verdieping aan werd toegevoegd. Op de benedenverdieping zijn de eetzaal en de keuken met een doorgeefluik naar de kloostergang bewaard gebleven. Aan de oostkant loopt vanaf de kerk een overdekte gang naar het kerkhof; vervolgens komt men in de kapittelzaal, waar een ontlastingsboog is gemetseld boven het driedubbele raam aan de kant van de kloostergang. Als laatste ziet men een gemeenschappelijke ruimte - of wijnkelder - die tegenwoordig in tweeën wordt gedeeld door een muur. Aan de buitenkant geven de steunberen, de regelmatig gevormde ramen met monolithische lateien en het kleine verschil in hoogte van de daken, een indruk hoe het interieur van deze vleugel is opgezet. De vooruitstekende koorsluiting met afgestompte hoeken is tegen deze vleugel aangebouwd.

In deze gids dragen de hoofdstukken hun Franse naam.
Raadpleeg de alfabetische inhoudsopgave als u snel een beschrijving wilt vinden.

Le CONFLENT

Michelinkaart nr. 86 vouwbladen 16-18, of 235 vouwbladen 51, 52, 55.

Dit is het gedeelte van de Roussillon waar de vallei van de Têt doorheen loopt, met daarlangs de N 116. Dankzij de vele rivieren en bergstromen is het een welvarend gebied waar vooral groente wordt verbouwd en waar veel boomgaarden zijn. Het Têt-dal loopt evenwijdig aan de vallei van de Tech. Tussen beide dalen ligt het Massif du Canigou, dat men ziet in Mont-Louis, aan de grens van de Cerdagne.

VAN MONT-LOUIS NAAR VILLEFRANCHE-DE-CONFLENT

30 km - ongeveer vier uur

Het verkeer op deze weg, die tussen Mont-Louis en Olette langs de bergwand loopt, is vooral in het weekeinde zeer druk.

★ **Mont-Louis** - *Zie onder deze naam.*
Men rijdt Mont-Louis uit richting Prades via de N 116, een bochtige weg onder een dicht bladerdak, waardoor de vesting van de stad niet meer te zien is. Bij de afdaling heeft men bij iedere bocht uitzicht op de hoge, regelmatig gevormde toppen van de bergen aan de rechteroever van de Têt: de Cambras d'Aze, de Pic de Gallinas en de Pic Redoun; de laatste twee liggen aan weerszijden van de fraai glooiende Mitja-pas, terwijl zich op de achtergrond de Canigou aftekent.

Pont Gisclard - De ingenieuze hangconstructie van deze spoorbrug getuigt van veel durf. De ontwerper, een genieofficier naar wie de brug is genoemd, is tijdens de bouw ervan verongelukt. Een gedenkteken staat langs de weg.
De weg daalt, wordt steeds kronkeliger en biedt weidse uitzichten. Rechts, te midden van terrassen waar groente wordt verbouwd, liggen boven elkaar de dorpjes St-Thomas en Prats-Balaguer. Men rijdt langs **Fontpédrouse**, een dorpje dat tegen de rotswand is aangebouwd.

Pont Séjourné - Een mooi en indrukwekkend viaduct dat genoemd is naar de bouwer, ir. Paul Séjourné (1851-1939). Wie geluk heeft, kan het "gele treintje" *(zie onder Cerdagne)* van de lijn Villefranche-Bourg-Madame over het viaduct zien rijden.
Doordat de begroeiing, die voornamelijk uit struikgewas bestaat, hier minder dicht is, zijn vanaf de weg, die vlak langs de spoorlijn loopt, de beide civieltechnische kunstwerken goed te zien.

Thuès-les-Bains - Een klein kuuroord met een revalidatiecentrum (warmwaterbaden) voor gehandicapten.
De vallei is hier kaarsrecht, wordt onherbergzamer en leidt door de bergengte van de Graüs. Rechts heeft de Mantet een smal dal uitgesleten. De wijnstokken en de laatste agaven verdwijnen.

Olette - Een aantrekkelijk dorp dat uit niet meer dan een straat bestaat waar de huizen van 3 of 4 verdiepingen tegen de rotswand zijn aangeplakt. Spoedig ziet men een fabriek en de ruïnes van het Château de la Bastide. Tot Serdinya krijgt het landschap een ander aanzien doordat de dorpjes op terrassen zijn gebouwd.

★ **Villefranche-de-Conflent** - *Zie onder deze naam.*

VAN VILLEFRANCHE-DE-CONFLENT NAAR ILLE-SUR-TÊT

41 km - ongeveer vijf uur

★ **Villefranche-de-Conflent** - *Zie onder deze naam.*

Villefranche in zuidelijke richting uitrijden via de D 116.

Corneilla-de-Conflent - Corneilla heeft een interessante Romaanse kerk: de **église Ste-Marie**★ ⌚. Het marmeren voorportaal met zes zuilen dateert uit de 12de eeuw en is versierd met een gebeeldhouwd timpaan. De koorsluiting telt drie ramen met aan weerszijden colonnetten met kapitelen waarop bloem- of diermotieven zijn aangebracht. Van de twee zittende **Mariabeelden** in het koor dient vooral dat van N.-D.-de-Corneilla (links van het hoofdaltaar) vermeld te worden; het is uit hout vervaardigd en karakteristiek voor de Catalaanse school uit de 12de eeuw.

De weg met aan weerskanten platanen, loopt omhoog de vruchtbare vallei van de Cady in, een gebied met veel appel- en perenboomgaarden. Het riviertje stroomt hier door een bedding vol keien.

★ **Vernet-les-Bains** - *Zie onder deze naam.*

De D 27, die vanaf de Col d'Eusèbe naar beneden loopt en eerst omzoomd is door appelbomen en later door eiken, biedt een prachtig uitzicht op het Cady-dal. Na Fillols komt men bij de Col de Millères, waar de weg naar de Canigou begint. De weg loopt steil naar beneden, de vallei van de Tarinya in en biedt mooie doorkijkjes op St-Michel-de-Cuxa en Prades.

★ **Abbaye St-Michel-de-Cuxa** - *Zie onder deze naam.*

Prades - *Zie onder deze naam.*

Prades doorrijden en rechts afslaan de N 116 op.

Hier begint de vlakte van de Conflent met haar vele boomgaarden. Vanaf de weg tussen de Têt en de spoorweg heeft men een mooi **uitzicht**★ op het dorpje Eus, dat opgehangen lijkt aan een uitstekende rots op de tegenovergelegen helling. Voorbij **Marquixanes**, een versterkt dorp rondom een kerk waarvan de klokkentoren in de 17de eeuw met torentjes werd getooid, loopt de N 116 langs de **stuwdam van Vinça**; deze is in 1977 gebouwd voor irrigatie, het regelen van de waterstand van de Têt in het najaar en als drinkwaterreservoir.

Vinça - Dit versterkte stadje heeft een 18de-eeuwse kerk in Zuid-Franse gotische stijl; het interieur is opvallend rijk versierd: 9 barokke altaarstukken, een Piëta, een Graflegging uit de 15de eeuw en een indrukwekkend hoofdaltaar, dat gewijd is aan Maria-Tenhemelopneming.

Voorbij Vinça loopt de weg over het stuwmeer heen en naar het nabijgelegen Ille-sur-Têt. In het rechtergedeelte van het meer mag gezwommen worden.

Ille-sur-Têt - *Zie onder Perpignan, la Plaine du Roussillon.*

CONQUES★★★

362 inwoners

Michelinkaart nr. 80 boven aan vouwbladen 1, 2, of 235 vouwblad 11.

Conques is een rustig dorp met een prachtige **ligging**★★ tegen de steile hellingen van de Gorges de l'Ouche. Het bezit een schitterende Romaanse kerk met een zeer bijzondere kerkschat; de kerk is een overblijfsel van een abdij die lang dienst heeft gedaan als pleisterplaats voor de oneindige stroom pelgrims op weg naar het bedevaartoord Santiago de Compostela in Spanje. In de rotswand boven Conques is, in een ondergronds bouwwerk, het nieuwe **Centre européen d'Art et de Civilisation médiévale** (Europees centrum voor middeleeuwse kunst) ⓥ gevestigd. Het is de bedoeling dat het tot een cultureel centrum uitgroeit waar alle mogelijke informatie te vinden is over de periode van 476 tot 1453. Het heeft een zeer uitgebreide documentatieafdeling en er worden allerlei culturele activiteiten georganiseerd, zoals symposia, cursussen over het culturele erfgoed, voorstellingen en concerten, die niet alleen bedoeld zijn voor onderzoekers, maar ook voor het grote publiek, dus voor iedereen die geïnteresseerd is in de westerse beschaving tijdens de middeleeuwen.

Sainte Foy – Deze abdij kreeg pas bekendheid toen zij, op weinig verheffende wijze, in het bezit kwam van de relieken van Sainte Foy. Dit christenmeisje was hooguit 13 jaar toen zij omstreeks 303 in Agen (dep. Lot-et-Garonne) de marteldood stierf; haar relieken werden angstvallig bewaakt in die stad. Volgens een legende was er in de 9de eeuw een monnik die de relieken zo vereerde, dat hij besloot ze in zijn bezit te krijgen. Hij vertrok naar Agen, deed zich voor als pelgrim, nam zijn intrek in de gemeenschap van Ste-Foy en tien jaar lang boezemde hij zoveel vertrouwen in, dat hij met de bewaking van de relieken werd belast. Daar maakte hij misbruik van door de relieken te stelen en mee te nemen naar Conques. Het aantal wonderen verdubbelde: in die tijd werden ze de "spelletjes en grapjes van Ste-Foy" genoemd.

De bedevaarten – Al in de 11de eeuw werd met de bouw van de huidige kerk begonnen, die wat architectuur betreft sterk lijkt op beroemde heiligdommen uit die tijd: Santiago de Compostela (Spanje), St-Sernin in Toulouse, St-Martin in Tours en St-Martial in Limoges (de laatste twee zijn afgebroken). Gelegen tussen Le Puy en Moissac was Conques de stad die in een gids voor bedevaartgangers naar Santiago de Compostela als pleisterplaats werd aanbevolen.

Van de 11de tot de 13de eeuw, de bloeiperiode van Conques, kwam er geen einde aan de stroom pelgrims.

Deze reizen, die vaak moeizaam verliepen en over lange afstanden gingen, waren de enige vorm van toerisme in de middeleeuwen en zij waren, vreemd genoeg, bijzonder in trek. Men ondernam de reis om vergeving te krijgen voor een of andere zonde, of uit pure devotie. Op de wegen was het vol acrobaten en goochelaars die 's avonds de pelgrims met hun kunstjes vermaakten in de slaapgelegenheden van de kloosters. Als de bedevaartganger, niet zonder gevaar overigens, zijn bestemming had bereikt, verzamelde hij de schelpen die in overvloed voorkomen aan de kust van Galicië en die de naam jakobsschelp (Coquille St-Jacques, naar het Franse St-Jacques-de-Compostelle) daaraan hebben overgehouden. Vervolgens kwam hij met een schat aan ervaringen en van zijn zonden gewassen terug. Het klooster werd later veranderd in een kapittelkerk voor kanunniken. In 1561 werd het verwoest door de protestanten. Door brand ging een gedeelte van de kerk verloren en Ste-Foy raakte daarna in vergetelheid. In de vorige eeuw stond zij op het punt van instorten toen Prosper Mérimée op een inspectiereis voor de Franse Monumentenzorg de kerk ontdekte en een rapport erover schreef dat zo ontroerend was, dat het de redding van de kerk betekende.

★★ ABBATIALE STE-FOY (ABDIJKERK STE-FOY)

bezichtiging: ongeveer een halve dag

Buitenkant – Met de bouw van dit prachtige Romaanse kunstwerk werd in de 11de eeuw begonnen, maar het grootste gedeelte dateert uit de 12de eeuw. De voorgevel van de kerk heeft twee torens, die in de vorige eeuw werden gerestaureerd; boven de viering verrijst een achthoekige lantaarntoren.

★★★ **Timpaan van het westelijk portaal** – Dit timpaan, dat men het beste kan bekijken bij ondergaande zon, is een van de mooiste en best bewaarde voorbeelden van Romaanse beeldhouwkunst uit de 12de eeuw, zowel wat afmetingen als wat originaliteit betreft. Als de bedevaartganger was aangekomen op het kerkplein, moest hij wel onder de indruk raken van deze voorstelling van het Laatste Oordeel.

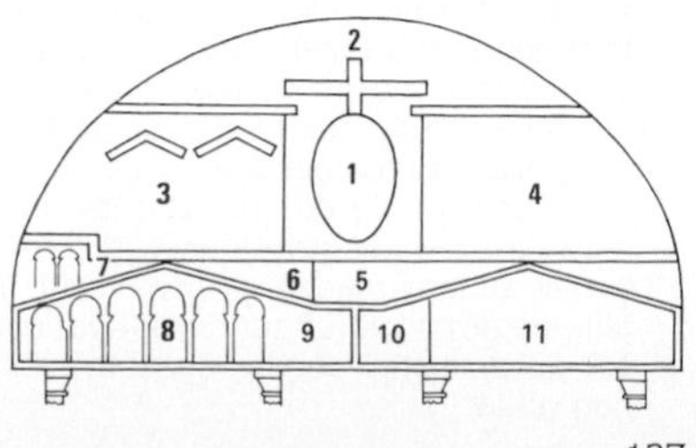

J.L. Barde/SCOPE

Detail van het timpaan van het westelijk portaal van de Ste-Foy-abdijkerk.

Hierop zijn 124 figuren afgebeeld als getuigenis van het drama van de zielerust en de kwellingen van de geest zoals dit in het evangelie van Mattheüs beschreven staat. De personages, geschaard rondom Christus, zijn uitgehouwen in gele kalksteen; vroeger was het beschilderd in levendige kleuren, waarvan nog enkele sporen over zijn.
Voor inscripties bestemde lijsten verdelen het timpaan in drie boven elkaar gelegen registers, die op hun beurt ook weer zijn onderverdeeld. Links van Christus (**1**) is de Hel te zien en rechts het Paradijs; deze verdeling wordt duidelijk aangegeven doordat Hij met Zijn naar beneden gerichte linkerhand de verdoemden aanwijst en met Zijn geheven rechterhand de uitverkorenen. Christus troont in een ovaal aureool, omgeven door wolken. In het bovenste register (**2**) blazen twee in de hoekstenen gebeeldhouwde engelen op hoorns om het Oordeel aan te kondigen en twee andere dragen het Passiekruis. In het middelste register (**3**) is de stoet uitverkorenen op weg naar de Heer; van links naar rechts onderscheidt men de Maagd Maria, gevolgd door de H.Petrus, en verder door personen die een rol hebben gespeeld in de geschiedenis van Conques, zoals Karel de Grote, de beroemde beschermer van deze abdij. Aan de andere kant (**4**) bewaken twee engelen te paard een menigte verdoemden die de folteringen van de hel ondergaan; men kan o.a. slechte monniken onderscheiden die in een net gevangenzitten en een dronkaard die aan zijn voeten is opgehangen. Het middelste en bovenste gedeelte van het onderste register (**5**) zijn gewijd aan het wegen van de zielen. Men ziet de aartsengel Michaël tegenover een duivel staan die probeert de balans naar zijn kant te doen overslaan. Links zijn door engelen geopende sarcofagen het onderwerp voor een serie over de Wederopstanding (**6**); nog verder naar links (**7**) wordt de kerk van Conques door twee arcaden weergegeven. Daar vlakbij zit Ste-Foy geknield om de goddelijke zegening in ontvangst te nemen. Onder haar strekt zich het paradijs (**8**) uit, waar Abraham, omringd door wijze maagden, martelaren en profeten, de slachtoffertjes van Herodes' kindermoord in zijn armen sluit. Bij de ingang (**9**) van dit hemelse Jeruzalem strekt een engel zijn armen uit naar de uitverkorenen, terwijl men in het voorportaal van de hel (**10**) een duivel ziet die de verdoemden in de muil van een zeemonster duwt. Rechts tenslotte (**11**) heerst Satan over de chaos van de hel waar de hoofdzonden worden bestraft: uitgebeeld zijn Hovaardigheid, die van zijn paard is gevallen, Gierigheid, die opgehangen is en Laster, die de tong wordt uitgerukt door een kwelgeest.
Wat een schouwspel kreeg de bedevaartganger hier te zien!
En hoezeer moest hij niet onder de indruk zijn van het ernstige gelaat van de Opperrechter die hem hier ontving op zijn weg naar Santiago. De rust van het paradijs (vroeger blauw gekleurd), nog versterkt door de bijna eentonige opstelling die orde en kalmte uitademen, staat in fel contrast met de verwarring en de gewelddadigheid in de hel (vroeger rood gekleurd), die op een totaal andere manier is afgebeeld. De kunstenaars uit Conques hebben hier blijk gegeven van uitzonderlijk vakmanschap; hun beeldhouwwerk, dat behoort tot de mooiste voortbrengselen van de Romaanse kunst, verrast en ontroert nog altijd.

Rechts langs de zuidgevel van de kerk lopen, waar 12de-eeuwse grafnissen tegenaan zijn geplaatst; op een van die nissen is het grafschrift van de abt Bégon (1087-1107) te lezen. Vervolgens de kerk binnengaan door de deur in de rechter- dwarsbeuk.

Interieur ⏲ – Door de grote hoogte (22 m) is dit sobere en strenge interieur bijzonder indrukwekkend. Zoals gebruikelijk in pelgrimskerken, wordt het koor dat van ruime afmetingen is, omgeven door een kooromgang, zodat de bedevaartgangers langs de relieken van Ste-Foy, die vroeger in het koor waren uitgestald, konden lopen. Op de muur van de sacristie zijn resten te zien van 15de-eeuwse fresco's waarop de marteldood van Ste-Foy is afgebeeld. Het prachtige 12de-eeuwse hekwerk dat het koor afsluit, is in de plaats gekomen van de hekken die volgens de overlevering gesmeed zouden zijn van de boeien van gevangenen die door de heilige waren bevrijd. Onder de doorgang die de galerijen met elkaar verbindt, is in de centrale travee van de noorderdwarsbeuk een mooi beeldhouwwerk te zien dat de Aankondiging aan Maria voorstelt. Alle ramen zijn van een geheel nieuw soort glas voorzien, waardoor een prachtig diffuus licht naar binnen valt. Deze gebrandschilderde ramen zijn het werk van Pierre Soulages, een kunstenaar uit de Aveyron.

Kloostergang – Sinds 1975 geeft een betegeld pad aan wat eens de plattegrond hiervan was. Van de gang zijn alleen nog een paar bogen over die toegang gaven tot de vroegere refter, en een bijzonder fraai bekken van serpentijn, dat in de wasruimte van de monniken stond.
Zes tweelichtvensters kijken uit op de voormalige refter van de monniken, waar enkele mooie kapitelen te zien zijn, die deel uitmaakten van de verdwenen bogen.

★★★ **Kerkschat** ⏲ – De kerkschat van Conques bestaat uit schitterend edelsmeedwerk; de tentoongestelde stukken geven een compleet overzicht van de ontwikkeling die de kerkelijke edelsmeedkunst in Frankrijk van de 9de tot en met de 16de eeuw heeft doorgemaakt. In het bijzonder moet genoemd worden een verzameling reliekhouders, gemaakt in het atelier dat in de 11de eeuw in de abdij was gevestigd. Hier volgen, in chronologische volgorde, de belangrijkste voorwerpen (onder sommige daarvan zit een knopje, zodat men ze kan laten ronddraaien om ze van alle kanten te bewonderen):

9de eeuw – Van de reliekhouder van Pepijn, vervaardigd van gedreven goud op een houten ondergrond, wordt aangenomen dat deze door hemzelf is geschonken. Dit stuk is verfraaid met talrijke edelstenen, waaronder een intaglio uit de oudheid, dat de god Apollo voorstelt.

10de eeuw – De **beeldreliekhouder van Ste-Foy**, het belangrijkste voorwerp van de kerkschat, bestaat uit dunne laagjes goud en verguld zilver op hout; in de loop der eeuwen werd aan dit beeld heel wat toegevoegd: goud, kristal en verguld zilver. In de 14de eeuw kreeg het een monstrans, waardoor het reliek (het bovenste stuk van de schedel van de heilige) te zien is. Dit unieke voorwerp is versierd met cameeën en met intaglio's uit de oudheid; tussen de vingers van de heilige bevinden zich kokertjes om bloemen in te zetten.

11de eeuw – Draagbaar albasten altaar, "van Sainte Foy", van gedreven zilver en email. Reliekhouder van gedreven zilver op hout, die verschillende malen gewijzigd is en waarvan gezegd wordt dat hij van paus Paschalis II was. De "A van Karel de Grote", verguld zilver op hout. Volgens de overleveringen wilde de keizer alle abdijen van Gallië een letter schenken en wel in volgorde van belangrijkheid; zo zou hij de letter "A" aan Conques hebben gegeven.

12de eeuw – Reliekdoos van Ste-Foy; in deze met leer beklede kist, versierd met 31 medaillons van email, bevinden zich de overblijfselen van de heilige. Draagbaar altaar van Bégon, gemaakt van een stuk rood porfiersteen, gevat in een lijst van gegraveerd en geniëlleerd zilver. Reliekhouder genaamd "Lanterne de Bégon III" of "van St-Vincent", zilver op hout. Vijf- of zeskantige reliekhouders van zilver, verguld zilver en email, in de 12de eeuw uit oude onderdelen samengesteld.

13de eeuw – Armreliekhouder "van de H. Joris", zilver op hout; de hand lijkt de zegen te geven. Drieluik van gedreven, verguld zilver. Maria met Kind, zilver op hout; dit soort beeldreliekhouders was sterk in zwang ten tijde van koning Lodewijk IX de Heilige.

14de eeuw – Hoofdreliekhouders van de H. Liberate en de H. Marse; zilver en beschilderd doek. Klein zilveren reliekschrijn van Ste-Foy.

16de eeuw – Band van verguld zilver van een evangelieboek. Processiekruis, dunne lagen gedreven zilver op hout; onder het Christusbeeld: een reliek van het Ware Kruis.

Trésor II (musée Joseph-Fau) – *Ingang via het VVV-kantoor.* In dit vroegere woonhuis tegenover de pelgrimsfontein zijn meubels, beelden en 17de-eeuwse wandkleden uit Felletin te zien, die afkomstig zijn uit de abdij *(benedenverdieping en eerste etage)*. In het souterrain is een lapidair museum ingericht waar een mooie collectie Romaanse kapitelen en dekplaten van het voormalige klooster bijeen is gebracht.

★ HET DORP

Langs de steile straatjes staan oude huizen waarvan de roodbruine bakstenen goed harmoniëren met de platte schisten dakpannen.
Voorbij de Ste-Foy-kerk strekt het dorp zich langs de helling naar beneden uit. De Rue de Charlemagne is de weg die de pelgrims vroeger namen om naar de abdij te lopen. Vanaf deze straat kan men via een rotsachtig pad de heuvel bereiken waarop de kapel van de H. Rochus en een kruisbeeld staan. Hier heeft men een prachtig uitzicht op de kerk en het dorp eromheen. Boven de Ste-Foy-kerk leiden andere straten naar overblijfselen van de voormalige vestingwerken.

Bij het Oorlogsmonument links afslaan om bij het Place du Château te komen.

Hier kan men het Château d'Humières (15de en 16de eeuw) met zijn gebeeldhouwde kraagstenen bewonderen, en iets verderop de Porte de Vinzelle, een van de drie overgebleven 12de-eeuwse poorten.
Vanaf het kerkhof, waar in een van de hoeken de grafkapel van de abten van Conques staat, heeft men een mooi uitzicht over het Ouche-dal.

►► In de omgeving: Romeinse brug over de Dourdou - Site★ du Bancarel, uitzicht★ op Conques - Le Cendié, uitzicht★ op Conques.

Les CORBIÈRES★★

Michelinkaart nr. 86 vouwbladen 7.
10, of 235 vouwbladen 39, 40, 43, 44, 47, 48,
of 240 vouwbladen 29, 30, 33, 34, 37, 38.

De Corbières, een gebied dat begrensd wordt door een wijde bocht van de Aude, de Middellandse Zee en de uitholling van de Fenouillèdes, maakt deel uit van de noordelijke uitlopers van de Oostelijke Pyreneeën.
In de Corbières, waarvan de steile kalksteenrotsen (Pic de Bugarach - 1 230 m) uitsteken boven de laaggelegen Fenouillèdes, kregen de duizelingwekkend hooggelegen citadellen uit het feodale tijdperk grote bekendheid.
De stekelige en geurige garrigue vormt hier de voornaamste begroeiing; deze wordt echter teruggedrongen ten behoeve van de wijnbouw, die wordt uitgeoefend op alle geschikte mergelhoudende gronden in de dalen ten oosten van de Orbieu en op de hellingen rondom Limoux, waar de "blanquette", een mousserende witte wijn, vandaan komt. De coöperatieve wijnkelders wijzen erop dat men zich in het wijnbouwgebied van de Corbières bevindt. **Corbières** mag nu het predikaat "Appellation d'Origine Contrôlée" voeren voor wijn die een fruitige smaak heeft en waarvan het bouquet herinnert aan de geurige flora van de streek.

Fitou, dat gunstiger ligt qua grondsoort en klimaat, produceert wijnen van een meer verfijnde kwaliteit. Ook zij mogen het predikaat "Appellation d'Origine Contrôlée" voeren.

Grensgebied en strijdtoneel - De Corbières, het gebied waar de Visigoten zich terugtrokken nadat ze uit de Haut Languedoc naar het zuiden waren verdreven, en waar vervolgens bloedige veldslagen tussen Franken en Saracenen plaatsvonden, wordt tijdens het Karolingische keizerrijk een mark waar de rivaliserende vazalen voor veel onrust zorgen. Maar nadat het gebied in 1229 bij het Franse koninkrijk is ingelijfd, de kastelen op de katharen zijn veroverd en de koning van Aragon in 1258 afstand heeft gedaan van zijn rechten als leenheer op de gebieden ten noorden van de Agly, wordt de grens tussen Frankrijk en Spanje stabieler.

G. Sioen/C.E.D.R.I.

Wijnoogst in de Corbières.

In Puilaurens, Peyrepertuse, Quéribus, Termes en Aguilar, de "vijf zonen van Carcassonne", blijven nog vijf eeuwen lang koninklijke garnizoenen gelegerd om de Spaanse dreiging het hoofd te bieden. Door de inlijving van de Roussillon gaat hun militaire rol verloren.

De abdijen – In de Corbières hebben zich veel kloosterorden gevestigd, wat de bouw met zich meebracht van priorijen, schuren, graan- en oliemolens en gasthuizen. De benedictijnen vestigden zich in Alet, St-Polycarpe, St-Hilaire en Lagrasse; de cisterciënzer monniken verbleven in Fontfroide, de cisterciënzerinnen in Rieunette. Het blijft opmerkelijk hoeveel heiligdommen, die te herkennen zijn aan de cipressen op de begraafplaatsen, in zo'n dunbevolkt gebied te vinden zijn. In de gemeenten die slechts enkele her en der verspreide huizen tellen (les Moulines bij Fourtou, Caunette-sur-Lauquet), verrijst een eenzame kerktoren achter in een dalletje.

BEZIENSWAARDIGHEDEN *(in alfabetische volgorde)*

Château d'Aguilar – *Vanaf Tuchan 2,5 km over de weg naar Narbonne en direct na een benzinestation rechts afslaan, een smalle geasfalteerde weg op die tussen de wijngaarden doorloopt. Aan het einde van die weg begint een wandeling van een halfuur heen en terug dwars door wijngaarden en struikgewas.*
Aguilar is op een kleine ronde heuvel gebouwd; het was bijzonder moeilijk te verdedigen en werd daarom in de 13de eeuw in opdracht van de koning van Frankrijk versterkt met een zeshoekige muur, voorzien van zes ronde torens die aan de stadskant open zijn. Buiten die muur staat nog een Romaanse kapel waarvan het interieur, op een ingestort gewelf na, ongeschonden is.
Van hieraf heeft men een mooi uitzicht over de wijngaarden in de vallei bij Tuchan.

Alet-les-Bains – *Zie onder Aude.*

Arques (Donjon van) ⏲ – *Vanuit Arques over een halve km de weg naar Couiza volgen.*
Deze toren, die al aan het eind van de 13de eeuw werd bewoond, verrijst te midden van de ruïnes van een vierkante ommuring. De toren, opgetrokken uit mooie goudgele zandsteen en voorzien van talrijke schietgaten, is opmerkelijk door zijn op trompen gebouwde hoektorentjes. Het bovenste deel van de donjon is versierd met bossagemetselwerk. Binnenin zijn twee boven elkaar gelegen ruimten, alsmede de hoge zaal met afgestompte hoeken te bezichtigen.

Auriac (Château d') – *Gelegen ten zuidwesten van Mouthoumet.*
Onder aan het dorpje dat zich aan een uitstekende rotspunt lijkt vast te klampen, staan boven een afgrond de ruïnes van een kasteel.

Étang de Bages et de Sigean en excursie – De Étang de Bages et de Sigean staat alleen via de Grau de la Nouvelle in verbinding met de zee. In de oudheid en tot in de 14de eeuw vormden dit meer en dat van Gruissan een grote lagune waarin de Aude uitmondde. In die tijd was Narbonne een belangrijke havenstad. De vele vondsten die archeologen in de buurt van deze lagunes hebben gedaan, duiden op de grote economische rol die deze kuststreek in de tijd van de Romeinen heeft gespeeld. Later is het gebied lange tijd onbewoond geweest omdat er malaria heerste.
Vanuit Narbonne kan via de N 9 en de D 105 **Bages** bereikt worden, een dorp met smalle straatjes. In **Peyriac-de-Mer** zijn in het **musée archéologique** ⏲ de resultaten te zien van opgravingen die zijn gedaan in het oppidum op de top van de heuvel. De N 9 voert via **Sigean** naar **Port-la-Nouvelle**, de enige kustplaats van de Golf du Lion waar het buiten het seizoen ook druk is wegens de handelshaven. Port-la-Nouvelle beschikt ook over een jachthaven met veel voorzieningen.

Col de Bedos – *In Mouthoumet de D 613 in noordoostelijke richting nemen.*
Deze pas ligt aan de D 40, een **weg over een bergkam★**, omgeven door bosrijke ravijnen. In de doorgang van de Gorge du Sou ziet men de op een rots gelegen ruïnes van het Château de Termes.

Pic de Bugarach – Uit vrij ongerepte, maar onbewoonde kleine dalen heeft men een mooi uitzicht op de verschillende kanten van de grillig gevormde berg (1 230 m). De tocht naar de Col du Linas door het brede dal van de bovenloop van de Agly is bijzonder indrukwekkend. Daarachter liggen de ruïnes van St-Georges – het westelijke gedeelte van de citadel van Peyrepertuse – die één geheel vormen met de rotsen waarop ze zijn gebouwd.

Couiza – *Zie onder Aude.*

Moulin de Cubières – Op dit schaduwrijke terrein (particulier bezit) aan de oever van de Agly kan men heerlijk uitrusten of picknicken. Achter de oude molen en het water van het toevoerkanaal, verrijst de Bugarach.

Cucugnan – Dit dorp is bekend geworden door de preek die de pastoor er ooit hield, te vinden in bloemlezingen van de folklore uit het Pays d'Oc.

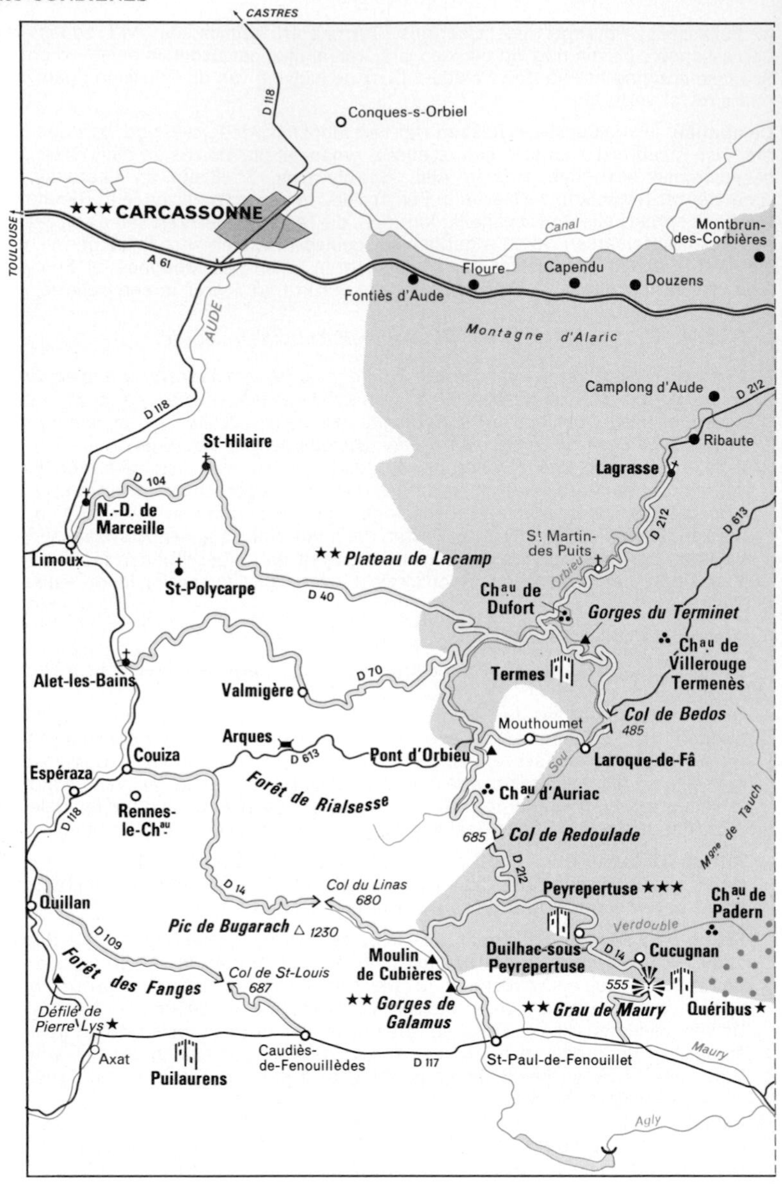

Duilhac-sous-Peyrepertuse - Als men het hooggelegen deel van het dorp in noordelijke richting uitrijdt, moet men beslist de dorpsfontein bekijken. Deze wordt gevoed door een bron die, voor dit gebied, een ongebruikelijke hoeveelheid water produceert.

Château de Durfort - *Ten zuiden van Lagrasse.*
Direct na het punt waar de Orbieu en de Sou bij elkaar komen, zijn, op weg naar Lagrasse, te midden van wijngaarden in een diepliggende bocht van de rivier, de ruïnes van dit kasteel (niet toegankelijk) te zien.

Pas de l'Escale - *Ten noordwesten van Rivesaltes aan de D 12.*
Rotsachtige opening in de bergkammen van de oostelijke Corbières. Vanaf hier heeft men een weids **uitzicht**★ dat tot de Canigou en de Puigmal reikt.

Espéraza - *Zie onder Aude.*

Forêt domaniale des Fanges - *Ten zuidwesten van Quillan.*
Dit bos van 1 184 ha staat bekend om zijn bijzondere "Aude-sparren" *(zie onder Sault)*. Vanaf de **Col de Saint-Louis** (687 m) kunnen mooie wandelingen gemaakt worden (het terrein is op vele plaatsen bezaaid met kalkrotsen).

★★ **Abbaye de Fontfroide** - *Zie onder Fontfroide.*

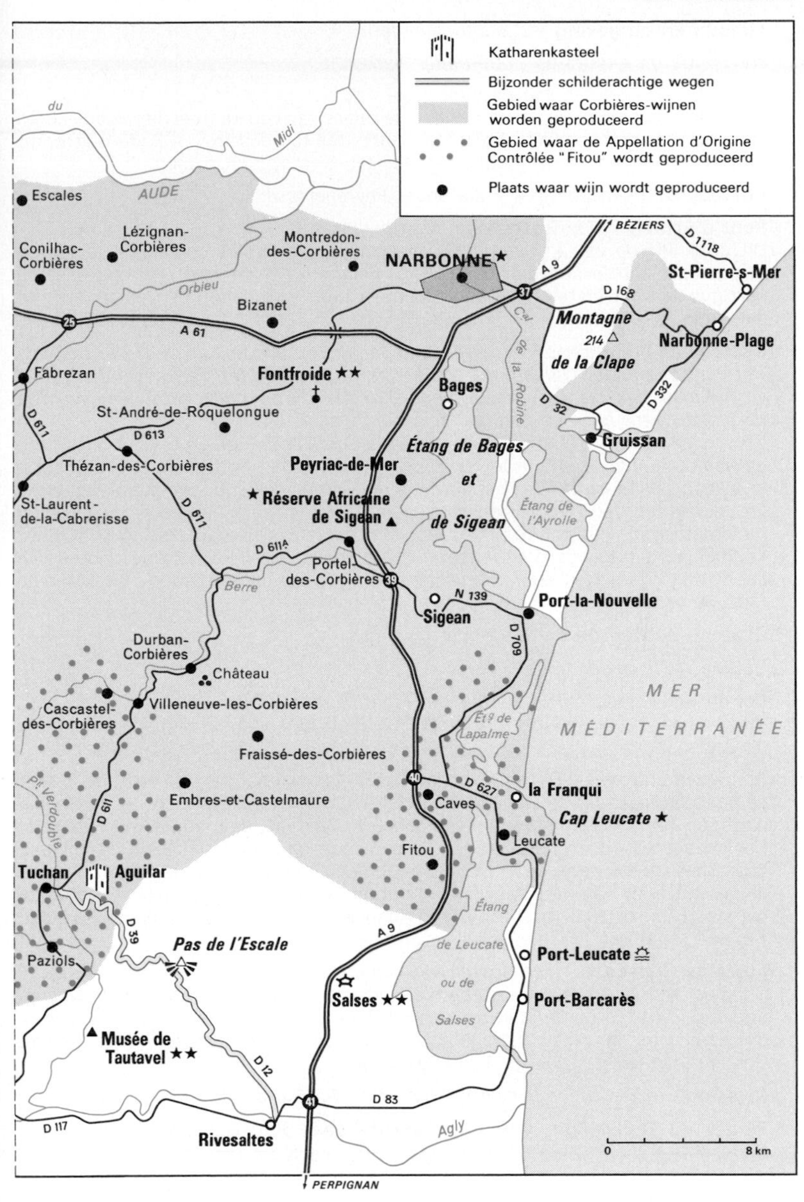

★★ **Gorges de Galamus** – *Zie onder Galamus.*

★★ **Grau de Maury** – Vanaf deze kleine pas heeft men een prachtig **panorama.** De rijen bergketens volgen elkaar op achter de gekartelde bergkam, die in het zuiden over de laaggelegen Fenouillèdes uitkijkt. Vanaf de Grau de Maury loopt een weg naar het kasteel van Quéribus.

★★ **Plateau de Lacamp** – *Ten zuidwesten van Lagrasse.*
Tussen Caunette-sur-Lauquet en Lairière (D 40), kan men via de Col de la Louviéro de weg bereiken die door het "bos" van de oostelijke Corbières loopt. Het Plateau van Lacamp vormt een horst van gemiddeld 700 m hoogte, die in de richting van de Orbieu wijst. Over een afstand van 3 km loopt de weg langs de zuidrand van de causse: hier heeft men een weids **uitzicht** over het stroomdal van de Orbieu, op de Bugarach en de Canigou, de St-Barthélemy, het voorland van de Laurageais en de Montagne Noire.

Lagrasse – *Zie onder deze naam.*

Laroque-de-Fâ – *Ten oosten van Mouthoumet.*
Schilderachtige versterkte rotspunt waar het riviertje de Sou langsstroomt. Een eind verderop naar beneden ziet men deze beek in de Orbieu uitkomen.

Limoux en omgeving - *Zie onder Aude.*

★ **Narbonne en excursies** - *Zie onder Narbonne.*

Padern - *Ten oosten van Peyrepertuse.*
Boven het dorp en de Verdouble liggen de ruïnes van een kasteel dat aan de abten van Lagrasse toebehoorde. Stroomafwaarts van het bassin van Padern stroomt de rivier door een nauwe doorgang met aan weerszijden rotsen.

★★★ **Château de Peyrepertuse** - *Zie onder Peyrepertuse.*

Pont d'Orbieu - *Ten westen van Mouthoumet.*
Dit dorp ligt op een kruispunt van wegen aan de Orbieu, waarvan de kloven begaanbaar zijn in noordelijke richting. Rechts loopt de weg omhoog naar de garrigue van het Plateau van Mouthoumet. Links komt men bij Couiza weer bij het Aude-dal uit.

Château de Puilaurens ⓥ - *Bereikbaar vanuit Lapradelle, aan de D 117, de weg van Perpignan naar Quillan, via een kleine weg ten zuiden van het dorp (D 22) en het pad dat rechts omhoogloopt 800 m voorbij Puilaurens. Daarna drie kwartier lopen, heen en terug.*
Dit kasteel, waarvan het silhouet nog vrijwel intact is, ligt op 697 m boven het dal van de Boulzane. Al uit de verte is de gekanteelde ringmuur met schietgaten en vier torens te zien. Toen het verdrag van Corbeil in 1258 was getekend, werd dit kasteel het verst vooruitgeschoven verdedigingswerk van de Franse koning ten opzichte van het koninkrijk Aragon. Tenslotte werd het kasteel in 1636 door de Spanjaarden belegerd en ingenomen. In noordoostelijke richting tekent zich de Pic de Bugarach af en in zuidelijke richting is via het dal van de Boulzane de Canigou te zien.

★ **Château de Quéribus** - *Zie onder Quéribus.*

Quillan - *Zie onder Aude.*

Col de Redoulade - *Ten zuiden van Mouthoumet.*
Via deze pas op de schilderachtige D 212 komt men van het Agly-dal in dat van de Orbieu.

Rennes-le-Château - Deze plaats ligt op 25 m boven het dal van de Aude. Vanaf de parkeerplaats bij de watertoren heeft men een weids uitzicht in westelijke richting waar zich het bovendal van de Aude aftekent; de stadjes in dit dal (o.a. Espéraza en Campagne-sur-Aude) hebben rode daken. Behalve de bescheiden **Église Ste-Marie-Madeleine**, bezit Rennes-le-Château een **Museum** ⓥ dat gewijd is aan de geschiedenis van de plaats en aan het leven van Béranger Saunière, de man die van 1885 tot 1917 pastoor was in Rennes en vermoedelijk dankzij het vinden van een schat een rijk man was geworden.

Forêt de Rialsesse - *Ten oosten van Couiza.*
Dit bos werd een eeuw geleden aangeplant. Als men vanuit het westen omhoog- rijdt via de D 613, de weg over de Col de Paradis, kan men aan de overkant van de vallei duidelijk zien waar de begroeiing van hoge zwarte Oostenrijkse dennen overgaat in loofbomen.

Rivesaltes - *Zie onder Perpignan, la Plaine du Roussillon.*

Plages du Roussillon: van Cap Leucate naar Port-Barcarès - *Zie onder Roussillon.*

St-Polycarpe - *Ten zuidoosten van Limoux.*
De **versterkte kerk** van St-Polycarpe, die vroeger deel uitmaakte van de abdij van een benedictijner orde die in 1771 werd ontbonden, heeft aan de kant van het kerkhof een Romaanse koorsluiting, waarvan de lisenen het raamwerk vormen. Onder het hoofdaltaar worden stukken van de oude kerkschat tentoongesteld: uit de 14de eeuw dateren een hoofdreliekhouder van de H.Polycarpus, een hoofdreliekhouder van de H.Benedictus en de reliekhouder van de Heilige Doorn; ook zijn er stoffen uit de 8ste eeuw te bewonderen. De twee zijaltaren hebben gebeeldhouwde Karolingische versieringen van vlechtwerk en palmetten. Op de muren en de gewelven zijn 14de-eeuwse fresco's te zien, die in 1976 gerestaureerd zijn.

★★ **Fort de Salses** - *Zie onder Salses.*

★★ **Musée de Tautavel** - *Zie onder Tautavel.*

Château de Termes ⓥ - *Bereikbaar langs een sterk stijgende weg, die begint bij de brug in het dorp. Daarna een half uur te voet (heen en terug) omhoog.*
Deze Kathaarse vesting behoorde aan Ramon de Termes en viel in 1210 na een vier maanden durende, zware belegering in handen van Simon de Montfort. Van de citadel, die eens een oppervlakte van 16 000 m^2 had, resten nog slechts ruïnes. De ligging boven de Gorges du Terminet (uitzicht bij de noordwestelijke poterne) is echter wel interessant.

Gorges du Terminet - *Ten noorden van Mouthoumet.*
Als men de bocht volgt die de bergstroom hier maakt, kan men voordat de weg twee tunnels in verdwijnt, de woest aandoende noordkant van het kasteel van Termes bewonderen.

Tuchan - Dit is het productiecentrum van de Fitou-wijnen. De wijngaarden in de vlakte van Tuchan, waar men over de schilderachtige D 39 doorheen rijdt, vormen, al naar gelang het seizoen, een groene of goudgele deken aan de voet van de indrukwekkende, maar kale Tauch-berg.

Valmigère - *Vanuit Couiza in noordelijke richting de D 118 door het Aude-dal nemen; na 4,5 km rechts de D 70 inslaan en deze over 14 km volgen.*
Ten zuiden van het dorp heeft men een mooi **panorama**★: op de voorgrond ziet men de vallei van Arques waar het bos van Rialsesse fraai afsteekt tegen de roodachtige ravijnen; daarachter ligt de steile kam van de Pic de Bugarach en aan de horizon verrijst de Canigou.

Villerouge-Termenès ⓥ - *10 km ten noorden van Mouthoumet via de D 613.*
In dit middeleeuwse dorp met zijn 13de-eeuwse, hooggelegen kasteel worden ieder jaar gedurende de zomermaanden activiteiten georganiseerd die de middeleeuwen in de Languedoc doen herleven.

CORDES-SUR-CIEL★★

932 inwoners
Michelinkaart nr. 79 vouwblad 20, of 235 vouwblad 23.

Cordes-sur-Ciel heeft een schitterende **ligging**★★ op de rots (puech) van Mordagne en boven de vallei van de Cerdou. Het is mogelijk dat het stadje, net als Córdoba in Spanje, zijn naam dankt aan de stoffenhandel en leernijverheid, die hier in de 13de en de 14de eeuw een bloeitijd kende.
In 1222, tijdens de strijd tegen de katharen, besluit Raymond VII, graaf van Toulouse, de vesting (bastide, *zie de Inleiding*) Cordes te stichten, als reactie op de verwoesting van de versterkte plaats St-Marcel door de legers van Simon de Montfort.
Het handvest waarin gebruiken en privileges van de bewoners van Cordes beschreven zijn, maakt o.a. melding van de vrijstelling van betaling van belastingen en tolgeld.
De stad wordt weldra een echte vesting en vormt daardoor een geliefd toevluchtsoord voor de ketters. De Inquisitie zal zich dan ook actief met Cordes bezighouden.
Het einde van de strijd met de katharen luidt een periode van welvaart in. In de 14de eeuw bloeien de leer- en de lakenhandel. In de vlakte worden vlas en hennep geteeld en handwerkslieden weven linnen en verwerken hennep. Ververs die zich aan de oevers van de Cérou vestigen, maken gebruik van wede en saffraan, planten die de kleurstoffen leveren en overvloedig in de omgeving voorkomen. De prachtige huizen die in deze periode zijn gebouwd, getuigen van de rijkdom van de inwoners.
De twisten tussen de bisschoppen van Albi, die hun weerslag op de hele streek hebben, het verzet tegen de hugenoten in Cordes tijdens de godsdienstoorlogen en twee pestepidemieën maken al in de 15de eeuw een einde aan deze periode van welvaart. Na een laatste opleving aan het einde van de 19de eeuw, die te danken is aan de invoering van borduurmachines, raakt Cordes, dat zich vroeger uit eigen vrije wil had afgezonderd, nu geheel in vergetelheid, ook omdat het ver van de grote verbindingswegen ligt. Gelukkig komt de bevolking in actie tegen het verval dat de gotische huizen bedreigt; in 1923 en volgende jaren worden maatregelen genomen in het kader van de bescherming van Historische Monumenten om de stad te redden. Maar de charme van Cordes heeft vooral invloed op kunstenaars, die daadwerkelijk meehelpen aan het herstel van de oude stad en die bijdragen aan de opleving.
De restauratiewerkzaamheden gaan nog steeds door om het karakter van Cordes te behouden. Sinds 1970 is het bovendien een centrum voor muziekmanifestaties.
In de kronkelige, steile, met plaveisel gedekte straatjes oefenen kunstenaars en handwerkslieden hun beroep uit: men vindt er een siersmid, een emailleerder, een illustrator en verder wevers, graveurs, beeldhouwers en schilders.

LA VILLE HAUTE (BOVENSTAD) *bezichtiging: twee uur*

De "stad met de 100 spitsbogen" - De prachtige 13de- en 14de-eeuwse **gotische huizen**★★ en in het bijzonder hun **fraai bewerkte voorgevels**, vormen samen met de uitzonderlijke ligging van de stad, de voornaamste aantrekkingskracht van Cordes. De mooiste en best bewaarde huizen staan aan de Grand-Rue (ook Rue Droite genoemd). In de gevels van zandsteen uit Salles, dat roze is met een grijze glans, ziet men boven grote spitsboogarcaden twee rijen boven elkaar gelegen ramen, ook met spitsbogen; een aantal ramen is jammer genoeg tot gewone rechthoekige openingen verbouwd.

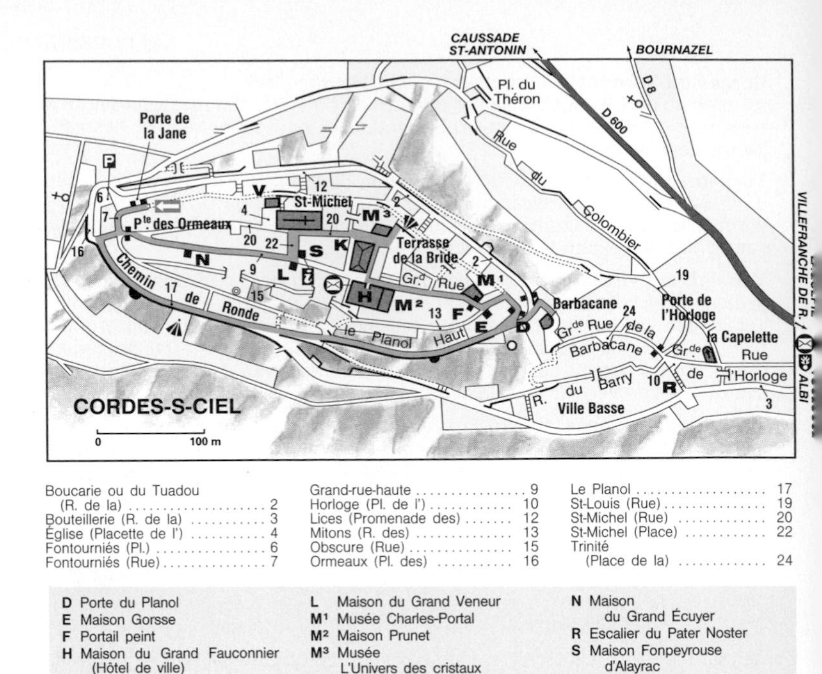

Boucarie ou du Tuadou (R. de la)	2	Grand-rue-haute	9	Le Planol	17
Bouteillerie (R. de la)	3	Horloge (Pl. de l')	10	St-Louis (Rue)	19
Église (Placette de l')	4	Lices (Promenade des)	12	St-Michel (Rue)	20
Fontourniés (Pl.)	6	Mitons (R. des)	13	St-Michel (Place)	22
Fontourniés (Rue)	7	Obscure (Rue)	15	Trinité (Place de la)	24
		Ormeaux (Pl. des)	16		

D Porte du Planol
E Maison Gorsse
F Portail peint
H Maison du Grand Fauconnier (Hôtel de ville)
K Halle et puits
L Maison du Grand Veneur
M¹ Musée Charles-Portal
M² Maison Prunet
M³ Musée L'Univers des cristaux et des pierres précieuses
N Maison du Grand Écuyer
R Escalier du Pater Noster
S Maison Fonpeyrouse d'Alayrac
V Palais des Scènes

Vaak zijn ter hoogte van de tweede verdieping ijzeren staven aangebracht met een ring aan het uiteinde; een houten stok of ijzeren staaf die daar horizontaal doorheen werd gestoken, diende waarschijnlijk om gordijnen op te hangen, hetgeen in de middeleeuwen gewoonte was in Italië en in de Provence. Aangezien de zon in deze smalle straatjes nauwelijks te duchten is, dienden zij misschien op feestdagen om vaandels aan op te hangen.

Parkeermogelijkheden bij de Porte de la Jane of onder aan de Grand Rue de l'Horloge. De wandeling naar de bovenstad is minder zwaar vanaf de Porte de la Jane.

In 1222 kreeg Cordes, dat naar een ruitvormig grondplan was gebouwd, twee omwallingen, die vooral versterkt werden aan de oost- en de westkant, de zijden waar aanvallers vrij gemakkelijk binnen zouden kunnen komen.

Porte de la Jane – Deze poort in de tweede ringmuur diende ter beveiliging van de Porte des Ormeaux.

Porte des Ormeaux – Als aanvallers dachten erin geslaagd te zijn de stad door de Porte de la Jane binnen te dringen, stuitten ze tot hun verbazing op de forse torens van deze tweede poort.

Chemin de ronde (Weergang) – Vanaf de zuidelijke dwingel (Planol en Planol haut) heeft men een mooi uitzicht op het omringende landschap.

Porte du Planol (of Porte du Vainqueur – poort van de overwinnaar) (**D**) – Deze poort vormt de oostelijke tegenhanger van de Porte de la Jane.

Barbacane – Aangezien de stad zich had uitgebreid, werd aan het eind van de 13de eeuw een derde versterkte ommuring gebouwd, waarvan alleen de barbacane, iets onder de Porte du Planol, nog over is.

Maison Gorsse (**E**) – Mooie kruisramen met dwarsbalken uit de renaissance sieren de voorgevel.

Portail peint (**F**) – Dit is de oostelijke tegenhanger van de Porte des Ormeaux. De poort heeft haar naam (beschilderd portaal) waarschijnlijk te danken aan een schildering van Maria die er vroeger te zien was.

★ **Musée Charles-Portal (ou du Vieux Cordes) (M¹)** ⓥ – Dit museum is genoemd naar Charles Portal, als eerbewijs aan deze archivaris van het departement Tarn; Portal heeft veel geschiedkundig onderzoek in Cordes verricht.
Het bevindt zich in de Portail peint; op de benedenverdieping ziet men oude graanmaten, een bijzonder vreemde sarcofaag, afkomstig uit de 6de-eeuwse Merovingische dodenstad van Vindrac *(5 km ten westen van Cordes)*, de prachtige beslagen deur van het Maison du Grand Fauconnier (huis van de oppervalkenier), evenals de valken waaraan het huis zijn naam te danken heeft. Op de 1ste verdieping is een zaal volledig gewijd aan de architectuur van Cordes (militaire, religieuze en civiele bouwkunst).

Op de 2de verdieping treft men een interessante collectie voorwerpen uit de plaatselijke prehistorie aan: een reeks potten die kenmerkend zijn voor het einde van het bronzen tijdperk, evenals kostbare Gallo-Romeinse voorwerpen uit de tempel van Loubers.
In de aan oud-Cordes gewijde zaal ligt het "libre ferrat", een met ijzer beslagen boek dat aan een ketting was vastgeklonken. Dit cartularium bevat de reglementen van de stad van het einde van de 13de tot en met de 17de eeuw. Bij het aanvaarden van hun ambt moesten schepenen de eed afleggen op de fragmenten van het Evangelie die in dit boek staan.
Op de 3de verdieping kan men de voorwerpen zien die zijn gevonden bij opgravingen in de dodenstad van Vindrac: sieraden, gespen, antefixen en aardewerk uit het Gallo-Romeinse tijdperk.

De zeer steile Grand-Rue leidt naar het centrum van de versterkte stad.

Maison Prunet (**M²**) – In dit huis is het **musée de l'Art du sucre** ⓥ gevestigd.
De kunstwerken van dit museum zijn volledig van suiker gemaakt en zijn vrijwel allemaal in vitrines tentoongesteld.
In de tweede zaal komt de bezoeker te staan voor het 2,60 m hoge "prieel met de 100 rozen". Verder hangt hier een aantal schilderijen, afbeeldingen van auto's, treinen en vliegtuigen. Ook zijn er in het museum zaken te zien als een Provençaalse markt, muziekinstrumenten en een postzegelalbum.

★ **Maison du Grand Fauconnier** (**H**) – In dit prachtige oude patriciërshuis is het gemeentehuis gevestigd. Het huis ontleent zijn naam – het Huis van de Oppervalkenier – aan de vroeger met valken versierde vooruitstekende dakrand.
De sierlijke, in de 19de eeuw gerestaureerde voorgevel vertoont een zeer regelmatig metselwerk. Het verbouwde interieur heeft nog een 15de-eeuwse wenteltrap, die naar het **musée Yves-Brayer** ⓥ op de 1ste verdieping leidt. Dit museum bevat tekeningen, lithografieën, prenten en aquarellen van de schilder naar wie het museum is genoemd.

Delderfield/IMAGES PHOTOTHÈQUE

Cordes – Maison du Grand Fauconnier.

In de kelder geeft het **musée de la Broderie cordaise** (museum van de Cordaanse borduurkunst) ⓥ demonstraties met een handwerkmachine "met armen". Aan deze machines, die uit Sankt-Gallen in Zwitserland kwamen, dankt Cordes de welvaart die het aan het einde van de 19de en het begin van de 20ste eeuw kende.

Hal en put (**K**) – De hal, waar vroeger in stoffen werd gehandeld, bestaat uit 24 achtkantige pilaren, die sinds de 14de eeuw verschillende malen zijn gerestaureerd en waarop een dak rust dat in de 19de eeuw is vernieuwd. Tegen een van de pilaren en achter een mooi 16de-eeuws smeedijzeren kruis maakt een marmeren plaat melding van de moord op drie inquisiteurs (volgens ingewijden is dit een legende). Vlak bij is een **put** te zien, die 113,47 m diep is. Aan de noordkant van het plein bevindt zich het **musée "L'Univers des cristaux et des pierres précieuses"** (**M³**) ⓥ.

Terrasse de la Bride – Een goede plaats om even uit te rusten; men heeft er een mooi en weids uitzicht over de vallei van de Cérou in het noordoosten, en op de spitse klokkentoren van Bourzanel in het noorden.

Église St-Michel ⓥ – Deze kerk, die in de loop der eeuwen herhaaldelijk verbouwd is, bezit nog wel het koor en het transept uit de 13de eeuw, beide met een kruisribgewelf. Een prachtig roosvenster is in de 14de-eeuwse muur aangebracht. De steunberen die de zijkapellen van elkaar scheiden doen denken aan die van de Église Ste-Cécile in Albi. De 19de-eeuwse schilderingen zijn ook een kopie van de decoraties die de gewelven van de Ste-Cécile sieren.
Het orgel (1830) komt uit de N.-D.-de-Paris (het eerste koororgel van de kathedraal).
Vanaf de uitkijktoren die aan de klokketoren vastzit, heeft men een weids panorama over de omgeving.

Aan de noordkant van het Place de l'Église zijn in het **Palais des Scènes (V)** ⓥ reusachtige maquettes tentoongesteld, die op levendige wijze de geschiedenis van Cordes in beeld brengen.

Maison Fonpeyrouse d'Alayrac (S) - Dit gerestaureerde huis, dat uit het einde van de 13de eeuw dateert, is opmerkelijk vanwege de indeling van de binnenplaats. Via een smalle wenteltrap komt men op twee houten galerijen die toegang verschaffen tot de bovenste verdiepingen. In dit huis is de VVV gevestigd.

★ **Maison du Grand Veneur (L)** - Het huis van de opperjager onderscheidt zich van de andere doordat het drie verdiepingen telt, waarvan de tweede versierd is met een in haut-reliëf gebeeldhouwde fries, waarop jachttaferelen en personages zijn uitgebeeld. Zo is er een pikeur te zien die klaarstaat een wild zwijn, dat door een hond uit het bos wordt opgejaagd, te doorboren; tussen de ramen links ziet men een haas die achtervolgd wordt door een hond en een jager die zijn pijlen op de haas richt; tussen de ramen rechts blaast een andere jager op zijn jachthoorn, terwijl twee dieren het bos invluchten. Interessant zijn ook de bijzonder goed geconserveerde ijzeren ringen.

Maison du Grand Écuyer (N) - De sierlijke voorgevel valt op door het vakkundige metselwerk van fijn zandsteen uit Salles en door het fantasievolle en decoratieve beeldhouwwerk in haut-reliëf; het geheel is bijzonder stijlvol.

Naar de Porte des Ormeaux teruglopen.

VERDERE BEZIENSWAARDIGHEDEN

De benedenstad (La ville basse) - In de 14de eeuw, toen er steeds meer huizen rondom de citadel verrezen, werden een vierde en ook nog een vijfde omwalling aangebracht. Aan de oostkant van de stad vormt de **Porte de l'Horloge**, die waarschijnlijk in de 16de eeuw herbouwd werd, een schilderachtig overblijfsel van de vierde ringmuur. De poort is te bereiken vanaf het plein waar de Rue de la Bouteillerie op uitkomt, via de **Escalier du Pater Noster (R)**; deze trap telt evenveel treden als de Latijnse versie van het gebed Onze Vader woorden heeft.

La Capelette ⓥ - Van deze in 1511 gebouwde kapel werd het interieur door Yves Brayer gedecoreerd. In een nis buiten staat een Mariabeeld van de hand van Paul Belmondo.

IN DE OMGEVING

Vindrac - *5 km in westelijke richting.*
In een molen in dit fleurige gehucht is het **musée de l'Outil et des Métiers anciens**★ ⓥ gevestigd. Dit museum bezit een zeldzame verzameling smeedijzeren werktuigen die een goed beeld geven hoe oude ambachten vroeger werden uitgeoefend. Op de eerste verdieping ziet men een bijzondere graanmaatbeker (1784) met hoornen scharnieren, afkomstig uit de omgeving van Albi. Een tweetal aspecten van het beroep van hoefsmid wordt geïllustreerd door een tang voor het uittrekken van hoefnagels en een schraapmes uit de 19de eeuw, dat gebruikt werd om hoeven bij te werken.
Talloze stukken gereedschap en voorwerpen herinneren aan beroepen die nu verdwenen zijn, zoals de "conscience", een plankje voor de boor van de stoelenmaker, de "forces", een grote schaar die de herder gebruikte om de schapen te scheren en een paar klompen van fraaie makelij. In een vitrine is het gereedschap van een "staffeur" (stukadoor die ornamenten maakt) tentoongesteld, evenals een 18de-eeuwse weegschaal om goudpoeder te wegen. In de kleine zaal naast het woonvertrek vindt men een mooie verzameling vormen, "**curbelets**" of "oublies" genoemd, die dienden om de plaatselijke dunne wafels te maken.
Tot slot is het beroep van hennepbewerker in beeld gebracht. Buiten is een bakkersoven te zien die nog steeds gebruikt kan worden.

►► Museum in Cayla *(11 km ten zuidwesten van Cordes)* - Monestiés: Chapelle St-Jacques met graflegging★★.

U houdt van een goede maaltijd...
Achter in de gids staat een hoofdstuk dat gewijd is aan de gastronomische specialiteiten en bekendste wijnen van de streken die in deze gids zijn beschreven.
Bovendien vindt u in de Rode Michelingids France, die jaarlijks wordt bijgewerkt, een keuze goede restaurants.

La CÔTE VERMEILLE★★

Michelinkaart nr. 86 vouwblad 20, of 240 vouwbladen 42, 46.

De badplaatsen die aan deze rotsachtige kust achter in nauwe inhammen liggen, fungeerden in het verleden als kleine zeehavens en dragen daar nog altijd de sporen van.

1 VAN ARGELÈS-PLAGE NAAR CERBÈRE

over de bergkammen

37 km - ongeveer twee en een half uur

Argelès-Plage - *Zie onder Roussillon.*

Voorbij Argelès loopt de weg (N 114) omhoog over de eerste uitlopers van de Albères. De weg blijft het hele traject stijgen en dalen, want hij loopt dwars over de heuvelachtige landtongen, die eindigen in de Middellandse Zee.

Als men Collioure binnenrijdt, bij de rotonde linksaf de D 86 nemen.

De stijgende weg loopt eerst tussen de wijngaarden van Collioure.

Bij het eerste kruispunt opnieuw links afslaan, de weg die naar beneden loopt.

N.-D.-de-Consolation - Deze kerk geniet grote bekendheid in de Roussillon. In de kapel bevinden zich vele ex-voto's van zeelieden.

Omkeren en links afslaan (deze bergweg is niet beveiligd door een vangrail).

Hier groeien veel kurkeiken en de gelaagde schistrotsen komen in zicht.

De borden "Circuit du Vignoble" volgen, richting Banyuls.

Deze mooie weg, die langs de berghelling kronkelt, leidt naar een oriëntatietafel. Daartegenover staan de ruïnes van vroegere, drie verdiepingen hoge kazernes uit 1885, die zijn opgetrokken uit baksteen en leisteen.

Rechts afslaan, naar de Tour Madeloc (hellingen van 23% - gevaarlijke kruispunten en bochten).

De weg loopt langs twee verschansingen en komt uit op een plateau.

Tour Madeloc - *een wandeling van een kwartier heen en terug.* Hoogte: 652 m. Dit is een oude uitkijkpost die, samen met de Tour de la Massane in het westen, deel uitmaakte van een netwerk van wachttorens in de tijd dat de koningen van Aragon en van Majorca hier heersten. De Tour de la Massane keek uit over de vlakte van de Roussillon, terwijl vanuit de Tour Madeloc de Middellandse Zee te zien was. Voor de toren ligt een poterne die dienst deed als belvédère met een prachtig **panorama**★★ over de Albères, de Côte Vermeille en de Roussillon. De ronde toren zelf is opgetrokken uit leisteen en heeft een mâchicoulis langs de bovenkant.

Tijdens de afdaling naar de D 86 kan men genieten van een uitgestrekt en spectaculair **uitzicht**★ over de zee en over Banyuls.

Rechts aanhouden.

Deze weg, die schilderachtig is doordat men steeds weer uitzicht op de hellingen heeft, leidt naar Banyuls. Onderweg komt men langs een ondergrondse wijnkelder, de Cave du Mas Reig, aangelegd in de oudste wijngaard van het wijngebied van Banyuls, en langs een moderne kelder voor het laten rijpen van de wijn van de Cave Templers.

Banyuls - *Zie onder deze naam.*

★★ **Cap Réderis** - *Zie hieronder.*

Cerbère - Deze kleine badplaats, gelegen op een beschutte plek achter in een kleine baai, heeft een kiezelstrand van gelaagde leisteen. Daar Cerbère de laatste plaats op Frans grondgebied is, heeft het een station waar het internationale treinverkeer (Parijs-Barcelona) stopt.

2 VAN CERBÈRE NAAR ARGELÈS-PLAGE langs de kust

33 km - ongeveer twee uur

Cerbère - *Zie hierboven.*

Voorbij Cerbère kronkelt de weg door de wijngaarden - waarvan verscheidene terrassen braak liggen - en ontvouwt zich een weids uitzicht langs de kust. De strandjes die elkaar opvolgen, worden steeds van elkaar gescheiden door spitse rotsen die in zee uitlopen.

★★ **Cap Réderis** - Op het hoogste punt van de weg even uitstappen en een stukje in de richting van de kaap lopen voor een nog weidser uitzicht. Het prachtige **panorama** strekt zich uit over de kusten van de Languedoc en Catalonië tot de Cap de Creus.
Verderop, in een wijde bocht, kijkt men links over de hele baai van Banyuls uit. Het uitzicht over de open zee is adembenemend mooi. De weg is zeer bochtig, de zee vlakbij. Beneden ziet men veel baaien en rotsachtige kreken. Tijdens de afdaling naar Banyuls heeft men onbelemmerd uitzicht op de stad met haar palmbomen en haar kiezelstranden van gelaagde leisteen.

Banyuls - *Zie onder deze naam.*

Als men Banyuls uitrijdt, komt men langs het centrum voor zon- en zeekuren. Links in de verte verrijst de trotse Tour Madeloc.
Voordat men bij Port-Vendres aankomt, heeft men rechts een mooi overzicht over de haven.

Rechts aanhouden richting Cap Béar, na het Hotel des Tamarins de spoorweg oversteken en langs de zuidkant van de baai rijden.

Cap Béar - De weg kronkelt omhoog langs de bergwand en wordt zeer smal. Vanaf de semafoor die op het uiterste puntje staat, is de hele kust te zien, van de Cap Leucate tot de Cap Creus.

Port-Vendres - Port-Vendres - de haven van Venus - is ontstaan rond de kleine baai waar de galeien beschutting zochten; vanaf 1679 ontwikkelde de stad zich onder de impuls van Vauban tot militaire haven en versterkte plaats.
In de 19de eeuw verplaatste de bedrijvigheid zich van de oude haven naar het Bassin Castellane.
Port-Vendres kende ooit een levendige handel met Algerije. Toen de Fransen zich uit dat land terugtrokken, kwam er een eind aan die bedrijvigheid. Maar dankzij de pleziervaart is het tegenwoordig weer een drukte van belang in deze beschutte haven en de vissersvloot van Port-Vendres is de bedrijvigste van de hele kust van de Roussillon.

★★ **Collioure** - *Zie onder deze naam.*

De weg buigt af van de uitlopers van de Albères en snel daarna arriveert men in Argelès.

Argelès-Plage - *Zie onder Roussillon.*

La COUVERTOIRADE★

148 inwoners
Michelinkaart nr. 80 vouwblad 15, of 240 vouwbladen 14, 18.
6,5 km ten noorden van Caylar.

Dit versterkte stadje *(illustratie, zie de Inleiding)*, dat midden op het plateau van Larzac ligt, verrast door zijn militair aanzien. Vroeger was het eigendom van de tempeliers, ressorterend onder de Commanderie van Ste-Eulalie *(zie onder Larzac)*. De omwalling werd omstreeks 1450 gebouwd door de ridders van St-Jean-de-Jérusalem *(zie de Inleiding: Geschiedenis)*.
Net als andere dorpen in de Larzac, is La Couvertoirade snel ontvolkt geraakt. In 1880 telde het stadje nog 362 inwoners. Nu hebben enkele ambachtslieden (wevers, pottenbakkers en emailleerders) zich er gevestigd.

BEZIENSWAARDIGHEDEN

De auto buiten de muren parkeren, bij de poort aan de noordzijde.

Vestingmuren ⌚ - Als men door de poort aan de noordkant binnenkomt, leidt een trap zonder leuning naar een renaissancehuis. De hoge, vierkante toren aan de noordkant is waarschijnlijk een wachttoren geweest.
Als men de weergang links volgt tot aan de ronde toren, heeft men een leuk uitzicht op het stadje en de Rue Droite.

Teruglopen naar de poort aan de noordzijde; het stadje inlopen en links aanhouden.

La Couvertoirade.

Kerk – De vestingkerk aan het uiteinde van het paradeveld maakte deel uit van de verdedigingswerken. Bij de ingang van het koor staan twee schijfvormige grafzuilen, versierd met verschillende kruisvormen.

Kasteel – Dit is in de 12de en 13de eeuw door de tempeliers gebouwd. De bovenste twee verdiepingen zijn verloren gegaan.

Links aanhouden totdat men uitkomt bij een ruim plein, dat vroeger een plas was die is drooggelegd, en vandaar rechts om een blok huizen heenlopen om bij de Rue Droite te komen.

Rue Droite – De huizen in deze straat bieden een schilderachtige aanblik met hun buitentrappen, die via een balkon toegang geven tot de woonvertrekken; onder de gewelven op de benedenverdieping werden de schapen ondergebracht. De straat komt uit op een plein met een expositieruimte.
Onder de poort in de zuidmuur, waarvan de toren is ingestort, doorlopen. Links ziet men een mooi voorbeeld van een "lavogne" *(zie de Inleiding, hoofdstuk De Causses).*
Rechtsom langs de buitenkant van de muren lopen om weer bij de auto te komen.

Grotte de DARGILAN★★

Michelinkaart nr. 80 onder aan vouwblad 5, of 240 vouwblad 10.
Schema, zie onder Grands Causses.

In 1880 jaagt een herder een vos op en ziet het dier verdwijnen in een rotsspleet. Hij maakt de opening wat groter, kruipt er zelf door en komt uit in een enorm grote, donkere ruimte. Hij denkt dat dit het voorportaal van de hel is en maakt zich uit de voeten.
Een jonge geograaf hoort dit verhaal. In 1884 al bezoekt hij de grot, die genoemd wordt naar het nabijgelegen dorpje Dargilan. Pas in 1888 wordt de grot vier dagen lang grondig onderzocht door E.-A. Martel en zes medewerkers. Als de grot bekend wordt, komen er bezoekers, maar de inrichting voor het publiek is nog erg summier. Pas als de grot eigendom wordt van de "Société des Gorges du Tarn", waarvan Louis Armand directeur is, worden ijzeren trappen, leuningen en loopbruggen aangelegd om er zonder gevaar te kunnen rondlopen. In 1910 wordt in alle ruimten elektrische verlichting aangebracht.

BEZICHTIGING ⏲ *ongeveer een uur, temperatuur 10°C*

Men komt binnen bij de **Grande Salle du Chaos**, een enorme ruimte van 142 bij 44 m en 35 m hoog. Deze ruimte is ontstaan als gevolg van instortingen en is ouder dan de andere delen van de grot. Zij dankt haar naam aan de chaotische massa stenen waarop alweer nieuwe afzettingen ontstaan.
Onder in de Grande Salle bevindt zich de kleinere, maar prachtige "Salle de la Mosquée". Naast de Moskee, een formatie van stalagmieten met parelmoeren glans, verrijst de "Minaret", een mooie zuil van 20 m hoog.

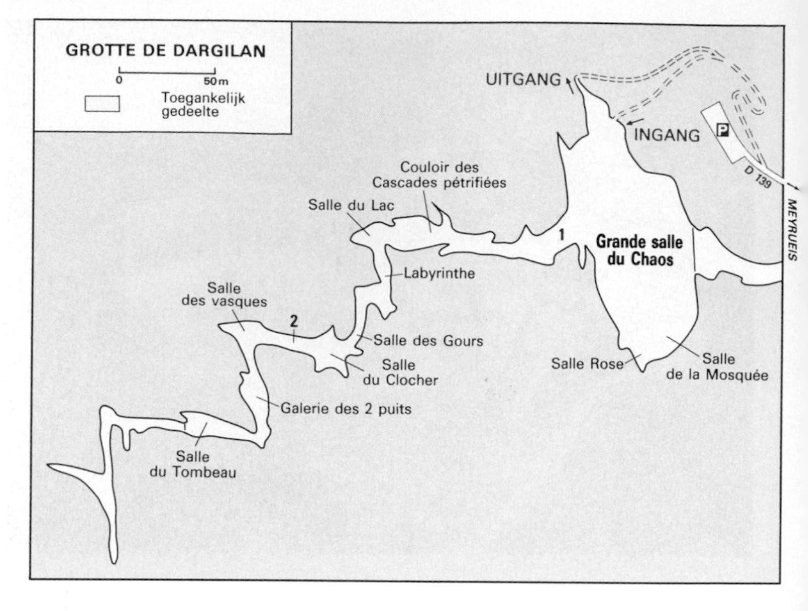

De "Salle Rose" grenst aan de "Moskee" en dankt haar naam aan de kleur van de afzettingen. Terug in de grote zaal daalt men via trappen af naar het lager gelegen gedeelte van de grot.
Een natuurlijke schacht (**1**) leidt naar de "Couloir des Cascades Pétrifiées", waar een prachtige 110 m brede en 40 m hoge draperie van roodbruin gekleurd calciet vermengd met okergeel en wit inderdaad aan een versteende waterval (cascade pétrifiée) doet denken.
De "Salle du Lac" (zaal van het meer) is zo genoemd vanwege het ondiepe water dat zich hier bevindt. In deze zaal ziet men ragfijne, bijna doorschijnende draperieën. Daarna volgt het "Labyrinthe" en de "Salle des Gours" waar vroeger een stroompje doorheen liep *(zie de Inleiding: Ondergrondse rivieren)*. Dit water heeft sporen achtergelaten in de vorm van natuurlijke bekkens achter kalkstenen dammetjes (gours). Nu komt men bij de « Salle du Clochers » (klokkentoren). In het midden van deze zaal verrijst een slanke piramide van 20 m hoog: de klokkentoren. Vervolgens bereikt men via de Salle du Cimetière (kerkhof) (**2**) de Salle des Vasques (bekkens) en daarna de gang met de twee putten (Galerie des 2 puits). De bezichtiging eindigt in de Salle du Tombeau (Grafzaal), waar een fraaie zuil staat. Een deels kunstmatig aangelegde gang voert naar de uitgang van de grot, waar een pad een mooi uitzicht op de vallei van de Jonte biedt.

Grotte des DEMOISELLES***

Michelinkaart nr. 80 vouwbladen 16, 17, of 240 vouwbladen 15, 19.
9 km ten zuidoosten van Ganges. Schema, zie onder Hérault.

De Grotte des Demoiselles werd al in 1770 ontdekt en tien jaar later bestudeerd en beschreven. E.-A. Martel *(zie de Inleiding: Grotten)*, die de grot in 1884, 1889 en 1897 exploreerde, ontdekte dat het oorspronkelijk een oude karstput was die een opening had naar het **Plateau de Thaurac**. De gapende afgrond sprak sterk tot de fantasie van de boeren uit de omgeving; zij dachten dat er feeën of "demoiselles" woonden.

Bij St-Bauzille-de-Putois de weg (eenrichtingsverkeer) nemen die met haarspeldbochten langs de helling omhoogloopt naar twee terrassen (met parkeergelegenheid) vlak bij de ingang van de grot.

Van hieruit kan men genieten van een mooi uitzicht op de Montagne de la Séranne en het dal van de Hérault.

BEZICHTIGING ⏲ *ongeveer een uur, temperatuur 14°C*

Vanaf het bovenste station van de tandradbaan, in de berg zelf aangelegd ter hoogte van de bovenkant van de grot, daalt men via enkele opeenvolgende ruimten af en belandt bij de oorspronkelijke opening van de karstpijp. Men wordt direct getroffen door de afmetingen van de vele druipsteenformaties die de grot rijk is. De indruk van overvloed die bezoekers krijgen als ze deze grandioze architectuur aanschouwen, blijft gedurende de hele bezichtiging.

Vanaf de karstpijp komt men, via een reeks nauwe gangen, in een overhangend gedeelte boven het midden van de eigenlijke grot: een gigantische zaal van 120 bij 80 m en 50 m hoog. Door de indrukwekkende afmetingen, de enorme zuilen die het gewelf lijken te ondersteunen, de indrukwekkende stilte die er heerst en de lichte nevel die er rondzweeft, heeft men het gevoel in een reusachtige "kathedraal" te staan.

Delon/PIX

"De orgelkast".

Men krijgt de schitterende zaal goed te zien door de verschillende trappen af te gaan tot bij een prachtige stalagmiet die op een beeld van de H. Maagd met Kind lijkt, tronend op een hoog voetstuk van wit calciet. Als men zich omdraait ziet men de orgelkast tegen de noordwand van de grot. Het pad leidt vervolgens langs mooie draperieën, die nu eens doorschijnend zijn en dan weer tribunes vormen waarop vreemde figuren uit een toneelspel lijken te staan.
Door een paar "uitzichtpunten" die boven in de grote ruimte zijn aangelegd, maakt het grote versteende decor tot het einde toe een onwezenlijke indruk.

Grotte de la DEVÈZE*

Michelinkaart nr. 83 links boven aan vouwblad 13, of 240 vouwblad 25.

Deze grot werd in 1886 ontdekt toen voor de aanleg van de spoorlijn Bédarieux-Castres een tunnel door de Montagne de la Devèze werd gegraven. In 1893 werd de grot geëxploreerd door een team met o.a. Louis Armand, de trouwe medewerker van Martel. Van 1928 tot 1930 deed Georges-Milhaud met zijn team een uitgebreid onderzoek en in 1932 werd een deel van de grot zo ingericht dat zij opengesteld kon worden voor het publiek. De grot ligt onder het station van Courniou; vroeger stroomde de Salesse, een zijrivier van de Jaur, erdoorheen.

BEZICHTIGING ⌚ *ongeveer een uur, temperatuur 12°C*

De bezichtiging begint op de middelste verdieping, waar mooie draperieën met verschillende vormen en kleurschakeringen te zien zijn. Langs de rotswanden hebben zich heel fijne, zuiver witte afzettingen van aragoniet gevormd, die doen denken aan prachtige bloemboeketten. Aan de overkant van de zaal lijkt een grote versteende waterval naar beneden te storten.
Tengevolge van gedeeltelijke instorting zijn door de wanordelijke rotsblokken allerlei vormen ontstaan, waarvan de meest indrukwekkende een grote stalagmiet is, die "het grafmonument" of ook wel "de suikertaart" wordt genoemd; het is een prachtig stukje architectuur dat op een sokkel staat en waarboven een plafond, rijkelijk versierd met druipsteenformaties en draperieën, te bewonderen is.
De bovenste verdieping *(via een trap te bereiken)* ligt 60 m hoger en is ook prachtig versierd met excentrieken, draperieën en stolsels in de vorm van schijven.
De bezichtiging eindigt in de Georges-Milhaud-zaal, die bezaaid is met oogverblindend witte kristallen.

Musée français de la Spéléologie ⌚ – Dit museum bezit een verzameling documenten en voorwerpen die betrekking hebben op de speleologie (grotonderzoek) in Frankrijk en op bekende mensen die zich daarmee bezighielden: o.a. Édouard-Alfred Martel, Robert de Joly, Norbert Casteret en Guy de Lavaur de la Boisse.

Vallée de la DOURBIE★★

Michelinkaart nr. 80 vouwbladen 14, 15, of 240 vouwbladen 10, 14.

De tocht die langs de Dourbie gemaakt kan worden vanaf het punt waar de rivier ontspringt tot aan Millau, waar zij in de Tarn uitmondt, is prachtig. Het schilderachtige Dourbie-dal wordt op twee punten smaller, waardoor prachtige kloven zijn ontstaan, die er volkomen verschillend uitzien.
De rivier ontspringt in het Massif de l'Aigoual, ten zuiden van de Espérou. Eerst stroomt zij tussen de hoge wanden van leisteen en graniet; de woeste kloven zijn hier en daar wel 300 m diep. Vervolgens stroomt zij naar St-Jean-du-Bruel en loopt door een brede, groene laagvlakte die de Grands Causses scheidt van de uitlopers van de Cevennen.
Stroomafwaarts van Nant verandert het landschap weer. De rivier wringt zich tussen de Causse Noir en de Causse du Larzac door en slijt daarbij in de kalksteen een diepe cañon uit, waarvan de steile, rotswanden aan ruïnes doen denken.

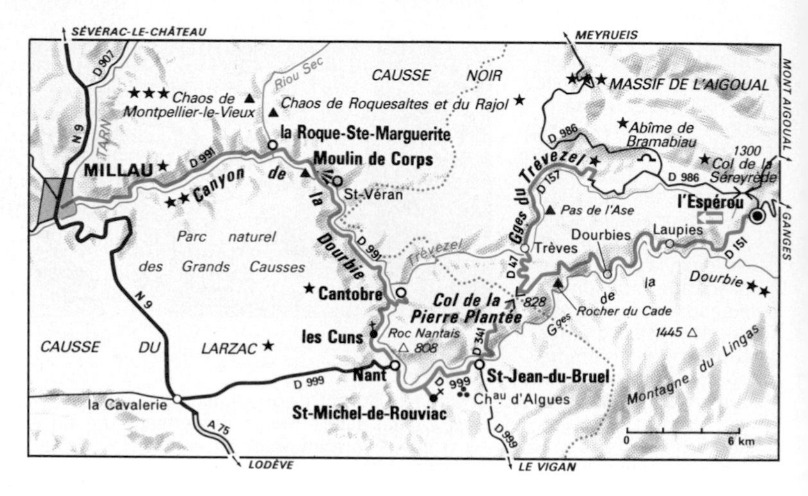

VAN L'ESPÉROU NAAR MILLAU

96 km - ongeveer twee en een half uur

Deze weg wordt gekenmerkt door een aantal onverwachte bochten en onoverzichtelijke kruisingen, vooral tussen het gehucht Les Laupies en het dorp Dourbies.

L'Espérou - *Zie onder Aigoual.*

Op enkele kilometers afstand van L'Espérou bereikt men de vallei van de Dourbie, die eerst nauwelijks te onderscheiden is tussen de weilanden, maar gaandeweg dieper wordt. Verderop groeien ook bomen en er verschijnen huizen.
Voorbij Dourbies loopt de soms smalle en kronkelige weg hoog boven de **Gorges de la Dourbie**★★ (op ongeveer 300 m hoogte bij de Rocher du Cade - (jeneverbes) - 5 km buiten Dourbies).
Dit prachtige traject loopt over een hooggelegen weg die op zichzelf al indrukwekkend is en vanwaar men een duizelingwekkend uitzicht heeft over de beboste afgrond, die bezaaid is met rotsblokken van graniet en leisteen; in de diepte stroomt de rivier.
Als men vervolgens oversteekt naar de andere kant, ontdekt men de diepe vallei van de Trévezel, waar hoge kalkrotsen bovenuit steken.

Col de la Pierre Plantée - 828 m. Het zicht reikt tot over de vallei van de benedenloop van de Dourbie met daarachter de Montagne du Lingas en de Causse du Larzac.

★ **Gorges du Trévezel** - Tussen het Massif de l'Aigoual en de vallei van de Dourbie stroomt de Trévezel door een rotsachtige bedding. De vallei wordt langzamerhand nauwer en tenslotte wringt de rivier zich door een bergengte tussen steile rotswanden waar hoge kliffen in vele kleurschakeringen zo'n 400 m bovenuit steken. In het smalste gedeelte, dat in de streektaal de "Pas de l'Ase" (ezelspas) wordt genoemd, is de doorgang van de cañon niet meer dan ongeveer 30 m breed.
Na de Col de la Pierre Plantée daalt de schitterende weg langs de rand van de kleine Causse Bégon af naar St-Jean-du-Bruel.

St-Jean-du-Bruel - Deze plaats, een fruitteeltcentrum dat bekend is om zijn appels en pruimen, trekt in de zomer veel toeristen. Een **oude brug** verbindt de oevers van de Dourbie met elkaar.

Tussen St-Jean en Nant is het Dourbie-dal zeer breed en lieflijk. In het zuiden doemen de hooggelegen ruïnes van het Château d'Algues op, in het noorden overheersen de steile hellingen van de Causse Bégon, waarop boven Nant een rotspunt uitsteekt die de Roc Nantais wordt genoemd.
Rechts komen de vier torens in zicht van het Château de Castelnau, een kasteel dat in een boerderij is veranderd.
De auto laten staan bij het bordje "St-Michel" links van de weg, en het paadje oplopen dat naar de kapel voert.

St-Michel-de-Rouviac – Deze mooie Romaanse kapel vormt een harmonieus geheel samen met het kerkhof en de pastorie die tussen het groen te voorschijn komen. Het was vroeger een priorij die in de 12de eeuw deel uitmaakte van de abdij van Nant en men ziet er dan ook dezelfde soort decoraties van vlechtwerk en palmetten op de kapitelen.

Nant – Het oude dorp Nant ligt op de oevers van de Dourbie, aan het begin van de gorges, in de zogenaamde **Jardin de L'Aveyron**. Deze "tuin" strekt zich uit tussen St-Jean-du-Bruel en Nant; vroeger was het een moerassig gebied maar de monniken, die er in de 7de eeuw een klooster stichtten, besloten tot drooglegging en de Durzon werd gekanaliseerd. Zo veranderde de streek in twee eeuwen tijd in een tuin met wijngaarden en grazige weiden. In 1135 verhief paus Innocentius II het klooster tot een abdij, waarmee een nieuwe bloeitijd begon. De **Église abbatiale St-Pierre** dateert uit die periode; de kerk doet denken aan een burcht met een donjon. Het interieur telt een groot aantal mooi bewerkte **kapitelen★**. Zowel de **Pont de la Prade**, een bijzonder mooie boogbrug, als de vijf stevige arcaden van de **oude markthal** dateren uit de 14de eeuw.
Stroomafwaarts van Nant wordt de vallei opnieuw smaller en loopt nu tussen de hoge kalkrotsen van de Grands Causses door.

Les Cuns – Hier staat de vroegere Église Notre-Dame uit de 12de eeuw.

★ **Cantobre** – Dit schilderachtige dorpje ligt op een vooruitstekende rots van de Causse Bégon boven het punt waar de Trévezel en de Dourbie bij elkaar komen. Het dorp heeft een heel bijzonder silhouet en de naam "quant obra" (d.w.z. "wat een bouwwerk") past er uitstekend bij.

★★ **Canyon de la Dourbie** – De steile wanden zijn bezaaid met kalkrotsen die door erosie wonderlijke vormen hebben gekregen. Ter hoogte van **St-Véran**, dat hooggelegen is in een prachtige omgeving, biedt de weg een mooi **uitzicht★** op het dorp met zijn gerestaureerde huizen en zijn toren. Deze is het laatste overblijfsel van het vroegere kasteel van de **markies de Montcalm** (1712-1759) die in Canada stierf toen hij Quebec verdedigde, een stad die door de Engelsen belegerd werd; iets verder naar beneden verrijst de kerk van Treilles.

Moulin de Corps – Het water voor deze molen wordt aangevoerd door een onderaardse stroom die hier weer aan de oppervlakte komt. Het is een betoverende plek.

La Roque-Ste-Marguerite – Dit dorpje ligt terrasgewijs voor de ingang van het ravijn van de Riou Sec; erboven verrijst een toren met werpgang, horend bij een 17de-eeuws kasteel, waarvan de Romaanse kapel nu dienst doet als kerk. Deze kerk is via kronkelige straatjes te bereiken. Boven het dorp verrijzen de op ruïnes lijkende rotsen van de Rajol en van Montpellier-le-Vieux. De route loopt verder langs de Dourbie, onder in een prachtige cañon. Dichtbij Millau, verrijzen aan weerszijden van de rivier de hoge rotsen van de Causse Noir en de Causse du Larzac; opvallend zijn de rijke kleurschakeringen en de grillige vormen.

★ **Millau** – *Zie onder deze naam.*

ELNE★

6 262 inwoners
Michelinkaart nr. 86 vouwbladen 19, 20, of 240 vouwblad 41.

In de tijd van de Iberische beschaving heette Elne "Illibéris" en de inwoners worden nog altijd "Illibériens" genoemd; de plaats dankt haar huidige naam aan Keizerin Helena, de moeder van keizer Constantijn. Aan het eind van het Romeinse keizerrijk was dit de hoofdstad van de Roussillon. Van de 6de eeuw tot het jaar 1602 was Elne de zetel van een bisdom; aan dit feit dankte de stad het voorrecht de naam "cité" te mogen voeren, hetgeen oorspronkelijk alleen was voorbehouden aan de bestuurlijke afdelingen van de Romeinse provincies. Perpignan, een veel welvarender rivaal, mocht zich nooit anders dan "ville" noemen.
Elne ligt op 6 km van de zee; aan weerszijden van de D 40 en de D 12, de toegangswegen uit het oosten en het westen, ziet men boomgaarden met abrikozen- en perzikbomen. Elne is een goede plaats om de reis te onderbreken op weg naar Spanje.

CATHÉDRALE STE-EULALIE-ET-STE-JULIE *bezichtiging: een uur*

Met de bouw van deze kathedraal werd in de 11de eeuw begonnen. Vanaf de 14de en tot halverwege de 15de eeuw werden zes kapellen aan de zuidelijke zijbeuk toegevoegd; de kruisribgewelven van deze kapellen vertonen de drie ontwikkelingsfasen van de gotische kunst. Oorspronkelijk zouden er twee torens komen, maar alleen de rechter, een vierkante stenen toren, kwam tot stand. Van de kleinere linker toren is het onduidelijk wanneer deze is toegevoegd. Rondom de koorsluiting ligt een onderbouw die een overblijfsel is van een gotisch koor met straalkapellen. Vanaf het terras achter de kerk ziet men de Middellandse Zee.

Interieur – In de kapel naast het zuidportaal (kapel nr. 3), bevindt zich een altaarstuk dat geschilderd is door een 14de-eeuwse Catalaanse schilder en dat de verschijningen en de wonderen van de H. Michaël voorstelt. Tegenover de ingang aan de zuidoostkant, is onder het passiekruis een heel bijzonder marmeren wijwatervat met cannelures te zien; het is gehouwen uit een bekken uit de oudheid, dat met een groot acanthusblad is versierd. In de laatste travee van de noorderzijbeuk (in de kapel met de doopvont) ziet men een 14de-eeuwse Christus die de zegen geeft.

★★ Kloostergang ⓥ – *Links om de koorsluiting van de kerk lopen om bij de ingang van de kloostergang te komen.*

De zuidgalerij werd in de 12de eeuw tegen de kathedraal aangebouwd; de drie andere volgden in de 13de en de 14de eeuw. De architectuur van de kloostergang vormt echter een eenheid, aangezien het gotische gedeelte geïnspireerd is op het Romaanse.

De prachtige **kapitelen** boven aan de gekoppelde zuilen die de arcaden met rondbogen ondersteunen, zijn versierd met fabeldieren, plantenmotieven, bijbelse figuren en personages uit de evangeliën. Vooral de voorstellingen onder de dekplaten van de vierkante pijlers zijn levendig. De bijzonder fijn uitgewerkte, veelal humoristische details en de harmonie van het geheel zijn een bewijs van het vakmanschap van de handwerklieden. De Romaanse zuidgalerij is het mooist. Het kapiteel nr. 12, waarop Adam en Eva zijn afgebeeld, is het pronkstuk van de kloostergang.

J. D. Sudres/SCOPE

Elne – De kloostergang gezien vanuit de noordgalerij.

Vanaf de oostgalerij loopt een wenteltrap omhoog naar een terras vanwaar men een deel van de kloostergang ziet, de torens (de grootste is het interessants) en de kapconstructie van de kathedraal met daarachter in de verte de Albères. In een zaal die aan de westgalerij grenst, is een overzichtstentoonstelling te zien.

Musée d'Histoire et d'Archéologie ⓥ – Het museum voor geschiedenis en archeologie heeft onderdak gevonden in de voormalige St-Laurent-kapel *(vanaf de oostgalerij via een trap naar beneden)*. Hier zijn de voorwerpen (keramiek) tentoongesteld, die gevonden zijn bij archeologische opgravingen in Elne. Een tabel geeft een overzicht van de antieke beschavingen in het Iberische gebied. Aan de taal en het schrift van de Iberiërs is een aparte vitrine gewijd. Het museum bezit een nagebouwde Iberische metaaloven (de voorloper van de zgn. Catalaanse ovens).

Oppidum D'ENSÉRUNE*

Michelinkaart nr. 83 vouwblad 14, of 240 vouwblad 30.
14 km ten zuidwesten van Béziers.

Het oppidum van Ensérune, 120 m boven de vlakte van Béziers, is niet alleen bijzonder door zijn mediterrane omgeving met mooie pijnbomen, maar vooral door zijn grote archeologische waarde. In 1915 werden hier sporen gevonden van een Iberisch-Griekse woongemeenschap en van een necropolis uit de 4de en 3de eeuw v.Chr., waar de doden gecremeerd werden.
De plaats werd bewoond vanaf het midden van de 6de eeuw v.Chr. tot aan het begin van onze jaartelling en geeft daarom een goede indruk van een pre-Romeinse beschaving. In de 6de eeuw v.Chr. stonden er hutten, waarschijnlijk van leem, op het hoogste gedeelte van de heuvel; uit deze periode zijn alleen nog resten van voorraadkamers over die in het tufsteen waren uitgehouwen. Dankzij de handelscontacten met Griekenland, die via Marseille liepen, groeide de nederzetting uit. Het oude dorp werd een echte stad met stenen huizen aan rechte straten. Onder ieder huis was een enorme aarden kruik (dolium) ingegraven, waarin levensmiddelen werden bewaard. Er werd een omheining gebouwd en in het westen van de stad werd een groot stuk grond bestemd voor het cremeren van de doden.
Halverwege het tweede ijzeren tijdperk traden er veranderingen op in Ensérune. De stad breidde zich uit en tegen de heuvels werden terrassen aangelegd. Op de zuidhelling werd een graanschuur gebouwd die een groot aantal silo's telde. Aan het einde van de 3de eeuw v.Chr. werd het oppidum verwoest, waarschijnlijk door de legers van Hannibal. Ensérune werd herbouwd en bloeide weer op toen in 118 v. Chr. de Romeinen kwamen, die hun eerste kolonie in Narbonne stichtten. Er werden watertanks gebouwd, een rioleringssysteem aangelegd, de grond werd geplaveid, de muren gepleisterd en geschilderd. Geleidelijk raakte het oppidum ontvolkt en verdween tenslotte definitief toen men zich in de 1ste eeuw na Chr. dankzij de Pax Romana zonder gevaar in de laagvlakten kon vestigen.

BEZICHTIGING ⌚ *ongeveer anderhalf uur*

★ **Museum** – Dit is gebouwd op de plaats waar vroeger de oude stad stond en herbergt voorwerpen uit het dagelijkse leven van de 6de tot en met de 1ste eeuw v.Chr., die bij de verschillende opgravingen gevonden zijn.
Op de benedenverdieping zijn de kruiken (dolia) tentoongesteld die onder de huizen zijn gevonden, en verder keramiek, schalen, vaten, amfora's en aardewerk, zowel uit Phocaea als uit Griekenland, Etrurië, Rome, Iberië en de directe omgeving van Ensérune. Zeer de moeite waard (in vitrine 22) is een stuk kornalijn met een gegraveerde voorstelling van een gewapende Griek die een vrouw ten val brengt: dit zou het gevecht tussen Achilles en Penthesilea, de koningin van de Amazones, symboliseren.
Op de 1ste verdieping zijn voorwerpen te zien uit de 5de tot en met de 3de eeuw v.Chr., afkomstig uit de necropolis: vazen en Griekse kraters die als urnen of als offermateriaal dienden. In de middelste vitrine van de Mouret-zaal ligt een ei dat in een graf is gevonden en dat het herboren leven symboliseert. In een kleine vitrine is de beroemde Attische schaal van Procris en Cephalus tentoongesteld.

Panorama - Bij de oriëntatietafels op de vier belangrijkste hoeken van het oppidum heeft men een weids uitzicht over de hele kustvlakte en van de Cevennen tot de Canigou. Op de voorgrond ziet men dolia, restanten van zuilen en onderstukken van muren uit de oudheid, die bij archeologische opgravingen blootgelegd zijn.

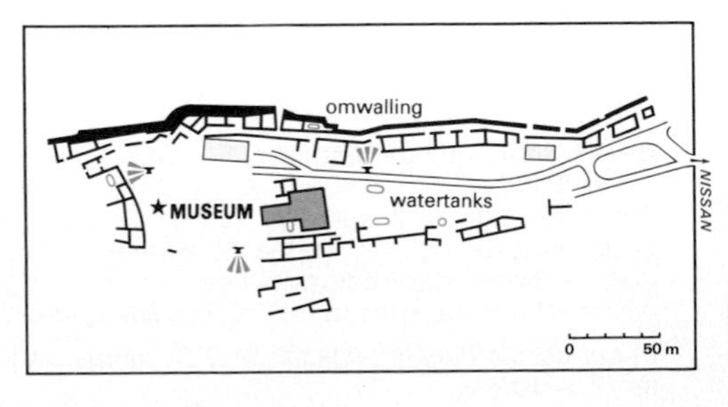

Vooral het **uitzicht★** in noordelijke richting is bijzonder: hier ziet men de voormalige **Étang de Montady**, een in 1247 drooggelegd meertje. Het ziet er uit als een grote zon, waarvan de stralen worden gevormd door de slootjes die het water naar een centraal reservoir voeren. Van daaruit werd het water via een aquaduct dat door de heuvel heen loopt verder gevoerd naar de voormalige Étang de Capestang, die in de 19de eeuw is drooggelegd.

⌚ ►► Nissan-lez-Ensérune *(3 km in zuidelijke richting)*, 14de-eeuwse, gotische kerk, waarin een museum is gevestigd.

ENTRAYGUES-SUR-TRUYÈRE★

1 495 inwoners
Michelinkaart nr. 76 onder aan vouwblad 12, of 240 vouwblad 1.
Schema, zie onder Truyère.

Entraygues werd in de 13de eeuw gesticht door Hendrik II, graaf van Rodez op de plek waar de Lot en de Truyère samenstromen; het ligt te midden van glooiende weilanden, fruitbomen en wijngaarden die een uitstekende wijn produceren.
De stad is een centrum voor sportactiviteiten en recreatie geworden (vooral voor kano- en kajakliefhebbers). Vanaf de belvédère van Condat in het noordwesten aan de weg naar Aurillac heeft men een mooi uitzicht over het dorp, de omgeving en de vallei van de Truyère.

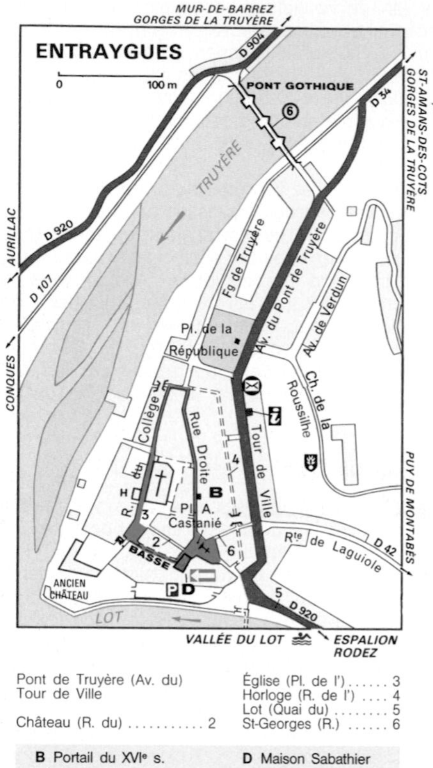

BEZIENSWAARDIGHEDEN

★ **Pont gothique** – *In de zomer is hier eenrichtingsverkeer.* Deze gotische brug dateert uit het einde van de 13de eeuw.

Oude wijk – Voor het bezichtigen van de oude wijk met haar overdekte doorgangen ("cantous") en haar schilderachtige oude huizen met uitspringende verdiepingen en bloembakken voor de ramen, kan men het beste vertrekken vanaf de Place Albert-Castanié, ook wel Place de la Croix genaamd, en door de Rue Droite lopen. Rechts een mooie 16de-eeuwse deur (**B**), waar de klopper zo hoog is aangebracht dat ruiters niet van hun paard hoefden af te stappen. Men vervolgt de wandeling door links de Rue du Collège en de **Rue Basse**★ te nemen. In deze laatste straat staan de best geconserveerde huizen van Entraygues.
Op de hoek van het oude Maison Sabathier (**D**) op de Place Albert Castanié is aangegeven hoe hoog het water van de Lot en de Truyère bij de grootste overstromingen is gestegen. Verder langs de kade lopen tot aan het punt waar de twee rivieren samenvloeien; hier heeft men een mooi uitzicht op het kasteel, waarvan alleen de twee torens uit de 13de eeuw dateren; het middelste gedeelte is in de 17de eeuw herbouwd *(niet te bezichtigen)*.

EXCURSIES

Bez-Bedène; Puy de Montabès★ – *Entraygues in noordelijke richting uitrijden via de D 34.*
Als men langs de linkeroever van de Truyère rijdt, is eerst de stuwdam van Cambeyrac te zien en daarna de waterkrachtcentrale van Lardit. Dit zijn de laatste twee waterbouwkundige werken stroomafwaarts van de hydro-elektrische installaties in de Truyère *(zie onder Truyère).*

In het dorpje Banhars linksaf de D 34 nemen. Na de brug over de Selves rechts de D 34 volgen.

De weg loopt kronkelend door de schilderachtige vallei van de Selves en komt tenslotte uit op het kleine plateau van Volonzac.

In Volonzac een kleine weg naar rechts nemen, richting Bez-Bedène.

Bez-Bedène – Dit karakteristieke Rouergue-dorpje ligt in een onherbergzame en afgelegen omgeving. Slechts enkele huizen liggen op een rotskam langs een bocht die de Selves hier maakt. Er is een kleine 12de-eeuwse kerk met een klokkengevel en een 14de-eeuwse brug die uit een enkele boog bestaat.

Dezelfde weg volgen tot waar deze bij de D 34 uitkomt. De D 34 rechts inslaan, richting St-Amans-des-Cots. De D 97 leidt naar de stuwdam van Maury.

Barrage de Maury - Deze stuwdam is in 1948 gebouwd op de plaats waar de Selves en de Selvet bij elkaar komen. Het stuwmeer, dat een oppervlakte van 166 ha en een inhoud van 35 milj. m³ heeft, ligt in een afwisselend en kleurrijk landschap.

De D 97 in zuidelijke richting blijven volgen, daarna rechts afslaan de D 42 op, en weer rechtsaf de D 652.

★ **Puy de Montabès** - *Een wandeling van een kwartier heen en terug.* Vanaf dit punt ontvouwt zich een prachtig **panorama★** over de Monts du Cantal, de streken Aubrac en Rouergue (bij helder weer is de kathedraal van Rodez te zien), de vallei van de Lot die zich achter Entraygues uitstrekt, en het plateau van de Châtaigneraie. *Oriëntatietafel.*

De weg daalt daarna weer af naar het Truyère-dal en komt uit in Entraygues.

★★ **Vallée du Lot** - *Zie onder deze naam.*

★★ **Gorges de la Truyère** - *Zie onder Truyère.*

ESPALION★

4 614 inwoners

Michelinkaart nr. 80 vouwblad 3, of 240 vouwblad 1 - Schema, zie onder Aubrac.

Espalion is fraai gelegen in het vruchtbare bekken waar de Lot doorheen stroomt. Boven de stad uit torenen de middeleeuwse ruïnes van het kasteel van Calmont d'Olt.

A. Kumurdjian

Oude leerlooierijen aan de Lot.

Vieux Pont - Vanaf het kermisterrein gezien, vormt deze 11de-eeuwse brug samen met het paleis en de voormalige leerlooierijen met houten balkonnetjes langs de rivier een schilderachtig geheel.

Vieux Palais - In dit 16de-eeuwse paleis woonden vroeger de bestuurders van Espalion.

Musée Joseph-Vaylet ⓥ - Dit museum is gehuisvest in de voormalige St-Jean-kerk en de aangrenzende gebouwen. Het bezit een grote collectie voorwerpen die te maken hebben met volkskunst en plaatselijke folklore: o.a. wapens, meubels, glaswerk, religieuze voorwerpen (450 wijwatervaatjes) en aardewerk.

In hetzelfde gebouw is een museum gewijd aan de onderwatersport, ter nagedachtenis aan de drie inwoners van Espalion, die al in 1860 het duikerpak met zuurstoffles en de expansiecilinder (die de gastoevoer regelt) hebben uitgevonden.

Musée du Rouergue ⓥ - In de cellen van het voormalige huis van bewaring wordt een collectie tentoongesteld die betrekking heeft op oude zeden en gewoonten, zoals een grote verzameling oude kledingstukken.

★ **Église de Perse** ⓥ - *1 km in zuidwestelijke richting via de Avenue de la Gare.* Dit fraaie 11de-eeuwse Romaanse bouwwerk van roze zandsteen doet denken aan de abdijkerk van Conques, waarvan het een dependance was.

De kerk is gewijd aan de H. Hilarianus, de biechtvader van Karel de Grote. Volgens de overlevering had deze zich in Espalion teruggetrokken, waar hij door de Saracenen werd onthoofd.
Aan de zuidkant bevindt zich een **portaal★** waarvan het timpaan de nederdaling van de Heilige Geest voorstelt; op de bovendorpel ziet men de Apocalyps en het Laatste Oordeel.
Linksboven zijn drie primitieve figuren te zien die de Drie Koningen in aanbidding voor de H. Maagd met het Kind voorstellen. Binnen is een aantal kapitelen versierd; zo ziet men aan de ene kant van de absis de leeuwenjacht en aan de andere kant Christus Koning.

EXCURSIES

Château de Calmont d'Olt ⊙ - *3,5 km in zuidelijke richting via de D 920. De borden volgen tot aan de parkeerplaats.*
Dit middeleeuwse fort, dat boven op een basaltrots staat die een prachtig **uitzicht★** biedt over de vallei van de Lot, de Aubrac en de Causse du Comtal, heeft al sinds de 17de eeuw geen militaire functie meer. Men kan er een rondwandeling maken, waarbij een toelichting over de geschiedenis en een audiovisuele presentatie uitleg geven over het kasteel, de toegepaste strategieën en het oorlogstuig dat in de 15de eeuw bij een belegering werd gebruikt.

St-Pierre-de-Bessuéjouls - *4 km in westelijke richting via de D 556 (Avenue de St-Pierre). St-Pierre inrijden en direct daarna de brug links oversteken en nogmaals links afslaan.*
Deze kleine kerk die tussen het groen verscholen ligt, verbergt onder haar klokkentoren een heel bijzondere **Romaanse kapel★** *(te bereiken via een trap met uitgesleten treden)*. Dit 11de-eeuwse roze kapelletje is slechts zes meter lang; het heeft gedecoreerde kapitelen en is versierd met archaïsche motieven zoals vlechtwerk, palmetten en Maltezer kruisen. Aan de linkerkant draagt het altaar een voorstelling van een H. Michaël die de duivel verslaat.

Château de Roquelaure; St-Côme d'Olt★ - *Rondrit van 37 km - ongeveer twee uur. Espalion uitrijden via de Avenue de la Gare, voor de Église de Perse langs en links afslaan naar St-Côme-d'Olt en direct daarna rechtsaf een smalle weg op die omhoogloopt.*
Iets verder loopt de weg over een wonderlijk gestolde basaltmassa, de **clapas★**. De Mont de Roquelaure is een basaltrots die hoog boven de vallei van de Lot uitsteekt.

Château de Roquelaure - *Niet te bezichtigen.* Dit kasteel dat jarenlang een ruïne was, is nu vrijwel geheel herbouwd. Het ligt in een landschap met een rijke kleurschakering en vanaf het terras heeft men in noordelijke richting een prachtig **uitzicht★** over de vallei van de Lot; naar het zuiden strekt zich de Causse de Gabriac uit, met in de verte de toppen van het Plateau de Lévézou.
In de Romaanse **kapel** aan de voet van het kasteel bevindt zich een 15de-eeuwse graflegging en een 16de-eeuwse Piëta in renaissancestijl.

Het dorp doorrijden en links een kleine weg nemen die eerst uitkomt op de D 59 en vervolgens op de D 6, die men links inslaat om St-Côme-d'Olt te bereiken.

Vanaf de weg heeft men een mooi uitzicht op de stuwdam van **Castelnau-Lassouts.**

★ **St-Côme-d'Olt** - *Zie onder Aubrac.*

★★ **Vallée du Lot: van Espalion naar Conques** - *Zie onder Lot.*

De namen van de belangrijkste winkelstraten staan rood gedrukt aan het begin van de straatnamenregisters bij de plattegronden.

Monts de l'ESPINOUSE★

Michelinkaart nr. 83 vouwbladen 2, 3, 4, 13, 14, of 240 vouwbladen 21, 22, 25.

De Monts de l'Espinouse, aan de zuidkant van het Centraal Massief, verheffen zich tot ruim 1 000 m hoogte, boven de valleien van de Jaur en de Orb. In het noorden wordt het gebied begrensd door het bovendal van de Agout. Deze bergketen in het achterland van de Bas Languedoc bestaat uit drie delen: in het westen het groene en vriendelijke landschap van de Somail met als belangrijkste plaats St-Pons, in het midden de Espinouse waar het landschap een duidelijker reliëf vertoont, en in het oosten de Caroux, waarin rond Lamalou-les-Bains diepe kloven zijn uitgeslepen. In deze streek, die gelegen is binnen de grenzen van het **Parc naturel régional du Haut Languedoc** (regionaal natuurpark), zijn diverse toeristische voorzieningen: recreatiegebieden, wandelroutes, enz. *(zie de Inleiding: Le Parc naturel régional du Haut Languedoc)*.

1 LE SOMAIL

De Somail, het groenste deel van de Monts de l'Espinouse, heeft licht glooiende hellingen, die getooid zijn met tamme kastanjes en beuken. Te midden van dit landschap strekken zich heidevelden uit die in de herfst roodachtig van kleur worden.

Rondrit vanuit St-Pons - *76 km - ongeveer twee uur*

St-Pons-de-Thomières - St-Pons ligt in een schilderachtig berglandschap in het bovendal van de Jaur. In deze stad is de zetel van het **Parc naturel régional du Haut Languedoc** gevestigd; men vindt er een ontvangstkantoor en een documentatiecentrum *(13, Rue du Cloître)*. De **voormalige kathedraal** ⓥ is in de 12de eeuw gebouwd en werd in de 15de, 16de en 17de eeuw verbouwd. Interessant zijn het rijk versierde portaal, de gebeeldhouwde timpanen van de westgevel, het 17de-eeuwse koorgestoelte en de marmeren versieringen in het koor. In het **Musée de Préhistoire régionale** ⓥ zijn voorwerpen tentoongesteld die bij opgravingen in de omgeving zijn gevonden. Via de rechteroever van de Jaur is de **bron** van deze rivier te bereiken.

St-Pons uitrijden via de D 907 richting Salvetat-sur-Agout.

Deze schilderachtige weg kronkelt omhoog en biedt, voordat men de Col du Cabaretou bereikt, een prachtig uitzicht op St-Pons en het dal van de rivier de Jaur.

Na deze pas rechtsaf de D 169 volgen, die over het plateau van de Somail loopt. Een weggetje rechts, dat aangegeven wordt met het bord Saut de Vésoles, voert naar een meer dat in een bosrijke omgeving ligt.

Saut de Vésoles - *Een kwartier lopen heen en terug.*
Te midden van een sober landschap stortte de Bureau vroeger in de vorm van een indrukwekkende waterval 200 m naar beneden op reusachtige granietblokken; vervolgens kwam de snelle stroom langs de steile helling van de zuidelijke flank van de bergketen in de Jaur terecht. Sinds de bouw van de stuwdam, die de waterkrachtcentrale van Riols van water voorziet, is de waterval veel minder spectaculair, maar de omgeving is nog altijd even groots.

Terugrijden naar de D 169 en deze volgen, richting Fraisse-sur-Agout.

De weg loopt door prachtige heidevelden, over de Col de la Bane (1 003 m).

Prat d'Alaric ⓥ - Een boerderij die karakteristiek is voor de Espinouse, werd door het Parc naturel régional du Haut Languedoc als "streekwoning" gerestaureerd. Vlak bij het woonhuis staat een lage, langgerekte schuur die kenmerkend is voor de plaatselijke bouwstijl. Het sterk hellende dak rust op zijmuren van nog geen 2 m hoog. Een bijzonder element vormt het kapgebint, waarin geen enkele dwarsbalk is verwerkt. Het is bedekt met bremtakken die op daksparren rusten. Deze sparren komen kruislings in de nok bijeen en steunen op de zijmuren.

Fraisse-sur-Agout - Dit vredige dorpje, dat bekend is om zijn visparcours, dankt zijn naam aan de hoge essen die een sierlijk decor vormen.

Van hieruit kan men verder naar de Col de Fontfroide en de route door de Espinouse of de weg vervolgen richting La Salvetat.

Wanneer men het dorp uitrijdt richting La Salvetat is bij de kruising met de weg naar Le Cambaissy een ander huis te zien met een dak van bremtakken.

La Salvetat-sur-Agout - Dit zomervakantieplaatsje ligt op een vooruitspringend deel van het gebergte, hoog boven de plaats waar de rivieren de Vèbre en de Agout samenvloeien. De naam herinnert aan de tijd (11de en 12de eeuw) waarin prelaten, abten en commandeurs "nieuwe steden" stichtten op hun grondgebied om de exploitatie ervan zeker te stellen.

De "gasten" van deze "vrijplaatsen" (sauvetés) kregen een huis en een stukje grond toebedeeld. Om economische en strategische redenen werden later door de geestelijke autoriteiten en de leenheren vestingsteden gebouwd.

Vanaf La Salvetat loopt een weg rond het Lac de la Raviège.

Lac de la Raviège - Dit uitgestrekte stuwmeer (450 ha) is bereikbaar via het Plage (strand) des Bouldouïres, vlak bij La Salvetat (watersportcentrum, zwemmen, waterskieën, zeilen, enz.). Wanneer men vervolgens de stuwdam oversteekt, kan men rechtsom rond het meer rijden. De bosrijke oevers bieden slechts op enkele plaatsen uitzicht op het meer.

Van La Salvetat terug naar St-Pons via de D 907.

2 L'ESPINOUSE

Deze streek wordt van de Somail gescheiden door de D 14 en van het Massif du Caroux door de **Gorges d'Héric**★★ *(zie onder Héric)* en de Pas de la Lauze. De Espinouse is nu eens met ravijnen doorsneden, dan weer bedekt met struikgewas en bos. Er is een duidelijk contrast tussen het noordelijke deel dat op ruim 1 000 m hoogte ligt en waar het landschap groen en fris is, en de zuidelijke helling, langs het dal van de Jaur, waar het landschap beneden de 200 m vrij kaal is.

Van Olargues naar de Col de l'Ourtigas

38 km - ongeveer twee en een half uur

Olargues - Olargues is een schilderachtig dorp dat boven de rivier de Jaur en aan de voet van het Massif de L'Espinouse ligt. De **belvédère** *(bereikbaar via een overdekte trap; tegenover het Syndicat d'Initiative)* biedt een aardig uitzicht op de Jaur, de 13de-eeuwse brug en de omgeving. Het **museum** ⓥ is gewijd aan ambachten en landbouwtechnieken uit de oude tijd.

Vanuit Olargues in westelijke richting rijden via de D 908 naar St-Pons, dan rechtsaf de D 14 volgen richting Fraisse-sur-Agout en La Salvetat.

De weg naar de Col de Fontfroide, langs de westflank van de Espinouse, begint in een mediterraan landschap waar men wijnstokken, olijfbomen, steeneiken en tamme kastanjes aantreft.

Rechts ligt het ravijn van Mauroul dat zich uitstrekt tot aan het gelijknamige dorpje, dat men beneden ziet liggen. Vanaf de Col du Poirier kijkt men links uit over de Monts du Somail, voorbij het ravijn van Coustorgues. In zuidelijke richting heeft men een nog weidser uitzicht *(belvédère)* naar het dal van de Jaur.

Hogerop maakt de mediterrane plantengroei plaats voor een heidelandschap met beukenbomen.

Col de Fontfroide - 971 m. Deze pas, die deel uitmaakt van een indrukwekkend en ruig landschap, vormt de scheiding tussen het stroomgebied van de Middellandse Zee en dat van de Atlantische Oceaan.

Rechtsaf de D 53 nemen, richting Cambon.

De weg loopt langs de Agout, door het dorpje Cambon dat 's zomers wat toeristen trekt. Vervolgens komt men door een bergachtig landschap dat woest en verlaten is en waar de heidevelden zich uitstrekken tegen een achtergrond van naaldbomen van het Forêt de l'Espinouse.

Forêt domaniale de l'Espinouse - In dit uitgestrekte staatsbos op het Plateau de l'Espinouse worden al sinds het einde van de 19de eeuw bomen geplant, met name beuken, dennen en sparren. Een groot deel van de hoogvlakte is tot jachtreservaat verklaard (Réserve de chasse du Caroux-Espinouse). Men tracht er onder andere de Corsicaanse moeflon te laten gedijen. Alleen het westelijk deel van het bos, rond het boswachtershuis van Le Crouzet, is voor de wandelaar gemakkelijk toegankelijk.

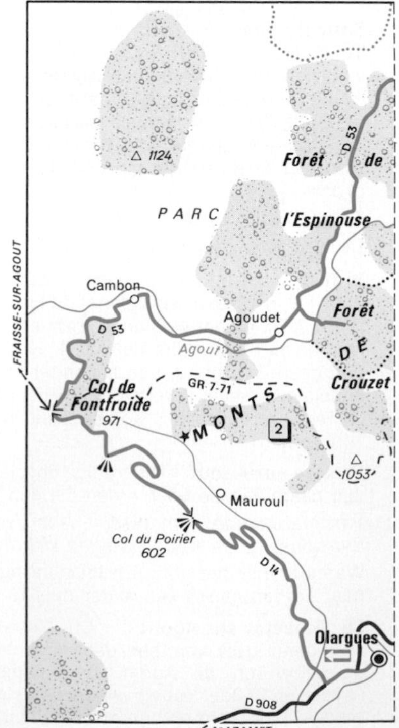

Forêt du Crouzet – *Voorbij Agoudet rechtsaf bij het bordje "pique-nique".* In dit 219 ha grote bos treft men velerlei boomsoorten aan.
Na Salvergues overheerst het heidelandschap met uitgestrekte vlakten waar de wind vrij spel heeft.

Bij een splitsing rechtsaf de D 180 nemen.

Wanneer men de top van de Espinouse nadert, is beneden naast de weg het dak te zien van de Espinouse-boerderij, **Rec d'Agout** genaamd, waar de rivier de Agout ontspringt. De weg bereikt de voet van de koepelvormige, kale top van de Espinouse (1 124 m), daalt weer af in een woest landschap, met aan weerszijden ravijnen, en loopt vervolgens over de **Pas de la Lauze**, een spitse bergkam die de Espinouse met de Caroux verbindt.

★ **Col de l'Ourtigas** – 988 m. Vanaf de belvédère heeft men een interessant **uitzicht**★ op de grillige Espinouse met zijn vele ravijnen: links de Montagne d'Aret, rechts de twee uitsteeksels van de Fourcat d'Héric en in de verte, aan de horizon, de Corbières en vervolgens de Canigou. Aan de andere kant van de weg voert een pad naar de **Plo des Brus** *(drie kwartier heen en terug)*. Niet ver daarvandaan werd bij archeologische opgravingen een Romeinse nederzetting ontdekt. Vanaf de rand van het plateau kan men genieten van het uitzicht over het dal van de Mare, de Causses en de Cevennen.

3 LE CAROUX

Het Massif du Caroux wordt in het oosten en het zuiden begrensd door de dalen van de Mare en de Orb; de Gorges d'Héric scheiden het massief van de Espinouse. Het is een beschermd natuurgebied, dat bijzonder in trek is bij natuuronderzoekers, bergbeklimmers en wandelaars. De naam stamt van het Keltische "Karr", dat rots betekent. Het is inderdaad een rotsachtig massief met een uitgestrekt plateau op 1 000 m hoogte, omringd door diepe, grillig gevormde kloven en spitse bergtoppen.

Van de Col de l'Ourtigas naar Lamalou-les-Bains

21 km – ongeveer drie uur, inclusief de wandeling naar de oriëntatietafel van de Mont Caroux

Vanaf de Col de l'Ourtigas (zie hierboven) de weg vervolgen tot de kruising met de D 180E, daar rechts afslaan richting Douch.

Kerk van Rosis – Aan de rechterzijde van de weg staat een rustiek kerkje met een stenen klokkentoren, dat schitterend afsteekt tegen een landelijk decor.

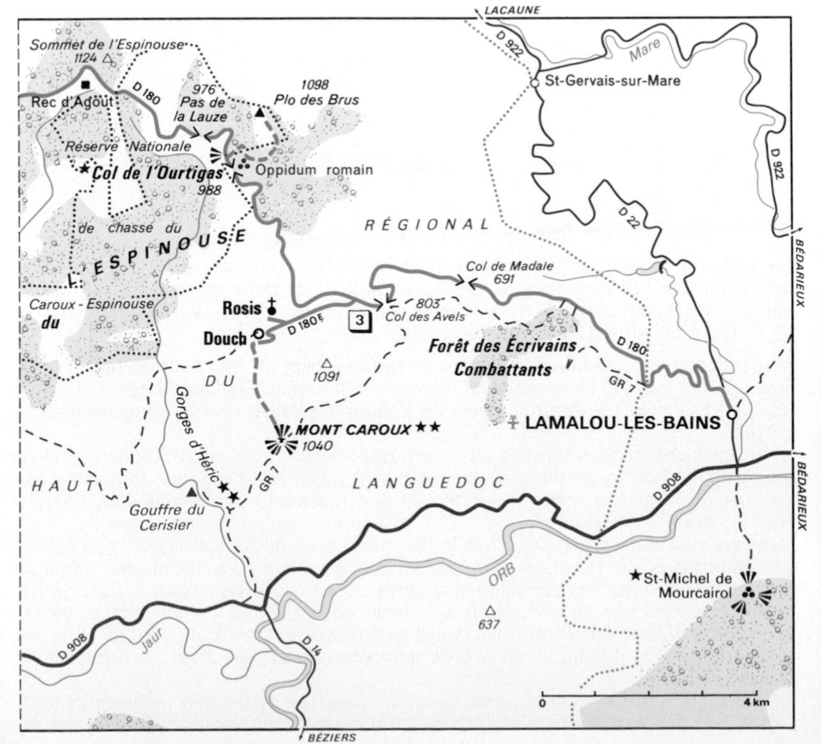

Douch - De woningen van dit karakteristieke Caroux-dorpje zijn tamelijk goed behouden gebleven. De daken van de stenen huizen, die dicht aaneen staan langs smalle straatjes, zijn bedekt met "lauzes" (platte stenen).

Table d'orientation du Mont Caroux - *Twee uur lopen heen en terug. De auto in Douch laten staan en links het pad nemen dat dwars door de velden omhoogloopt; na 50 m links afslaan.*
Men klimt tussen de brem door omhoog en loopt vervolgens door een beukenbos. Aan het einde van de klim doemt links het hoogste punt op van de eigenlijke Caroux (1 091 m). Dan gaat de wandeling dwars over een uitgestrekt plateau, waar heide en brem ruisen in de wind. In de stilte die op deze eenzame vlakte heerst, bereikt men de oriëntatietafel, waarbij men de Plo de la Maurelle rechts van zich laat.
De Caroux, een ruw en kaal gebergte, steekt duizelingwekkend hoog boven de dalen van de Orb en de Jaur uit, waarbij zich een schitterend **panorama**★★ ontvouwt; het reikt van west naar oost over de afgeronde toppen van de Montagne Noire, waar de Pic de Nore boven alles uitsteekt, over de Pyreneeën met de Pic Carlit en de Canigou. Vervolgens dwaalt de blik over de vlakten van Narbonne en Béziers tot aan de Middellandse Zee. Rechts van het plateau zijn de Gorges de Colombières al te onderscheiden.

Terug naar de D 180.

Forêt des Écrivains Combattants - *Per auto bereikbaar via de Chemin Paul-Prévost of te voet via een trap 200 m verderop, recht tegenover een oude herberg.*
Na de catastrofale overstromingen van maart 1930 bleek het noodzakelijk de hellingen van het Massif du Caroux opnieuw te bebossen. De Association des Écrivains Combattants, de Touring Club de France en de gemeenten Combes en Rosis hebben de bebossing van 78 ha grond op zich genomen. Dit bos werd opgedragen aan de schrijvers die voor het vaderland gesneuveld zijn. De steile trap leidt naar het plateau waar een monument geplaatst is ter nagedachtenis aan de 560 schrijvers die tijdens de Eerste Wereldoorlog hun leven hebben geofferd. Daarna komt men bij het rond-point Charles-Péguy, waar een reusachtig oorlogskruis is neergezet. Daar komen de lanen op uit, die elk naar een schrijver zijn genoemd.
Het bos, dat bestaat uit ceders, dennen, tamme kastanjes en eiken, biedt een schitterend uitzicht op de Caroux en de oostelijke hellingen van de Monts de l'Espinouse.
De bijzonder schilderachtige D 180 voert naar **Lamalou-les-Bains** ♆ *(zie onder deze naam).*

De straatnamen staan ofwel op de plattegronden zelf, ofwel in de straatnamenregisters met een identificatienummer.

ESTAING★

665 inwoners
Michelinkaart nr. 80 vouwblad 3, of 240 vouwblad 1.

De oude huizen van Estaing staan dicht bijeen aan de voet van het kasteel, de bakermat van het gelijknamige geslacht. Dankzij de rivier de Lot is Estaing een aangenaam vakantieverblijf van waaruit de excursies kunnen worden gemaakt die bij Entraygues en Espalion zijn beschreven.

Met Dieudonné d'Estaing begon voor de **familie Estaing** de weg naar de roem. In de slag bij Bouvines (bij Lille) redde hij het leven van koning Philippe Auguste, die hem uit dankbaarheid toestemming gaf de koninklijke lelies op het familiewapen te zetten.
In dit geslacht volgden kardinalen en krijgers elkaar op en altijd stonden zij in de gunst bij het hof. In de 18de eeuw echter kwam aan een bijzonder vermaarde tak van het geslacht een roemrijk einde met een markante persoonlijkheid, Charles-Hector, graaf van Estaing.
Deze zeeman onderscheidde zich in Indië, Amerika en de Antillen. Bij zijn terugkeer in Frankrijk is de Revolutie hem eerst goedgezind en wordt hij tot admiraal benoemd. Ondanks zijn republikeinse ideeën tracht Charles-Hector d'Estaing het leven te redden van de koning en zijn gezin en wisselt hij enkele vertrouwelijke brieven met Marie-Antoinette. Hij wordt gearresteerd, treedt als getuige op in het proces tegen de koningin en wordt vervolgens zelf ter dood veroordeeld en geëxecuteerd.
"Als u mijn hoofd eraf hebt laten hakken," heeft hij tegen zijn rechters gezegd, "stuur het dan aan de Engelsen, zij zullen u er veel geld voor geven."

A. Kumurdjian

Estaing.

BEZIENSWAARDIGHEDEN *bezichtiging: drie kwartier*

Vanaf de weg naar Entraygues vormen de rivier de Lot, de oude brug en het kasteel dat boven de stad uittorent, een schilderachtig geheel. Vooral 's morgens biedt de weg naar Laguiole een mooi uitzicht op de andere zijde van het kasteel, de koorsluiting van de kerk en de oude huizen.

Kasteel ⊙ - Het kasteel, dat in verschillende perioden is gebouwd (15de-16de eeuw) en uit diverse materialen is opgetrokken, vormt een merkwaardig geheel waarboven de donjon uitsteekt. Vanaf het terras aan de westelijke zijde is het uitzicht op de oude stad en de rivier de Lot prachtig.

Kerk - Tegenover het kasteel staat de uit de 15de eeuw daterende kerk, waar de relieken worden bewaard van de H. Fleuret, bisschop van Clermont, die in de 7de eeuw in Estaing is gestorven. Op zijn naamdag, de eerste zondag van juli, wordt een processie gehouden. Voor de kerk staan mooie gotische kruisen.

Gotische brug - Op deze brug staat een standbeeld van François d'Estaing, bisschop van Rodez, die de prachtige klokkentoren van de kathedraal van die stad liet bouwen.

Maison Cayron - Dit huis, waarin nu het stadhuis is gevestigd, staat in de oude stad; het heeft nog altijd zijn renaissanceramen.

Chapelle de l'Ouradou - *1,5 km. Noordwaarts de D 97 nemen, richting Nayrac en de borden volgen.* Dit kapelletje uit de 16de eeuw heeft een interessant altaarstuk, een haut-reliëf van steen, dat de doop van Christus voorstelt.

FANJEAUX*

775 inwoners

Michelinkaart nr. 82 vouwblad 20, of 235 vouwblad 39.

Het dorp Fanjeaux, dat al in de Romeinse tijd een gewijde plaats was (de naam Fanjeaux stamt van Fanum Jovis: tempel van Jupiter), ligt op een vooruitspringend deel van het gebergte, dat een immens **uitzicht** biedt op de vlakte van de Lauragais en de Montagne Noire. In het dorp zijn nog getuigenissen te vinden van de eerste predikingen van de **H. Dominicus** in het land der katharen.

In juni 1206 onderbreken Dominicus, onderprior van het kapittel van de kathedraal van Osma in Oud-Castilië, en zijn bisschop hun terugreis van Rome naar Spanje om in Montpellier het werk van drie legaten te ondersteunen die door paus Innocentius III waren gezonden om tegen de Albigenzen te prediken. In april 1207, na de beroemde twist met de katharen in het dorpje Montréal, vestigt Dominicus zich aan de voet van de heuvel van Fanjeaux, brandhaard van het katharisme, en sticht hij te Prouilles (3 km oostwaarts) een gemeenschap van bekeerde vrouwen, terwijl zich in het hooggelegen dorp broeders vestigen. Zij krijgen er veelvuldig bezoek van hun meester voordat deze naar Toulouse vertrekt, waar in 1215 de orde der predikbroeders of dominicanen wordt gesticht.

Het huis van de H. Dominicus – Wanneer Dominicus in Fanjeaux was, verbleef hij in de zadelmakerij van het kasteel, dat thans niet meer bestaat. In zijn kamer, de "chambre de saint Dominique", zijn nog steeds de oude balken te zien en een schouw. De kamer werd in 1948 tot kapel omgebouwd; Jean Hugo voorzag deze van glas-in-loodramen, die de wonderen verbeelden van de missie van de heilige. Vanuit het tuintje zijn bij helder weer de Pyreneeën te zien.

★ **Le Seignadou** – *Ten oosten van het dorp.* Het monument ter herdenking van de H. Dominicus staat op een vooruitstekende punt, vanwaar de heilige tot driemaal toe een bol van vuur zag neerdalen op het gehucht **Prouille**. Dit wonder deed hem ertoe besluiten daar zijn eerste gemeenschap te stichten; ook nu nog staat er in Fanjeaux een klooster voor dominicanessen (contemplatieve orde). Boven op de heuvel ontvouwt zich een prachtig vergezicht naar de Lauragais, de Montagne Noire, de Corbières en de Pyreneeën. Op de voorgrond het dorpje Prouille met daartegenover, in het oosten, de St-Barthélemy (2 348 m).

Kerk ⌚ – Deze kerk is een groot, meridionaal gebouw uit het einde van de 13de eeuw. Het verfijnde koor bezit een prachtig sierelement, bestaande uit zes schilderijen uit de 18de eeuw. Boven het hoofdaltaar is een schitterende voorstelling van Maria's tenhemelopneming aangebracht. Tegen het gewelf zijn sierlijke medaillons te zien. In de kapel van de H. Dominicus (2de links) een balk, waarop "het wonder van het vuur" te zien is. Aan het einde van een winterdag, waarop hij lange gesprekken had gevoerd met de katharen, gaf Dominicus aan een van zijn opponenten een document waarin zijn argumenten waren samengevat. Eenmaal terug bij zijn gastheer onderwierp de kathaar het blad publiekelijk aan het godsgericht: driemaal werd het vel papier in het vuur gegooid, driemaal bleef het intact, maar tot driemaal toe rees het omhoog tot aan het plafond en liet op de balk sporen van verbranding achter. Ook de glas-in-loodramen en het prachtige wijwatervat verdienen de aandacht.

Kerkschat ⌚ – Borstbeeldreliekhouders van de H. Louis d'Anjou, een van de beschermheiligen van de franciscanenorde (omstreeks 1415), en van de H. Gaudéric, beschermheilige van de boeren (1541).

Le FENOUILLÈDES★★

Michelinkaart nr. 86 vouwbladen 7, 8 en 17, 18, of 235 vouwbladen 47, 48, 51.

Tussen de zuidelijke Corbières en de Conflent ligt de Fenouillèdes, een aardglooiing in het zuiden van de Languedoc. Geografisch gezien verbindt de Fenouillèdes de uitholling tussen de Col Campérié en Estagel – het bedrijvige deel van het gebied waar de wijngaarden van Maury en de "Côtes du Roussillon" een belangrijke bron van inkomsten vormen – met een ruiger kristallijn massief dat tussen Sournia en Prades woestijnachtig wordt. Verregaande ontginningen wijzen echter ook daar op de opmars van de wijnstok in de garrigues van steeneiken en doornstruiken. Door het noordelijk deel van de streek loopt de rivier de Agly, waarvan het dal, dat soms diep in grillige ravijnen genesteld ligt, een overweldigende indruk bij de bezoeker zal achterlaten.

H. Donnezan/RAPHO

Caudiès-de-Fenouillèdes – Église Notre-Dame-de-Laval.

VAN CAUDIÈS NAAR PRADES *45 km - ongeveer twee en een half uur*

Caudiès-de-Fenouillèdes - Dit dorp is niet alleen de toegangspoort tot de Fenouillèdes, maar vormt ook het beginpunt voor een tocht naar het dal van de Aude, in het westen richting Axat via de Col Campérié, in het noordwesten richting Quillan via de Col de St-Louis.

N.-D.-de-Laval - Voormalige **ermitage** ⏲. Op een plein met olijfbomen staat de gotische kerk, waarvan het schip een roze dak heeft en die wordt geflankeerd door een toren met een achthoekige bekroning en een trechtervormig dak. Bezichtiging wordt aanbevolen via de oude steile toegang, aan de kant van Caudiès. Aan de voet daarvan vormt de poort een oratorium waarin een beeld staat van de Heilige Familie (15de eeuw); de bovenste poort, die is gewijd aan Notre-Dame "de Donne-Pain" (Maria met Kind, eveneens uit de 15de eeuw), heeft Romaanse zuilen en kapitelen die daar opnieuw zijn gebruikt. Fraai uitzicht op de Ermitage N.-D.-de-Laval en aan de horizon op de Bugarach wanneer men verder omhoogrijdt richting **Fenouillet**; aan dit dorpje met twee hooggelegen ruïnes ontleent het gebied zijn naam.
Via de Col del Mas bereikt men Le Vivier, waar de D 7 uitkomt (weg vanuit St-Paul). Deze loopt omhoog richting Prats-de-Sournia. Het uitzicht wordt steeds weidser, op de Corbières in het noorden en op de Middellandse Zee. In Sournia komt men weer bij de route vanuit St-Paul (D 619). Hieronder volgt een verdere beschrijving.

Prades - *Zie onder deze naam.*

VAN ST-PAUL-DE-FENOUILLET NAAR PRADES
47 km - ongeveer twee en een half uur

St-Paul-de-Fenouillet - Een dorp op de linkeroever van de Agly, kort voordat deze samenvloeit met de Boulzane. Noordwaarts leidt de D 7 door de Gorges de Galamus.

Clue de la Fou - Een doorgang die uitgeslepen is door de Agly. De rivier oversteken. Er staat voortdurend een flinke wind in de kloof. De D 619 volgt de rivier van dichtbij.
De route, die schilderachtig is en vol bochten, loopt tegenover de plooi met het wijngebied van de Fenouillèdes; op de achtergrond ziet men de rotspunt waarop het kasteel van Quéribus staat. Meer naar voren is vanuit verschillende hoeken de brede rotsrug van de Serre de Verges te zien. In de verte doemt de Canigou op. Men komt vlak langs het Romeinse aquaduct van **Ansignan**, dat goed bewaard is gebleven en nog altijd in gebruik is. De weg, die steeds bochtiger wordt, volgt een tijdje de Matassa en bereikt via Pézilla-de-Conflent, langs de Desix, het dorp Sournia. De weg loopt weer omhoog uit het dal en komt vervolgens uit op het Plateau de Campoussy. Het uitgestrekte panorama omvat de zee, de vlakte van de Roussillon en de Corbières en wordt steeds weidser terwijl men door een heidelandschap rijdt vol grote granietrotsen. De meest bijzondere rots is de Roc Cornu, langs de weg, waarin de kop te herkennen is van een monsterachtige vogel. De weg bereikt zijn hoogste punt (976 m) wanneer men de kleine bergketen van Roque Jalère overgaat, waar een telecommunicatiestation is gevestigd. Van daaruit begint men aan de laatste **afdaling**★★ met zicht op de Canigou. Aan het einde van de middag, als de zon laag staat, kan men de ruwe contouren en de door erosie aangetaste wand van deze berg goed onderscheiden. Na een wegwerkershuisje kondigt zich het bovendal van de Têt aan, voorbij de bergengte van Villefranche. Iets rechts van Prades is de toren van St-Michel-de-Cuxa te zien.

Prades - *Zie onder deze naam.*

VAN ST-PAUL-DE-FENOUILLET NAAR CUBIÈRES
zie onder Galamus.

FLORAC

2 065 inwoners
Michelinkaart nr. 80 vouwblad 6, of 240 vouwblad 6.
Schema's, zie ook onder Grands Causses, Lozère en Tarn.

Dit stadje ligt in het dal van de Tarnon, aan de voet van de dolomietwanden van de Rocher de Rochefort. Door zijn centrale ligging, aan het begin van de Gorges du Tarn en in de nabijheid van de Causse Méjean, de Cevennen en de Mont Lozère, werd Florac gekozen tot zetel van het bestuur en de administratie van het **Parc national des Cévennes** *(zie de Inleiding)*.
Florac, dat het centrum was van een van de acht baronieën van de **Gévaudan**, onder direct gezag van de bisschop van Mende, heeft een veelbewogen verleden. De stad ging gebukt onder een hardvochtig, feodaal bewind. Na de telkens oplaaiende strijd tegen de leenheren volgde de godsdienstoorlog. Vandaag de dag staat dit vreedzame stadje bekend om zijn keuken en de recreatiemogelijkheden die de natuur er biedt. Jaarlijks vindt het evenement "Lozère Endurance Equestre" plaats: ruiters leggen 160 km af rond Florac, over de Mont Lozère, de Mont Aigoual en de Causse Méjean.

Château (Kasteel) ⏲ - In dit langwerpige kasteel uit de 17de eeuw, met aan weerszijden een ronde toren, is op de benedenverdieping en op de eerste verdieping een interessante tentoonstelling te zien over het Parc national des Cévennes (landschap, fauna, flora en activiteiten).
Het **Centre d'information** (informatiecentrum) verschaft inlichtingen over wandeltochten, rondleidingen, de écomusées van het park en overnachtingsmogelijkheden.
Vlak bij het kasteel begint een pad, le Sentier du Castor, waarlangs bordjes zijn geplaatst met uitleg over de natuurlijke omgeving van de Source du Pêcher.

Couvent de la Présentation - Voormalige commanderij van de tempeliers; mooie voorgevel en monumentaal portaal uit 1583.

Source du Pêcher - Dit is een van de belangrijkste résurgences (plaats waar een rivier weer aan de oppervlakte komt) van de Causse Méjean, aan de voet van de Rocher de Rochefort; bij stevige regenval of als de sneeuw smelt, borrelt het water flink omhoog.

EXCURSIES

★★★ **Corniche des Cévennes** - *Zie onder Cévennes.*

Circuit cévenol - *75 km - ongeveer drie uur.*
Deze tocht door de Cevennen voert de bezoeker door diepe dalen die elkaar doorkruisen en waar het beeld bepaald wordt door "serres" (gekartelde bergkammen), leistenen daken, wegen met kastanjebomen erlangs en dorpen die allemaal een herinnering bewaren aan de opstand van de camisards *(zie onder Mas Soubeyran).*

Florac in zuidelijke richting uitrijden via de D 907 en vervolgens de N 106 nemen, richting Alès.

De weg volgt eerst het dal van de Mimente, tussen leistenen rotswanden. Na de hooggelegen ruïnes van het kasteel van St-Julien-d'Arpaon, links van de weg, een blik werpen op de Montagne du Bougès, eveneens links, waarvan het hoogste punt op 1 421 m ligt.

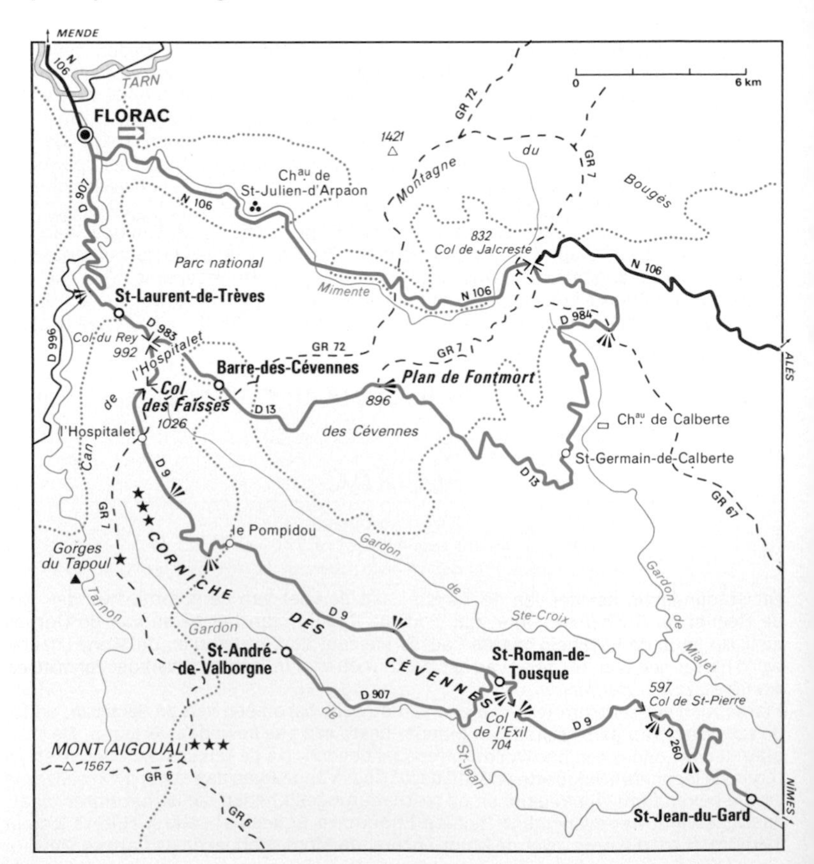

Bij de Col de Jalcreste rechtsaf de D 984 nemen richting St-Germain-de-Calberte.

Al direct heeft men een prachtig uitzicht op het begin van het dal van de Gardon de St-Germain. Voorbij de pas begint de afdaling naar St-Germain-de-Calberte, tussen kastanjebomen, steeneiken en bremstruiken. Langs de weg staan huizen die karakteristiek zijn voor de Cevennen, met daken van platte stenen, waarop een decoratieve schoorsteen prijkt. In een bocht doemt het kasteel van Calberte op, dat gelegen is op een hoge rots.

Voorbij St-Germain-de-Calberte rechtsaf de D 13 nemen.

Plan de Fontmort - 896 m. In het staatsbos van Fontmort staat bij een kruising de obelisk die in 1887 werd neergezet ter ere van het honderdjarig bestaan van het Edict van Tolerantie, dat werd getekend door Lodewijk XVI *(zie onder Mas Soubeyran)*. Dit monument herinnert eveneens aan de vele gevechten die de camisards in deze streek hebben moeten leveren tegen maarschalk De Villars. Oostwaarts heeft men een prachtig uitzicht op de "serres" van de Cevennen. Van het Plan de Fontmort naar Barre-des-Cévennes volgt men een smalle bergkam die een schitterend uitzicht biedt op de dalen in de zuidelijke Cevennen, met op de voorgrond heidevelden.

Barre-des-Cévennes - Vanuit dit streng aandoende stadje met zijn hoge gevels zonder enige versiering kan men alle wegen naar de Gardons bereiken. Het is uiterst schilderachtig gelegen en biedt een prachtig uitzicht op de Cévennes des Gardons en de Aigoual. Vanwege zijn strategische ligging werd het tijdens de opstand van de camisards een belangrijk verdedigings- en bewakings centrum.
Op de heuvel van Le Castelas ziet men nog de resten van vroegere bolwerken. Wanneer men het pad van Barre-des-Cévennes neemt, dat 3 km lang is, maakt men kennis met het verleden van het dorp en de natuur in de omgeving.

Men komt uit bij de route over de Corniche des Cévennes (zie onder Cévennes) op de Col du Rey, waar men rechts afslaat en de D 983 oprijdt, die links een prachtig uitzicht biedt op het massief van de Mont Aigoual en rechts op de bergrug van de Mont Lozère.

Terugrijden naar Florac via St-Laurent-de-Trèves en het dal van de Tarnon.

FOIX★

9 660 inwoners
Michelinkaart nr. 86 vouwbladen 4, 5, of 235 vouwblad 42.

Aan het einde van het vroegere gletsjerdal van de Ariège raakt de toerist in de ban van het grillige **landschap★** rond Foix, waar spitse bergtoppen oprijzen en waar de drie torens van het kasteel vanaf hun hoge rots toezien op de laatste gang van de rivier tussen de plooien van de Montagne du Plantaurel.
In het centrum van de oude stad met haar smalle straatjes, staat op de hoek van de Rue de Labistour en de Rue des Marchands de Fontaine de l'Oie, een kleine bronzen fontein. Dit oude stadsdeel vormt een schril contrast met de administratieve wijk die in de 19de eeuw werd gebouwd rond de Allées de la Villote en de Champ de Mars met hun brede esplanaden.

Het Pays de Foix - Het Pays de Foix, waaruit het departement Ariège is ontstaan, heeft als as het dal van de rivier de Ariège, een grote zijtak van de Garonne, die zich een weg door het gebergte baant. Met de Couserans en de Donézan *(zie onder Aude)* behoort dit deel van de bergketen tot de streken die nog steeds bijzonder rijk zijn aan tradities, mythen en legenden, die min of meer met de leer der katharen verbonden zijn.

UIT DE GESCHIEDENIS

Het graafschap Foix - Het Pays de Foix, dat eerst deel uitmaakte van het hertogdom Aquitanië en vervolgens van het graafschap Carcassonne, werd in de 11de eeuw een zelfstandig graafschap. Bij het Verdrag van Parijs (1229), waarmee een einde kwam aan de oorlog tegen de Albigenzen, die in deze streek een bijzonder wreed karakter droeg, wordt de graaf van Foix als vazal onderworpen aan de koning van Frankrijk. In 1290 erft het geslacht Foix door huwelijk de Béarn en vestigt zich in deze staat, omdat het liever heer en meester is in eigen huis dan dat het onder koninklijk gezag komt te staan.
In 1607 wordt de Béarn door Hendrik IV bij de kroon ingelijfd.
De graaf van Foix, die met de bisschop van Urgel opperleenheer is van Andorra, heeft toen zijn rechten op deze heerlijkheid overgedragen aan de koning van Frankrijk.

Een roemrijk geslacht - Gaston III (1331-1391), de beroemdste van de **graven van Foix** en van de burggraven van Béarn, is in die tijd de enige vazal van de koning van Frankrijk die over ruime financiële middelen beschikt. Omstreeks 1360 neemt hij de bijnaam **Fébus** aan, wat "de schitterende", "de jager" betekent. Fébus heeft een karakter vol tegenstellingen. Als bedachtzaam politicus oefent hij absolute macht uit. Hij is belezen, maakt gedichten en omringt zich met schrijvers en troubadours; daartegenover staat dat hij zijn broer laat vermoorden en zijn enige zoon doodt. Hij is een hartstochtelijk jager en schrijft een verhandeling over de kunst van de parforcejacht. Gaston Fébus was echter niet de enige vertegenwoordiger van het illustere geslacht van de graven van Foix.
Gaston IV, een trouw aanhanger van Karel VII, trad als onderhandelaar op bij het verdrag van 1462 tussen de koning van Aragon en Lodewijk XI. Als beloning ontving hij de stad en de heerlijkheid Carcassonne.
Catherine de Foix bracht bij haar huwelijk met Jean d'Albret in 1484 het graafschap Foix en Navarra als bruidsschat mee. Nadat haar staten waren veroverd door de koning van Spanje, Ferdinand de Katholieke, stierf zij in 1517 van verdriet.
Gaston de Foix, neef van Lodewijk XII, kreeg het bevel over het koninklijk leger in Italië. Op 22-jarige leeftijd won hij de slag bij Ravenna, maar liet er in 1512 het leven nadat hij vijftien maal met de lans was doorboord. Odet de Foix, zijn volle neef, die ook in Ravenna gewond raakte, overleefde de verwondingen en leverde vervolgens een wezenlijke bijdrage aan de verovering van Milaan (1515).

Ambachten van vroeger - Eeuwenlang werden in het Pays de Foix bepaalde ambachten die karakteristiek waren voor de streek, van vader op zoon overgedragen.

De mijnwerkers van Le Rancié - Het ijzererts van de Pyreneeën, dat bijzonder gewild was vanwege het hoge ijzergehalte, werd reeds in vroege tijden actief gedolven. In 1293 stond al in een document vermeld dat "iedereen of een ieder het recht had erts te delven in de ijzermijnen in het dal (van Vicdessos), in de bossen bomen te vellen en tot houtskool te verwerken".
De mijn van Le Rancié, die in 1931 definitief werd gesloten, werd in de vorige eeuw nog geëxploiteerd volgens een verouderde coöperatieve formule: de bewoners van het dal, die ingeschreven stonden bij het "Office des Mineurs", waren meer vennoten dan werknemers. Zij mochten per dag slechts een bepaalde hoeveelheid erts weghalen. Vaak werkte de mijnwerker daarbij in zijn eentje. Zodra zijn draagmand vol was, bracht hij het erts op zijn rug naar boven tot bij de ingang van de mijn en verkocht het dan contant aan muildierdrijvers. Deze brachten het naar Vicdessos waar de smeden zich kwamen bevoorraden.
In 1833 betrokken vierenzeventig "Catalaanse" smederijen nog steeds hun erts uit deze mijn. Zij bewerkten het erts rechtstreeks via een eenvoudige reactie met houtskool - wat mogelijk is, omdat dit erts, net als dat uit de Oostelijke Pyreneeën, de noodzakelijke smeltstoffen bevat - maar de bossen werden erdoor verwoest.

De goudzoekers - Het water van de Ariège bevat goud en van de middeleeuwen tot aan het einde van de vorige eeuw wasten talrijke goudzoekers het zand op zoek naar de kostbare schilfers. Pas stroomafwaarts van Foix was er goud in de Ariège te vinden; de grootste schilfers zijn gevonden tussen Varilhes en Pamiers: sommige wogen wel 15 g. Toen dit goudmijntje te onbetrouwbaar werd, verdwenen de professionele goudzoekers.

BEZIENSWAARDIGHEDEN

Château (Kasteel) ⌚ - De geschiedenis van dit kasteel is nauw verbonden met die van Frankrijk. In 1002 laat de graaf van Carcassonne, Roger le Vieux, het kasteel van Foix en een aantal landerijen na aan zijn zoon Roger-Bernard, die de titel van graaf van Foix aanneemt.
Het kasteel, waarvan de eerste fundamenten uit de 10de eeuw dateren, is een stevige vesting die Simon de Montfort tijdens de kruistocht tegen de Albigenzen (1211-1217), niet durft aan te vallen. Maar in 1272 weigert de graaf van Foix de soevereiniteit van de koning van Frankrijk te erkennen, waarop Filips de Stoute persoonlijk de leiding op zich neemt van een expeditie tegen de stad. Als er geen levensmiddelen meer zijn en de vijand de rots met houwelen gaat bewerken, geeft de graaf zich over.
Na de eenwording van de Béarn en het graafschap Foix in 1290 wordt de stad door de graven praktisch verlaten. Gaston Fébus is de laatste die in het kasteel heeft gewoond.
In de 17de eeuw verliest het kasteel zijn militaire karakter; Hendrik IV maakt zich ervan meester. Vervolgens wordt het kasteel tot gevangenis omgebouwd en het doet als zodanig dienst tot 1864. Thans is er een museum in ondergebracht. De roem heeft het kasteel vooral te danken aan zijn ligging. Alleen drie torens en het museum zijn nog over, d.w.z. een kwart van de oorspronkelijke gebouwen. Het woongedeelte bevond zich beneden; het was een immens hoofdgebouw dat doorliep tot de Église St-Volusien.

Apa/PIX

Het kasteel van Foix.

Van de drie uitkijk- en verdedigingstorens zijn de middelste en de ronde toren het interessantst. Hierin zijn de oude, overwelfde zalen uit de 14de en 15de eeuw bewaard gebleven. Rond de torens stonden dubbele muren die het kasteel een geduchte positie gaven. Vanaf het terras tussen de torens, of beter nog, vanaf de top van de ronde toren: **panorama★** van de stad Foix, het dal van de Ariège en de Pain de Sucre (627 m) van Montgaillard.

Musée départemental de l'Ariège ⓥ - In de grote benedenzaal van dit museum zijn collecties bijeengebracht van strijd- en jachtwapens, die herinneren aan de oorspronkelijke bestemming van de vesting. Voorwerpen uit de prehistorie getuigen van de bedrijvigheid in de grotten van de Ariège, van het Paleolithicum tot en met het bronzen tijdperk. Belangrijke overblijfselen van dieren - merendeels afgietsels - (holenberen, rendieren, hyena's, mammoets, enz.); ook afgietsels van menselijke afdrukken uit de grotten van de Ariège: er zijn 300 grotten bekend en 60 ervan zijn doorzocht. Ook zijn in het museum overblijfselen te zien van kapitelen uit het klooster van St-Volusien.

►► Église St-Volusien - Brug over de Arget, uitzicht op het kasteel.

EXCURSIES

★★ 1 Route Verte en Route de la Crouzette

Rondrit van 93 km - ongeveer 5 uur

In het algemeen is de weg van half december tot half juni door sneeuw geblokkeerd tussen de Col des Marrous en de Col de la Crouzette, evenals bij de Col des Caougnous.

Foix in westelijke richting uitrijden via de D 17.

★★ **Route Verte** - Deze licht hellende weg loopt door de **Vallée de l'Arget** ofwel de Barguillère - een streek die vroeger bekendstond om haar metaalnijverheid (spijkerfabricage) - en slingert door de bossen. Na La Mouline wordt de weg steiler en verwijdert zich bij Burret van de rivier, die in een beboste kom ontspringt. Het landschap krijgt een landelijke aanblik.

Col des Marrous - 990 m. Uitzicht naar het zuiden op het dal van de Arget en het bos van de Arize.

De weg klimt verder omhoog door een bos waar voornamelijk beuken staan. Aan het begin van de bosweg heeft men in de eerste haarspeldbocht een schitterend uitzicht op de Montagne du Plantaurel en Labastide-de-Sérou. Voorbij de Col de Jouels biedt de weg langs de bovenste hellingen van het beboste keteldal van Caplong, waar de Arize ontspringt, een steeds weidser uitzicht. Op de achtergrond doemt de afgeknotte piramide op van de Mont Valier (2 838 m).

Col de Péguère - 1 375 m. Op de pas ontvouwt zich een weids panorama.

Tour Laffon - *Een kwartier lopen heen en terug via de weg rechts, achter de berghut.*

Het schitterende **panorama★** omvat de Centrale Pyreneeën en de Ariège, vanaf de Pic de Fontfrède (1 617 m) tot de Pic de Cagire (1 912 m), voorbij de Col de Portet d'Aspet.

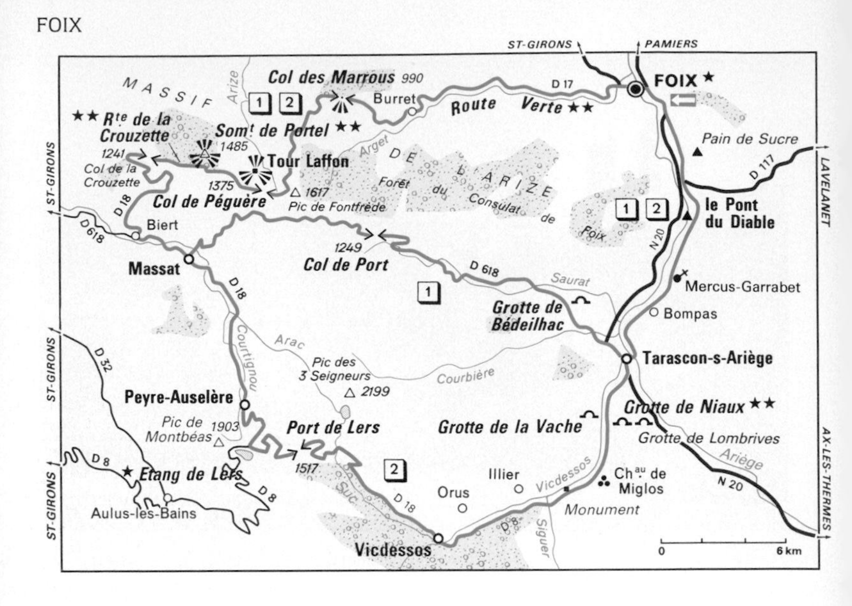

★★ **Route de la Crouzette** - Route bovenlangs, over de ronde toppen van het Massif de l'Arize, die met varens zijn begroeid. De weg steekt in het noorden uit boven de beboste keteldalen van de zijriviertjes van de Arize en in het zuiden boven het groene Massat-dal met zijn zachte glooiingen.

★★ **Sommet de Portel** - 1 485 m. *Een kwartier lopen heen en terug.*
Op 3,5 km van de Col de Péguère de auto laten staan bij een pas waar de weg een grote lus maakt; in het noordwesten over deze grasbult omhoogklimmen. **Panorama** van de hoge toppen van de Couserans tot de bergketen die de grens vormt. Vanaf deze laatste pas daalt het oude weggetje, dat in de lus van de weg begint, in enkele minuten naar de fontein van Coulat, een leuk plekje dat zich goed leent voor een pauze of een picknick.
Na de Col de la Crouzette, in de steile afdaling naar Massat, via Biert en de D 618 links, uitzicht op de Couserans en het hele bovenste deel van het massief dat onder de Col de Pause ligt, op Aulus en het dal van de Garbet.

Massat - *Zie de groene Michelingids Atlantische Kust (in voorbereiding).*

De D 618 blijven volgen.

Ten oosten van Massat ontplooit zich het bovendal van de Arac. De uiterst bochtige weg, die prachtige uitzichten biedt op het groene landschap rond Massat en het indrukwekkende massief van de Mont Valier, klimt omhoog naar de Col des Caougnous.
Weldra komt de uitsnijding van de Col de Port in zicht; rechts, achter een heuvelachtig terrein, tekent zich de ingekerfde top af van de Pic des 3 Seigneurs. De gehuchten volgen elkaar op; het uitzicht op de Mont Valier wordt fantastisch mooi. Weldra bereikt men de laatste huizen en de bovengrens van weiden en bossen. Vanaf dit punt wordt het landschap beheerst door varens en bremstruiken. Rechts ligt een mooi sparrenbos.

Col de Port - 1 249 m. Op deze pas lijkt de natuurlijke grens te liggen tussen de "groene" Pyreneeën die onder invloed van de Atlantische Oceaan staan, en de Pyreneeën "van de zon", waar het landschap meer contrasten vertoont.
De weg loopt naar beneden door het dal van Saurat, dat zonnig en vruchtbaar is. Wanneer men Saurat uitrijdt, is in de as van de weg de Tour Montorgueil te zien. Vervolgens rijdt men tussen de twee enorme rotsen van Soudour en Calamès door; boven op deze laatste staat een ruïne.

Grotte de Bédeilhac - *Op 800 m van het dorpje Bédeilhac. Zie onder Ariège.*

Tarascon-sur-Ariège - *Zie onder Ariège.*

Tarascon uitrijden via de N 20, in noordelijke richting; het vervolg van de excursie tot Foix is beschreven onder Haute vallée de l'Ariège.

2 Route du Port de Lers

Rondrit van 94 km - ongeveer een halve dag

De route van Foix naar Massat is hierboven beschreven. Van Massat naar Tarascon-sur-Ariège, zie onder Lers. Van Tarascon-sur-Ariège naar Foix, zie onder Ariège.

Abbaye de FONTFROIDE★★

Michelinkaart nr. 86 rechts boven aan vouwblad 9, of 235 vouwblad 40, of 240 vouwblad 29 – Schema, zie onder Corbières.

Deze **voormalige cisterciënzerabdij** ligt verscholen in een klein, stil dal van de Corbières; door de aanwezigheid van cipressen doet het landschap aan Toscane denken. De abdij is opgetrokken uit zandsteen van de Corbières met mooie gevlamde tinten oker en roze; bij zonsondergang gaat er van het geheel een serene rust uit.
De benedictijnenabdij, die in 1093 werd gesticht op het grondgebied van Aymé-ric I, burggraaf van Narbonne, sloot zich in 1145 aan bij de orde van Cîteaux (cisterciënzers). In 1150 zond Fontfroide twaalf cisterciënzer monniken van de abdij uit om in Catalonië het klooster van Poblet te stichten. In de 12de en 13de eeuw maakte de abdij een grote bloei door. De pauselijke legaat Pierre de Castelnau, wiens gewelddadige dood aanleiding was tot de kruistocht tegen de Albigenzen, nam er zijn intrek na zijn verblijf in Maguelone; Jacques Fournier, die in 1334 tot paus werd gekozen in Avignon onder de naam Benedictus XII, was er abt van 1311 tot 1317. Daarna raakte de abdij in verval en werd vervolgens in vruchtgebruik gegeven. Nadat in 1791 de abdij volkomen verlaten was, raakten de kunstschatten her en der verspreid.
De abdij, die sinds 1908 privébezit is, werd smaakvol gerestaureerd. Een van de oudste pachthoeven werd het kasteel van Gaussan.

BEZICHTIGING ⏲ *ongeveer een uur*

De meeste gebouwen werden opgetrokken in de 12de en 13de eeuw. De kloostergebouwen werden in de 17de en 18de eeuw gerestaureerd. De gebouwen die in het noorden boven de kloostergang uitsteken, worden door de eigenaars bewoond.
Binnenplaatsen vol bloemen, goed onderhouden paden en mooie terrastuinen vormen een betoverend decor.
De bezichtiging begint in de Cour d'Honneur, het werk van de abten die in de 17de eeuw het vruchtgebruik genoten.
In de Salle des Gardes (13de eeuw), die een kruisribgewelf heeft, zijn een mooi 18de-eeuws smeedijzeren hek en een monumentale schouw te bewonderen. Deze zaal diende als refter voor lekenbroeders en pelgrims. Vervolgens bezoekt men de middeleeuwse gebouwen, die door hun regelmatig metselwerk bijzonder mooi zijn.

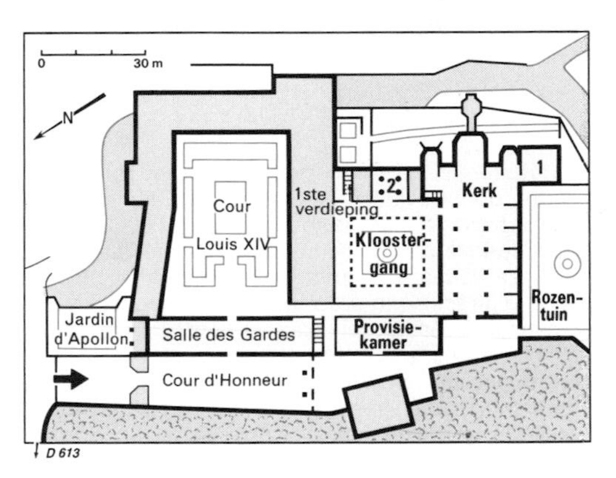

Kloostergang – De kloostergang heeft een kruisribgewelf: de arm die aan de kerk grenst, is de oudste (midden 13de eeuw). Die daar recht tegenover werd in de 17de eeuw verbouwd. Naar de hof toe heeft de kloostergang arcaden die rusten op sierlijke, marmeren colonnetten met bladwerkkapitelen. De arcaden zijn overspannen door een ontlastingsboog. De timpanen hebben een oculus of een ronde opening. Het geheel is bijzonder verfijnd.
Boven de kloostergang zijn terrasvormige daken aangebracht.

Abdijkerk – Halverwege de 12de eeuw werd begonnen met de bouw van deze abdijkerk, een prachtig voorbeeld van de elegante eenvoud die kenmerkend is voor de cisterciënzerkerken en die zelden zo ontroerend is als hier. Het schip, dat een spitstongewelf heeft, wordt geflankeerd door zijbeuken met een half tongewelf; let op de voet van de pilaren, die opgehoogd is om koorstoelen te kunnen plaatsen. De zuidelijke kapellen werden in de 14de en 15de eeuw bijgebouwd. In de Salle des Morts (**1**) (13de eeuw) staat een mooi stenen kruisbeeld uit de 15de eeuw. In de linkerdwarsbeuk bevindt zich de tribune vanwaar de zieke broeders de diensten konden bijwonen.

Kapittelzaal (2) – Deze kapittelzaal heeft negen Romaanse gewelven die rusten op door fijne marmeren colonnetten gesteunde, decoratieve spitsbogen.

Slaapzaal van de monniken – De slaapzaal van de monniken ligt boven de provisiekamer en is overdekt met een mooi 12de-eeuws spitstongewelf. Men heeft toegang tot de slaapzaal via een trappenhuis dat door een houten kap is overspannen.

Provisiekamer - Deze prachtige zaal dateert uit het einde van de 11de eeuw en is van de kloostergang gescheiden door een smal steegje, dat vermoedelijk in de 17de eeuw werd overwelfd.

Rozentuin - Dit rosarium bestaat uit ruim 2 000 rozenstruiken. Via een aantal wandelpaden kan men rond de abdij lopen en zo nog meer van de charme van de omgeving genieten.

⌚ ►► Château de Gaussan *(8 km in oostelijke richting, D 423)*, gebouwen uit de 12de, 13de en 14de eeuw die in de 19de eeuw uitgebreid gerestaureerd zijn door een volgeling van Viollet-le-Duc (neogotische toevoegsels). Monumentale schouwen.

FONT-ROMEU**

1 897 inwoners
Michelinkaart nr. 86 vouwblad 16, of 235 vouwbladen 51, 55.
Schema, zie onder Cerdagne.

Font-Romeu is een toeristencentrum dat rond 1920 werd aangelegd op 1 800 m hoogte, op de zonnige zuidhelling van de Franse Cerdagne, boven de woongrens. Het centrum is fraai gelegen en het uitzicht is er prachtig. Het ligt goed beschut tegen de kille noordenwind, aan de rand van een sparrenbos.
Vanwege de hoge en zonnige ligging en de uitzonderlijk droge lucht wordt deze plaats al direct als kuuroord gekozen. Dankzij de indrukwekkende sportinstallaties (zwembad, schaatsbaan, paardrijcentrum, enz.) kunnen atleten uit de hele wereld hier trainen op 1 800 m hoogte.
Het skigebied van Font-Romeu ligt tussen de 1 700 en 2 500 m hoogte. De wintersportplaats beschikt over een groot aantal "canons à neige", waarmee op kunstmatige wijze sneeuw wordt gemaakt; op die manier wordt een gebrek aan sneeuw voorkomen. In het noorden, op de helling van de Bouillouses, liggen enkele pistes met een hoge moeilijkheidsgraad.
Tussen de toeristische agglomeratie en het lyceum getuigt de ermitage van de beroemde Catalaanse bedevaart waaraan de plaats haar naam "fontein van de Pelgrim" (fount Romeu) ontleent.

★ **Ermitage** - In de ermitage bevindt zich de Vierge de l'Invention (Maagd van de Ontdekking). Volgens de legende werd Notre-Dame de Font-Romeu "ontdekt" (gevonden) door een stier. Bij een fontein bleef het dier met zijn poten in de grond krabben, waarbij het luidkeels loeide. De herder werd nieuwsgierig en omdat hij er genoeg van had, begon hij de plek te onderzoeken en ontdekte toen in een rotsspleet een Mariabeeld.

Wanneer er een processie wordt gehouden, trekt de ermitage een indrukwekkend aantal belangstellenden. Op 8 september, feestdag "del Baixar" (van de afdaling), wordt de Madonna in processie naar de kerk van Odeillo gedragen, waar zij blijft staan tot de zondag van "el Pujar" (Heilige Drieëenheid). Vervolgens wordt het Mariabeeld met dezelfde plechtigheid weer teruggedragen naar de kapel van de ermitage. Verder worden er processies gehouden op de derde zondag na Pinksteren ("cantat" van de zieken) en op 15 augustus (Maria-Hemelvaart).

De kapel dateert uit de 17de en 18de eeuw. Het water van de wonderbaarlijke bron, die links in de muur is "ingebouwd", stroomt naar een bekken dat zich in het gebouw bevindt waarvan de puntgevel naar de bergen is gericht.

In de **kapel** ⌚ is een prachtig altaarstuk (1707) te zien van de hand van Joseph Sunyer: in de centrale nis staat het beeld van Notre-Dame de Font-Romeu of, wanneer dit in Odeillo is, het beeld van de Vierge de l'Ermitage (H. Maagd van de Ermitage) (15de eeuw); op het onderstuk van het altaarstuk geven drie delicate voorstellingen de episoden van de "Ontdekking" weer.

Links van het hoofdaltaar de trap nemen die naar de **camaril**★★ voert, de kleine "ontvangstkamer" van de H. Maagd. Het vertrek is typisch Spaans ingericht en van een ontroerende schoonheid; het is het meesterwerk van Sunyer. Boven het altaar, dat geschilderde panelen heeft, bevindt zich een Christusbeeld omringd door de H. Maagd en de H. Johannes. Boven de deuren prijken twee verfijnde medaillons die de Opdracht in de Tempel en de Vlucht naar Egypte voorstellen. In de vier hoeken mooie beelden van musicerende engelen.

★★ **Calvaire** - 1 857 m. Op 300 m van de ermitage, richting Mont-Louis, rechts een pad nemen waarlangs kruiswegstaties staan. Bij het Calvariebeeld op de top ontvouwt zich een zeer weids **panorama** van de Cerdagne en de omringende bergen.

Pradel/IMAGES PHOTOTHÈQUE

Ermitage van Font-Romeu - Camaril.

IN DE OMGEVING

★ **Col del Pam** - 2 005 m. *5,5 km in noordelijke richting via de Route des pistes (vanaf het kruisbeeld), dan een kwartier lopen heen en terug.*
Vanaf het oriëntatieterras boven het dal van de Têt, **uitzicht** op het Massif du Carlit, het Plateau des Bouillouses, de Capcir (bovendal van de Aude) en de Canigou.

FRONTIGNAN

16 245 inwoners
Michelinkaart nr. 83 vouwbladen 16, 17, of 240 vouwblad 27.
7 km ten noordoosten van Sète.

Frontignan ligt zowel aan het Canal du Rhône à Sète als aan de Étang d'Ingril, tussen de zee en de garrigues. De plaats heeft haar naam gegeven aan een beroemde muskaatwijn. De wijngaarden met deze muskaatdruiven beslaan een oppervlakte van ongeveer 800 ha. De **Coopérative du Muscat** ⌚ kan het hele jaar door bezocht worden. Frontignan telde vroeger belangrijke olieraffinaderijen; hier werd de eerste installatie voor katalytisch kraken (aardolieverwerking) van Frankrijk in gebruik genomen. Ten noorden van de plaats verheft zich het Massif de la Gardiole, waarvan de bewegwijzerde paden erg in trek zijn bij liefhebbers van mountainbike, wandeltochten of tochten te paard. In zuidelijke richting strekt zich **Frontignan-Plage** uit, een badplaats met een jachthaven die 600 ligplaatsen telt.

Musée d'Histoire locale ⌚ - *4 bis Rue Lucien Salette, naast de kerk.*
De kapel, waarin dit aan de plaatselijke geschiedenis gewijde museum is gevestigd, heeft een indrukwekkende 17de-eeuwse poort. De verzamelingen betreffen de prehistorie, archeologische vondsten en de tijd van Napoleon. Verder worden er enkele aspecten van het leven van vroeger en nu voor de geest geroepen: het werk van de kuiper, het maken van muskaatwijn en de steekspeltoernooien.

Église St-Paul - Van het vroegere Romaanse gebouw staat nog de zuidmuur overeind (12de eeuw). In de 14de eeuw werd de kerk herbouwd in de Zuid-Franse gotische stijl, met een eenbeukig schip, een vijfhoekige absis en versterkte steunberen. De op een donjon lijkende klokkentoren, die deel uitmaakt van de stadsmuur, werd vervolgens verhoogd en bekroond met een torentje. Binnen werd het plafond van het schip in de oorspronkelijke 14de-eeuwse staat hersteld, nadat eerst de bakstenen namaakgewelven uit de 19de eeuw werden afgebroken.

GAILLAC

10 370 inwoners
Michelinkaart nr. 82 vouwbladen 9, 10, of 235 vouwbladen 23, 27.

Gaillac, dat op de rechteroever van de Tarn en op een kruispunt van wegen ligt, heeft lange tijd geprofiteerd van de handelsscheepvaart op de Tarn. De oude stad heeft nog steeds charmante pleintjes met een fontein, en smalle steegjes met oude huizen waar steen en hout op harmonieuze wijze samengaan.

Het wijngebied van Gaillac - Dit behoort tot de oudste wijngaarden van Frankrijk. Al in de 10de eeuw hadden de benedictijnen van de St-Michel-abdij strenge regels ingesteld om de reputatie van de Gaillac-wijnen hoog te houden.

De wijngaarden van Gaillac strekken zich uit over een oppervlakte van 20 000 ha en geven rode, witte, rosé- en mousserende wijnen.

Op de linkeroever van de Tarn groeien rode druivenrassen zoals Gamay, Braucol, Syrah en Duras. Op de vruchtbare grond van de rechteroever gedijen behalve de rode druivenrassen Duras, Braucol, Syrah, Cabernet en Merlot, ook de witte druivensoorten als Mauzac, Loin de l'oeil en Sauvignon (die men ook vindt op het plateau van Cordes). Traditionele technieken worden nu vanuit de moderne oenologie toegepast en staan garant voor de kwaliteit van de wijnen "d'Appellation Contrôlée" (A.O.C. Gaillac). Door de inspanningen die de Gaillac zich de afgelopen tien jaar heeft getroost, behoort deze wijngaard nu tot de belangrijkste van Zuidwest-Frankrijk.

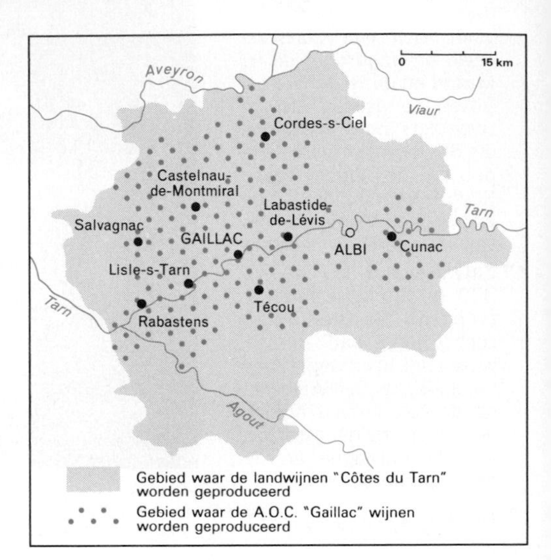

BEZIENSWAARDIGHEDEN

Abbatiale St-Michel - In de 7de eeuw stichtten benedictijnen te Gaillac een abdij die aan St-Michel werd gewijd. Met de bouw van de abdijkerk werd in de 11de eeuw begonnen en de werkzaamheden, die vele malen werden onderbroken, duurden voort tot in de 14de eeuw. In de kerk staat een mooi, beschilderd houten beeld van Maria met het Kind (14de eeuw).
In de gebouwen naast de abdijkerk is het **Maison des Vins de Gaillac** gehuisvest.

Tour Pierre de Brens - Dit charmante, bakstenen bouwwerk dateert uit de 14de en 15de eeuw; ten tijde van de renaissance werden er veranderingen in aangebracht. Enkele waterspuwers, kruisvensters en een prachtig wachttorentje zijn bewaard gebleven. In het gebouw is het **Musée du Compagnonnage, de la Vigne et du Vin** ⓥ gehuisvest. Op de benedenverdieping werktuigen en gildeproeven, die het werk van de "gezellen" illustreren, terwijl op de 1ste en 2de verdieping diverse aspecten worden belicht van het leven in Gaillac: activiteiten die verband houden met de wijnbouw en folkloristische voorwerpen.

Parc de Foucaud - De mooie tuinen, die terrasvormig zijn aangelegd boven de Tarn, zijn het werk van Le Nôtre.
In het kasteel, waar in de 18de eeuw de familie woonde van de Conseiller de Foucaud d'Alzon, bevindt zich het **Musée des Beaux-Arts** ⓥ met werken van regionale kunstenaars (schilders en beeldhouwers).

Musée d'Histoire naturelle Philadelphe-Thomas ⓥ - Dit natuurhistorisch museum bevat belangrijke collecties minerale gesteenten en fossielen.

IN DE OMGEVING

Lisle-sur-Tarn - *9 km in zuidwestelijke richting via de N 88.*
Dit dorp, dat in de Albigeois en op de rechteroever van de Tarn ligt, bewaart nog altijd sporen van zijn verleden als bastide (1248), waaronder een groot **plein met overdekte passages**, verbrede doorgangen voor karren en een fontein.
Al slenterend door het historische centrum ziet men enkele oude huizen van baksteen en hout uit de 16de, 17de en 18de eeuw. Sommige zijn met hun

bijgebouwen verbonden door "pountets", die op verdiepinghoogte over de steegjes heen zijn gebouwd. **L'église N.-D. de la Jonquière** bezit een Romaans portaal en een klokkentoren waarvan de stijl karakteristiek is voor de stad Toulouse.
In het **Musée Raymond-Lafage** ⊙, dat vernoemd is naar een tekenaar uit de 17de eeuw die in Lisle is geboren, zijn gravures en tekeningen van deze kunstenaar te zien. Daarnaast heeft het museum een collectie voorwerpen uit de Gallo-Romeinse en middeleeuwse archeologie en religieuze kunstvoorwerpen. Tekeningen van Ingres en Horace Vernet vervolmaken het geheel.
Vanaf de brug heeft men een mooi uitzicht op de stad en haar keermuren.

Château de Mauriac ⊙ - *11 km in noordelijke richting via de D 922. Vlak voor Cahusac rechts afslaan.*
Dit kasteel, waarvan sommige delen dateren uit de 14de eeuw, heeft een prachtige, harmonieuze voorgevel. Twee massieve hoektorens beschermen het hoofdgebouw waarvan het toegangsportaal, in het midden, aan weerskanten een kleinere toren heeft.
Op de benedenverdieping zijn diverse zalen te bezichtigen waar de werken van Bernard Bistes zijn tentoongesteld.
Op de eerste verdieping bevindt zich de gasten- of Louis-XVI-kamer, met een plafond in Franse stijl, waarvan de 360 vakken een prachtig, fris **herbarium**★ voorstellen *(de etage wordt soms verhuurd en kan dan niet worden bezichtigd).*

Castelnau-de-Montmiral - *13 km in noordwestelijke richting via de D 964.*
Een schilderachtig dorpje dat hoog boven op een rots ligt die uitsteekt boven het dal van de Vère en het Forêt de Grésigne (bos met recreatiegebied).
Castelnau-de-Montmiral was vroeger een vestingstad die in de 13de eeuw gesticht werd door Raymond VII, graaf van Toulouse, ter vervanging van de vesting die ten tijde van de kruistocht tegen de Albigenzen was vernietigd. Uit het rijke verleden van het dorp zijn enkele oude woningen bewaard gebleven, die inmiddels prachtig zijn gerestaureerd.
De **Place des Arcades** is een plein met rondom overdekte passages waarboven, in overstand, woningen in vakwerk zijn gebouwd. Aan de west- en zuidkant van het plein staan twee huizen uit de 17de eeuw.
In de **parochiekerk** (oorspronkelijk 15de eeuw) is een Christus op de koude steen te zien, een veelkleurig, stenen beeld uit de 15de eeuw; verder een altaarstuk in barokstijl en vooral, links van het koor, het **reliekkruis**★ dat met edelstenen is ingelegd. Dit zogenoemde Croix de Montmiral, dat toebehoorde aan de graven van Armagnac, is een mooi voorbeeld van 13de-eeuwse religieuze edelsmeedkunst.

Gorges de GALAMUS★★

Michelinkaart nr. 86 links onder aan vouwblad 8, of 235 vouwbladen 47, 48, of 240 vouwblad 37 - Schema, zie onder Corbières.

De weg die in de rotswand is uitgehakt, en de ermitage die als het ware tegen de wand aangeplakt ligt, vormen een fantastisch gezicht, vooral in de vurige gloed van de Catalaanse zon.

VAN ST-PAUL-DE-FENOUILLET NAAR CUBIÈRES

9,5 km - ongeveer een uur

St-Paul-de-Fenouillet - *Zie onder Fenouillèdes.*

St-Paul-de-Fenouillet uitrijden via de D 7. Deze weg loopt eerst door de wijngaarden en wordt spoedig bochtig. In een grote bocht is links de Canigou te zien.

De auto op de parkeerplaats van de Ermitage laten staan, voorbij de tunnel.

Ermitage St-Antoine-de-Galamus - *een half uur lopen heen en terug.* Men kan erheen lopen vanaf het plein van de Ermitage (uitzicht op de Canigou). Achter de Ermitage *(met landelijk restaurant)* gaat een natuurlijke grot schuil waarin zich in het halfduister het kapelletje bevindt.
Voorbij het plein van de Ermitage hangt de uiterst smalle weg (2 m) hoog tegen de loodrechte rotswand aan. De kloof is zo smal en steil dat de stroom onderin nauwelijks te zien is. Tegen de witte, loodrechte wanden van de kloof groeit hier en daar wat struikgewas. De Agly buigt vervolgens naar het westen af. De D 10 volgt dan het riviertje de Cubières tot aan het gelijknamige dorp.

Cubières - Hier komt men in het bovendal van de Agly.

La GARDE-GUÉRIN★

Michelinkaart nr. 80 vouwblad 7, of 240 vouwblad 7.

Dit oude vestingdorp op de hoogvlakte van de Lozère, aan de rand van een steile helling boven de poort van de Chassezac, is al op afstand te herkennen aan de imposante toren. De ligging van het dorp tussen de Gévaudan en de Vivarais, te midden van het graniet van de Mont Lozère en het leisteen van de Ardèche, is geografisch gezien bijzonder interessant.

De veiligheid op de weg in de middeleeuwen – De oude Romeinse weg die hier liep, de Voie Régordane, was lange tijd de enige verbinding tussen de streken Languedoc en Auvergne. Om het gebied te beschermen tegen de struikrovers die voortdurend reizigers beroofden, besloten de bisschoppen van Mende in de 10de eeuw in het onherbergzaamste deel van het plateau een wachtpost te laten bouwen, een "garde", waaraan het dorp zijn naam heeft ontleend.
Zo vestigde zich daar een gemeenschap van 27 edelen, die een heel eigen status hadden. Zij beschikten over het tolrecht en begeleidden de reizigers aldus tegen betaling. Ieder van hen had in La Garde een eigen, versterkt huis; het geheel werd door een muur omringd en door een burcht beschermd.

Het dorp – De huizen in dit typische bergdorp, dat door enkele veehouders wordt bewoond, zijn gebouwd uit grote brokken graniet. Enkele hogere huizen, die voorzien zijn van kruisvensters, zijn bewaard gebleven; zij behoorden aan de edelen. Het kerkje, dat bijzonder fraai is gebouwd, heeft een klokkengevel.

Donjon – Toegang via een portaal links van de kerk. Het is het enige belangrijke overblijfsel van de oorspronkelijke burcht. Vanaf deze vestingtoren heeft men uitzicht op het dorp en de poort van de Chassezac. Het **panorama★** reikt tot de Mont Ventoux.

La GRANDE-MOTTE

5 016 inwoners

Michelinkaart nr. 83 onder aan vouwblad 8, of 240 vouwblad 23.

Op de kustvlakte, ten zuidoosten van Montpellier, trekken de hoge woonpiramiden van La Grande-Motte de aandacht. Zij bepalen het originele karakter van deze moderne badplaats, die gelegen is aan de Middellandse Zee, te midden van een landschap van heide en duinen.

Moderne stedebouw... – Brede wegen verbinden de badplaats met de autosnelweg A 9, waardoor de nabijliggende steden Nîmes en Montpellier goed bereikbaar zijn. In het centrum zijn grote parkeerterreinen aangelegd, want het deel van de stad dat aan zee ligt, is uitsluitend bestemd voor voetgangers. Het Palais des Congrès werd langs de jachthaven gebouwd.
De badplaats, waaraan in 1967 werd begonnen, is als geheel ontworpen door een team van ingenieurs en architecten, onder leiding van Jean Balladur. De flats, die een uiterst moderne vormgeving hebben, lijken op **piramiden** vol honingcellen die alle op het zuiden liggen. De **villa's** zijn in Provençaalse stijl gebouwd of liggen rondom binnenplaatsen.

Perrine/IMAGES PHOTOTHÈQUE

La Grande-Motte – De jachthaven.

...voor vakantie en vrije tijd – Het hele complex is zo ingericht dat alles zich afspeelt rond het immense zandstrand (5 km lang), de jachthaven (1 364 ligplaatsen), het golfterrein en de watersportvoorzieningen. Bezoekers zullen geboeid raken door de vele watersportactiviteiten op de Ponant, het vissen langs de rivier de Orb en op zee, en de architectuur van **"Point Zéro"**, het winkelcentrum van La Grande-Motte. Tot de bijzondere attracties behoren de viswedstrijden op zee (tonijn), die talloze nieuwsgierigen trekken wanneer de boten terugkeren en de vangsten worden gewogen.

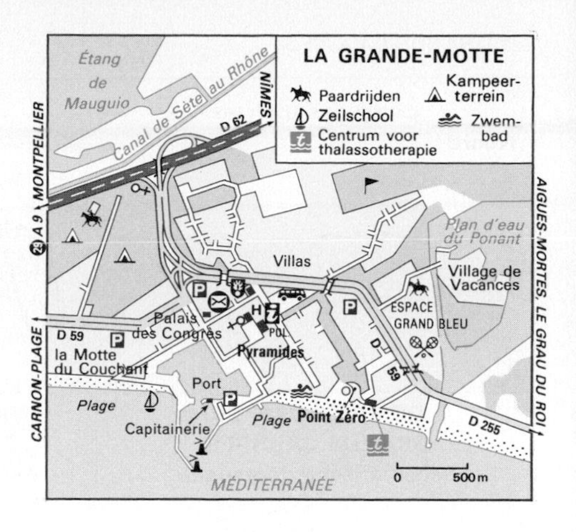

De badplaats is berekend op 80 000 mensen. Uitbreiding vindt plaats aan de westkant, waar de voetgangerswijk de Motte du Couchant is gebouwd. De ronde, schelpvormige appartementen van deze wijk kijken allemaal op zee uit. Aan de noordkant vindt uitbreiding plaats rond de watervlakte van de Ponant.

OMGEVING

Carnon-Plage – *8 km*. Dit strand tussen La Grande-Motte en Palavas-les-Flots, dat op een kuststrook (lido) ligt, is bijzonder geliefd bij de inwoners van Montpellier.

Les GRANDS CAUSSES***

Michelinkaart nr. 80 vouwbladen 4, 5, 6, 14, 15, of 240 vouwbladen 2, 5, 6, 10, 13, 14, 18.

Er zijn vier Grands Causses: de Causse de Sauveterre, de Causse Méjean, de Causse Noir en de Causse du Larzac. Ze worden "Grands" of "Majeurs" genoemd om ze te onderscheiden van de Causses du Quercy (Causses Mineurs) en de Petits Causses. De Causses du Quercy, die westwaarts in het verlengde van de Grands Causses liggen, zijn veel minder hoog; de **Petits Causses** zijn als het ware een aanhangsel van de "Grands" en zijn daarvan gescheiden door de werking van het water en als gevolg van erosie. Als voorbeelden kunnen worden genoemd de kleine Causse de Blandas, een aanhangsel van de Causse du Larzac en daarvan gescheiden door de rivier de Vis; de kleine Causse Campestre, ook een aanhangsel van de Larzac en daarvan gescheiden door de Virenque; de kleine Causse Bégon die gescheiden is van de Causse Noir door de rivier de Trévézel, enz.
Afhankelijk van hoogte, ligging en geologische samenstelling geven de Grands Causses een verschillend beeld te zien. Wat de samenstelling betreft, hoewel uitsluitend kalkhoudend, kan het gesteente dolomiet zijn of mergelhoudend. Dolomietrotsen verweren gemakkelijk tot een zandachtige materie onder invloed van erosie; dit groffe zand wordt in de streek **grésou** genoemd; wanneer sommige delen van de rots wat meer magnesium bevatten dan andere, hebben ze meer weerstand en vormen aldus grillige rotsformaties die op ruïnes lijken, ook wel "cités ruiniformes" (ruïnesteden) genoemd. De kleihoudende gebieden, waarop gewassen verbouwd kunnen worden, geven het landschap een vriendelijker aanzien. Ook de geologische lagen van de causse, die alle behoren tot de jurassische afzettingen uit het Mesozoïcum, zijn bepalend voor de verschillende aspecten van het landschap: ter hoogte van de Midden-Jura-formatie verheffen zich enorme rotsen die ware muren vormen; zo zijn er de Falaise du Rajol die boven de Dourbie uittorent, de rotswanden van de Corniches du Causse Méjean die over de Jonte uitkijken, boven Le Truel en de wanden van de Rocher de Cinglegros, die steil omhoogrijst boven de Tarn. De lager gelegen rotswanden zijn minder indrukwekkend.
Tot slot bieden de causses boeiende contrasten tussen de ingesloten groene dalen en het verlaten landschap op de hoogvlakten.
Hieronder volgt een beschrijving van de bezienswaardigheden die de Grands Causses bieden. Op de kaart worden de routes aangegeven waarlangs men via een cañon van de ene naar de andere causse kan rijden en die een grootse indruk zullen achterlaten. Men zal niet gauw het effect vergeten van het licht dat door de witte rotsen wordt opgevangen en dat op de roodbruine tinten van de hellingen speelt. De wegen lopen door het eentonige landschap van de Causse en dalen vervolgens in enkele nauwe haarspeldbochten af in de cañon, steken de rivier over en lopen vervolgens weer omhoog op de andere oever, naar de volgende causse. De routes die in de diepte door de grote cañons lopen (van de Tarn, de Jonte, de Dourbie en de Vis), zijn afzonderlijk beschreven. Sinds 1995 is het gebied van de Grands Causses een regionaal natuurpark: Parc naturel régional des Grands Causses.

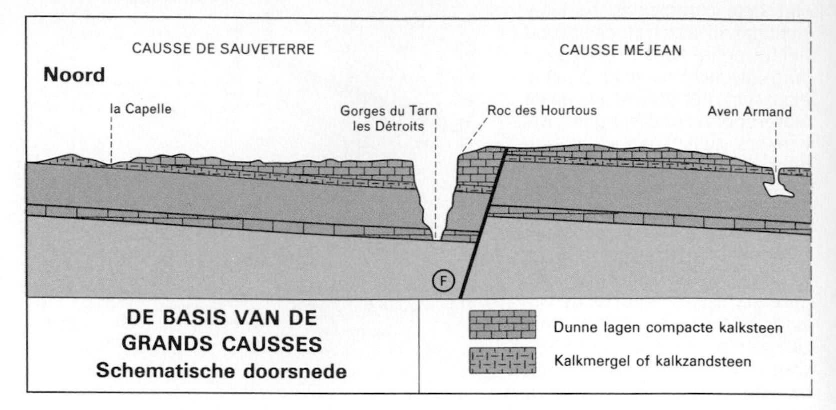

DE CAUSSE DE SAUVETERRE *schema hierboven*

Deze causse, die aan de noordkant wordt begrensd door de rivier de Lot, is de meest noordelijke en tevens de minst dorre Grand Causse. In het westen (ten zuidwesten van de D 998) liggen grote bosgebieden die vrij heuvelachtig zijn. Hier hebben de inwoners profijt getrokken van de kleinste sotch *(zie de woordenlijst in de Inleiding)*. Er is geen stukje vruchtbare grond dat niet in cultuur is gebracht.

★ **Sabot de Malepeyre** – Het water dat vroeger over de causse stroomde, heeft deze reusachtige rots van 30 m hoogte in de loop der tijd haar huidige vorm gegeven; de boog die zo is ontstaan, is 3 m hoog en 10 m breed. Mooi uitzicht op het dal van de Urugne en in de verte de Monts de l'Aubrac.

Sauveterre – Dit dorp bezit nog zijn oude huizen met stapelmuren *(illustratie in de Inleiding)*. Als dakbedekking zijn platte, kalkhoudende stenen gebruikt, de "tioulassés". Men ziet er prachtige daken met venstertjes, oude gewelfde schaapskooien en een oude oven die nog perfect functioneert.

DE CAUSSE MÉJEAN

Dit is de middelste Grand Causse. De causse Méjean is van de Causse de Sauveterre gescheiden door de cañon van de Tarn. Het is de hoogste causse van de vier en het klimaat is er bijzonder ruw: zeer strenge winters, hete en droge zomers en grote temperatuurverschillen tussen dag en nacht.
Op het plateau wisselen de aan de oppervlakte gekomen zuivere kalk, in de vorm van banken of platen, en het dolomietgesteente elkaar af. De "sotchs", waarin door ontkalking van de rotsbodem rode aarde is bloot komen te liggen, worden met succes als weiland en bouwland gebruikt. Uit de aanwezigheid van vele megalieten blijkt dat de bewoners uit het Neolithicum zich goed aan de omstandigheden hebben weten aan te passen.

Perrine/IMAGES PHOTOTHÈQUE

De Causse Méjean – Verlaten landschap ten zuiden van Drigas en Hures-la-Parade.

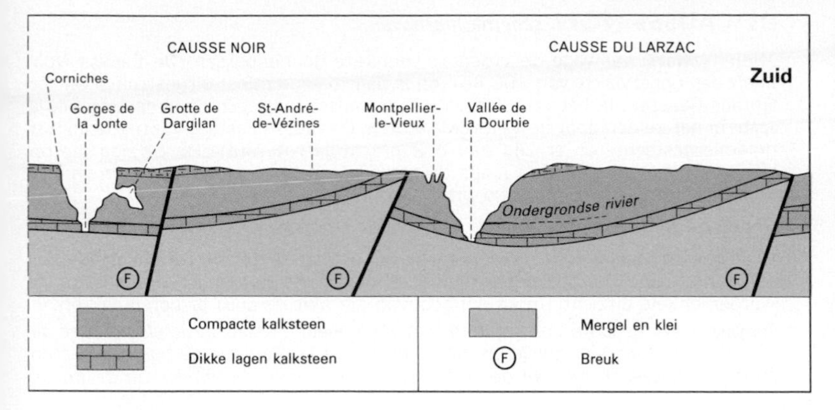

De Causse Méjean is sterk ontvolkt geraakt (in sommige gemeenten nog geen 2 inwoners per km^2). Het oostelijk deel wordt gekenmerkt door uitgestrekte woestijnlandschappen, terwijl in het westelijke deel, net als op de Sauveterre, de bossen door ravijnen van zo'n 100 m diep van elkaar worden gescheiden. Op de Causse Méjean is het schaap koning. Er lopen ongeveer negentienduizend schapen rond en men komt er niet zelden kudden van meer dan 300 dieren tegen. In het gebied waar het dolomietgesteente het beeld bepaalt, het zogenoemde "konijnengebied", zijn vooral veel grillige rotsformaties te zien die op ruïnes lijken. De Causse-bewoner laat dit gebied aan het wild en de naaldbossen over.
De vale gier, een grote roofvogel die lange tijd uit de streek verdwenen was, is er weer uitgezet.
Het przewalskipaard, eens de inspiratiebron van de makers van rotstekeningen in Europa, kwam in het wild niet meer voor en werd met moeite door dierentuinen in stand gehouden. Op de Causse Méjean kon in de jaren negentig een kleine kudde van deze dikkoppige dieren worden uitgezet en de geboorte van de eerste twee veulens in 1995 is een hoopgevend teken voor het welslagen van het project voor het behoud van dit ras.

De Causse Méjean met zijn dolomietrotsen, harsbomen en uitgestrekte, verlaten vlakten is een gebied waar een grote verscheidenheid van vogels voorkomt: de rode rotslijster, de rode patrijs, de kauw en in het winterseizoen de alpenheggenmus en de sneeuwvink. Roofvogels zoals de Europese slangenarend, de slechtvalk, de torenvalk, de blauwe kiekendief en de vale gier kunnen ook worden waargenomen. De vale gier is hier opnieuw uitgezet en nestelt graag in de Gorges de la Jonte, in de buurt van het dorp Truel.

★★★ **Aven Armand** - *Zie onder deze naam.*

★★★ **Corniches du Causse Méjean** - *Zie onder Tarn.*

★ **Chaos de Nîmes-le-Vieux** - *Zie onder Nîmes-le-Vieux.*

★ **Arcs de St-Pierre** - *Zie onder St-Pierre.*

Hyelzas, Ferme caussenarde d'autrefois ⏲ - *De borden richting Aven Armand volgen en dan de weg naar Hyelzas nemen.*
Deze oude, gerestaureerde boerderij is een prachtig voorbeeld van de traditionele bouwtrant op de causses. De boerderij, die stapelmuren heeft, telt verschillende gebouwen die met elkaar verbonden zijn door buitentrappen. De stal is op de benedenverdieping. De bovenste balken ondersteunen een zwaar dak van platte kalkstenen.
Te bezichtigen zijn de woonvertrekken, met plavuizen vloeren, die in de winter verwarmd werden door de warmte van de koeien in de stal eronder. In de keuken staat een "citerne" (watertank), die wijst op het belang van water in deze droge streek.
De meubels en gebruiksvoorwerpen staan op hun oorspronkelijke plaats. In een schuur zijn landbouwmachines opgesteld, die de belangrijke mijlpalen in de ontwikkeling van de landbouw illustreren.
Een fototentoonstelling laat zien hoe het leven op de causse zich afspeelde in het begin van deze eeuw.

DE CAUSSE NOIR *schema hierboven*

"Noir" (zwart) vanwege de vroegere, donkere dennenbossen. De Causse Noir heeft een oppervlakte van 200 km² en is daarmee de minst uitgestrekte van de Grands Causses. In het noorden wordt de causse begrensd door de **Gorges de la Jonte**, in het zuiden door de **Vallée de la Dourbie.** De causse bestaat voornamelijk uit dolomietgesteente en er zijn dan ook prachtige rotsformaties te zien die op ruïnes lijken. Vanaf de weg langs de steile berghelling strekt de cañon van de Jonte zich in al z'n schoonheid uit.

★★★ **Chaos de Montpellier-le-Vieux** - *Zie onder Montpellier-le-Vieux.*

★★ **Corniche du Causse Noir** - De Corniche van de Causse Noir wordt gevormd door een aantal paden en boswegen die alleen te voet te verkennen zijn. Hieronder worden enkele uitzichtpunten aangegeven die met de auto te bereiken zijn.

Toegang - *Via de D 29, ten zuiden van Peyreleau. Tussen de kruising met de D 110 - die naar Montpellier-le-Vieux gaat - en La Roujarie de bosweg nemen (niet geasfalteerd), die van de D 29 afbuigt vlak voor de ruïnes van de Église*

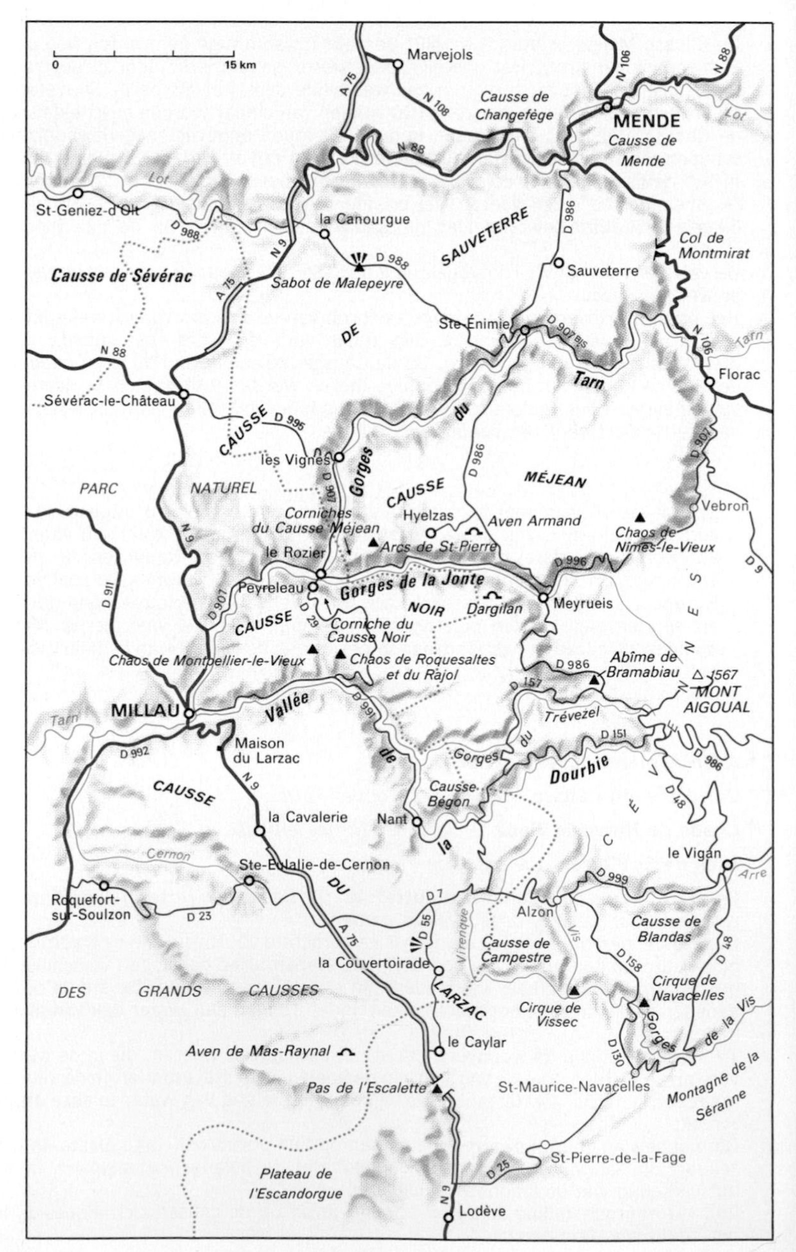

St-Jean-de-Balmes, en waar aan het begin een stèle staat van de Club Alpin Français. Na ongeveer 2,5 km de auto op het parkeerterrein laten staan dat op het schema is aangegeven, vlak bij de rots die Rocher du Champignon préhistorique wordt genoemd.

★★ **Uitzichtpunten:**

1) Een kwartier lopen heen en terug. Links van de Rocher du Champignon préhistorique het pad nemen dat leidt naar een steunzender voor de televisie: prachtig uitzicht op Peyreleau, dat bij het punt ligt waar Jonte en Tarn samenvloeien.

2) Een uur lopen heen en terug. Rechts van de Rocher du Champignon préhistorique het pad de Sentier des Corniches nemen *(rode circuit)*, dat door het bos naar beneden loopt, tot het Cirque de Madasse (keteldal). Langs de rand van de rotswand zijn terrassen aangebracht vanwaar men een uitzicht heeft op de Jonte en het vredige dorpje Le Rozier. Wanneer Le Rozier uit het zicht is verdwenen, wordt men geconfronteerd met de eenzaamheid en de imponerende grootsheid van de cañon van de Jonte.

Vanaf de ruïnes van de Ermitage St-Michel (3 metalen ladders opklimmen) kan men de excursie voortzetten tot het Cirque de Madasse.

3) Meer naar het oosten kan men, via een berijdbare bosweg die van de weg afbuigt, naar een rots rijden waarop een dennenboom staat: prachtig uitzicht over de cañon van de Jonte.

★★ **Grotte de Dargilan** - *Zie onder Dargilan.*

★ **Chaos de Roquesaltes et du Rajol** - *3 km vanaf St-André-de-Vézines, over een geasfalteerde weg en vervolgens een onverharde weg en daarna een uur lopen heen en terug.*

Roquesaltes, dat letterlijk de "hoge rotsen" betekent, is een ware, natuurlijke donjon van zo'n vijftig meter hoog, die zich verheft boven het dorpje Roquesaltes. Vanaf de wallen heeft men uitzicht op Montpellier-le-Vieux. De "chaos" is niet erg groot, maar bestaat wel uit opvallende rotsformaties die op ruïnes lijken, waaronder een prachtige natuurlijke poort.
Wanneer men te voet verder zuidwaarts gaat *(een uur heen en terug)*, komt men bij de **Chaos du Rajol.** Een dromedaris die met zijn kin op een rots leunt, heet de bezoeker welkom. Tussen de schitterende rotsformaties staan ook de Egyptische zuil, het Standbeeld zonder armen, enz.
Vanaf een natuurlijke belvédère heeft men een grandioos uitzicht op het dal van de Dourbie.

DE CAUSSE DU LARZAC *schema hiernaast - Beschrijving onder Larzac.*

GRENADE

5 026 inwoners
Michelinkaart nr. 82 vouwblad 7, of 235 vouwblad 26.

In de omgeving van deze bastide, die in 1290 werd gesticht door Eustache de Beaumarchais en de abdij van Grandselve, liggen uitgestrekte boomgaarden. Ze behoren tot de meest indrukwekkende aanplantingen die sinds de laatste oorlog in de streek rond Toulouse tot stand zijn gebracht.

Kerk - De opmerkelijke schoonheid van deze majestueuze kerk, die gebouwd is in de gotische stijl van de school van Toulouse, is te danken aan de prachtige harmonie van de drie beuken die van gelijke hoogte zijn, en aan de 47 m hoge, bakstenen klokkentoren; deze laatste is gebouwd naar het voorbeeld van de Église des Jacobins in Toulouse.

►► Bouillac *16 km in noordwestelijke richting via de D 3 en de D 55.* Dorpskerk met kerkschat★, bestaande uit reliekschrijnen en -houders.

GRUISSAN

2 170 inwoners
Michelinkaart nr. 83 vouwblad 14, of 86 vouwblad 10, of 240 vouwblad 30, 34.
Schema, zie onder Corbières.

In het **oude dorp** van vissers en zoutzieders staan de huizen dicht aaneen in concentrische cirkels rond de ruïne van de Tour Barberousse, die boven alles uitsteekt. Het ligt op enige afstand van de zee, te midden van lagunen, en lijkt de zee definitief de rug te hebben toegekeerd. Toch was het vroeger een vrij belangrijke haven, vanwaar de boten vertrokken om ter hoogte van Spanje en Algerije te gaan vissen. Eind juni vieren de vissers nog altijd het feest van hun beschermheilige Petrus.

De **moderne badplaats** Gruissan ontwikkelde zich na de opening van een vaargeul die de Étang du Grazel met de zee verbindt. Kleine gebouwen rond het Bassin d'honneur van de nieuwe jachthaven (zeilboten, vissersboten) vormen sinds 1975 de kern van het nieuwe dorp. Karakteristiek zijn de okerkleurige pleisterkalk en de daken die verschillende, halfronde nokken hebben.

Gruissan-Plage heeft een interessante wijk met paalwoningen omdat overstromingen bij springtij altijd mogelijk zijn.

De campings breiden zich vooral ten noorden van de vaargeul uit (les Aiguades du Pech Rouge), richting Narbonne-Plage.

De badplaats is niet alleen aantrekkelijk vanwege de nabijheid van de zee, maar ook door de wandelmogelijkheden in het Massif de la Clape, een van de minder bekende mooie plekjes in de Languedoc.

Het oude dorp van Gruissan.

IN DE OMGEVING

Cimetière marin – *4 km; daarna een halfuur lopen heen en terug. Gruissan uitrijden via de D 32 richting Narbonne; op het kruispunt na de tennisbanen de weg nemen naar N.-D.-des-Auzils, die het Massif de la Clape ingaat. Steeds links aanhouden. De auto op het parkeerterrein laten, voor de boomkwekerij (pépinière) van de Rec d'Argent, en naar boven lopen tot de kapel. Ofwel met de auto de bosweg naar Les Auzils volgen en na 1,5 km de auto laten staan en dan te voet verder gaan (20 min. heen en terug).*

Langs een steenachtig weggetje, tussen brem, parasoldennen, steeneiken en cipressen, herinneren ontroerende stèles aan de zeelui die nooit zijn teruggekeerd. Vanaf de **Chapelle N.-D.-des-Auzils**, op de top, te midden van een groepje bomen, heeft men een weids uitzicht over Gruissan en de Montagne de la Clape.

Bij de kaart van de reisroutes voor in de gids staat een lijst van Franse en Nederlandse aardrijkskundige termen die vaak op de kaarten en in de teksten voorkomen: Abîme (kloof, afgrond), Forêt (bos), Pic (bergtop), enz.

Vallée de l'HÉRAULT★

Michelinkaart nr. 80 vouwblad 16, of 83 vouwblad 6, of 240 vouwbladen 15, 18, 22.

De Hérault ontspringt op de Mont Aigoual en daalt snel af naar Valleraugue. Over een afstand van nog geen 10 km daalt de rivier van 1 400 m naar 350 m hoogte. Na Valleraugue stroomt de rivier tussen leistenen of granieten hellingen door, waar tamme kastanjes en fruitbomen staan die bij Ganges plaats maken voor wijngaarden en olijfbomen. Stroomafwaarts van Pont-d'Hérault, waar de onderstaande beschrijving begint, krijgt het landschap een ander aanzien: hier ligt de overgang tussen het kristallijne gesteente en de kalkgronden.

De Hérault loopt vervolgens door garrigues waar de rivier pittoreske kloven heeft gevormd, of langs brede, in cultuur gebrachte dalkommen zoals bij Ganges of bij Brissac. De garrigues met hun witte rotspuin en hier en daar een paar eikenbomen bieden een verlaten aanblik.

Bij de Pont du Diable stroomt de Hérault plots de vlakte van de Bas Languedoc in.

VAN PONT-D'HÉRAULT NAAR GIGNAC

69 km - ongeveer vijf uur

Ten zuiden van Pont d'Hérault volgt de D 999 de bochtige loop van de rivier tussen hellingen met tamme kastanjebomen en steeneiken. Onder in het dal verschijnen wijngaarden en moerbeibomen.

Weldra rijdt men een mooie, kalkstenen kloof binnen waarin de rivier de Vis uitkomt.

Ganges - Het kleine industriestadje Ganges is vanouds beroemd om de kousen die er gemaakt worden. In de tijd van Lodewijk XIV waren het zijden kousen, later kousen van rayon en van nylon. Tegenwoordig telt Ganges nog twee kousenfabrieken, waarvan de producten bekend zijn tot over Frankrijks grenzen. Ten zuiden van Ganges ligt, tussen de Hérault en het **Plateau de Thaurac**, het schilderachtige dorpje **Laroque**. Op de parkeerplaats aan de noordkant van het dorp vertrekt een klein treintje naar de **Aven des Lauriers** ⓥ, een interessante grot met schilderingen uit het Magdalénientijdperk en een verbazingwekkendeverscheidenheid aan kalksteenformaties.

Voorbij Ganges loopt de weg door een kloof die uitgeslepen is door de Hérault, een echte cañon met zeer steile wanden. Vanuit St-Bauzille, dat aan de voet ligt van de rotswanden van het Plateau de Thaurac, is de Grotte des Demoiselles te bereiken.

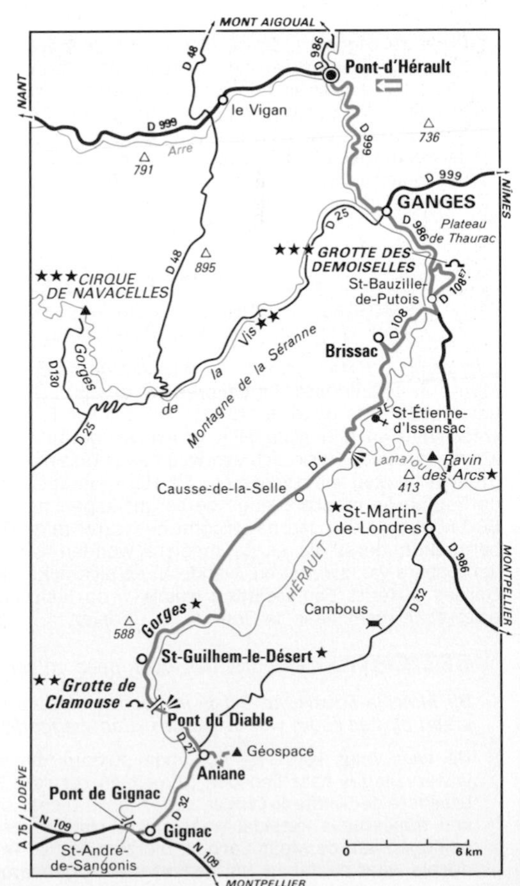

★★★ **Grotte des Demoiselles** - *Zie onder Demoiselles. Wanneer men St-Bauzille in zuidelijke richting uitrijdt, rechtsaf de D 108 nemen en de Hérault oversteken. Een weggetje rechts leidt naar Brissac.*

Brissac - Bij aankomst heeft men een prachtig uitzicht op dit pittoreske dorpje. Boven het oudste deel van Brissac steekt een kasteel uit; het dateert uit de 12de en de 16de eeuw.

Omkeren en terugrijden naar de D 4 richting St-Guilhem.

De D 4 komt weer terug bij de Hérault, die tussen steile kalkstenen hellingen doorstroomt. Vanaf de weg is links de Romaanse kapel van **St-Étienne d'Issensac** te zien en een brug uit de 12de eeuw.

De weg, die omhoogloopt, biedt links uitzicht op het ravijn van de Lamalou dat uitkomt in het dal van de Hérault. Men bereikt de kleine Causse de la Selle en het gelijknamige dorp na een schilderachtig traject boven langs de steile bergwand. Voorbij Causse-de-la-Selle verlaat de weg al snel de Causse en loopt een komvormig dal in dat uitgeslepen is door een inmiddels verdwenen rivier. Op hete zomerdagen ligt deze doorgang, vol rotspuin en zonder water, er intens verlaten bij.

★ **Gorges de l'Hérault** – Deze kloof met steile wanden, die eerst nog vrij breed is, wordt tussen St-Guilhem-le-Désert en de Pont du Diable steeds smaller. De Hérault slijpt onder in het dal een cañon uit waarin de rivier gevangen zit. Hier en daar ziet men op een door een muur ondersteund terras boven de rivier een stukje wijngaard, een weilandje of wat olijfbomen. Verder is er geen stukje grond in cultuur gebracht. Dit door zon overgoten, kale landschap biedt een imposante aanblik.

★ **St-Guilhem-le-Désert** – *Zie onder deze naam.*

★★ **Grotte de Clamouse** – *Zie onder Clamouse.*

Pont du Diable – Deze brug werd in het begin van de 11de eeuw door de benedictijnen gebouwd. Later werd zij verbreed, maar de oorspronkelijke vorm werd behouden. Vanaf de moderne brug die vlak bij de oude is gebouwd, heeft men uitzicht op de Gorges de l'Hérault en de aquaduct-brug die wordt gebruikt om de wijngaarden bij St-Jean-de-Fos te irrigeren.

Naar de linkeroever van de Hérault rijden en via de D 27 naar het dorpje Aniane.

Aniane – In dit rustige, kleine wijndorp is niets overgebleven van de welvarende abdij die in de 8ste eeuw door de H. Benedictus werd gesticht. Al slenterend door de smalle straatjes ziet men de Église St-Jean-Baptiste-des-Pénitents, een kerk in uiteenlopende stijlen, waar wisselende tentoonstellingen worden gehouden. Ook komt men langs de Église St-Sauveur met haar plechtige voorgevel die karakteristiek is voor de klassieke, Franse architectuur uit de 17de eeuw, en langs het stadhuis uit de 18de eeuw, dat geronde hoekramen heeft. In het **Observatoire Géospace d'Aniane** ⏲ (sterrenwacht), dat te bereiken is via de D 27, Route de la Boissière, kan men tijdens het seizoen de apparatuur bezichtigen. Ook worden er het hele jaar door stages in astronomie verzorgd.

Pont de Gignac – De N 109 steekt de Hérault over via de Pont de Gignac, 1 km ten westen van het plaatsje. Deze brug, die gebouwd werd in de jaren 1776-1810 naar een tekening van de architect Bertrand Garipuy, wordt vanwege het gedurfde ontwerp en de prachtige architectuur beschouwd als de mooiste Franse brug uit de 18de eeuw. De brug is 175 m lang en heeft drie bogen waarvan de middelste, een korfboog, de rivier statig overspant.
Via een trap komt men op een platform, stroomafwaarts op de linkeroever, vanwaar de brug goed te zien is.

Gorges d'HÉRIC★★

Michelinkaart nr. 83 links onder aan vouwblad 4, of 240 vouwblad 21.
Schema, zie onder Espinouse.

De Gorges d'Héric vormen een reusachtige inkeping in de zuidelijke wand van de Monts de l'Espinouse. Zij behoren tot de opmerkelijkste natuurverschijnselen van het massief. De gekerfde toppen en rotswanden bestaan uit gneis met een roze weerschijn en zijn plaatselijk groengeel getint door korstmossen. Onder in de kloven, waar de Héric zich een weg baant tussen de kriskras opgestapelde rotsen, groeien beuken en steeneiken. De Héric ontspringt op ruim 1 000 m hoogte in de Espinouse en stort langs de berghellingen naar beneden, met een verval van 800 m over 8 km; daarna stroomt het water in de Orb. Het is een ideaal oord voor bergbeklimmers, die er de mooiste wanden van de streek vinden. Maar ook liefhebbers van zwemmen, wandelen en picknicken kunnen hun hart ophalen in de Gorges d'Héric. Een **toeristisch treintje** ⏲ op luchtbanden biedt de bezoekers een pittoreske tocht naar de Gouffre du Cerisier.

BEZICHTIGING *drie uur lopen heen en terug*

Bij Mons-la-Trivalle de D 14^{E} in noordoostelijke richting nemen; de auto laten staan bij het begin van de gorges. Een weggetje volgt de kloven tot Héric.

De weg volgt eerst de kolkende stroom die tussen hoge rotsen loopt, in watervalletjes naar beneden tuimelt en tot rust komt in bekkens, waarvan de breedste de **Gouffre du Cerisier** is. Verderop rechts opent zich het **Cirque de Farrières**, een majestueus keteldal waar spitse rotstoppen boven uitsteken. Voorbij de hellingen van de Mont Caroux, die zich rechts verheft, komt men bij **Héric**, een dorpje waar de daken zijn bedekt met zogenaamde lauzes (platte dakpannen).

Gorges de la JONTE★★

Michelinkaart nr. 80 vouwbladen 4, 5, 15, of 240 vouwblad 10.
Schema, zie onder Grands Causses.

De Gorges de la Jonte zijn bijzonder schilderachtig, maar wat afmetingen betreft niet zo indrukwekkend als de Gorges du Tarn. Toch bieden de grote kalksteenrotsen die boven aan de hellingen steil omhoogrijzen of over de rivier uitsteken, een even verrassend schouwspel. De Jonte ontspringt op 1 350 m hoogte, aan de noordkant van het Massif de l'Aigoual. De rivier daalt eerst af in een mooi, bebost dal en vormt vervolgens de scheiding tussen de verlaten Causse Méjean en de Cevennen, die bedekt zijn met weiden en tamme kastanjebomen. Vanaf Meyrueis baant de rivier zich een weg tussen de wanden van de Causse Noir en de steile, grillig gevormde rotshellingen van de Causse Méjean. Daarbij slijt de Jonte een prachtige cañon uit tot aan Le Rozier, waar de rivier zich in de Tarn stort.

Bezichtiging – **Per auto** via de D 996 van Meyrueis naar Le Rozier, zoals hieronder beschreven, of **te voet** via de paden van de Corniches du Causse Méjean en de Corniche du Causse Noir.

Meschinet/CAMPAGNE CAMPAGNE

De Gorges de la Jonte.

VAN MEYRUEIS NAAR LE ROZIER *21 km – ongeveer een uur*

Aanbevolen wordt de rit door de Gorges de la Jonte te maken in de richting van de afdaling, d.w.z. van Meyrueis naar Le Rozier, omdat de cañon steeds indrukwekkender wordt naarmate men dichter bij de plaats komt waar de Jonte in de Tarn uitmondt.

Meyrueis – *Zie onder Aigoual.*

Stroomafwaarts van Meyrueis daalt de Route des Gorges langs de rechteroever af in de cañon van de Jonte, waar boven aan de hellingen hoge kalkwanden door erosie grillige vormen hebben gekregen.
Op ongeveer 5 km van Meyrueis ziet men rechts achtereenvolgens de ingang van de **Grotte de la Vigne** en die van de **Grotte de la Chèvre**; beide liggen in de rotswand van de Causse Méjean. Dan wordt de cañon steeds nauwer en 's zomers verdwijnt de Jonte in de scheuren en spleten van haar bedding.
Dicht bij het dorpje Les Douzes komt de rivier, na een lang, ondergronds traject, weer in een tweede cañon aan de oppervlakte. Deze cañon is zo diep dat de grote populieren onder in de kloof nauwelijks te zien zijn.

Roc St-Gervais – Op deze grote, geïsoleerde rots die boven Les Douzes uitsteekt, staat een Romaanse kapel, de Chapelle St-Gervais.

★ **Arcs de St-Pierre** - *4,5 km, daarna anderhalf uur lopen heen en terug. Bereikbaar vanaf Le Truel; zie onder Arcs de St-Pierre.*

★ **Les Terrasses du Truel** - *1,5 km stroomafwaarts van Le Truel.*
Vanaf twee aangelegde belvédères heeft men een grandioos uitzicht op de Gorges de la Jonte. Hier bestaan de kloofwanden uit twee verdiepingen kalkmuren, gescheiden door mergelhellingen. Dit zijn de zogenaamde Terrasses du Truel. Stroomafwaarts van deze belvédères rijzen vanaf de Causse Noir twee enorme rotswanden omhoog van 190 en 160 m: de Rocher Fabié en de Rocher Curvelié. Op de rand van de Corniches du Causse Méjean staat een merkwaardige rots in de vorm van een vaas, de Vase de Sèvres.
En dan komen achtereenvolgens in zicht, rechts de Rocher de Capluc, links het dorp Peyreleau en tenslotte Le Rozier.

Le Rozier - Le Rozier ligt aan de samenvloeiing van de Tarn en de Jonte en aan de voet van de Causse de Sauveterre, de Causse Noire en de Causse de Méjean; het is daarom een uitstekend uitgangspunt voor tochten te voet of met de auto. Fijnproevers komen graag in de herfst naar Le Rozier om te profiteren van het wildseizoen (wildzwijn, houtsnip, enz.).

Rivière souterraine de LABOUICHE★

Michelinkaart nr. 86 vouwblad 14, of 235 vouwblad 42.
5 km ten noordwesten van Foix.

Deze ondergrondse rivier heeft in het kalkgesteente van de Plantaurel een **onderaardse gang** ⓥ uitgeslepen, die over een lengte van 4 500 m is onderzocht en waarvan een derde kan worden bezichtigd.
De boottocht over deze "mysterieuze rivier" is een bijzondere ervaring. Het traject is 1,5 km lang, waarbij tweemaal moet worden overgestapt, en voert op 70 m diepte door hoge of bijzonder lage gangen, die soms zijn verlicht, soms met opzet in duisternis zijn gelaten. Stalactieten en stalagmieten steken schitterend af tegen de zwartachtige kleur van het kalkgesteente en veranderen al naar de eigen fantasie in vreemdsoortige beesten en bloemen of in een fabelachtig decor.
De tocht door de onderaardse gang eindigt bij een prachtige waterval.

LAGRASSE

704 inwoners
Michelinkaart nr. 86 vouwblad 8, of 235 vouwblad 44, of 240 vouwblad 33.
Schema, zie onder Corbières.

Vanuit Fabrézan biedt de D 212 in de laatste afdaling naar Lagrasse een weids uitzicht op deze plaats en haar omgeving, met bruggen, overblijfselen van vestingmuren, vele oude huizen en een abdij.
De abdij was een van de voorposten van de Karolingische beschaving vlak bij de Spaanse mark en bezat uitgestrekte landerijen, tot in de Roussillon en Catalonië. De abdij werd gesticht in een kom van het Orbieu-dal, dat dankzij de monniken van de H. Benedictus van Aniane werd geïrrigeerd. De vestingwerken uit de 14de eeuw en de verfraaiingen die in de 18de eeuw zijn aangebracht, geven de abdij een majestueus aanzien. Twee bruggen, waarvan de ene een 11de-eeuwse boogbrug is, vormen de verbinding van de abdij met het dorp. Ook het dorp is versterkt en heeft een fraai plein met een markthal.

ABDIJ *bezichtiging: drie kwartier*

Abdijgebouwen en donjon ⓥ - Het voorplein binnengaan, waar statige gebouwen uit de 18de eeuw staan die opgetrokken zijn uit gevlamde, okerkleurige zandsteen uit de omgeving.

Kloostergang - Deze werd in 1760 gebouwd op de plaats van een vroegere kloostergang uit 1280, waarvan nog enkele overblijfselen te zien zijn.

Kerk - De kerk die is gebouwd op de fundering van een Karolingische kerk, werd in de loop der eeuwen herhaaldelijk verbouwd. De kerk dateert in haar huidige vorm uit de 13de eeuw. In het schip leidt een deur rechts naar een aan de zuidkant gelegen, Romaans transept, dat in de 11de eeuw aan de pre-Romaanse kerk werd toegevoegd. Het omvat een absis en twee absidiolen die een halfkoepelgewelf hebben en aan de buitenkant voorzien zijn van Lombardische bogen.

Klokkentoren - Deze werd in 1537 toegevoegd aan de vestingwerken uit de 14de eeuw. De toren is 40 m hoog en op de achtkantige bekroning, waarin openingen zijn aangebracht, ontbreekt de torenspits. Een wenteltrap (150 treden) leidt naar de top, vanwaar het uitzicht prachtig is.

Vroeger woonverblijf ⓥ – Het vroegere woonverblijf omvat de oudste delen van de abdij, maar werd al in de tijd van de laatste, commende genietende abten verbouwd.

Kleine kloostergang – Deze is charmant maar werd niet geheel in zijn oorspronkelijke vorm herbouwd. Twee overdekte galerijen, die rusten op zuilen met al eerder gebruikte Romaanse kapitelen, ondersteunen een dakverdieping.
Via de voormalige refter, een donkere, overwelfde zaal die indrukwekkend is, en de Escalier de Charlemagne (trap van Karel de Grote), komt men in de voormalige slaapzaal. Een deur links, achter in deze zaal, geeft toegang tot de **kapel van de abt**, waar een kostbare vloer met aardewerken tegels (13de eeuw) ligt.

LAGUIOLE

1 264 inwoners
Michelinkaart nr. 76 vouwblad 13, of 235 vouwblad 12.

Tegenwoordig is Laguiole (uitspreken Laïole) minder beroemd om zijn veemarkt dan om de prachtige **messen** waarvan de heften gemaakt zijn van been, hout, aluminium en soms van ivoor. Het mes van Laguiole werd in 1829 ontworpen en was oorspronkelijk een "capuchadou", d.w.z. een stuk gereedschap dat voor alles gebruikt kon worden. Later werd het voorzien van een priem en daarna van een kurkentrekker. Het mes werd in het begin van de jaren tachtig opnieuw in productie genomen en vormt nu de belangrijkste bron van inkomsten in het dorp. Tegenwoordig worden zowel zak- als tafelmessen gemaakt. Omdat er steeds meer lokale messenmakers bij kwamen die met hun werkplaatsen bijna de hele hoofd-straat in beslag namen, werd besloten meer duidelijkheid te brengen in de ongeordende situatie door invoering van een herkomstaanduiding, de "Laguiole Origine Garantie".

L. Giraudou/EXPLORER

Een mes uit Laguiole.

Laguiole, de op 1 000 m gelegen "hoofdstad van het gebergte", is ook een wintersportcentrum, dat in verbinding staat met het noordelijk deel van de Monts d'Aubrac. Men maakt er een heerlijke koekaas (Tome de Vache).

Musée du Haut-Rouergue ⓥ – In dit museum, dat drie verdiepingen telt, liggen allerlei stukken gereedschap uitgestald die vroeger in de Aubrac door handwerkslieden werden gebruikt. Ook is er een "buron" (kaasmakerijtje) uit de streek gereconstrueerd *(zie de Inleiding)*.

►► Château du Bousquet ⓥ *5 km in zuidwestelijke richting via de D 42.* Een trots 14de-eeuws, uit basaltsteen opgetrokken kasteel.

LAMALOU-LES-BAINS

2 194 inwoners
Michelinkaart nr. 83 vouwblad 4, of 240 vouwblad 22 – Schema, zie onder Espinouse.

De meeste bronnen van Lamalou werden in de 11de en 12de eeuw aangetroffen tijdens de exploitatie van de omringende ertslagen. Men ontdekte toen dat het water van de bronnen een geneeskrachtige werking had en al in de daaropvolgende eeuw werd er een badinrichting geopend. Tegenwoordig exploiteert het kuuroord de bronnen van l'Usclade, Bourgès, Capus en Vernière. Ook is men er gespecialiseerd in de behandeling van motorische aandoeningen, met name kinderverlamming, en van de gevolgen van verkeersongelukken.
Lamalou-les-Bains is een goed uitgangspunt voor excursies naar de Caroux *(zie onder Espinouse)*. Vanaf de omringende heuvels biedt Lamalou, dat zich als een lint uitstrekt langs de Bitoulet, een schilderachtige aanblik.
In Lamalou stopt de **Train touristique Bédarieux-Mons-la-Trivalle** ⓥ. Deze toeristische trein maakt gebruik van een buiten dienst gesteld traject van de spoorlijn Montpellier-Castres-Montauban, ook wel genoemd de transversaallijn Tarn-Méditerranée.

De tocht voert door het dal van de Orb, langs de voet van de Espinouse en vanaf Poujol-sur-Orb door het Parc naturel régional du Haut Languedoc. De trein, die heel onverwachte facetten van het dal laat zien, maakt gebruik van vele civieltechnische werken, zoals de Pont Carrel vlak voor het spoorwegstation van Lamalou, en de tunnel van Ste-Colombe voordat men aankomt bij het station van Colombières-sur-Orb.

★ **St-Pierre-de-Rhèdes** ⓥ – *Aan het begin van de stad 200 m westwaarts, richting St-Pons.*

Al in de eerste helft van de 12de eeuw werd begonnen met de bouw van de St-Pierre-de-Rhèdes-kerk, een voormalige parochiekerk die is opgetrokken uit roze zandsteen en binnen de muren van het kerkhof staat. Het is een mooi voorbeeld van de Romaanse bouwkunst op het Zuid-Franse platteland. Aan de buitenkant van de elegante absis, die versierd is met Lombardische bogen, is een primitieve, gebeeldhouwde figuur te zien. Wellicht is het een pelgrim op weg naar Compostella, met ransel en stok, of, waarschijnlijker nog de H. Petrus, de beschermheilige van de parochie, met staf, kruis en geopende bijbel.

Op de zuidgevel ziet men een latei waarop in Koefisch schrift diverse malen het Christusmonogram voorkomt. Boven de latei bevindt zich een gedecoreerde timpaan van basaltsteen. Binnen zijn kapitelen te zien in mozarabische stijl en twee 12de-eeuwse bas-reliëfs, van de school van Toulouse: een indrukwekkend gelaat van Christus Koning en de Heilige Petrus. Ook staat er een beeld van Maria met het Kind van veelkleurige steen, uit de 14de eeuw.

OMGEVING

★★ **Gorges d'Héric** – *Zie onder Héric.*

★ **Château de St-Michel de Mourcairol** – *6 km. Lamalou in zuidelijke richting uitrijden, de D 908 en de Orb oversteken en dan linksaf de D 160 oprijden, richting Aires. Direct na het bord "Moulinas" rechtsaf een weggetje inslaan dat aangegeven is met "St-Michel" en dat bijna tot aan het kasteel loopt.*

De ruïnes van dit kasteel en zijn vestingwerken getuigen van de belangrijke rol die deze vesting in de middeleeuwen heeft gespeeld. Zij liggen op een bergtop, zodat men een bijzonder weids **uitzicht**★ heeft op de streek: rechts het dal van de Orb tot aan Bédarieux en recht vooruit Lamalou in het dal, met op de achtergrond de Caroux. Te midden van een groepje bomen staat het kapelletje Notre-Dame de Capimont.

►► Sanctuaire de Notre-Dame de Capimont – *5 km via de D 22E en de D 13.* – Gorges de Colombières – *9 km via de D 908 richting St-Pons en vanaf de brug in Colombières-sur-Orb een halfuur lopen heen en terug.*

LANGOGNE

3 380 inwoners
Michelinkaart nr. 76 vouwblad 17, of 239 vouwblad 46.

Langogne is gunstig gelegen in het bovendal van de Allier, aan de rand van de Lozère, de Ardèche en de Haute-Loire. Veeteelt vormt de belangrijkste bron van inkomsten van deze streek. Het oude Langogne waarvan de huizen in een cirkel rond de kerk zijn gebouwd, is een interessant voorbeeld van middeleeuwse stedenbouw. In de torens van de voormalige stadswal zijn ook enkele woningen ingericht. Aan de rondweg staan 18de-eeuwse graanhallen, die gebouwd zijn op ronde pilaren en bedekt met platte dakpannen (lauzes).

Hal – De hal werd in 1765 gebouwd als onderkomen voor het vee, maar werd later als graanmarkt gebruikt. De hal wordt ondersteund door 14 verdikte zuilen van graniet; de Dorische kapitelen zouden gemaakt zijn naar het voorbeeld van de tempel van Ceres in Paestum (Italië). Het dak bestaat uit platte stenen en heeft een nokafdekking van leisteen.

Église St-Gervais-et-St-Protais – De buitenkant van deze Romaanse kerk, die van de 15de tot in de 17de eeuw werd verbouwd, is opgetrokken uit blokken zandsteen vermengd met vulkanisch materiaal. De binnenkant is van granieten houwstenen. Oorspronkelijk hoorde de kerk bij een benedictijnse priorij. De voorgevel (eind 16de, begin 17de eeuw) heeft een portaal met archivolt, dat is overspannen door een korfboog waarboven een flamboyant raam te zien is.

★ **Interieur** – Vele gebeeldhouwde **kapitelen**★ met verhalende thema's en rijk versierd met bladwerk, verlevendigen dit sobere gebouw. De meest bijzondere ervan sieren de pilaren van het schip, met name de eerste travee links met engelbewaarders en derde travee rechts met de wellust. De eerste kapel rechts is gebouwd op de plaats van een nog ouder sanctuarium, zoals blijkt uit de lager liggende vloer; de kapel herbergt een beeld van Maria met het Kind, dat Notre-Dame-de-Tout-Pouvoir wordt genoemd. Het beeld, dat al sinds vele eeuwen vereerd wordt, zou in de 11de eeuw meegebracht zijn uit Rome.

Filature des Calquières ⊙ - De oude spinnerij Engles-Boyer, waarvan de machines nog in perfecte staat verkeren, is tegenwoordig een museum. Hier kan men zien hoe op de traditionele manier wol bewerkt wordt: van het ontvetten van de net geschoren schapenvacht tot het vervaardigen van strengen wol (om te breien of te weven).

Plan d'eau de Naussac - *1 km. Langogne uitrijden via de D 34.*
Om de Allier onder controle te krijgen, werd een stuwdam gebouwd, waardoor het oude dorp Naussac verdwenen is. Dit bekken van 7 km lang is een belangrijk watersportcentrum geworden dat erg in trek is.

Causse du LARZAC★

Michelinkaart nr. 80 vouwbladen 14, 15, of 83 vouwblad 5, of 240 vouwbladen 14, 18.
Schema, zie onder Grands Causses.

Tussen Millau en Lodève verrijst als een ware kalkstenen vesting de Causse du Larzac.

GEOGRAFISCHE GEGEVENS

De grand causse - De Causse du Larzac strekt zich uit over een oppervlakte van ongeveer 1 000 km² en is daarmee de grootste van de Grands Causses; de hoogte varieert van 560 tot 920 m. Het gebied valt door een netwerk van breuklijnen uiteen in vijf blokken waar dorre kalkplateaus en groene dalen elkaar afwisselen. Op de plateaus zijn leemhoudende inzinkingen ontstaan, de zogenaamde "sotchs", met rode, vruchtbare aarde die als cultuurgrond kon worden gebruikt. Het water dat op de Larzac valt en er vervolgens in verdwijnt, komt onder in de dalen weer aan de oppervlakte, in de vorm van een zestigtal karstbronnen of "résurgences". Net als de andere "causses" is de Larzac doorboord met karstpijpen, de zogenaamde "avens"; die van **Mas-Raynal**, ten westen van Le Caylar, werd in 1889 onderzocht door een team bestaande uit E.-A. Martel, L. Armand, G. Gaupillat en E. Foulquier. De karstput gaf het traject te zien van een ondergrondse rivier die de Sorgues van water voorziet.

De schapenteelt - De economie van de Larzac is grotendeels afhankelijk van Roquefort en van de productie van melk voor de kaasmakerijen. De kudden tellen 300 tot 1 000 schapen en de schaapskooien zijn steeds moderner geoutilleerd, met ruimten met melkmachines - soms zogenaamde rotolactors - voor het mechanisch melken.
In 1979 en 1988 werden in de landbouwsector de laatste algemene volkstellingen gehouden. In die tussenliggende periode is op de Causse du Larzac het aantal bedrijven met 20% verminderd. Desondanks blijft de landbouw een dynamische sector: het aantal melkschapen neemt toe, evenals de grondoppervlakte die de nog bestaande bedrijven gebruiken.

UIT DE GESCHIEDENIS

Tempel- en hospitaalridders - In de 12de eeuw had de orde van de tempelieren een deel van de Larzac door schenking verworven en stichtte er toen een commanderij in Ste-Eulalie-de-Cernon, met dependances in La Cavalerie en La Couvertoirade. Nadat in 1312 de orde van de tempelieren was ontbonden, namen de hospitaalridders van de johannieterorde bezit van de eigendommen van de tempelieren, waaronder de nederzettingen op de Larzac, die zo deel gingen uitmaken van de machtigste, geestelijke ridderorde. In de 15de eeuw, die gekenmerkt werd door instabiliteit en onlusten, wierpen de hospitaalridders vestingen op; de muren, torens en versterkte poorten daarvan rijzen nu nog op uit het landschap van de Larzac.

VAN MILLAU NAAR LODÈVE *79 km - ongeveer vier uur*

★ **Millau** - *Zie onder deze naam.*

Millau uitrijden via de N 9, richting Béziers.

De weg steekt de Tarn over en loopt omhoog langs de noordkant van de Causse du Larzac; het uitzicht over Millau, de Causse Noir en de cañon van de Dourbie is schitterend. Voorbij een bocht boven de rotswand wordt men geconfronteerd met de oneindige en kale uitgestrektheid van de Causse.

Ruïnevormige rotsen.

Maison du Larzac ⓥ - Aan de rechterkant van de N 9 staat een grote schaapskooi met een dak van platte stenen, die ook wel La Jasse wordt genoemd. Hier is het bezoekerscentrum ondergebracht van het ecologisch museum, waar tentoonstellingen een inleiding vormen op de tocht door de Larzac.
Het **Ecomusée du Larzac**, dat in 1983 werd opengesteld, wil een beeld geven van het natuurlijke, historische en culturele erfgoed van de Causse aan de hand van verschillende bezienswaardigheden die verspreid zijn over een gebied van 35 km lengte en 25 km breedte. Zo zijn er een traditionele boerderij te zien, een ultramoderne schaapskooi met een melkmachine waarmee per uur 700 schapen gemolken kunnen worden, de Bergerie de la Blaquière, tentoonstellingen over de bouwkunst op de Causses, over archeologie, de tempelieren, enz.

De N 9 verder volgen tot La Cavalerie.

La Cavalerie - Dit dorp, dat vroeger de zetel was van een vice-commanderij van de tempelieren en daarna van de hospitaalridders, doet de herinnering herleven aan de ridderstand en bezit nog resten van oude vestingmuren. Het legerkamp van de Larzac, waarvan men de installaties kan zien vanaf de weg naar Nant, brengt wat leven in het dorpje.

Vanaf de N 9 rechtsaf de D 999 oprijden richting St-Affrique. Na 3,4 km links afslaan naar Lapanouse-de-Cernon.

Ste-Eulalie-de-Cernon - In het groene dal van de Cernon ligt Ste-Eulalie, de zetel van de commanderij van de tempelieren, waaronder ook La Cavalerie en La Couvertoirade vielen. De meeste stadswallen, torens, poorten (de poort aan de oostkant is schitterend) en schilderachtige, overwelfde passages uit de tijd waarin Ste-Eulalie een middeleeuwse vesting was, zijn bewaard gebleven.

De kerk, waar boven het toegangsportaal een marmeren beeld staat van de H. Maagd (17de eeuw), kijkt uit op een charmant pleintje met een fontein.

Via de D 77 en de D 23 terugrijden naar de N 9 in l'Hospitalet-du-Larzac. De N 9 oprijden richting Béziers en na 2,5 km links afslaan richting Alzon en de borden met La Couvertoirade volgen.

De weg loopt door een heidelandschap dat met rotsblokken bezaaid ligt, en biedt verderop links een mooi uitzicht op het dal van de Dourbie. Voorbij het dorpje Cazejourdes verschijnen kleine dalen waarvan de bodem bedekt is met rode aarde.

★ **La Couvertoirade** - *Zie onder deze naam.*

De D 55 volgen naar het zuidwesten, richting Le Caylar.

De licht stijgende weg biedt een mooi uitzicht op het uiterst merkwaardig gelegen plaatsje Le Caylar en op het Massif de l'Aigoual links in de verte.

Le Caylar - *Zie onder deze naam.*

Le Caylar in zuidelijke richting uitrijden langs de oude N9, daarna de weg die parallel loopt aan de A 75 en tenslotte de D 155^{E} tot Pas de l'Escalette.

★ **Pas de l'Escalette** - 616 m. Deze doorgang, waar hoge rotswanden bovenuit steken, kreeg de naam Pas de l'Escalette (escalier = trap) omdat men via de in de rotsen uitgehouwen treden vanaf de Causse du Larzac naar beneden kon komen. Vanaf de Pas heeft men een **uitzicht** op de watervallen van de Lergue.

Omkeren en bij de afslag Caylar-Sud de A 75 nemen, richting Lodève. Van de autosnelweg afgaan om naar Pégairolles-de-l'Escalette te rijden.

Pégairolles-de-l'Escalette - In dit schilderachtige dorp staat een oud kasteel. De wijngaarden, olijfbomen en moerbeibomen contrasteren sterk met de ruige causse.

Opnieuw de autosnelweg A 75 nemen, richting Lodève.

★ **Lodève** - *Zie onder deze naam.*

LAVAUR

8 147 inwoners

Michelinkaart nr. 82 vouwblad 9, of 235 rechts boven aan vouwblad 30.

Op de linkeroever van de Agout, op een kruispunt van wegen naar Toulouse, Castres en Montauban, ligt Lavaur; de oude wijken hebben de charme behouden die karakteristiek is voor de kleine steden in de Languedoc.
Lavaur was een vesting die werd beschermd door het kasteel van Le Plo, waarvan nog enkele stukken muur bewaard zijn gebleven die tegenwoordig de esplanade van Le Plo, in het zuiden van de stad, ondersteunen.
Tijdens de kruistocht tegen de Albigenzen werd de stad belegerd door de troepen van Simon de Montfort en gaf zich op 3 mei 1211 over, na twee maanden weerstand te hebben geboden onder leiding van Guiraude, stadsvrouwe, en 80 ridders die zich bij de katharen hadden aangesloten. Zij werden opgehangen, andere ketters werden verbrand en vrouwe Guiraude in een put gegooid die daarna met stenen werd gevuld. Van 1318 tot 1790 was Lavaur een bisschopsstad.

BEZIENSWAARDIGHEDEN

★ **Cathédrale St-Alain** ⓥ - Het eerste Romaanse bouwwerk, dat in 1211 werd verwoest, werd in 1254 in baksteen herbouwd. Tegen de zuidgevel staat, boven op een Romaanse toren met stenen voet, de beroemde jaquemart van beschilderd hout, die de uren en de halve uren slaat. Het mechanisme en de klok dateren uit 1523. Via een terras kan men rond het gebouw lopen en de koorsluiting bewonderen die op de Agout uitkijkt.
De binnenzijde is in de Zuid-Franse gotische stijl *(zie de Inleiding)* opgetrokken, met een indrukwekkend, eenbeukig schip (13de en 14de eeuw) en een absis (eind 15de eeuw, begin 16de eeuw), die lager en smaller is dan het schip en zeven muurvlakken telt.
Het Romaanse portaal dat toegang geeft tot de eerste kapel rechts is een overblijfsel van het oorspronkelijke gebouw; de kapitelen van de colonnetten zijn versierd met taferelen die de jeugd van Christus voorstellen. In de derde kapel staat in een flamboyante grafnis een houten Piëta uit de 18de eeuw en een koorlessenaar uit dezelfde tijd.
In het koor staat een witmarmeren altaartafel (school van Moissac) uit de 11de eeuw, die afkomstig is uit de Église Ste-Foy, de oudste kerk van Lavaur.
Aan de linkerzijde een schilderij van Christus aan het kruis en de H. Hiëronymus, dat toegeschreven wordt aan Ribera.

Het orgel uit de 16de eeuw werd in de 19de eeuw gerestaureerd door Cavaillé-Coll.
Via de westkant van het schip het portaal ingaan dat zich onder de achthoekige klokkentoren bevindt. Op de middenstijl van een laat-gotisch portaal is het beeld van de H. Alain te zien en, op de latei, de Aanbidding van de Drie Koningen. Tijdens de godsdienstoorlogen en de Franse Revolutie werd het portaal beschadigd.

Jardin de l'évêché - Op de plaats van het voormalige bisschoppelijk paleis vormt deze tuin een terras dat op de Agout uitkijkt, aan de noordzijde van de kerk. Het is prettig wandelen tussen de eeuwenoude ceders en de prachtig gesnoeide bosschages. In de 19de eeuw werd er een standbeeld opgericht van Las Cases, die vlak bij Lavaur geboren is en de trouwe metgezel van Napoleon I was in Ste-Hélène. Mooi uitzicht over de Agout en links op de Pont St-Roch (1786).

Église St-François - In de hoofdstraat. Voor de Franse Revolutie was deze kerk de kapel van het klooster van de franciscanen, die in 1220 door Sicard VI de Lautrec, baron van Ambres, in Lavaur werden geïnstalleerd. De bijzonder elegante kerk werd gebouwd in 1328. Rechts van de ingang staat een prachtig, uit baksteen en hout opgetrokken huis.

IN DE OMGEVING

St-Lieux-les-Lavaur - *10 km in noordwestelijke richting via de D 87 en de D 631 links.*
Dit charmante plaatsje in het dal van de Agout is het vertrekpunt van de stoomtrein die over de toeristische spoorlijn door de Tarn rijdt: **Promenade en train touristique à vapeur** ⓥ.

Route du port de LERS

Michelinkaart nr. 86 vouwblad 4, of 235 vouwbladen 42, 46.
Schema, zie onder Foix.

Op de Route du port de Lers ziet men duidelijk het contrast tussen het "Atlantische" coulisselandschap en de ruigere, mediterrane natuur.

VAN MASSAT NAAR TARASCON-SUR-ARIÈGE

42 km - ongeveer drie uur

Massat - *Zie de Groene Michelingids Atlantische Kust (in voorbereiding).*
Massat uitrijden via de D 18.

De weg loop door smalle valleien in een gebied waar de grond uit leisteen bestaat, zoals blijkt uit het donkere steen van de huizen die, omringd door graslanden, op de hellingen staan.
Na Mouréou wordt het landschap steeds bergachtiger en ruiger naarmate men omhoogrijdt; een prachtige rit met uitzicht op de besneeuwde toppen.

Peyre Auselère - Als men na een steile tocht omhoog de bossen uitrijdt, komt men in het laatste dorpje van deze vallei waar hier en daar een schuur staat. Het is aardig uit te stappen om te kijken naar de prachtige watervallen. Via een brug kan men op de linkeroever komen.
De weg loopt nu het keteldal van Lers in, waar behalve schapen en paarden ook runderen grazen, waarvan de bellen overal te horen zijn.

★ **Étang de Lers** - Een prachtige en verlaten plek aan de voet van de Pic de Montbéas, die nog mooier is in het najaar, als de gaspeldoorn in bloei staat. Het is een landschap met middelhoge bergen en een door gletsjers uitgesleten reliëf.
De weg loopt over de bergpas van Lers (1 517 m) en daalt weer scherp met vele haarspeldbochten af langs de smalle en steile vallei van Suc. Hier zijn de verschillen tussen de mediterrane en de "Atlantische vegetatie het duidelijkst zichtbaar. De weg, met overal watervallen erlangs, loopt boven de bergstroom die in de diepte kronkelt.
Voordat men in Vicdessos aankomt, heeft men recht voor zich een fraai uitzicht op de vallei van Goulier.

Vicdessos - Dit bergdorp ligt bij een barrière van door gletsjers opgeworpen rotsblokken onder de hoger gelegen vallei van Suc.
De weg loopt door de woeste en diepe **vallée du Vicdessos**, waar op de uitgestrekte weiden veel vee graast, zodat er voor huizen weinig ruimte over is. Links ziet men de dorpjes Orus en Illier tegen de helling liggen.
Bij Laramade begint rechts de vallei van Siguer. De bergpas van Siguer (2 396 m) werd vroeger intensief gebruikt als verbindingsroute tussen Frankrijk, Andorra en Spanje. In de loop van de Tweede Wereldoorlog hebben velen via die weg het bezette Frankrijk kunnen ontvluchten.

Op de rechteroever ziet men op een legendarische plek, hoog op een vooruitstekende rots, duidelijk de ruïnes van het 14de-eeuwse kasteel van Miglos verrijzen; recht daartegenover, op de linkeroever ligt het dorp Lapège. Ongeveer 100 m na de splitsing van Junac is links het oorlogsmonument voor de gevallenen van 1914-1918 te zien; het is van de beeldhouwer Bourdelle.

★★ **Grotte de Niaux** - *Zie onder Niaux.*

Links afslaan richting Alliat.

Grotte de la Vache - *Zie onder Tarascon-sur-Ariège.*

Tarascon-sur-Ariège - *Zie onder deze naam.*

LÉZIGNAN-CORBIÈRES

7 881 inwoners
Michelinkaart nr. 83 vouwblad 13, of 240 vouwblad 29.

Halverwege Carcassonne en de zee, tussen het dal van de Aude, het Canal du Midi en de Orbieu, ligt Lézignan-Corbières, een stadje dat leeft van de wijnbouw. Rond de Église St-Félix vindt men lanen met platanen erlangs, pleintjes en straatjes.

Tussen Minervois en Corbières - In Lézignan is de wijnstok al sinds de Romeinen te vinden. In de loop der eeuwen heeft het gewas geleidelijk de olijfbomen en de schapen verdrongen en overal hun plaats ingenomen, zowel op de heuvels met hun kiezelachtige bodem, als in de vlakte. Spanden de wijnboeren zich vroeger in om zoveel mogelijk wijn te produceren, sinds een vijftiental jaren staat de kwaliteit centraal: betere selectie van de druivensoorten en meer zorg voor het rijpingsproces.

Musée de la Vigne et du Vin ⓥ - Dit wijnmuseum is gevestigd op een voormalig wijnbouwbedrijf. Rond de binnenplaats ziet men, behalve de zadelmakerij en de paardenstal, een pers en, onder een afdak, de werktuigen van een kuiper.
In de gistingskelder staat een grote oogstkuip waarin de druiven met de voeten werden geperst. Op de eerste verdieping zijn de instrumenten voor het werk op de wijngaard per seizoen bij elkaar gebracht: handploegen, snoeimessen, entmessen, draagmanden en kuipen voor het vervoer, trechters en brandstempels. In het midden van het vertrek: kostuums van de Confréries de Narbonne, Lézignan en Olonzac (broederschappen).

EXCURSIE

De streek rond Lézignan - *49 km. Lézignan uitrijden via de D 24 richting Ornaisons, waar men rechtsaf de D 123 oprijdt.*

Gasparets - In de Espace Octaviana is het **Musée de la Faune** ⓥ gehuisvest. Er is een mooie verzameling te zien van opgezette dieren uit alle werelddelen. Roofvogels, nachtvogels en algemeen voorkomende vogels, maar ook de bruine beer uit de Pyreneeën en everzwijnen uit de omgeving. Van deze dieren zal men de goudfazant, de korhoen of auerhaan en de harpij vanwege hun opvallende kleuren of hun afmetingen niet gauw vergeten.

De D 61, 161 en 611 leiden via Boutenac en Ferrals naar Fabrezan.

De route verlaat de vlakte en loopt gedurende enkele kilometers door heuvels die met garrigue zijn begroeid.

Fabrezan - Dit karakteristieke dorpje met zijn vele, smalle en kronkelige straatjes kijkt uit over het dal van de Orbieu. In het stadhuis is het **Musée Charles-Cros** ⓥ ondergebracht, een klein museum dat is gewijd aan de uit de streek afkomstige uitvinder van de fonograaf.

De D 212 nemen, dan links afslaan en de D 111 volgen richting Moux. Voor dit dorpje rechts afslaan richting Lézignan. In Conilhac linksaf de D 165 nemen.

De weg loopt over een heuvel en komt dan uit op de wijngaard van het dorpje **Montbrun-des-Corbières**, dat beneden ligt. Doorrijden naar Escales en even stoppen bij het charmante, Romaanse kapelletje van **Notre-Dame-de-Colombier**.

De D 127 en 611 leiden terug naar Lézignan.

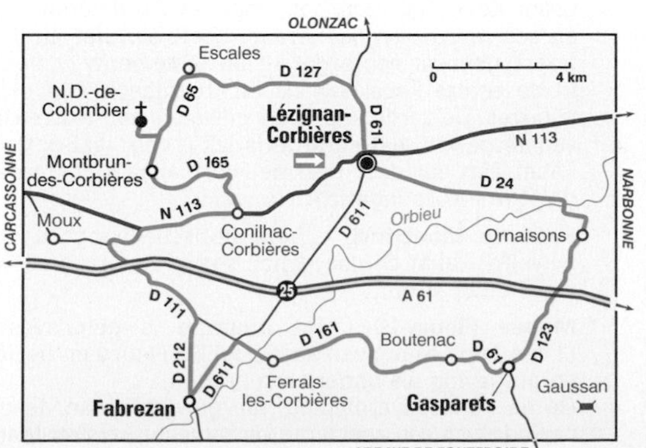

LODÈVE★

7 602 inwoners

Michelinkaart nr. 83 vouwblad 5, of 240 vouwblad 18.

Schema, zie onder Grands Causses.

Lodève ligt trapsgewijs in een sierlijk decor van heuvels, bij de plaats waar de Lergue en de Soulondres samenvloeien. Vanaf de belvédère aan de omleiding van de N 9, komend van Millau, heeft men een weids **uitzicht**.
In Lodève zijn de belangrijkste bronnen van inkomsten de houtindustrie en de textielindustrie en, sinds 1980, de exploitatie van de uraniummijnen. De COGEMA (Compagnie Générale des Matières Nucléaires) wint uraniumerts in ondergrondse gangen of in open groeven. Het hier aanwezige uranium vertegenwoordigt ongeveer een kwart van de in Frankrijk bekende reserves. Het erts wordt vervolgens verwerkt in een fabriek die vlak bij de mijnen ligt.

UIT DE GESCHIEDENIS

De bisschoppen van Lodève - Lodève is een heel oude stad: keizer Nero liet er de munten slaan die hij nodig had om de Romeinse legioenen te betalen en te onderhouden. In de middeleeuwen werden de stad en het diocees bestuurd door bisschoppen. Tussen 506 en 1790 volgden 84 prelaten elkaar op. Beroemd is de H. Fulcran, bisschop uit de 10de eeuw. Hij was bijzonder rijk en gaf de armen te eten en verzorgde de zieken. Ook was hij een krijgsman die vestingen liet bouwen om de stad tegen struikrovers te beschermen.
In de 12de eeuw bracht een van zijn opvolgers de nijverheid naar Lodève: hij installeerde er de eerste molens voor de fabricage van papier uit lompen. In de daaropvolgende eeuw bevorderden de bisschoppen de lakenhandel.
De stad, die heeft deelgenomen aan de opstand van Gaston d'Orléans en Henri de Montmorency in 1632, werd door Richelieu gedeeltelijk verwoest. De bisschoppen, die voortaan door de koning werden benoemd, hadden daarna nog slechts godsdienstig gezag.

De lakenstad - De schapen in de streek rond Lodève vormden lange tijd de belangrijkste bron van inkomsten. De nijverheid kwam dan ook vanaf de 13de eeuw tot volle bloei. Later bracht Hendrik IV de lakenfabrieken van Semur-en-Auxois (dép. Côte d'Or) over naar Lodève. Ten tijde van Lodewijk XIV gaat men de stoffen gebruiken om de troepen te kleden. Onder Lodewijk XV verleent kardinaal De Fleury zijn geboortestad het monopolie op leveringen aan het leger.
Deze bescherming van hogerhand heeft gevolgen voor de kwaliteit. De opzichters sluiten de ogen voor fabricagefouten, wat zijn weerslag heeft op de reputatie van de stoffen. In een verslag uit 1754 wordt hierover het volgende gezegd: "Dit laken is eerder geschikt voor wie bedekt wil worden dan voor wie getooid wil gaan." De fabricage wordt in 1960 stopgezet. Deze oude industrie heeft thans plaats gemaakt voor andere textielbranches, met name breigoederen.
Lodève heeft ook een prachtige tapijtweverij waar kopieën worden gemaakt van vroegere modellen, met name voor de gebouwen van de staat.

BEZIENSWAARDIGHEDEN

★ **Ancienne cathédrale St-Fulcran** - Van het allereerste gebouw rest alleen het deel dat dienst doet als crypte van de huidige kerk. De kerk werd voor het eerst herbouwd in de 10de eeuw door de Heilige Fulcran en daarna nogmaals in de 13de eeuw, maar de voormalige kathedraal stamt voornamelijk uit het begin van de 14de eeuw. Na de godsdienstoorlogen moest de kathedraal grotendeels worden gerestaureerd, maar dat gebeurde in de oorspronkelijke stijl. Uit de twee torens met uitkijkposten die de voorgevel flankeren en uit de steunberen blijkt nog het defensieve karakter van de kerk.
Het interieur is ruim van opzet, met een kort schip met zijbeuken en een heel groot koor. Dit koor, dat omgeven wordt door houtsnijwerk uit de 18de eeuw en een marmeren balustrade, heeft aan het uiteinde een elegant straalgewelf. Daartegenover een orgel uit de 18de eeuw.
In de eerste kapel van de rechterzijbeuk zijn de 84 bisschoppen van Lodève bijgezet. De derde kapel, die gewijd is aan Notre-Dame-des-Sept-Douleurs, heeft een netgewelf, dat karakteristiek is voor laat-gotische bouwwerken; vanuit deze kapel leidt een deur naar de voormalige kloostergang (14de-17de eeuw) die als glyptotheek is ingericht.

Pont de Montifort - Deze gotische boogbrug over de Soulondres is sterk gewelfd; vanaf de voetgangersbrug die stroomafwaarts ligt, heeft men er een mooi uitzicht op.

★ **Musée Fleury** ⏲ - Dit museum is gehuisvest in de voormalige woning (17de-18de eeuw) van kardinaal De Fleury en bezit diverse collecties die Lodève en omgeving als onderwerp hebben.
Op de benedenverdieping, die gewijd is aan de geologie en de paleontologie, bevindt zich een zeldzame verzameling **versteende afdrukken** van planten en vooral

van reptielen (of van kikvorsachtigen) uit het einde van het Paleozoïcum, en van grote dinosaurussen uit het Mesozoïcum. Deze afdrukken van dieren zijn vergeleken met vondsten uit Zuid-Afrika en de resultaten van dit onderzoek ondersteunen de theorie van de continentenverschuiving.
Boven ziet men prehistorische overblijfselen uit de streek rond Lodève (Paleolithicum en Neolithicum) en wordt een overzicht gegeven van de lokale geschiedenis vanaf de Gallo-Romeinse tijd tot heden (herinneringen aan kardinaal De Fleury); ook kan men er regionale kunst bewonderen, zoals gravures van Barthélemy Roger (periode Lodewijk XVI-Lodewijk XVIII), tekeningen van Max Théron (19de eeuw) en beeldhouwwerk van Paul Darde (20ste eeuw).
In een tweede gebouw worden de **schijfvormige stèles** (12de-15de eeuw) uit Usclas-du-Bosc tentoongesteld, een dorpje vlak bij Lodève. Het gebruik van deze monolieten was in de middeleeuwen vrij gangbaar en stamt uit de oudheid; de schijf stelde toen de zon voor, maar bij de christenen werd deze het symbool van de herrezen Christus. Tot slot wordt in twee zalen de traditionele textielnijverheid van Lodève nader belicht.

►► Prieuré St-Michel-de-Grandmont ⓥ - *8 km via de Pont de la Bourse (oostkant van de stad) en de N 9 richting Millau; rechtsaf de D 153 richting St-Privat volgen.* Priorij die in de 12de eeuw door monniken uit Grammont *(zie onder Comberoumal)* werd opgericht en bestaat uit een kerk, een Romaanse kloostergang en een bijzonder grote kapittelzaal.

Grotte de LOMBRIVES

Michelinkaart nr. 86 onder aan vouwbladen 4 en 5, of 235 vouwblad 46.

De **grot van Lombrives** ⓥ, ten zuiden van Tarascon-sur-Ariège, is heel bijzonder vanwege de immense zalen en de ware of fictieve verhalen die aan de grot verbonden zijn. De temperatuur is er constant: 13°C. De gangen die bezichtigd kunnen worden, strekken zich uit over een lengte van 3,6 km, verdeeld over twee verdiepingen die met elkaar verbonden zijn door 150 treden (trappen en oplopende gangen), die tamelijk lastig te beklimmen zijn. Via de benedengalerij komt men in de "kathedraal", een gewelfde ruimte van zo'n 100 m hoogte. Bijzonder fraai in de bovenste galerij zijn vooral de "mammoet", een prachtige formatie, hoog en groots, en het "graf van Pyrène".

De geschiedenis en de legende - De wanden van de grot bevatten talloze inscripties die getuigen van het feit dat de grot door de eeuwen heen langdurig door de mens is bewoond. De grot diende 4000 jaar voor Christus als schuilplaats (tegen wilde dieren en slechte weersomstandigheden), maar ook als begraafplaats. Het verhaal gaat dat de Romeinen de legende van Pyrène naar Lombrives hebben gebracht. Pyrène was een mooi, jong meisje dat zich liet verleiden door Hercules, een bijzonder knappe jonge man. Zij vluchtte voor de woede van haar vader, Bébryx, en ging de bergen in om haar schande te verbergen. Zij werd door een beer aangevallen. Op haar gegil snelde Hercules te hulp, maar hij was te laat. Voordat hij Pyrène in haar laatste rustplaats begroef, prees hij haar met de volgende woorden: "Opdat de herinnering aan jou immer blijve bestaan, oh lieve Pyrène, zullen deze bergen waarin jij slaapt voortaan de Pyreneeën heten."
In de middeleeuwen was de grot een schuilplaats voor de vervolgde katharen. Er is wel beweerd dat hun schat in 1244 in de grot verborgen zou zijn. In 1298 werden er drie mannen onthoofd, omdat ze er valse muntstukken geslagen hadden. Ten tijde van de renaissance kwam men er formaties halen die gebruikt werden om de salons met rocaille te versieren, wat toen in zwang was.
Tijdens de godsdienstoorlogen verborgen katholieken en protestanten zich beurtelings in Lombrives. Daarna vonden politieke vluchtelingen, rovers en vrijmetselaars er een toevluchtsoord. Nog later werd de grot verkend (door E.-A. Martel) en werd er wetenschappelijk onderzoek gedaan. In de bodem hebben geleerden aan het eind van de 19de eeuw en in het begin van de 20ste eeuw beenderen van mensen gevonden (zo lang dat er ook wordt beweerd dat er een ras van reuzen in de grot geleefd heeft), krabbers, pijlen, bijlen, sieraden, enz.

De geologische formatie - De aanwezigheid van zwerfkeien, die men tijdens de bezichtiging ziet, zou de volgende hypothese verklaren: een gletsjer, die vanuit Vicdessos kwam en zich bij de Ariège voegde, zou op zijn weg de grotten van Niaux en Lombrives hebben uitgesleten, die samen één geheel vormen. De speleoloog E.-A. Martel kwam met een tweede theorie: het water van de Vicdessos, dat bij Niaux ondergronds gaat, zou zich in de bestaande spleten hebben gestort en weer met het water van de Ariège aan de oppervlakte zijn gekomen. Toen het water in Ussat niet verder kon, zocht het andere rotsspleten op, die vervolgens verder werden uitgesleten. Het water kwam dan bij Sabart weer aan de oppervlakte. De aldus ontstane hydrogeologische doorgang Niaux-Lombrives-Sabart vormt één ondergronds netwerk.

Vallée du LOT★★

Michelinkaart nr. 76 vouwbladen 11, 12, of 80 vouwbladen 1, 2, 3, of 235 vouwbladen 11, 12.

Aan de rand van de streken Auvergne en Rouergue heeft de rivier de Lot een diep dal uitgesleten in het gneis en het graniet. Het hierna beschreven traject, dat bijzonder pittoresk is, volgt tussen Espalion en de brug van Coursavy de rivier.

VAN ESPALION NAAR CONQUES *56 km - ongeveer drie uur*

★ **Espalion** - *Zie onder deze naam.*

Vanuit Espalion volgt de grote weg naar Aurillac de rechteroever van de Lot. Eerst is het dal breed en vruchtbaar (grasland, wijngaarden, fruitbomen), maar wordt vervolgens smal en bosrijk.

★ **Estaing** - *Zie onder deze naam.*

Wanneer men Estaing uitrijdt, biedt de weg een aardig uitzicht op de Lot, de oude brug en het kasteel dat boven het stadje uitsteekt.

★★ **Gorges du Lot** - Nadat het dal eerst over een afstand van enkele kilometers vrij breed is en dan wordt overspoeld door het water van de Barrage de Golinhac (stuwdam), verandert het in smalle, woeste kloven. Deze "gorges", die een bijzonder schilderachtig decor vormen, zijn ongeveer 300 m diep en aan de top van de hellingen nauwelijks 1 500 m breed. Te midden van de beboste hellingen rijzen grillige of massieve bergkammen en rotspunten omhoog. Enkele kilometers voorbij Estaing doemt de 37 m hoge **Barrage de Golinhac** (stuwdam) op. Iets verder, op de linkeroever, staat de waterkrachtcentrale die gebouwd is van metaal en glas en via de stuwdam van water wordt voorzien.

★ **Entraygues** - *Zie onder deze naam.*

De D 107 volgen.

Vanaf de weg heeft men uitzicht op Entraygues en zijn kasteel, bij de plaats waar de Truyère en de Lot samenvloeien.

Het dal van de Lot is nu niet meer zo streng en woest als in de kloven die stroomopwaarts van Entraygues liggen. Het is hier vrij breed en bekoorlijk. Op de heuvels strekken zich de terrasvormig aangelegde wijngaarden uit, die een uitstekende wijn geven. De huizen van de wijnbouwers liggen verspreid in dit landschap. Verderop neemt het aantal wijngaarden af, staan buksbomen tussen de dichter bij elkaar liggende rotsen en strekken bossen zich over de hellingen uit. Af en toe wordt het dal echter breder en ziet men kleine stukjes bouwland waar, tussen de fruitbomen door, dorpjes liggen met schilderachtige huizen.

Vieillevie - Mooi kasteeltje uit de renaissance.

Bij de brug van Coursavy de Lot oversteken en daarna de D 901 nemen richting Rodez.

De weg loopt het dal van de Dourdou in, waarvan het water de roodachtige tint houdt van het zandsteen waar het doorheen is gestroomd.

Vanuit **Grand-Vabre** kan men, via het weggetje rechtsaf naar Almon-les-Junies, na ongeveer 1 km genieten van een prachtig uitzicht op het dal van de Lot en dat van de Dourdou.

★★★ **Conques** - *Zie onder deze naam.*

A. Kumurdjian

Het dal van de Lot
(ten westen van Entraygues-sur-Truyère).

Mont LOZÈRE★★

Michelinkaart nr. 80 vouwbladen 6, 7, of 240 vouwbladen 2, 6, 7.

Tussen Florac, Mende, Génolhac en Villefort rijst het krachtige, granieten massief van de Mont Lozère statig op in het landschap van de Cevennen. Het vormt een aparte geografische eenheid, wat nog wordt versterkt door de kloven van de Tarn, de Lot, de Altier en de Cèze.

De "kale berg" – De Mont Lozère dankt deze bijnaam aan zijn kale, hooggelegen plateaus die zich uitstrekken over een lengte van 35 km. Het hoogste punt is de Sommet de Finiels op 1 699 m, tevens het hoogste punt van het deel van het Centraal Massief dat niet van vulkanische oorsprong is. Uit het door erosie aangetaste graniet zijn merkwaardige rotsbrokken ontstaan, die hier en daar als chaotische steenmassa's verspreid liggen in een heidelandschap waar nog enkele stukjes beukenbos staan, de laatste overblijfselen van de weelderige bossen die de plateaus bedekten. De hellingen, die in de laatste decennia opnieuw zijn bebost, zijn nu weer getooid met dennen, sparren en beuken in het zuiden (Montagne du Bougès), het oosten (de helling van de Vivarois) en in het noorden.
De stevig gebouwde huizen vormen een harmonieus geheel met het landschap. Vaak zijn blokken graniet gebruikt, o.a. voor de muren. De meeste dorpen zijn nu geheel verlaten, want de bewoners hadden een zwaar bestaan op de plateaus waar wind en sneeuw vrij spel hebben. De stormklokken, waarvan het geluid het enige baken was voor de in de sneeuwstorm verdwaalde reiziger, zijn hiervan nog steeds de stille getuigen. Enkele granieten paaltjes met het Maltezer kruis herinneren aan het feit dat de hospitaalridders van de johannieterorde, die later de Maltezer ridders werden, er een deel van de grond bezaten. Vroeger werden deze uitgestrekte vlakten in de zomer door grazende kudden bevolkt. In de 19de eeuw waren er naar schatting nog ongeveer honderdduizend schapen, nu zijn er nog geen 10 000 over, en de "drailles" *(zie de Inleiding)* dreigen onder de plantengroei te verdwijnen. De schapen zijn vervangen door kudden koeien uit de dorpen op de zuidelijke helling, die komen grazen op de plateaus van de Mont Lozère.

Ecomusée du Mont Lozère – Dit ecologisch museum, dat opgezet werd onder auspiciën van het Parc national des Cévennes, wil een beeld geven van de natuur en het leven op de Mont Lozère. Het ecomuseum omvat een centrum, het Maison du Mont Lozère bij het dorpje Le Pont-de-Montvert, en diverse bouwkundige en natuurlijke bezienswaardigheden die over het gehele massief verspreid liggen. Bij de boerderijen van **Troubat** en **Mas Camargues** ligt het accent op de architectuur en het functioneren van een 19de-eeuws landbouwbedrijf. De stormklokken en de met een Maltezer kruis gemerkte paaltjes zijn geïnventariseerd. Er zijn verschillende paden aangelegd.

De meeste bezienswaardigheden zijn beschreven in het hoofdstuk Pont-de-Montvert.

Lutra/CAMPAGNE CAMPAGNE

Een voettocht op de Mont Lozère.

De Mont Lozère te voet – Het landschap leent zich uitstekend voor voettochten en vele Sentiers de Grande Randonnée (lange-afstandspaden) doorkruisen dan ook de Mont Lozère. Een **trektocht rond de Mont Lozère** (6 dagen), beschreven in de topoguide van de GR 68 (Franstalige uitgave), blijft de buitenkant volgen. De **GR7**, de voormalige "draille" van La Margeride, loopt dwars door het midden van de Mont Lozère, zodat men kennis kan maken met het landschap en de dorpjes die zo karakteristiek zijn voor de Mont Lozère (vooral in het deel tussen de Col de Finiels en de Ferme de l'Aubaret).

Voor inlichtingen kunt u zich wenden tot het informatiecentrum van het Parc national des Cévennes te Florac (zie het hoofdstuk Praktische inlichtingen achter in de gids).

★ 1 COL DE FINIELS

van Le Pont-de-Montvert naar Le Bleymard

23 km - ongeveer een uur

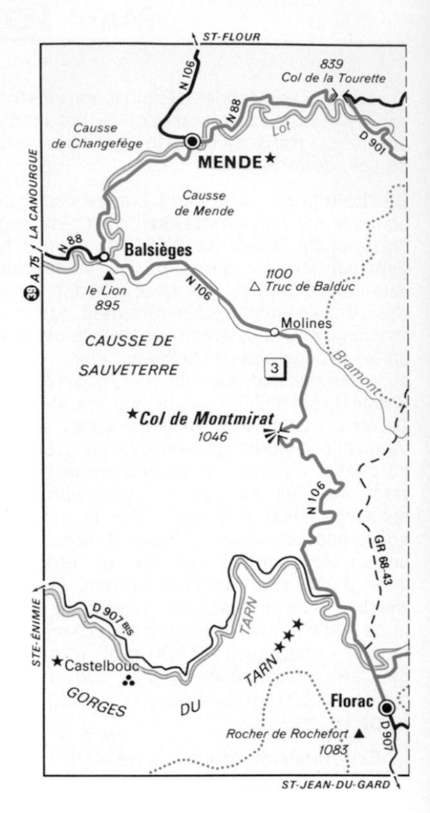

Deze route, die de D 20 volgt, loopt midden over de Mont Lozère en biedt vaak een schitterend uitzicht op het landschap.

Le Pont-de-Montvert - *Zie onder deze naam.*

Le Pont-de-Montvert uitrijden via de D 20, richting Le Bleymard.

De weg, waarlangs lijsterbessen staan, loopt over de zuidelijke helling omhoog naar de Col de Finiels. Na het gelijknamige dorpje loopt de weg door uitgestrekte, verlaten vlakten waar hier en daar granietblokken liggen. Aan de zuidelijke horizon ziet men de Montagne du Bougès en de sterk golvende Causse Méjean.

★ **Col de Finiels** - 1 548 m. In de directe omgeving van deze pas, en met name vanaf de "toppen" die de doorgang omgeven, kan bij helder weer het **uitzicht**★ tot aan de Aigoual en de causses reiken. Bij het begin van de afdaling is recht vooruit en rechts het Massif du Tanargue (Vivarais aan de Cevennenkant) zichtbaar. Aan de linkerzijde van de weg zijn de faciliteiten te zien van het wintersportcentrum van de Mont Lozère, en de moderne kapel.

Chalet du Mont Lozère - Tussen de jonge dennen staan de berghut, een hotel, een informatiecentrum van het Parc national des Cévennes en een groot gebouw van de Union des Centres de Plein Air (UCPA), waar 's zomers de trekkers, die zowel te voet als te paard rondtrekken, onderdak kunnen vinden. Van begin december tot eind april is het een skicentrum, dat vooral bekend is om het langlaufen. Een bewegwijzerd pad loopt omhoog naar de Sommet de Finiels.

★ **Sommet de Finiels** - *Drie uur lopen heen en terug.* Vanaf het Chalet du Mont Lozère het bewegwijzerde pad nemen tussen de D 20 en de kapel; het pad volgt tot aan de top een muurtje van stenen. Rechts aanhouden tot een vervallen, stenen gebouwtje. Vandaar heeft men een weids **uitzicht**★★ naar het zuidoosten en ziet men de opeenvolgende, afgeronde toppen van de hooggelegen plateaus tot aan de Pic Cassini, terwijl noordwaarts het granieten plateau van La Margeride de horizon verspert. De bergkam volgen tot het paaltje met "1 685 m". In de afdaling de Route des Chômeurs nemen die terugvoert naar het beginpunt. Voorbij het Chalet du Mont Lozère, op het punt waar de D 20 het ravijn van de Altier verlaat en verder loopt over de helling aan de Atlantische zijde, doemen in het noorden de Monts de la Margeride op.

Bij het gehucht Le Mazel staan nog de gebouwen van een mijn waar van het begin van de 20ste eeuw tot 1952 lood en zink gewonnen werd.

Le Mazel - Vanaf het begin van de eeuw tot 1952 werd hier een lood- en zinkmijn geëxploiteerd. De gebouwen herbergen het **Centre d'information du Parc national des Cévennes** ⓥ, een bezoekerscentrum waar tentoonstellingen worden gehouden.

Le Bleymard - In dit dorpje zijn stevig gebouwde huizen met daken van platte stenen bewaard gebleven, en een 13de-eeuwse kerk.

2 TOCHT OVER DE MONT LOZÈRE

van Mende naar Florac via Villefort en Génolhac

137 km - vijf uur

★ **Mende** - *Zie onder deze naam.*

Mende in oostelijke richting uitrijden via de N 88, richting Le Puy.

De weg volgt het dal van de Lot, onderlangs de steile kalkhellingen van de Causse de Mende.

Bij de Col de la Tourette de D 901 nemen, richting Villefort.

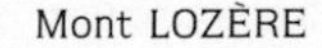

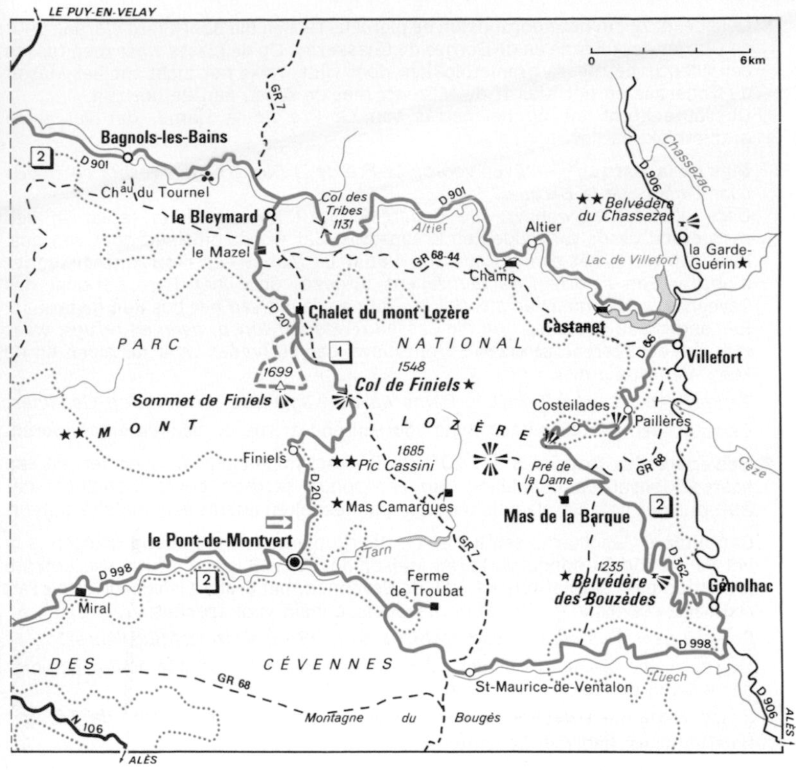

Bagnols-les-Bains - Bagnols is vooral bekend als kuuroord voor hartpatiënten, die er komen profiteren van de heilzame werking van het mineraalwater dat afkomstig is uit vier bronnen. Door de nabijheid van dennenbossen en de geringe temperatuurverschillen die de op 913 m gelegen plaats kent, is het klimaat er gezond. Het dal ligt ingeklemd tussen rotsachtige en beboste bergengten. De ruïnes van het kasteel van Le Tournel rijzen fier omhoog op een vooruitspringende rots waar de rivier omheen stroomt.

Le Bleymard - *Zie hierboven. Het is mogelijk hier de weg over de Col de Finiels te nemen, die hierboven beschreven is.*
Voorbij Le Bleymard wordt het landschap woester en kaler. De weg verlaat het dal van de Lot en volgt, na de Col des Tribes, het bochtige en beboste Altier-dal. Beneden, rechts van de weg, zijn de torens te zien van het **Château de Champ** (15de eeuw). Enkele kilometers voorbij Altier, een voormalige vesting, komt men bij het Lac de Villefort (meer).

Château de Castanet ⓥ - Het vierkante, uit graniet opgetrokken kasteel wordt geflankeerd door drie ronde torens die ter hoogte van het dak zijn afgeknot. Het staat op een schiereilandje aan de rand van het meer van Villefort. Het kasteel werd in 1964 ternauwernood gered, toen het dreigde onder te gaan in het water van het meer dat men vol liet lopen.
Dit renaissancekasteel werd gebouwd in 1578 en bezit nog vele eigenschappen van een middeleeuwse burcht. Binnen vindt men de renaissancestijl terug in de schouwen en de Franse plafonds. Op de bovenste verdieping bevinden zich onder een prachtige kap twee tentoonstellingszalen waar werken van hedendaagse kunstenaars worden tentoongesteld.

Villefort - Voor liefhebbers van watersport is Villefort een aantrekkelijk plaatsje wegens het **meer**. In de omgeving kunnen zowel voet- als autotochten gemaakt worden (Cevennen, Bas Vivarais en Mont Lozère). In het zomerseizoen vindt men in het Syndicat d'initiative een **Centre d'information** (informatiecentrum) **sur le Parc national des Cévennes** ⓥ.

Vanuit Villefort de D 66 nemen.

De weg loopt bovenlangs een ravijn dat in de schaduw van kastanjebomen ligt, en biedt een prachtig uitzicht op Villefort en het dal. Vervolgens komt men door de dorpjes Paillères en Costeilades, die omgeven zijn door kleine terrastuinen en waar de daken van de huizen bedekt zijn met platte stenen; de nokstenen zijn in visgraatvorm aangebracht.

Geleidelijk zijn in het noordoosten de plateaus te zien die doorkliefd worden door de Gorges de la Borne en de Gorges du Chassezac. Op de plaats waar men tussen een chaotische massa granietblokken door rijdt, reikt het zicht tot het Massif du Tanargue en het Massif du Mézenc, met de Alpen aan de horizon.
De route komt uit op het terras van Le Pré de la Dame, dat vol grote granietblokken ligt.

Mas de la Barque ⓥ – *Even voorbij Le Pré de la Dame begint rechts de zijweg naar Le Mas de la Barque.*
Deze boswachterswoning, die onderdak biedt aan trekkers, staat in een rustgevend decor van velden en kreupelbos, dat wordt omringd door een bos. In de winter is het een skicentrum. Vanaf Le Mas is een **observatiepad** (sentier d'observation – *drie kwartier lopen*) uitgezet door het Parc national des Cévennes, zodat men van dichtbij de flora en fauna van het bos kan gadeslaan. Een ander pad voert naar de Pic Cassini *(twee uur lopen, heen en terug)*, waar zich een schitterend **panorama**★★ ontvouwt dat bij helder weer de Alpen en de Mont Ventoux omvat.

Terugrijden naar Le Pré de la Dame en de weg vervolgen richting Génolhac.

De weg naar Génolhac daalt bijna voortdurend af tussen beuken en coniferen.

★ **Belvédère des Bouzèdes** – 1 235 m. De weg maakt hier in open terrein een haarspeldbocht op de helling van een ronde bergtop boven Génolhac, dat 800 m lager ligt. Dit plaatsje met zijn pannendaken ademt een zuidelijke sfeer.

Génolhac – Génolhac is een koket en fleurig plaatsje, dat gunstig gelegen is in het dal van de Gardonnette. In het Maison de l'Arceau is een informatiecentrum gevestigd over het natuurpark van de Cevennen, het **Centre d'information sur le Parc national des Cévennes** ⓥ. Ook is er slaapgelegenheid voor trekkers.

De weg naar Alès nemen, dan rechtsaf de D 988 inslaan richting Florac.

De route, die tot aan St-Maurice-de-Ventalon bijzonder schilderachtig is, volgt het dal van de Luech.

2 km voorbij Les Bastides voert een weg rechts naar de Ferme de Troubat (boerderij; zie onder Pont-de-Montvert).

Le Pont-de-Montvert – *Zie onder deze naam. Hier kan men de weg naar de Col de Finiels nemen, die hierboven beschreven is.*

Na Le Pont-de-Montvert volgt de weg het bovendal van de Tarn, dat hier bestaat uit woeste kloven. Op een vooruitstekende rots doemt het kasteel van Miral op, met zijn overblijfselen van vestingwerken uit de 14de eeuw.

Florac – *Zie onder deze naam.*

★★ 3 ROUTE DU COL DE MONTMIRAT

Deze route loopt tussen Florac en Mende (de route is in tegenovergestelde richting beschreven onder Montmirat).

MAGRIN

106 inwoners
Michelinkaart nr. 82 vouwbladen 9, 10, 19, of 235 vouwbladen 30, 31.

Magrin, een stadje in het departement Tarn, werd beroemd door zijn kasteel (12de-16de eeuw) waarin sinds 1982 het enige pastelmuseum van Frankrijk is gehuisvest.
Het kasteel ligt op de top van een heuvel, op 330 m hoogte en biedt een schitterend **uitzicht**★ op de Montagne Noire en de keten van de Pyreneeën.

HET LAND VAN DE PASTEL

Al sinds de antieke oudheid is wede (of pastel) bekend om haar geneeskrachtige eigenschappen en de plant wordt ook tegenwoordig nog gebruikt als veevoeder en honingbloem. Haar wetenschappelijke naam luidt Isatis tinctoria. Wede is al van oudsher de plant van de ververs, omdat er alle tinten blauw mee gemaakt kunnen worden.

IMAGES PHOTOTHÈQUE

Tinten blauw.

Het Land van Kokanje – De productie van wede, een plant die voornamelijk wordt geteeld in het gebied rond de Middellandse Zee, was uitzonderlijk intensief in een gebied dat als een driehoek afgebakend kan worden, met aan de hoeken Albi, Toulouse en Carcassonne. Vanaf de 14de eeuw komt de teelt en de handel in deze plant tot ongekende bloei in de omgeving van Albi en, mede dankzij dit succes, breidt de teelt van de Isatis zich geleidelijk uit naar het zuiden, tot in de Lauragais.

In de 15de eeuw intensiveren enkele rijke inwoners van Toulouse op hun grondgebied de teelt van de pastelplant en zetten er pastelmolens neer. Daarmee kon van de gekneusde pastelbladeren een vrij homogene brij worden gemaakt die men, in dikke plakken opgestapeld, twee weken liet gisten. Daaruit verkreeg men de zo kostbare kokanjes ofwel pastelbolletjes. Deze werden gedurende vier maanden verder bewerkt, waarna zij in de vorm van zogenaamde agranats de pastel (kleine brokjes; aganar is Occitaans voor malen, fijnmaken) geëxporteerd konden worden.

Het kapitaalkrachtige Toulouse werd zich bewust van zijn gunstige geografische ligging tussen de pastelgebieden en de havens aan de Atlantische Oceaan. De belangrijkste kooplieden zorgden ervoor dat ze eerst de controle kregen over de lokale verfproducties, daarna over de regionale en Europese handel. In het Land van Kokanje was dat de Gouden Eeuw van de pastel die, ondanks de talrijke culturele en economische initiatieven, nauwelijks zestig jaar heeft geduurd. Door de godsdienstoorlogen en de opkomst van indigo (of kleurstof uit Indië), raakte de pastelproductie snel in verval.

De opleving van de pastel – Vandaag de dag bestaat er opnieuw belangstelling voor de pastel, als gevolg van diverse initiatieven: wetenschappelijke belangstelling door onderzoek van de École nationale de chimie van Toulouse, en vanuit de landbouw gezien de 60 ha grond in de Lauragais waar opnieuw wede wordt geteeld. Een potentiële markt is de cosmetica-industrie en daarnaast wordt de mogelijkheid bestudeerd het blauw uit de plant te gebruiken voor het verven van weefdraden voor tapijten.

TOCHT DOOR HET LAND VAN DE PASTEL

73 km - ongeveer een dag

In noordelijke richting via de D 12 naar het kasteel van Magrin rijden.

★ **Château-musée du Pastel** ⓥ – Het museum is in het kasteel van Magrin ondergebracht; men kan er onder andere een pastelmolen en een kokanjedrooginstallatie zien. Bovendien wordt er een overzicht gegeven van de diverse stadia van de fabricage van de blauwe kleurstof: geschiedenis van deze verfplant, oude voorwerpen en documenten, echte kokanjes en agranat de pastel (brokjes pastel). Een audiovisuele voorstelling vormt een aanvulling op de bezichtiging.

Pastelmolen – De pastelmolen, die afkomstig is van een oude boerderij in het dorpje Algans en weer helemaal gereconstrueerd werd, bestaat uit een enorme granieten maalsteen (1,40 x 0,40 m) met een gewicht van twee ton, een massief eikenhouten dwarsbalk die op ijzeren assen rust, en uit twee houten aandrijfdissels.

Pasteldrooginstallatie – Van de acht oorspronkelijke roosters van deze installatie, waarin de pastelbolletjes werden opgestapeld, zijn nu nog maar vier exemplaren over. Op elk van die roosters konden 14 000 kokanjes worden opgeslagen, met een totaal gewicht van twee ton.

Bij het kasteel van Magrin eerst de D 12 en dan links de D 40 nemen.

Château de Roquevidal ⓥ – Het hoofdgebouw heeft vier zware hoektorens, waarvan in de jaren na de herroeping van het Edict van Nantes een verdieping is afgebroken. De hoofdgevel is in renaissancestijl opgetrokken.

Verbazingwekkend in een dergelijke historische omgeving is de interessante **verzameling schrijfmachines** die in het kasteel is ondergebracht; deze verzameling omvat onder andere een Edelmann en een Lambert uit het einde van de 19de eeuw.

Bij het verlaten van het kasteel, tweemaal rechts afslaan.

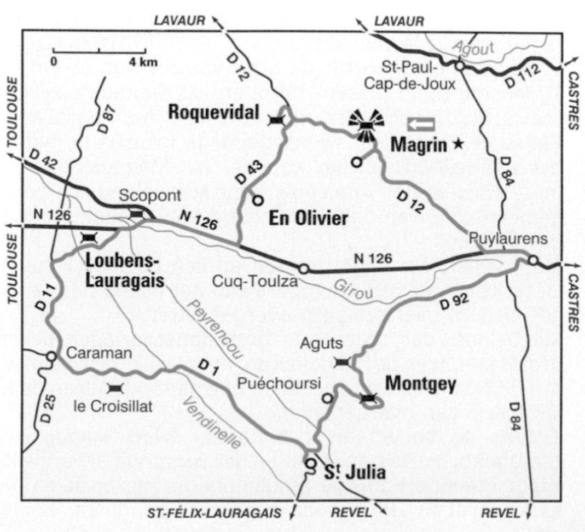

En Olivier - In dit gehucht bevindt zich het **Musée Nostra Terra Occitana** ⊙, dat gewijd is aan landbouwwerktuigen en -machines. Diverse voorwerpen en familiesouvenirs dragen bij aan de reconstructie van een boereninterieur uit het begin van deze eeuw.

Naar de N 126 rijden en daar richting Toulouse volgen.

Loubens-Lauragais - Een charmant, bloemrijk dorpje dat naast een **kasteel** ⊙ ligt. Tijdens de bezichtiging van het kasteel leert men de geschiedenis kennen van het geslacht Loubens, waaraan Frankrijk enkele grote dienaren te danken heeft. Hugues de Loubens werd in de 16de eeuw kardinaal, prins en grootmeester van de Maltezer Orde. Zijn broer Jacques liet tegen het einde van de 16de eeuw het kasteel herbouwen.
De voorgevel, met zijn twee grote vooruitstekende torens, kijkt uit op een rustig park. Binnen kan men de prachtige, gotische bibliotheek bewonderen en een serie van negen Vlaamse wandtapijten (16de eeuw).

Richting Caraman rijden. Daar de D 1 nemen richting Revel.

St-Julia - *Zie onder St-Félix-Lauragais.*

Noordwaards, richting Aguts rijden. Kort na Puéchoursi rechts afslaan naar het kasteel van Montgey.

Château de Montgey - *Zie onder St-Félix-Lauragais.*

Via Aguts en Puylaurens terugrijden naar Magrin.

MAGUELONE*

Michelinkaart nr. 83 vouwblad 17, of 240 vouwbladen 23, 27.
16 km ten zuiden van Montpellier.

Maguelone, dat een merkwaardige ligging heeft op een vooruitstekend deel van de kuststrook aan de Golfe du Lion, tussen de lagunen Pierre Blanche en Le Prévost, wordt door een smal weggetje met Palavas verbonden. Dit vredige dorpje, dat rustig gelegen is, ademt een stille charme. De overblijfselen van de voormalige kathedraal staan op een kleine heuvel, te midden van een groepje parasoldennen, ceders en eucalyptussen.
Het Canal du Rhône à Sète, dat door de lagunen loopt, heeft de weg verbroken die Maguelone tot 1708 met het vaste land verbond. In de 19de eeuw is een gigantische boog neergezet om de grens aan te geven van het grondgebied van Maguelone.

Wel en wee van een bisschopsstad - De oudste resten die in Maguelone zijn gevonden, dateren uit de 2de eeuw na Chr. Daarmee komen de talloze hypotheses te vervallen over de oorsprong van Maguelone, dat volgens sommigen een factorij zou zijn geweest van de Feniciërs, volgens anderen een nederzetting van Griekse zeevaarders. In de 6de eeuw wordt Maguelone de zetel van een bisdom. Aan de bloei van de bisschopsstad komt in de 8ste eeuw een einde, wanneer zij in handen valt van de Saracenen. In die tijd stond de haven, ten zuiden van de kathedraal, in verbinding met de zee door een vaargeul.
Karel Martel verovert de stad op de ongelovigen, maar laat haar onmiddellijk verwoesten (737), omdat hij bang is dat de Saracenen Maguelone weer als thuishaven zullen gebruiken. In 1030 laat bisschop Arnaud I de kathedraal herbouwen op de plaats van de vorige kerk en laat er flinke versterkingen aanbrengen; ook laat hij een weg aanleggen van Maguelone naar Villeneuve, alsmede een 2 km lange brug en sluit de vaargeul van de Saraceense haven af, uit voorzorg tegen eventuele aanvallen.
In de 12de eeuw wordt de kerk vergroot en de versterkingen worden verstevigd. Tijdens de strijd tussen Rome en het Duitse keizerrijk zoeken vele pausen er hun toevlucht; zij verheffen de kathedraal tot hoofdbasiliek. De gezant van de paus, Pierre de Castelnau, wiens dood de kruistocht tegen de Albigenzen ontketende, maakte deel uit van het kapittel van Maguelone.
In de 13de en de 14de eeuw kent Maguelone een grote bloeiperiode. Er woont een gemeenschap van ongeveer zestig kanunniken, vermaard om hun vrijgevigheid en gastvrijheid.
Montpellier, dat blijft groeien en een belangrijk handelscentrum aan het worden is, trekt echter vele bewoners van het eiland naar zich toe; in de 16de eeuw wordt het bisdom naar die stad overgeplaatst.
Maguelone, dat tijdens de godsdienstoorlogen beurtelings in handen is van de protestanten en de katholieken, net als alle vestingen in de streek, wordt uiteindelijk in 1622 op bevel van Richelieu ontmanteld. Alleen de kathedraal en het bisschoppelijk paleis zijn overgebleven.
Tijdens de bouw van het kanaal werd Maguelone herhaaldelijk verkocht en teruggekocht, de ruïnes her en der verspreid of verzwolgen door de lagunen. In 1852 krijgt Frédéric Fabrège Maguelone in zijn bezit en begint met de restauratie. De kerk wordt in 1875 weer in gebruik genomen.

★ ANCIENNE CATHÉDRALE ⓥ

bezichtiging: een halfuur

Toegang - *Buiten het seizoen via een doodlopende weg van 4 km, die begint in Palavas-les-Flots, aan het einde van de Rue Maguelone.*
- In de zomer de auto laten staan op het parkeerterrein op 2 km van Maguelone en het treintje nemen tot de kathedraal; of vanaf Villeneuve de veerpont nemen en vervolgens het treintje.

Detail van de voorgevel van de voormalige kathedraal van Maguelone.

D'après photo Ziolko/TOP

Buitenkant - De kerk was ooit verbonden met een doorlopende stadsmuur, voorzien van versterkte poorten en torentjes; Richelieu liet deze tegelijk met twee van de drie grote torens opblazen. In de hoge, bijzonder dikke muren (de zuidmuur is 2,50 m dik) zijn hier en daar een paar smalle schietgaten gemaakt. Boven op het gebouw was een borstwering met kantelen aangebracht, waarvan nog enkele machicoulis zijn overgebleven. Men gaat de kerk binnen via een prachtig, gebeeldhouwd portaal. De bovendorpel is een voormalige Romeinse militaire zuil die door de beeldhouwer opnieuw werd gebruikt; hij beitelde er fijne bladranken in en graveerde een inscriptie met 1178 als jaartal.
Het timpaan, dat witte en grijze tinten heeft en een flauwe spitsboog, is gemaakt van marmeren welfstenen en zou uit de 13de eeuw dateren. In het midden van het timpaan is Christus te zien die de zegen geeft, omringd door Marcus die uitgebeeld is als leeuw, Mattheus als een gevleugeld menselijk wezen, Johannes als adelaar en Lucas als os.
De bas-reliëfs op de dagkanten, die Petrus en Paulus voorstellen, en de hoofden van de twee apostelen die de bovendorpel ondersteunen, dateren uit het midden van de 12de eeuw en zijn hier opnieuw gebruikt.

Interieur - Links van de ingang gaf een deur, die nu dichtgemetseld is, toegang tot de kapittelzaal. In de rechtermuur zijn fragmenten van grafstenen ingemetseld; sommige dateren uit de Romeinse tijd, andere uit de 11de eeuw. De laatste zijn afkomstig van graftomben van burgers uit Montpellier; in die tijd had paus Urbanus II vergeving van alle zonden beloofd aan iedereen die zich in Maguelone wilde laten begraven.
Het rechthoekige schip is opgetrokken uit blokken kalksteen en heeft op halve hoogte, over twee traveeën, een grote tribune die het spitstongewelf aan het oog onttrekt. In de vloer van de derde travee werd door Frédéric Fabrège de omtrek van het pre-Romaanse gebouw aangegeven; de tekens in de viering geven de begrenzing aan van de kathedraal die door Arnaud I is gebouwd.
Het koor is sober versierd. De absis, van geringe afmetingen, buiten veelhoekig, binnen halfrond, wordt geflankeerd door twee absidiolen die zijn aangebracht in de dikte van de muur. De absis is versierd met blinde bogen en heeft drie vensters met rondbogen. Het geheel wordt bekroond met een fijne, gekartelde lijst.
De dwarsbeuken hebben een spitsbooggewelf. Aan de zuidkant heeft men toegang tot de kapel Ste-Marie, waarin zich Romeinse graven bevinden en grafstenen uit de 14de eeuw. Aan de noordkant staat in de Chapelle du Saint-Sépulcre (kapel van het Heilige Graf) een marmeren sarcofaag die prachtig is bewerkt.

De openingstijden en toegangsprijzen van de beschreven bezienswaardigheden staan achter in de gids.

In de teksten over de bezienswaardigheden verwijst het teken ⓥ, dat achter de naam van de bezienswaardigheid is geplaatst, naar de openingstijden achter in de gids.

La MALÈNE

188 inwoners

Michelinkaart nr. 80 vouwblad 5, of 240 vouwblad 10 – Schema, zie onder Tarn.

La Malène, "het slechte gat", is van oudsher een drukke doorgangsplaats, omdat hier de wegen die over de Causse de Sauveterre en de Causse Méjean lopen bij elkaar komen. Tijdens de grote seizoentrek in lente en herfst staken hier de enorme kudden schapen de Tarn over en lesten er hun dorst. In de 12de eeuw bouwden de baronnen van Montesquieu hier voor het eerst een kasteel en tot in de 18de eeuw gaf hun naam het plaatsje enig prestige.
Het hele gebied van de Gorges du Tarn werd door de Franse Revolutie te vuur en te zwaard verwoest. De meedogenloos vervolgde edelen hielden zich schuil in de grotten in de steile rotswanden van de cañon. In 1793 fusilleerden revolutionaire troepen 21 inwoners en staken La Malène in brand. Deze gebeurtenis liet op de rots La Barre, hoog boven het plaatsje, een onuitwisbare zwarte aanslag achter, die naar het schijnt te wijten is aan de vettige rook uit een huis waar noten lagen opgeslagen.
Interessant voor toeristen zijn de Romaanse **kerk** (12de eeuw), een rijtje oude huizen onder de rots La Barre en het 16de-eeuwse kasteel dat nu een hotel is.

★★ ROC DES HOURTOUS, ROC DU SERRE

Rondrit van 34 km – ongeveer twee uur. La Malène uitrijden via de brug over de Tarn en de D 43.

Aan de rechterkant van de weg staan de kapel van de grot en het Mariabeeld; vandaar heeft men een uitzicht over het dorp en de omgeving. De steile weg op de linkeroever van de Tarn is bijzonder indrukwekkend: tien nauwe haarspeldbochten bieden een prachtig uitzicht op de "trechter" van La Malène.

Bij La Croix-Blanche (witte kruis) rechts de D 16 nemen; na 5 km weer rechts afslaan. Voorbij het dorp Rieisse komt men bij een splitsing waar "Roc des Hourtous-Roc du Serre" aangegeven staat, vlak bij een wegrestaurant.

★★ **Roc des Hourtous** – *Links afslaan en de borden volgen naar het parkeerterrein.* De rots ligt boven de Grotte de la Momie waar stroomafwaarts de nauwe doorgang van Les Détroits begint, het smalste deel van de cañon. Schitterend **uitzicht**★★ over de cañon van de Tarn, vanaf het gehucht L'Angle tot het Cirque des Baumes en het Point Sublime.

Terugrijden naar de kruising en daar in de buurt de auto laten staan om rechts het voetpad naar de Roc du Serre te nemen.

★★ **Roc du Serre** – *Een halfuur lopen heen en terug.* Uniek **uitzicht**★★ over de cañon die tussen de Causse de Sauveterre en de Causse Méjean ingeklemd ligt, over de Mont Lozère, het Massif de l'Aigoual, La Malène en de haarspeldbochten van de D 16 die langs de rand van de causse omhoog slingert.
Rechts weer de D 16 inslaan die over het kalksteenplateau loopt en bovenlangs een steile helling via de ruïnes van het **Château de Blanquefort** naar Les Vignes afdaalt.

Via de Route des Gorges du Tarn (zie onder Tarn) naar La Malène terugrijden.

MARVEJOLS

5 476 inwoners

Michelinkaart nr. 80 vouwblad 5, of 240 vouwblad 2 – Schema, zie onder Aubrac.

Vanwege het gunstige klimaat en de ligging in de mooie vallei van de Colagne zijn in Marvejols een aantal medisch-pedagogische centra gevestigd. Marvejols, dat in 1307 het predikaat "koninklijke stad" kreeg van Filips de Schone, speelde in de 14de eeuw een belangrijke rol tijdens de oorlogen en sloot zich aan bij Du Guesclin in zijn strijd tegen de soldaten van de "Grandes Compagnies" (huursoldaten van allerlei nationaliteiten). Deze protestantse vrijplaats werd in 1586 door admiraal De Joyeuse verwoest. De drie versterkte stadspoorten herinneren nog aan dit turbulente verleden.

Versterkte stadspoorten – De poorten bestaan uit twee massieve ronde torens met daartussen een courtine die als onderkomen dienst deed; de poorten bewaakten de drie toegangen tot de oude stad. Op de **Porte du Soubeyran**★ staat nog een inscriptie waaruit blijkt dat Hendrik IV de stad heeft laten herbouwen. Uit dankbaarheid hebben de inwoners uit Marvejols op het plein dat aan een kant door de poort wordt afgesloten, een zeer origineel standbeeld van de goede koning opgericht; het is een werk van beeldhouwer Auricoste die eveneens het beeld van de legendarische wolf heeft gemaakt op de Place des Cordeliers (Bête du Gévaudan).
De andere twee poorten, de **Porte du Théron** en de **Porte de Chanelles**, bevatten ook inscripties ter herinnering aan de weldaden van Hendrik IV. De Porte de Chanelles werd vroeger Porte de l'Hôpital genoemd.

LE GÉVAUDAN

Rondrit van 52 km ten noorden van Marvejols - ongeveer drie en een half uur.
Michelinkaart nr. 76 vouwbladen 14 en 15.

Marvejols in noordelijke richting uitrijden via de N 9 en na 2,5 km rechts de D 2 nemen, die door het Colagne-dal omhoogloopt naar St-Léger-de-Peyre.
De weg voert vervolgens door de Gorges de la Crueize. Aan de linker kant ligt de Vallée de l'Enfer, waar een sierlijk viaduct overheen loopt.
Boven op het plateau bij de kruising links afslaan en de spoorwegovergang oversteken. Na 3 km links de D 3 nemen en na weer 3 km nogmaals links afslaan.

Roc de Peyre - *Een kwartier lopen heen en terug.*
Vanaf de top (1 179 m, oriëntatietafel), waar men via een weg en een trap komt, ontvouwt zich een schitterend panorama over de Aubrac, de Plomb du Cantal, de Margeride, de Mont Lozère, de Aigoual en de Causses. Niets herinnert meer aan het feit dat op deze strategisch uiterst belangrijke bergtop vroeger een fort stond. Toch had admiraal De Joyeuse in 1586 maar liefst 2 500 kanonskogels nodig om de donjon van dit protestantse bolwerk neer te halen. De tand des tijds deed de rest.
Terugkeren en links de D 53 blijven volgen. Daarna de D 3 inslaan en de Pont du Moulinet oversteken beneden in het Crueize-dal, waar bij het Lac du Moulinet een recreatiecentrum is aangelegd. Vervolgens links de N 9 nemen en daarna rechts de D 73, waaraan na 5 km de oprijlaan naar het Château de la Baume ligt.

Château de la Baume ⓥ - De strenge aanblik van dit 17de-eeuwse kasteel van graniet en grove leisteen wordt verzacht door een lommerrijk park dat men op deze rotsachtige plateaus niet direct zou verwachten. In het kasteel zelf trekt de staatsietrap met zijn Louis-XIV-balusters de aandacht. In de grote salon ligt een mooie parketvloer van verschillende kleuren hout in een geometrisch patroon om het familiewapen. De werkkamer is verfraaid met in pasteltinten beschilderde lambriseringen en grote doeken met mythologische taferelen.
Terugrijden naar de Pont du Moulinet en rechts de N 9 nemen. Daarna links afslaan richting Ste-Lucie en meteen rechts de weg naar boven nemen.

★ **Parc à loups du Gévaudan** ⓥ - Midden in de bossen ligt tegen de berghelling een dierenpark van 4 ha, met een stuk of honderd wolven uit Europa, Canada en Mongolië, waarvan sommige hier in Ste-Lucie zijn geboren. Op verzoek wordt een film vertoond met commentaar van J.-P. Chabrol en G. Ménatory. De rondwandeling duurt ongeveer een halfuur en biedt een mooi uitzicht vanaf de oriëntatietafel.
In de zomer kan men het beste met een gids het park ingaan om de wolven ook werkelijk te zien, want zij komen meestal alleen in de herfst en winter te voorschijn.
De N 9 gaat weer terug naar Marvejols.

J.M. Labat/JACANA

Wolven van de Gévaudan.

Grotte du MAS-D'AZIL★★

Michelinkaart nr. 86 vouwblad 4, of 235 vouwblad 42.

Deze grot is een van de interessantste bezienswaardigheden op natuurgebied in de Ariège. Het is tevens een prehistorische vindplaats die in de wetenschappelijke wereld heel beroemd is. Er is zelfs een archeologische cultuur naar genoemd: het Azilien (ca. 9500 v.Chr.).
Door methodisch onderzoek ontdekte Édouard Piette in 1887 een laag met overblijfselen van menselijke bewoning uit de periode tussen het einde van het Magdalénien (30 000 jaar v.Chr.) en het begin van het Neolithicum: het Azilien. Na hem zetten de eerwaarde Breuil en Joseph Mandement het onderzoek voort, evenals Boule, Cartailhac en andere wetenschappers. Het resultaat van de opgravingen, die duizenden jaren prehistorie beslaan (de grot werd al voor het Magdalénien bewoond), wordt zowel in de grot als in het dorp tentoongesteld.

Grotte ⏲ - De grot is ontstaan doordat de Arize zich een weg heeft gebaand door de kleine bergketen van de Plantaurel en vormt een 420 m lange tunnel met een breedte van gemiddeld 50 m. Stroomopwaarts ligt de magnifieke toegangsboog (65 m hoog); stroomafwaarts heeft de rivier een lage opening (7 à 8 m) geboord in een steile, 140 m hoge rots. De weg loopt via deze doorgang, langs de bergstroom waarvan het water de kalkwanden aantast, onder een imposant gewelf door, dat in het midden door een enorme rotspilaar wordt gestut.
Eens liep de Arize niet door, maar om de berg heen. De oorsprong van dit drooggevallen dal, dat naar het oosten toe een bocht maakt, is ter hoogte van het dorp Rieubach nog goed te herkennen.

Prehistorische verzamelingen - De gangen (vier verdiepingen) die verkend zijn, lopen over een lengte van 2 km door kalkrotsen die zo homogeen zijn dat er geen vocht kan binnendringen. Ooit hielden de hugenoten zich schuil in de Salle du Temple, waar Richelieu de tussenvloer liet opblazen na het mislukte beleg in 1625. In de vitrines liggen voorwerpen uit het Magdalénien (krabbers, stenen beitels, naalden en een afgietsel van het beroemde hinnikende paardenhoofd) en uit het Azilien (harpoenen gemaakt van geweien - de rendieren waren naar het noorden gevlucht toen de temperaturen opliepen - priemen, beschilderde rolstenen en kleine afbeeldingen van werktuigen).
In de Salle Mandement zijn in de uitgegraven aarde beenderen te zien van de toenmalige dieren (mammoeten en vooral beren), die hier vermoedelijk verdronken zijn door de sterke stijging van de onderaardse rivier (de Arize, die destijds tien keer zo groot was als nu, kon tot het gewelf toe zwellen).

Musée de la Préhistoire ⏲ - Dit prehistorisch museum bevat een verzameling voorwerpen uit het Magdalénien, waaronder het beroemde "Hertekalf met vogels".

René Delon/CASTELET

Het hertekalf met vogels van Le Mas d'Azil.

Le MAS SOUBEYRAN★

Michelinkaart nr. 80 vouwblad 17, of 240 vouwblad 15.
8 km ten noorden van Anduze.

Le Mas Soubeyran ligt hoog boven de Gardon. Op het kleine plateau dat door bergen wordt omringd, staan enkele huizen dicht aaneen. Het landschap is ruig en niet erg aanlokkelijk. Het plaatsje is vanwege zijn **Musée du Désert** een belangrijk protestants centrum, maar ook degene die in geschiedenis is geïnteresseerd, komt hier ruimschoots aan zijn trekken.
In het Musée du Désert komt de hele geschiedenis van de strijd van de hugenoten aan bod, die met name in de Cevennen hevig woedde, vanaf de Herroeping van het Edict van Nantes (1685) tot het Edict van Tolerantie (1787).
Onder de eiken en tamme kastanjebomen bij het museum heeft elk jaar begin september een "assemblée" (samenkomst) plaats die 10 000 tot 20 000 protestanten naar Le Mas Soubeyran trekt.

De Herroeping van het Edict van Nantes - Bij de vrede van Alès hadden de hugenoten godsdienstvrijheid gekregen. Maar vanaf 1661 voert Lodewijk XIV een felle strijd tegen wat toen de "zogenaamde hervormde godsdienst" werd genoemd. Er wordt geen middel geschuwd om de mensen tot bekering te dwingen. Tot de geduchtste behoorden de "dragonnades", waarbij dragonders bij hugenoten in huis werden ondergebracht om hen te terroriseren.

Naar aanleiding van tendentieuze rapporten van intendanten gelooft het hof in 1685 ten onrechte dat er nog maar een handvol ketters over is. De Herroeping van het Edict van Nantes wordt afgekondigd: protestantse godsdienstoefeningen worden verboden, kerken gesloopt en dominees het koninkrijk uitgezet.
De emigratie, o.a. naar Nederland, komt onmiddellijk op gang en de enorme omvang van de exodus laat zien hoezeer men zich in het aantal niet-bekeerde hugenoten heeft vergist. Met uiterst strenge straffen wordt getracht een einde aan de uittocht te maken, maar 300 000 tot 500 000 hugenoten slagen er desondanks in Frankrijk te verlaten en brengen zo de landbouw, handel, industrie, kunsten en wetenschappen een gevoelige slag toe.

De opstand van de camisards – De dragonnades nemen toe; hugenoten worden gevangengezet, afgeranseld en kinderen worden bij hun ouders weggehaald. De dominees en gelovigen besluiten hun samenkomsten voortaan op afgelegen plekken in de bergen te houden. Het woord "Désert" (woestijn, eenzaamheid) waarmee deze plaatsen worden aangeduid, moet dan ook zowel letterlijk als figuurlijk worden genomen.
In juli 1702 arresteert de abt van Le Chayla, inspecteur van de missies in de Cevennen, een groep vluchtelingen en sluit hen op in het kasteel van Pont-de-Montvert dat hij als pastorie in gebruik heeft. Een stuk of vijftig boeren komt in actie om de gevangenen te bevrijden. Hierbij komt de abt om het leven. Dit is het startsein voor een algehele opstand die twee jaar zou duren. De bergbewoners, die men camisards gaat noemen (van het Occitaanse woord "camiso", dat "boerenkiel" betekent), trekken ten strijde met hooivorken en zeisen. Zij bewapenen zich door kastelen te plunderen of pakken de wapens van hun tegenstanders af. De streek kennen zij door en door en verder hebben zij overal geheime contacten onder de bevolking.

Lauros/GIRAUDON

Gravure van Engelmann – Bekering van de ketters.

Cavalier en Roland – De leiders van de camisards zijn boeren of ambachtslieden met een vurig geloof, van wie men denkt dat zij door God zelf worden bezield. De twee bekendste zijn Cavalier en Roland. Om de 3 000 tot 5 000 camisards tot overgave te dwingen zijn maar liefst 30 000 manschappen en drie maarschalken nodig, onder wie Villars. Deze is zo slim om met Cavalier te gaan onderhandelen en bewerkstelligt uiteindelijk diens overgave. De leider van de protestanten wordt tot kolonel benoemd, met een toelage van 1 200 pond, en krijgt toestemming een regiment camisards te vormen waarmee hij in Spanje zou gaan vechten.
Beschuldigd van verraad door zijn strijdmakkers, gaat Cavalier in Engelse dienst en wordt gouverneur van Jersey. Roland zet de strijd voort, maar wordt in 1704 verraden en vermoord. Dat betekent het einde van het verzet.
De vervolgingen gaan met enkele perioden van rust door tot in 1787, het jaar waarin Lodewijk XVI het Edict van Tolerantie tekent: protestanten mogen voortaan een beroep uitoefenen, voor de wet trouwen en aangifte doen van geboorten bij de ambtenaar van de burgerlijke stand. In 1789 wordt deze "verdraagzaamheid" omgezet in volledige godsdienstvrijheid.

★ LE MUSÉE DU DÉSERT ⌚ *bezichtiging: ongeveer een uur*

Het museum bestaat hoofdzakelijk uit het Maison de Roland en het Mémorial. In de twee ontvangstruimten is een iconografie van de Hervorming te bezichtigen en er kan een audiovisuele voorstelling worden bijgewoond.

La Maison de Roland – Het huis van Roland ziet er nog precies zo uit als in de 17de en 18de eeuw. Opvallend is het ganzenbordspel (jeu de l'Oye), waarmee de beginselen van het katholicisme werden onderwezen aan protestantse meisjes die in kloosters werden vastgehouden. Diverse documenten, verklaringen, arresten, verordeningen, oude kaarten en schilderijen geven een beeld van de periode voorafgaand aan de vervolgingen, de strijd van de camisards, het weer toelaten van het protestantisme door Antoine Court en de overwinning van de tolerantiegedachte (de affaire-Calas). In de keuken is de bijbel van de leider van de camisards te zien en de schuilplaats waar hij zich voor de dragonders verborg. Ook het slaapkamerameublement is volledig intact gebleven.

Een andere zaal bevat herinneringen aan de Assemblées du Désert, de heimelijke godsdienstoefeningen van de hugenoten in afgelegen bergkloven. Hier staat ook de preekstoel die bij deze diensten werd gebruikt en die in een graanton kon worden veranderd. De Salle des Bibles bevat een groot aantal bijbels uit de 18de eeuw en prachtige psalmboeken.

Mémorial – Twee zalen zijn gewijd aan de "martelaren van de woestijn": ter dood gebrachte dominees en predikanten, vluchtelingen, dwangarbeiders en gevangenen. In de vitrines zijn kruisen van hugenoten en een interessante verzameling communiebekers te zien.
In de Salle des Galériens wordt herinnerd aan het leed van de 2 500 protestanten die tot dwangarbeid waren veroordeeld. Hier bevinden zich ook maquettes van galeien en schilderijen van Labouchère en van Max Leenhardt.
De bezichtiging eindigt bij een nagebouwde huiskamer uit de Cevennen, waar het hele gezin naar het voorlezen uit de bijbel luistert, en met een eerbetoon aan de gevangen meisjes en vrouwen van de Tour de Constance in Aigues-Mortes *(zie de Groene Gids Provence)*.
Vanaf een esplanade aan de rand van het dorp heeft men een mooi uitzicht op de Gardon.

MENDE*

11 286 inwoners
Michelinkaart nr. 80 vouwbladen 5, 6, of 240 vouwblad 2.
Schema's, zie onder Grands Causses en Mont Lozère.

Mende, de hoofdplaats van Frankrijks dunst bevolkte departement Lozère (78 000 inw.), ademt binnen zijn bolwerken nog de sfeer van een groot plattelandsdorp. Aan weerskanten van de smalle, kronkelige straatjes staan oude huizen met hier en daar een mooie houten deur, portaal of kapelletje, waarboven de imposante kathedraal hoog uittorent. Door zijn scholen, winkels en overheidsdiensten heeft Mende zich de laatste jaren wat meer ontwikkeld.

UIT DE GESCHIEDENIS

In de Romeinse tijd stonden op de rechteroever van de Lot al mooie villa's.
In de 3de eeuw zocht de H. Privat, de door de barbaren vervolgde prediker van de streek Gévaudan, zijn toevlucht in een grot in de Mont Mimat, maar hij werd er ontdekt en ter dood gebracht. Deze grot en de crypte waarin hij begraven ligt, werden druk bezochte bedevaartplaatsen, waaromheen de stad zich in de loop der eeuwen heeft ontwikkeld.
Een van de belangrijkste voorvallen uit de geschiedenis van Mende speelde zich af tijdens de godsdienstoorlogen. Kapitein **Merle**, een fanatieke hugenoot, viel de stad aan in de kerstnacht van 1579, toen de hele bevolking, ook degenen die de stad moesten verdedigen, de geboorte van de Verlosser vierde. Enkele maanden later sloegen de katholieken het beleg voor Mende met de bedoeling hun stad te heroveren, maar kapitein Merle, die duidelijk een specialist was op het gebied van nachtelijke aanvallen, overviel hen in hun slaap en hakte hen in de pan. Merle had in eigen gelederen echter nogal wat schele ogen gemaakt en een andere protestantse leider, Châtillon, maakte van zijn afwezigheid gebruik om Mende in te nemen. Maar Merle slaagde erin de stad te heroveren en werd door de toekomstige Hendrik IV tot gouverneur benoemd.

★ CATHÉDRALE

De huidige kathedraal staat op een plek waar al verschillende kerken hebben gestaan en werd grotendeels in de 14de eeuw gebouwd door paus Urbanus V; alleen de klokkentorens dateren uit het begin van de 16de eeuw. Toen kapitein Merle in 1579 Mende innam, liet hij de pilaren van de kathedraal opblazen; alleen de klokkentorens, de noordelijke zijmuren en de koorkapellen bleven gespaard. Begin 17de eeuw is de kathedraal gerestaureerd.

Buitenkant – De westgevel, waarvoor in 1900 een poort in flamboyantstijl werd aangebracht, heeft aan beide zijden een klokkentoren. De linker, de klokkentoren van de bisschop (clocher de l'Évêque), heeft aan de bovenkant een smalle zuilengalerij die op de Italiaanse renaissance lijkt te zijn geïnspireerd en scherp afsteekt bij de eenvoud van de rechter, de clocher des chanoines (klokkentoren van de kanunniken).

Interieur – Via de zijportalen komt men in de kathedraal, waarvan de drie schepen door 15 zijkapellen worden geflankeerd.
De resten van het oude doksaal sieren nu de tweede zijkapel links, de doopkapel (chapelle des fonts baptismaux). Het houten koorgestoelte, aan weerskanten van de bisschopszetel, dateert uit 1692 en bevat voorstellingen uit de bijbelse

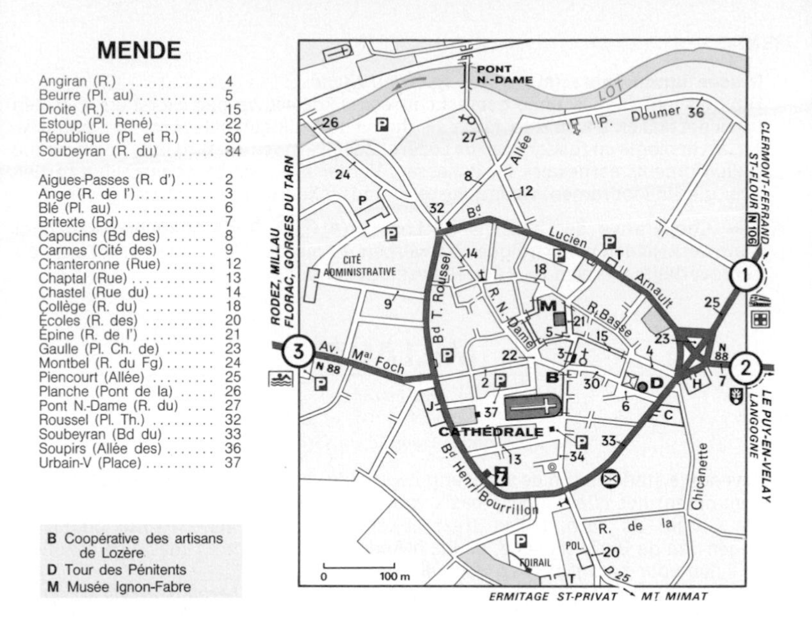

geschiedenis en taferelen uit het leven van Jezus. Onder de hoge glas-in-loodramen van het koor hangen acht wandtapijten uit Aubusson (1708), waarop de belangrijkste gebeurtenissen uit het leven van Maria staan afgebeeld.

De grote uit hout gesneden kandelaars aan weerszijden van het hoofdaltaar dateren uit de 16de eeuw. De koorkapel bij de sacristie is aan Onze-Lieve-Vrouwe van Mende gewijd. Hier staat de "Zwarte Maria", een 11de-eeuws beeld dat door de monniken van de berg Karmel bij Jeruzalem uit zeer hard hout zou zijn gesneden en vervolgens door de kruisvaarders uit Palestina meegenomen.

De kathedraal van Mende bezat ooit de grootste klok van de christelijke wereld, de 20 ton wegende Non Pareille (de onvergelijkelijke). De klok werd in 1579 door de manschappen van Merle verbrijzeld, op de 2,15 m hoge klepel na, die nu een plaats gevonden heeft onder het 17de-eeuwse orgel naast de poort van de klokkentoren van de bisschop.

Onder het schip bevindt zich de grafkelder van de H. Privat *(lichtknop links van de trap)*.

VERDERE BEZIENSWAARDIGHEDEN

★ **Pont Notre-Dame** – Dankzij de bijzonder brede opening van de hoofdboog doorstond deze uiterst smalle brug (13de eeuw) de soms zeer hoge waterstanden van de Lot.

A. Kumurdjian

De Pont Notre-Dame.

Musée Ignon-Fabre (**M**) ⓥ – *3, Rue de l'Épine.*
Dit museum, dat is ondergebracht in een 17de-eeuws patriciërshuis met een mooi portaal en fraaie trap, heeft als thema de geologie, paleontologie, prehistorie, archeologie en folklore van de Lozère. Zeer de moeite waard is de verzameling Gallo-Romeins aardewerk uit Banassac. Verder is er een tentoonstelling te zien over glas-in-loodramen, waar meester-brandschilders demonstraties geven.

►► Coopérative des artisans de Lozère (**B**) ⓥ – Tentoonstelling van door handwerkslieden vervaardigde voorwerpen – Tour des Pénitents (**D**) – Toren die een overblijfsel is van de 12de-eeuwse stadsmuur.

MILLAU★

21 788 inwoners
Michelinkaart nr. 80 vouwblad 14, of 240 vouwblad 14.
Schema's, zie onder Dourbie en Grands Causses.

Dit levendige stadje ligt in de weelderig begroeide vallei waar de Tarn en de Dourbie samenkomen; het is een goede basis voor excursies, met name naar de Causses en de Gorges du Tarn. Millau staat bekend als zweefvliegcentrum, omdat de hellingen van de Borie Blanque, de Pic d'Andan en de Pic de Brunas zich bijzonder goed lenen voor paragliding en deltavliegen.
Vanaf de N 9, die naar de Causse du Larzac (belvédère – *bereikbaar via* ③ *op de plattegrond*) omhoog voert, heeft men een mooi uitzicht op het plaatsje, dat een **schilderachtige ligging★** heeft.

UIT DE GESCHIEDENIS

Aardewerk uit de Graufesenque-vlakte – In de 1ste eeuw van onze jaartelling was Condatomagus ("de markt bij de samenloop"), op de plaats waar later Millau zou verrijzen, een van de grote centra voor de vervaardiging van aardewerk in het Romeinse Rijk.
Sinds 1950 zijn bij opgravingen in de kleine Graufesenque-vlakte, waar de Tarn en de Dourbie samenkomen, tal van wetenswaardigheden over leven en werk van de pottenbakkers uit die tijd aan het licht gekomen.
Het was een ideale plaats om potten te maken: goede klei, water in overvloed en enorme voorraden hout dankzij de bossen op de causses. Er zijn ook overblijfselen gevonden van een Keltisch heiligdom ter verering van het water, wat erop duidt dat deze plek als "door de goden gezegend" werd beschouwd.
De fabricagetechniek was gebaseerd op het procédé dat de Romeinen voor hun terra sigillata vazen van rode klei en glazuur gebruikten, met dezelfde wijze van vormgeven, bakken, versieren en signeren. Sommige vazen werden op de draaischijf gemaakt en behielden een glad oppervlak, terwijl andere in mallen werden gemaakt en versierd met bloemmotieven, geometrische dessins of hellenistische afbeeldingen. Meer dan 500 pottenbakkers hebben zo miljoenen potten vervaardigd, die door heel Europa, naar het Midden-Oosten en tot Indië toe werden geëxporteerd.

J.-P. Séguret/Musée du Millau
Terra sigillata aardewerk uit Graufesenque.

Hun ateliers besloegen een vijftiental hectaren op de plek waar de twee rivieren samenkomen. De opgravingen in La Graufesenque *(zie hieronder)* zijn opengesteld voor het publiek en in het Musée de Millau zijn talloze potten tentoongesteld.

Handschoenenindustrie – In dit deel van de Causses, waar het veelvuldig gebruik van geitenmelk voor het maken van kaas zijn tol bij de lammeren eist, lag het voor de hand dat de leerbewerking zich zou ontwikkelen. Al heel vroeg werd Millau het centrum voor lamslederen handschoenen. Al in de 12de eeuw wordt over deze bedrijfstak gesproken. Elk jaar boden de handwerkslieden de magistraten van de stad handschoenen aan, want deze verschenen nooit met blote handen bij plechtigheden. Het verslag van een zitting begon dan ook steevast met de zin: "Wij, magistraten, allen met handschoenen aan, bijgestaan door de griffier die eveneens handschoenen draagt..." De herroeping van het Edict van Nantes en de daarop volgende emigratiegolf ontwrichtte de handschoenenindustrie.

In de 19de eeuw beleefde de leernijverheid opnieuw een bloeiperiode. De productie verloopt in drie fasen: het looien of prepareren van de huid, het verven en het maken van de handschoen zelf. Voordat een handschoen de fabriek verlaat is hij al door zo'n 70 verschillende handen gegaan. Millau fabriceert ongeveer 250 000 paar handschoenen per jaar, die over de hele wereld worden geëxporteerd: glacé- of suède handschoenen, sporthandschoenen van afwasbaar leer of met bont gevoerd en veiligheidshandschoenen.
Na de Tweede Wereldoorlog raakte het dragen van handschoenen uit de mode en moesten de leerbewerkers nieuwe markten aanboren. De leerlooiers van Millau, die de huiden prepareren en verven, werken tegenwoordig voor de kledingbranche (met name de haute-couture), de handschoenen-, de schoenen-, lederwaren- en meubelindustrie. Millau heeft nu ook in andere bedrijfstakken - drukkerij, elektronica, bouwbedrijven, lingerie - diversificatiemogelijkheden gevonden om zijn economie te versterken.

BEZIENSWAARDIGHEDEN

Place du Maréchal Foch (**13**) - Dit plein is het meest pittoreske gedeelte van de oude stad. Het heeft een overdekte passage van booggewelven (12de-16de eeuw), die door zuilen worden gedragen. Er staat nog een vierhoekige steen, een overblijfsel van de vroegere schandpaal (tussen de tweede en derde zuil, vanuit het noorden gezien). Op het kapiteel van de zuil die daaraan voorafgaat, staat de (slecht leesbare) inscriptie "Gara qué faras", d.w.z. "Let op wat je gaat doen".

Musée de Millau ⓥ - Het museum in het Hôtel de Pégayrolles (18de eeuw) heeft als thema de paleontologie, archeologie en mineralogie uit de streek en geeft tevens een beeld van de leer- en handschoenenindustrie.
De afdeling paleontologie bevat naast talrijke fossielen van de flora en fauna uit de zeeafzettingen van het Mesozoïcum, ook het vrijwel complete skelet van een slanghagedis (plesiosaurus) uit Tournemire, een 4 m lang zeereptiel dat 180 miljoen jaar geleden leefde...
Op de mineralogische afdeling zijn de septariën interessant: knollen van verhard mergel waarvan de inwendige spleten vol zitten met kristallen van calciet, aragoniet, pyriet of kwarts, die een schitterend kleurenpalet vormen.

MILLAU

Ayrolle (Bd de l')
Bonald (Bd de)
Capelle (R. de la) 6
Carnot (Bd S.) 7
Droite (R.)
Jaurès (Av. Jean)
Mandarous (Pl. du) 20

Belford (R. de) 2
Bompaire (Pl. F.) 3
Capelle (Bd de la) 5
Clausel-de-Coussergues (R.) ... 9
Commandeurs (R. des) 10
Fasguets (R. des) 12
Foch (Pl. du Mar.) 13
Fraternité (R. de la) 15
Jacobins (R. des) 17
Martyrs-de-la-Résistance (Pl. des) 22
Pasteur (R.) 23
Peyrollerie (R. de) 24
Peyssière (R.) 26
St-Antoine (Bd) 27
Sémard (Av. Pierre) 29
Voultre (R. du) 30

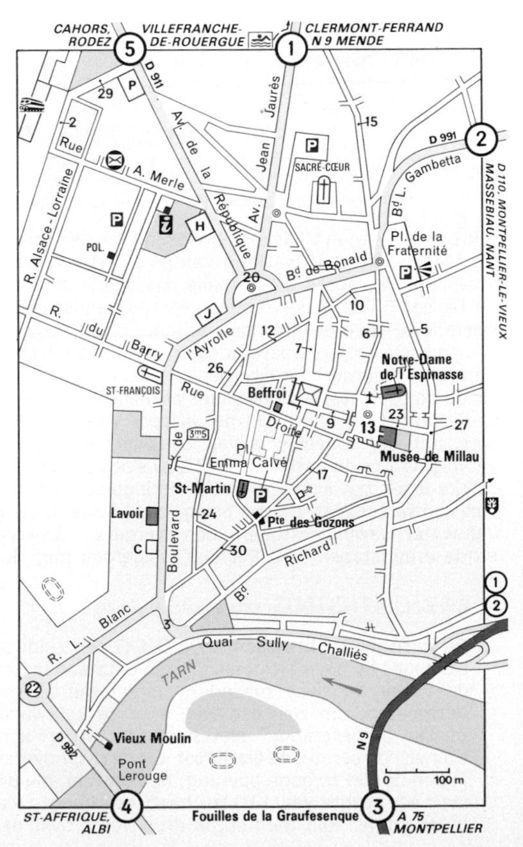

In de overwelfde kelders van het museum staat een bijzonder goed gepresenteerde verzameling Gallo-Romeins **aardewerk★**: versierde en gladde vazen uit de verschillende perioden, die bij de opgravingen in de Graufesenque-vlakte zijn gevonden. Daarnaast zijn er diverse mallen, stempels, rekeningen van pottenbakkers en een nagebouwde oven te zien.
Sommige vazen zijn tijdens het bakken aan elkaar gaan kleven en werden daarom totaal misvormd in grote kuilen op een hoop gegooid. Uit deze "misbaksels" konden archeologen echter tal van gegevens afleiden, bijvoorbeeld dat het werk van verschillende handwerkslieden in een gemeenschappelijke oven werd gebakken, dat standaardvormen economischer waren, enz.

La maison de la Peau et du Gant – Op de eerste verdieping krijgt men een beeld van de twee traditionele takken van nijverheid van Millau: het looien, waarbij een ruwe, aan bederf onderhevige huid tot een duurzaam kwaliteitsproduct wordt bewerkt *(audiovisuele voorstelling: 10 min.)*, en het maken van handschoenen. Talrijke stukken gereedschap, monsters van huiden en een overzicht van het productieproces van een handschoen – van het snijden van het leer tot en met de afwerking – vormen een aanvulling op de tentoonstelling.

Église Notre-Dame-de-l'Espinasse – De kerk bezat vroeger een doorn (épine) van de Heilige Kroon, vandaar haar naam. In de middeleeuwen was de kerk een belangrijke bedevaartplaats. Het oorspronkelijk Romaanse bouwwerk werd in 1582 gedeeltelijk verwoest en in de 17de eeuw herbouwd. De zijkapellen zijn in de 18de en 19de eeuw toegevoegd. De fresco's in het koor (1939) zijn van Jean Bernard en de glas-in-loodramen (1984) in het schip van Claude Baillon.

Beffroi⊙ – Dit gotische belfort in de Rue Droite, een winkelstraat, is een overblijfsel van het voormalige stadhuis. Het vierkante deel van de toren (12de eeuw) deed in de 17de eeuw dienst als gevangenis; het achthoekige deel werd er in de 17de eeuw bovenop gezet. Vanaf de Place Emma-Calvé heeft men een mooi uitzicht op het belfort.

Fouilles de la Graufesenque⊙ – *1 km ten zuiden van Millau. De stad via ③ op de plattegrond uitrijden en na de brug over de Tarn links afslaan.*
De opgravingen (2 500 m²) hebben de funderingen blootgelegd van een Gallo-Romeins pottenbakkersdorp, compleet met hoofdstraat, kanaal, ateliers, slavenhuizen en de reusachtige ovens waarin 30 000 vazen tegelijk konden worden gebakken.

►► **Église St-Martin** – Met boven het hoofdaltaar een Kruisafneming van De Crayer (17de eeuw) – Porte des Gozons – Lavoir – Vieux Moulin.

MINERVE★

104 inwoners
Michelinkaart nr. 83 vouwblad 13, of 240 vouwblad 25.

Minerve is gelegen bij de samenvloeiing van de Cesse en de Briant op een rotsachtige uitloper die door de werking van ijs en later van het regenwater los is komen te staan van de causse. Een smalle passage is de enige verbinding met het plateau. De **ligging★★** van Minerve boven een dor landschap, dat door woeste kloven wordt doorkliefd, is dus bijzonder schilderachtig; bovendien zijn er in de omgeving geologische bezienswaardigheden die vrij zeldzaam zijn: de zogenaamde ponts naturels of natuurlijke bruggen.
Sinds de prehistorie wonen hier al mensen, zoals uit de vele dolmens en grotten in de omgeving blijkt. Op de uitloper verhief zich in de middeleeuwen fier een fort, dat het toneel was van een van de meest dramatische episoden uit de vervolging van de katharen. In 1210 sloeg Simon de Montfort met zijn 7 000 man sterke leger zijn kamp voor de vestingplaats op, waar een grote groep katharen zich had verschanst. Na een beleg van vijf weken moesten de belegerden, die geheel van water waren verstoken, zich overgeven. Ze kregen de keuze tussen bekering en de brandstapel: 180 Perfecti weigerden hun "ketterse" geloof af te zweren.

BEZICHTIGING *ongeveer anderhalf uur*

De natuurlijke bruggen – De D 147 ten zuidwesten van Minerve biedt fraaie uitkijkjes op deze bruggen. Zij zijn ontstaan in het begin van het Kwartair, toen de Cesse de twee meanders verliet die zij maakte alvorens de Briant te ontmoeten, om zich een weg door de kalkwand te banen. Doordat de rivier talrijke al bestaande spleten steeds verder uitsleet, ontstonden twee heuse tunnels: de eerste, de **Grand Pont**, die de rivier oversteekt, is 250 m lang en eindigt in een ca. 30 m hoge opening; de **Petit Pont**, die de Cesse stroomopwaarts volgt over een lengte van 110 m, heeft een hoogte van ongeveer 15 m.
In de zomer kan men soms droogvoets over de bedding van de rivier lopen.

P. Cartier/CAMPAGNE CAMPAGNE

Minerve.

Alleen de inwoners mogen Minerve binnen met de auto; bezoekers kunnen gebruik maken van de parkeerplaatsen aan de rand van de plaats.

Naar boven lopen tot de nauwe, schilderachtige Rue des Martyrs, waar zich een paar ambachtslieden hebben gevestigd. Rechts is de deur van het zogenaamde Maison des Templiers (13de eeuw) te zien. Op de Place de la Mairie staat een gedenkteken dat de beeldhouwer J.-L. Séverac maakte ter nagedachtenis aan de kathaarse martelaars.

Église St-Étienne ⏲ - Deze kleine Romaanse kerk heeft een absis met halfkoepelgewelf uit de 11de eeuw; de absis is opgetrokken uit kleine regelmatige blokken natuursteen. Het schip, dat een spitstongewelf heeft, dateert uit de 12de eeuw. Een inscriptie op het blad van het hoofdaltaar leert dat dit werd gewijd in 456 door de H. Rusticus, die bisschop was.

Verder lopen naar de toren ten noorden van het dorp.

De achtkantige toren wordt **"La Candela"** genoemd; deze toren is met de stukken muur boven het dal van de Briant het enige overblijfsel van het kasteel van Minerve, dat gebouwd was op de passage tussen het stadje en de causse. Nadat het slot verschillende keren verbouwd was, gaf Lodewijk XIII in 1636 opdracht om het tegelijkertijd met de versterkingen te ontmantelen. La Candela dateert uit het midden van de 13de eeuw.

Museum ⊙ - Het museum is hoofdzakelijk gewijd aan de prehistorie en de archeologie tot de Romeinse en Visigotische tijd. Hier zijn mallen te zien van de voetsporen die in 1948 zijn ontdekt in de klei van de **Grotte d'Aldène**, vermoedelijk van een man uit het begin van het laat-Paleolithicum (ongeveer 15 000 jaar geleden - het Aurignacien). Op de eerste verdieping is de paleontologische collectie tentoongesteld: talloze fossielen uit het dal van de Cesse. Uitzicht op de brug over de Cesse en de oostelijke uitgang van de Grand Pont naturel.

Weer naar beneden lopen langs de Rue des Martyrs.

Musée Hurepel ⊙ - Diorama's doen de voornaamste gebeurtenissen tijdens de strijd tegen de Albigenzen herleven.

Aan het eind van de Rue des Martyrs links een nauw steegje ingaan dat van een grove steenlaag is voorzien en naar de vestingmuur afdaalt.

Er zijn resten bewaard gebleven van de dubbele ommuring die Minerve in de 12de eeuw beschermde, waaronder de poterne met spitsboog aan de zuidkant. Tenslotte komt men boven het dal van de Cesse uit. Bij de ingang van de Grand Pont naturel, die hier te zien is, worden in het zomerseizoen culturele evenementen georganiseerd *(zie de Praktische inlichtingen achter in de gids)*.

Links de weg volgen langs het benedendorp.

Puits St-Rustique - Deze waterput, die met de vestingmuur was verbonden door een bedekte weg (waarvan nog twee vervallen muurvakken zijn te zien), moest de katharen van water voorzien tijdens het beleg in 1210. Simon de Montfort vernielde de put door er met een zeer zware katapult vanaf de overkant van de rivier op te schieten, hetgeen uiteindelijk tot de val van Minerve leidde.

La vallée du Briant - Een smal voetpad loopt om het dorp heen en volgt de vallei van de Briant. Het pad loopt naar boven tot aan de Candela-toren.

★ LE HAUT MINERVOIS

Rondrit van 35 km. De D 10E¹ nemen naar het westen, richting Fauzan.

De weg volgt de kronkelingen van de rivier de Cesse.

Canyon de la Cesse - In het begin van het Kwartair heeft het water van de Cesse het dal tot een cañon uitgeslepen, de bestaande grotten vergroot en nieuwe doen ontstaan. Stroomopwaarts van Minerve wordt de vallei smaller en het water, dat hier de ondoorlatende grond van de aardbodem verlaat om over een lengte van 20 km ondergronds te stromen, komt alleen weer aan de oppervlakte bij hevig onweer in de winter.

Links de weg naar Cesseras nemen die naar de laagvlakte en de wijngaarden afdaalt. Door Cesseras rijden en rechts de D 168 inslaan, richting Siran. Na 2 km weer rechts afslaan.

Chapelle de St-Germain - Verscholen tussen de pijnbomen ligt deze Romaanse kapel met haar schitterend versierde absis.

Terugkeren naar de D 168 en richting Siran aanhouden.

Na iets minder dan 1 km is links een met pijnbomen begroeide heuvel te zien. Na de brug over een kleine weg de auto laten staan en het voetpad nemen naar de top van de heuvel, waar zich een interessant **ganggraf** bevindt: de **Mourel des Fades** (dolmen van de feeën).

★ **Chapelle de Centeilles** ⊙ - *Ten noorden van Siran.*
Deze 13de-eeuwse kapel ligt, omringd door cipressen, steeneiken en wijngaarden, op de grens tussen het kalksteenplateau van Minerve en de vlakte. Weids panorama over de wijngaarden, La Livinière, dat herkenbaar is aan de merkwaardig overkoepelde klokkentoren van zijn basiliek, en, bij helder weer, de Pyreneeën in de verte. De kapel bezit mooie **fresco's**★ uit de 14de en het begin van de 15de eeuw met afbeeldingen van de Boom van Jesse, de H. Michaël en de H. Bruno. In het transept ligt een Romeins mozaïek uit de 3de eeuw, dat in Siran is opgegraven.
In de buurt van de kerk staan een paar herdershutjes met stapelmuren, die in deze streek capitelles worden genoemd.

Terugrijden naar Siran en na de watertoren links een kleine weg inslaan die om de Pic St-Martin loopt om boven langs de Gorges de la Cesse in het noorden bij de D 182 uit te komen. Rechts afslaan naar Minerve en kort na het gehucht Fauzan links afslaan.

Na 1,5 km, bij een verlaten fabriek, kijkt men vanaf een grote open plek over de Gorges de la Cesse en de **grotten** waarmee de rotswand is bezaaid. In een van deze grotten, de Grotte d'Aldène, werden in 1948 sporen aangetroffen van een mens uit het Paleolithicum *(zie hierboven onder Musée de Minerve)*. Een kleine weg loopt tussen twee rotswanden door naar de **Grotte de Fauzan**, waar eveneens prehistorische voetsporen zijn gevonden.

Naar Minerve terugrijden door de Canyon de la Cesse.

MIREPOIX

2 993 inwoners
Michelinkaart nr. 86 vouwblad 5, of 235 vouwbladen 42, 43.

De naam van deze oude bastide, die in 1279 werd gesticht, is sinds de kruistocht tegen de Albigenzen verbonden met het geslacht Lévis. De Lévis-Mirepoix-tak stamt namelijk af van Guy I de Lévis, de rechterhand van Simon de Montfort, die tot "maarschalk des Geloofs" werd bevorderd.

Carcanague-Obellianne/IMAGES PHOTOTHÈQUE

Uit hout gesneden kop (detail van een overdekte passage).

★★ **Place Général Leclerc** – Dit grote plein wordt omzoomd door huizen (eind 13de eeuw-15de eeuw) die door hun uitstekende eerste verdieping een **overdekte passage** met kapgebint vormen. Het park, de ouderwetse winkeltjes en de cafés maken het plein vooral 's avonds heel gezellig.
Karakteristiek zijn de noordwestelijke en noordoostelijke hoeken: de overkappingen sluiten op elkaar aan en laten slechts een smalle doorgang open.

Cathédrale – Uit de indeling van het gebouw blijkt absoluut niet dat de in 1343 begonnen bouw meer dan vijf eeuwen in beslag heeft genomen. Pas met het aanbrengen van het kruisribgewelf in 1865 was de kathedraal geheel voltooid. Met de bouw van de sierlijke gotische spits werd begonnen in 1506, het jaar waarin de kathedraal werd gewijd.

Binnengaan via het portaal aan de noordzijde.

Het schip (begin 16de eeuw) is het breedste (31,60 m) dat ooit voor een gotische kerk in Frankrijk is gebouwd en heeft aan weerskanten kapellen tussen inwendige steunberen, geheel in de traditie van de Zuid-Franse gotiek.

IN DE OMGEVING

Camon – *8 km in zuidoostelijke richting de D 625 volgen en daarna de D 7 nemen.*
Links laat men de indrukwekkende ruïnes van het Château de Lagarde liggen om de vallei van de Hers in te slaan. Het dorpje Camon, dat rond een machtige abdij is gebouwd, ligt in een landschap dat geheel door de heuvels van de Ariège wordt beheerst.

MOISSAC★★

11 971 inwoners
Michelinkaart nr. 79 vouwbladen 16, 17, of 235 vouwbladen 17, 21.

Moissac ligt rond de voormalige abdij op de rechteroever van de Tarn en aan weerskanten van het kanaal dat evenwijdig aan de Garonne loopt. Het wordt omringd door water en groen, te midden van heuvels met fruitbomen en wijngaarden waar de beroemde chasselas (een witte tafeldruif) groeit.

De goudkleurige chasselas – De wijngaarden op de hellingen van de Bas-Quercy aan de rechteroever van de Tarn en de Garonne, tussen Montauban en Moissac, geven jaarlijks meer dan 18 000 ton chasselas van eersteklas kwaliteit.
De echte "Moissac" wordt gemaakt van dikke ronde druiven die in lange parelmoeren trossen met een lichtgouden glans aan de wijnranken hangen. Het is een zoete wijn met een sterk bouquet, die bekendstaat om zijn bijzonder fijne afdronk.

UIT DE GESCHIEDENIS

De "gouden eeuw" van de abdij – In de 11de en 12de eeuw beleeft de abdij haar bloeitijd. Vermoedelijk werd zij in de 7de eeuw gesticht door een benedictijn van de Normandische abdij St-Wandrille en ontkwam in haar prille bestaan niet aan de plunderingen en vernielingen van Arabieren, Noormannen en Hongaren.
De abdij maakt een moeilijke tijd door als haar lot in 1047 ineens een totaal andere wending krijgt. De H. Odilon, de vermaarde abt van Cluny, die nadat hij de regels voor het klooster van Carennac (aan de Dordogne) had opgesteld, op zijn terugreis de Quercy aandeed, besloot namelijk tot een samenwerkingsverband tussen de abdij van Moissac en die van Cluny. Een periode van grote welvaart breekt dan aan. Met steun van Cluny sticht de abdij van Moissac overal priorijen en breidt haar invloed uit tot in Catalonië.

Tijden van rampspoed – De Honderdjarige Oorlog, waarin Moissac tot twee keer toe door de Engelsen wordt bezet, en daarna de godsdienstoorlogen brengen de abdij zware slagen toe. Deze wordt in 1628 geseculariseerd en tijdens de Franse Revolutie opgeheven.
In 1793 worden tijdens de "Terreur" (het revolutionaire schrikbewind) de archieven vernield, de kunstschatten geplunderd en talloze beeldhouwwerken verminkt. Halverwege de vorige eeuw ontkomt de abdij ternauwernood aan volledige verwoesting bij de plannen voor de aanleg van de spoorlijn Bordeaux-Sète, waarvoor de kloostergebouwen en het kloosterhof zouden moeten wijken. Ingrijpen van monumentenzorg redt de abdij van de sloop.

DE ABDIJ *bezichtiging: 1 uur*

★ **Église St-Pierre** – Van het 11de-eeuwse gedeelte van deze voormalige abdijkerk is enkel de klokkentoren met het beroemde portaal bewaard gebleven, een soort verdedigingsdonjon met een weergang, waarvan de bovenste verdieping pas aan het eind van de gotische stijlperiode werd gebouwd.
Aan de buitenkant van de kerk zijn de twee bouwperioden van het schip goed te herkennen: een Romaans deel uit natuursteen en een gotisch deel, dat uit baksteen is opgetrokken. De Romaanse stijl is terug te vinden in de grondmuren van het schip en in de vensters met rondbogen in de lage gedeelten. De rest van de kerk werd in de 15de eeuw in Zuid-Franse gotiekstijl voltooid.

★★★ **Zuidportaal** – Het timpaan van dit portaal, dat tussen 1100 en 1130 ontstond, behoort tot de absolute meesterwerken van de Romaanse beeldhouwkunst. De majestueuze compositie, de omvang van de taferelen en de harmonieuze verhoudingen tussen de verschillende figuren zijn van een kracht en schoonheid waaraan enkele ietwat onhandige gebaren of starre houdingen niets afdoen. Het thema is het Visioen van de Apocalyps naar Johannes de Evangelist.
In het midden van de compositie troont Christus (**1**) met kroon en stralenkrans boven de andere figuren uit. In zijn linkerhand houdt hij het Boek des Levens, zijn rechterhand heft hij op in een gebaar van zegening. Zijn duidelijke gelaatstrekken, doordringende ogen, baard en haarlokken die symmetrisch aan weerskanten van zijn gelaat vallen, verlenen hem een strenge blik en versterken de indruk van macht en verhevenheid die hij uitstraalt.
De Christusfiguur wordt omringd door de vier evangelisten in de gedaante van hun symbolen: Matheus als gevleugelde jongeling (**2**), Marcus als leeuw (**3**), Lucas als stier (**4**) en Johannes als adelaar (**5**). Twee ranke serafijnen (**6**) omlijsten dit magnifieke tafereel. De rest van het timpaan stelt de 24 oudsten uit de Apocalyps (**7**) voor, in drie rijen boven elkaar, die ieder in een verschillende houding staan afgebeeld. Hun gezicht, dat naar Christus is gewend, drukt verbazing over een dergelijke verschijning uit. De voorstelling bereikt hier een ongewone intensiteit. De compositie is gericht op de hoofdfiguur, waar alle blikken naar gewend zijn. De schoonheid en sierlijkheid van de vormen, de volmaaktheid van het reliëf en de plooival van de gewaden, de nauwkeurigheid van de details en de uitdrukking op de gezichten wekken grote bewondering.
Het geheel rust op een opmerkelijke latei (**8**), verfraaid met acht rozetten die worden omlijst door een koord dat begint en eindigt in de bek van beide aan weerszijden geplaatste monsters.

Moissac – Het zuidportaal.

De middenpijler (**9**) is een imposant stuk steen versierd met drie leeuwenparen, waarvan de lichamen kruiselings omhoog reiken.
Op de zijkanten van deze pilaar staan de ascetische, rijzige gestalten van de H. Paulus links en Jeremia rechts (**10**) aangrijpend afgebeeld, terwijl op de dagkanten de H. Petrus (**11**), beschermheilige van de abdij, en de profeet Jesaja (**12**) te zien zijn. De gelobde dagkanten en sommige decoratieve elementen verraden een Spaans-Moorse invloed, die te verklaren is door het feit dat Moissac op een pelgrimsroute naar Santiago de Compostela lag.
Boven het timpaan bevinden zich drie booglijsten (**13**) met gestileerd bladwerk. Aan weerskanten van de dagkanten zijn bijbelse taferelen uitgehouwen in sarcofaagelementen van marmer uit de Pyreneeën: rechts (**14**), van beneden naar boven, de Aankondiging, de Visitatie, de Aanbidding van de Drie Koningen, de Opdracht in de Tempel en de Vlucht naar Egypte; links (**15**) afbeeldingen van de Verdoemenis: de gierigaard en de overspelige vrouw die door demonen, padden en slangen worden gekweld, en de gelijkenis van de vrek die zich aan een feestdis te goed doet zonder zich om de arme Lazarus te bekommeren, die van honger omkomt en wiens ziel door een engel wordt opgenomen en naar Abrahams schoot gebracht. De archivolt van het portaal en de pilasters zijn subtiel bewerkt: op de zuilen aan weerskanten van het portaal staan de standbeelden van de eerwaarde Roger, die de bouw van dit portaal tot een goed einde bracht, en van een benedictijn.

Carcanague/IMAGES PHOTOTHÈQUE
De profeet Jeremia op het portaal van Moissac.

Interieur – Men komt eerst in de narthex, die sterk gestileerde kapitelen uit de 11de en 12de eeuw heeft en waarvan het gewelf op massieve spitsbogen steunt.
In het schip staat nog een deel van het oorspronkelijke meubilair. Bij binnenkomst ziet men rechts in de tweede kapel een Piëta uit 1476 (**a**), in de volgende kapel een bekoorlijke voorstelling uit het einde van de 15de eeuw van de Vlucht naar Egypte (**b**) en in de laatste kapel rechts een Graflegging (**c**) uit 1485. Het koor is omgeven door een 16de-eeuwse afsluiting van bewerkt steen, waarachter een absis uit de Karolingische tijd is blootgelegd. De koorbanken dateren uit de 17de eeuw (**d**). In een nis onder het orgel is een sarcofaag (**e**) uit de Merovingische tijd te zien, van wit marmer uit de Pyreneeën; interessant is vooral ook het prachtige Romaanse **Christusbeeld★** uit de 12de eeuw (**f**), dat rechts van het orgel tegen de linkermuur is geplaatst.

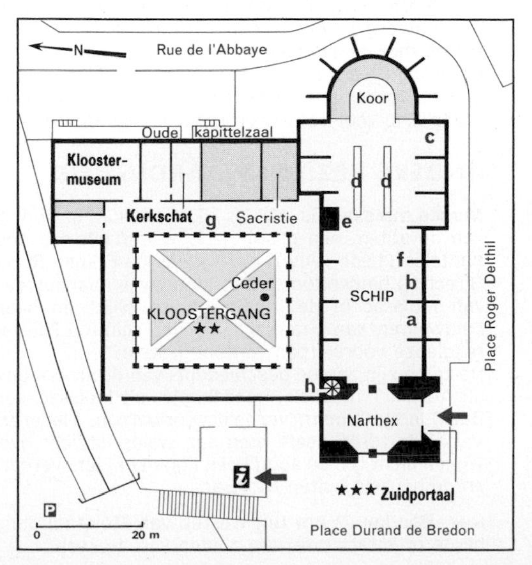

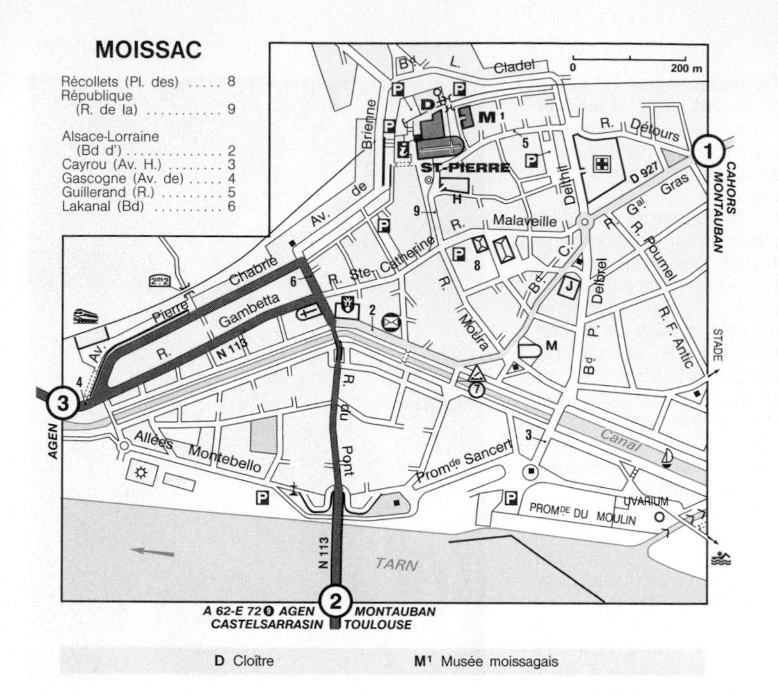

★★ **Kloostergang** (**D**) ⓥ – *Om de klokkentoren met het portaal lopen.*
Deze kloostergang (eind 11de eeuw) is opmerkelijk door de gratie van de arcaden en de afwisselend enkele en gekoppelde zuilen, de harmonie van de tinten marmer – wit, roze, groen, grijs – en de rijkdom van de gebeeldhouwde versieringen.
Vier gewelfde galerijen met zichtbare kapconstructie rusten op 76 arcaden die in de hoeken en in het midden door pilaren worden gesteund. Deze pilaren, bekleed met stukken marmer van oude sarcofagen, zijn versierd met bas-reliëfs die negen apostelen voorstellen. Op de pilaar in het midden van de galerij tegenover de ingang staat de beeltenis van abt Durant de Bredon (**g**), de bisschop van Toulouse en abt van Moissac die een doorslaggevende rol speelde in de bloei van de abdij. Deze afbeelding, die pas vijftien jaar na zijn dood werd gemaakt, is zo realistisch uitgevoerd dat het net een echt portret lijkt. De decoraties op de kapitelen zijn zeer gevarieerd: dieren, bladwerk, geometrische motieven en bijbelse taferelen zijn met groot meesterschap vervaardigd. De onderwerpen zijn ontleend aan het Oude en Nieuwe Testament: episoden uit het leven van Christus, zijn wonderen en parabelen, taferelen uit de Apocalyps en het leven van de heiligen die in de abdij werden vereerd.
In het kloosterhof staat een prachtige ceder. Een trap (**h**) leidt naar de eerste verdieping van de narthex: uitzicht op het kloosterhof.
Het **Kloostermuseum** (musée claustral) in de vier kapellen op de noordoosthoek van de kloostergang omvat een glyptotheek met een verzameling stenen uit de 11de tot en met de 13de eeuw en een fototentoonstelling die een indruk geeft van de invloed die het beeldhouwwerk uit Moissac in de landstreek Quercy heeft gehad. Verder is er een afdeling met religieuze kunstvoorwerpen: kerkzilver, liturgische voorwerpen en meubels van de 17de tot en met de 19de eeuw.

ANDERE BEZIENSWAARDIGHEID

Musée moissagais (**M¹**) ⓥ – Dit museum bevindt zich in het voormalige verblijf van de abten, een groot gebouw geflankeerd door een toren met bakstenen kantelen (13de eeuw), dat tijdens de Franse Revolutie werd ontmanteld.
Direct bij binnenkomst ziet men twee kaarten waaruit het belang van de abdij van Moissac in de middeleeuwen blijkt en haar grote invloed in het hele zuidwesten van Frankrijk. In het ruime 17de-eeuwse trappenhuis zijn oude religieuze voorwerpen tentoongesteld.
De zalen zijn aan de geschiedenis van de streek gewijd: keramiek (voornamelijk uit Auvillar), meubels, hoofdkapjes uit Moissac, een 19de-eeuwse keuken uit de Bas-Quercy, kunstnijverheidsvoorwerpen, klederdrachten en oude munten.
Vanaf de toren heeft men een weids uitzicht over de stad, waarvan de oude wijken dicht om de abdij heen liggen en, iets verderop, over de vallei van de Tarn en de heuvels buiten Moissac.

►► Boudou (7 km ten westen van Moissac) panorama★ van het Garonne-dal bij de oriëntatietafel ten zuiden van de kerk.

La MONTAGNE NOIRE★

Michelinkaart nr. 82 vouwblad 20, of 83 vouwbladen 11, 12
of 235 vouwbladen 35, 36.

De Montagne Noire, de zuidwestelijke uitloper van het Centraal Massief, wordt van het Massif de l'Agout (Sidobre, Monts de Lacaune en Monts de l'Espinouse) gescheiden door het dal van de Thoré, met in het verlengde daarvan de vallei van de Jaur en die van de bovenloop van de Orb.
Kenmerkend is het scherpe contrast tussen de noordkant van het gebergte, die abrupt opdoemt boven de Thoré, en de zuidkant die geleidelijk afdaalt naar de laagvlakten van de Lauragais en de Minervois, in de richting van de Pyreneeën. De Pic de Nore (1 210 m) aan de steile noordzijde is het hoogste punt.
Boven dit gevarieerde reliëf veranderen de winden van aard: de regenwolken uit het westen vormen een harde, droge wind als zij de laagvlakte van de Bas Languedoc bereiken, en de vochtige zeewind uit het oosten wordt de droge, stormachtige wind van de Haut Languedoc. Vandaar dat er jaarlijks meer dan een meter regen valt op de Montagne Noire.

Plantengroei – De noordkant, waar de meeste regen valt, is met donkere wouden bedekt (zomereiken, beuken, dennenbomen, gewone sparren), terwijl de zuidkant droger en kaler aandoet; de flora hier lijkt meer op die van het Middellandse-Zeegebied met garrigues, brem, tamme kastanjes, olijfbomen en wijngaarden.

Dagelijks leven – Veeteelt en landbouw zijn slechts een magere bron van inkomsten en er wordt allang geen wol of hennep meer gesponnen. De goudmijnen van Salsigne zijn nog wel open en in Caunes-Minervois wordt nog marmer gehouwen, maar de grootste bedrijvigheid is geconcentreerd in de vallei van de Thoré, die door de nabijheid van Mazamet werd geïndustrialiseerd.
De vele meren en het mooie landschap vormen nu de grootste aantrekkingskracht van de Montagne Noire.

DE WATERRESERVOIRS

Rondrit vanuit Revel *114 km – ongeveer vijf uur*

Revel – Op de grens van de Montagne Noire en de Lauragais ligt Revel, de geboorteplaats van **Vincent Auriol**, die van 1947 tot 1954 president van Frankrijk was.
Revel was een bastide, wat nog te zien is aan het geometrische netwerk van straten rond het centrale plein met zijn overdekte passages. De 14de-eeuwse **markthal** heeft nog haar oorspronkelijke gebint en haar belfort (in de 19de eeuw ingrijpend gerestaureerd). In Revel vindt men meubelfabrieken en ateliers voor schrijn- en inlegwerk, naast bedrijven die zich toeleggen op bronsbewerking, verguld- en lakwerk. Verder staat er een aantal distilleerderijen.

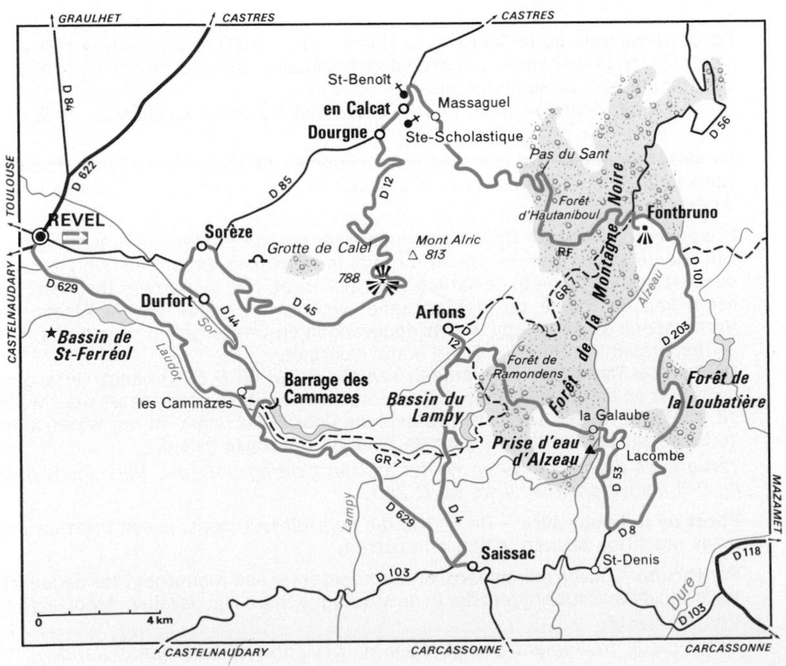

★ **Bassin de St-Ferréol** – Dit recreatiegebied strekt zich uit over een oppervlakte van 70 ha en trekt veel wandelaars vanwege de bosrijke heuvels in de omgeving. Het stuwmeer wordt omsloten door een 800 m lange dijk en leent zich uitstekend voor zeilen en zwemmen. Het meer ligt aan de kant van de Atlantische Oceaan en is het belangrijkste reservoir van het Canal du Midi.
Het Bassin de St-Ferréol betrekt zelf water uit het Bassin du Lampy en de Rigole de la Montagne, de geul die begint bij de Prise d'eau d'Alzeau (watervang).
In het park om het meer zijn watervallen en een 20 m hoge fontein te zien.

De route gaat dan verder door een weelderig groen landschap, langs de Laudot.

Na Les Cammazes, links afslaan naar de stuwdam.

Barrage des Cammazes – Dit stuwmeer met zijn oppervlakte van 90 ha en zijn 70 m hoge stuwdam behoort niet tot de reservoirs van het Canal du Midi, maar voorziet 116 gemeenten van drinkwater en irrigeert tevens de hele vlakte van de Lauragais, ten oosten van Toulouse. Via voetpaden kan men naar de oevers van de Sor afdalen.

Weer de D 629 nemen.

Saissac – Dit dorpje ligt hoog boven het ravijn van de Vernassonne, waarboven zich nog de ruïnes van een 14de-eeuws kasteel bevinden. Een kleine weg loopt in het noorden om het dorp heen en biedt een mooi uitzicht op dit pittoresk gelegen plaatsje.
Om van een weidser panorama te genieten, moet men op het platte dak van de dikste toren van de oude omwalling klimmen. In deze toren bevindt zich een **museum** ⏲, waar men een beeld krijgt van de geschiedenis van Saissac en de ambachten die er traditioneel werden beoefend.

Ten westen van Saissac de D 4 nemen en daarna rechts de D 324.

Bassin du Lampy – Dit stuwmeer van 1 672 000 m^3 haalt zijn water uit de Lampy en loost op de Rigole de la Montagne, de geul die vanaf de Prise d'eau d'Alzeau tot het Bassin de St-Ferréol loopt. De weg die langs deze geul loopt tot het dorp Les Cammazes is een leuke wandelroute (23 km).
De stuwdam werd tussen 1778 en 1782 gebouwd om de watervoorziening van het Canal du Midi veilig te stellen, nadat de aftakking van het Canal de la Robine (via Narbonne) was opengesteld. Schitterende beukenbossen met schaduwrijke paden maken de omgeving van het Bassin du Lampy tot een geliefd wandelgebied.

Weer de D 4 nemen.

Arfons – Dit voormalige bezit van de johannieterorde (of Maltezer ridders) biedt tegenwoordig de vredige aanblik van een bergdorpje met leidaken. Door zijn bosrijke omgeving is Arfons een geschikt uitgangspunt voor mooie wandeltochten *(het pad GR 7)*.
Op de hoek van een huis in de hoofdstraat staat een fraai stenen Mariabeeld uit de 14de eeuw.

Langs dezelfde weg teruggaan en na 1,5 km links afslaan naar La Galaube.

Forêt domaniale de la Montagne Noire – Dit staatsbos met een oppervlakte van 3 650 ha is overwegend begroeid met beuken en sparren en omvat de bossen van Ramondens en Hautaniboul.
De weg loopt door een mooi bosrijk gebied en steekt bij La Galaube de Alzeau over.

Na de brug doorrijden tot Lacombe. Voorbij dit dorp de richting St-Denis aanhouden en na 1,5 km rechts afslaan en de weg volgen tot de watervang van de Alzeau.

Prise d'eau d'Alzeau – Op het monument ter ere van Pierre-Paul Riquet, de man aan wie de aanleg van het Canal du Midi is te danken, staat een overzicht van de verschillende fasen in de aanleg van het kanaal. Het monument markeert het begin van de Rigole de la Montagne, waarin het water uit de Alzeau, de Vernassonne en de Lampy wordt opgevangen en verder geleid naar de Laudot, die het Bassin de St-Ferréol van water voorziet.
De **Poste des Thommasses** *(ten zuiden van Revel aan de D 624)* vangt vervolgens het water op uit het Bassin de St-Ferréol en de Sor, die op haar beurt weer water uit de Pont-Crouzet haalt via een geul die door Revel loopt. Al het water komt zo bij elkaar en wordt dan naar de Seuil de Naurouze geleid.

Terugrijden naar de D 53 en rechts afslaan richting St-Denis. Vervolgens links de D 8 nemen en weer links de D 203.

Forêt de la Loubatière – De D 203 die door dit bos loopt, is een prettige weg langs prachtige beuken, eiken en sparren.

Fontbruno – Boven een ondergrondse kapel staat een monument ter nagedachtenis aan de verzetsstrijders die in de Montagne Noire zijn gevallen. Mooi uitzicht over de vlakte.

Direct na dit monument links afslaan en het Forêt d'Hautaniboul inrijden.

Bij een driesprong komt de bosweg op de **Pas du Sant** uit.

Links de D 14 nemen en na Massaguel weer links de D 85, richting St-Ferréol.

En Calcat - Hier staan twee benedictijnenabdijen, die pater Romain Banquet op zijn privelandgoed heeft gesticht. De **Abbaye St-Benoît**, uitsluitend voor mannen, werd in 1896 gewijd. In deze abdij woont een actieve gemeenschap. De monniken leggen zich toe op kunstnijverheid en in een atelier worden onder meer kartons voor wandtapijten gemaakt. De tapijten worden vervolgens naar deze patronen van Dom Robert in Aubusson geweven. Iets verderop, links, staat de **Abbaye Ste-Scholastique** (gesticht in 1890), waar de nonnen wonen.

De weg volgen tot Dourgne. In het dorp links de D 12 nemen, richting Arfons.

Dourgne - Hier worden nog lei- en steengroeven geëxploiteerd.

Na 10 km rechts een kleine weg inslaan.

Oriëntatietafel van de Mont Alric - Hoogte: 788 m. In het westen uitzicht over de laagvlakte van Revel, in het zuiden tot de Pyreneeën; vooraan, in het oosten, de Mont Alric (813 m).

Weer de D 12 nemen en daarna rechts de D 45 inslaan.

Sorèze - Dit dorp ontstond in de 8ste eeuw rond een abdij, waarvan alleen de imposante achthoekige **klokkentoren** (13de eeuw) is overgebleven. Het beroemde **college** ⊘, in de 17de eeuw door de benedictijnen gesticht, werd onder Lodewijk XVI een koninklijke militaire academie. In 1854 werd het college overgenomen door de dominicanen, met als eerste overste pater Lacordaire, die er in 1861 stierf en in de parochiekerk van het dorp ligt begraven. Op het voorplein van de school staat een witmarmeren standbeeld van deze illustere predikant. Sorèze is uitgekozen als een van de centra van het Parc naturel régional du Haut Languedoc waar allerlei evenementen worden georganiseerd (Maison du Parc, *zie de Inleiding).*

Na Sorèze de eerste weg links nemen; aansluiting op de D 44.

Durfort - Op de grens van de vallei waarin de Sor ligt ingebed, ligt dit dorpje waar nog tal van oude ambachten worden beoefend: koperslagers maken er verschillende voorwerpen, die soms getuigen van kunstzinnigheid.
De weg wordt smaller als hij de verlaten Gorges du Sor in loopt. Tussen twee steile hellingen verandert de rivier in een kolkende bergstroom.

De weg biedt fraaie uitkijkjes op de kloven, alvorens bij de D 629 uit te komen die naar Revel terugvoert.

★ Rondrit vanuit Mazamet *105 km - ongeveer vijf uur*

Deze tocht geeft een goed beeld van het reliëf van de Montagne Noire met zijn steile, bosrijke toppen aan de noordkant en zijn mediterrane zuidkant, de **Cabardès**, waar talrijke riviertjes tussen de wanden van diepe kloven stromen.

Mazamet - Deze aan de voet van de Montagne Noire gelegen plaats is vooral bekend om de wol die er vandaan komt, zogenaamde mazametwol. Dankzij de aanwezigheid van rivieren met zuiver water en velden in de directe omgeving waar kleurstoffen gewonnen konden worden uit pastelplanten en saffraan, kwam de wolindustrie al in de 18de eeuw tot bloei. Nadat oorspronkelijk schapen van de Montagne Noire werden gebruikt, besloot men in de 19de eeuw schapenvachten in te voeren voor het verkrijgen van bloot- of huidwol. Als de wolvezels na inweken en een gistingsproces van de huid waren gescheiden, kon de huid worden gebruikt door de zeemleerfabrieken.

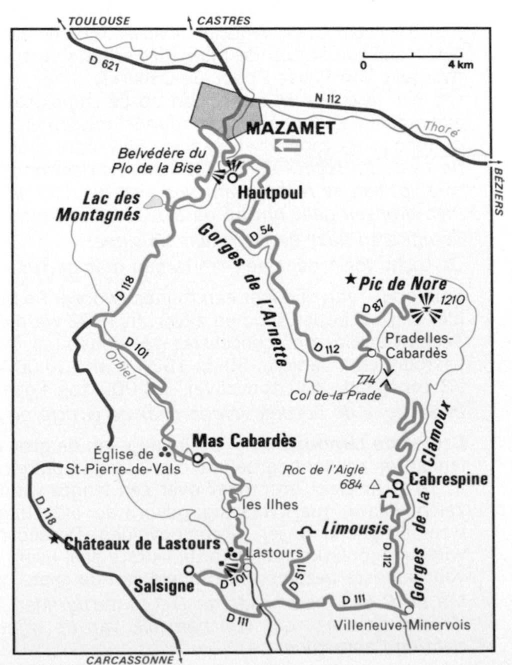

Tegenwoordig is Mazamet een perfect georganiseerd handelscentrum voor wol. De schapenvachten worden in hoofdzaak uit Australië, Zuid-Afrika en Argentinië geïmporteerd; na bewerking wordt de wol vooral naar Italië uitgevoerd terwijl de huiden naar Spanje, België, Italië en de Verenigde Staten gaan.

Mazamet uitrijden via de D 118, richting Carcassonne.

De weg loopt in haarspeldbochten omhoog. Na 3 km even stoppen bij de belvédère van de **Plo de la Bise.**

De D 118 vervolgen en daarna rechts een kleine weg inslaan naar het Lac des Montagnés.

Lac des Montagnés – Dit kunstmatig aangelegde meer zorgt voor de watervoorziening van Mazamet. Het is schitterend gelegen te midden van heuvels en bossen en wordt dan ook druk bezocht door vissers en wandelaars.

Weer de D 118 volgen en links de D 101 inslaan, richting Mas-Cabardès.

Deze bijzonder schilderachtige weg loopt naar beneden langs dichtbeboste hellingen, waarboven indrukwekkende rotsen uitsteken. Aan de rechterkant liggen de ruïnes van de gotische kerk van St-Pierre-de-Vals.

Mas-Cabardès – Dit dorpje aan de voet van de ruïnes van de oude burcht straalt nog steeds de trots van weleer uit.
De smalle straatjes leiden naar de **kerk**, waarvan de klokkentoren met zijn achthoekige bovenbouw romaanse kenmerken vertoont, hoewel hij uit de 15de eeuw dateert. De kerk zelf werd in de 16de eeuw herbouwd op de fundamenten van een 14de-eeuws bouwwerk, waarvan een zuil met Romaans kapiteel en een bas-reliëf bewaard zijn gebleven *(bij binnenkomst aan de linkerhand)*. Interessant zijn in de Notre-Dame-kapel, links van het koor, een fraai stenen beeld van Maria met Kind (14de eeuw) en een altaarstuk van verguld hout.
Als men door de straat links van de kerk weer naar beneden loopt, komt men bij een kruising met een 16de-eeuws stenen **kruis** waarop een weefspoel is afgebeeld, het embleem van de handwevers. De vallei van de Orbiel stond vroeger bekend om haar textielnijverheid.

De tocht langs dezelfde weg vervolgen en 2 km voorbij Les Ilhes de auto laten staan op een van de uitwijkplaatsen aan de rechterkant van de weg, aan de voet van de kastelen van Lastours.

★ **Châteaux de Lastours** ⓥ – *Te bereiken via een voetpad rechts van de weg – drie kwartier heen en terug.*
Tussen de diepe dalen van de Orbiel en de Grésillou liggen in een woest landschap, op een rotsachtige bergrug, de ruïnes van vier kastelen: Cabaret, Tour Régine, Fleur d'Espine en Quertinheux. Deze kastelen vormden in de 12de eeuw de vesting **Cabaret**, waarvan de heer, Pierre Roger de Cabaret, een vurig voorvechter van de katharen was. Tijdens de **kruistocht tegen de Albigenzen** *(zie de Inleiding: Geschiedenis)*, in 1210, lukte het Simon de Montfort niet deze vesting in te nemen, terwijl Minerve en daarna Termes *(ten zuidoosten van Carcassonne)* capituleerden. De katharen die uit deze plaatsen konden ontsnappen, zochten hun toevlucht in de vesting Cabaret, die alle aanvallen af wist te slaan. Pas in 1211 slaagde Simon de Montfort erin de vesting te bezetten, na de vrijwillige overgave van Pierre-Roger de Cabaret.
Om een **mooi uitzicht** te hebben op de ruïnes van de vier kastelen, waarvan de skeletachtige silhouetten wonderwel passen bij de spits toelopende cipressen in de omgeving, moet men naar de belvédère rijden aan de overkant van Cabaret *(in Lastours rechts de D 701 nemen, richting Salsigne; boven aan deze steile weg ligt aan de rechterkant een weg die naar een verkaveld terrein voert, waar men omheen gaat om bij de belvédère te komen).*

Terugkeren naar de weg naar Salsigne.

De tocht voert door een landschap met garrigue en brem.

Salsigne – Van oudsher een mijnbouwdorp. De Romeinen en Saracenen wonnen hier al ijzer, koper, lood en zilver. In 1892 werd er goud in de bodem gevonden. Tegenwoordig zijn concessies te vinden op het grondgebied van Salsigne, Lastours en Villanière. Sinds 1924 is er 700 000 ton erts gedolven, waaronder 72 ton goud, 200 ton zilver, 20 000 ton koper en 320 000 ton arsenicum.

In Salsigne de borden volgen naar de Grotte de Limousis.

Grotte de Limousis ⓥ – De ingang van de grot bevindt zich in een kalkstenen landschap zonder begroeiing, op wat wijnstokken en olijfbomen na. De grot werd in 1811 ontdekt en omvat over een lengte van ongeveer 600 m verschillende zalen waarin merkwaardig gevormde afzettingen en meertjes met helder, weerspiegelend water elkaar opvolgen. De enorme **kroonluchter**★ van opvallend witte aragonietkristallen in de laatste zaal heeft een omtrek van 10 m en is de voornaamste bezienswaardigheid van de grot.

Via de D 511 weer naar de D 111 terugrijden, richting Villeneuve-Minervois. Voorbij dit dorp, dat voornamelijk van de wijnbouw leeft, de D 112 nemen richting Cabrespine.

Gorges de la Clamoux - Hier is het contrast tussen de noord- en zuidkant van de Montagne Noire goed te zien. Tot Cabrespine blijft de weg onder in het dal, dat met boom- en wijngaarden is bebouwd.

Links een steil weggetje inslaan naar de Gouffre de Cabrespine.

Gouffre de Cabrespine ⓥ - Deze kloof is in feite het bovenste deel van een uitgestrekt ondergronds gangenstelsel dat door het water van de Clamoux is uitgesleten. Vanwege de indrukwekkende afmetingen - in de eigenlijke kloof (salle des Eboulis) bedraagt de maximale hoogte ongeveer 250 m - spreekt men van de reuzenkloof. Tijdens de rondleiding krijgt de bezoeker een spectaculair overzicht; de formaties zijn karakteristiek: uitgevloeide calcietmassa's die getint zijn door mineralen, stalactieten en stalagmieten die soms samen een dunne, hoge pilaar vormen, schitterende gordijnen van aragoniet, excentrieken, enz.

Terugrijden naar de D 112.

De weg voert eerst naar Cabrespine, waar links de Roc de l'Aigle hoog bovenuit steekt, en stijgt dan snel in haarspeldbochten, langs kastanjebossen en diepe ravijnen waarin hier en daar een gehucht verscholen ligt.
Bij de Col de la Prade kruist de weg de waterscheiding en verlaat de zuidkant van de Montagne Noire.

Bij Pradelles-Cabardès rechts de D 87 inslaan naar de Pic de Nore.

★ **Pic de Nore** - Dit is de hoogste top (1 210 m) van de Montagne Noire, die uit een heidelandschap met ronde vormen oprijst. Niet ver van de televisiezenders kan men vanaf de oriëntatietafel genieten van een **panorama★** dat zich uitstrekt over de bergen van Lacaune, de Espinouse en de Corbières tot de Canigou, het Massif du Carlit en de Pic du Midi de Bigorre.

Terugrijden naar Pradelles-Cabardès en richting Mazamet aanhouden.

Gorges de l'Arnette - Hoe dichter men bij Mazamet komt, hoe meer fabrieken men in deze kloven ziet; zij zijn vooral gespecialiseerd in de bewerking van schapenvachten en fabriceren zogenaamde mazametwol.

Hautpoul - Op een uitloper van het gebergte liggen de ruïnes van het kasteel en de kerk van dit dorpje; het werd verlaten toen de wolindustrie in Mazamet tot bloei kwam. Door de ligging, hoog boven de Gorges de l'Arnette, heeft men van hieruit een mooi **uitzicht★** op Mazamet en de vallei van de Thoré. Het **Maison de l'Artisanat** is het vertrekpunt van wandeltochten in de Montagne Noire.

MONTAUBAN*

51 224 inwoners
Michelinkaart nr. 79 vouwbladen 17 en 18, of 235 vouwblad 22.
Plattegrond in de Rode Michelingids France.

Op de grens tussen de heuvels van de Bas-Quercy en de vruchtbare laagvlakten die door aanslibbing van de Garonne en de Tarn zijn ontstaan, ligt Montauban, een oude bastide met een overzichtelijk stratenplan. De stad is een belangrijk knooppunt van wegen en een goede uitvalsbasis voor dagtochten naar de Gorges de l'Aveyron. Het is tevens een drukke marktstad waar fruit en groente uit de hele streek worden verhandeld.
Net als in Toulouse en veel andere steden en dorpen in de Bas-Quercy zijn de oude gebouwen in Montauban vrijwel uitsluitend uit roze baksteen opgetrokken, hetgeen de stad een bijzondere aanblik geeft.

GESCHIEDENIS

Een machtige vesting - Al in de 8ste eeuw vestigden verschillende woongemeenschappen zich op een heuvel boven de Tescou, waar tegenwoordig de buitenwijk Faubourg du Moustier ligt. Later werd er een benedictijnenklooster gesticht, waaromheen zich een dorp ontwikkelde onder de naam Montauriol, maar de huidige stad werd pas in de 12de eeuw gesticht. Moe van het machtsmisbruik waaraan de abt van Montauriol en de naburige heren zich schuldig maakten, zochten de bewoners steun en bescherming bij hun suzerein, de graaf van Toulouse. Deze stichtte in 1144 een bastide op een plateau boven de rechteroever van de Tarn, met een zeer liberaal handvest. Aangetrokken door de voorrechten die hun werden verleend, stroomden de bewoners van Montauriol toe en droegen zo bij aan de bloei van de nieuwe plaats *Mons albanus*, het latere Montauban.

Een protestants bolwerk - Al in 1561 zwaaien de hervormden de scepter over de stad; de beide schepenen zijn calvinisten en zetten de bevolking aan tot het plunderen van kerken en kloosters. Een reactie van katholieke zijde, onder leiding van Karel IX, kan niet voorkomen dat de nieuwe ideeën op grote schaal ingang vinden. Bij de Vrede van St-Germain in 1570 wordt Montauban als protestantse vrijplaats erkend. Hendrik van Navarra (de latere koning Hendrik IV) brengt zware versterkingen aan en afgevaardigden van alle protestantse kerken van Frankrijk komen driemaal in Montauban bijeen om er te beraadslagen.
Maar met de komst van Lodewijk XIII zetten de katholieken de tegenaanval in. In 1621 wordt Montauban belegerd door 20 000 soldaten onder bevel van de koning zelf en zijn gunsteling De Luynes. De hugenoten verzetten zich heldhaftig en weten drie aanvallen af te slaan; na drie maanden moet het katholieke leger het veld ruimen.
Dit succes is echter van korte duur. Na de inname van La Rochelle in 1628 blijft Montauban over als laatste bolwerk van het protestantisme, maar de stad wordt al snel weer belaagd door het leger van Lodewijk XIII. Montauban opent ditmaal zonder slag of stoot zijn poorten en haalt de koning en kardinaal Richelieu binnen. De versterkingen worden afgebroken en Lodewijk toont zich vergevingsgezind jegens de hugenoten.

Een begenadigd tekenaar - **Ingres** wordt in 1780 geboren in Montauban, waar hij tot zijn 17de jaar van zijn vader, een decorateur, een solide ondergrond krijgt op het gebied van de muziek en schilderkunst. In Toulouse krijgt hij les van de schilder Roques in diens atelier, maar Parijs lokt. Hij vestigt zich in de Franse hoofdstad en gaat bij David in de leer.
Op 21-jarige leeftijd wint hij de Grand Prix de Rome en blijft dan bijna 20 jaar in Italië alvorens weer naar Parijs terug te keren, waar hij een atelier en een school opent.
Zijn grote talent komt vooral tot uiting in zijn tekeningen. Naast de zuiverheid en precisie van de lijnen, die aan volmaaktheid grenzen, is er het geheel eigen karakter dat Ingres weet te leggen in de compositie van zijn talloze portretten en studies die veelal met grafietpotlood zijn gemaakt. Lang voor zijn dood op 85-jarige leeftijd vallen hem roem en eerbetoon ten deel. Omdat hij bijzonder gehecht was aan zijn geboortestad, heeft hij Montauban een groot deel van zijn oeuvre nagelaten. Deze werken zijn tegenwoordig in het Musée Ingres tentoongesteld.

Een groot beeldhouwer - De wieg van **Bourdelle** (1861-1929) stond eveneens in Montauban.
Deze kunstenaar heeft veel te danken gehad aan zijn leermeester Rodin. In zijn composities - borstbeelden of gebeeldhouwde groepen - weet hij een manlijke houding, eenvoudige lijnen en verheven gevoelens op onnavolgbare wijze te verenigen. *Heracles de boogschutter* in het Musée Bourdelle in Parijs is een van zijn meesterwerken.

★★MUSÉE INGRES ⊙

Dit museum heeft onderdak gevonden in het voormalige bisschoppelijk paleis, dat in 1664 verrees op de plaats van twee kastelen. Het eerste kasteel, het zogenaamde château-bas (lage kasteel), werd in de 12de eeuw door de graaf van Toulouse gebouwd om toezicht te houden op de oversteek over de Tarn. Het werd in 1229 ontmanteld en in opdracht van Eduard van Woodstock, bijgenaamd de Zwarte Prins, een eeuw later, tijdens de Honderdjarige Oorlog, door een andere burcht vervangen, waarvan nog enkele zalen bewaard zijn gebleven.
Het huidige paleis werd bij de opheffing van het bisdom tijdens de Franse Revolutie door de gemeente aangekocht en in 1843 als museum ingericht. Het is een imposant en sober bouwwerk uit roze baksteen, met twee paviljoens aan weerszijden van het hoofdgebouw.

Eerste verdieping - De trekpleister van het museum vormt het oeuvre van Ingres. De typisch Franse plafonds en ingelegde vloeren vormen een prachtig decor voor de kunstwerken.
Na een zaal gewijd aan de klassieke traditie bij Ingres, met een schitterende compositie van *Jezus tussen de schriftgeleerden*, die hij op 82-jarige leeftijd voltooide, komt men in een grote zaal met een groot aantal schetsen, studies en **portretten**, onder meer van Gilbert, Madame Gonse en Belvèze. Hier hangen ook de *Droom van Ossian*, een groot doek uit 1812 bestemd voor de slaapkamer van Napoleon in Rome, en *Roger die Angélique bevrijdt*, een ovaalvormige replica van het origineel in het Louvre. Werken van David, Chassériau, Géricault en Delacroix maken de tentoonstelling compleet. In de voormalige salons van het bisschoppelijk paleis staat een vitrine met persoonlijke bezittingen van Ingres: zijn verfdoos en zijn geliefde viool (een hobby wordt in het Frans een "violon d'Ingres" genoemd). Tot slot is een deel van de 4 000 **tekeningen** te bewonderen, die de grootste schat van het museum zijn en in wisselende exposities worden getoond.

Lauros/GIRAUDON

Roger die Angélique bevrijdt, door Ingres.

Tweede verdieping - Hier hangen schitterende primitieven en schilderijen uit de 14de tot en met de 18de eeuw, voor het grootste deel afkomstig uit de nalatenschap van Ingres. Interessant zijn de Italiaanse werken uit de 15de eeuw, in een vitrine in de eerste zaal. De derde zaal toont een bijzonder rijke collectie 17de-eeuwse doeken van de Vlaamse, de Hollandse en de Spaanse school, die rond de Louis-XV- en Louis-XVI-meubels goed tot hun recht komen. Door de ramen heeft men een mooi uitzicht op de Tarn en de Pont-Vieux in de diepte.

Benedenverdieping - Een grote zaal is gewijd aan **Bourdelle** en geeft een goed overzicht van de ontwikkeling van deze talentvolle beeldhouwer. Hier staat *Heracles de boogschutter* uitgevoerd in gepatineerd gips. Bijzonder de moeite waard zijn ook de borstbeelden van Beethoven, Rodin, Léon Cladel, Ingres en andere bronzen beelden zoals *De nacht* en *De oude Rembrandt.*
In de **Desnoyer**-zaal zijn de belangrijkste werken van deze in Montauban geboren schilder (1894-1972) en doeken van andere plaatselijke kunstenaars bijeengebracht.

Souterrain - In dit intact gebleven deel van de vroegere 14de-eeuwse burcht zijn, over twee verdiepingen, zeven fraai gewelfde zalen gewijd aan archeologische vondsten, de geschiedenis van Montauban, kunstnijverheid en wisselende exposities.
De vroegere wapenzaal, de Salle du Prince-Noir, bevat een collectie middeleeuwse stenen en twee fraaie schouwen uit de 15de eeuw met het wapen van Cahors. In de Salle Jean-Chandos staan bronzen beelden, terracotta's uit de oudheid en een Gallo-Romeins **mozaïek**, dat in Labastide-du-Temple, ten noordwesten van Montauban, is gevonden.
Dankzij schenkingen heeft het museum een mooie verzameling **regionaal aardewerk** (Montauban, Auvillar) opgebouwd.

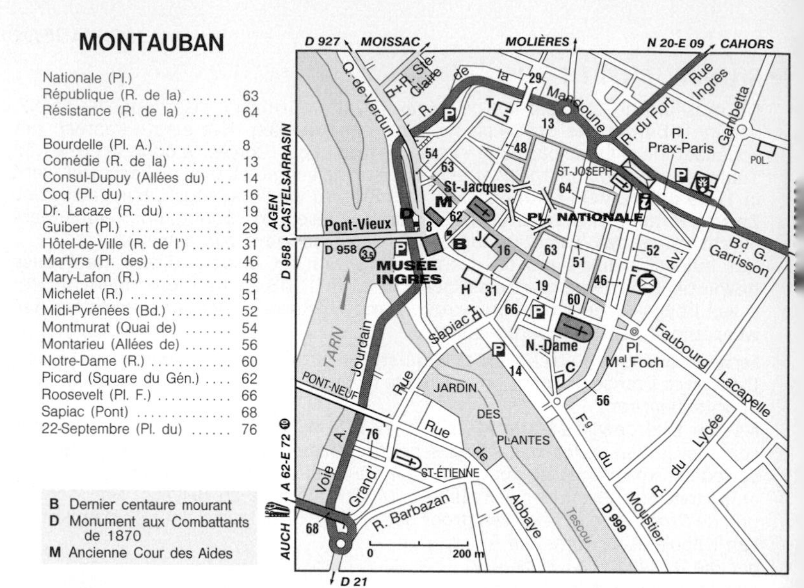

Het loont de moeite om tegenover het Musée Ingres, aan de rand van het Square du Général-Picquart, de magnifieke **Laatste stervende centaur★** (**B**) te gaan bekijken, een krachtige, massieve sculptuur in brons van Bourdelle uit 1914. In het monument voor de gevallen soldaten van 1870 (**D**) op de Quai de Montmurat bij de Pont-Vieux komt het architectonisch gevoel van deze kunstenaar tot uitdrukking.

★ PLACE NATIONALE

Omdat de overdekte houten passage door twee branden in 1614 en 1649 was verwoest, werden in de 17de eeuw de arcaden in baksteen herbouwd. Deze met spits-of rondbogen gewelfde arcaden vormen een dubbele voetgangersgalerij.
De fantasievolle details en warme kleuren van het baksteen verzachten de wellicht wat strenge aanblik van het plein, zonder echter aan de harmonie van het geheel afbreuk te doen. Huizen van roze baksteen met hoge voorgevels die door pilasters in vakken worden verdeeld, staan om het mooie plein, dat helaas in een parkeerplaats is veranderd. De vier hoeken van het plein zijn afgestompt door een zuilengalerij die de huizen met elkaar verbindt. Elke ochtend wordt het plein opgevrolijkt door een kleurrijke, drukbezochte markt.

VERDERE BEZIENSWAARDIGHEDEN

Pont-Vieux – Wie via de linkeroever van de Tarn de Pont-Vieux nadert, ziet het voormalige bisschoppelijk paleis en, achter 17de-eeuwse patriciërshuizen, de sierlijke toren van de Église St-Jacques.
De brug werd in het begin van de 14de eeuw gebouwd uit baksteen, naar ontwerp van Étienne de Ferrières en Mathieu de Verdun, in opdracht van Filips de Schone. De 205 m lange brug overspant de Tarn met zeven bogen op pijlers die door stroombrekers worden beschermd. De hoofdbogen worden door kleinere bogen gescheiden, zodat bij het wassen van de rivier het water beter wegstroomt. De Pont-Vieux dateert uit dezelfde tijd als de Pont Valentré in Cahors en is eveneens versterkt.

Église St-Jacques – Deze aan de H. Jacobus gewijde vestingkerk bepaalt voor een groot deel het stadsbeeld van Montauban. In de voorgevel van de toren zitten nog kogelgaten van het beleg van 1621. Na de herovering door de katholieken werd de kerk, waar Lodewijk XIII in 1632 plechtig zou worden ontvangen, in 1629 tot kathedraal verheven, een voorrecht dat zij tot 1739 behield. De bakstenen **klokkentoren** op de vierkante toren met machicoulis dateert uit het einde van de 13de eeuw en heeft een achthoekige vorm met drie rijen vensters. Het schip met zijn zijkapellen is in de 15de eeuw herbouwd en in de 18de eeuw van spitsbogen voorzien.

Cathédrale Notre-Dame – Een klassiek gebouw van ruime afmetingen. Langs de voorgevel, die door twee vierkante torens wordt geflankeerd, loopt een indrukwekkende zuilengalerij waarop de kolossale beelden van de vier evangelisten staan, kopieën van de beelden in de kathedraal.

Het koor is zeer diep en de viering heeft een koepel op pendentieven, versierd met de theologale deugden (geloof, hoop en liefde). In de linkerarm van het transept hangt een beroemd schilderij van Ingres, de **Gelofte van Lodewijk XIII**: de koning, in een weelderige, met leliën versierde mantel op de voorgrond, wendt zich naar Maria met het kindje Jezus in haar armen, en biedt haar zijn staf en kroon aan als symbool van zijn koninkrijk.

Ancienne Cour des Aides (**M**) – In dit fraaie 17de-eeuwse pand zijn nu twee musea gehuisvest.

Musée du Terroir ⊙ – Op de benedenverdieping van dit streekmuseum heeft de Provençaalse vereniging Escolo Carsinolo een tentoonstelling ingericht over het dagelijks leven in de Bas-Quercy. Gereedschappen, instrumenten en kostuumpoppen geven een beeld van een groot aantal oude ambachten. In een van de zalen is een 19de-eeuws boereninterieur met bewoners en al ingericht.

Musée d'Histoire naturelle et de Préhistoire ⊙ – Dit natuur- en prehistorisch museum toont op de tweede verdieping een gevarieerde zoölogische verzameling. Vooral de ornithologische collectie is bijzonder groot: 4 000 exemplaren waarvan een deel is tentoongesteld, met name exotische vogels als de papegaai, de kolibrie en de paradijsvogel. Op de afdeling paleontologie zijn talrijke vertebraten uit het Tertiair te zien.

MONT-LOUIS★

200 inwoners
Michelinkaart nr. 86 vouwblad 16, of 235 vouwblad 51, 55.
Schema, zie onder Cerdagne.

Mont-Louis ligt op 1 600 m hoogte op een heuvel die de hele drempelrug van de Perche en de valleien van de Cerdagne in het westen, de Capcir in het noorden en de Conflent in het oosten beheerst. De voormalige vestingplaats werd in 1679 gesticht door Vauban, die het strategisch belang van deze ligging heel goed had ingezien, om de bij de **Vrede van de Pyreneeën** vastgestelde grenzen te verdedigen. Dit vredesverdrag was twintig jaar eerder, in november 1659, gesloten op het Fazanteneiland in de Bidassoa om een einde te maken aan de vijandelijkheden tussen Frankrijk en Spanje; de Roussillon was een van de gebieden die hierbij door Spanje aan Frankrijk werden afgestaan.
Zo werd Mont-Louis vanwege zijn gunstige ligging een uitstekende verdedigingspost... die nimmer dienst heeft hoeven doen! In de citadel (1681), die zich bij uitstek leent voor guerrilla-tactieken, is een opleidings- en trainingskamp gevestigd voor commandotroepen.
Het sobere centrum van Mont-Louis eert de herinnering aan generaal Dagobert (terras bij de kerk), een meester in de krijgskunst in berggebieden, die in 1793, in de donkere dagen van de invasie van de Roussillon, de Spanjaarden uit de Cerdagne verjoeg. De herinnering aan de uit de streek afkomstige generaal Gilles (1904-1961) wordt eveneens hoog gehouden.

De vesting – Deze bestaat uit een citadel en een lager gelegen stadje dat geheel is ommuurd.
De citadel is in een vierkant gebouwd, waarvan de stompe hoeken door bolwerken worden verlengd. Drie halvemanen beschermen de courtines.
Mont-Louis is genoemd naar de destijds regerende Lodewijk XIV. De vestingplaats heeft in haar hele bestaan nooit een belegering ondergaan en de wallen zijn dan ook geheel intact gebleven, evenals de toegangspoort (de Porte de France), de bastions en de wachttorens.
Langs de taluds aan de zuidkant heeft men uitzicht op de drempelrug van de Perche en de Cambras d'Aze.

Zonne-oven (Four solaire) ⊙ – De zonne-oven werd in 1953 gebouwd. De in 1980 gewijzigde concentrator bevat 860 holronde spiegels, een heliostaat en 546 vlakke spiegels. Door deze constructie wordt de zonnestraling gebundeld in de haard, waar de temperatuur tot 3 000 à 3 500 graden kan oplopen. De zonne-oven is sinds juli 1993 operationeel.

OMGEVING

Planès – *6,5 km in zuidelijke richting rijden via de weg naar La Cabanasse en St-Pierre-dels-Forçats. De auto voor het gemeentehuis annex schooltje van Planès laten staan en rechts de weg naar de kerk inlopen.*
Bij de kerk, die door een klein kerkhof wordt omgeven, mooi **uitzicht** op het Massif du Carlit. Deze **kerk**★ ⊙ valt op door haar polygone grondplan in de vorm van een ster met afwisselend scherpe en stompe punten, die in halfcirkelvormige absiskapellen uitlopen. De koepel in het midden rust op drie halfkoepels.

Er is veel gespeculeerd over de oorsprong van deze kerk met haar voor het middeleeuwse Westen bijzonder zeldzame vorm. Volgens de overlevering moet deze aan de Saracenen worden toegeschreven, aangezien de mensen uit de streek de kerk "la mesquita" (de moskee) zouden hebben genoemd. Vermoedelijk gaat het om een Romaans bouwwerk, geïnspireerd op het symbool van de Heilige Drieëenheid.

★ **Lac des Bouillouses** - *14 km in noordwestelijke richting - ongeveer een uur rijden. Mont-Louis uitrijden via de D 118, richting Quillan; 300 m na een brug over de Têt links de D 60 inslaan.*
Na 8 km verlaat de weg het beboste dal van de Têt om omhoog te lopen naar de rotsbarrière bij de onderste trap van het Plateau des Bouillouses. Door een stuwdam is het meer, dat op een hoogte van 2 070 m ligt, veranderd in een reservoir van 17,5 miljoen m³ dat de irrigatiekanalen en hydro-elektrische centrales in de vallei van de Têt van water voorziet.
In het sterk afgesleten Plateau des Bouillouses met zijn kale landschap liggen verder nog een stuk of twintig gletsjermeertjes op een hoogte van meer dan 2 000 m aan de voet van de Pic Carlit, de Pic Péric en de Pics d'Aude.

Route du col de MONTMIRAT★★

Michelinkaart nr. 80 vouwbladen 5, 6, of 240 vouwbladen 2, 6.

Aan de oostelijke rand van de Causse de Sauveterre vormt de Route du col de Montmirat een prachtige toegangsweg tot de Gorges du Tarn.

VAN MENDE NAAR FLORAC

39 km - ongeveer anderhalf uur - schema, zie onder Lozère

★ **Mende** - *Zie onder deze naam.*

Mende uitrijden via ③ op de plattegrond.

De N 88 loopt langs de rivier de Lot, tussen de beboste, steile hellingen van de Causse de Mende en de Causse de Changefège.

Balsièges - Ten zuiden van het dorp rijzen de steile rotswanden op van de Causse de Sauveterre. Aan de top verheffen zich twee grote kalkrotsen waarvan de een, vanwege zijn vorm, de leeuw van Balsièges wordt genoemd.

In Balsièges linksaf de N 106 oprijden richting Florac.

De weg volgt de Vallée du Bramon, een dal dat steeds breder wordt en fraaie vergezichten biedt op de uitlopers van de Mont Lozère en vervolgens op de Truc de Balduc, een kleine causse met uiterst steile hellingen. Na het dorpje Molines loopt de weg omhoog naar de Col de Montmirat en biedt prachtige uitzichten.

★ **Col de Montmirat** - 1 046 m. Deze bergpas ligt tussen de Mont Lozère, een berg van granietgesteente, en de Causse de Sauveterre, die uit kalkgesteente bestaat. Naar het zuiden toe ontvouwt zich een immens **panorama**★: op de voorgrond de "valats" (ravijnen), die alle uitkomen in het dal van de Tarn; meer naar links tekenen zich de bergkammen van de Cevennen af; bij helder weer kan men de Mont Aigoual zien liggen.
Na een prachtige afdaling langs de rand van steile hellingen, de route door de **Gorges du Tarn**★★★ *(zie onder Tarn)* rechts laten liggen. De Rocher de Rochefort, die weldra opdoemt, wijst op de nabijheid van Florac.

Florac - *Zie onder deze naam.*

De openingstijden en toegangsprijzen van de beschreven bezienswaardigheden staan achter in de gids.

In de teksten over de bezienswaardigheden verwijst het teken ⓥ, dat achter de naam van de bezienswaardigheid is geplaatst, naar de openingstijden achter in de gids.

MONTPELLIER★★

agglomeratie 248 303 inwoners
Michelinkaart nr. 83 vouwblad 7, of 240 vouwblad 23.

Badend in het mediterrane zonlicht biedt de hoofdstad van de administratieve regio Languedoc-Roussillon een charmante aanblik met haar oude stadswijken en schitterende parken. Daartussen verrijzen tal van moderne gebouwen, want Montpellier is tevens een bruisende universiteitsstad en een belangrijk bestuurscentrum.

GESCHIEDENIS

De middeleeuwen – In tegenstelling tot naburige steden als Nîmes, Béziers en Narbonne duikt Montpellier pas om en nabij de 10de eeuw in de geschiedenis op. De basis voor de toekomstige stad werd toen gelegd door twee dorpen, Montpellieret, dat viel onder de bisschop van Maguelone, en Montpellier, dat toebehoorde aan de heren van Guilhem.
In 1204 werd Montpellier door het huwelijk van Maria van Montpellier (dochter van Guilhem VIII) en Peter van Aragon een Spaanse enclave en zou dit tot 1349 blijven. In dat jaar werd de stad door Jacob III van Mallorca voor 120 000 daalders verkocht aan de koning van Frankrijk.
De stad had zich intussen aanzienlijk uitgebreid en speelde een belangrijke rol in de handel met het Oosten. De plaatselijke handelaren in specerijen en verfplanten waren bekend met de geneeskrachtige eigenschappen van de producten die zij verkochten; sommigen van hen, die meer onderlegd waren, lazen Hippocrates in vertaling en brachten studenten die op hun kennis afkwamen, de grondbeginselen van de geneeskunde bij. Zo ontstonden de eerste medische scholen die aan het begin van de 13de eeuw samengingen in een universiteit, waar ook een plaats werd ingeruimd voor de beeldende kunsten en de rechtswetenschap. Een bul van paus Nicolaas IV, waarin de verschillende opleidingen erkend werden, vormt de oprichtingsakte van de **Universiteit van Montpellier.** Diverse beroemde studenten kwamen er colleges volgen, zoals **Rabelais**, die er omstreeks 1530 zijn studie medicijnen afrondde. Het eind van de 14de eeuw stond in het teken van een opeenvolging van rampspoeden: pest, hongersnood, enz. In de hoop de stad voor verder onheil te behoeden besloot men een **reuzenkaars** te maken, even lang als de stadsmuur (3 888 m); het was een buigzame kaars die om een cilinder werd gerold; de vlam brandde voor het altaar van de Heilige Maagd en de kaars werd afgerold naarmate de was smolt. Halverwege de 15de eeuw bloeide de handel weer op. Montpellier was in die tijd een van de steden waar **Jacques Coeur**, de schatkistbewaarder van de Franse koning Karel VII, grote activiteiten ontplooide.
De inlijving van de Provence bij het Franse koninkrijk in 1481 betekende een zware slag, want Marseille werd toen de belangrijkste haven voor de handel met het Oosten.

Hoofdstad van de Bas Languedoc – In de 16de eeuw bereikte de Reformatie Montpellier; protestanten en katholieken heersten toen achtereenvolgens over de stad. Toen de hugenoten het voor het zeggen hadden, was Montpellier het toneel van hevige strijd, waarbij het grootste deel van de kerken en kloosters werd verwoest. In 1622 sloegen de troepen van Lodewijk XIII het beleg voor de stadsmuren; na drie maanden volgde de capitulatie. Daarop liet Richelieu een citadel bouwen om het rebelse Montpellier in het oog te houden. Als gevolg daarvan trok een deel van de hugenoten weg na hun ambten aan de "goede ingezetenen van Montpellier" verkocht te hebben.
Onder Lodewijk XIV werd Montpellier het bestuurscentrum van de Bas Languedoc. In die tijd kwam de nijverheid tot grote bloei en ook de universiteit breidde zich onder het koninklijk gezag steeds verder uit. Vanaf 1593 beschikte de faculteit plantkunde over een eigen botanische tuin.
De welvarende stad onderging in die tijd een groot aantal verfraaiingen. Beroemde architecten als **D'Aviler**, die zijn opleiding in Rome had genoten, en drie leden van het geslacht **Giral** (de gebroeders Jean en Étienne en diens zoon Jean-Antoine) staken elkaar naar de kroon. Zij legden de Promenade du Peyrou en de Esplanade aan, bouwden fonteinen en werkten daarnaast in opdracht van rijke belastingpachters of hoge ambtenaren die de schitterendste herenhuizen voor zichzelf lieten bouwen, zoals die vandaag de dag nog in het oude Montpellier te bewonderen zijn.

Het hedendaagse Montpellier – Na de Revolutie raakte de stad haar positie als hoofdstad van de Languedoc kwijt en werd gewoon de zetel van de prefectuur van het departement Hérault. Alleen de universiteit bleef een vooraanstaande plaats innemen, evenals de handel (vooral in wijn).
De terugkeer van de Fransen uit Noord-Afrika in 1962 heeft de stad een nieuwe impuls gegeven. Ten westen van de stad is een nieuwe wijk ontstaan, La Paillade, waar momenteel meer dan 25 000 mensen wonen.
Om zijn economische en toeristische activiteiten uit te breiden, heeft Montpellier vijf centra opgericht: Euromédecine met een groot aantal laboratoria voor research

en fabrieken voor medische apparatuur, Agropolis ten noorden van de stad met bedrijven voor de voedingsmiddelenindustrie, Antenna dat gewijd is aan de audiovisuele media en Héliopolis aan toerisme, cultuur en vrijetijdsbesteding; sinds 1965 is er met de vestiging van IBM ook een centrum voor informatica in de omgeving van Montpellier. Als bestuurscentrum heeft Montpellier een beroepsbevolking die voor bijna driekwart in de dienstensector werkzaam is. Door de verbinding met de TGV kan men in iets meer dan vier uur van Parijs naar Montpellier reizen. Diverse complexen van moderne gebouwen getuigen van het bruisende karakter van de stad: ten noorden van de oude stadskern ligt het Corum, een congrescentrum waar ook muziekuitvoeringen worden gegeven; in het oostelijke stadsdeel ligt de wijk Antigone, die via de grote winkelcentra Triangle en Polygone met het oude Montpellier in verbinding staat. Daarnaast worden er nog een paar ambitieuze projecten voor verdere stadsuitbreiding uitgevoerd, waaronder dat van Port-Marianne aan de zuidkant van Montpellier.
Het hele jaar door vinden er tal van evenementen plaats, zoals het dansfestival Montpellier-Danse, het festival van Radio France en Montpellier, een grote internationale jaarbeurs en een Europees medisch congres (Euromédecine).

WEGWIJS IN MONTPELLIER

Rondleidingen - Wie de binnenplaatsen van de herenhuizen wil bezichtigen, doet er goed aan een rondleiding mee te maken omdat de meeste binnenplaatsen alleen langs deze weg toegankelijk zijn. Vertrek bij het VVV-kantoor: le Triangle Bas. Rondleiding door het toeristische stadscentrum op woensdag en zaterdag om 15 u. (buiten de schoolvakanties om), en in de zomer dagelijks. Minimaal aantal deelnemers: 5. Er worden ook rondleidingen met een bepaald thema georganiseerd (iedere maanden geeft de VVV een programma uit); vertrek om 14.30 u. ☎ 67 58 67 58.

Even wat drinken - Aan de Place de la Comédie is een groot aantal café-restaurants, bioscopen en andere zalen gevestigd; Place Jean-Jaurès, Rue de l'Université en de steegjes die daarop uitkomen; in het winkelcentrum Polygone en op de Esplanade de l'Europe, aan de oostrand van Antigone.

Voorstellingen - In Montpellier en omgeving wordt een groot aantal zeer gevarieerde festivals en andere voorstellingen georganiseerd.

Festival de Radio France et de Montpellier: klassieke muziek, opera en jazz in de Opéra Berlioz, op de binnenplaats van het Hôtel Jacques-Coeur (Hôtel des Trésoriers de France) en op de binnenplaats van het Couvent des Ursulines. ☎ 67 61 66 81.

Festival International Montpellier-Danse: uitvoeringen in de Opéra Berlioz, in de Opéra Comédie, op de binnenplaats van het Hôtel Jacques-Coeur (Hôtel des Trésoriers de France) en op de Place de la Comédie. ☎ 67 60 83 60.

Festival du Cinéma méditerranéen in het Congrescentrum Corum en in het Centre Rabelais. ☎ 67 66 36 36.

Opéra Berlioz (le Corum): Esplanade Charles-de-Gaulle. ☎ 67 61 67 61.

Opéra Comédie: Place de la Comédie. ☎ 67 66 00 92.

Théâtre des Treize-Vents: Domaine de Grammont, Avenue A.-Einstein. ☎ 67 58 08 13.

Zénith: Domaine de Grammont, Avenue A.-Einstein. ☎ 67 64 50 00.

Markten - Iedere ochtend wordt in het centrum in de Castellane-hallen, op de Place Jean-Jaurès, in de Leissac-hallen en op de Plan Cabannes levensmiddelenmarkt gehouden. Op de Place des Arceaux wordt op dinsdag en zaterdag een markt gehouden waar produkten van de biologisch-dynamische landbouw te koop zijn. Een boeken-, antiek- en rommelmarkt wordt in de Ste-Anne-wijk gehouden op de derde en de laatste zaterdag van elke maand. Op zondagochtend is de Avenue Samuel-Champlain in de Antigone-wijk het decor voor een boerenmarkt. In de westelijke wijk La Paillade wordt op de Esplanade de la Mosson iedere dinsdag een bloemenmarkt en iedere zondag een vlooienmarkt gehouden.

★★ HET OUDE MONTPELLIER ⌚ *bezichtiging: drie uur*

Aangezien de binnenplaatsen van de meeste herenhuizen niet toegankelijk zijn, wordt de toeristen aangeraden deel te nemen aan de rondleidingen die door de VVV worden georganiseerd.

Tussen de Place de la Comédie en de triomfboog van de Peyrou, die door de Rue Foch met elkaar worden verbonden, ligt de oude stadskern van Montpellier met smalle, kronkelige straatjes die een overblijfsel zijn van het oorspronkelijke middeleeuwse stratenplan.

Hier zijn in de 17de en 18de eeuw schitterende herenhuizen gebouwd, waarvan de hoofdingang met fraaie gevel en trap aan het oog onttrokken wordt doordat deze aan de binnenplaats ligt.

Place de la Comédie (**FY**) - Dit is het uitgaanscentrum van Montpellier, gelegen tussen de oude stadskern en de nieuwe wijken. De 19de-eeuwse voorgevel van de schouwburg vormt het decor voor de fontein van de Drie Gratiën, van de hand van de beeldhouwer Étienne d'Antoine. Rond deze fontein is een soort ovaal zichtbaar, de omtrek van een voormalige ophoging waaraan de Place de la Comédie vroeger de bijnaam L'oeuf (het ei) ontleende.
Aan de noordkant van het plein begint de **Esplanade** (**FY**), een boulevard met fraaie platanen, waar de inwoners van Montpellier 's zomers langs de vele terrasjes flaneren en luisteren naar de muzikanten die in de muziektentjes spelen. Aan het eind van de Esplanade verrijst het congrescentrum **Corum** (**FX**). Aan de oostkant (**CU**) ligt het **Triangle**- en het **Polygone**-complex (met een winkelcentrum, kantoorgebouwen en het stadhuis).

De Rue de la Loge inslaan.

Deze straat ontleent haar naam aan het gilde van de kooplieden, die in de 15de eeuw zeer veel macht hadden.

Rechtsaf de Rue Jacques-Coeur inslaan.

Hôtel des Trésoriers de France (**FY M²**) ⏲ - *Nr. 7.* Dit herenhuis heeft verschillende benamingen, al naar gelang de vroegere eigenaar die men erbij noemt. Het was ooit de residentie van Jacques Coeur, die er in de 15de eeuw gewoond heeft; uit die tijd dateren de overwelfde kelders en de polychrome cassettenplafonds die verschillende zalen sieren. In de 17de eeuw was het huis het onderkomen van de schatkistbewaarders van Frankrijk, hooggeplaatste rechterlijke ambtenaren die de koninklijke domeinen in de Languedoc beheerden. Zij lieten de grote trap aanleggen en de plechtige gevel aan de binnenplaats, met twee boven elkaar geplaatste zuilenrijen. Tenslotte heette het herenhuis nog Hôtel de Lunaret, als eerbetoon aan Henri de Lunaret die het schonk aan het archeologisch genootschap van de stad.

★ **Musée languedocien** - Op de **benedenverdieping** is in een zaal die aan de middeleeuwen is gewijd, een verzameling Romaanse beelden te zien, waaronder de Maagd met de Drie Koningen uit de Abbaye de Fontfroide (departement Aude); verder zijn er kapitelen uit de kloostergang van St-Guilhem-le-Désert en drie Arabische inscripties tentoongesteld. Op de **eerste verdieping** herbergt de gotische Robert St-Jean-zaal een loden doopvont uit Vias (13de eeuw), zeldzaam houten serviesgoed en keramiek uit de 13de en 14de eeuw. In de grote zaal met Vlaamse wandtapijten uit de 17de eeuw en meubilair uit de Languedoc, hangt een schilderij van de school van Fontainebleau; verder staan er twee mooie kasten uit de Languedoc en een hemelbol van Coronelli. De sfeer van de 18de eeuw wordt in de gele salon voor de geest geroepen met meubels met inlegwerk en porselein uit Sèvres, Meissen en compagnieporselein. De daaropvolgende zaal is gewijd aan faience van diverse herkomst: Moustiers, Marseille en Delft. Faience uit Montpellier (16de, 17de en 18de eeuw) is in de aangrenzende zaal tentoongesteld in fraaie vitrines.
Via de woonvertrekken van de familie De Lunaret komt men op de tweede verdieping. Deze is gewijd aan de prehistorie (vondsten van opgravingen in de omgeving, zoals een Keltische grafzuil uit de Bronstijd), en aan archeologische verzamelingen (Griekse en Etruskische vazen, Egyptische beelden, Gallo-Romeins beeldhouwwerk). Origineel beslag van muilezels, ook wel "lunes" genoemd, geeft een beeld van de ambachtskunst uit de Cevennen van de 16de tot en met de 18de eeuw.
Rechts is de Chapelle des Pénitents Blancs (**FY**), de vroegere Église Ste-Foy te zien; de kapel werd in de 17de eeuw herbouwd en heeft boven de ingang een driehoekig fronton.

De Rue Valedeau en de Rue Collot volgen.

Via een trap aan de zuidkant van de Place Jean-Jaurès is de **Crypte N.-D.-des Tables** (**FY B**) ⏲ te bereiken; de crypte dankt haar naam aan de tafels (tables) die de goudwisselaars in de middeleeuwen installeerden rondom het gebouw dat tijdens de Franse Revolutie werd verwoest.
Ter herinnering aan het oorspronkelijke sanctuarium kreeg de kapel van het jezuïetencollege, die in de 18de eeuw door Giral gebouwd werd en tegenwoordig een aantal zalen van het Musée Fabre herbergt, weer de naam N.-D.-des-Tables.

De Rue de la Petite-Loge aan de noordkant van het plein komt uit op de Place Pétrarque.

Aan de rechterhand, aan het eind van de gerestaureerde Rue Embouque-d'Or, staat het Hôtel de Manse; daartegenover het **Hôtel Baschy du Cayla** (**FY L**) met een Louis-XV-gevel, dat op zijn beurt weer grenst aan het Hôtel de Varennes.

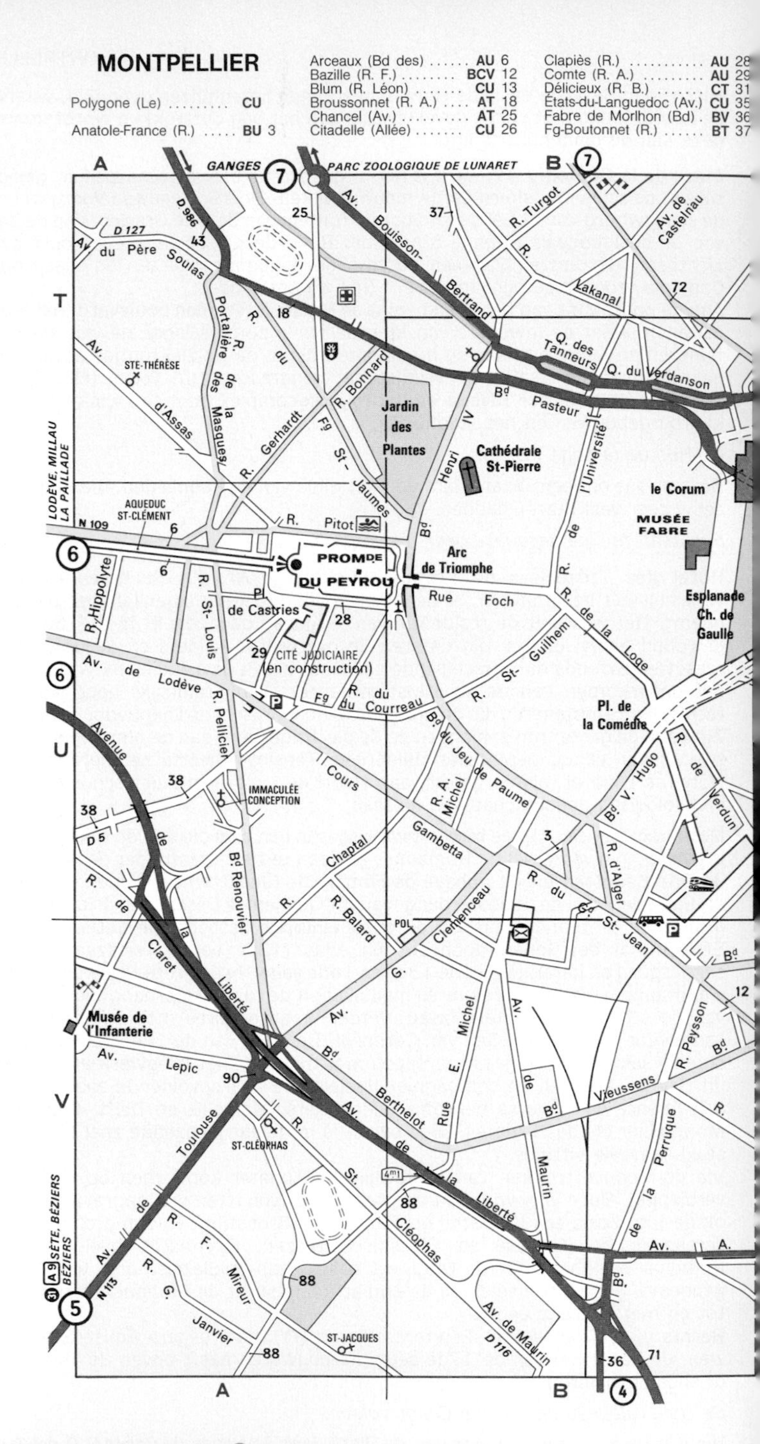

Hôtel de Manse (FY D) – *Rue Embouque-d'Or 4.*

Graaf De Manse, de schatkistbewaarder van de Franse koning, heeft een beroep gedaan op Italiaanse kunstenaars voor het ontwerp van de gevel aan de binnenplaats, met een dubbele colonnade en een zeer fraaie trap die de "trap van Manse" werd genoemd.

★ **Hôtel de Varennes** (FY M[1]) – *Place Pétrarque 2.*

De overwelfde ingang leidt naar verschillende gotische zalen met kruisribgewelven; in een daarvan bevinden zich zuilen en Romaanse kapitelen uit de eerste Église N.-D.-des-Tables; in de muren zijn tweelichtvensters en kasteeldeuren aangebracht, die samen een harmonieus geheel vormen. De 14de-eeuwse **Petrarcazaal** met kruisribgewelf wordt door het gemeentebestuur voor recepties en ontvangsten gebruikt.

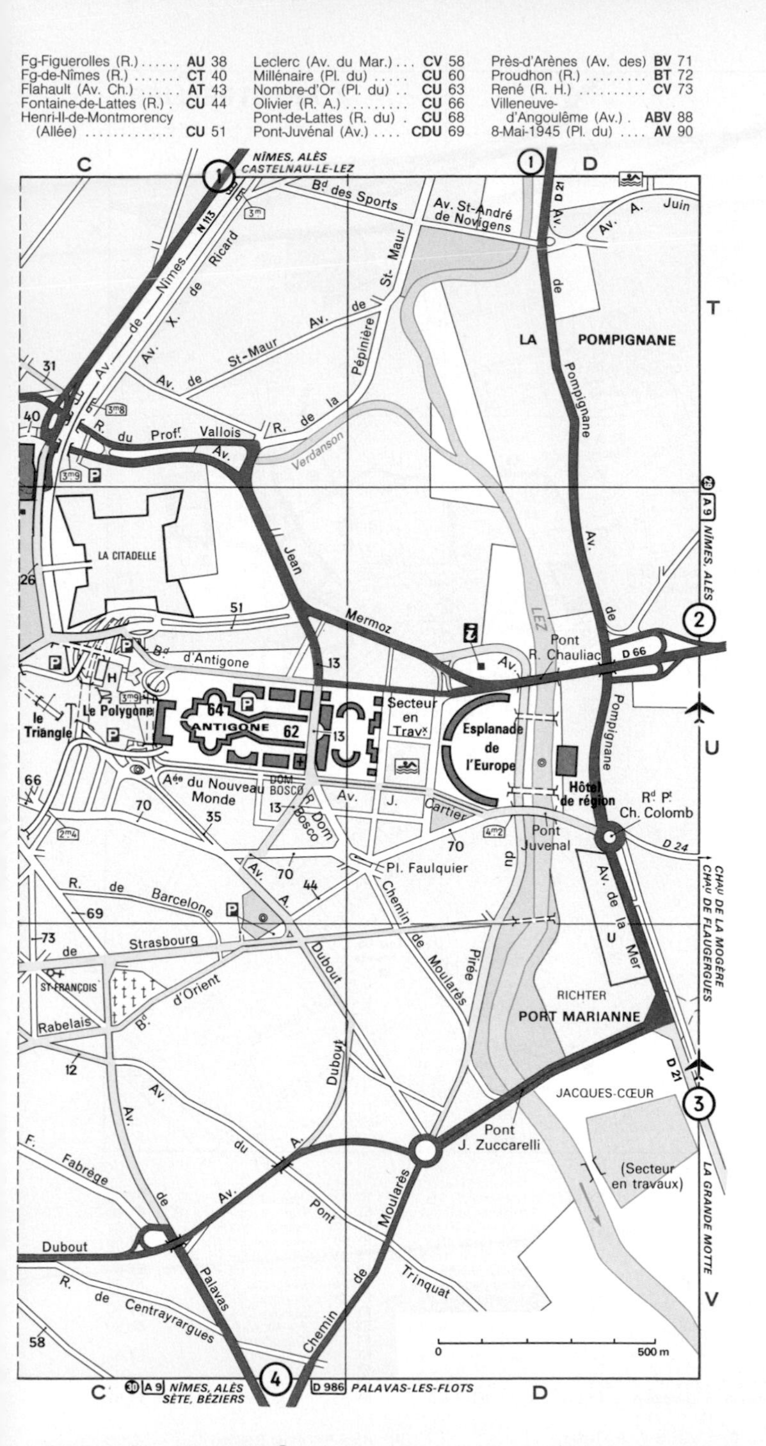

Musée du Vieux Montpellier ⓥ – *1ste verdieping.* Tussen de prenten, portretten van notabelen, oude plattegronden en religieuze voorwerpen bevinden zich een reliekhouder-Mariabeeld, afkomstig uit de Église N.-D.-des-Tables, stokken van broeders penitenten en documenten uit de tijd van de Franse Revolutie.

Musée Fougau ⓥ – *Op de tweede verdieping.* Dit museum ontleent zijn naam aan het Occitaanse woord "fougau", dat haard (foyer) betekent. Voorwerpen, meubilair en versieringen geven een beeld van de volkskunst en nijverheid uit de 19de eeuw.

Rechtsaf de Rue de l'Aiguillerie inslaan.

In de middeleeuwen heette deze straat de Rue des Métiers. Sommige winkeltjes hebben nog fraaie gewelven uit de 14de en 15de eeuw.

Rechts de Rue Montpellieret inslaan.

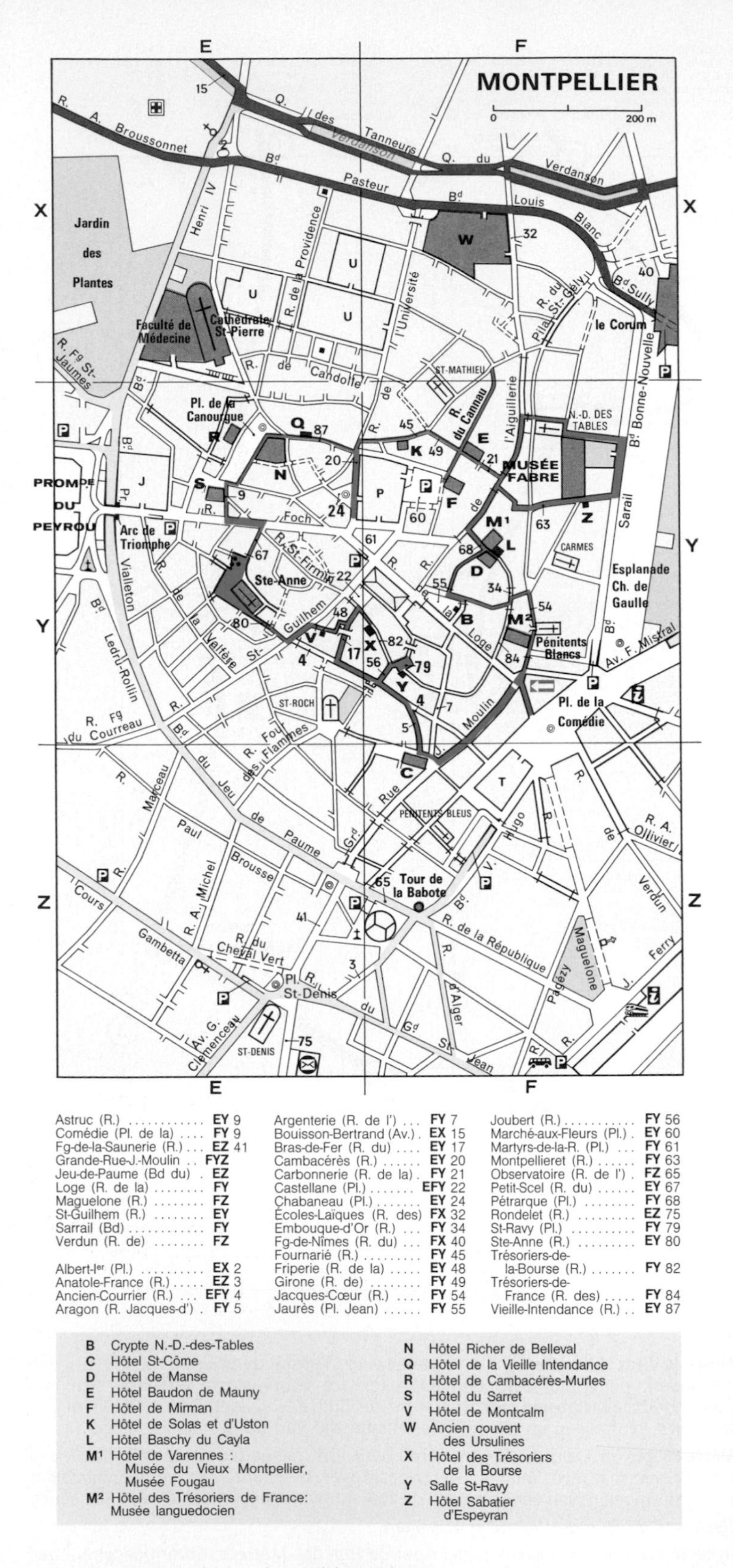

Astruc (R.) .... EY 9
Comédie (Pl. de la) .... FY 9
Fg-de-la-Saunerie (R.) ... EZ 41
Grande-Rue-J.-Moulin .. FYZ
Jeu-de-Paume (Bd du) . EZ
Loge (R. de la) .... FY
Maguelone (R.) .... FZ
St-Guilhem (R.) .... EY
Sarrail (Bd) .... FY
Verdun (R. de) .... FZ

Albert-Ier (Pl.) .... EX 2
Anatole-France (R.) ..... EZ 3
Ancien-Courrier (R.) ... EFY 4
Aragon (R. Jacques-d') . FY 5
Argenterie (R. de l') ... FY 7
Bouisson-Bertrand (Av.) . EX 15
Bras-de-Fer (R. du) .... EY 17
Cambacérès (R.) ...... EY 20
Carbonnerie (R. de la) . FY 21
Castellane (Pl.) .... EFY 22
Chabaneau (Pl.) .... EY 24
Écoles-Laïques (R. des) FX 32
Embouque-d'Or (R.) ... FY 34
Fg-de-Nîmes (R. du) ... FX 40
Fournarié (R.) .... FY 45
Friperie (R. de la) ..... EY 48
Girone (R. de) .... FY 49
Jacques-Cœur (R.) .... FY 54
Jaurès (Pl. Jean) ...... FY 55
Joubert (R.) .... FY 56
Marché-aux-Fleurs (Pl.) . EY 60
Martyrs-de-la-R. (Pl.) ... FY 61
Montpellieret (R.) ...... FY 63
Observatoire (R. de l') . FZ 65
Petit-Scel (R. du) ...... EY 67
Pétrarque (Pl.) .... FY 68
Rondelet (R.) .... EZ 75
St-Ravy (Pl.) .... FY 79
Ste-Anne (R.) .... EY 80
Trésoriers-de-la-Bourse (R.) .... FY 82
Trésoriers-de-France (R. des) ..... FY 84
Vieille-Intendance (R.) .. EY 87

- **B** Crypte N.-D.-des-Tables
- **C** Hôtel St-Côme
- **D** Hôtel de Manse
- **E** Hôtel Baudon de Mauny
- **F** Hôtel de Mirman
- **K** Hôtel de Solas et d'Uston
- **L** Hôtel Baschy du Cayla
- **M1** Hôtel de Varennes : Musée du Vieux Montpellier, Musée Fougau
- **M2** Hôtel des Trésoriers de France: Musée languedocien
- **N** Hôtel Richer de Belleval
- **Q** Hôtel de la Vieille Intendance
- **R** Hôtel de Cambacérès-Murles
- **S** Hôtel du Sarret
- **V** Hôtel de Montcalm
- **W** Ancien couvent des Ursulines
- **X** Hôtel des Trésoriers de la Bourse
- **Y** Salle St-Ravy
- **Z** Hôtel Sabatier d'Espeyran

In het seizoen is het vaak moeilijk een hotelkamer te vinden.
Wij raden u aan om van tevoren te reserveren.

Hôtel Sabatier d'Espeyran (**FY Z**) ⓥ – Dit 19de-eeuwse herenhuis geeft een goed beeld van een woning van rijke burgers ten tijde van Napoleon III.

★★ **Musée Fabre** (**FY**) ⓥ – *Ingang: Boulevard Sarrail.* Dit museum kon in 1825 worden opgericht dankzij een schenking van de uit Montpellier afkomstige schilder François-Xavier Fabre (1766-1837). Na enige tijd in de leer te zijn geweest bij David, bracht hij een groot aantal jaren in Italië door, waar hij de schitterende verzameling van de gravin van Albany erfde; zij had deze van de dichter Vittorio Alfieri gekregen. Fabre schonk deze collectie, bestaande uit boeken, schilderijen, tekeningen en prenten, aan de stad Montpellier.
De collectie werd in 1836 uitgebreid met een schenking van Antoine Valedeau, die onder meer werken van Vlaamse en Hollandse meesters omvatte. In 1868 kwam daar de verzameling van Alfred Bruyas bij. Deze bankierszoon was bevriend met Courbet en talrijke andere schilders van dezelfde generatie, en bezat een uitgebreide collectie schilderijen uit die tijd.
In het begin was het museum alleen ondergebracht in het 19de-eeuwse Hôtel de Massilian, maar in 1878 is het uitgebreid met een vleugel aan de Rue Montpelliéret en in 1981 met zalen van het voormalige jezuïetencollege. Op de aangrenzende binnenplaats (de Cour Jacques-Coeur) worden tijdens het festival van Radio-France en Montpellier diverse uitvoeringen gegeven *(zie de Praktische inlichtingen achter in de gids).*
De verzameling van het museum omvat Grieks en Europees aardewerk (onder meer apothekerspotten uit Montpellier uit de 17de en 18de eeuw), werken van de Engelse school (Reynolds), de Spaanse school (Zurbarán, een indrukwekkende *Maria van Egypte* van Ribera), de Italiaanse school (Veronese, Allori, Guercino, Cagnacci) en Hollandse en Vlaamse meesters (Jan Steen, Metsu, Ruysdael, Rubens, Teniers de Jongere). De Franse school uit de 17de en 18de eeuw is vertegenwoordigd met een groot aantal meesterwerken van S. Bourdon *(L'Homme aux rubans noirs)*, Poussin, Dughet, Vouet, La Hyre, Ranc *(Vertumnus en Pomona)*, Vincent, David *(Hector, Portret van dokter Alphonse Leroy)*, een schitterende serie werken van Greuze *(Het luie kind, De taart van het Driekoningenfeest, Het Ochtendgebed)* en beeldhouwwerken van Houdon *(De zomer, De winter)*, Lemoyne en Pajou.
Vooral de Franse schilderkunst uit de eerste helft van de 19de eeuw is bijzonder goed vertegenwoordigd dankzij de collectie-Alfred Bruyas en de zogeheten luminophiles; dit was de bijnaam van schilders uit de Languedoc die de prachtige lichtval in hun streek probeerden weer te geven. Naast portretten van Bruyas (in totaal 19) van de hand van bevriende schilders als Delacroix en Cabanel en Courbet zijn er internationaal beroemde doeken te zien: van Delacroix *(Algerijnse vrouwen in hun woning, Fantasia)*, van Courbet (het bijzonder originele zelfportret *Goedendag Monsieur Courbet of De ontmoeting, De baadsters*, dat een schandaal veroorzaakte op de grote expositie van 1853, en *De brug van Ambrussum*, die in die tijd nog twee bogen had); van de uit Montpellier afkomstige schilder Frédéric Bazille zijn een *Dorpsgezicht*, een doek getiteld *Het toilet, De stadswallen van Aigues-Mortes* en *De negerin met de pioenrozen* tentoongesteld. Naast beeldhouwwerk van Bourdelle, Maillol en Richier zijn ook schilderijen te zien van Kees van Dongen *(Portret van Fernande Olivier)*, Nicolas de Staël,

GIRAUDON

Musée Fabre – De man met de witte hoed door David Teniers de Jongere.

Marquet, Dufy, Soulages, Vieira da Silva, Viallat en Vincent Bioulès, die uit Montpellier afkomstig is *(Plein in Aix-en-Provence - Eerbetoon aan Auguste Chabaud)*.

Teruglopen via de Rue de l'Aiguillerie waarbij men het Musée Fabre aan de noordkant passeert, en daarna rechtsaf de Rue de la Carbonnerie inslaan.

Hôtel Baudon de Mauny (**FY E**) - *Rue de la Carbonnerie 1.* Dit herenhuis heeft een elegante Louis-XVI-gevel die versierd is met bloemslingers.

Rue du Cannau (**FY**) - Hier staan aan weerszijden een aantal herenhuizen uit de periode van het classicisme, zoals op nr. 1 het **Hôtel de Roquemaure** waarvan het portaal is versierd met diamantkoppen en gecanneleerde pilasters; op nr. 3 staat het **Hôtel d'Avèze**; op nr. 6 het **Hôtel de Beaulac**; op nr. 8 het **Hôtel Deydé** met een verlaagde boog en een driehoekig fronton met nieuwe bouwkundige elementen die aan het eind van de 17de eeuw door D'Aviler zijn ingevoerd.

Teruglopen en via de Rue Delpech doorsteken naar de Place du Marché-aux-Fleurs waar een moderne fontein staat.

In de noordoosthoek van het plein bevindt zich het **Hôtel de Mirman** (**FY F** - *niet te bezichtigen*), zo genoemd naar de schatkistbewaarder Jean de Mirman die het in 1632 kocht.

Teruglopen, linksaf de Rue de Girone en vervolgens de Rue Fournarié inslaan.

Hôtel de Solas (**FY K**) - *Rue Fournarié 1.* Dit is een 17de-eeuws herenhuis met een Louis-XIII-poort. Het plafond van het portiek is met stucwerk versierd.

Hôtel d'Uston (**FY K**) - *Rue Fournarié 3.* Dit herenhuis uit de eerste helft van de 18de eeuw heeft een poort waarvan de boog is versierd met gebeeldhouwde bloemslingers (sluitsteen in de vorm van een vrouwenfiguur), en een fronton met cherubijnen rondom een vaas met bloemen.

Via de Rue Cambacérès naar de Place Chabaneau lopen.

Place Chabaneau (**EY 24**) - De voorgevel van de prefectuur die op dit plein uitziet, is die van het voormalige Hôtel de Ganges. Dit werd in de 17de eeuw gebouwd in opdracht van kardinaal De Bonzy, die het vervolgens schonk aan zijn vriendin de gravin De Ganges. De sierlijke fontein met een voorstelling van Cybele, de godin van de vruchtbaarheid, dateert uit de 18de eeuw.

De Rue de la Vieille-Intendance ingaan.

Op nr. 9 bevindt zich het **Hôtel de la Vieille Intendance** (**EY Q**) waar diverse beroemdheden hebben gewoond, zoals Lamoignon de Basville, de intendant van de Languedoc, en later de filosoof Auguste Comte en de schrijver Paul Valéry.

Place de la Canourgue (**EY**) - In de 17de eeuw was dit het centrum van Montpellier en er staan nog diverse herenhuizen rond het plantsoen waar een fontein met eenhoorns staat, de laatste van de drie fonteinen die werden gebouwd voor de distributie van het water dat via het aquaduct van St.-Clément werd aangevoerd. Vanaf het plein kijkt men op de veel lager gelegen Cathédrale St.-Pierre.

Hôtel Richer de Belleval (**EY N**) - *Bijgebouw van het Gerechtshof.* Hier was lange tijd het stadhuis gevestigd. De vierkante binnenplaats is verfraaid met borstbeelden en balustrades die kenmerkend zijn voor de bouwstijl aan het eind van de 18de eeuw.

Hôtel de Cambacérès-Murles (**EY R**) - De voorgevel met fraai gerond siersmeedwerk, mascarons, enz., een werk van Giral, is een voorbeeld van de sierlijke en rijk geornamenteerde 18de-eeuwse bouwkunst.

Hôtel du Sarret (**EY S**) - Dit wordt het "Huis met de Schelp" genoemd vanwege de karakteristieke trompen - een ingenieuze bouwkundige constructie, want telkens wordt een deel van het gebouw door een deel van het gewelf gedragen. De ene tromp verhult een van de hoeken aan de straatzijde terwijl de andere tromp aan de kant van de binnenplaats het begin van een hoektoren vormt.

De Rue Astruc inslaan en daarna de Rue Foch doorlopen.

Nu komt men in de wijk die **l'Ancien Courrier** heet, het oudste deel van Montpellier met smalle straatjes die alleen voor voetgangers toegankelijk zijn en waar luxewinkels zich hebben gevestigd.

Via de Rue Foch de Rue du Petit-Scel inlopen.

De **Église Ste-Anne** (**EY**) uit de 19de eeuw heeft een hoge klokkentoren. De kerk wordt thans gebruikt voor wisselende tentoonstellingen.
Tegenover het portaal zijn de overblijfselen te zien van een klein gebouw uit het begin van de 17de eeuw, dat hier opnieuw is opgetrokken en dat is geïnspireerd op de klassieke oudheid.

Via de Rue Ste-Anne en de Rue St-Guilhem naar de Rue de la Friperie lopen.

Op nr. 5 bevindt zich het **Hôtel de Montcalm** (**EY V**) ⊙ met een fraai opengewerkte wenteltrap.

Linksaf de Rue du Bras-de-Fer inslaan en vervolgens rechtsaf de Rue des Trésoriers-de-la-Bourse nemen.

★ **Hôtel des Trésoriers de la Bourse** (**FY X**) – *Rue des Trésoriers-de-la-Bourse 4.* Dit gebouw, ook wel het Hôtel Rodez-Benavent genoemd, is een werk van de architect Jean Giral en valt op door de trap, een overgangsvorm tussen de wenteltrap en de moderne trap.
De gevel aan de binnenplaats is versierd met charmante engeltjes.
Er is nog een tweede binnenplaats met een tuin waar een sfeer van rust en stilte heerst; op de muur achter in de tuin staan vlampotten.

Teruglopen.

De smalle **Rue du Bras-de-Fer** (**EY 17**) is een middeleeuws straatje dat door een gotische boog wordt overspannen. Het komt uit op de **Rue de l'Ancien-Courrier**★ (**EFY 4**), de straat waar de postkoetsen vroeger van paarden wisselden en die vroeger daarom de Rue des Relais-de-Poste heette; nu bevinden zich hier kunstgalerijen en luxewinkels.

Linksaf de Rue Joubert inslaan die uitkomt op de Place St-Ravy.

Op de **Place St-Ravy** (**FY 79**) staan de overblijfselen (gotische vensteropeningen) van het paleis van de koningen van Mallorca.
De **Salle St-Ravy** (**FY Y**) waar wisselende exposities worden gehouden, heeft een fraai gewelf met versierde sluitstenen.

Teruglopen naar de Rue de l'Ancien-Courrier et de Rue Jacques-d'Aragon inslaan.

Hôtel St-Côme (**FZ C**) ⌚ – Dit herenhuis, waar thans de Kamer van Koophandel is gevestigd, werd in de 18de eeuw gebouwd door J.A. Giral dankzij een schenking van François Gigot de Lapeyronie. Deze heelmeester, die in dienst was van Lodewijk XV, liet een deel van zijn vermogen na aan de chirurgijnen van Montpellier om een amfitheater voor anatomielessen te bouwen, naar voorbeeld van het Parijse amfitheater. Het gebouw aan de straatzijde heeft twee zuilenrijen. In het andere gebouw bevindt zich het beroemde veelhoekige amfitheater onder een schitterende koepel met kleine ronde vensters en lichtkoepeltjes waardoor het daglicht overvloedig naar binnen valt.

Via de Grand-Rue-Jean-Moulin teruglopen naar de Place de la Comédie.

★★ PROMENADE DU PEYROU (AU, EY) *bezichtiging: een uur*

Een veelbewogen geschiedenis – In 1688 besloot het stadsbestuur van Montpellier op het hoogste punt van de stad een boulevard aan te leggen om plaats te bieden aan een monumentaal standbeeld van Lodewijk XIV. De architect D'Aviler bouwde een terras dat uitkijkt op de stad en omgeving. Het wachten was toen op het standbeeld dat in 1692 in Parijs was gegoten, maar niet eerder dan 1718 zijn eindbestemming zou bereiken na talloze omzwervingen via Le Havre, Bordeaux en het Canal du Midi; onderweg viel het beeld ook nog in de rivier de Garonne. Er moest zelfs een speciale vaargeul in de randmeren in de omgeving van Frontignan worden gegraven om het beeld vanaf de Middellandse Zee naar Montpellier te kunnen vervoeren. Het werd tijdens de Franse Revolutie vernield en in 1838 vervangen door het huidige standbeeld. In de tussentijd had de Promenade du Peyrou een ander aanzien gekregen.
Door de aanleg van het aquaduct van St-Clément (1753-1766) door de ingenieur Pitot moest de promenade enige aanpassingen ondergaan, die werden uitgevoerd door Jean-Antoine Giral en diens neef Jacques Donnat. Giral ontwierp de schitterende **watertoren** in de vorm van een tempeltje met zuilen om het waterreservoir aan het oog te onttrekken. In 1773 kreeg de Promenade du Peyrou tenslotte haar huidige aanblik.

Bezichtiging – De promenade heeft op twee verschillende niveaus terrassen.

Carcanague/IMAGES PHOTOTHÈQUE

De watertoren in het park bij de Promenade du Peyrou.

Helemaal boven, waar het ruiterstandbeeld van Lodewijk XIV prijkt, heeft men een weids **uitzicht**★ op de Garrigues en de Cevennen in het noorden, op de Middellandse Zee in het zuiden en bij helder weer ook op de Canigou. Monumentale trappen leiden naar de lager gelegen terrassen met een smeedijzeren hekwerk naar een ontwerp van Giral. Wat de Promenade du Peyrou echter vooral zo bijzonder maakt, zijn de watertoren en het aquaduct van St-Clément dat 880 m lang en 22 m hoog is. Het heeft twee boven elkaar geplaatste bogenrijen, net als de Pont du Gard, en zorgt voor de aanvoer van water vanaf de bron van de rivier de Lez naar de watertoren vanwaar het water dan weer wordt doorgeleid naar de drie fonteinen in de stad, die in dezelfde tijd zijn gebouwd: de fontein van de Drie Gratiën (Place de la Comédie), de fontein van Cybele (Place Chabaneau) en de fontein van de Eenhoorns (Place de la Canourgue). Onder de grote bogen ligt de Promenade des Arceaux waar op zaterdag een vlooienmarkt wordt gehouden.

L'arc de triomphe (**EY**) – Deze triomfboog, die aan het eind van de 17de eeuw werd gebouwd, heeft bas-reliëfs met voorstellingen van de militaire successen van Lodewijk XIV en van andere belangrijke gebeurtenissen uit zijn regeringsperiode. Aan de noordkant ziet men de aanleg van het Canal du Midi waardoor de verbinding tussen de Middellandse Zee en de Atlantische Oceaan tot stand kwam; aan de zuidkant de Herroeping van het Edict van Nantes; en aan de kant van de Promenade du Peyrou, Lodewijk XIV afgebeeld als Hercules, die wordt gelauwerd door de godin der overwinning (noordzijde), en de verovering van Namen in 1692 met de provinciën van de Republiek der Verenigde Nederlanden die knielen voor Lodewijk XIV (zuidzijde).

★ DE STADSWIJK ANTIGONE (CDU) *bezichtiging: drie kwartier*

De nieuwe stadswijk Antigone, een gedurfd bouwproject van de Catalaanse architect **Ricardo Bofill**, grenst aan het winkel- en kantorencomplex Polygone. Dit neoclassicistische complex dat een oppervlak van 40 ha beslaat en is gebouwd op de plaats van een voormalig militair oefenterrein, wordt gekenmerkt door een combinatie van prefab-technieken (voorgespannen beton met de ruwheid en de kleur van steen) en harmonieuze verhoudingen in de kolossale afmetingen. De gebouwen, die aan de buitenkant met gulle hand zijn voorzien van kroonwerk, frontons, pilasters en zuilen, zijn bestemd voor sociale woningbouw, gemeenschappelijke voorzieningen en buurtwinkels, die rond talrijke pleintjes en patio's gegroepeerd staan. Het streven naar harmonie is tot in de kleinste details doorgevoerd, zowel in de tegelmotieven van de bestrating als in de straatverlichting. De **Place du Nombre-d'Or** waarvan de verhoudingen doen denken aan de klassieke oudheid, is een symmetrisch geheel van gebogen lijnen en niveauverschillen rond een groot plein met bomen. In het verlengde hiervan liggen de **Place du Millénaire**, een lange dreef met aan weerszijden cipressen, de Place de Thessalie en de Place du Péloponnèse. Dit geheel vormt een perspectief dat zich over een afstand van ongeveer 1 km uitstrekt, vanaf de "Échelles de la ville" (de trappen die naar het Polygone-complex leiden) tot voorbij de **Esplanade de l'Europe** met zijn boog van gebouwen, en uitkomt bij het **Hôtel de région**, waar de Conseil régional zetelt en waarvan de glazen wanden zich weerspiegelen in de Lez, die hier een kunstmatig haventje (de Port Juvénal) vormt.

Novali/IMAGES PHOTOTHÈQUE

Postmoderne architectuur in de Antigone-wijk.

VERDERE BEZIENSWAARDIGHEDEN

Cathédrale St-Pierre (**EX**) ⓥ – Deze kathedraal heeft iets van een burcht en dit massieve karakter wordt nog versterkt door de gevel van de medische faculteit, die in het verlengde ervan ligt. Het is de enige kerk van Montpellier die tijdens de godsdienstoorlogen niet volledig is verwoest.
Voorheen was het de kapel van het Collège St-Benoît (14de eeuw) maar toen de zetel van het bisdom in de 16de eeuw van Maguelone naar Montpellier werd overgeplaatst, werd het een domkerk. De kathedraal werd in de 17de en 19de eeuw gerestaureerd maar heeft haar oorspronkelijke karakter behouden.
Hoewel in gotische stijl gebouwd, doet de kathedraal denken aan de eenbeukige Romaanse kerken die langs de kust van de Middellandse Zee zijn te vinden. Het portaal wordt gevormd door twee 14de-eeuwse torentjes waarachter een gewelf tegen de gevel steunt. Het interieur van de kerk valt op door het contrast tussen het koor en het transept, beide ingrijpend gerestaureerd in de 19de eeuw, en het strenge, 14de-eeuwse schip. Zowel het altaar en de ambo in de ruimte voor het koor, als het altaar en de deur van het tabernakel in de Heilige Sacramentskapel (links van het koor), zijn van de hand van de beeldhouwer Philippe Koeppelin. De 18de-eeuwse orgelkast is vervaardigd door Jean-François Lépine.

Faculté de Médecine (**EX**) – De medische faculteit van Montpellier *(zie voor details de inleiding van Montpellier)* is gevestigd in een voormalig benedictijnenklooster dat in de 14de eeuw werd gesticht in opdracht van paus Urbanus V. Het gebouw is in de 18de eeuw herbouwd, waarbij de façade door Giral werd aangepast en voorzien van machicoulis. Ter weerszijden van de ingang staan bronzen standbeelden van de uit Montpellier afkomstige artsen Barthez en Lapeyronie.
In de hal zijn borstbeelden van beroemde geneesheren te zien. Vanaf de binnenplaats ziet men de westmuur van de kathedraal en het anatomisch amfitheater dat aan het begin van de 18de eeuw werd gebouwd.

★ **Musée Atger** ⓥ – *Eerste verdieping, ingang (aangegeven) via de Escalier Houdon.*
Dit museum is vooral gewijd aan de verzameling tekeningen die Xavier Atger (1758-1833) tussen 1813 en 1833 aan de medische faculteit schonk. De collectie omvat werk van kunstenaars behorend tot de Franse school uit de 17de en 18de eeuw (Bourdon, Puget, Mignard, Rigaud, Lebrun, Subleyras, Natoire, Vernet, Fragonard en J.-M. Vien), de Italiaanse school uit de 16de, 17de en 18de eeuw (Tiepolo) en de Vlaamse school uit de 17de en 18de eeuw (de Fluwelen Brueghel, Van Dyck, Rubens, Maerten de Vos).

Musée d'anatomie ⓥ – *Eerste verdieping, ingang aangegeven.*
Dit museum bestaat uit een grote zaal met verzamelingen die betrekking hebben op de gewone en de pathologische anatomie.

Le Corum (**FX**) ⓥ – Dit langgerekte complex van beton en rood graniet uit Finland is een ontwerp van de architect Claudio Vasconi en sluit de Esplanade af. Door de verplaatsbare wanden kunnen er verschillende congressen tegelijk worden gehouden, zowel als exposities en andere evenementen. Het pronkstuk van dit complex is de **Opéra Berlioz**, een zaal met een uitstekende akoestiek die plaats biedt aan 2 000 toeschouwers.
Het terras ⓥ biedt **uitzicht** op de daken van de stad, de St-Pierre, het voormalige jezuïetencollege en de witte torenspits van de Ste-Anne.

Ancien couvent des Ursulines (**FX W**) – De 17de-eeuwse kloostergebouwen werden in de 19de eeuw uitgebreid om als gevangenis te dienen. Dankzij een recent uitgevoerde restauratie hebben ze hun oorspronkelijke aanzien teruggekregen. Thans worden er culturele activiteiten georganiseerd en bovendien is het Centre chorégraphique Montpellier Languedoc Roussillon er gevestigd.

Tour de la Babote (**FZ**) – Deze toren, die kort geleden kwam vrij te staan en toen is gerestaureerd, was een van de 25 torens van de zogenaamde commune clôture, de 12de-eeuwse stadsommuring. Uit die tijd dateert ook de onderbouw van de toren. Het bovenste gedeelte werd in de 18de eeuw bijgebouwd om onderdak te bieden aan het observatorium van de Koninklijke Academie van Wetenschappen. In 1832 werd hier het telegraaftoestel van de Franse ingenieur Chappe geïnstalleerd. Thans is het Sterrekundig genootschap van het departement Hérault in de toren gevestigd.

Jardin des Plantes (**EX**) ⓥ – Deze botanische tuin werd in 1593 op instigatie van Hendrik IV aangelegd door Richer de Belleval. De tuin reikte toen tot aan Le Peyrou. Het is de oudste hortus van Frankrijk. De tuin werd aangelegd ten behoeve van de opleiding plantkunde aan de universiteit van Montpellier, om de studenten de mogelijkheid te bieden geneeskrachtige planten te bestuderen. Er staan tropische kassen en kassen voor planten uit gematigde zones. Men ziet er diverse bomen en struiken uit het Middellandse-Zeegebied, zoals de Celtis australis en de steeneik.

Aan de zuidkant van het terrein ligt de eigenlijke botanische tuin waar 3 000 plantensoorten groeien. De tuin is ingedeeld volgens de methode van de **plantensystematiek**, die aan het begin van de 19de eeuw door de botanicus Candolle werd geïntroduceerd ten behoeve van een systematische classificatie van het plantenrijk. Achterin bevindt zich de oranjerie en langs de kant staan overal borstbeelden van beroemde natuuronderzoekers van de school van Montpellier.

►► Musée de l'Infanterie (**AV**).

OMGEVING

★ **Parc zoologique de Lunaret** ⏲ – *6 km ten noorden van de wijk Hôpitaux-Facultés. De stad uitrijden via de Avenue Bouisson-Bertrand* (**ABT**) *en richting Mende nemen.*
Op een uitgestrekt terrein van 80 ha dat door Henri de Lunaret aan de stad werd geschonken, is een park aangelegd waar dieren in een landschap van struikgewas en onderhout min of meer vrij rondlopen. Het is er heerlijk wandelen en men kan er naar hartelust kijken naar zebra's, bizons, Kaapse elandantilopen, alpaca's, moeflons, wolven en exotische vogels in volières.

DE BUITENHUIZEN (FOLIES) VAN MONTPELLIER

Rondom Montpellier staan elegante buitenhuizen, folies genaamd, die in de 18de eeuw door adellijke families of rijke burgers uit de stad als zomerverblijf werden gebouwd. Sommige van deze huizen staan nu in de buitenwijken, andere worden nog omringd door wijngaarden. In totaal zijn er zo'n dertig van deze buitenhuizen in de omgeving van de stad. De meeste van deze charmante oude woningen gaan schuil achter het gebladerte van bomen en hebben tuinen met waterbassins en fonteinen.

Ten oosten van Montpellier *Rondrit van 28 km.*

Vanuit het stadscentrum de borden met "Montpellier-Méditerranée" volgen. Voorbij de brug over de Lez de weg naar Mauguio (D 24) inslaan. Het kasteel ligt 2 km verderop rechts in de Millénaire-wijk.

★ **Château de Flaugergues** ⏲ – In 1696 werd dit op een hoogte boven de vlakte gelegen domein gekocht door Étienne de Flaugergues, een bankier uit Montpellier die lid was van het Parlement van Toulouse. Het heeft een sobere voorgevel die uitkijkt op terrassen en een park, en doet denken aan een Italiaans landhuis; het is het oudste buitenhuis in de omgeving van Montpellier. Ten zuidwesten ervan strekt zich een tuin uit met zeldzame boomsoorten. Binnen is een monumentale trap met een gewelf met hangende sluitstenen; in het trappenhuis hangt een serie schitterende 17de-eeuwse Brusselse wandtapijten met voorstellingen uit het leven van Mozes. Fraai meubilair, gravures en oude schilderijen sieren de verschillende woonvertrekken. Het feit dat Flaugergues sinds lange tijd aan dezelfde familie toebehoort, draagt bij aan de bekoring die ervan uitgaat. Aan het eind van de rondleiding kan wijn geproefd worden.

Rechts de weg naar Mauguio nemen, om het Château de Flaugergues heenrijden, onder de autosnelweg doorgaan om het Château de la Mogère te bereiken.

★ **Château de la Mogère** ⏲ – Dit elegante buitenhuis werd ontworpen door Jean Giral. Het werd aan het begin van de 18de eeuw gebouwd en onderging aan het eind van dezelfde eeuw enige veranderingen. Het heeft een harmonieuze voorgevel met een fronton dat duidelijk afsteekt tegen de dennenbomen op de achtergrond. In het park staat een fraaie barokfontein in Italiaanse stijl, versierd met schelpen en engeltjes.
In het kasteel bevinden zich talrijke familieportretten, meubels en schilderijen uit de 18de eeuw (A. Brueghel, Hyacinthe Rigaud, Louis David, Jouvenet). De grote salon is versierd met fraai uitgevoerd stucwerk.

Terugrijden naar het centrum via de D 172^E.

Ten westen van Montpellier *Rondrit van 22 km.*

Vanuit het centrum de weg naar Ganjes (D 986) nemen en deze over 6 km volgen; daarna links afslaan richting Celleneuve en vervolgens rechtsaf de D 127. Iets verder staan twee zuilen met leeuwen die het begin van de oprijlaan van het Château d'O aangeven.

Château d'O ⏲ – Dit 18de-eeuwse buitenhuis ligt in een schitterend park met standbeelden afkomstig uit het Château de la Mosson. Het behoort thans toe aan de Conseil Général de L'Hérault en tijdens het festival "Printemps des Comédiens" worden er toneeluitvoeringen gegeven.

Doorrijden richting Celleneuve. Richting Juvignac nemen en daarna linksaf de toegangsweg van het Château de la Mosson.

Château de la Mosson ⓥ – Dit was het meest somptueuze lustslot in de omgeving van Montpellier. Het werd in de jaren 1728-1729 gebouwd door een steenrijke bankier, Joseph Bonnier, die later de titel Baron de La Mosson kreeg. Het fronton van de gevel aan de tuinzijde werd vervaardigd door de uit Lotharingen afkomstige beeldhouwer Adam. In het park stonden fraaie standbeelden die later her en der verspreid zijn geraakt. Alleen de barokfontein herinnert nog aan de weelderige beeldentuin van weleer.

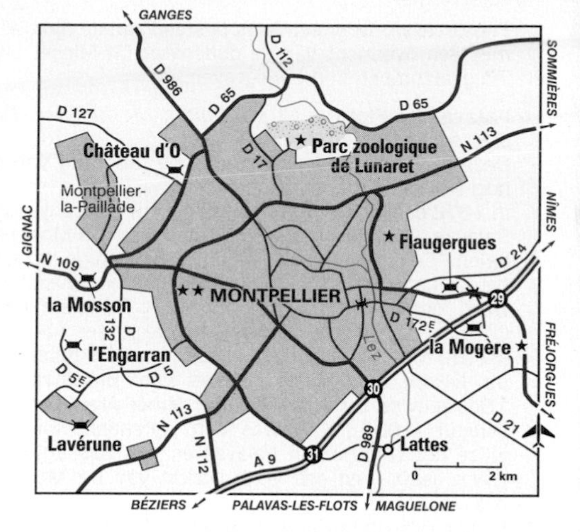

Terugrijden naar de N 109 en de eerste weg links naar Lavérune nemen.

Nu rijdt men al gauw de wijngaarden in.

Château de l'Engarran – Dit is een buitenhuis in Louis-XV-stijl. Het fraaie toegangshek is afkomstig van het Château de la Mosson.

Doorrijden richting Lavérune. Het kasteel staat aan de westrand van het dorp.

Château de Lavérune ⓥ – Het voormalige verblijf van de bisschoppen van Montpellier, een indrukwekkend bouwwerk uit de 17de en 18de eeuw, staat midden in een park met cipressen, platanen, magnolia's en kastanjebomen. Het **Musée Hofer-Bury** op de eerste verdieping organiseert wisselende tentoonstellingen waarbij werken uit eigen bezit getoond worden: schilderijen en beeldhouwwerken van hedendaagse kunstenaars (Henri de Jordan, Gérard en Bernard Calvet, Roger Bonafé, Vincent Bioulès, Wang Wei-Xin). Op de benedenverdieping bevindt zich een muziekzaaltje in Italiaanse stijl met een smeedijzeren balustrade en stucwerkversieringen.

Terugrijden naar het centrum via de D 5.

Lattes – *6 km buiten Montpellier. De stad uitrijden via ④ op de plattegrond.* Sedert 1963 zijn in het stadje Lattes de archeologische resten blootgelegd van Lattara, een welvarende havenplaats die acht eeuwen lang (van de 6de eeuw v.Chr. tot en met de 3de eeuw na Chr.) betrokken was bij de handel in het Middellandse-Zeegebied. Lattara lag aan de monding van de Lez en zorgde voor de aanvoer van goederen naar het achterland en in het bijzonder naar Sextantio, zoals Castelnau-le-Lez in de oudheid heette. De plaatselijke bevolking importeerde wijn, olie, keramiek en bewerkte voorwerpen en exporteerde in ruil daarvoor de traditionele rijkdommen uit de streek, zoals vis uit de lagunen, wol en dierenhuiden, hars, ertsen, enz. Ondanks de voor de handel gunstige ligging van Lattara had het stadje veel te lijden van de omringende moerassen waardoor het langzaam maar zeker in de grond wegzakte. Stratigrafisch onderzoek heeft uitgewezen dat er maar liefst twaalf steden achtereenvolgens op deze plek zijn gebouwd; door de stijging van het grondwater moest de bebouwing namelijk om de vijftig jaar zo'n 20 tot 30 cm worden opgehoogd; bovendien werden er twee steden omstreeks 550 en 50 v.Chr. door brand verwoest. Uit de talloze overblijfselen is gebleken dat de haven, na een fase van ogenschijnlijk vrije concurrentie tussen de Etrusken en de Grieken, een distributiecentrum voor de handel uit Marseille werd tot de val van deze stad in 49 v.Chr. Nadat Lattara in de Gallo-Romeinse tijd een haven voor de binnenscheepvaart was geweest, werd het stadje verlaten als gevolg van de toenemende neerslag die de haven deed dichtslibben en het grondwater nog verder deed stijgen.

Musée archéologique Henri-Prades ⓥ – *Lattes in zuidoostelijke richting uitrijden, via de D 132 richting Pérols.* Dit archeologisch museum is gevestigd in de voormalige herenboerderij van de schilder Bazille. Op de eerste verdieping worden wisselende tentoonstellingen gehouden (regionale archeologische verzamelingen), terwijl op de tussenverdieping en de tweede verdieping de vondsten van plaatselijke opgravingen worden tentoongesteld. In dit gedeelte van het museum wordt een beeld gegeven van de stedelijke ontwikkeling van Lattara gedurende de tweede ijzertijd, de ontstaansgeschiedenis van de haven, het dagelijks leven in Lattara (woning, meubels, keuken; grote verzamelingen keramiek en glaswerk), de dodenverering (stèles en grafmeubilair) en de haven van Lattara zelf.

Tenslotte wordt er aandacht besteed aan de tijd nadat de haven was dichtgeslibd, met een overzicht van de dodenstad St-Michel uit de 3de en 4de eeuw, waar 76 graftomben zijn opgegraven.

Palavas-les-Flots - *12 km buiten Montpellier. De stad uitrijden via ④ op de plattegrond.*
Deze vissershaven, gelegen aan de monding van de gekanaliseerde Lez, heeft nog een schilderachtige oude stadswijk, waar een gezellige drukte heerst. Toen in 1872 een beroemd treintje in gebruik werd genomen (thans verdwenen), werd Palavas de boulevard waar de inwoners van Montpellier een frisse neus kwamen halen. Een tijdlang was Palavas het enige strand aan dit deel van de kust totdat het kustgebied van de Languedoc-Roussillon voor het toerisme geschikt werd gemaakt en er in de buurt badplaatsen zoals La Grande-Motte en Carnon-Plage werden aangelegd. De joutes nautiques (traditionele watersteekspelen) van Palavas trekken altijd veel publiek. In het midden van de Étang du Levant verrijst de schans van Ballestras, een reconstructie van een 18de-eeuwse toren waarin het **Musée Albert-Dubout** is ondergebracht. Albert Dubout (1905-1976) was een tekenaar van spotprenten die op treffende wijze het treintje van Palavas en zijn passagiers heeft vereeuwigd. Vanaf de trans heeft men een **weids uitzicht** van de Mont St-Clair tot aan de baai van Aigues-Mortes.
In de nabije omgeving ligt de zeer interessante **Cathédrale de Maguelone★** *(zie onder Maguelone)*.

Chaos de MONTPELLIER-LE-VIEUX★★★

Michelinkaart nr. 80 vouwblad 14, of 240 vouwblad 10 - 18 km ten noordoosten van Millau - Schema's, zie onder Dourbie en onder Grands Causses.

Montpellier-le-Vieux is geen stad maar een spectaculaire, grillig gevormde rotsblokkenmassa die ongeveer 120 ha van de Causse Noire bedekt. De grillige vormen zijn ontstaan door aantasting en inwerking van het sijpelende regenwater dat het dolomietgesteente van de Causse Noir heeft uitgesleten.
Men zegt dat Montpellier-le-Vieux zijn naam te danken heeft aan herders uit de Languedoc die hun kudden tijdens de seizoentrek van de ene weide naar de andere brachten; de reusachtige rotsblokken die zij uit de verte zagen liggen, zouden op hen de indruk hebben gemaakt van een vervallen stad *(zie voor details de Inleiding)*.
Tot 1870 werden de rotsblokken, die door een ondoordringbaar bos aan het zicht werden onttrokken, door de plaatselijke bevolking beschouwd als een "vervloekte stad" waar de duivel rondwaarde. Schapen en geiten die zich 's nachts te dicht in de buurt waagden, vielen ten prooi aan de hongerige wolven die er in groten getale rondzwierven. Nadien is het bos voor een deel gekapt waardoor deze ongewenste gasten verdwenen en de "stad" zichtbaar werd.
Montpellier-le-Vieux is in 1883 ontdekt door J. en L. de Malafosse en M. de Barbeyrac-Saint-Maurice. In 1885 werd het door E.-A. Martel in kaart gebracht. "Die wirwar van doorgangen, overhangende rotsen, geulen en uitstekende rotspunten die nu eens een zeer regelmatig patroon vertonen, alsof het een stad betreft die met de meetlat is getekend, dan weer een doolhof zijn waar men soms hopeloos verdwaalt, is noch in zijn geheel noch in zijn bijzonderheden te beschrijven," aldus De Malafosse.

Toegang - De rotsen van Montpellier-le-Vieux zijn bereikbaar via het dorpje Maubert. Daar moet men een eigen weg (1,5 km) nemen die langs een oriëntatietafel voert en tenslotte bij een parkeerterrein uitkomt.
Montpellier-le-Vieux is bereikbaar:
- vanuit Millau via de D 110 - 16 km;
- vanuit Le Rozier of Peyreleau via de D 29 en de D 110 - 10 km;
- vanuit Nant via de D 991, La Roque-Ste-Marguerite, een smal weggetje ten noorden van het dorp en de D 110 - 26 km.

BEZICHTIGING

Te voet - Er zijn verschillende wandelingen in het gebied uitgezet:
- Circuit du Belvédère *(in blauw aangegeven - een halfuur)*;
- Grand Tour *(in rood aangegeven - anderhalf uur)*;
- Camparolié *(in geel aangegeven - een kwartier vanaf de Porte de Mycènes)* met de mogelijkheid een extra lus te maken in de richting van La Roque-Ste-Marguerite;
- Circuit du Lac *(in oranje aangegeven - een halfuur vanaf het grafmonument)*;
- Circuit de Château-Gaillard *(in paars aangegeven - een halfuur vanaf het rond-point de la Citerne)*.

Delderfield/IMAGES PHOTOTHÈQUE

Montpellier-le-Vieux - Ruïnevormige rotsen.

Per treintje - Er is een treintje op luchtbanden (de "Petit Train Vert") dat een ander traject volgt dan de wandelpaden, maar tot in het hart van Montpellier-le-Vieux doordringt zodat bezoekers ook op die manier de mooiste rotspartijen van dichtbij kunnen bekijken zonder zich al te zeer te hoeven inspannen. Er zijn verschillende mogelijkheden:
- Belvédère *(40 min.)*;
- Porte de Mycènes *(een uur)* met een klein gedeelte te voet dat voor iedereen toegankelijk is;
- Circuit Jaune *(anderhalf uur)* gecombineerd met een wandeling.

Bijzondere plekjes - Montpellier-le-Vieux is zo fascinerend en de vegetatie is er zo mooi dat veel toeristen er graag langer vertoeven dan strikt noodzakelijk voor de bezichtiging.

Wees echter voorzichtig, want wie zich buiten de aangegeven wandelpaden begeeft, kan gemakkelijk verdwalen.

Iedere natuurliefhebber die een dag rondloopt tussen deze rotsen, zuilen en steile wanden, waar dennen en eiken voor schaduwrijke plekjes zorgen, zal met mooie herinneringen thuiskomen.

De rotsen van Montpellier-le-Vieux hebben bijna allemaal een naam gekregen die van hun vorm of silhouet is afgeleid; het zijn allemaal namen die tot de verbeelding spreken: zo heb je er de Krokodil, de Poort van Mycene, de Sfinx, de Kegel, de Berenkop, enz.

Douminal - Dit lijkt precies een door de natuur gevormde donjon. Vanaf de top heeft men een weids uitzicht op vier grillige keteldalen (Cirque du Lac, Cirque des Amats, Cirque des Rouquettes en Cirque de la Millière), die van elkaar zijn gescheiden door hoge rotskammen en worden omringd door de steile rotswanden van de Causse Noir. Verderop reikt de blik tot aan de Rocher de la

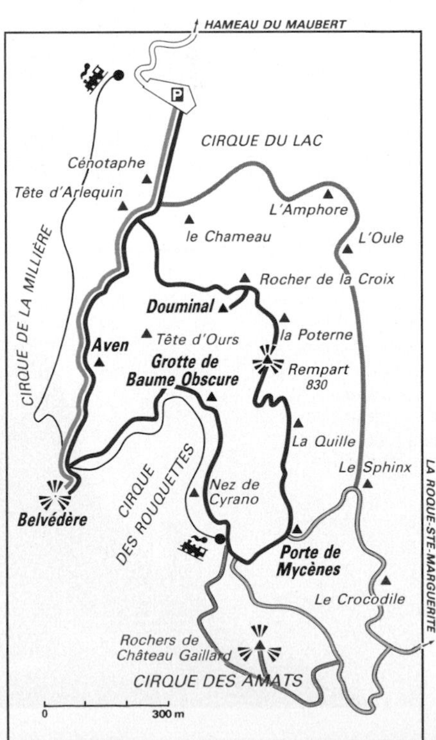

Croix in het noorden en het Cirque du Lac (met dennen begroeid) aan de rechterzijde (in de verte ziet men de diep uitgesleten rotswanden van de Gorges du Tarn), het dal van de Dourbie en de overhangende rots van de Causse du Larzac in het zuiden, het Cirque des Rouquettes in het westen en de grillige rotsformaties van Roquesaltes in het oosten.

Vlak na de Rocher de la Poterne biedt het pad vanaf de **Rempart** (830 m hoog) een bijzonder indrukwekkend uitzicht dat de rotsblokkenmassa omvat. Daarna daalt het pad af naar het Cirque des Amats en komt uit bij de Porte de Mycènes.

Porte de Mycènes – E.-A. Martel associeerde deze rotsformatie met de beroemde Leeuwenpoort van de stad Mycene uit de Griekse oudheid. Door de afmetingen en de hoogte van de natuurlijke boog (12 m) is dit een van de origineelste formaties van Montpellier-le-Vieux.

Het pad loopt over een bruggetje en komt vervolgens uit bij een grot, **Baume Obscure** genaamd, waar Martel de beenderen aantrof van holenberen. Wanneer men in de nabijheid van de grot naar links kijkt, ziet men de Nez de Cyrano, een rots in de vorm van een neus (die doet denken aan het bekende personage Cyrano de Bergerac uit het toneelstuk van Edmond Rostand). Hierna voert het pad omhoog naar het uitzichtpunt.

Belvédère – Uitzicht op het Cirque des Rouquettes waar men zojuist omheen is gelopen, met in het zuiden het in de diepte gelegen dal van de Dourbie en in het noorden het Cirque de la Millière.

Hierna loopt het pad halverwege de helling van het Cirque de la Millière in de richting van het beginpunt. Ter rechterzijde, op circa 200 m afstand van het uitzichtpunt, ligt een karstpijp.

Aven – Deze karstpijp is 53 m diep.

Vanaf dit punt loopt het pad rechtstreeks naar de parkeerplaats terug.

In de ***Groene Michelingidsen*** *wordt verwezen*
naar de ***Rode Michelingidsen*** *en naar de* ***Michelinkaarten****.*
U reist gemakkelijker en sneller als u het gebruik van deze drie combineert.

MONTSÉGUR★

Michelinkaart nr. 86 vouwblad 5, of 235 vouwblad 46.
12 km ten zuiden van Lavelanet.

De pog (rots) van Montségur is het symbool van de laatste episode uit de strijd tegen de Albigenzen waarbij de kerk van de katharen met wortel en tak werd uitgeroeid, een episode die tevens het einde betekende van de politieke onafhankelijkheid van de Languedoc, toen het machtige huis Capet zijn heerschappij over het zuiden van Frankrijk vestigde. De rots is 1 216 m hoog en op de top staat de ruïne van een burcht.

Montségur op zijn rots.

GESCHIEDENIS

Op de plaats van een eerdere vesting, waarvan het bouwjaar niet bekend is, verrees in 1204 de tweede burcht van Montségur. Deze bood plaats aan circa honderd soldaten die onder bevel stonden van Pierre-Roger de Mirepoix. Buiten de kasteelmuren leefde een gemeenschap van katharen met hun bisschop, diakens en Perfecti (uitverkorenen). Montségur, dat een grote uitstraling had en talloze bedevaartgangers aantrok, was een doorn in het oog van zowel de Kerk als de Franse koning.
Toen Blanche van Castilië en de geestelijkheid in 1242 vernamen dat de leden van het tribunaal van de Inquisitie in Avignonet waren vermoord door manschappen uit Montségur, was het lot van de vesting bezegeld.
De baljuw van Carcassonne en de aartsbisschop van Narbonne kregen de opdracht de vesting te belegeren. Het beleg begon in juli 1243. De katholieke troepen zouden tegen de 10 000 man hebben geteld.
De lange winternachten speelden hun in de kaart, want daardoor hadden de patrouilles ampel gelegenheid de steile rotswand in het donker te beklimmen. Hierbij werd voetvolk ingezet, mannen die in de bergen waren opgegroeid (het was gemakkelijker voor hen dan voor ridders te paard). Ze gingen langs de oostkant om de burcht heen en zetten voet op het hoogste punt van de vlakke rotstop. Daar bouwden ze met losse onderdelen een grote katapult en vervolgens werd de burcht kapotgeschoten met stenen kogels, uitgehakt in een steengroeve die in de rots zelf was uitgegraven.
Daarop besloot Pierre de Mirepoix de vesting over te geven in ruil waarvoor hem werd beloofd dat hij en zijn garnizoen gespaard zouden worden. Er werd een bestand gesloten dat van 1 tot 15 maart 1244 zou duren. De katharen, die niet bij dit verdrag waren betrokken, maakten geen gebruik van dit respijt om aan de handen van de beul te ontsnappen door hun ketterij af te zweren of door te vluchten. Op 16 maart daalden zij in de ochtend - 207 in getal - van de berg af en bestegen een reusachtige brandstapel. Geleerden, mensen die zich voor de Occitaanse tradities interesseren, en volgelingen van sekten die zichzelf in de leer van de katharen herkennen, zijn nog altijd sterk geboeid door de vastberadenheid van de martelaren en het mysterie rondom hun "schat", die op een veilige plaats verborgen zou zijn.
In 1245 nam de nieuwe heer van Mirepoix, Guy de Lévis II, zijn intrek in Montségur en beloofde trouw aan de koning. Rond die tijd of in de tweede helft van de 13de eeuw werd een derde burcht gebouwd, want van de vesting die er in 1244 stond, was niets meer over.
De vesting was gunstig gelegen, tegenover de Cerdagne, op de grens tussen Frankrijk en het koninkrijk Aragon, en vormde daardoor een uitstekende uitkijkpost en een strategisch verdedigingspunt. De ruïnes van deze derde burcht kunnen nu worden bezichtigd.

DE BURCHT ⏲

De auto op de parkeerplaats langs de D 9 laten staan. Vanaf dat punt is het anderhalf uur lopen (heen en terug) via een steil en rotsachtig pad.

Voordat het pad begint te stijgen, komt men langs het monument dat in 1960 is opgericht ter nagedachtenis aan de "martelaren van de zuivere christenliefde". De burcht heeft een schitterende **ligging**★★ en torent uit boven steile rotswanden van enkele honderden meters. Men heeft een fraai uitzicht op de plooiingen van de Plantaurel, het dal van de Aude dat het landschap doorsnijdt, en het Massif du St-Barthélemy.
De burcht heeft een vijfhoekige plattegrond en volgt de omtrek van de afgeplatte top van de rots. Men betreedt de burcht via een poort aan de zuidkant. Rondom de binnenhof waren diverse gebouwen (woonvertrekken en bijgebouwen) tegen de vestingmuur aangebouwd. Vroeger kon men vanaf de muur via een deur op de eerste verdieping de donjon bereiken. In de donjon leidde een trap naar een lager gelegen zaal die voor de verdediging en als voedselopslagplaats werd gebruikt. Tegenwoordig is deze ruimte bereikbaar via een poort aan de noordkant van de muur en een opening die op het voormalige waterreservoir uitkijkt. Op de langste dag van het jaar valt het zonlicht via de twee schietgaten in de ene muur van de zaal zodanig naar binnen, dat het via de twee schietgaten in de muur daartegenover weer naar buiten schijnt.
Aan de voet van de donjon, aan de noordwestkant, liggen de resten van het "dorp van de katharen", waar opgravingen worden gedaan.

HET DORP

Het dorp ligt aan de voet van de rots in het dal waar de Lasset doorheen stroomt. In het gemeentehuis is een **archeologisch museum** ⏲ ondergebracht, waar de vondsten worden getoond van de opgravingen die sinds 1956 zijn uitgevoerd: diverse meubelstukken uit de 13de eeuw en werktuigen waaruit blijkt dat de rots van Montségur reeds in de nieuwe steentijd werd bewoond. Ook vindt men er informatie over de leer van de katharen.

Cirque de MOURÈZE★★

Michelinkaart nr. 83 vouwblad 5, of 240 vouwblad 22.
8 km ten westen van Clermont-l'Hérault.

Tussen de dalen van de Orb en de Hérault ligt het keteldal van Mourèze, dat is uitgesleten in de zuidhelling van de Montagne de Liausson.

BEZICHTIGING *ongeveer drie kwartier*

Het dorp – Het oude dorp Mourèze, waarboven een steile rots uittorent met bovenop een kasteel, is heel schilderachtig met nauwe straatjes, kleine huizen met buitentrappen en een fontein van rood marmer.
De Romaanse kerk is vaak verbouwd en heeft nog een absis uit de 15de eeuw.

★★ **Het keteldal** – Het keteldal wordt aan alle kanten omgeven door reusachtige rotsblokken. Deze uitgestrekte en grillige rotspartijen van dolomietgesteente vormen een amfitheater met een oppervlakte van 340 ha, waarvan de hoogte varieert van 170 tot 526 m. De ondergrond wordt gevormd door de lagen van de Liausson die in de Juratijd is ontstaan; de kom wordt aan de zuidkant begrensd door het vruchtbare dal van de kleine Dourbie.
Als men een van de vele bewegwijzerde wandelpaden neemt, loopt men nu eens langs stukken met veel begroeiing, dan weer langs rotsblokken die door erosie de meest wonderbaarlijke vormen hebben gekregen, waaraan zij hun naam danken: Sfinx, Kameel, Meisje, Grote Manitou en Liggende Leeuw.
Ook de Feeën en talrijke andere grillige rotsen bieden, vooral aan het begin en aan het eind van de dag, een ongewoon en indrukwekkend schouwspel.

Parc des Courtinals ⊙ – Dit terrein, dat ten oosten van het keteldal ligt en een gebied van 40 ha beslaat, werd vroeger door de Galliërs bewoond, maar ook lang daarvoor, namelijk in het Midden-Neolithicum tot 450 jaar v.Chr. woonden er al mensen. Het terrein wordt omgeven door een vrij hoge barrière van rotsen, waar in de kleine grotten aan de voet aardewerk en vuurstenen zijn gevonden. Als men loopt over het pad, dat zowel uit archeologisch als uit botanisch oogpunt interessant is, ziet men verscheidene plekken waar in de ijzertijd hutten hebben gestaan; een daarvan is nagebouwd. Vanaf de belvédère *(oriëntatietafel)* heeft men een weids **uitzicht** over het hele keteldal.

Teissedre/IMAGES PHOTOTHÈQUE

Onderweg naar de zomerweiden.

NAJAC★

766 inwoners

Michelinkaart nr. 79 vouwblad 20, of 235 vouwblad 19.

De **ligging★★** van het oude dorp Najac, boven op een hoge bergtop aan een bocht van de Aveyron, op de grens tussen de Rouergue en de Quercy, is heel bijzonder. Boven de leistenen daken van de huizen verrijzen de ruïnes van de burcht. Twee grote "vakantiedorpen" in de omgeving dragen nog bij aan de plaatselijke bedrijvigheid. Vanaf de D 239, ten oosten van Najac, heeft men het beste **uitzicht★** op het dorp: de huizen langs de langgerekte, smalle en bochtige weg vormen één geheel met de rotspunten erachter en op de hoge bergtop verrijzen de torens van het oude fort dat op een zeer strategische plaats lag.

Najac en de ketterij van de Albigenzen – Bertrand de Saint-Gilles, zoon van de graaf van Toulouse Raimond IV, gaf opdracht tot de bouw van het oorspronkelijke kasteel en bepaalde dat Najac het bestuurscentrum van de Rouergue werd. In 1182 wijst koning Filips-Augustus Najac opnieuw als leengoed toe aan zijn vazal Raimond V de Saint-Gilles, graaf van Toulouse; drie jaar later veroveren de Engelsen de vesting en tekenen er een verdrag van bondgenootschap met de koning van Aragon tegen de graaf van Toulouse; in 1196 wordt Najac weer het leengoed van graaf Raimond VI van Toulouse. Kort na 1200 komt Najac onder invloed van de kathaarse ketters *(zie de Inleiding, Geschiedenis)*. De legers van Simon de Montfort verwoesten het kasteel, dat later weer wordt opgebouwd door Alphonse de Poitiers. Hij was de broer van koning Lodewijk IX, die getrouwd was met Jeanne, de dochter van de graaf van Toulouse. De bewoners worden schuldig bevonden aan ketterij en moeten als straf de kerk bouwen.

Het dorp – Men bereikt de ruïnes van het kasteel door de Place du Faubourg met zijn overdekte passage over te steken en vervolgens de hoofdstraat te volgen, waarvan de meeste huizen dateren uit de 13de tot de 16de eeuw. Onderweg ziet men twee fonteinen met een groot bekken; het bekken van de tweede fontein is uit een reusachtig granietblok gehouwen, waarop men het jaartal 1344 en het wapen van Blanche van Castilië kan zien.

★ **Burcht** ⌚ – Eerder heeft er op deze plaats een kasteel gestaan dat gebouwd was door Bertrand de Saint-Gilles. Het werd vervangen door deze vesting, een meesterwerk van militaire bouwkunst uit de 13de eeuw, dat over de hele vallei van de Aveyron uitkijkt. In die tijd was er een groot garnizoen gelegerd in het dorp, dat meer dan 2 000 inwoners telde.
Van de drie oorspronkelijke ommuringen is nog een groot deel over, met aan weerszijden dikke ronde torens. Het eigenlijke kasteel, dat uit licht zandsteen is opgetrokken, wordt beschermd door dikke muren en is in de vorm van een trapezium gebouwd. De grootste toren aan de zuidwestkant had de functie van gevechtstoren. Als men, via poternes, de achter elkaar liggende muren is doorgestoken, bereikt men het voorplein van deze toren. Vandaar heeft men een prachtig **uitzicht★** over de vesting, met daarachter het dorp, de schilderachtige vallei van de Aveyron en de kerk die tussen het dorp en de rivier ligt, op de plaats die eens het centrum van het oorspronkelijke dorp was.

Kerk – Ondanks de vele toevoegingen is deze kerk een interessant gotisch bouwwerk. Boven in de westgevel prijkt een roosvenster en het enkelvoudige schip eindigt in een platte absis. Links in het schip staat nog een eigenaardige smeedijzeren kooi uit de 14de eeuw, waarin de "Chandelle Notre-Dame" (de paaskaars) stond. In het koor zijn het 14de-eeuwse altaar, gemaakt uit een groot stuk fijn zandsteen, een 15de-eeuws Christusbeeld uit de Spaanse school en nog twee andere beelden, de H. Maagd en de H. Johannes uit de 15de eeuw te zien. Ook een mooi houten polychroom beeld van een zittende H. Petrus uit de 16de eeuw, is zeer de moeite waard.

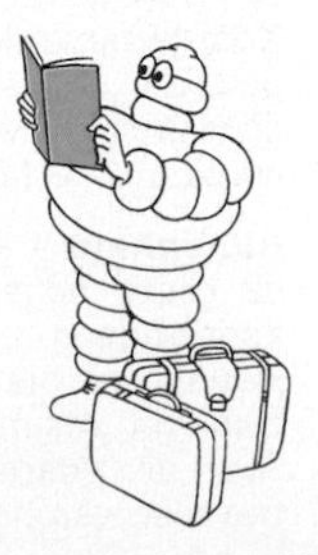

NARBONNE★

45 849 inwoners
Michelinkaart nr. 83 vouwblad 14, of 240 vouwbladen 29, 30.
Schema, zie onder Corbières.

Narbonne, dat in de oudheid de hoofdstad van Gallia Narbonensis was, en later de woonplaats van de West-Gotische koningen en de zetel van de aartsbisschop, biedt vandaag de dag een mediterrane aanblik. Als centrum van de wijnbouw en kruispunt van wegen en spoorwegen, is Narbonne een bijzonder levendige stad.
Toeristen worden niet alleen aangetrokken door de bijzondere architectuur, zowel op burgerlijk, militair, als kerkelijk gebied en door de rijke verzamelingen die in de musea tentoongesteld zijn, maar ook door de oevers van de Robine en de schaduwrijke boulevards, waar het heerlijk verpozen is.

UIT DE GESCHIEDENIS

Een zeehaven - Narbonne zou op de plek liggen waar eens de zeehaven was van een Gallisch oppidum, dat zeven eeuwen v.Chr. werd gebouwd ten noorden van de huidige stad op de Montlaurès-heuvel. De stad Colonia Narbo Martius, gesticht in 118 v.Chr. bij decreet van de Romeinse senaat, werd een bloeiende haven. Producten als olie, linnen, hout, hennep, planten voor het vervaardigen van verf- en geurstoffen, kaas, vlees en de boter uit de Cevennen waar de Romeinen zo dol op waren, werden via die haven uitgevoerd. Op de terugweg werden de schepen geladen met marmer en aardewerk. De stad werd verrijkt met prachtige bouwwerken.

Een hoofdstad - In 27 v.Chr. geeft keizer Augustus de provincie die hij vormt de naam Narbonne. Deze stad is de "allermooiste", schrijft Martialis, en na Lyon heeft Narbonne het hoogste aantal inwoners van heel Gallië. Cicero verklaart dat "Narbonensis de boulevard van de Latijnse beschaving" is. Het Romeinse keizerrijk wordt overspoeld door invasies van barbaarse volkeren. Nadat de West-Goten Rome in 410 geplunderd hebben, roepen zij Narbonne uit tot hoofdstad van hun rijk. Weer later valt de stad in handen van de Saracenen; in 759 herovert Pippijn de Korte haar na een langdurige belegering.
Karel de Grote maakt Narbonne tot hoofdstad van het hertogdom Gothië. De stad wordt opgedeeld in verschillende heerlijkheden: de Cité, met de kathedraal en het aartsbisschoppelijk paleis behoren aan de aartsbisschop; de marktplaats met de Église St-Paul-Serge valt onder de burggraaf en in de nieuwe gedeelten van de stad tenslotte mogen de joden zich vestigen. Het stadsbestuur is in handen van consuls.
In de 12de eeuw bezingt de troubadour Bertrand de Bar in het heldendicht "Aimeri de Narbonne" de stad en "de grote met ijzer beslagen schepen en de met grote rijkdommen beladen galeien die welvaart brengen aan de inwoners van deze goede stad".
Vanaf de 14de eeuw raakt Narbonne in verval; de veranderde loop van de rivier de Aude, de verwoestingen die werden aangericht tijdens de Honderdjarige Oorlog, de pest en het vertrek van de joden zijn daarvan de oorzaak.

Dichtslibbing, verval en nieuwe bloei - Tot in de 14de eeuw blijft Narbonne een zeehaven; maar geleidelijk slibt de baai dicht met zand en rivierslib. Aan de oevers van de Étang de Bages et de Sigean, een overblijfsel van wat in de oudheid een baai was, zijn talrijke zoutpannen te vinden. Ten tijde van de Franse Revolutie telt Narbonne nog slechts een paar duizend inwoners en raakt zijn aartsbisschopszetel kwijt.
Tegenwoordig breidt de stad zich weer uit en bruist van activiteiten; de wijnbouw in de omgeving zorgt voor economische welvaart.

★★ CATHÉDRALE ST-JUST (BX) ⏲ *bezichtiging: een halfuur*

De huidige kathedraal is de vierde kerk die sinds de tijd van Constantijn op deze plaats werd gebouwd. De eerste steen werd gelegd op 3 april 1272; paus Clemens IV, die aartsbisschop van de stad was geweest, had hem opgestuurd uit Rome. In 1354 wordt het straalkoor voltooid in de stijl van de grote kathedralen in Noord-Frankrijk. De bouw van het transept en het schip waarvoor de ommuringen, die nog een functie hadden in de woelige tijden van de middeleeuwen, gedeeltelijk moesten worden afgebroken, werd echter uitgesteld tot later.... en pas in de 18de eeuw ter hand genomen.

Buitenkant - Prachtig zijn de koorsluiting met haar flamboyante lancetbogen, de grote bogen met daarboven merloenen met schietgaten die boven de kooromgang uitsteken, de dubbele luchtbogen, de torentjes, de machtige steunberen die ter verdediging dienden en de hoge torens aan de noord- en zuidkant. Als men voor de muur staat die het koor afsluit, wordt men getroffen door de zware 18de-eeuwse pilaren waar het transept en de eerste twee traveeën van het schip op zouden rusten en die nu de **Cour St-Eutrope** omringen.

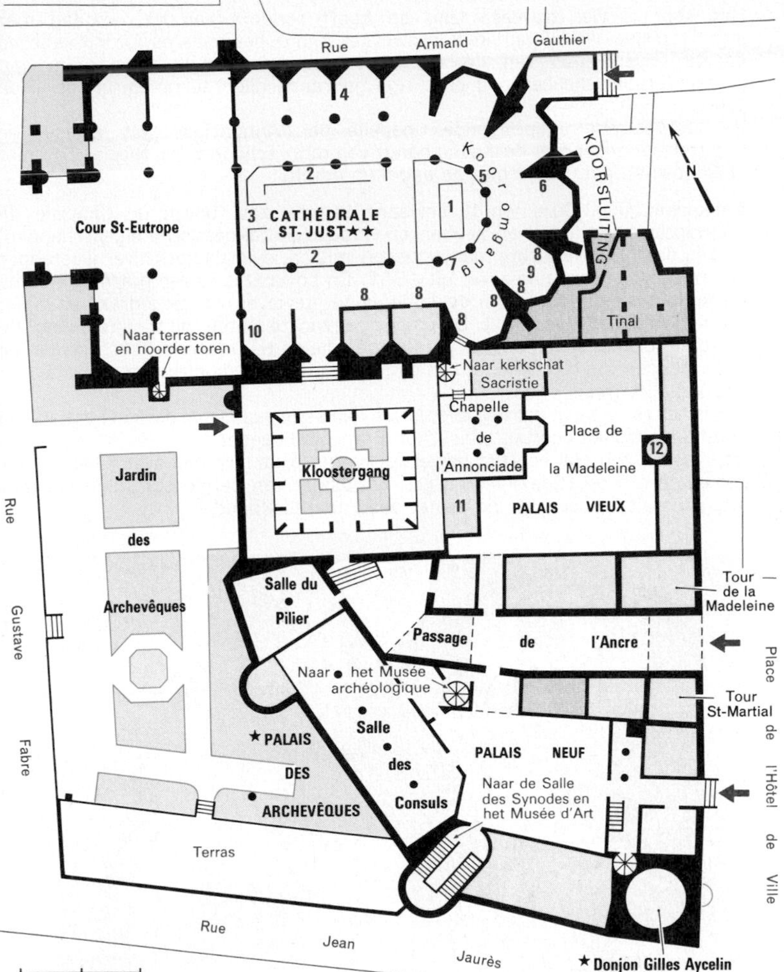

1 - Hoofdaltaar (1694) met baldakijn en Corinthische zuilen, ontworpen door J. Hardouin-Mansart.
Aan weerskanten van het altaar zijn oude muurschilderingen te zien op de voorste pilaren van het altaar.
2 - Koorstoelen uit de 18de eeuw.
3 - Orgelkast uit twee delen (18de eeuw).
4 - Marmeren grafbeeld van de ridder La Borde (17de eeuw).
5 - Graf van kardinaal Briçonnet uit de renaissance van wit marmer.
6 - In 1981 heeft men in deze kapel een haut-reliëf ontdekt dat de Verlossing voorstelt.
7 - Graf in flamboyante stijl van kardinaal Pierre de Jugie.
8 - Wandtapijten uit Aubusson en gobelins uit de 17de en 19de eeuw.
9 - In deze kapel ziet men een prachtig albasten beeld uit de 14de eeuw van de H. Maagd met het Kind, dat meestal in kapel nr. 6 staat.
10 - Een graflegging (eind 15de eeuw) van polychroom steen afkomstig uit Beieren.

Via deze binnenplaats kan men de **terrassen** ⓥ en de **noordertoren** ⓥ bereiken, vanwaar men een interessant **uitzicht★** heeft op de luchtbogen van de kathedraal, het paleis van de aartsbisschoppen en over de hele stad.
Vanaf de **tuin van de aartsbisschoppen** (18de eeuw) heeft men een mooi uitzicht op de luchtbogen, de toren aan de zuidkant van de kathedraal en het gebouw van de synode, met twee ronde torens.

Kloostergang - Aan de voet van de zuidgevel van de kathedraal ligt deze 14de-eeuwse kloostergang; de galerijen hebben hoge gotische gewelven. Op de binnenplaats zijn gebeeldhouwde waterspuwers in de steunberen verwerkt.

Interieur - Opvallend zijn de harmonieuze afmetingen van het koor, het enige gedeelte van de kathedraal dat is afgebouwd. De hoogte van de gewelven (41 m) wordt alleen overtroffen in de Noord-Franse kathedralen van Amiens (42 m) en Beauvais (48 m). De gotische stijl is hier van grote zuiverheid: boven de grote bogen verrijst een triforium, waarvan de colonnetten in het verlengde staan van de hoge glas-in-loodramen.

Het koor is vier traveeën lang en heeft rondom een kooromgang met straalkapellen, waarin talrijke kunstwerken zijn te bewonderen. De vijf kapellen en de bovenramen van de absis, evenals het tweede bovenraam aan de rechterkant, hebben nog prachtige gebrandschilderde ramen uit de 14de eeuw.
De 15de-eeuwse uitspringende Chapelle de l'Annonciade was vroeger de kapittelzaal; tegenover de ingang hangt een mooi schilderij van Nicolas Tournier (17de eeuw), dat *Tobias met de engel* voorstelt.

Kerkschat - Deze wordt bewaard in een zaal boven de Chapelle de l'Annonciade; de gewelven hebben er wonderlijke akoestische eigenschappen. Er zijn prachtige verluchte manuscripten te zien, evenals kerkzilver waaronder een miskelk van verguld zilver uit 1561. En bovenal is er een prachtig Vlaams wandtapijt uit het einde van de 15de eeuw, geweven van gouddraad en zijde, dat de **Schepping**★★ voorstelt. De prachtige, zachte tinten, de fijne tekening, de gelaatsuitdrukking van de drie personages die de H. Drieëenheid voorstellen bij het scheppen van de elementen en de mens, en de harmonieuze compositie zijn uitzonderlijk fraai.
Het is het enige tapijt dat nog over is van een serie van negen die aan het kapittel werd aangeboden door aartsbisschop François Fouquet.
Interessant zijn ook een fijn bewerkte ivoren plaat van een evangelieboek uit het einde van de 10de eeuw en een bruidskist van bergkristal, ingelegd met intaglio's uit de oudheid, die dienst deed als reliekhouder.

Lauros/GIRAUDON

Cathédrale St-Just - Wandtapijt uit de 15de eeuw.

★ PALAIS DES ARCHEVÊQUES (BX) *bezichtiging: twee uur*

Ter informatie: Men kan de kathedraal en de kloostergang ook bezichtigen door de bewegwijzering te volgen die door het hele monumentencomplex "Palais des Archevêques - Cathédrale" loopt en die op de Place de l'Hôtel-de-Ville begint.
De voorgevel van het paleis beheerst de hele **Place de l'Hôtel-de-Ville**, het drukke centrum van de oude stad. Vanaf het plein ziet men dat drie vierkante torens deel uitmaken van de gevel: de Tour de la Madeleine (de oudste) en de Tour St-Martial staan aan weerzijden van de Passage de l'Ancre; iets verder naar links staat de Donjon Gilles-Aycelin. Tussen de laatste twee torens heeft Viollet-le-Duc het huidige stadhuis in neogotische stijl gebouwd.
Het paleis van de aartsbisschoppen, oorspronkelijk een bescheiden woonhuis voor geestelijken, vormt een geheel van religieuze, militaire en burgerlijke bouwkunst, waarin de eeuwen hun sporen hebben achtergelaten: het Palais Vieux (oude paleis) uit de 12de eeuw, de donjons La Madeleine en Gilles-Aycelin uit de 13de eeuw, de Tour St-Martial en het Palais Neuf (nieuwe paleis) uit de 14de eeuw, de residentie van de aartsbisschoppen uit de 17de eeuw, en tenslotte de voorgevel van het stadhuis uit de 19de eeuw. Zowel het Palais Vieux, dat ten noorden van de Passage de l'Ancre ligt, als het Palais Neuf aan de zuidkant ervan, hebben mooie binnenplaatsen.

Carcanague/IMAGES PHOTOTHÈQUE

Palais des Archevêques en Cathédrale St-Just.

Passage de l'Ancre - Deze doorgang, een soort versterkte straat met indrukwekkende muren, komt uit op de Place de l'Hôtel-de-Ville tussen de Tour St-Martial en de Tour de la Madeleine. De doorgang scheidt het Palais Vieux aan de linkerkant van het Palais Neuf rechts.

Salle au Pilier - Deze prachtige 14de-eeuwse zaal, waarvan het gewelf in het midden op een reusachtige pilaar rust, is geheel gewijd aan middeleeuwse beeldhouwkunst: beelden, bas-reliëfs, inscripties, enz.

Palais Vieux - Het oude paleis bestaat uit de gebouwen die rond de Place de la Madeleine liggen: de vierkante Karolingische St-Théodard-klokkentoren (**11**), de absis van de Chapelle de l'Annonciade waar aan de noordkant de koorsluiting van de kathedraal bovenuit steekt, de Tinal (oude wijnkelder van de kanunniken - *niet te bezichtigen*), een gebouw uit de 14de eeuw en een vierkant trappenhuis dat tegen een opengewerkte voorgevel (**12**) leunt. De Tour de la Madeleine, waarin op de eerste verdieping een Romaanse deur zit, heeft aan de zuidkant een gevel met vensters in Romaanse, gotische en renaissancestijl.

Palais Neuf - Onder het Palais Neuf (nieuwe paleis) verstaat men de gevel van het stadhuis die op de binnenplaats uitkijkt, het Synodengebouw, de Tour St-Martial en de donjon Gilles-Aycelin.

Salle des Consuls - Hier ziet men in het midden een prachtige rij pijlers.

★ **Musée archéologique** ⏱ - De eerste zalen zijn gewijd aan de prehistorie en aan werktuigen uit de bronstijd.
In de bovenkapel van La Madeleine zijn voorwerpen bijeengebracht die zijn gevonden bij de opgravingen in het oppidum van Montlaurès. Zo vindt men er Griekse vazen en een prachtige amfora. Ook zijn er mooie 14de-eeuwse fresco's *(Aankondiging aan Maria)* te zien.
In de volgende zalen komt het Narbonne uit de Romeinse tijd tot leven: de verschillende instellingen, het dagelijkse en het kerkelijke leven, en de eredienst. Interessant zijn een hele oude mijlpaal, een "dronken Silenus" uit de 1ste eeuw, de sarcofaag van de "druivenplukkende Amors" (3de eeuw), en grafstenen. In de benedenzaal van La Madeleine ziet men een prachtig heidens mozaïek, sarcofagen versierd met figuren of s-vormige groeven, een eigenaardig 5de-eeuws reliekschrijn, uit één stuk marmer gehouwen, en een heel bijzondere latei met een opdracht, eveneens uit de 5de eeuw.

Salle des Synodes - *Binnenplaats van het Palais Neuf.* Men bereikt deze zaal via een grote trap met zuiltjes, die in 1628 gebouwd werd door de aartsbisschop Louis de Vervins. In de zaal van de Synode, waar de Staten-Generaal van de Languedoc vergaderden, hangen vier mooie Aubusson-wandkleden.

★ **Musée d'Art et d'Histoire** ⏱ - *In hetzelfde gebouw als de Salle des Synodes, op de 2de verdieping.* Dit museum is ingericht in de voormalige woonvertrekken van de aartsbisschoppen, waar Lodewijk XIII in het voorjaar van 1642 tijdens het beleg van Perpignan verbleef.
Na de **Salle des Audiences** (audiëntiezaal), waar verscheidene portretten van aartsbisschoppen hangen, komt men in de **Chambre du Roi** (slaapkamer van de koning) met een prachtig cassettenplafond waarop de negen muzen zijn

afgebeeld; op de vloer ligt een zeer fraai Romeins mozaïek met geometrische patronen waarvan de kleuren prachtig bewaard zijn gebleven; aan de muren hangen 17de-eeuwse portretten die door Rigaud en Mignard zijn geschilderd. In de **Grande Galerie** staat een mooie verzameling aardewerken apothekerspotten uit Montpellier; ook zijn er verscheidene Vlaamse en Italiaanse schilderijen uit de 16de en de 17de eeuw te zien.

De **Salle des Faïences** bevat een zeer grote collectie aardewerk, afkomstig uit de bekendste Franse aardewerkfabrieken.

In de **Grand Salon** zijn wandkleden uit Beauvais te zien met voorstellingen van de fabels van Jean de La Fontaine en een aantal interessante doeken, waaronder de *Aanbidding van de herders* door Ph. de Champaigne. In de halfcirkelvormige ruimte die grenst aan de grote salon, staat het witmarmeren borstbeeld van Lodewijk XIV, gemaakt door Coysevoix.

De bezichtiging eindigt in een zaal die gewijd is aan kunstenaars uit de 19de en de 20ste eeuw, onder wie Pradier, Louis Garneray, Falguière, D. de Monfreid en Maurice Marinot.

★ **Donjon Gilles-Aycelin** ⏲ – Deze donjon, waarvan de muren met bossages versierd zijn, is gebouwd op de overblijfselen van de Gallo-Romeinse ommuring die ooit het hart van de oude stad beschermde. De toren was een uiting van het gezag van de aartsbisschoppen naast dat van de burggraven.

Het is een prachtig voorbeeld van een donjon uit het eind van de 13de eeuw; er is veel aandacht besteed aan het interieur.

In het voorbijgaan moet men ook letten op de zeshoekige Salle du Trésor met een bijzonder waaiergewelf. Een trap van 179 treden leidt naar een platform, vanwaar men een weids **panorama**★ ontdekt van de stad, de kathedraal, de omliggende vlakte, de berg La Clape, de Corbières en in de verte de Pyreneeën.

VERDERE BEZIENSWAARDIGHEDEN

Basilique St-Paul-Serge (**AY**) – Deze basiliek is gebouwd op de plaats waar in de 4de en 5de eeuw een necropool was aangelegd rond het graf van de eerste bisschop van de stad.

Binnen, bij het portaal aan de zuidkant, bevindt zich het beroemde en eigenaardige "wijwatervat met de kikvors". Het **koor**★, gebouwd in 1229, is opvallend sierlijk door zijn hoogte; het heeft grote bogen, een dubbel triforium, bovenramen en gewelven zoals die in de streek Champagne werden gebouwd.

De perspectief in het schip wordt onderbroken door drie massieve korfbogen. Onder het grote orgel zijn twee vroeg-christelijke sarcofagen ingemetseld; een derde dient als latei.

Vroeg-christelijke crypte ⊙ – *Te bereiken via het noordportaal.* Deze crypte is een onderdeel van de grote necropool die in het begin van de 4de eeuw onder Constantijn werd aangelegd. De overblijfselen van een gebouw dat bestond uit een vierkante ruimte en een absis vormen een crypte waarin zes sarcofagen bewaard zijn gebleven. Van de drie interessantste is er een voorzien van klauwstukken, een tweede versierd met ranken, en een derde van wit marmer doet denken aan een heidense sarcofaag.

Maison des Trois-Nourrices (het huis van de drie voedsters) (**AY**) – De bloemrijke naam van dit huis is te danken aan de weelderige vormen van de kariatiden die de latei met het prachtige renaissanceraam ondersteunen.

★ **Musée lapidaire** (**BY**) ⊙ – Deze glyptotheek is gevestigd in de voormalige Église Notre-Dame de la Mourguié uit de 13de eeuw, die eerder deel uitmaakte van een priorij, die in 1086 bij het benedictijnenklooster St-Victor in Marseille werd getrokken. De buitenkant maakt een trotse indruk met zijn uitstekende steunberen en een koorsluiting met kantelen. Binnen in het ruime schip is het dakgeraamte zichtbaar; het wordt ondersteund door spitsbogen en gewelfribben.
Bijna 1 300 inscripties uit de oudheid, stèles, lateien, borstbeelden, sarcofagen en grote bewerkte stenen staan in vier lagen uitgestald. Zij zijn merendeels afkomstig uit de stadsmuren en getuigen van het roemrijke verleden dat de oude hoofdstad van Gallia Narbonensis heeft gekend.

De oevers van de Robine (**BY**) – Het Canal de la Robine is een aftakking van de Aude. Aan weerszijden van het kanaal ligt een aardige wijk waar men kan rondslenteren over de promenades met grote platanen, de Pont Vieux, het voetgangersgebied dat zich via de Pont de Marchand uitstrekt naar de andere oever, de loopbrug en de Promenade des Barques.

►► La Poudrière (Voormalig kruitmagazijn) (**BX**) – Horreum (Romeinse opslagplaats) (**BX**) – Place Bistan (**BX**) – Église St-Sébastien (**BX**).

EXCURSIES

★★ **Abbaye de Fontfroide** – *14 km in zuidwestelijke richting via ④ op de plattegrond, de N 113 nemen, en vervolgens linksaf de D 613 op. Zie onder Fontfroide.*

★ **Réserve Africaine de Sigean** – *17 km via ③ op de plattegrond, de N 9 nemen. Zie onder Sigean.*

Étang de Bages et de Sigean – *29 km in zuidelijke richting. Zie onder Corbières.*

Sallèles-d'Aude – *11 km. Narbonne in noordelijke richting uitrijden via de D 13. Bij Cuxac d'Aude links de D 1118 nemen tot Sallèles d'Aude, waar men de bewegwijzering "Musée des Potiers" moet volgen via de D 1626, die langs het verbindingskanaal loopt. De brug oversteken en de auto op de parkeerplaats zetten.*
In 1968 is ten noordoosten van het kleine wijnbouwcentrum diep in de grond een groot aantal potscherven gevonden; sindsdien hebben opgravingen een belangrijk Gallo-Romeins pottenbakkerscomplex aan het licht gebracht, dat vooral gespecialiseerd was in de vervaardiging van amforen. Ten tijde van de Romeinen is het aantal wijngaarden in Gallië sterk toegenomen en sommige wijnen uit het zuiden waren beroemd tot over de grenzen. Voor het transport werden dikbuikige amfora's van ongeveer 26 liter met een platte bodem gebruikt. De vindplaatsen van dit soort amfora's geven een idee van de vaak zeer lange handelsroutes die in die tijd in het Romeinse Rijk bestonden. De bezichtiging van het museum **Amphoralis-Musée des Potiers Gallo-Romains**★ ⊙ is interessant *(duur: 1 uur)*. Men krijgt er een indruk van de reusachtige, gevarieerde productie die dateert uit de 1ste tot en met de 4de eeuw van onze jaartelling. Bij de opgravingen zijn ook de werkplaatsen met o.a. een tiental ovens te voorschijn gekomen.

Montagne de la Clape – *Rondrit van 53 km – ongeveer drie uur. De stad uitrijden via ② op de plattegrond, linksaf de D 168 op richting Narbonne-Plage.*
Het kalkgebergte La Clape steekt met zijn 214 m hoog uit boven de lagunen in de buurt van Gruissan en de met wijnstokken omgeven benedenloop van de Aude.
Vanaf de kronkelige weg die voortdurend klimt en daalt, heeft men een prachtig uitzicht op de rotsen en de hellingen van La Clape.

Narbonne-Plage – Deze badplaats strekt zich uit over een grote lengte langs de kust; het is een typisch voorbeeld van de traditionele badplaatsen zoals men die vindt aan de kust van de Languedoc. Men kan er zeilen en waterskiën.
Van Narbonne-Plage verderrijden tot St-Pierre-sur-Mer.

St-Pierre-sur-Mer – Familiebadplaats. Ten noorden van St-Pierre-sur-Mer vormt de Gouffre de l'Oeil Doux een wonderlijk natuurverschijnsel. In deze afgrond van 100 m breed ligt op 70 m diepte een zoutwatermeer waar zeewater naar binnen stroomt.

Gruissan – *Zie onder deze naam.*

Als men Gruissan uitrijdt, rechts afslaan en direct daarna links een weggetje nemen dat leidt naar Notre-Dame des Auzils.

Cimetière marin (zeemansbegraafplaats) – *Zie onder Gruissan.*

Doorrijden over het weggetje dat over de laatste hellingen van La Clape loopt. Aan het eind rechtsaf de D 32 nemen richting Narbonne. Bij Ricardelle rechtsaf een smal weggetje nemen dat steil omhoogloopt.

Coffre de Pech Redon – Aan het einde van de weg is dit het hoogste punt van de berg La Clape. Vanaf hier heeft men een weids uitzicht over de lagunen en over Narbonne, waar de Cathédrale St-Just en het Palais des Archevêques duidelijk te zien zijn.

Omdraaien en terugrijden naar Narbonne over de D 32.

Ginestas – *17 km naar het noordwesten. De stad uitrijden via ⑤ op de plattegrond en de D 607 nemen; het Canal du Midi oversteken en daarna links afslaan.*
Dit dorpje ligt te midden van wijngaarden en heeft een schaars verlichte **kerk** ⓥ, waarin enige mooie voorwerpen te bewonderen zijn, zoals een altaarstuk van verguld hout uit de 17de eeuw, het beeld van Notre-Dame-des-Vals, een Mariabeeld met Kind van eenvoudige makelij en een primitief polychroom beeld van de H. Anna uit de 15de eeuw.

Le Somail - *2 km ten oosten van Ginestas.* In dit vredige dorpje, waar het Canal du Midi doorheen loopt, vindt men het **Musée de la Chapellerie** ⓥ; de collectie bestaat uit hoeden, mutsen, kapjes en andere hoofddeksels uit alle werelddelen, van 1885 tot heden.

Seuil de NAUROUZE

Michelinkaart nr. 82 vouwblad 19, of 235 vouwblad 34, 35.
12 km ten westen van Castelnaudary.

Men kan zich nu nauwelijks nog voorstellen dat deze "pas" op 194 m hoogte lange tijd een groot obstakel is geweest bij de bouw van het Canal du Midi.

LE CANAL DU MIDI

Het idee om een verbinding te maken tussen de Atlantische Oceaan en de Middellandse Zee bestond al in de tijd van de Romeinen. De koningen Frans I en Hendrik IV en kardinaal Richelieu lieten onderzoek verrichten, dat echter op niets uitliep. Uiteindelijk is het te danken aan **Pierre-Paul Riquet**, baron van Bonrepos (1604-1680), die ter plaatse de zoutbelasting van de koning inde, dat de onderneming – op zijn eigen kosten – daadwerkelijk wordt uitgevoerd. Zijn werk werd voltooid met de aanleg van de haven van Sète (nog tijdens zijn leven), en in de 19de eeuw met de opening van het Canal du Rhône à Sète en het kanaal dat parallel loopt aan de Garonne.

Het werk van één enkele man – De Seuil de Naurouze vormde een onoverkomelijk obstakel bij de plannen een kanaal te graven "tussen de twee zeeën". Riquet, een vindingrijk man, bedacht de oplossing nadat hij tot in de details de plek had bestudeerd: op de Seuil de Naurouze ontsprong de bron La Grave (die na de werkzaamheden is verdwenen), waarvan het water zich in twee verschillende beken scheidde zodra het aan de oppervlakte kwam; de ene stroomde naar het westen en de andere naar het oosten. Men hoefde dus alleen maar deze watertoevoer te doen toenemen om zo een kanaal met voldoende water als scheiding te kunnen aanleggen, waarna het mogelijk zou zijn sluizen op beide hellingen te bouwen. Om dit idee uit te voeren, maakte Riquet gebruik van de talrijke bergstromen van de Montagne Noire. Geassisteerd door de zoon van een man uit Revel die zich bezighield met waterboringen, slaagde Riquet erin het water van de Alzeau, de Vernassonne, de Lampy en de Sor op te vangen en om te leiden via de Rigole de la Montagne tot aan de stuwdam van St-Ferréol, en vervolgens door te leiden via de Rigole de la Plaine tot Naurouze.
In 1662 slaagde hij erin de belangstelling van Colbert te wekken voor zijn plan, maar pas in 1666 wordt officieel toestemming verleend het uit te voeren. Veertien jaar lang zijn 10 000 tot 12 000 man met het werk bezig geweest. Riquet betaalde zelf een derde deel, meer dan 5 miljoen pond, van de kosten van dit reusachtige karwei, waarvoor hij leningen tegen zeer hoge rente moest afsluiten en daarmee de bruidsschat voor zijn dochters opofferde. Hij stierf uitgeput in 1680, een half-

jaar voor de openstelling van het kanaal. Pas in 1724, toen zijn nakomelingen eindelijk de schuld voor deze onderneming hadden afgelost, kregen zij er een beetje winst uit. Tijdens de Restauration kregen de vertegenwoordigers van de familie hun rechten terug, met uitzondering van de feodale rechten, die afgeschaft waren. In 1897 stemden zij toe in de verkoop van het kanaal aan de staat. Sindsdien wordt het door de overheid beheerd.

De erfenis en de toekomst – Het door Riquet aangelegde kanaal, dat 240 km lang is, begint in Toulouse bij de Port de l'Embouchure, de plek waar het kanaal dat parallel loopt aan de Garonne eindigt, en het mondt uit in de Étang de Thau, bij de Port des Onglous. Daartussen liggen 91 sluizen, maar er is een recht kanaalvak van 54 km (een dag varen) tussen Argens-Minervois en Béziers.
Het kanaal wordt niet meer door de beroepsvaart gebruikt: de sluizen, die berekend waren op de schepen die destijds op de Middellandse Zee voeren, kunnen niet gebruikt worden door schepen die langer dan 30 m zijn, een diepgang van meer dan 1,60 m en een laadvermogen boven de 160 ton hebben.
De aanpassingen aan het kanaal zijn begonnen bij het stuk Toulouse-Villefranche-de-Lauragais (43 km), dat nu bevaarbaar is voor aken die op het zijkanaal van de Garonne varen en die een diepgang hebben van 2,20 m, een maximale lengte van 40,50 m en een laadvermogen van 250 ton. Dit historische kanaal is erg aardig om te zien door zijn vele smalle bochten, en zijn sluizen met ronde of ovale sluiskommen. De smalle gedeelten worden door sierlijke bakstenen bruggen overspannen, en de oevers zijn aan de kant van de Middellandse Zee – ver van de grote wegen en spoorlijnen – beplant met platanen, cipressen en parasoldennen.
Nadat een eeuw geleden het personenvervoer over het kanaal was gestaakt – vóór het ontstaan van de spoorwegen werd dat vervoer verzorgd door kleine "postschepen" die met een snelheid van 11 km per uur voeren – komt deze functie nu weer terug in de vorm van "watertoerisme op de rivieren"; er zijn vele firma's waar men boten voor de pleziervaart kan huren.

BEZIENSWAARDIGHEDEN

Obélisque de Riquet – *Het gedenkteken voor Riquet staat aan de N 113 en is te bereiken via de D 218, waar men bij Labastide d'Anjou op komt en die men vervolgens in zuidelijke richting neemt.*
De obelisk, opgericht in 1825 door de nazaten van Riquet, staat op een omheinde natuurstenen sokkel die gevormd wordt door de "Pierres de Naurouze", tussen de Col de Narouze (N 113) en het kanaal. Eromheen staat een dubbele rij prachtige ceders. De overlevering wil dat als de spleten in de stenen zouden dichttrekken, de maatschappij tot losbandigheid zal vervallen en het einde van de wereld nabij zal zijn.

Montferrand – *1 km in noordwestelijke richting. De auto parkeren aan de zuidkant van het dorp, bij de N 113, naast een kapel die grenst aan een begraafplaats met cipressen.*
In een aangrenzende ruimte van de kapel bevinden zich schijfvormige kruisen en christogrammen. Een christogram, het monogram van Christus, bestaat uit de door elkaar gevlochten letters X en P, waarbij vaak ook de eerste en de laatste letter van het Griekse alfabet, de alfa en de omega, staan. Het christogram is in het zuidwesten vaak te zien op het timpaan van Romaanse kapellen. Dit motief maakt sedert de middeleeuwen deel uit van de verzameling symbolen van de gilden, en is bekend onder de naam "slinger van Salomon".

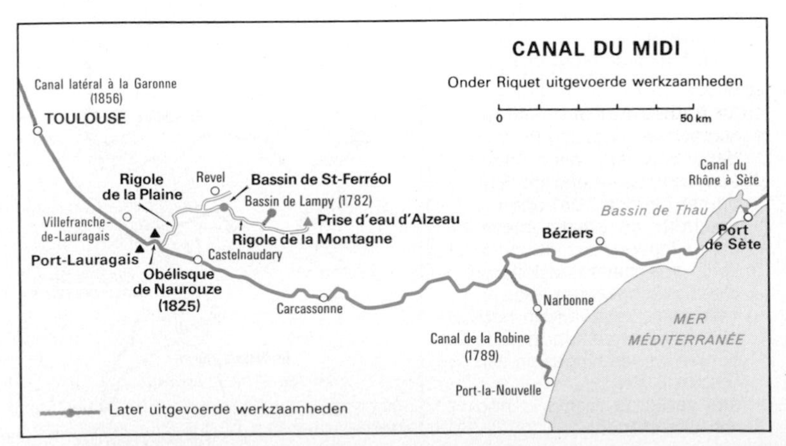

Ten noorden van de kapel ligt een necropool, die het bewijs vormt dat deze plek al eeuwenlang in gebruik is als laatste rustplaats en dat deze streek dus ook al heel lang geleden bewoond werd. Binnen een omheining liggen voorwerpen die bij opgravingen zijn gevonden in een opslagplaats van de Franse Monumentenzorg. *Ingang links voorbij de begraafplaats*. Men vindt er oude, meestal onversierde sarcofagen.

Port Lauragais - Centre Pierre-Paul Riquet ⓥ - *In Avignonet-Lauragais de D 80 nemen, richting Baraigne. Als men via de Autoroute A 61 rijdt, is er halverwege Villefranche-de-Lauragais en Castelnaudary een picknickplaats, die vanuit beide richtingen te bereiken is.*
De architectuur van het Centre Pierre-Paul Riquet, gelegen op het puntje van een schiereiland in Port-Lauragais, is geïnspireerd op de vorm van de oude droogdokken in het kanaal. Pleziervaartuigen die op doortocht zijn, kunnen voor een ligplaats terecht bij het kantoor van de havenmeester, dat zich onder een uitstekend gedeelte van het dak bevindt. Binnen is een ruimte gewijd aan de geschiedenis van het kanaal; ook zijn er wisselende tentoonstellingen over hetzelfde onderwerp. Bij de ingang staat een beeldhouwwerk in de vorm van een fontein, gemaakt door Sylvain Brino, dat laat zien hoe de watervoorziening van het kanaal in zijn werk gaat en hoe de sluizen functioneren.
Voor liefhebbers van pleziervaart zijn uitgebreide informatie en praktische tips over het kanaal beschikbaar *(zie de Praktische inlichtingen achter in de gids).*

Cirque de NAVACELLES★★★

Michelinkaart nr. 80 vouwblad 16, of 240 vouwblad 18.
Schema, zie onder Grands Causses en onder Hérault.

Het keteldal van Navacelles *(illustratie, zie de Inleiding)*, een reusachtige, schitterende meander, die heel diep tussen bijna verticale rotswanden ligt, is de meest indrukwekkende plek in het dal van de Vis *(zie onder deze naam)*. Door deze vallei worden de Causse de Blandas in het noorden en de Causse du Larzac in het zuiden van elkaar gescheiden. Vroeger maakte de rivier hier een lus om een heuvel heen, maar de Vis heeft zijn loop verlegd en rechtstreeks een doorgang gezocht op de plek waar het dorpje Navacelles is ontstaan. De vlakke bodem van het dal is nog steeds enigszins drassig.

VAN BLANDAS NAAR LA BAUME-AURIOL

13 km - ongeveer vijf kwartier

De D 713 voegt zich bij de D 158 en komt uit aan de rand van de Causse de Blandas.

Belvédère Nord - 613 m. Dit uitzichtpunt ligt aan de rand van het plateau en biedt een mooi zicht op het keteldal en de cañon van de rivier de Vis. Aan de horizon ligt de lange bergketen van de Séranne. De weg naar beneden maakt enkele haarspeldbochten langs de rotswanden en loopt vervolgens met een wijde bocht het dal van de Four in, duikt dan steil naar beneden tot onder in het keteldal en komt tenslotte uit in Navacelles.

Navacelles - Dit kleine dorp, dat op 325 m hoogte ligt, heeft een mooie brug die met één enkele boog de Vis overspant.
De D 130 loopt langs de zuidwand van de cañon omhoog.

La Baume-Auriol - 618 m. Vanaf de noordzijde van deze boerderij heeft men een indrukwekkend uitzicht op het keteldal. De cañon is prachtig: de smalle meanders slingeren zich langs de spits toelopende uitlopers, die stroomopwaarts hoge en zeer steile rotswanden hebben. In de verte kan men de bergen van de Lingas en van Lesperou zien.
Iets verderop rechts is nog een uitzichtpunt.

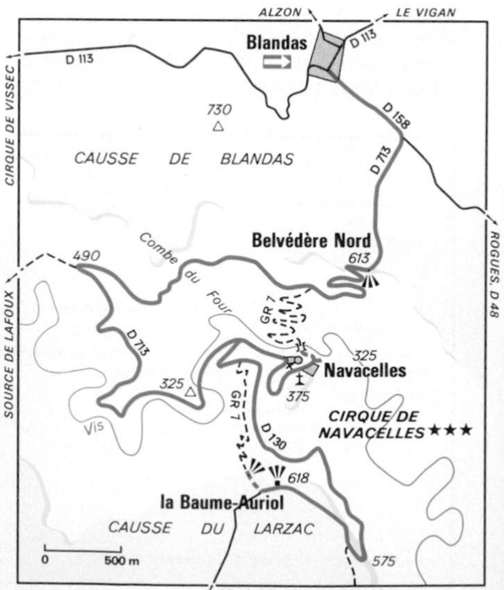

Grotte de NIAUX★★

Michelinkaart nr. 86 links onder aan vouwblad 4, of 235 vouwblad 46.
Schema, zie onder Foix.

Deze grot in de vallei van Vicdessos *(zie onder Lers)* is beroemd om haar prehistorische tekeningen, die buitengewoon goed bewaard zijn gebleven.

Bereikbaar via een weg die vanuit het dorp Niaux omhoogloopt.

Het portaal – Als men bij het reusachtige portaal aan de ingang van de grot op 678 m hoogte staat, kan men goed begrijpen hoe dit Massif du Cap de la Lesse, waarin de grot ligt, duizenden jaren geleden is uitgesleten door de schuivende ijsmassa's. Vaak vulden de gletsjers de dalen en werden de bergen er geheel door bedekt. De enorme watermassa vulde de groeven en sleet de rots uit, waardoor de grot en het voorportaal zulke grote afmetingen kregen.
In de loop van de tijd werd het niveau van de bodem van de vallei steeds lager; de rivier stroomt nu langs de D 8, ongeveer honderd meter lager. Het profiel, dat kenmerkend is voor gletsjerdalen, is goed te zien: een vlakke bodem met abrupte hellingen en terrassen. Er staat tegenwoordig een kunstwerk van de Italiaanse architect Fuksas bij de ingang van het portaal, als een opvallend teken in de vallei.

De Grot ⓥ – *Van tevoren afspreken voor een bezoek.*
De grot bestaat uit zeer grote en hoge ruimten. Lange gangen leiden naar een 900 m van de ingang gelegen, natuurlijk gevormde ronde zaal, die de zwarte salon genoemd wordt, en waarin tekeningen van bizons, een hert, steenbokken en paarden van opzij gezien de wanden sieren.
De pure schoonheid waarmee deze dieren zijn getekend, kenmerkt het hoogtepunt van de kunst uit het Magdalénien (ongeveer 12 000 v.Chr. – *zie de Inleiding: Prehistorie).* De tekeningen zijn uitgevoerd in ijzeroxyde en geven een beeld hoe de jagersvolkeren in West-Europa tegen het einde van het Paleolithicum de wereld zagen.

Chaos de NÎMES-LE-VIEUX★

Michelinkaart nr. 80 links onder aan vouwblad 6, of 240 vouwblad 10.

Reeds van verre is een op een ruïne lijkende stad op de kale, uitgestrekte vlakte van de Causse Méjean te zien. Er wordt wel gezegd dat de legers van de koning die tijdens de godsdienstoorlogen op zoek waren naar protestanten, dachten eindelijk hun doel, Nîmes, bereikt te hebben. Wat een bittere teleurstelling!

Toegang ⓥ – *Men bereikt deze "stad" via de Col de Perjuret waar het Massif de l'Aigoual en de Causse Méjean aan elkaar grenzen. Vanaf daar rijdt men hetzij naar Veygalier, hetzij naar L'Hom of Gailly, waar men de auto moet laten staan.*

Vanaf Veygalier – In Veygalier, een mooi causse-dorp, is in een huis een tentoonstelling ingericht over de geologie van de causse. Daar begint ook de bewegwijzerde route die via de "straten" tussen de 10 tot 50 m hoge rotsen met wonderlijke vormen door loopt. Als men de heuvel boven Veygalier oploopt, heeft men een mooi uitzicht op het met spitse dolomietrotsen bezaaide keteldal, waar de stenen huizen onopvallend tegen de wonderlijke achtergrond staan.

Vanaf L'Hom of Gally – Door het Parc National des Cévennes is een mooi pad aangelegd waar men interessante dingen kan zien. Er zijn verscheidene "tables d'interprétation" waarop uitleg wordt gegeven, zodat men goed begrijpt hoe bijzonder deze door de natuur gevormde en voor de causses zo kenmerkende plek is.

U wilt zelf uw reisprogramma's opstellen:
Raadpleeg eerst de kaart van de reisroutes.
Daarop vindt u de beschreven routes, de toeristische streken, de belangrijkste steden en bezienswaardigheden.
Zoek vervolgens de beschrijvingen op. De belangrijkste toeristische centra zijn tevens het uitgangspunt voor tochten in de omgeving.

PERPIGNAN★★

138 735 inwoners (agglomeratie)
Michelinkaart nr. 86 vouwblad 19, of 235 vouwblad 51, 52, of 240 vouwblad 41.

Perpignan was ooit de hoofdstad van de graven van de Roussillon en van de koningen van Majorca en tevens een voorpost van de Catalaanse beschaving ten noorden van de Pyreneeën. De levendige en bedrijvige stad dankt haar groei aan de export van fruit, primeurs en wijnen die afkomstig zijn uit de vlakten en van de hellingen. In 1904 begon men Vauban's ommuringen af te breken en breidde de stad zich uit op veilige afstand van de rivier de Têt. Als commercieel, universitair en bestuurlijk centrum maakte de stad, die vóór 1914 slechts 39 000 inwoners telde, een snelle groei door.
In de 13de eeuw vaart Perpignan wel bij de intensieve handel tussen Zuid-Frankrijk, de kust van Noord-Afrika en het Midden-Oosten, die door de kruistochten op gang was gebracht. In 1276 wordt het de hoofdstad van de Roussillon, een gebied dat toen onder het gezag van het koninkrijk Majorca stond. De bedrijvigheid richt zich in die tijd vooral op het verven en appreteren van stoffen die uit de grote Europese lakensteden worden aangevoerd.

De tweede stad van Catalonië – Toen het koninkrijk Majorca in 1344 verdween, gingen de Roussillon en de Cerdagne deel uitmaken van het vorstendom Catalonië, dat in de 14de en 15de eeuw een soort autonome federatie binnen de staat Aragon vormde. De Catalaanse *"cortes"* (staten) houden zitting in Barcelona dat als hoofdstad van de federatie fungeert, maar hebben een afvaardiging in Perpignan. Tussen de twee gebieden ten noorden en ten zuiden van de Pyreneeën ontstaat een hechte gemeenschap op het gebied van handel, taal en cultuur.
In 1463 stelt Lodewijk XI aan koning Jan van Aragon 700 lansen ter beschikking om hem te helpen de Catalanen te bedwingen; praktisch ingesteld als de Franse koning is, eist hij dat hij in ruil daarvoor Perpignan en de Roussillon krijgt. De inwoners verlangen echter terug naar hun Catalaanse autonomie en er broeit een opstand. Tien jaar later keert Jan van Aragon terug naar de stad. Na een periode van neutraal bewind, laaien de vijandelijkheden met Frankrijk weer op, en slaat het leger het beleg voor de stad. Ondanks de hongersnood houden de inwoners moedig stand (lang hebben zij de bijnaam "ratteneters" behouden). Zij geven zich pas over op bevel van de koning van Aragon, die de stad de titel "Fidelissima" (zeer trouw) verleent.
In 1493 zoekt Karel VIII, die zijn handen vrij wil hebben voor Italië, toenadering tot Spanje; hij geeft de provincie dan ook terug aan koning Ferdinand en koningin Isabella van Spanje; deze beschouwen Perpignan als de toegangspoort tot Spanje en maken de stad tot een van de sterkste vestingen van Europa. Maar in de 17de eeuw voert kardinaal Richelieu systematisch een politiek om natuurlijke grenzen in te stellen; in 1640 grijpt hij een opstand van de Catalanen tegen het centrale gezag in Madrid aan om een bondgenootschap met hen te sluiten: het jaar daarop wordt Lodewijk XIII graaf van Barcelona.

De laatste belegering van Perpignan – Het Spaanse garnizoen van Perpignan is echter niet bereid zich over te geven en besloten wordt de stad te belegeren. Lodewijk XIII verschijnt in eigen persoon met de elitetroepen van het Franse leger voor de muren van de stad (kardinaal Richelieu is ziek in Narbonne achtergebleven). Van het begin af aan is het een weinig roemrijk beleg; de bevolking is weinig gesteld op haar eigen verdedigers en lijdt honger: Perpignan, geheel van de wereld afgesneden, wordt ingenomen terwijl de eigen bevolking zich daar totaal niets van aantrekt. Op 9 september 1642 geeft het Spaanse garnizoen, dat er zelf ook slecht aan toe is, zich over en mag met militaire eer vertrekken.
De stervende Richelieu gevoelt "een onzegbare blijdschap" en nadat Cinq-Mars en Thou ter dood zijn gebracht, schrijft hij aan de koning: "Sire, uw soldaten zijn in Perpignan en uw vijanden zijn dood."
Het Verdrag van de Pyreneeën ratificeert de inlijving van de Roussillon bij het koninkrijk. Vanaf dat moment behoort Perpignan voorgoed bij Frankrijk.

VAN HET PALAIS DES ROIS DE MAJORQUE NAAR LE CASTILLET

bezichtiging: drie uur

★ **Palais des rois de Majorque** (**BZ**) ⏲ – Toen de koningen van Majorca in 1276 de troon bestegen, had Perpignan geen geschikte behuizing voor een koning. Er werd dus een paleis gebouwd ten zuiden van de stad op de heuvel Puig del Rey.
Tijdens hun kortstondige bewind (1276-1344) dient het als residentie van de koningen van Majorca op het vasteland. Bij de bezetting

Zegel van de koningen van Majorca.

door Frankrijk onder Lodewijk XI wordt het paleis bij de citadel getrokken en nog weer later gaat het deel uitmaken van de versterkingswerken die de Spaanse koningen Karel V en Filips II laten aanbrengen. Langzamerhand krijgt het paleis weer zijn oorspronkelijke karakter terug.
Door een soort tunnel die onder de ommuringen van rode bakstenen doorloopt, komt men uit in een mooie mediterrane tuin. Als men onder de **Tour de l'Hommage** aan de westkant doorloopt, komt men uit op het vierkante voorplein *(in de zomer worden hier voorstellingen gegeven in het kader van het theaterfestival "Estivales")*. Aan de west- en oostzijde van de binnenplaats bevinden zich twee boven elkaar gelegen galerijen; de decoraties zijn een mengeling van primitieve Romaanse kunst en nieuwe gotische vormen, waardoor een soort zuidelijke overgangsstijl is ontstaan. Opmerkelijk in het metselwerk is de afwisseling van rolstenen en lagen baksteen (zgn. cayroux).
Op de eerste verdieping van de zuidelijke vleugel vindt men in de **Grande salle de Majorque** een schouw met drie open haarden. In het verlengde daarvan is in de vertrekken van de koningin een prachtig plafond, beschilderd in de Catalaanse kleuren groen en rood, bewaard gebleven.
Het mooiste gedeelte van het gebouw wordt gevormd door de **donjon-chapelle Ste-Croix** (torenkapel), die boven de oostelijke vleugel uitsteekt. Binnen vindt men twee boven elkaar gelegen kapellen, gebouwd in het begin van de 14de eeuw door Jacobus II van Majorca. De architectuur aan de buitenkant wordt gekenmerkt door een flamboyant gotische stijl met Franse invloeden, terwijl de decoraties binnen duidelijk een mediterrane invloed verraden.
De onderste kapel "van de koningin" is geplaveid met groene tegels en vertoont sporen van polychromie uit de gotiek - blinde ramen en versiering met hoektrompen - en er staat ook een mooi beeld van de H. Maagd met Kind uit de 15de eeuw.
De slankere bovenkapel is toegankelijk via een mooi **Romaans portaal★** met booglijsten, die afwisselend van blauw en roze marmer zijn.
Binnen staat op het altaar een mooi Catalaans Christusbeeld en ook hier ziet men het architectonische spel van de hoektrompen.

Musée Hyacinthe-Rigaud (**BZ M¹**) ⏲ - Dit museum is gehuisvest in het Hôtel de Lazerme, een patriciërshuis uit de 17de eeuw. Het is genoemd naar Hyacinthe Rigaud (1659-1743), een beroemd kunstschilder uit Perpignan, die zo'n grote vermaardheid kreeg door zijn (statie)portretten, dat hij een atelier moest oprichten om aan de vraag van zijn opdrachtgevers, koning Lodewijk XIV en de "hogere kringen", te kunnen voldoen. Zijn reputatie reikte tot ver buiten de grenzen. Voltaire zei ooit over het mooiste stuk in het museum, het *Portret van de kardinaal van Bouillon*: "Dit meesterwerk doet niet onder voor de mooiste werken van Rubens." Naast andere schilderijen van deze portretschilder, zijn er ook Catalaanse schilderingen uit de gotiek te bewonderen, waaronder het beroemde 15de-eeuwse altaarstuk, dat de H. Drieëenheid wordt genoemd.
De hedendaagse kunst is zeer ruim vertegenwoordigd door o.a. werken van Maillol, Dufy, Picasso, Alechinsky en Appel.
Ook nemen de Spaanse en Zuid-Amerikaanse kunst een belangrijke plaats in.

Place Arago (**BZ 5**) - Dit gezellige en levendige plein met palmbomen en magnolia's trekt veel mensen dankzij de talrijke cafés die eraan liggen. Midden op het plein staat het standbeeld van de beroemde fysicus en astronoom François Arago (1786-1853). Deze uitzonderlijke persoonlijkheid was pas 23 jaar toen hij werd toegelaten tot de Académie des Sciences. Hij werd gedreven door onderzoekszin en de behoefte om de wetenschap voor iedereen toegankelijk te maken. Ook de politiek was een grote hartstocht van hem. Na de revolutie van 1848 maakte hij deel uit van de voorlopige regering.

Palais de la Députation (**BY B**) - Vanaf de 15de eeuw was in dit paleis, ten tijde van de koningen van Aragon, de permanente commissie of "afvaardiging" ondergebracht, die de Catalaanse "cortes" vertegenwoordigde. Opmerkelijk zijn de reusachtige en typisch Aragonese sluitstenen bij het portaal, het mooie metselwerk van de voorgevel die helemaal uit natuursteen is opgetrokken en de ramen die rusten op sierlijke stenen colonnetten.
Tegenover het Palais de la Députation ligt het straatje Rue des Fabriques d'En Nabot (**BY 24**), dat vroeger midden in de wijk van de "**parayres**" lag (handwerkslieden die stoffen appreteerden en die in de 13de en 14de eeuw verenigd waren in de eerste gilde in Perpignan). Op nr. 2 staat het **Maison Julia★** (**BY D**), een van de weinige patriciërshuizen van Perpignan die goed bewaard zijn gebleven. Het heeft een patio met gotische galerijen (14de eeuw).

★ **Hôtel de Ville** (**BY H**) ⏲ - Het hekwerk van dit stadhuis dateert uit de 18de eeuw. Op de binnenplaats met arcaden staat een bronzen beeld van Maillol: de *Middellandse Zee*. De drie bronzen armen op de voorgevel zouden een symbool zijn van de "handen" (naam voor de mensen die het recht hadden de vijf consuls te kiezen), maar dienden vroeger waarschijnlijk als toortshouders.
De trouwzaal heeft een mooi cassettenplafond uit de 15de eeuw.

PERPIGNAN

Alsace-Lorraine (R. d') .. **BY** 2
Arago (Pl.) .... **BZ** 5
Argenterie (R. de l') .... **BY** 6
Barre (R. de la)........ **BY** 7
Clemenceau (Bd G.) ... **BY**
Louis-Blanc (R.) .... **BY** 34
Marchands (R. des) .... **BY** 35
Mirabeau (R.) .... **BY** 37
Péri (Pl. Gabriel) .... **BZ** 39
Théâtre (R. du) .... **BZ** 46

Anciens Combattants d'Indochine (Pl. des) . **BY** 3
Anges (R. de l') .... **BZ** 4
Bartissol (R. E.) .... **BY** 8
Batello (Quai F.) .... **BY** 9
Carnot (Quai Sadi) ..... **BY** 20
Castillet (R. du) .... **BY** 21
Cloche d'Or (R. de la) . **BYZ** 22
Côte des Carmes (R.) .... **CZ** 23
Fabriques d'En Nabot (R. des) . **BY** 24
Fontaine-Neuve (R.) .... **CZ** 25
Gambetta (Pl.) .... **BY** 27
Grande-la-Monnaie (R.) .... **BZ** 28
Lattre-de-Tassigny (Quai de) .... **BZ** 32
Loge (R. et pl. de la) .. **BY** 33
Mermoz (Av. J.) .... **CZ** 36
Payra (R. J.) .... **BY** 38
Petite-la-Monnaie (R.) .... **BZ** 40
Porte-d'Assaut (R.) ..... **BZ** 41
Remparts-la-Réal (R. des) .... **BZ** 42
Résistance (Pl. de la) .. **BY** 43
Rigaud (Pl.) .... **BZ** 44
St-Jean (R.) .... **BY** 45
Vauban (Quai) .... **BY** 49
Verdun (Pl. de) .... **BY** 50
Victoire (Pl. de la) ..... **BY** 51
Villedent (R. J.) .... **CZ** 52
Waldeck-Rousseau (R.) .... **CZ** 55

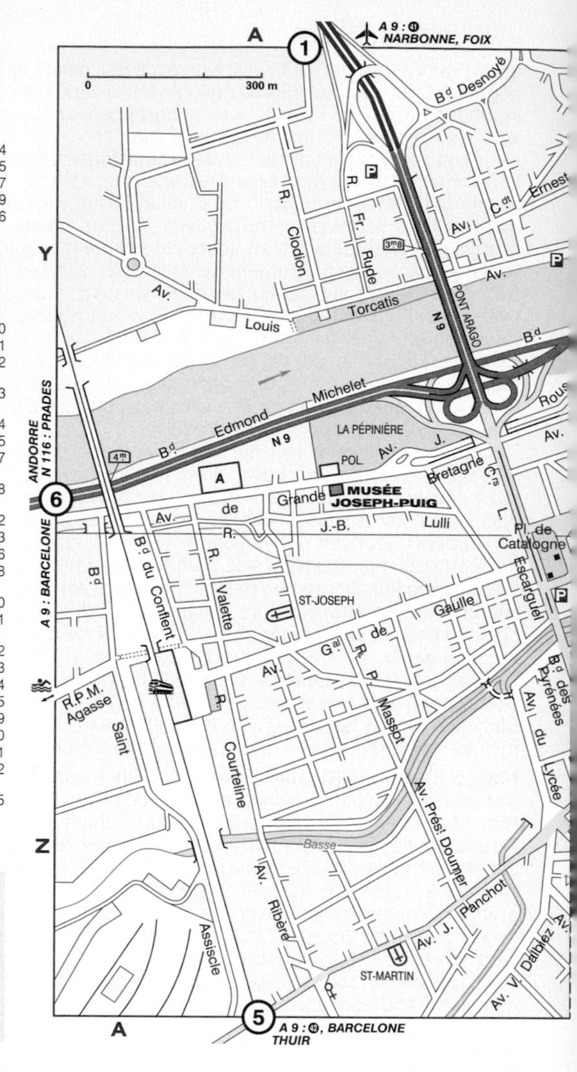

B Palais de la Députation
D Maison Julia
E Loge de Mer
H Hôtel de ville
L Chapelle du Dévot Christ
M¹ Musée Hyacinthe-Rigaud
N Campo Santo

Place de la Loge (**BY 33**) - Op dit plein staat een mooi beeld van Maillol, *Venus* genaamd. Samen met de Rue de la Loge, bestraat met roze marmer en alleen toegankelijk voor voetgangers, vormt het plein het uitgaanscentrum van de stad. In de zomer wordt hier een paar keer per week de Catalaanse sardana gedanst.

★ **Loge de Mer** (**BY E**) - Dit mooie gebouw, dat in 1397 werd gebouwd en in de 16de eeuw verbouwd en uitgebreid, was de zetel van een handelstribunaal, dat zich bezighield met geschillen die betrekking hadden op de zeehandel.
Op de hoek van het gebouw staat een windwijzer in de vorm van een schip, het symbool van de bedrijvigheid die de handelaren uit de Roussillon op zee ontplooiden.

★ **Cathédrale St-Jean** (**BY**) - In 1324 begon Sanchez, de tweede koning van Majorca, aan de bouw van deze kerk, die echter pas in 1509 werd gewijd.
Als men links om de kerk loopt, komt men bij de voormalige kapel van St-Jean-le-Vieux. Er rest alleen nog een Romaans portaal van marmer, waar een Christusbeeld met een streng en krachtig uiterlijk het centrale pendentief siert.
De rechthoekige voorgevel van de basiliek bestaat uit afwisselende lagen rolstenen en bakstenen. Rechts ervan staat een toren met een mooie smeedijzeren spits uit de 18de eeuw waarin een zware 15de-eeuwse klok hangt.
Het enkelvoudige schip is imponerend: het rust op flinke inwendige steunberen die de scheiding tussen de kapellen vormen. Karakteristiek voor de kerk zijn de rijk bewerkte 16de- en 17de-eeuwse altaarstukken, waarbij men vooral moet letten op die van het hoofdaltaar en van de kapellen links (Ste-Eulalie, Ste-Julie en St-Pierre). In de absiskapel aan de zuidkant staat een altaarstuk met een schildering van de H. Maagd met de granaat.

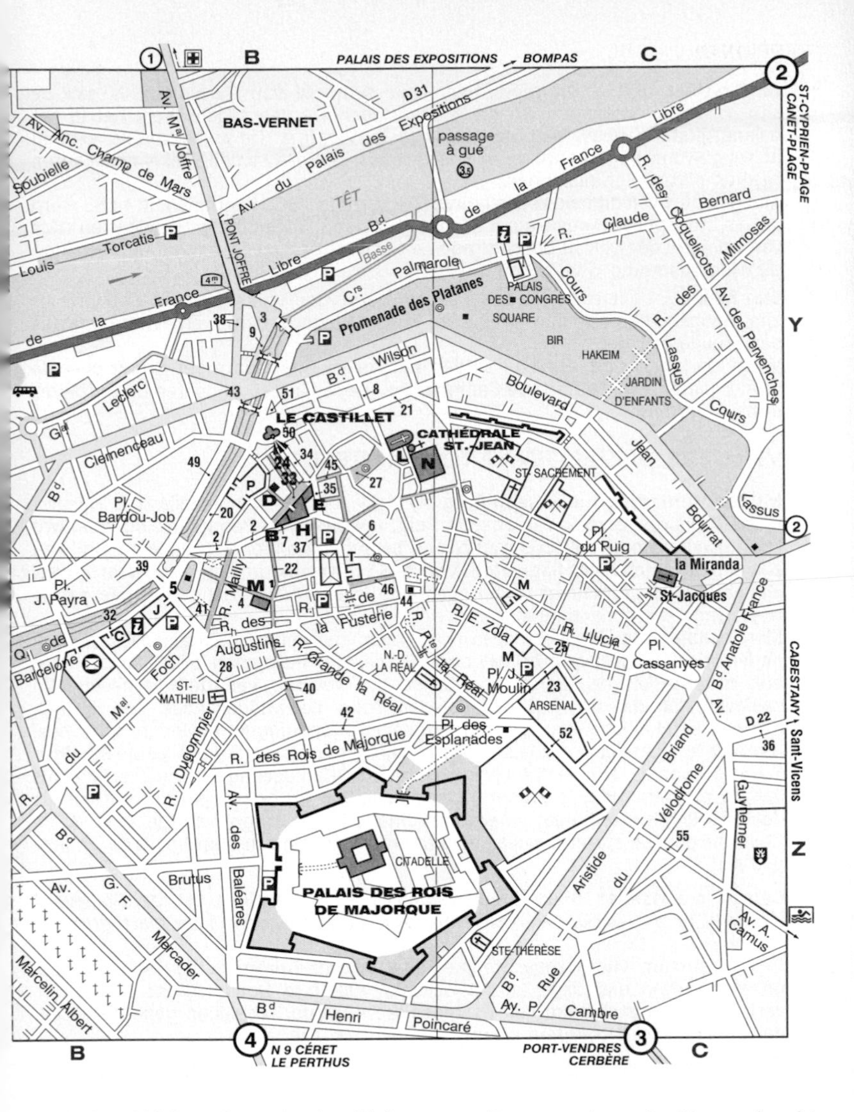

In de middelste nis van het hoofdaltaar van wit marmer is een beeld aangebracht van de H. Johannes de Doper, de beschermheilige van de stad. De beeltenis van de heilige en de draperie "van goud met vier rode schuine strepen" – het wapen van Aragon en het koninkrijk Catalonië – zijn afgebeeld op het stadswapen van Perpignan.

Bij de ingang van het linkertransept staat de 17de-eeuwse graftombe van de bisschop Louis de Montmort. Het monumentale 16de-eeuwse orgel is gerestaureerd; de luiken uit 1504, opgesteld ter weerszijden van de rechter zij-ingang, zijn beschilderd met de Doop van Christus en het Feestmaal van Herodes.

Onder de orgelkast leidt een doorgang naar de Romaanse kapel van Notre-Dame-dels-Correchs. Daar vindt men een liggend grafbeeld van koning Sanchez, dat in 1971 is aangeboden door de stad Palma, en achterin ziet men een verzameling oude reliekhouders achter smeedijzeren hekken.

Als men door het rechterzijportaal de kathedraal verlaat, is in de kapel die buiten de kerk zelf ligt (**BY L**) de **devote Christus**★, een zeer sprekend beeld van hout uit het begin van de 14de eeuw te zien; het is waarschijnlijk afkomstig uit het Rijnland.

Campo Santo (**BCY N**) ⏲ – Aan de zuidzijde van de kathedraal ligt het Campo Santo, een uitgestrekt vierkant kerkhof uit het begin van de 14de eeuw, dat dankzij zorgvuldig uitgevoerde restauratiewerkzaamheden zijn oorspronkelijke aanzien heeft teruggekregen. Architectonisch vormt het een homogeen geheel van grafnissen met spitsbogen en nissen van marmer, ingemetseld in muren versierd met lagen rolstenen en verankeringen van baksteen. Het is een van de oudste middeleeuwse kerkhoven die nog in Frankrijk bestaan.

★ **Le Castillet** (**BY**) - Dit monument, het symbool van Perpignan, is aan de slopershamer ontsnapt toen de versterkingen werden afgebroken; het is het belangrijkste gebouw aan de Place de la Victoire. De twee torens hebben buitengewoon hoge kantelen en machicoulis; ook de ramen met smeedijzeren hekken ervoor zijn bijzonder.
Met de bouw van dit bakstenen bouwwerk werd in 1368 begonnen; in 1483 werd er een stadspoort, opgedragen aan de H. Maagd, tegenaan gebouwd. Ten tijde van koning Lodewijk XI beschermde Le Castillet de stad, waarvan de bevolking dikwijls opstandig was, tegen de vijand.

Casa Pairal ⌚ - Dit is het Catalaanse museum voor Volkskunst en Folklore; er zijn meubels, gereedschap, religieuze kunst, klederdrachten en een mooi kruis der Smaden te zien.
Vanaf de hoge toren die 142 treden telt, heeft men een mooi **uitzicht** over de monumenten van de stad, de Canigou, de Albères in het zuiden en de Corbières in het noorden.

VERDERE BEZIENSWAARDIGHEDEN

★ **Musée numismatique Joseph-Puig** (**AY**) ⌚ - Een deel van de villa "Les Tilleuls" uit 1907 is op verzoek van Joseph Puig, inwoner van Perpignan, omgebouwd tot museum om de collectie munten en penningen onder te brengen die hij aan zijn geboortestad heeft nagelaten. Van de 35 000 stukken die de collectie omvat, zijn er 15 000 permanent tentoongesteld. Er is ook een zaal gereserveerd voor wisselende tentoonstellingen.
Met behulp van Fresnel-loepen kan men merendeels Catalaanse munten onderscheiden, geslagen in Valencia, Barcelona, Perpignan of Majorca, maar ook munten uit de Roussillon die na het verdrag van de Pyreneeën zijn geslagen, of die uit andere gebieden rond de Middellandse Zee komen (Rome, Griekenland en Egypte). Onder de penningen bevinden zich heel bijzondere exemplaren, zoals die met moeder en zoon Arago, gemaakt door David d'Angers. De collectie vormt een goede afspiegeling van de geschiedenis van de numismatiek, is prachtig tentoongesteld en bevat ook topstukken als de dubbele gouden dukaat waarop Ferdinand II van Aragon is afgebeeld, en de Gallische gouden staters, geslagen naar het voorbeeld van munten uit de Griekse oudheid.

Centre d'artisanat d'art Sant Vicens ⌚ - *Te bereiken via de Boulevard Kennedy of de Avenue Jean-Mermoz (aan de oostkant van de plattegrond - D 22).*
In dit centrum voor ambachtelijke kunst wordt keramiek vervaardigd naar ontwerpen van o.a. Jean Lurçat en Jean Picart le Doux; tevens worden er verkooptentoonstellingen van pottenbakkers uit de Roussillon gehouden. Ook de tuinen zijn het bekijken waard.

⌚ ►► Promenade des Platanes (**BCY**) - La Miranda (**CZ**) - Église St-Jacques (**CZ**).

OMGEVING

Cabestany - *5 km in zuidwestelijke richting via de D 22.*
In de kerk **Notre-Dame-des-Anges** is op de muur van de rechterkapel een beroemde Romaanse **timpaan**★ te zien, gemaakt door een rondtrekkende beeldhouwer uit de 12de eeuw, de Meester van Cabestany. Het stelt de Opstanding, de Tenhemelopneming en de Verheerlijking van de H. Maagd, (met aan weerszijden Christus en de H. Thomas) voor.

Mas Palégry ⌚ - *7 km in zuidelijke richting via de N 114, vervolgens een kleine weg naar rechts nemen, richting Villeneuve-de-la-Raho.*
Deze boerderij ligt midden in de wijngaarden; het **Musée d'Aviation** (vliegtuigen en schaalmodellen) is er gevestigd. Onder de modellen die er staan opgesteld, vindt men o.a. de Republic RF84F "Thunderflash" en een "Vampire" van De Havilland.

DE VLAKTE VAN DE ROUSSILLON

Rondrit van 93 km. Ongeveer een hele dag.

Perpignan uitrijden via ⑤, de D 612A.

Toulouges - Aan de zuidzijde en bij de koorsluiting van de kerk herinneren twee gedenkplaten en een gedenksteen aan de Synode van 1027 en het Concilie van 1064-1066, waarbij een van de oudste en in het westen meest bekende "Godsvreden" werd afgekondigd. Aan de buitenkant van de absis staat een kruis der Smaden, een missiekruis uit 1782, waarop de instrumenten van het Lijden van Christus te zien zijn.

Thuir - Deze plaats is vooral bekend omdat zich hier de kelders van het bekende Franse drankmerk **"Byrrh"** ⓥ bevinden.
In de "Cellier des Aspres" kan men een uitgebreide documentatie vinden over de plaatselijke wijnen en de ontwikkeling van de kunstnijverheid in de omliggende dorpen.

De D 48 in westelijke richting nemen.

De weg loopt langs de hellingen van de Aspre omhoog. Als men een dalletje uitkomt, heeft men onverwachts een prachtig **uitzicht★** op het middeleeuwse dorp Castelnou, met de Canigou op de achtergrond.

D'après photo Léo Pélissier

Kruis der Smaden.

Castelnou - Dit versterkte dorp met geplaveide straatjes ligt aan de voet van een feodaal **kasteel** ⓥ, dat in de 19de eeuw is verbouwd. Hier zetelde het militaire bestuur van de graven van Besalù. De aanwezigheid van kunstenaars en handwerkslieden geeft dit dorp een levendige sfeer.
Vanaf de met garrigues begroeide hellingen heeft men naar het zuiden toe een indrukwekkend uitzicht over de Roussillon, de Albères en de zee.

Kerk van Fontcouverte - Deze afgelegen kerk staat op een kerkhof met een grote steeneik. Een mooie stille **plek★** vanwaar men over de hele vlakte uitkijkt. Direct voorbij de kerk kan men even uitrusten onder de kastanjebomen langs de weg naar Ille.

Ille-sur-Têt - Dit plaatsje ligt in de vlakte tussen de Têt en een zijstroom ervan, de Boulès. In het oude Hospice St-Jacques, waarvan het hoofdgebouw deels uit de 16de en deels uit de 18de eeuw dateert, vindt men het **Centre d'Art sacré** ⓥ. In dit centrum voor gewijde kunst is op de benedenverdieping een permanente tentoonstelling ingericht met schilderijen, beeldhouwwerken en kerkzilver, zoals processiekruisen, reliekhouders en hostiekelken. De bedoeling van het centrum is ook de vaak totaal onbekende schatten van de kerken uit de streek onder de aandacht van het publiek te brengen. Daarom wordt ieder jaar in het zomerseizoen een andere tentoonstelling opgezet waarbij oude kunst op zeer moderne wijze wordt gepresenteerd.
Op de plek waar men vanuit het oosten het plaatsje binnenkomt, is in de brandweerkazerne het **musée départemental du Sapeur-Pompier** ⓥ gevestigd. In dit museum krijgt men een overzicht te zien van brandweermateriaal vanaf de tijd van keizer Napoleon I tot heden.
Ille-sur-Têt is het vertrekpunt van de route van de Conflent naar Prades, en van de route van Aspres naar Amélie-les-Bains. Bij het verlaten van Ille-sur-Têt kan men het silhouet van de kerk bewonderen.
Aan de overkant van de rivier slingert de weg (D 21) zich door een klein dal waar **"Les Orgues"** bovenuit torenen, wonderlijke geologische formaties die aan orgels doen denken en die gevormd worden door aardpijlers, pilaren van zacht, geërodeerd gesteente, waar bovenop een stuk hard gesteente ligt. Deze "orgels" staan op twee verschillende plekken bij elkaar, waarvan die aan de oostkant voor het publiek toegankelijk is. Het is een prachtige kom met gegroefde witte wanden. In het midden staat een grote aardpijler, die "Sybille" wordt genoemd.

S. Marmounier/C.E.D.R.I.

Ille-sur-Têt - De Orgels.

Verder naar het westen in de richting van Montalba kan men links van de weg nog meer formaties zien, die iets okerkleuriger zijn. Als men naar boven rijdt, is er na een kilometer met veel bochten in de weg een **belvédère** aangelegd (oriëntatietafel), vanwaar men op alle orgels kan uitkijken; in de verte ziet men Ille-sur-Têt liggen.

Omkeren om via de D 21 Bélesta te bereiken.

De weg loopt door een smalle kloof die in het graniet is uitgeslepen.

Bélesta - Dit dorp heeft een prachtige ligging op een uitstekende rots te midden van wijngaarden. Archeologen hebben in de Caune de Bélesta een groot aantal prehistorische overblijfselen gevonden; in 1983 werd een collectief graf van ongeveer 6 000 jaar geleden ontdekt, met de resten van 32 personen en 28 aardewerken voorwerpen. In het **Château-musée** ⏲ is de archeologische vindplaats gereconstrueerd en worden de methodes van archeologisch onderzoek toegelicht.
Vanaf het terras-belvédère: weids **panorama** van het dorp en de Fenouillèdes.

Doorrijden in de richting van de Col de la Bataille.

Algauw komt het kasteel van Caladroi in zicht; het ligt in een park met uitheemse boomsoorten.

Via een mooie weg die over een bergkam loopt, tussen de dalen van de Têt en de Agly, komt men eerst bij de pas en daarna bij de Ermitage de Força Réal.

Ermitage de Força Réal - Boven op het hoogste punt (507 m) van de kam, een als een bolwerk vooruitgeschoven rotsformatie in de Roussillon, staan een 17de-eeuwse kapel en een telecommunicatiestation.

Panorama★★ over de vlakte, de kust vanaf Cap Leucate tot Cap Béar, de Albères en de Canigou. In het noordwesten steken de twee punten van de Bugarach en de rots van Quéribus boven de kammen van de zuidelijke Corbières uit.
Er is een opmerkelijk verschil tussen de vallei van de Têt, een lappendeken van tuinbouwpercelen die door rijen bomen van elkaar worden gescheiden, en de vallei van de Agly, die geheel door wijnstokken in beslag wordt genomen.
Weer terug naar de pas rijden en vandaar naar **Estagel**, het geboortedorp van François Arago. In het gemeentehuis is een borstbeeld van hem te zien, gemaakt door David d'Angers.
Langs de D 117, vlak na een grote bocht naar rechts en voordat men Cases-de-Pène binnenrijdt, is de hooggelegen ermitage van **Notre-Dame-de-Pène** te zien; het witte puntgeveltje van de kapel steekt nauwelijks af tegen de omringende grijskleurige rotssteen, die tot een grote steengroeve is uitgehouwen.

Rivesaltes - Dit is een van de belangrijkste wijncentra van de Roussillon, gelegen op de rechteroever van de Agly.
Het is de geboorteplaats van een beroemd Frans militair: **maarschalk Joffre** (1852-1931), van wie onder de platanen op de promenade een ruiterstandbeeld is opgericht. Joffre was een man met stalen zenuwen; hij kon onder alle omstandigheden, hoe moeilijk ook, de situatie onder controle houden. In het huis waar Joffre werd geboren *(rue du Maréchal-Joffre 11)* is sinds 1987 een **museum** ⏲ gevestigd, waarin men alles te weten kan komen over zijn leven en zijn rol in de Eerste Wereldoorlog.

Terugrijden naar Perpignan via de D 117 die langs het vliegveld loopt.

Château de PEYREPERTUSE★★★

Michelinkaart nr. 86 vouwblad 8, of 240 vouwblad 37 - Schema, zie onder Corbières.

Door zijn ligging boven op een bergkam in de Corbières, tekent het robuuste silhouet van dit kasteel, een van de "vijf zonen van Carcassonne", zich scherp af tegen de lucht. Vooral vanaf het verder naar het noorden gelegen Rouffiac, kan men deze trotse vesting op haar vooruitstekende rots goed zien liggen.

Peyrepertuse is een van de fraaiste voorbeelden van een middeleeuws fort in de Corbières.

Recent onderzoek heeft aan het licht gebracht dat de berg van Peyrepertuse wellicht al vanaf de Romeinse tijd bewoond was (er zijn talrijke amforascherven, en ook stukken baksteen gevonden).

Peyrepertuse.

BEZICHTIGING ⓥ

ongeveer twee uur

Bereikbaar vanaf Duilhac via een smalle weg van 3,5 km.

De weg wordt aangegeven als men het dorp Duilhac vanuit het zuiden binnenrijdt en loopt in de richting van de zuidwand van de vooruitstekende rots. Vanaf deze kant resten er van het fort nog slechts afgebrokkelde muren met gaten erin, die één geheel vormen met de rotsen.

Vanaf de parkeerplaats volgt men een pad dat langs de noordzijde loopt en uitkomt bij de toegangspoort.

Uiterste voorzichtigheid is geboden bij de bezichtiging van deze duizelingwekkend hoog gelegen citadel.

Peyrepertuse omvat twee naast elkaar gelegen, maar duidelijk verschillende bouwwerken: het eigenlijke Peyrepertuse, lager gelegen aan de oostkant van de uitstekende rots, en het hoger gelegen St-Georges, aan de westkant ervan. Het hele complex beslaat een lengte van 300 m.

Het Château St-Georges kon niet te paard en zelfs niet per muilezel bereikt worden.

Château bas - Dit lager gelegen kasteel is het eigenlijke feodale fort.
Het schijnt dat het zich in 1240 na het opheffen van het tweede beleg van Carcassonne zonder slag of stoot heeft overgegeven aan de baljuw van Carcassonne, een afgezant van koning Lodewijk IX. Het lage kasteel ligt op een scherp vooruitstekend gedeelte van de rots.

Donjon - *Ingang via de hooggelegen poort.* De oude donjon, de eigenlijke kern van het kasteel, heeft een vierkante vorm, maar vanaf de binnenplaats ziet men slechts één zijde ervan, met daarnaast een ronde toren die fungeerde als waterreservoir.

Het werk werd in de 12de en de 13de eeuw voltooid met de bouw van een versterkte kapel bij de linkermuur, die met de eerste vluchtschans werd verbonden door courtines; op hun beurt sloten die de korte zijden van de binnenplaats af.

Cour basse - De vestingmuur rondom de lage binnenplaats volgt precies de driehoekige vorm van de uitstekende rotspunt. Aan de noordzijde wordt de plaats afgesloten door een stevige courtine met twee torens, de oostelijke en de westelijke, die naar de binnenplaats toe open zijn.

De zuidkant werd slechts beschermd door een eenvoudige borstwering, die thans herbouwd is.

Als men terugloopt, moet men letten op de fraaie oostgevel van de donjon met halfronde torens, die door een courtine met kantelen verbonden zijn met elkaar. In de 13de eeuw werd deze donjon ingrijpend veranderd.

Château St-Georges – *De westelijke esplanade oversteken naar de Roc St-Georges.*
Aan de noordkant van de afgrond heeft men door een groot gat in een losstaande wachttoren uitzicht op het kasteel van Quéribus. Een indrukwekkende, in de rotsen uitgehouwen trap (Escalier St-Louis) geeft toegang tot de ruïnes. *Toegang tot deze trap is gevaarlijk als het hard waait. Er zijn kettingen aangebracht waaraan men zich kan vasthouden.*
Dit indrukwekkende fort ligt op 796 m, ongeveer 60 m hoger dan het lage kasteel. Het werd zonder onderbreking gebouwd op het hoogste punt van de berg nadat de Languedoc bij het koninkrijk was ingelijfd. De hoge muren van grof metselwerk zijn bewaard gebleven, maar veel interessanter is de ligging, zo hoog in de lucht.
Op de terugweg links naar de meest vooruitstekende rotspunt lopen, die hoog boven het lage kasteel uitsteekt en waar vroeger de kapel stond. Hier heeft men een panoramisch uitzicht over het hele complex en de omgeving ervan: het bassin van de Verdouble, het kasteel van Quéribus en in de verte de Middellandse Zee.

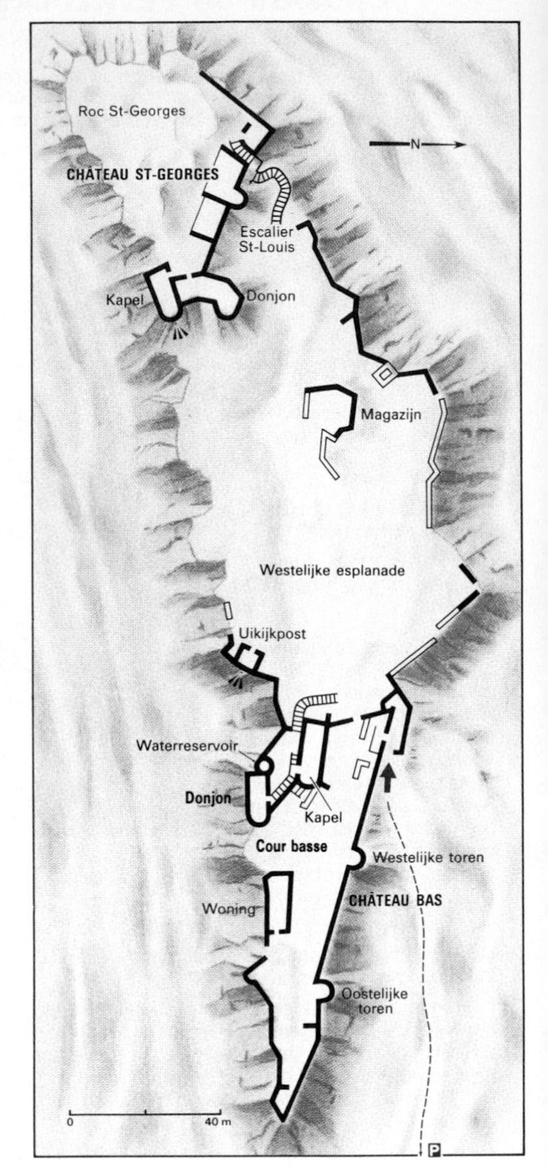

PEYRUSSE-LE-ROC★

288 inwoners
Michelinkaart nr. 79 vouwblad 10, of 235 vouwblad 15 – 15 km ten zuidoosten van Capdenac.

Het fort van Peyrusse, gelegen op het basaltplateau tussen de dalen van de Aveyron en de Lot, beheerste de hele vallei van de Audierne. Het fort heeft een bewogen en roerige geschiedenis, waarvan de resten van het bouwwerk nog getuigen. Al in 767 wordt Petrucia, zoals het fort toen heette, veroverd door Pepijn de Korte; in 781 wordt het door Karel de Grote bij het koninkrijk Aquitanië gevoegd en in 1152 komt het in handen van de Engelsen na de scheiding van Lodewijk VII en Eleonora van Aquitanië. Tot het begin van de 18de eeuw blijft het de zetel van de baljuw. In sommige perioden had Peyrusse-le-Roc meer dan 3 000 inwoners. Een deel van de welvaart was te danken aan de zilverhoudende mijnen, die gesloten werden toen in de 18de eeuw de concurrentie van Amerika toenam; als gevolg daarvan werd de versterkte lage stad verlaten. Vanaf dat moment ontstond op het plateau het huidige dorp Peyrusse-le-Roc.
Ieder jaar vindt hier op de tweede zondag in augustus een groot middeleeuws feest met klank- en lichtspel plaats.

Place St-Georges - Hier staat een mooi 15de-eeuws stenen kruis waarop een H. Maagd met Kind onder een baldakijn te zien is.

Porte du Château - De poort maakte deel uit van de middeleeuwse versterkingswerken.

Kerk - Deze kerk uit de 18de eeuw onderscheidt zich door een groot eenbeukig schip met vijf traveeën en gewelven die steunen op vierkante pijlers. Verder is er een 15de-eeuwse Piëta te zien, beeldhouwwerk en fresco's van de plaatselijke kunstenaar Henri Vernhes.

Place des Treize-Vents - In de middeleeuwen stond hier het kasteel van de heren van Peyrusse; daarvan is alleen nog een ruimte over die diende als gevangenis, en een toren (de klokkentoren van de kerk), waarin een klein **archeologisch museum** ⏲ is gevestigd.

MIDDELEEUWSE WIJK (SITE MÉDIÉVAL) ⏲ *bezichtiging: anderhalf uur*

Links van de kerk onder de Porte Neuve en de versterkingswerken doorlopen. Het pad links leidt naar de ruïnes van de lage stad; voorbij het kerkhof rechts aanhouden (trap).

Roc del Thaluc - *Deze rots is te bereiken via stalen trappen (voorzichtigheid geboden).* Als men 150 m boven de vallei van de Audiernes op deze rots staat, waar de twee vierkante torens van het lage kasteel (tours du château inférieur) verrijzen, wordt de functie van wachtpost en de strategische rol die Peyrusse tijdens roerige perioden in de middeleeuwen had, heel duidelijk.

Het pad volgen dat de vallei inloopt.

Tombeau du Roi - Dit "koningsgraf" ligt beschut in een kapelletje; het is een rijk bewerkt mausoleum dat waarschijnlijk uit de 14de eeuw dateert.

Notre-Dame-de-Laval - Van deze voormalige parochiekerk resten alleen nog de indrukwekkende spitsbogen van het ingestorte schip die haaks staan op de twee torens van Roc del Thaluc, de overblijfselen van de vijf rechterzijkapellen en het driekantige koor dat tegen de rots aanleunt. Links ziet men nog de overblijfselen van een graftombe met een liggend beeld.

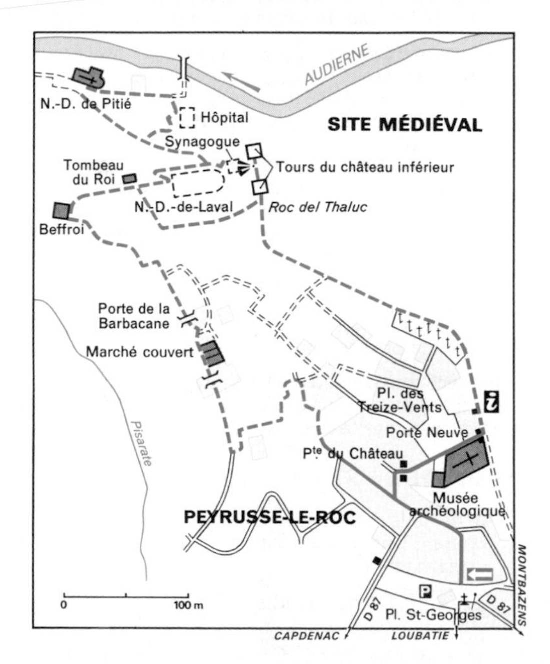

Synagogue - In dit gebouw zouden de joden in de 13de eeuw hun toevlucht hebben gezocht, maar het is ook mogelijk dat het hier de onderkant van een toren betreft die bij het lager gelegen kasteel hoorde.

Hôpital des Anglais - Van dit 13de-eeuwse hospitaal is de mooie ronde buitenschouw nog over.

Chapelle Notre-Dame-de-Pitié - Deze kapel stamt uit 1874. Op die plek, aan de oever van de rivier, heeft al eerder een oratorium gestaan.

Beffroi - Deze hoge vierkante toren was vroeger de klokkentoren van Notre-Dame-de-Laval; samen met de Porte de la Barbacane (met fraaie ontlastingsboog) was deze toren onderdeel van de verdedigingswerken aan de noordwestelijke zijde. Als men weer terugloopt naar het dorp, zijn links de gewelfde kelders te zien die Marché couvert (overdekte markt) worden genoemd.

In deze gids dragen de hoofdstukken hun Franse naam.
Raadpleeg de alfabetische inhoudsopgave als u snel een beschrijving wilt vinden.

PÉZENAS★

7 613 inwoners
Michelinkaart nr. 83 vouwblad 15, of 240 vouwblad 26.

In het verleden heette dit stadje Piscenae; het ligt in een vruchtbare vlakte tussen uitgestrekte wijngaarden. Pézenas heeft een roemrijk verleden; getuigen daarvan zijn de schilderachtige straatjes en de herenhuizen, die hun 17de-eeuwse karakter hebben behouden.

De wolmarkt – In de tijd van de Romeinen was Pézenas een versterkte plaats; de stad speelde toen al een belangrijke rol in de lakenhandel. In 1261 kreeg Pézenas heerlijke rechten van de koning, hetgeen een nieuwe impuls betekende voor de markten, die driemaal per jaar werden gehouden. Alles werd in het werk gesteld om deze markt tot een succes te maken; de handelswaar was voor een periode van 30 dagen vrijgesteld van belasting; kooplieden met schulden mochten niet worden aangehouden; op bevel van de koning moesten zij tijdens hun reis beschermd worden door de edelen uit de omgeving. De stad betaalde voor deze voorrechten een bedrag van 2 500 pond aan de schatkist van de koning.

"Het Versailles van de Languedoc" – De Generale Staten houden in 1456 voor de eerste keer hun zitting in Pézenas. Later komen de gouverneurs van de Languedoc in deze stad te wonen; eerst is dat het geslacht Montmorency, vervolgens het geslacht Conti. Armand de Bourbon, prins van Conti, maakt Pézenas tot "het Versailles van de Languedoc". Hij omringt zich met een ware hofhouding van edelen en een schare kunstenaars en schrijvers in zijn landgoed, het Domaine de la Grange, dat beroemd is om de prachtige tuinen, bloemperken en waterwerken.
Iedere zitting van de Generale Staten gaat gepaard met overdadige feesten.

Molière in Pézenas – De toneelschrijver Molière, aangetrokken door de reputatie van de stad, trekt ter gelegenheid van zo'n feest met zijn "Illustre Théâtre" naar Pézenas. In 1653 krijgt hij toestemming om voor Conti een opvoering te geven, waarmee hij zoveel succes heeft dat de vorst hem de titel "toneelspeler van Z.K.H. de prins van Conti" verleent.
Op het marktplein speelt Molière ook voor het volk. Zijn repertoire omvat stukken die ontleend zijn aan de Italiaanse comédie en kluchten die hij zelf heeft bedacht. Molière verblijft met zijn toneelgezelschap in de Hôtellerie du Bât d'Argent *(Rue Conti 44)* en gaat dagelijks in het zaakje van zijn vriend de barbier Gély zitten; hij observeert de mensen en noteert een hele verzameling amusante karaktertrekken, die hij vervolgens in zijn stukken gebruikt. Tussen 1653 en 1656 reist Molière verschillende malen naar Pézenas. Dan komt er een einde aan zijn bestaan van rondtrekkend schrijver en toneelspeler: hij vestigt zich in Parijs. De dood van Armand de Bourbon in 1666 maakt een einde aan de pracht en praal van Pézenas.

Een beroemd veulen – Tweemaal per jaar *(op vastenavond en op de 1ste zondag van juli)* herdenken de inwoners van Pézenas op feestelijke wijze het feit dat in 1226 de lievelingsmerrie van koning Lodewijk VIII in Pézenas een veulen ter wereld bracht.

★★ DE OUDE STAD (X) *bezichtiging: twee uur*

In de oude stad vindt men statige herenhuizen met sierlijke balkons en bewerkte deuren, en winkeltjes waarin nu kunstenaars en handwerkslieden zitten. De straatnamen herinneren aan de handel die hier in het verleden plaatsvond: Rue de la Foire, de la Triperie-Vieille en de la Fromagerie-Vieille (markt, vlees-en kaashandel). In de zomer wordt de stad druk bezocht tijdens de "Mirondela dels Arts", wanneer handwerkslieden hun producten tentoonstellen en er folkloristische voorstellingen, toneelstukken en concerten worden gegeven.

Vertrekpunt: Place du 14-Juillet.

Place du 14-Juillet – Op dit plein staat het standbeeld van Molière, gemaakt door Injalbert (1845-1933).

★ **Hôtel de Lacoste** – Dit oude herenhuis uit het begin van de 16de eeuw heeft een prachtige trap en galerijen met gotische gewelven.

Place Gambetta – De middeleeuwse opzet van dit plein is bewaard gebleven. Links ziet men het zaakje van de barbier Gély, waar Molière zo graag kwam. Nu is het Maison du Tourisme er gevestigd.
Rechts de 18de-eeuwse voorgevel van het **Maison Consulaire** met een fronton en prachtig siersmeedwerk, waarachter een gebouw uit 1552 schuilgaat. De Staten van de Languedoc hielden hier dikwijls zitting. Ook de vergadering die in 1632 het sein gaf tot de opstand van Henri II de Montmorency tegen het koninklijk gezag vond hier plaats.
Links, aan de andere kant van het plein, begint de **Rue Triperie-Vieille** (**27**), waar vroeger winkeltjes langs stonden. Als men doorloopt naar nr. 11, ziet men op een binnenplaats aan het einde van een gewelfde gang, een fraai trappenhuis uit het begin van de 17de eeuw.

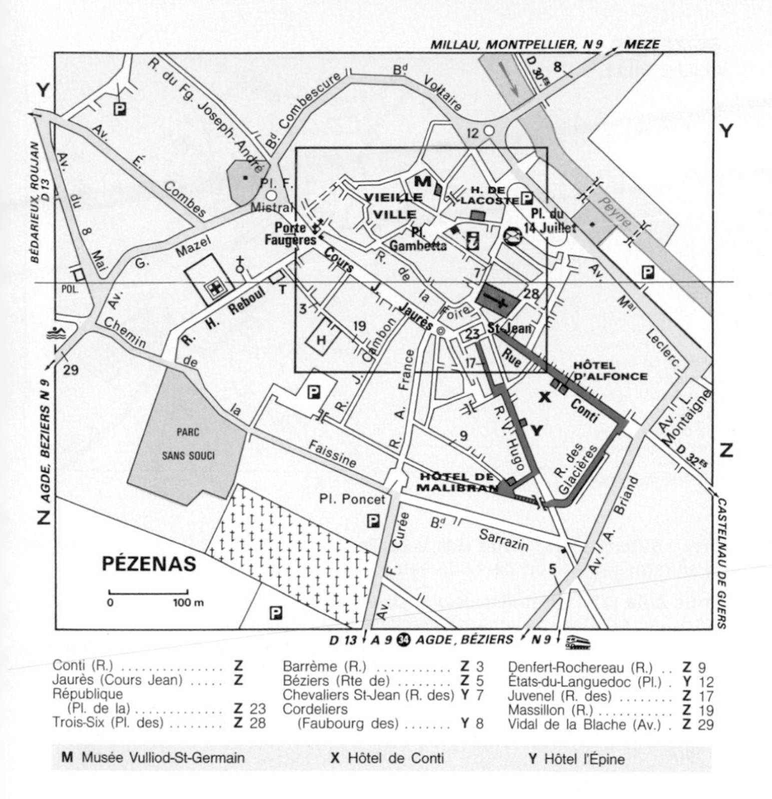

Op de hoek van de Place Gambetta en de Rue Alfred-Sabatier staat het **Hôtel Flottes de Sébasan** (**F**); het rechterdeel (de ramen en het siersmeedwerk) van de brede, 16de-eeuwse voorgevel is in de 18de eeuw veranderd, maar de hoeknis uit de renaissance (1511), waarin nu een 19de-eeuws beeld van de H. Rochus staat, is bewaard gebleven. Op een gedenkplaat staat vermeld dat Anna van Oostenrijk, de echtgenote van koning Lodewijk XIII, in 1660 in dit huis heeft overnacht.

Rechtsaf de Rue A.-P.-Alliès inlopen.

Opmerkelijk is direct rechts in de doodlopende steeg Simon-Ducros de prachtige 17de-eeuwse **voordeur** van het Hôtel de Plantavit de la Pause (**K**). Op nr. 3 in de Rue Alliès is in het Hôtel de Saint-Germain een museum gevestigd *(zie de Verdere bezienswaardigheden).*
Linksaf de Rue Béranger (17de-eeuws huis) inslaan, die uitkomt in de Rue de Montmorency.

Rue Montmorency (**22**) – Aan de rechterkant van deze straat staan de wachttorens van het **Ilôt des prisons** (**R**). Als men verder de straat inloopt, is links een 17de-eeuwse **Piëta** van aardewerk te zien en rechts de poort van de versterking van het voormalige kasteel, dat op bevel van kardinaal Richelieu ontmanteld werd na de opstand onder leiding van Henri II de Montmorency.

Voordat men de Rue du Château inslaat, moet men een blik werpen in de **Rue des Litanies** (**18**), die een van de twee hoofdstraten in het getto was.

Rue du Château (**6**) – Het prachtige portaal met accoladeboog van het **Hôtel de Graves** dateert uit de 16de eeuw.

Pasteitjes uit Pézenas (pâtés de Pézenas) zijn een culinaire specialiteit met gezoet vlees als voornaamste ingrediënt; zij komen oorspronkelijk uit Brits-Indië. In 1768 verbleef Lord Clive op zijn terugreis uit Indië met zijn Indische koks in Pézenas en in het nabijgelegen Château du Larzac. Voordat de koks naar Market Drayton in Engeland teruggingen, gaven zij het recept van de pittige pasteitjes aan de banketbakkers van de stad. In de loop van de 19de eeuw raakte dit recept in vergetelheid, maar dankzij het speurwerk van enkele uitgesproken liefhebbers is het weer boven water gekomen. In Engeland worden pasteitjes met de naam "Clive Pies" gemaakt met lamsvlees, bruine suiker, rozijnen en kerrie; in Pézenas doet men er in plaats van rozijnen geconfijte citroenschil in.

PÉZENAS
VIEILLE VILLE

Conti (R.) X
Jaurès (Cours Jean) X
République (Pl. de la) ...... X 23
Trois-Six (Pl. des) .... X 28

Alliès (R. A.-P.) .... X 2
Béranger (R.) .... X 4
Château (R. du) .... X 6
Ducros (Impasse S.) .... X 10
Fromagerie-Vieille (Impasse) . X 13
Juiverie (R. de la) .... X 16
Juvenel (R. des) .... X 17
Litanies (R. des) .... X 18
Montmorency (R.) .... X 22
Sabatier (R. A.) .... X 25
Triperie-Vieille (R.) .... X 27
Zola (R. E.) .... X 32

F Hôtel Flottes de Sébasan
K Hôtel Plantavit de la Pause
M Musée Vulliod-St-Germain
N Maison des Pauvres
R Ilôt des prisons
S Hôtel de Carrion-Nizas
V Commanderie
de St-Jean-de-Jérusalem

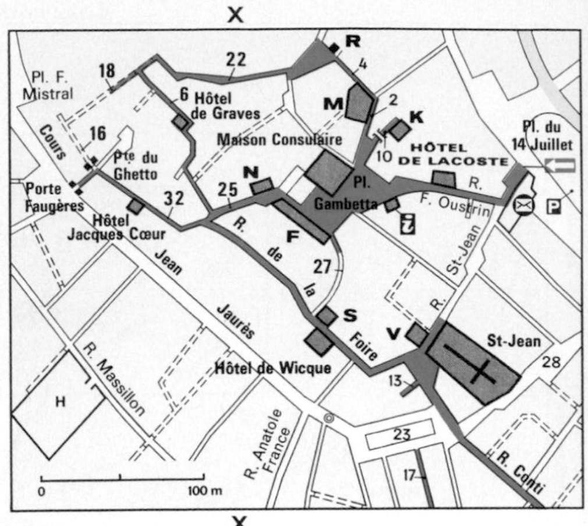

Rue Alfred-Sabatier (25) - Het **Maison des Pauvres (N)** op nr. 12 heeft een mooie trap en siersmeedwerk uit de 18de eeuw.

Rue Émile-Zola (32) - Het **Hôtel Jacques Coeur** op nr. 7 heeft een fraaie voorgevel met culs-de-lampe. Deze ornamenten stellen menselijke figuurtjes voor. Dit soort versiering, uniek voor een 15de-eeuws herenhuis in Pézenas, is waarschijnlijk het werk van Frans-Vlaamse kunstenaars die naar Pézenas werden gestuurd door de schatkistbewaarder van de koning.
Aan het eind van deze straat staat de **Porte du Ghetto**, die toegang geeft tot de **Rue de la Juiverie (16)**, twee namen die aan het joodse verleden van deze wijk herinneren.
Links staat de **Porte Faugères**, die uitkomt op de Cours Jean-Jaurès, een onderdeel van de voormalige versterkingen uit de 14de eeuw.

Teruglopen.

Rue de la Foire - Vroeger heette deze straat Rue Droite; hier vonden vaak feesten en processies plaats. Op nr. 16 is een latei met beeldhouwwerk van musicerende kinderen te zien.

Hôtel de Wicque - Boven een kunstgalerie is een sierlijke voorgevel uit de renaissance te zien. Links bevindt zich een gang naar een binnenplaats in dezelfde stijl, waar de vensters en de gebeeldhouwde medaillons goed bewaard zijn gebleven.
Daartegenover staat het **Hôtel de Carrion-Nizas (S)**, met een 17de-eeuwse poort.

Collégiale St-Jean - Toen in 1733 de kerk van de tempelridders bezweek onder het gewicht van haar klokkentoren, werd de huidige kerk gebouwd, naar een ontwerp van Jean-Baptiste Franque, een architect uit Avignon. Het interieur is vrij streng van aanzien; het schip heeft kruisribgewelven. Boven de twee zijbeuken zijn koepels op pendentiefs aangebracht; een zelfde constructie is te zien boven de viering. In de kapel links van het koor, die gewijd is aan de H. Maagd, staat een witmarmeren beeld dat toegeschreven wordt aan de beeldhouwer Coustou.

Commanderie de St-Jean-de-Jérusalem (V) - Dit commanderijgebouw van de voormalige johannieterorde heeft twee ongeschonden gevels met kruisvensters uit het begin van de 17de eeuw. Een hoektorentje wordt ondersteund door een steunbeer van metselwerk.

De Impasse de la Fromagerie-Vieille inlopen om een mooie 17de-eeuwse poort te bekijken.

Hier eindigt het centrum van de oude stad en begint de faubourg (voorstad), die in de 17de en de 18de eeuw gebouwd is rond de Rue Conti. De Place de la République oversteken en de Rue Conti ingaan.

Rue Conti (Z) - Aan deze hoofdstraat, waar in de 17de eeuw ook herbergen en winkels stonden, werd een aantal herenhuizen gebouwd. Het **Hôtel de Conti (Z X)** op nr. 30 heeft een in de 18de eeuw verbouwde voorgevel, waarvan de smeedijzeren balkons en vensterbanken in Louis-XV-stijl zijn vervaardigd.

★ **Hôtel d'Alfonce (Z)** ⓥ - *Rue Conti nr. 32.* In dit prachtige bouwwerk uit de 17de eeuw voerde Molière tussen november 1655 en februari 1656 zijn toneelstukken op. Het behoort tot de best bewaard gebleven panden van Pézenas. Op de eerste binnenplaats ziet men een fraai terras met balustraden. De gevel die uitkijkt op de tweede binnenplaats heeft een portiek met daarboven twee verdiepingen met loggia's. Rechts ziet men een mooie wenteltrap uit de 15de eeuw.

Verder de Rue Conti aflopen en letten op de voorgevel van de **Hostellerie du Griffon d'Or** op nr. 36, alvorens de binnenplaats op te gaan van de **Hostellerie du Bât d'Argent** op nr. 44.

Rechtsaf de Rue des Glacières inslaan, de Rue Victor-Hugo oversteken en de trap ertegenover oplopen.

★ **Hôtel de Malibran** (**Z**) – In de magnifieke 18de-eeuwse voorgevel ziet men ramen waarboven zich mascarons bevinden die glimlachende vrouwengezichten voorstellen; de balkons rusten op met bladeren versierde draagstenen. Direct achter de poort bevindt zich een 17de-eeuwse binnentrap, die steunt op twee boven elkaar geplaatste rijen zuilen.

Naar de Rue Victor-Hugo lopen; op nr. 11 ziet men nog de mooie voorgevel van het 18de-eeuwse **Hôtel l'Épine** (**Z Y**).

Via de Rue des Juvenel teruglopen naar de Place de la République.

L.-Y. Loirat/EXPLORER

Pézenas – Hôtel d'Alfonce (17de eeuw).

VERDERE BEZIENSWAARDIGHEDEN

Musée Vulliod-St-Germain (**X M**) ⏲ – De collectie van dit museum wordt tentoongesteld in het Hôtel de Saint-Germain, een mooi 16de-eeuws herenhuis dat in de 18de eeuw is verbouwd; het interieur is in de 19de eeuw gewijzigd. Op de benedenverdieping is naast de hal een rustiek interieur uit Pézenas nagebouwd. In de hal zelf staan grafstenen opgesteld en beeldhouwwerken afkomstig uit verschillende gebouwen in de stad.

Op de eerste verdieping staat op een serie wandkleden uit Aubusson de zege van Alexander afgebeeld. Tussen al het meubilair uit de 16de, 17de en 18de eeuw moet men vooral letten op een mooie Louis-XIII-kast met bewerkte panelen, waarop de vier ruiters van de Apocalyps staan afgebeeld. In een aangrenzende zaal zijn herinneringen aan Molière bij elkaar gebracht. Op de bovenverdieping is een verzameling aardewerk en apothekerspotten te zien.

Een audiovisuele presentatie geeft een beeld van de geschiedenis van Pézenas en het verblijf van Molière in de stad.

Rue Henri-Reboul (**Z**) – Deze straat heette eerst Rue des Capucins en werd in de 17de eeuw aangelegd, toen Pézenas zich begon uit te breiden buiten de middeleeuwse stadsmuren.

Links *(komend van de Cours Jean-Jaurès)* is de gevel van de Chapelle des Pénitents Noirs (16de eeuw) te zien; de kapel werd in 1804 veranderd in een theater.

Op nr. 13 wordt de voorgevel van het **Hôtel de Montmorency**, vroeger de woning van de gouverneur van de Languedoc, gesierd door een prachtig bewerkte 17de-eeuwse deur met een fronton; aan weerszijden van het fronton zijn voluten aangebracht. Iets verderop heeft ook het **Hôtel de Guers de Paulhan**, waarin nu een ziekenhuis is gevestigd, een fraaie 17de-eeuwse deur.

Cours Jean-Jaurès (**X**) – Henri II de Montmorency heeft deze straat in de 17de eeuw laten aanleggen toen hij de stad buiten de stadsmuren wilde uitbreiden. De Quay, zoals de straat toen heette, nam de functie van de Rue de la Foire als belangrijkste straat van de stad over. Er werden herenhuizen gebouwd waarvan de voorkant op het zuiden lag en die aan de achterkant uitkwamen op de Rue de la Foire. Om naar binnen te gaan, moet men eerst door een overwelfde passage, die uitkomt op een binnenplaats met een fraaie open trap. De eenvoudige gevels zijn soms voorzien van mascarons. De mooiste gebouwen zijn het **Hôtel de Landes de Saint-Palais** op nr. 18, het **Hôtel de Grasset** op nr. 20, en aan de andere kant van de straat het **Hôtel de Latudes** op nr. 33.

Le PONT-DE-MONTVERT

305 inwoners
Michelinkaart nr. 80 vouwblad 6, of 240 vouwblad 7.
Schema, zie onder Lozère.

De hoge, grijze huizen van Le Pont-de-Montvert staan aan weerszijden van de Tarn. Over deze rivier loopt een 17de-eeuwse boogbrug waarop een toltoren staat.

De dood van abt Du Chayla - Deze abt, die inspecteur was van de missies in de Cevennen, woonde in Le Pont-de-Montvert, waar hij enkele protestanten vasthield die hij gevangen had weten te nemen. Op 24 juli 1702 besloten Abraham Mazel en Esprit Séguier, twee belangrijke personen van de protestantse beweging, hun medegelovigen te gaan bevrijden. Er werd een expeditie op touw gezet die eindigde met de dood van abt Du Chayla. Deze werd gevangengenomen nadat hij op de vlucht was geslagen. Zijn lichaam werd van de oude brug in de Tarn geworpen. Deze episode luidde het begin in van de oorlog van de Camisards *(zie onder Mas Soubeyran).*

BEZIENSWAARDIGHEDEN

Maison du Mont Lozère ⏱ - In dit grote, moderne, veelhoekige gebouw is het Ecomusée du Mont Lozère *(zie onder Lozère)* gevestigd, een ecologisch museum dat werd opgericht door het Parc national des Cévennes. Er is een permanente tentoonstelling te zien over de natuur en het leven op de Mont Lozère. Er wordt tevens onderdak geboden aan lange-afstandswandelaars.

Sentier de l'Hermet - *6 km te voet, vanaf de Tour de l'Horloge in het centrum van Le Pont-de-Montvert.*
Via deze wandelroute *(drie uur heen en terug)*, waarlangs zich 12 observatiepunten bevinden, maakt men kennis met het landschap, de flora en de fauna van het dal van de Tarn, de traditionele bouwtrant in het dorpje l'Hermet en diverse typen schaapskooien. Ook biedt de route een prachtig uitzicht op de zuidkant van de Mont Lozère.

EXCURSIES

★ **Mas Camargues** - *12 km ten oosten van Le Pont-de-Montvert. Richting Le Bleymard rijden en aan de rand van Le Pont-de-Montvert rechts afslaan.*
De weg *(smal, lastig passeren in het zomerseizoen)* loopt door een kaal landschap van weiden en heidevelden waarop veel rotsgesteente ligt.

L'Hôpital - Dit dorpje was vroeger een commanderij van de hospitaalridders van de johannieterorde. Enkele zomergasten restaureren de granieten gebouwen en het Ecomusée heeft opnieuw de watermolen en een oude schuur ingericht, die beide een oud rieten dak hebben.

Via de GR 7, die door l'Hôpital loopt, komt men in Pont-du-Tarn.

Pont-du-Tarn - *Vanaf L'Hôpital een uur lopen heen en terug.* Deze bijzonder aangename wandeltocht via de draille *(zie de Inleiding)* van La Margeride, waarover de GR 7 loopt, biedt prachtige uitzichten op het landschap van de Plaine du Tarn, een plateau waarover de nog prille rivier stroomt. Een fraaie brug loopt over de rivier die zich tussen de gepolijste rotsen door kronkelt, aan de voet van een bos, het Bois du Commandeur.

★ **Mas Camargues** ⏱ - Deze herenboerderij valt op door haar grote afmetingen en het regelmatige metselwerk van de voorgevel, die is opgetrokken uit bewerkte granietblokken. De mas werd gerestaureerd door het Parc national des Cévennes. In de omgeving is een **observatiepad** uitgezet om een duidelijk beeld te geven van de verschillende elementen van een landbouwbedrijf in deze regio: de schaapskooi, de molen, het kleine kanaal, het waterreservoir en het omringende landschap (grillige opeenstapelingen van bolvormige granietrotsen, beukenbos).
Men kan te voet verder tot **Bellecoste** (1 km), een interessant voorbeeld van de bouwwijze zoals die op het platteland gebruikelijk was. Hier zijn een oven en een traditioneel huisje met rieten dak bewaard gebleven; het huisje wordt 's zomers nog door een herder bewoond.

Ferme de Troubat, Ferme de L'Aubaret - *8 km ten oosten van Le Pont-de-Montvert. De D 998 nemen richting Génolhac, dan links afslaan naar Masméjan.*

Ferme de Troubat ⏱ - Van dit voormalige landbouwbedrijf met zijn gebouwen van roze graniet, die gerestaureerd zijn door het Parc national des Cévennes, zijn de korenschuur annex stal, de broodoven, de molen en de dorsvloer bewaard gebleven.

Ferme fortifiée de l'Aubaret - Deze versterkte boerderij, die gelegen is op het traject van de draille de la Margeride, doemt op aan de voet van een grote rotsmassa. De stevige muren van roze graniet zijn voorzien van kruisvensters.

Cascade de Rûnes - *11 km in westelijke richting. Vanaf Le Pont-de-Montvert de weg naar Florac nemen, dan rechtsaf de D 35 naar Fraissinet-de-Lozère volgen.*
Deze weg, waarlangs prachtige essen staan, biedt fraaie uitzichten op het dal van de Tarn. Ten zuiden van Rûnes leidt een pad *(drie kwartier lopen heen en terug)* naar een prachtige waterval op de rivier de Mirals, die zich 58 m naar beneden stort.

Reglement van het centrale gebied van het Parc national des Cévennes:
Het is verboden: zich met motorvoertuigen buiten de wegen te begeven, vuur te maken, te kamperen (ook met een campingcar), honden los te laten lopen.
Pluk geen planten, sluit de barrières achter u en laat geen vuilnis achter.

PRADES

6 009 inwoners
Michelinkaart nr. 86 vouwbladen 17, 18, of 235 vouwblad 51.
Schema, zie onder Canigou.

Prades ligt aan de voet van de Canigou te midden van boomgaarden. In 1950 koos de cellist Pablo Casals (1876-1973) deze stad als woonplaats. De grote concerten van het festival worden in St-Michel-de-Cuxa gegeven.
In de oude wijk die aan de kerk grenst, zijn de stoepranden, de straatgoten en de drempels vaak gehouwen uit roze Conflent-marmer.

Église St-Pierre - Naast deze kerk staat een Romaanse klokkentoren. Het altaarstuk op het hoofdaltaar, gemaakt door de Catalaanse beeldhouwer Sunyer (1699), is aan de H. Petrus gewijd. In het linkertransept staat een zwart Christusbeeld uit de 16de eeuw, dat vrij modern aandoet.

EXCURSIES

Marcevol - *Rondrit van 35 km - ongeveer twee uur.*

De D 619 naar Molitg tot aan Catllar volgen. Daarna bij de splitsing rechtsaf, de D 24 op.

★ **Eus** - Dit prachtige dorp is terrasgewijs op de zonzijde van een helling gebouwd; de huizen verrijzen er te midden van granietblokken en bremstruiken, tussen de grote 18de-eeuwse kerk die erboven ligt en de Romaanse chapelle St-Vincent met een kerkhof helemaal beneden in het dal.
Het is aardig de ruïnes van de versterkte stad rond de kerk te bekijken. Door de gaten in de muren heeft men mooie uitkijkjes op de Canigou en de vlakte van de Conflent.

Verderrijden over de D 35; de brug van Marquixanes over de Têt rechts laten liggen.

Marcevol - Klein gehucht waar herders en wijnbouwers wonen. Iets lager, afgelegen op een groene heuvel boven de Conflent, tegenover de Canigou, ligt een voormalige priorij van de kanunniken van St-Sépulcre, met een portaal en een Romaans venster van roze en wit marmer. De deurvleugels hebben nog hengsels met gekrulde decoraties, kenmerkend voor de Romaanse smeedkunst in de Conflent en de Vallespir.
In de priorij is de **Association de Monastir** ⊙ van Marcevol gehuisvest. Deze organisatie is in 1972 opgericht en organiseert het hele jaar door stages en bijeenkomsten.

Vijf km voorbij Marcevol rechts de D 13 nemen die door een gorge van granietrotsen loopt waar in de vroege zomer zonneroosjes bloeien; de weg komt weer uit bij de vallei van de Têt.

Van Vinça terugrijden naar Prades over de N 116.

Mosset - *24 km in noordelijke richting, via de D 619 en de D 14 - ongeveer een uur.*

Molitg-les-Bains - Dit kuuroord ligt in het beboste ravijn van de Castellane, een beschutte plek die mooi is aangelegd met bomen, wandelpaden en een meertje. Het geneeskrachtige water wordt vooral gebruikt voor aandoeningen van de huid en de luchtwegen.

Mosset - Dit oude, versterkte dorp ligt uitgestrekt op een heuvel, waardoor het lijkt alsof het dal wordt afgesloten.

Bambouseraie de PRAFRANCE★

Michelinkaart nr. 80 vouwblad 17, of 240 vouwblad 14, ten zuidwesten van Alès.

Dit park met uitheemse flora verwacht men niet midden in de Cevennen. Het werd in 1855 aangelegd door Eugène Mazel, die uit deze streek afkomstig was. Mazel was naar het Verre Oosten gegaan om er studie te doen naar moerbeibomen, die onmisbaar zijn voor de zijderupsencultuur. Daar raakte hij geboeid door de eigenaardige bamboeplanten en nam er loten van mee terug naar Frankrijk. Het bamboebos in Prafrance kon snel uitgroeien tot een klein oerwoud. De grond is er vruchtbaar dankzij het aanslibsel van de Gardon, de bodem houdt het water goed vast en er heerst een microklimaat.

Bambouseraie de Prafrance

Het bamboebos van Prafrance.

BEZICHTIGING: *anderhalf uur*

Door dit park (oppervlakte ca. 40 ha) loopt een prachtige laan met 20 m hoge bamboestruiken en Californische sequoia's. Langs een andere laan met palmbomen staat een indrukwekkende tulpenboom uit Virginia. Al rondlopend ontdekt men het Laotiaanse bamboedorp, het muziekdorp, het arboretum met bomen uit Japan, China en Amerika en het gebouw dat "de boerderij" wordt genoemd en op de plaats staat van een voormalige commanderij van de tempeliers. Op de muur van dit gebouw is aangegeven tot hoe hoog het wassende water van de Gardon d'Anduze op 30 september 1958 steeg. Het arboretum staat vol met bijzondere boomsoorten uit Japan, Amerika en China, zoals magnolia's, bananenplanten, uitheemse coniferen en de prachtige Ginkgo biloba, ook wel de boom met de duizend munten genoemd, omdat de blaadjes als goudstukken schitteren in de herfstzon. De kassen zijn vooral de moeite waard in de bloeitijd. In de watertuin zwemmen Japanse karpers tussen lotusbloemen en Egyptische papyrusplanten.
Het bamboebos heeft een oppervlakte van zo'n 10 ha; er staan meer dan honderd verschillende soorten waarvan de meeste behoren tot de "phyllostachus" - variëteit, die soms wel 35 m hoog kan worden. De bamboeplant groeit 30 tot 35 cm per dag en bereikt al snel haar definitieve lengte; pas na drie jaar is de steel net zo stevig als hout. In Azië wordt bamboe gebruikt voor het maken van ladders en steigers, voor de huizenbouw, als irrigatiebuizen, enz. Bepaalde soorten, herkenbaar aan hun gele stam, worden gebruikt om muziekinstrumenten van te vervaardigen. De wortelstokken dienen als hengsels van manden, handvatten van paraplu's etc. Het park van Prafrance is gebruikt als decor voor bekende Franse films, zoals *Le salaire de la peur* (Henri-Georges Clouzot) en *Les héros sont fatigués* (Yves Ciampi).
Men komt speciaal uit Berlijn naar dit bamboebos toe om een voorraad verse bamboebladeren in te slaan voor de pandabeer in de dierentuin.

Bij de kaart van de reisroutes voor in de gids staat een lijst van Franse en Nederlandse aardrijkskundige termen die vaak op de kaarten en in de teksten voorkomen: Abîme (kloof, afgrond), Forêt (bos), Pic (bergtop), enz.

PRATS-DE-MOLLO★

1 102 inwoners
Michelinkaart nr. 86 vouwbladen 17, 18, of 235 vouwbladen 55, 56, of 240 vouwblad 45.

Prats-de-Mollo is gebouwd in de groene vallei langs de bovenloop van de Tech, die tussen de steile wanden van het Massif du Costabonne en het Massif du Canigou ligt. In deze stad zijn twee aspecten verenigd: het karakter van een gesloten stad, waar door Vauban versterkingen werden aangebracht, gaat samen met de charme van een zeer levendig Catalaans bergstadje.

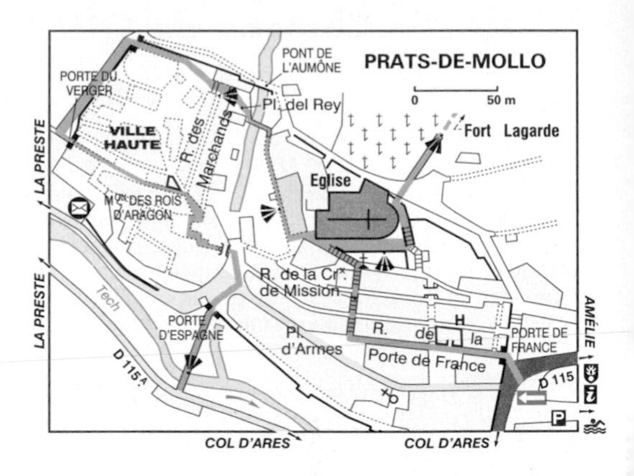

BEZIENSWAARDIGHEDEN

Men komt de stad binnen door de Porte de France en volgt de winkelstraat die Rue de Porte de France heet.

Tegenover de Place d'Armes loopt men de treden van de Rue de la Croix-de-Mission op, waar een groot kruis der Smaden staat.

Kerk (Église) – Op de plaats waar nu een 17de-eeuws, in gotische stijl opgetrokken gebouw staat, stond eerder een Romaanse kerk waarvan de klokkentoren met kantelen nog over is. Er is ook nog een portaal met krulhengsels uit de 13de eeuw. In de rechtermuur is een wonderlijke ex-voto ingemetseld: een meer dan twee meter lange rib van een walvis. In de kapel tegenover de ingang staat het beeld van Notre-Dame-du-Coral, een kopie van het 13de-eeuwse beeld in de vroegere kapel met dezelfde naam in de buurt van de Col d'Ares, waar de herders kwamen bidden. Het barokke altaarstuk op het hoofdaltaar, dat bijna 10 m hoog is en in 1745 met bladgoud bedekt werd, stelt het leven en het martelaarschap van de schutsvrouwen van de stad, de H.H. Juste en Rufine, voor.

Langs de zuidzijde van de kerk en de absis lopen via een versterkte omloop. De omwalling verlaten en ongeveer 100 m naar boven lopen in de richting van het Fort Lagarde.

Wie achter zich kijkt, heeft een mooi uitzicht op de hogere gedeelten van de kerk.

Fort Lagarde – Met de bouw van dit fort op een boven de stad uitstekende rotskam werd in 1692 begonnen. In het fort zijn nog overblijfselen van een oud kasteel te vinden. Halverwege de stad en het fort bevindt zich nog een kleine schans, die voor de verdediging van het verbindingspad zorgde. Men gaat het fort binnen via een trap langs de courtine.

Teruglopen naar het portaal van de kerk en rechtsaf slaan.

Bij het hospice de treden links aflopen en de straat volgen die onderlangs de tuin van dit gasthuis loopt. Hier heeft men een mooi uitzicht op de bovenstad en de bergketen aan de grens: men kan de Tour de Mir en de Pic de Costabonne helemaal achteraan in het dal zien. De bergstroom oversteken via een versterkte brug die direct naast de boogbrug van La Guilhème ligt. Hier komt men de bovenstad binnen.

★ **Ville haute (Ville d'amoun)** – Op de Place del Rey, waar nu een voormalig gebouw van de Genie staat, bevond zich vroeger een residentie van de graven van Besalù, die in de 12de eeuw regeerden over een van de vele Catalaanse graafschappen. Bij het begin van de Rue des Marchands rechts een gebeeldhouwde trap opgaan. Bovenaan heeft men uitzicht op de kerk in de benedenstad.

Langs de verdedigingsmuur lopen en de stad uitgaan door een moderne poort. Bij de volgende poort, de Bretèche du Verger (een erker in de vestingmuur) de stad weer ingaan.

Men komt bij een kruispunt met een opvallend vooruitstekend huis: volgens sommigen was dit een oud paleis van de koningen van Aragon, volgens anderen was hier de centrale bond van het weversgilde gevestigd. Vroeger werd laken en stof van uitstekende kwaliteit in de streek Haut-Vallespir geproduceerd. Een aflopend straatje leidt naar de uitgangspoort. Onder de Porte d'Espagne doorgaan; vanaf de loopbrug over de Tech heeft men uitzicht op de zuidzijde van de stad.

LA PRESTE

Aan de noordwestrand van Prats-de-Mollo leidt de D 115^A naar het 8 km verderop gelegen kuuroord La Preste (1 130 m). Het water van de vijf bronnen, dat een temperatuur van 44°C heeft, werkt heilzaam op ziekten veroorzaakt door colibacillen. De weg ernaartoe werd aangelegd door Napoleon III. Hij voelde zich ziek en was van plan te gaan kuren in dit oord, maar door de Frans-Duitse oorlog van 1870 moest hij hiervan afzien.

Château de QUÉRIBUS*

Michelinkaart 86 vouwblad 8, of 235 vouwblad 48, of 240 vouwblad 37.
Schema, zie onder Corbières.

Men bereikt het kasteel via de D 123, die men ten zuiden van het dorp Cucugnan neemt. Vanaf Le Grau de Maury loopt de weg steil omhoog.

In 1241 verleende dit **kasteel** ⊙ nog onderdak aan kathaarse diakenen. Het beleg in 1255, 11 jaar na de val van Montségur, was de laatste militaire operatie in de kruistocht tegen de Albigenzen. De overgave schijnt zonder bloedvergieten te zijn verlopen. Daarna wordt Quéribus, gelegen op een strategische plek tussen Spanje en Frankrijk en zeer geschikt als uitkijkpost om de vlakte van de Roussillon te bewaken, een koninklijke garnizoensplaats.

Novali/IMAGES PHOTOTHÈQUE

Quéribus.

** **Omgeving** - Men spreekt wel over een vingerhoed, vanwege de verbazingwekkende ligging en constructie van het kasteel op 729 m hoogte. Vanaf de terrassen, die ontoegankelijk zijn bij harde wind, heeft men een fantastisch **uitzicht**** over de vlakte van de Roussillon, de Middellandse Zee, de Albères, de Canigou, het Massif du Puigmal en het Massif du Carlit.

Interieur - Binnen bevindt zich een hoge gotische zaal met een pijler in het midden. De merkwaardige indeling en verlichting hebben, net als in Montségur, geleid tot speculaties over een zonnesymboliek. Er is echter bijna niets overgebleven uit de tijd dat het kasteel werd gebouwd. Het werd geheel verbouwd om aan de eisen van de moderne artillerie te kunnen beantwoorden.

Bij deze gids heeft u de volgende **Michelinkaarten** *nodig:*
nrs. 235, 239 en 240 (regionale kaarten schaal 1: 200 000),
en de detailkaarten (schaal 1: 200 000) nrs. 76, 79, 80, 82, 83 en 86.

RODEZ*

24 701 inwoners
Michelinkaart nr. 80 vouwblad 2, of 235 vouwblad 16.

Rodez is de historische hoofdstad van de Rouergue en ligt op de grens tussen de droge plateaus van de Causses en de vochtige heuvels van de Ségala, twee geheel verschillende gebieden. De oude stad is gebouwd op een heuvel die 120 m boven de bedding van de Aveyron uitsteekt.

Graven en bisschoppen – In de middeleeuwen was de macht in de stad verdeeld tussen enerzijds de bisschoppen, die lange tijd de meeste invloed hadden en de Cité bewoonden, en anderzijds de graven die over de Bourg heersten.
Deze twee naast elkaar gelegen wijken werden gescheiden door hoge vestingmuren en eeuwenlang was de rivaliteit aanleiding tot bijna onophoudelijke twisten tussen de bewoners. De namen van de Place de la Cité en de Place du Bourg herinneren nog aan die tijd.
Toen Hendrik IV de troon besteeg, werd het graafschap Rodez ingelijfd bij het koninkrijk; de bisschoppen profiteerden hiervan door zelf de titel van bisschop én graaf van Rodez aan te nemen en de grafelijke kroon aan hun wapenschild toe te voegen.

** CATHÉDRALE NOTRE-DAME (Y) *bezichtiging: een uur*

Met de bouw van de kathedraal, die uit rood zandsteen is opgetrokken, werd in 1277 begonnen, een jaar nadat het koor en de klokkentoren van de vorige kerk waren ingestort. Vijftig jaar later waren de absis en de twee traveeën van het koor gereed en in de 14de eeuw werden het dwarsschip en twee traveeën van het schip gebouwd. Pas in de 15de eeuw was het bouwwerk geheel voltooid.

Buitenkant – De westgevel aan de Place d'Armes heeft de aanblik van een fort met een muur waarvan de onderste helft kaal is, zonder portaal, met slechts hier en daar wat schietgaten, massieve steunberen, torentjes met inspringende openingen en twee torens zonder enige vorm van versiering. Deze sobere gevel stond buiten de stadsmuren en had min of meer de functie van een vooruitgeschoven bolwerk bij de verdediging van de stad. Alleen het bovenste gedeelte tussen de twee torens, dat pas in de 17de eeuw werd afgebouwd, heeft een versiering in renaissancestijl met daarboven een klassiek fronton.

Linksom rond de kerk lopen.

Het noordportaal (eind 15de eeuw), portaal van het bisdom genaamd, heeft drie rijen archivolten en een flinke welving; het beschadigde beeldhouwwerk op de latei stelt de Geboorte van Christus, de Verering door de herders en de drie Koningen en de Opdracht in de Tempel voor. Op het timpaan is de Kroning van de H. Maagd te zien. Opmerkelijk is het feit dat de prachtige **klokkentoren***** los van de kathedraal staat.
Deze toren is gebouwd op een massieve 14de-eeuwse toren, telt zes verdiepingen en is 87 m hoog. De derde verdieping is gebouwd in de 16de eeuw en heeft grote openingen die rijkelijk van lijstwerk zijn voorzien. Bij de vierde verdieping, die achthoekig van vorm is, staan beelden van de apostels in de nissen die de hoeken van de vensters sieren en de vijfde heeft torentjes, flamboyante boogjes en pinakels, die samen een rijke decoratie vormen.
Het bovenste deel heeft een terras met balustrade, een koepeldak en een lichtkoepeltje, met een beeld van de H. Maagd erbovenop.

Laporte/IMAGES PHOTOTHÈQUE

De klokkentoren van de Cathédrale Notre-Dame.

De absis heeft een geheel eigen karakter door de kapellen en de kooromgang met daarboven een terras. Hierop staan dubbele luchtbogen die ter hoogte van de aanzet der gewelven tegendruk bieden aan het bovenste deel van het koor. In het zuidportaal, dat aan het eind van de 15de eeuw gemaakt is door Jacques Maurel, is het sierlijke vensterwerk van het timpaan zeer de moeite waard.

Interieur - De sierlijke gotische stijl komt tot uiting in de verticale lijnen van het koor met fijne spitsbogen, in de ranke pijlers van het schip die bij de kapitelen nauwelijks van lijstwerk zijn voorzien, en in de hoogte van de grote arcaden, waarboven zich een triforium bevindt met dezelfde indeling als de bovenramen. Men kan de schoonheid van het grote schip met de ruime zijbeuken, en de zijkapellen waarin het licht overvloedig binnenvalt, het best bewonderen als men achter het parochiealtaar in de meest westelijke punt van het schip gaat staan.
In het koor staat een 15de-eeuws **koorgestoelte★**, gemaakt door André Sulpice, geïnspireerd op het gestoelte van de Basilique St-Aphrodise in Béziers; er zijn 62 hoge koorstoelen onder gotische baldakijnen van eikenhout, en de opvallende stoel van de bisschop met erboven een piramidion en een 19de-eeuwse engel die het wapenschild van de bisschop van Rodez, Bertrand de Chalençon, draagt. De misericordes van de koorstoelen zijn heel fijn bewerkt met grappige voorstellingen.
De derde kapel van de rechterzijbeuk heeft een mooie **stenen afsluiting★** uit de 16de eeuw, waarvan het beeldhouwwerk helaas zwaar beschadigd is. Twaalf beelden van Sibyllen, profetessen uit de oudheid, die volgens een christelijke overlevering de komst van de Messias hebben voorspeld, sierden de pijlers. Van deze beelden zijn er slechts vier over. Ook staat er nog een Ecce-Homo (beeld van de lijdende Christus) aan de binnenkant van de afsluiting. In deze kapel staat verder nog een renaissancealtaar (1523), met een groot retabel waarop de Graflegging, drie kleine taferelen van de Verrijzenis en Christus die uit het graf opstaat te zien zijn; jammer genoeg zijn aan het eind van de vorige eeuw de figuren onzorgvuldig overgeschilderd.
In de volgende kapel kan men een mooi 15de-eeuws altaarstuk bewonderen met een voorstelling van Christus in de hof van Olijven. Het grote en rijk bewerkte **doksaal★** uit 1470, dat de perspectief in het schip onderbrak, is verplaatst naar de rechterarm van het dwarsschip. In de linkerarm staat een 20,5 m hoge **orgelkast★** met veel houtsnijwerk uit de 17de eeuw.
Op het hoofdaltaar ziet men een mooi beeld van de H. Maagd met Kind uit het einde van de 14de eeuw. Het koor met stoelen uit de 15de eeuw wordt omgeven door een kooromgang waar de kapellen op uitkomen. In de eerste travee van de zijbeuken van het koor zijn twee mooie marmeren sarcofagen en een Graflegging uit het begin van de 15de eeuw opgesteld; in de kapellen bevinden zich verscheidene graftomben van bisschoppen van Rodez. Bijzonder de moeite waard is de tombe van bisschop Gilbert de Cantobre (overleden in 1349) in de kapel die in het verlengde van het middenschip ligt, en waarboven zich een rondom gelobde Romaanse altaartafel van marmer bevindt. De renaissancekapel bij de ingang van de sacristie verdient ook aandacht.

DE OUDE STADSWIJK

Rond de kathedraal ligt de oude stadswijk die vroeger aan de bisschoppen toebehoorde. Er zijn nog enkele gewone huizen en herenhuizen uit die tijd over.

Via het noorderportaal de kathedraal uitgaan, de Rue Frayssinous oversteken en de binnenplaats van het bisschoppelijk paleis oplopen.

Palais épiscopal (Y) - Vanaf de binnenplaats van dit paleis heeft men het beste **uitzicht** op de klokkentoren van de kathedraal. Interessant is de dubbelgedraaide trap uit het einde van de 17de eeuw, die gedeeltelijk herbouwd is in de 19de eeuw.

Rechts afslaan, de Boulevard d'Estourmel opgaan en langs de terrassen van het bisschoppelijk gebied lopen.

Tour Corbières (Y) en **Tour Raynalde** (Y) - Beide torens dateren uit de 15de eeuw en zijn overblijfselen van de muren en de dertig torens die ter verdediging van de stad dienden.

Tegenover het portaal van de Église du Sacré-Coeur de trappen oplopen die naar de Impasse Cambon leiden.

Hôtel Delauro (Y) - Vroeger was dit in de 16de en 17de eeuw gebouwde herenhuis de residentie van een kanunnik. Nu biedt het onderdak aan de Compagnons du Devoir, die het hebben gerestaureerd.

Teruggaan naar de Rue Frayssinous en doorlopen naar de Place de la Cité.

Place de la Cité (Y) - Helemaal aan de oostkant van dit plein verrijst het bronzen standbeeld van de in Rodez geboren Monseigneur Affre, aartsbisschop van Parijs, die de heldendood stierf op de barricade van de Faubourg St-Antoine op 25 juni 1848, toen hij probeerde een eind te maken aan de gevechten.

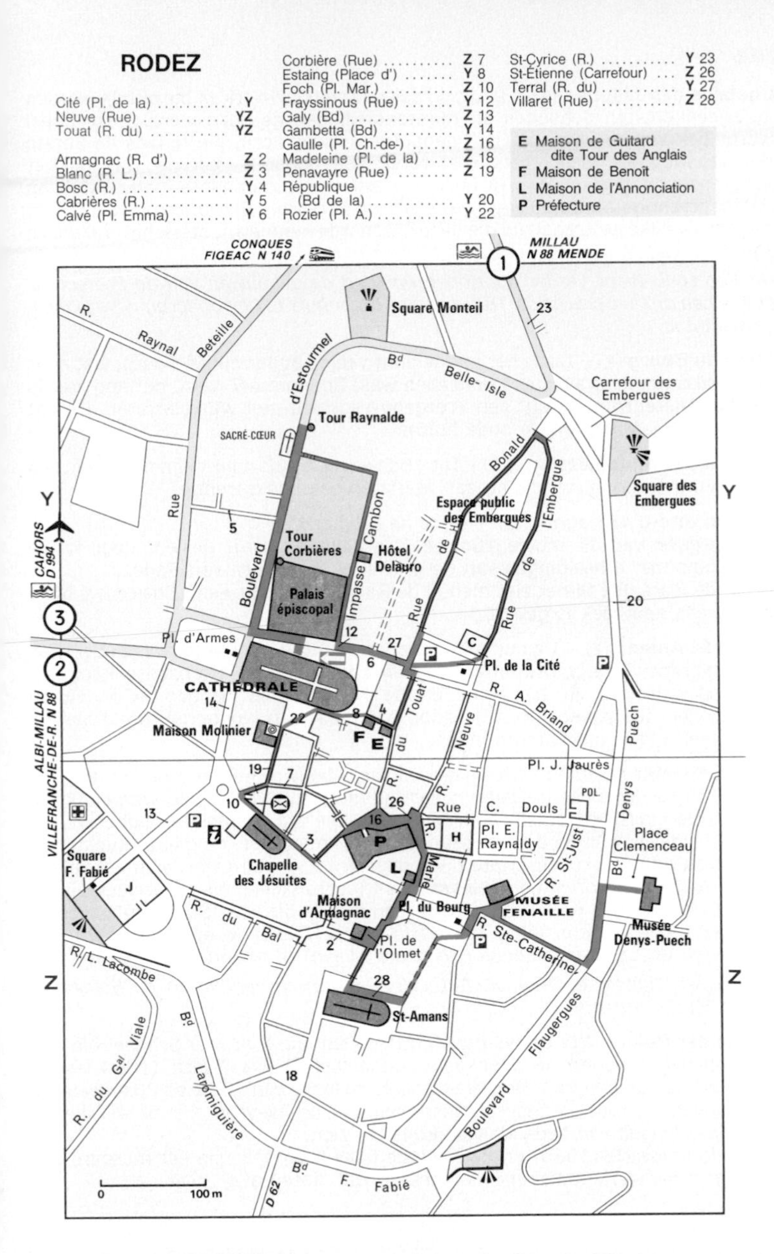

De Rue de Bonald ingaan en vervolgens de Rue de l'Embergue nemen. In deze straat staan talrijke oude huizen, antiekwinkels en winkeltjes van handwerkslieden. Tussen deze twee straten is de **Espace public des Embergues** aangelegd, een soort plein in Italiaanse stijl, waar men 's zomers cafés en eetgelegenheden vindt.

De Place de la Cité schuin oversteken en de Rue du Touat nemen, tot aan de kruising met de Rue Bosc.

Maison de Guitard of **Tour des Anglais** (**Y E**) - Dit 14de-eeuwse huis heeft een forse versterkte toren en mooie tweelichtvensters. In de 14de eeuw was de familie Guitard een geslacht van rijke bankiers.

Maison de Benoît (**Y F**) - *Place d'Estaing.*
Twee zijden van de binnenplaats *(particulier eigendom)* van dit renaissancehuis worden in beslag genomen door een gotische galerij.

Maison Molinier (**Y**) - *Rue Penavayre 2.*
Dit voormalige kanunnikenhuis uit de 15de eeuw wordt van de straat afgesloten door een muur met een galerij en twee gotische loggia's, eveneens uit de 15de eeuw. Op de binnenplaats staat een oude put, versierd met een schelp, het embleem van de H. Jakobus "de meerdere".

De Rue Penavayre uitlopen en rechts afslaan.

Chapelle des Jésuites (**Z**) – In dit 17de-eeuwse bouwwerk in barokstijl worden nu bijeenkomsten gehouden en tentoonstellingen georganiseerd. Deze kapel wordt ook wel de Chapelle Foch genoemd, omdat Foch, die tijdens de Eerste Wereldoorlog als maarschalk veel roem zou oogsten, leerling was op het aangrenzende lyceum. Binnen bevinden zich een monumentaal altaarstuk en vooral prachtige **houten tribunes**★ versierd met fresco's die, in tegenstelling tot de gebruikelijke gestrengheid die de jezuïtenorde kenmerkt, sterk naturalistisch zijn.

De Rue Louis-Blanc verder doorlopen en rond de gebouwen van de Prefectuur (**Z P**) *lopen om het prachtige 18de-eeuwse herenhuis te bewonderen waarin deze gevestigd is.*

Place du Bourg (**Z**) – Dit is het middelpunt van de oude wijk Le Bourg, wat eens het gebied van de graven en kooplieden was. Rondom het plein, dat nog steeds een handelscentrum is, ligt een voetgangersgebied met winkelstraten. Op het plein zelf staan nog enkele oude huizen.

Maison de l'Annonciation (**Z L**) – Dit 16de-eeuwse huis dankt zijn naam aan een bas-reliëf van de Aankondiging aan Maria op een hoektorentje.

Maison dite d'Armagnac (**Z**) – *Place de l'Olmet 4.*
De voorgevel van dit mooie 16de-eeuwse gebouw wordt gesierd door fraaie medaillons met afbeeldingen van de graven en gravinnen van Rodez.
Vanaf de Place de l'Olmet ziet men in de Rue d'Armagnac een 16de-eeuws huis, waarin een apotheek is gevestigd.

Église St-Amans (**Z**) – De buitenkant van deze 12de-eeuwse kerk is in de 18de eeuw ingrijpend verbouwd, maar binnen zijn de mooie Romaanse kapitelen bewaard gebleven. In het koor en de kooromgang hangen 16de-eeuwse wandkleden. In de kapel met de doopvont staat een wonderlijk beeld van de H. Drieëenheid in polychroom steen.

★ **Musée Fenaille** (**Z**) ⓥ – In twee naast elkaar gebouwde herenhuizen uit de 14de en de 16de eeuw is een museum gevestigd met een collectie voorwerpen uit de prehistorie, de Gallo-Romeinse en Merovingische tijd, alsmede beeldhouwwerk uit de middeleeuwen en de renaissance, antiek meubilair, religieuze kunstvoorwerpen en verluchte manuscripten. Vooral de moeite waard zijn de uit het zuiden van de Aveyron afkomstige **statues-menhirs**★ (grote stenen die op beelden lijken) uit het einde van de prehistorie (de beroemdste is die van "St-Sernin"). Verder is er een mooie Aankondiging aan Maria uit de 16de eeuw en een verzameling aardewerk uit La Graufesenque *(zie onder Millau)* te bewonderen.

Teruglopen, linksaf de Rue Ste-Catherine inslaan en vervolgens de Boulevard Denys-Puech nemen.

Musée des Beaux-Arts Denys-Puech (**Z**) ⓥ – Dit Museum voor Schone Kunsten werd in 1910 opgericht door de beeldhouwer Denys Puech (1854-1942), afkomstig uit de Aveyron. Behalve de vaste collectie van 19de- en 20ste-eeuwse werken van hemzelf en andere kunstenaars uit de Aveyron, zijn er wisselende tentoonstellingen van hedendaagse kunst te zien.
Sinds de renovatie (1989) prijkt er op de twee topgevels van het museum een monumentaal werk van François Morellet, dat "Integratie" heet.

ROQUEFORT-SUR-SOULZON★

789 inwoners
Michelinkaart nr. 80 vouwblad 14, of 240 vouwbladen 13, 14.
Schema, zie onder Grands Causses.

Dit grote dorp tussen Millau en St-Affrique is beroemd om zijn heerlijke kaas, de roquefort. In het dorp zelf blijkt niets van de grote bedrijvigheid: alles speelt zich onder de grond af.

De roquefort – Het gebied waar de schapen worden gehouden voor hun melk en het gebied waar zich de kelders voor het rijpingsproces bevinden, zijn onderhevig aan strenge bepalingen. De kaas heeft het recht – waarschijnlijk als een van de eerste producten – het predikaat "Appelation d'origine" te voeren. In de tijd van Plinius waren de Romeinen al dol op roquefort en de kaas verscheen ook op tafel bij Karel de Grote in Aken.
Het gebied waar de schapenmelk wordt geproduceerd heeft zich langzamerhand uitgebreid naar het noorden tot aan het dal van de Lot en in westelijke richting tot aan de Montagne Noire. In zuidelijke en zuidoostelijke richting reikt het voorbij de Grands Causses, tot in de bergachtige streken van de Hérault en de uitlopers van de Cevennen. De kaas wordt uitsluitend gemaakt van rauwe, volle schapenmelk zonder toevoegingen; homogeniseren en pasteuriseren is niet nodig;

Rijpingsproces in de kelders.

verwerking vindt plaats in melkfabrieken ter plekke. Allereerst wordt de melk in kaas omgezet, waar alleen een edele schimmelsoort wordt ingespoten, de *Penicillium roqueforti,* die voorkomt in de grotten van de Combalou. Vervolgens worden de kazen overgebracht naar Roquefort.

★ **De Roquefort-kelders** ⓥ – Het dorp ligt terrasgewijs aan de voet van een steile rotswand met daarboven een klein kalkhoudend plateau, "Combalou" genaamd, waarvan het noordoostelijke gedeelte is ingestort door verzakking en over de kleiachtige ondergrond is weggegleden. Hierdoor heerst er in de spleten tussen de losgeraakte rotsblokken een constante temperatuur en vochtigheidsgraad, hetgeen de toenmalige eigenaren ertoe heeft gebracht deze grotten als rijpingskelders te gebruiken.
Na de fabricage in de kaasfabrieken worden de kazen in de natuurlijk gevormde "caves" in lange rijen op eikenhouten schappen uitgestald en regelmatig door de zgn. cabanières (vrouwen die in de caves werken) omgedraaid. Nu begint het langzame rijpingsproces dat door de zgn. maîtres-affineurs voortdurend wordt gecontroleerd. Dankzij de koele en vochtige lucht die door de spleten (fleurines) naar binnen blaast, ontwikkelt de schimmel zich en ontstaan de zo bekende groenblauwe aders in de kaas. Een goede roquefort moet minimaal drie maanden rijpen in de kelders. De jaarproductie loopt tegen de 20 000 ton. Daarvan is ongeveer 15% bestemd voor de export, voornamelijk naar de Verenigde Staten en de landen van de Europese Unie.

Rocher St-Pierre – *169 treden.* Vanaf de belvédère (650 m) tegen de rotswand van de Combalou is het **uitzicht★** (oriëntatietafel) prachtig; naar links reikt het tot aan de bergen van de Lévézou, naar rechts over de vallei van de Soulzon en het keteldal van Tournemire, recht vooruit op de vlakke Causse du Larzac en naar beneden op het dorp Roquefort. Van de eerste kerk van het dorp, een Romaanse kapel uit de 11de eeuw, bestaan nog slechts ruïnes.

Musée de Préhistoire ⓥ – In het prehistorisch museum ziet men aardewerk en bronzen en koperen voorwerpen, die bij opgravingen zijn gevonden. Hieruit blijkt dat het gebied rond Roquefort en de Causses in de periode tussen het vroege Neolithicum en de Gallo-Romeinse tijd zo nu en dan dichtbevolkt is geweest.

Sentier des Échelles – *5 km – twee uur lopen.* Vanaf het dorp op 630 m hoogte is via dit pad het Plateau du Combalou op 791 m te bereiken, vanwaar men een **panoramisch uitzicht** heeft.

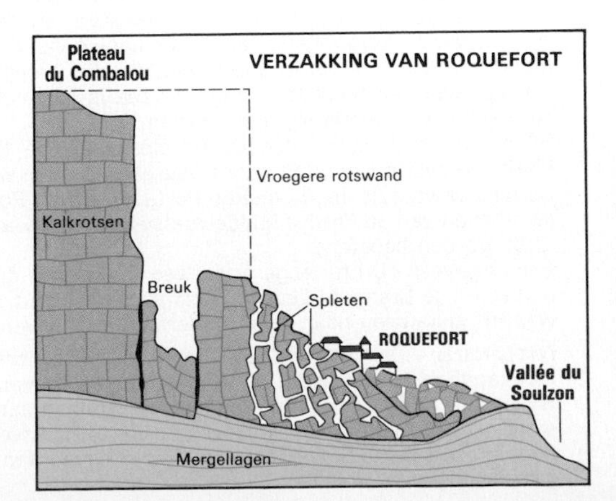

Plages du ROUSSILLON

Michelinkaart nr. 86 vouwbladen 10, 20, of 240 vouwbladen 34, 38, 42 en 46.
Schema, zie onder Côte Vermeille.

Het deel van de Middellandse-Zeekust dat hier wordt beschreven, biedt de bezoeker het rustige beeld van uitgestrekte wijngaarden.
Langs de hele kust ligt een aaneenschakeling van lagunen, die van de zee gescheiden worden door een smalle kuststrook (de geografen noemen dit lido's) en ermee in verbinding staan via smalle kanaaltjes, de zogenaamde graus. Ondanks de uitgestrekte zandstranden, de zon die volop schijnt en de zee die vlakbij is, is het toerisme in dit deel van de kuststreek lange tijd niet tot ontwikkeling gekomen omdat de infrastructuur daarvoor ontbrak.
In 1963 stelde de overheid een bestemmingsplan op dat nu grotendeels is uitgevoerd, waarbij de kust van de Languedoc en de Roussillon geschikt werd gemaakt voor het toerisme. In 1968 begon men de kuststrook bij het Étang de Leucate een nieuw aanzien te geven. Dit verlaten stukje kuststrook werd uitgegraven en opgehoogd, zodat twee nieuwe badplaatsen konden ontstaan: Port-Leucate en Port-Barcarès. Deze werkzaamheden werden voorafgegaan door de aanleg van een doorgaande snelweg langs de kust zonder verbinding met de andere kustwegen, aangezien dat strijdig zou zijn geweest met de maatregelen die genomen waren ter bescherming van het kustgebied. Volgens plan zijn daarna bomen aangeplant, is de muggenplaag bestreden en zijn waterleidingen aangelegd, zodat aannemers en projectontwikkelaars aan de slag konden gaan. Toeristen kunnen hier langs de kust een vakantie "nieuwe stijl" ontdekken, waarbij zij een verblijf in de badplaatsen, die allemaal hun eigen stijl van architectuur en indeling hebben, kunnen combineren met watersport, genieten van de natuur op de onaangetaste stranden en een achterland verkennen waar tradities in ere worden gehouden.
De reeds bestaande badplaatsen zijn eveneens opgenomen in dit project. In Collioure, Banyuls, Port-Vendres en elders is vooral de toegang tot de zee verbeterd en zijn jachthavens aangelegd.
Zowel de oude als de nieuwe badplaatsen profiteren van de lagunen in de omgeving. De aangelegde groenvoorzieningen worden zorgvuldig beschermd tegen zout en zeewind en, vooral in Port-Barcarès, voortdurend met water besproeid.

VAN CAP LEUCATE NAAR ARGELÈS-PLAGE

Door de aanleg van nieuwe toeristische badplaatsen aan de stranden van dit deel van de Golfe du Lion wordt het verschil benadrukt tussen het vlakke kustgedeelte met zandstranden en de grillige rotskust, die beschreven is in het hoofdstuk Côte Vermeille.

★ **Cap Leucate** – Aan de noordkant bakenen steile rotswanden de Étang de Leucate ou de Salses af. Vandaar is het uitzicht over de Golfe du Lion prachtig.

Semafoor van Cap Leucate – Vanaf de belvédère heeft men een weids **uitzicht**★ over de kust, van de Languedoc tot de Albères.

La Franqui – Een kleine badplaats, die te voet te bereiken is *(anderhalf uur heen en terug)* via een pad langs de rotsen, dat begint bij de semafoor van Cap Leucate. In dit plaatsje trok de in Leucate geboren schrijver Henry de Montfreid (1879-1974) zich graag terug.

Port-Leucate en **Port-Barcarès** – Hier kregen de planologen 750 ha tot hun beschikking om in te richten. Zij hebben geprobeerd in te spelen op de hedendaagse behoefte aan een natuurlijke omgeving, actieve vrijetijdsbesteding en op de steeds grotere aantallen toeristen, en dat alles te combineren met traditionele hotelvoorzieningen. Bij de aanleg van de agglomeratie is veel plaats ingeruimd voor vakantieappartementen die groepsgewijs zijn gebouwd; het concept van een boulevard langs de zee is losgelaten en het strand is alleen bereikbaar via niet-doorgaande wegen.
Bij zonsondergang worden de Corbières in een lila licht gehuld achter het loodgrijze water van de Étang de Leucate; zij doen wel aan Griekenland denken.
De nieuwe voorzieningen maken Port-Leucate en Port-Barcarès tot de grootste jachthaven van de Franse Middellandse-Zeekust, waar de zeil- en waterskisport druk worden beoefend.
Een ongeveer 10 km lange waterweg die niet in directe verbinding staat met de zee of de Étang de Leucate, vormt een beschut bassin zonder golfslag, van waaruit zijkanalen naar de afzonderlijke jachthavens leiden.

Port-Barcarès – De **"Lydia"** ⓥ, een voormalig passagiersschip, dat men in 1967 op een zandbank heeft gezet, is de grote attractie van de nieuwe kustlijn van de Roussillon. In het park van de badplaats kunnen aardige wandelingen gemaakt worden. Een modern centrum voor thalassotherapie is aanwezig voor behandeling van mensen die overspannen zijn, of lijden aan depressies of reumatische aandoeningen.

De drie volgende badplaatsen, die al sinds lang bezocht worden door mensen uit de omgeving, zijn eveneens opgenomen in het bestemmingsplan voor de kust. Hier is vooral de nadruk gelegd op betere havenfaciliteiten.

Canet-Plage - Deze badplaats, waar van oudsher de inwoners uit Perpignan komen, wordt nu ook druk bezocht om haar talrijke watersportvoorzieningen, vooral voor zeilen, sportclubs en de voorstellingen die in het casino worden gegeven. Ook zijn er vele musea: het **Aquarium** met inheemse en tropische vissen, het **Musée de l'Auto** met gerestaureerde voertuigen uit de periode van 1907 tot 1989, het **Musée du Bateau** waar ruim honderd modellen van boten te zien zijn, en vooral het interessante **Musée du Jouet**★ dat een historisch overzicht van speelgoed uit de hele wereld geeft; enkele poppen uit het oude Egypte zijn de oudste stukken van de collectie.

St-Cyprien - Deze badplaats heeft een geheel nieuw aanzien gekregen. De drukte heeft zich vooral verplaatst naar de nieuwe haven, waar de planoloog een geheel onbebouwd terrein tot zijn beschikking had om er gebouwen van 5 tot 10 verdiepingen neer te zetten. De uitbreiding van de vissershaven en van de jachthaven (zeilen en waterskiën) is met zoveel zorg aangepakt, dat het nog steeds mogelijk is rustig langs de kaden te slenteren.

Argelès-Plage - Ongeveer zestig kampeerterreinen en tentendorpen binnen een straal van 5 km maken deze badplaats tot "hoofdstad van de Europese campings". Argelès-Plage ligt op de grens tussen de vlakke kust van de Roussillon (Plage Nord, Plage des Pins) en de eerste rotsige inhammen van de Côte Vermeille (Le Racou). Dankzij een irrigatiesysteem vindt men in het nabije achterland nog tuinen en ook boomgaarden waar de kwetsbare soorten fruitbomen, alsmede eucalyptus- en zwepenbomen (celtis australis) het uitstekend doen. In de zomer zorgen 90 000 toeristen voor veel vertier in deze badplaats.

Casa de les Albères - Dit Catalaanse museum voor Volkskunst, midden in het oude centrum van **Argelès-sur-Mer**, toont stukken gereedschap en werktuigen die gebruikt werden bij de ambachten die vroeger in Argelès werden beoefend, zoals het snijden van kurk, het kuipersambacht, de wijnbouw, maar ook het vervaardigen van zolen voor touwschoenen en van speelgoed, gemaakt uit hout van de zwepenboom.

ST-FÉLIX-LAURAGAIS

1 177 inwoners

Michelinkaart nr. 82 vouwblad 19, of 235 links in vouwblad 35.

St-Félix, gelegen in een prachtige **omgeving**★ in de vlakte van de Lauragais, heeft geschiedenis gemaakt toen in 1167 de katharen hier een concilie hielden om hun eigen Kerk op te richten (volgens sommigen is dit echter een legende).

Déodat de Séverac - Séverac (1873-1921), die vooral bekend is door zijn composities die de schoonheid van de aarde en de natuur oproepen, is in St-Félix geboren. Debussy zei dat de muziek van De Séverac "lekker rook". Déodat was een leerling van Vincent d'Indy en van Magnard op de Schola Cantorum in Parijs, maar hij werd ook sterk beïnvloed door het werk van Debussy. Er is nauwelijks een componist te vinden die beter dan hij in staat was de essentie van zijn werk uit zijn geboortegrond te putten; zijn bundels *Le Chant de la Terre, En Languedoc* en *En Vacances* behoren tot de mooiste pianomuziek van deze eeuw.

BEZIENSWAARDIGHEDEN

Kasteel - Rond dit kasteel, dat is gebouwd in de 14de en 15de eeuw, kan een aardige wandeling gemaakt worden. Onderweg heeft men een weids uitzicht; in oostelijke richting op Revel aan de voet van de Montagne Noire, en in het noorden ziet men de klokkentoren van St-Julia en het hooggelegen kasteel van Montgey. In 1789, tijdens de Franse Revolutie, werd St-Félix niet voor niets tot "Bellevue" (mooi uitzicht) omgedoopt.

Kerk - De kapittelkerk stamt uit de 14de eeuw en werd in het begin van de 17de eeuw herbouwd. Rechts ervan ziet men de strakke gevel van het kapittelhuis.
Links van de toegangspoort is een put in de muur uitgehouwen. Volgens de overlevering is deze net zo diep (42 m) als de klokkentoren hoog is. De toren is gebouwd in de stijl van Toulouse: achthoekig, met twee lagen ramen tussen mijterbogen.
Het interieur is vooral interessant door de sierlijke zevenkantige absis waar het licht binnenvalt door ramen met driepasbogen. Boven het middenschip ziet men een 18de-eeuws gewelf van beschilderd hout. In de derde kapel rechts staat een mooi beeld van de H. Maagd met Kind van polychroom hout uit de 14de eeuw. Het orgel stamt uit de 18de eeuw.

Promenade - Deze ligt vlak bij de kerk en is te bereiken via een overdekte gang; mooi uitzicht in westelijke richting over het liefelijke landschap van heuvels en cipressen.

LE LAURAGAIS

Deze kleine streek in de Languedoc had in de 16de eeuw haar welvaart te danken aan de wede. Nu worden hier verschillende gewassen verbouwd, zoals tarwe, gerst en koolzaad; ook worden er runderen, schapen en pluimvee gehouden, waaraan het ontstaan van bedrijven voor het verwerken van dons en veren te danken is.

►► Château de Montgey *(11 km ten noordoosten van St-Félix-Lauragais);* een middeleeuwse burcht die in de 15de en 17de eeuw verbouwd is - St-Julia *(5 km ten noorden van St-Félix-Lauragais);* vestingstadje met overblijfselen van stadswallen.

ST-GUILHEM-LE-DÉSERT*

190 inwoners

Michelinkaart nr. 83 vouwblad 6, of 240 vouwblad 18 - Schema, zie onder Hérault.

Dit schilderachtige dorp is rond een oude abdij gebouwd en ligt in een schilderachtige **omgeving**★★, op de plaats waar de Verdus en de Hérault samenkomen, aan de ingang van woeste gorges. De geschiedenis van het ontstaan van de abdij is nauw verbonden met de legende die verspreid werd door het 12de-eeuwse heldendicht over Guillaume d'Orange.

Het markiesje met de korte neus - Guilhem, zoon van de dochter van Karel Martel, werd in 755 geboren. Hij wordt samen met de zonen van Pepijn de Korte opgevoed en al snel valt op dat hij zowel intelligent als vroom is, en ook dat hij goed met wapens kan omgaan. De jonge prinsen, die hem "het markiesje met de korte neus noemen", zijn erg op hem gesteld. Met de oudste, Karel, de toekomstige Karel de Grote, zal hij tot zijn dood bevriend blijven.

P. Lorne/EXPLORER

St-Guilhem-le-Désert.

In 768 wordt Karel de Grote koning der Franken. Guilhem is een van zijn moedigste luitenants; hij verovert de Aquitaine en wordt belast met het bestuur ervan. Bij een inval van de Saracenen behaalt hij opnieuw overwinningen bij Nîmes, Orange en Narbonne, hetgeen hem de titel Prins van Orange oplevert. Zijn laatste overwinning behaalt hij in Barcelona. Hij is 48 als hij terugkeert naar Frankrijk. Zijn vrouw, van wie hij zielsveel hield, is gestorven. Sindsdien zoekt de oude krijger de eenzaamheid op. Hij geeft het prinsdom Orange aan zijn oudste zoon en vertrekt naar Parijs om zijn koning daarvan op de hoogte te stellen.

De reliek van het ware Kruis - Karel de Grote wil zijn jeugdvriend niet zomaar laten gaan. Guilhem wordt zijn raadsheer en vergezelt de keizer naar Rome. Daar krijgt Karel de Grote van de priester Zacharias een heel bijzonder relikwie: "een stuk van drie duimen lang van het gewijde hout van het Kruis, dat door de H. Helena bij de kerk van Jeruzalem in bewaring is gegeven".

Als Guilhem bij terugkomst uit Rome zijn grondgebied in de omgeving van Lodève bezoekt, komt hij terecht in het dal van Gellone. Deze afgelegen plek lijkt hem zeer geschikt om zich in afzondering terug te trekken. Op aanraden van zijn vriend Benoît d'Aniane laat hij er een klooster bouwen waar hij samen met enkele geestelijken zijn intrek neemt. Nog één keer wordt hij door Karel de Grote geroepen om hem te helpen bij de verdeling van de eigendommen; daarna neemt hij afscheid van Karel de Grote; zij omhelzen elkaar en zijn diep ontroerd. Bij die gelegenheid schenkt Karel

de Grote hem de reliek van het Kruis, die door Guilhem in de abdijkerk wordt ondergebracht.
Guilhem keert terug naar zijn klooster. Nog een jaar houdt hij zich bezig met het aanbrengen van verbeteringen; hij legt een tuin aan, zorgt ervoor dat het klooster beter bereikbaar wordt en dat er water komt. Tenslotte trekt hij zich definitief in zijn cel terug en sterft daar al vastend en biddend in 812. Hij wordt plechtig begraven in de abdijkerk.

De abdij van St-Guilhem – Na de dood van Guilhem wordt het klooster van Gellone een belangrijk bedevaartoord. De bedevaartgangers komen in groten getale bidden bij de reliek van het Kruis en het graf van de H. Guilhem. Ook wordt het klooster aanbevolen als pleisterplaats op weg naar Santiago de Compostela. In de 12de en 13de eeuw telt het klooster ruim honderd monniken en wordt het dorp omgedoopt tot St-Guilhem-le-Désert. Maar langzamerhand treedt het verval in, vooral nadat in de 15de eeuw het "prebendesysteem" wordt ingevoerd. Vanaf dat moment wordt de abt niet meer door de monniken gekozen, maar door de koning benoemd. In de 17de en de 18de eeuw beleeft het klooster een kleine opleving, als de monniken van de Congregatie van Saint-Maur zich er vestigen en de gebouwen restaureren of herbouwen. Tot de Franse Revolutie zijn zij er gebleven; er waren toen nog zes monniken over.

★ ABDIJKERK

bezichtiging: een halfuur

D'après photo Pélissier/VLOO

De abdijkerk van St-Guilhem-le-Désert.

Van de abdij, in 804 door Guilhem gesticht, is slechts de kerk uit de 11de eeuw over, die tijdens de Revolutie buiten gebruik werd gesteld; de kloostergebouwen werden leeggehaald en de beeldhouwwerken raakten over het hele gebied verspreid.
Sinds december 1978 is er een gemeenschap van karmelietessen gevestigd in de abdij, die daardoor weer nieuw leven wordt ingeblazen. De ingang van de abdijkerk ligt aan een pleintje met een prachtige plataan. Boven het grote portaal met booglijsten verrijst een 15de-eeuwse klokkentoren. De zuiltjes van de kantelaven en de ingelegde medaillons zijn Gallo-Romeinse overblijfsels. Via dit portaal komt men in het voorportaal, waarvan het kruisbooggewelf uit het einde van de 12de eeuw dateert.

Interieur – Het 11de-eeuwse schip is zeer sober; de doopvont achter in de noorderzijbeuk is afkomstig uit de voormalige parochiekerk St-Laurent. De absis en het transept, die aan het einde van de 11de eeuw werden bijgebouwd, zijn niet in verhouding tot de rest van het bouwwerk. De met een halfkoepel overwelfde absis is versierd met zeven grote arcaturen. Aan weerszijden, in twee in de muur uitgehouwen nissen, bevinden zich links de reliekschrijn met het gebeente van de H. Guilhem en rechts het stuk van het heilige Kruis dat Karel de Grote heeft geschonken. Ieder jaar in mei wordt deze reliek in een processie over het dorpsplein gedragen.
Onder de kerk bevindt zich een **crypte** waarin oorspronkelijk het graf van de H. Guilhem lag. Deze crypte is een overblijfsel van de eerste kerk.
Het orgel is vervaardigd door J.-P. Cavaillé en in 1789 in gebruik genomen. Het is versierd met musicerende engelen.

Kloostergang – *Bereikbaar via de deur in de rechterarm van het dwarsschip.*
Van de twee verdiepingen tellende kloostergang zijn slechts de noord- en de westgalerij van de benedenverdieping over. De arcaturen van de tweelichtvensters rusten op eenvoudige kapitelen.
Met een deel van de beeldhouwwerken en zuilen afkomstig uit het bovenste gedeelte van de kloostergang, die in 1906 zijn opgekocht door de Amerikaanse verzamelaar George Grey Barnard, is in het beroemde museum The Cloisters in New York dat deel van het klooster zo waarheidsgetrouw mogelijk nagebouwd.

Museum ⏲ – Het museum is ingericht in de refter, een groot bouwwerk van tufsteen dat in de 17de eeuw nieuwe gewelven heeft gekregen. Er is een verzameling gebeeldhouwde onderdelen van de abdij te zien en een serie archieffoto's over de geschiedenis ervan.

Opmerkelijk is een vroeg-christelijke sarcofaag uit de 6de eeuw, van grijs marmer, waarin de stoffelijke overschotten van de zusters van de H. Guilhem zouden hebben gerust. Aan de voorkant ziet men Christus te midden van zijn apostelen, op de zijkanten Adam en Eva die door de slang worden verleid en de drie jongelingen in de vuuroven, en op de bovenkant de profeet Daniël in de leeuwenkuil.
Van een andere witmarmeren sarcofaag uit de 4de eeuw wordt beweerd dat die "van de H. Guilhem" is.

Koorsluiting – *Om de koorsluiting te zien, moet men links om de kerk heen lopen.* Vanaf de straat met oude huizen zijn de rijke versieringen goed te zien. Aan weerszijden staan twee kapellen; door drie vensters valt het licht de absis binnen. Daarboven bevindt zich een hele rij boogjes, door fijne zuiltjes met eigenaardige kapitelen van elkaar gescheiden. Daaronder ziet men een fries met tandradmotief. Ook het portaal wordt door een dergelijk fries gesierd.

VERDERE BEZIENSWAARDIGHEDEN

Kasteel – *Een uur lopen heen en terug. Bij de kerk de Rue du Bout-du-Monde nemen en vervolgens de rood-witte bewegwijzering van het GR-voetpad volgen.* Dit pad loopt onder een van de poorten van de oude ommuring door, waarna men een mooi uitzicht heeft op het keteldal van de Infernet.

Boven op de kam van het GR-pad afgaan en rechtsaf een steil, nogal moeilijk paadje naar het kasteel nemen.

Vanaf de ruïnes van dit hooggelegen kasteel heeft men een prachtig **uitzicht**★ over St-Guilhem en de Gorges du Verdus.

Uitzichtpunt – Als men vlak achter het Hôtel Fonzes een trap afloopt, heeft men uitzicht op de Hérault, die hier tussen steile kalkwanden doorstroomt, waarin talrijke eigenaardige kolkgaten zijn uitgesleten.

ST-JEAN-DU-GARD

2 441 inwoners
Michelinkaarten nr. 80 vouwblad 17, of 240 vouwbladen 11, 15.
Schema, zie onder Florac.

Dit stadje ligt te midden van boomgaarden op de linkeroever van de Gardon, en doet al wat zuidelijk aan met zijn hoge huizen langs de smalle Grand'Rue. Het water van de Gardon de St-Jean kan soms heel snel stijgen (dit verschijnsel noemt men "gardonnade") als gevolg van stortregens die veroorzaakt worden doordat de wolken die uit de richting van de Middellandse Zee komen, plotseling afkoelen als ze tegen de bergen van de Cevennen botsen.
Zo werd in 1985 een gedeelte van de ronde **oude brug** over de Gardon door het wassende water vernield. Deze brug is nu weer hersteld. Zij heeft zes booggewelven van ongelijke hoogte die rusten op door uitstekende steunberen beschermde pijlers. Boven de stad steekt de in Romaanse stijl gebouwde Tour de l'Horloge uit.
Iedere dinsdag wordt er in St-Jean-du-Gard een druk bezochte markt gehouden.

★ **Musée des vallées cévenoles** ⏲ – Het museum, gevestigd in een 17de-eeuwse herberg, toont het dagelijks leven en de tradities van de bewoners in dit deel van de Cevennen. De inwoners van St-Jean hebben zelf een verzameling voorwerpen, gereedschap, documenten en foto's bijeengebracht.
Men vindt er landbouwwerktuigen die gebruikt werden bij het verbouwen van graan, bij de wijnbouw en bij het oogsten van kastanjes; voorts zijn er voorwerpen die betrekking hebben op de vee- (schapen en geiten) en de bijenteelt. Ook wordt aandacht besteed aan de verschillende manieren waarop goederen in dit ruige landschap worden vervoerd: o.a. per muilezel of door de mens zelf op zijn rug. Tevens worden de problemen die door het wassende water kunnen worden veroorzaakt, hier uitgelegd.
Een bijzondere plaats is ingeruimd voor de twee activiteiten die in deze streek van oudsher het belangrijkst zijn: de kastanjeteelt en het kweken van zijderupsen.

De kastanjeboom, een echte "broodboom" in de figuurlijke betekenis van het woord, was ooit de belangrijkste bron van inkomsten in de Cevennen. Het hout ervan werd gebruikt in de bouw en om meubels van te maken, de bladeren dienden als veevoer, de bast werd gebruikt voor het maken van manden en de kastanjes zelf werden in allerlei gerechten verwerkt. Zij werden geoogst met behulp van verschillende werktuigen die hier tentoongesteld zijn, zoals de grata, een soort drietand. Vervolgens werden ze te drogen gelegd in een gebouwtje, de **clède**, dat uit twee boven elkaar gelegen vertrekken bestond. Op de benedenverdieping brandde een vuur waardoor de kastanjes op de eerste verdieping droogden.

Daarna brak men de bolsters met behulp van zogenaamde solas, eigenaardige schoenen met ijzeren punten, of door de kastanjes in een zak tegen een houten blok te slaan. Later werden ook machines gebruikt met grote cilinders met binnenin een grofgetande hark. De gepelde kastanjes konden lang worden bewaard en dienden het hele jaar door als voedsel voor het gezin, terwijl een klein deel ervan werd verkocht. Kastanjes die bij het pellen waren beschadigd, werden gebruikt als veevoeder, vooral voor varkens.

Het kweken van zijderupsen heeft zich sterk ontwikkeld in de Cevennen sinds 1709, toen door een bijzonder strenge winter alle kastanjebomen verloren waren gegaan en vervangen werden door moerbeibomen. Al snel werd de zijdecultuur de belangrijkste bron van inkomsten in de streek; zo gaat het tijdperk van de "broodboom" over in dat van de "gouden boom".

De door de zijdevlinder gelegde eitjes werden op een warm plekje uitgebroed, hetzij in zakjes die de vrouwen tussen hun borsten droegen, hetzij in zogenaamde castelets (broedmachines). Als de eitjes waren uitgekomen, werden de rupsen tot hun derde verpopping (in totaal zijn er vier) op stellages gelegd. Vervolgens verhuisden zij naar de magnanerie, de eigenlijke zijderupsenkwekerij, een vertrek boven in de boerderij met vier hoekschoorstenen om de temperatuur constant te houden. Dat is de periode waarin de rups het meeste eet: er is 1 000 kg moerbeibladeren nodig om 25 gram eitjes zich tot rups te laten ontwikkelen.

Vlak voordat de rupsen aan hun cocon beginnen, worden ze op een bedje van heide gelegd, waarin ze zich vastwerken. Als de cocon klaar is, begint de spinfase. Tot het einde van de 18de eeuw gebeurde het spinnen thuis, daarna kwamen er steeds meer spinnerijen. Iedere cocon produceert 500 tot 1 000 m draad, soms meer. Om de draad los te krijgen wordt de pop gedood en de cocon in kokend water gedompeld. Zo kan men het begin van de draad vinden en kan het winden beginnen. De draad wordt om een klosje gewikkeld en zo wordt de cocon afgewikkeld. De spinnerijen in de Cevennen leverden de grondstof voor de zijde-industrie van Nîmes en Lyon.

D. Huot/JACANA

Zijderupsencocons.

Le "Voyage dans le temps" (De reis in de tijd) ⓥ – *Avenue de la Résistance, tegenover het station van de stoomtrein.* Op deze tentoonstelling kan men de ontwikkeling van oude bespannen en gemotoriseerde voertuigen vanaf 1850 volgen. Onder de modellen die in een historisch kader worden tentoongesteld, vindt men een diligence uit 1853, een postkoets uit 1870 en Amerikaanse auto's uit de jaren zestig.

Atlandide Parc ⓥ – *Avenue de la Résistance, op de rechteroever van de Gardon.* In grote aquaria kan men tropische vissen bewonderen. Een kunstmatige rivier met een kolkende waterval geeft een exotisch tintje aan het geheel.

EXCURSIES

★★★ **Corniche des Cévennes** – *St-Jean in noordwestelijke richting uitrijden via de D 907; na 2 km de D 260 nemen. Routebeschrijving in omgekeerde richting, zie onder Cévennes.*

★★ **Route du Col de l'Asclier** – *44 km. Routebeschrijving, zie onder Asclier.*

Train à vapeur des Cévennes (Stoomtrein) ⓥ – De spoorlijn die van 1905 tot 1960 de verbinding vormde tussen St-Jean-du-Gard, Générargues en Anduze, is als toeristische attractie in gebruik genomen. De trein rijdt langs de Gardon de St-Jean, de Gardon de Mialet en de Gardon d'Anduze, en hier en daar steekt hij deze rivieren over. De route loopt langs het Bamboebos van Prafrance, gaat door een lange tunnel en komt tenslotte uit tegenover de "Porte des Cévennes" in Anduze.

Pic ST-LOUP★★

Michelinkaarten nr. 80 vouwblad 17, of 240 vouwblad 19.

De Pic St-Loup is het hoogste punt (658 m) van een langgerekte bergkam die de Garrigues montpelliéraines domineert. De berg steekt bijna verticaal de lucht in en doorbreekt daardoor het wat eentonige vlakke landschap eromheen.

Toegang – *Men kan de Pic bereiken via de D 113. De auto laten staan in Cazevieille en de bewegwijzering volgen naar de Pic St-Loup. De brede, ongeasfalteerde weg gaat omhoog en eindigt bij een calvarie. Vandaar neemt men een klein paadje dat kronkelend omhoogloopt naar de kapel en het observatorium. Ongeveer twee en een half uur heen en terug.*

★★ **Panorama** – Vanaf de Pic St-Loup heeft men een prachtig uitzicht over de wijde omtrek. De noordwand loopt steil naar beneden en eindigt in een ravijn, dat de scheiding vormt tussen de Pic St-Loup en de rotskam van de Montagne de l'Hortus; daarachter strekt het zicht zich in noordelijke en noordwestelijke richting uit tot de Cevennen. In het oosten ziet men de ruïnes van Montferrand, de vlakte van Nîmes en daarachter het Rhône-dal, de Ventoux, de Alpilles en de Lubéron; in het zuidoosten ligt de Camargue; in het zuiden de vlakte van Montpellier, de Middellandse Zee en de lagunen langs de kust; in het zuidwesten de Causse de Viols en aan de horizon de Canigou en de Corbières; in het westen de bergen die Celette, Labat en Suque heten, met daarachter de Séranne.

ST-MARTIN-DU-CANIGOU★★

Michelinkaart nr. 86 vouwblad 17, of 235 vouwblad 52.
2,5 km ten zuiden van Vernet-les-Bains – Schema, zie onder Canigou.

Dit adelaarsnest ligt op 1 055 m hoogte. De wandeling erheen is de grote attractie van Vernet-les-Bains.

Toegang ⓥ – *Vanaf Casteil, waar men de auto laat staan, is het twee uur (heen en terug) lopen over een zeer steile weg. De abdij kan ook per jeep bereikt worden: zie hiervoor het hoofdstuk Praktische inlichtingen achter in de gids.*

Abdij ⓥ – De abdij ligt op een rotspunt op 1 094 m hoogte en ontstond in de 11de eeuw als klooster. Tijdens de Franse Revolutie verlieten de geestelijken de abdij, maar tussen 1902 en 1932 werd het gebouw gerestaureerd door de bisschop van Perpignan, Mgr. de Carsalade du Pont, en tussen 1952 en 1972 werd de abdij zelfs uitgebreid.

Kloostergang – In het begin van deze eeuw waren er van de kloostergang nog slechts drie galerijen met verweerde arcaden over. Bij de restauratie is de zuidgalerij aan de kant van het ravijn herbouwd, waarbij de marmeren kapitelen van een verdwenen bovenverdieping zijn gebruikt.

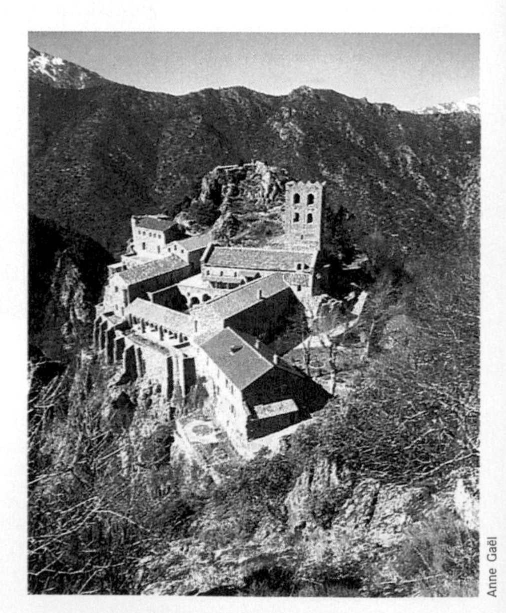

Anne Gaël

De abdij van St-Martin-du-Canigou.

Kerken – Van deze twee kerken stamt de lager gelegen kerk uit de 10de eeuw en is volgens een oude christelijke traditie gewijd aan "Notre-Dame-sous-Terre". De kerk is de crypte geworden van de hoger gelegen kerk, die uit de 11de eeuw dateert. Deze kerk bestaat uit drie naast elkaar geplaatste schepen met parallel lopende tongewelven. Het bouwwerk maakt een zeer primitieve indruk met zijn grof uitgevoerde kapitelen, in eenvoudig halfvlak bas-reliëf gebeeldhouwd. Een beeld van de H. Gaudérique herinnert eraan dat de Catalaanse boeren hier bijeenkwamen toen er relieken waren gestolen.

Een kapiteel, afkomstig uit de vroegere kloostergang, is als sokkel gebruikt voor het hoofdaltaar. Er zijn twee voorstellingen uit het leven van de H. Martinus afgebeeld.
Aan de noordzijde van het koor verrijst een klokkentoren met een plat dak met kantelen erop. Vlak bij de kerk zijn twee graven in de rots uitgehouwen: dat van de stichter, graaf Guifred de Cerdagne, door hemzelf gemaakt, en dat van een van zijn echtgenotes.

★★ **Ligging** - *Wie een goed beeld wil hebben van de bijzondere ligging van St-Martin, moet bij de abdij links een trap in het bos opgaan (een halfuur heen en terug, wandeling nr. 9). Doorlopen tot de watervang.*
Vanaf dit punt heeft met het beste uitzicht op de abdij, die hoog boven de vallei van Casteil en van de Vernet uittorent. In de late ochtend ligt de abdij in de schaduw van de Canigou.

De hoogste toppen van de Pyreneeën zijn:

Pic d'ANETO (in Spanje)	3 404 m
VIGNEMALE	3 298 m
CARLIT	2 921 m
Pic DU MIDI	2 877 m
CANIGOU	2 784 m
Pic d'ANIE	2 504 m
La RHUNE	900 m

Abbaye de ST-MICHEL-DE-CUXA★

Michelinkaart nr. 86 vouwbladen 17, 18, of 235 vouwblad 52.
3 km ten zuiden van Prades - Schema, zie onder Canigou.

De sierlijke toren met kantelen van de abdij van St-Michel-de-Cuxa verrijst tussen het groen in het kleine dal dat aan de voet van de Canigou ligt. De abdij heeft een bewogen en soms trieste geschiedenis, maar heeft nu haar oorspronkelijke rol van centrum voor Catalaanse cultuur aan de noordkant van de Pyreneeën teruggekregen. Iedere zomer worden hier de "Journées romanes" gehouden; ook de concerten van het festival van Prades worden hier gegeven.
In Cuxa hebben achtereenvolgens vier kerken gestaan. De huidige kerk, de laatste van de vier, werd in 974 gewijd. De abdij stond onder bescherming van de graven van Cerdagne-Conflent met de H. Michaël als beschermheilige, maar het is vooral te danken aan de abt Garin dat deze abdij een bijzondere plaats inneemt. Deze abt is een daadkrachtig man, die veel reist en een briefwisseling onderhoudt met Gerbert, de geleerdste man van zijn tijd, die later paus zal worden onder de naam Sylvester II. De doge van Venetië, Pietro Orseolo, trekt zich terug in de abdij in gezelschap van de H. Romualdus, de grondlegger van de orde der camaldulenzers, en sterft er in een geur van heiligheid.
In de 11de eeuw verrijzen de grote Catalaanse kloosters van Montserrat, Ripoll en St-Michel, op initiatief van de abt Oliba, een groot bouwmeester die tot het geslacht van de graven van Cerdagne-Conflent behoort. Hij breidt het koor van de abdijkerk uit en bouwt er een vierkante kooromgang en kapellen aan. Aan hem zijn ook de twee klokkentorens in zogenaamde Lombardische stijl te danken, evenals de onder de grond gelegen Chapelle de la Crèche (kribbe). Enkele van zijn monniken stuurt hij naar St-Martin-de-Canigou om zich daar te vestigen.
Na een lange tijd van verval wordt de abdij verlaten en tenslotte verkocht tijdens de Franse Revolutie: de kunstwerken verdwijnen, de galerijen van de kloostergang worden afgebroken en de onderdelen ervan verspreid. In 1907 vindt de Amerikaanse beeldhouwer George Grey Barnard meer dan de helft van de oorspronkelijke kapitelen terug en koopt ze op. In 1925 komen ze in het bezit van het Metropolitan Museum in New York, dat de kloostergang laat herbouwen en daar ook nieuwe elementen aan toevoegt, die gemaakt zijn van hetzelfde marmer uit de Pyreneeën. Sinds 1938 verrijst de kloostergang van Cuxa midden in een park op de hellingen van de Hudsonvallei.
In 1952 wordt in Cuxa met ingrijpende restauratiewerkzaamheden begonnen: de abdijkerk wordt opgeknapt en gedeelten van de galerijen van de kloostergang worden weer herbouwd met behulp van teruggevonden elementen.
Sinds 1965 zijn er in de abdij benedictijnen gevestigd die onder het gezag van Montserrat vallen.

De abdij van St-Michel-de-Cuxa.

BEZICHTIGING ⓥ: *ongeveer drie kwartier*

Eerst om de gebouwen heenlopen om de mooie Romaanse **klokkentoren★** te bewonderen, die vier verdiepingen telt met tweelichtvensters, waarboven ronde raampjes en kantelen te zien zijn.

Crypte de la Vierge de la Crèche – Deze ronde kapel uit de 11de eeuw met een gewelf dat door één centrale pilaar wordt gedragen, ligt midden in een ondergronds sanctuarium, dat aan vernielingen en verbouwingen is ontsnapt. De aan Maria gewijde kapel is zeer sierlijk, ook al ontbreekt iedere vorm van decoratie.

Abdijkerk – Deze heeft veel van haar oorspronkelijke karakter verloren. Men gaat de kerk binnen via een portaal waarvoor een arcade is gebruikt die een overblijfsel was van een tribune die in de 12de eeuw achter in het schip werd gebouwd. Het schip is een van de zeer zeldzame voorbeelden van pre-Romaanse kunst in Frankrijk. Dat is hier vooral duidelijk te zien aan de zogenaamde westgotische boog in hoefijzervorm die te voorschijn is gekomen in het transept, toen later gebouwde delen zijn weggehaald. Het middenschip heeft weer zijn dak van kapgebint terug en wordt afgesloten door een rechthoekige absis; de kruisribgewelven van het koor dateren uit de 14de eeuw. Men gaat de zijschepen binnen via drie arcaden met rondbogen.

★ **Kloostergang** – In de kloostergang zijn weer de arcaden en de kapitelen samengebracht die zich in Prades of bij particulieren bevonden. De arcaden van de galerij tegen de kerk, evenals die van een groot deel van de westelijke galerij en het begin van de oostelijke galerij, zijn weer opgetrokken. Op die manier is bijna de helft van de kloostergang hersteld. Kenmerkend voor het beeldhouwwerk op de 12de-eeuwse kapitelen is dat religieuze voorstellingen ontbreken: de kunstenaar heeft blijkbaar alleen versieringen willen aanbrengen.
In het 10de-eeuwse gebouw aan de westkant is een tentoonstelling te zien met documenten, foto's en een maquette over de geschiedenis van de abdij.

Arcs de ST-PIERRE★

Michelinkaart nr. 80 links onder aan vouwblad 5, of 240 vouwblad 10.
Schema, zie onder Tarn.

De Arcs de St-Pierre bestaan uit een verzameling ruïneachtige rotsen, gelegen op de Causse Méjean.

Toegang *is op twee manieren mogelijk:*

1) Via de D 63 die bij Hures-la-Parade uitkomt op de D 986; na 3 km rechts afslaan naar St-Pierre-des-Tripiers; één km voorbij dit dorp opnieuw rechtsaf een onverharde weg op bij de kruising richting La Viale.

2) Via de smalle, kronkelende en steile weg die uitkomt op de D 996 bij Truel richting St-Pierre-des-Tripiers in het dal van de Jonte. Ter hoogte van de splitsing richting La Viale linksaf de onverharde weg nemen.

Bezichtiging – *Anderhalf uur lopen heen en terug.*
Het pad naar beneden nemen *(rode bewegwijzering).* Eerst komt men bij de **Grande Place.** Midden in dit rotsachtige keteldal verrijst een monolitische zuil van 10 m. Het pad gaat dan omhoog en naar links en komt uit bij de grot van **La Baumelle.**

Men kan er nog de stapelmuren zien die lang door de herders zijn onderhouden om hun schapen beschutting te bieden. Ook is er een natuurlijk gevormd boogje te zien vlak bij de ingang van de grot.

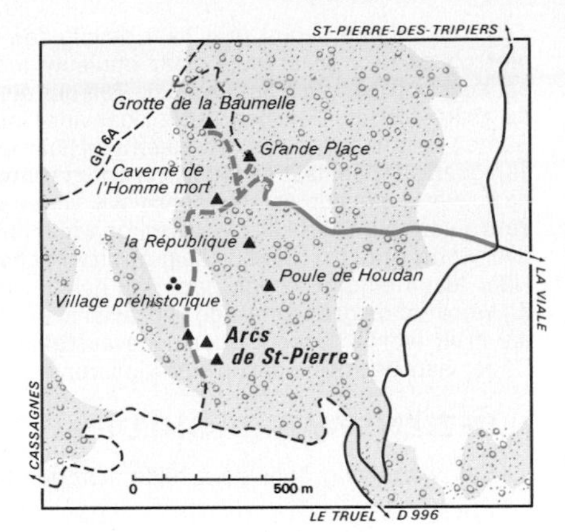

Terugkeren naar de Grande Place van waaruit het met rood aangegeven pad verder gaat naar de **Caverne de l'Homme Mort**; hier zijn vijftig skeletten gevonden die veel weg hebben van de mens van Cro-Magnon; de meeste schedels ervan waren met vuistbijlen gelicht.
Links ziet men vervolgens grote eigenaardig gevormde rotsblokken; zo wordt een ervan **la Poule** (de kip) **de Houdan** genoemd en een ander heet **la République au bonnet phrygien** (de Republiek met de Frygische muts).
Het pad maakt een bocht naar links en ongeveer 300 m verderop komt men bij een **prehistorisch dorp** waarvan nog enkele stukken muur, gedeeltelijk ingestort of half onder de grond, over zijn. Prehistorici hebben vastgesteld dat de gaten in de muren inkepingen zijn waarin vroeger de balken van het dak rustten.
Tenslotte bereikt men de **Arcs de St-Pierre**: drie natuurlijke bogen, waarvan de eerste een van de mooiste van de Causses is. De tweede heeft regelmatige vormen; wie er doorheen kijkt, ziet ranke dennen verrijzen. Sommige ervan zijn door weer en wind gebogen of geknakt, omdat de aardlaag van de Causse Méjean niet erg dik is. De derde Arc heeft een enorm gewelf.

STE-ÉNIMIE*

473 inwoners

Michelinkaart 80 vouwblad 5, of 240 vouwblad 6.
Schema's, zie onder Grands Causses en onder Tarn.

Het dorp Ste-Énimie ligt terrasgewijs onder aan de steile rotswand langs een bocht van de Tarn, bij een van de smalste doorgangen van de cañon; over een afstand van 1,8 km ligt hier een ware "gang" van 500 tot 600 m diep. De bodem van het dal is hier groen en vruchtbaar. De steunmuren die men nog op de steile hellingen van de Gorges du Tarn kan onderscheiden, zijn het bewijs dat de mens hier in de loop der eeuwen heel wat werk heeft verzet. Op de terrassen, die trapsgewijs van de oever van de Tarn omhooglopen, stonden vroeger wijnstokken, amandel-, perzik-, kersen- en notenbomen. Doordat de bevolking na de Tweede Wereldoorlog in groten getale is weggetrokken, is de grond algauw braak komen te liggen en zijn de wijn- en boomgaarden verdwenen.
Vanaf de D 986 heeft men, komend uit de richting van Mende, 5 km voor Ste-Énimie een mooi uitzicht op het stadje en de omgeving.
Tot de Franse Revolutie was Ste-Énimie een belangrijk handelscentrum. Nu wordt het stadje nieuw leven ingeblazen door het toerisme.
Het wassende water van de Tarn kan bij Ste-Énimie tot grote hoogte stijgen. In de kerk vlak bij het wijwatervat is te zien hoe hoog het water kwam op 29 september 1900. Toen stond het altaar onder water. De rivier steeg uitzonderlijk hoog in 1965 en in 1982.

De Legende van de Heilige Énimie – Énimie was een Merovingische prinses, dochter van Clotarius II en zuster van koning Dagobert. Alle edelen aan het hof waren verliefd op haar, want zij was van een adembenemende schoonheid; zij wees echter de meest aantrekkelijke huwelijksaanzoeken af omdat zij zich aan God wilde wijden. De koning weigert gehoor te geven aan deze wens en dwingt haar zich met een van zijn baronnen te verloven. Het meisje wordt dan onmiddellijk door melaatsheid getroffen en de aanbidder trekt zich terug. Geen enkel middel kan haar genezen. Op een dag heeft Énimie een visioen, waarin een engel haar zegt naar de Gévaudan te gaan; daar zal zij dankzij een bron haar schoonheid terugkrijgen.
Zij wordt vergezeld door een groot gevolg en arriveert enkele dagen later, na een moeizame reis, bij een plek waar zieken komen baden (het huidige Bagnols-les-Bains). Zij wil daar stoppen, maar de engel verschijnt opnieuw en gebiedt haar verder te gaan. Tenslotte arriveert zij in een diep en woest dal. Daar hoort zij van herders dat de bron van Burle vlakbij is. De prinses baadt in het water en door een wonder verdwijnen onmiddellijk de sporen van haar ziekte.

Zij is zielsblij en begint met haar gevolg aan de terugtocht. Maar zij is het dal nog niet uit of de melaatsheid slaat opnieuw toe, waarop zij naar de bron teruggaat en weer voltrekt zich het wonder. Telkens als zij probeert het dal te verlaten, komt de ziekte terug. Dan begrijpt zij dat het Gods wil is dat zij in Burle blijft.
Samen met haar peetdochter neemt zij haar intrek in een grot en wijdt zich voortaan aan goede daden, laat een klooster voor vrouwen bouwen en strijdt met de duivel, die haar werk aanvalt en de muren wil verwoesten. Zij slaagt er echter in hem te verdrijven. Als Saint Hilaire, bisschop van Mende, deze wonderbaarlijke geschiedenis over Énimie hoort, zoekt hij haar op en wijdt haar tot abdis van het klooster van Burle. Haar leven eindigt in een geur van heiligheid omstreeks 628.
Zij wordt in de grot-ermitage begraven in een mooie zilveren schrijn en op deze plek, die druk wordt bezocht door bedevaartgangers, gebeuren steeds meer wonderen. Onder aan de rots waarop het klooster was gebouwd, is een dorpje verrezen.

BEZIENSWAARDIGHEDEN

Een wandeling door de schilderachtige straatjes is zeer de moeite waard.

Ancien Monastère (Voormalig klooster) - *Bereikbaar vanaf de Place du Plot. Volg de pijlen met Salle Capitulaire. Een overwelfde zaal door, een trap langs de crypte op en langs een sportveld lopen. Aan de andere kant ervan bevindt zich de kapittelzaal.* Dit is een Romaanse kapittelzaal. Rondom het klooster staan nog de ruïnes van oude versterkingen.

"Le Vieux Logis" ⏲ - Dit museum is ingericht in een zaal waarin zich een alkoof, een stookplaats, een tafel en diverse stukken gerei bevinden, die een beeld geven van de vroegere levensomstandigheden.

Place au Beurre en Halle au Blé - Aan dit plein midden in het oude dorp staat nog een fraai oud huis; in de korenhal is nog een tarwemaat te zien.

Église (Kerk) - Aan deze 12de-eeuwse kerk is het een en ander veranderd. Interessant zijn het mooie halfkoepelgewelf van de absis en het stenen beeld van de H. Anna uit de 14de eeuw. Moderne platen van keramiek, gemaakt door Henri Constans, vertellen over de legende van Ste-Énimie.

Fontaine de Burle - Bij deze bron komt het regenwater dat in de Causse de Sauveterre zakt weer boven de grond. Volgens de overlevering werd de H. Énimie door deze bron van haar melaatsheid genezen.

OMGEVING

Uitzichtpunt bij de grot-ermitage - *Men wandelt vanaf Ste-Énimie via een pad (achter de Gîtes St-Vincent) in drie kwartier heen en terug naar dit uitzichtpunt. Ook is het mogelijk 2,5 km over de D 986 richting Mende te rijden, en vervolgens is het nog een halfuur lopen heen en terug.*
Bij de ingang van de **grot** ⏲ hebben twee uitgesleten stenen de vorm van een leunstoel die, naar men zegt, als zetel gebruikt werd door de H. Énimie.
Vlak bij de kapel die gebouwd is in de grot van de heilige, staat op een verhoging een kruis dat Croix de la Saint-Jean wordt genoemd; van daaraf heeft men een prachtig uitzicht op de Tarn en het stadje.

★★ **Uitzichtpunten bij de cañon van de Tarn** - *6,5 km. Ste-Énimie in zuidelijke richting uitrijden via de D 986.*
De weg steekt de Tarn over, loopt de Causse Méjean op en biedt prachtige uitzichten op de cañon van de Tarn, het keteldal van St-Chély en dat van Pougnadoires; het is de moeite waard deze omweg te maken.

Fort de SALSES★★

Michelinkaart nr. 86 vouwblad 9, of 235 vouwblad 48, of 240 vouwblad 37.
16 km ten noorden van Perpignan - Schema, zie onder Corbières.

Het fort van Salses werd in de 15de eeuw gebouwd langs de Romeinse weg tussen Narbonne en Spanje, die de "Via Domitiana" werd genoemd. Op deze strategische plek reikt het water van de lagune bijna tot de hellingen van de Corbières. Het fort is een uniek voorbeeld van middeleeuwse Spaanse militaire bouwkunst in Frankrijk en werd in de 17de eeuw door Vauban aangepast aan de eisen die de moderne artillerie stelde. Het ligt half onder de grond, te midden van wijngaarden. De muren zijn reusachtig dik en de afmetingen van het fort indrukwekkend. De kleur van de door de zon gepatineerde bakstenen vormt een harmonieus geheel met de goudglanzende houwstenen die voornamelijk van roze zandsteen zijn.

De doortocht van Hannibal - In 218 v.Chr. maakt Hannibal zich gereed Gallië door te trekken om Italië binnen te vallen. Hij neemt de weg die Hercules volgens de overlevering ook nam. Hij moet dus de Perthus over, daarna de Pas de Salses die de verbinding vormt tussen de Roussillon en de vlakten van de Bas Languedoc.

Rome stuurt in allerijl vijf eerbiedwaardige senatoren als afgevaardigden naar het gebied om de Gallische stammen te verzoeken zich te verzetten tegen de doortocht van de Carthagers. Er ontstaat groot tumult in de vergadering: "Het volk vindt het bespottelijk en onvoorstelbaar brutaal dat het door Rome wordt gevraagd een oorlog op eigen bodem te ontketenen om te voorkomen dat die in Italië plaatsvindt." Hannibal dient zich als "gast" aan en sluit in Elne een verdrag. In een speciale clausule wordt vastgelegd dat iedere klacht die de inwoners over zijn soldaten mochten hebben, door hem of zijn plaatsvervangers zal worden behandeld. Als daarentegen de Carthagers geschillen mochten hebben met de bewoners, dan zal hierover door de vrouwen van de inwoners worden geoordeeld.
De Romeinen houden een bittere smaak over aan deze periode. Zodra zij Gallië bezetten, bouwen zij een kamp in Salses en zorgen voor een goede verbinding met Le Perthus.

Een Spaans fort - Nadat de Roussillon in 1493 aan Spanje is teruggegeven, stuurt Ferdinand van Aragon een grote troepenmacht naar de provincie; in 1497 laat hij in recordtijd door zijn artillerie-ingenieur Ramirez dit fort bouwen, dat een garnizoen van 1 500 man kan huisvesten en voldoet aan de eisen van de opkomende artillerie.
Als kardinaal Richelieu de Roussillon weer gaat veroveren, is Salses de inzet van een meedogenloze strijd. De Fransen krijgen het fort in juli 1639 in handen, maar raken het weer kwijt in januari 1640.
Tenslotte wordt besloten zowel over land als over zee aan te vallen: Maillé-Brézé voert het bevel over de vloot. Als de gouverneur van Salses hoort dat Perpignan is gevallen, besluit hij op zijn beurt de Fransen te verzoeken met militaire eer te mogen vertrekken.
Aan het eind van september 1642 gaat het garnizoen terug naar Spanje.
In 1691 laat Vauban enige verbeteringen aanbrengen waarbij de bovenbouw wordt afgebroken, omdat deze eerder decoratief was dan een element voor de verdediging; de versterkingen volgen nu echter de nieuwe "natuurlijke" grens van de Pyreneeën en Salses verliest zijn militaire rol.

BEZICHTIGING ⏲ *ongeveer een uur*

Het fort heeft een rechthoekige plattegrond en ligt rond een binnenplein dat vroeger als wapenplaats dienst deed; men komt er via een poortgebouw, een halvemaan en drie ophaalbruggen binnen.
De bezichtiging begint op de hoger gelegen gedeelten van de **ommuring.**
Opvallend zijn de in de 16de eeuw aangebrachte ronde bovenkant van de courtines, een zeldzaam verschijnsel. Volgens Vauban was dit bedoeld om kogels terug te laten kaatsen en een beklimming van de muren te bemoeilijken. Aan de andere kant is de contrescarpe (muur aan de overkant van de gracht) veelhoekig, zodat de belegerden hun projectielen in die hoeken konden laten terugkaatsen.
De dikte van de escarp (buitengrachtboord) is gemiddeld 9 m.
De gebouwen in de ommuring dienden als kazerne en kazematten. De ondergrondse gewelven rond de centrale binnenplaats dienden als stal voor ongeveer 300 paarden; daarboven bevonden zich grote vuur- en bombestendige overwelfde beuken; die in de oostvleugel deed dienst als kapel.

G. Sioen/C.E.D.R.I.

Het Fort van Salses vanuit de lucht gezien.

Tenslotte komt men uit bij de **"versterkte post"** van de donjon, die wordt afgescheiden van de centrale binnenplaats door een gracht en een muur. Daar lagen de koeienstal en de bakkerij met daarnaast een lokaal waarin zich waterbekkens bevonden.
De eigenlijke **donjon** heeft vijf verdiepingen, die afwisselend een vlak en een gewelfd plafond hebben. Hij was bedoeld als woning voor de gouverneur, maar in de 19de eeuw werd hier het kruit opgeslagen. De donjon werd tenslotte nog beschermd door zigzag lopende gangen, zoals die ook in de bunkers van de Tweede Wereldoorlog werden toegepast, en door ophaalbruggen voor voetgangers.

Plateau de SAULT*

Michelinkaart nr. 86 vouwblad 6, of 235 vouwbladen 46, 47.

Dit winderige kalksteenplateau is gemiddeld 1 000 m hoog en vormt het laatste deel van de Pyreneeën ten oosten van de Pic de St-Barthélemy. De steile rotswanden aan de kant van de vlakte en de gorges die het plateau doorsnijden, geven het een onherbergzaam aanzien, hetgeen nog versterkt wordt door het strenge klimaat. De bossen zijn hier de voornaamste bron van inkomsten en vormen de aantrekkingskracht van het gebied.

Sparrenbossen – De spar (sapin) gedijt goed op deze kalkhoudende grond en in het strenge klimaat, en komt in groten getale voor in de bossen van Comus, La Plaine, La Bunague, Comefroide, Picaussel en Callong.

** FORÊT DE COMUS EN FORÊT DE LA PLAINE

Rondrit vanaf Belcaire – *97 km – ongeveer vier uur*
Dit traject loopt voor een groot gedeelte over de **route du Sapin d'Aude**, waar sommige bomen meer dan 50 m hoog zijn.

Belcaire – Dit dorp ligt op 1 002 m hoogte aan de D 613. Belcaire uitrijden via de weg naar Ax-les-Thermes, die omhoogloopt naar de Col des 7-Frères, en vervolgens naar het hogere stroomgebied van de Hers. Ondanks het strenge klimaat waren de hellingen hier vroeger terrasgewijs in cultuur gebracht.
Door de droge vallei van de Hers, die zich hier tot een trechter vernauwt, rijdt men langs Comus om tenslotte bij de Gorges de la Frau uit te komen.

* **Gorges de la Frau** – *Anderhalf uur lopen heen en terug.*
De auto laten staan bij het begin van een brede bosweg die een zijdal inloopt. Het oude pad aflopen, dat vroeger werd gebruikt door karren die hout vervoerden en door het vee dat 's zomers naar de bergweiden ging. De tocht voert langs geelachtige, kalkhoudende rotswanden. Na drie kwartier lopen, op de plaats waar de vallei een scherpe bocht maakt, weer terugkeren.

Terugrijden naar Comus en links afslaan.

De weg gaat steil omhoog en loopt dan door het sparrenbos.
Op de Col de la Gargante aangekomen, recht vooruit en enigszins rechtsaf de omhooglopende weg volgen waar "belvédère à 600 m" staat aangegeven.

** **Belvédère du Pas de l'Ours** – *Een kwartier lopen heen en terug.*
Vanaf de belvédère heeft men een fantastisch uitzicht op de kloof (Entaille de la Frau) en 700 m lager, op de hoge rots van Montségur, de Montagne de la Tabe; in tegenovergestelde richting zijn in de hoogte de witte talkgroeven van Trimouns te zien.

Terugrijden naar de Col de la Gargante, vervolgens doorrijden en rechts omkeren, richting La Bunague.

* **Pas de l'Ours** – Een hooggelegen doorgang tussen de rotsen die boven de Gorges de la Frau ligt.
De weg naar beneden beschrijft een scherpe bocht naar links.

De auto laten staan in een bocht naar rechts, bij de drinkplaats van Langarail.

* **Pâturage de Langarail** – *Drie kwartier lopen heen en terug.*
Deze weide ligt in een ongerepte omgeving. Het rotsige pad volgen tot de ronde heuvels vanwaar men in noordelijke richting **uitzicht** heeft, over de bossen van Bélesta heen, op de eerste bergen van de keten die in de richting van de Lauragais loopt.
Verder de bosweg afrijden naar La Bunague en daar rechts afslaan. Vervolgens linksaf de D 613 op die over het Plateau de Sault loopt.
Ter hoogte van Belvis, rechts afslaan om bij de vallei van de Rebenty te komen, die men aan de linkerkant naar beneden volgt.

Défilé de Joucou – Een hele reeks tunnels en overhangende rotsen.

Joucou - Een dorpje, gebouwd rond een oude abdij, en mooi gelegen in een breder deel van de vallei.

Marsa - Dit dorp ligt iets stroomafwaarts van Joucou. Boven het dorp steekt de eigenaardige, opengewerkte klokkengevel van de Romaanse kerk uit.

Omkeren.

De **Gorges du Rebenty** inrijden. Stroomopwaarts van het Défilé de Joucou loopt de weg onder de indrukwekkend overhangende rotsen van het **Défilé d'Able** door.

Niort - De moeite waard is het kerkje met klokkengevel. Uit de bossen in de omgeving steken spitse rotspunten omhoog.

La Fajolle - *Stroomopwaarts vanaf Niort.*

Typisch Pyrenees bergdorp. Aan de enorme houtvoorraden is te zien hoe streng de winters hier zijn.

Omdraaien en vlak voor Niort links afslaan om weer via de Col des 7-Frères bij Belcaire uit te komen.

★ VAN MONTSÉGUR NAAR QUILLAN

40 km - ongeveer een halve dag

De D 9 (ten zuiden van Lavelanet) voert naar Montségur.

De weg daalt af naar de vallei van de Touyre, waar de industrie van het Pays d'Olmes is geconcentreerd. Voorbij Villeneuve-d'Olmes (textielindustrie) en Montferrier, waar het ruige berglandschap zich al aankondigt, begint de weg direct te stijgen richting Montségur. Bij iedere bocht van de bergweg langs de rand van het Massif du St-Barthélemy ziet men het kasteel liggen.

★ **Château de Montségur** - *Zie onder deze naam.*

De weg loopt vanaf het dal van Montségur door een rotsachtige kloof langs de oostwand van de pog, de rots waarop het kasteel staat. Wie omkijkt, ziet de gekartelde top van de Pic de Soularac.
Voorbij het dorpje Fougax, voor het punt waar de Hers de nauwe doorgang instroomt, moet men vooral nog een laatste blik achter zich werpen om te genieten van het verrassende **uitzicht**★★ op het kasteel van Montségur dat, van deze kant gezien, afsteekt tegen het Massif du St-Barthélemy en daardoor echt op een rotspunt lijkt.

Bron van Fontestorbes - De bron van Fontestorbes wordt gevoed door water dat hier weer aan de oppervlakte komt nadat het door de kalkhoudende grond van een deel van het Plateau de Sault is gesijpeld. De bron ontspringt onder een rotsachtig gewelf in de vallei van de Hers en het is interessant dat zij in perioden van lage grondwaterstand (ongeveer van half juli tot eind november) met tussenpozen opwelt. Dit verschijnsel doet zich voor zodra het debiet minder is dan 1 040 liter per seconde. Eerst welt het water regelmatig ieder uur, daarna met tussenpozen van anderhalf uur. Het debiet kan schommelen tussen de 100 en 1 800 liter per seconde. Op het moment dat de bron geen water geeft, kan men tot achter in het gewelf lopen *(er is een hellend vlak voor de toegang).*

Voorbij Bélesta loopt de weg onderlangs de beboste rand van het Plateau de Sault. Vanaf de Col de la Baboura heeft men een weids uitzicht op de Corbières en de machtige rotspunt van de Pic de Bugarach (1 230 m), het hoogste punt van het massief.

Puivert - Puivert ligt in een groen dal dat contrasteert met het vrij woeste, omringende landschap. Het **kasteel** ⓥ *(bereikbaar vanuit het gehucht Camp-Ferrier, aan de weg naar Quillan, 500 m lang een sterk steigende, smalle weg)* wordt in 1210 ingenomen door de kruisvaarders onder leiding van Simon de Montfort; er bestaan nu nog maar een paar stukken muur van het toenmalige kasteel. In de 14de eeuw werd een nieuw kasteel gebouwd, dat inmiddels ook deels verwoest is; de vierkante toren met poort en de 32 m hoge donjon staan nog overeind. In de donjon bevinden zich vier zalen, waarvan er verschillende bezichtigd kunnen worden. Vooral de zaal "van de muzikanten" is interessant omdat op de gewelfsluitstenen musici zijn afgebeeld die hun instrument bespelen (doedelzak, tamboerijn, lier, luit, psalter, rebec); zij roepen de feestelijke gebeurtenissen ten tijde van de troubadours voor de geest. Het **Musée du Quercorb** ⓥ is een streekmuseum dat gewijd is aan de geschiedenis, de tradities en de traditionele ambachten van de Quercorb. Op de 2de verdieping zijn reconstructies te zien van de middeleeuwse muziekinstrumenten die op de sluitstenen in het kasteel zijn afgebeeld.
De weg loopt over minder onherbergzame plateaus om tenslotte voorbij Puivert boven de vallei van de Aude uit te komen. Er is nog een fraai uitzicht op de vallei en de Razès en dan bereikt men de Col du Portel, waarna de weg kronkelend afdaalt naar Quillan.

Quillan - *Zie onder Aude.*

Prieuré de SERRABONE★★

Michelinkaart nr. 86 vouwblad 18, of 235 vouwblad 52, of 240 vouwblad 41.

De weg naar Serrabone slingert omhoog door een deel van de Roussillon dat niet erg riant is en de Aspres wordt genoemd. De Romaanse priorij komt pas op het laatste moment in zicht.

BEZICHTIGING ⏲ *ongeveer een half uur*

De buitenkant van de priorij valt op door de grove architectuur en de grauwe leisteen waaruit het bouwwerk is opgetrokken. Het is bescheiden van stijl, zonder enige luxe, wellicht om een beter geheel te vormen met de sobere omgeving. Wie echter de drempel over is, wordt aangenaam verrast door het verbazingwekkend rijk gebeeldhouwde interieur.

De kerk binnengaan via de zuidelijke galerij.

★ **Zuidelijke galerij** - 12de eeuw. Deze galerij, die uitziet op het ravijn, diende als wandelgang voor de kanunniken. In het beeldhouwwerk van de kapitelen zijn motieven verwerkt die getuigen van oosterse invloed en karakteristiek zijn voor de Romaanse beeldhouwers in de Roussillon *(zie de Inleiding, Kunst).* Opmerkelijk is het verschil tussen de artistieke waarde van de binnenste kapitelen, die weinig verschillen van de kapitelen van de tribune, en de bewerking van de buitenste; deze laatste vertonen nauwelijks reliëf en zijn ongetwijfeld het werk van minder bekwame ambachtslieden.

Kerk - Het schip dateert uit de 11de eeuw, het koor, het dwarsschip en de noordelijke zijbeuk zijn uit de 12de eeuw. De kerk heeft een **tribune**★★ van roze marmer, die imponeert door haar rijke versiering. De tien zuilen en twee rechthoekige pijlers die de zes kruisribgewelven ondersteunen, zijn versierd met kapitelen waarop gestileerde dieren zijn uitgebeeld die tegenover elkaar staan: adelaars, griffioenen, maar vooral leeuwen. Deze dieren komen op elk kapiteel voor, omdat zij zo'n grote rol speelden in de bijbel, de mythologie of in fabels. Ook ziet men bloemmotieven en engeltjes. Het opmerkelijkst zijn de ragfijne versiering van de drie archivolten, die halfvlak of verzonken in het marmer is gebeeldhouwd, en de zwikken met bloemen, die doen denken aan borduurwerk.

Serrabone - De tribune.

MICHELINGIDSEN

Rode Gidsen (hotels en restaurants):

Benelux - Deutschland - España Portugal - main cities Europe - France - Great Britain and Ireland - Italia - Suisse.

Groene Gidsen (landschappen, bezienswaardigheden, toeristische routes):

België Groothertogdom Luxemburg, Nederland, Italië (Nederlandstalige edities)
Belgique Grand Duché de Luxembourg, Espagne, Grèce, Hollande, Italie, Maroc, Paris, Portugal, Suisse (Franstalige edities)
California, Canada, Great Britain, Ireland, London, New England, New York, Quebec, Rome, Scotland, Washington DC (Engelstalige edities)
Deutschland, Oberrhein, Österreich (Duitstalige edities)
Groene Michelin streekgidsen van Frankrijk, waaronder Bretagne en Provence (Nederlandstalige edities).

SÈTE★

agglomeratie 63 833 inwoners
Michelinkaart nr. 83 vouwblad 16, of 240 vouwblad 27.

Sète is gebouwd tegen de hellingen en aan de voet van de Mont St-Clair, een 175 m hoge kalksteenheuvel aan de rand van het Bassin de Thau; het vroegere eiland is slechts door twee smalle stroken van zand met het vasteland verbonden.
De nieuwe stad, ten oosten en noordoosten van de heuvel, reikt tot aan de zee en wordt in alle richtingen door kanalen doorkruist.
Een prachtig zandstrand strekt zich over 15 km uit, tot aan Le Cap d'Agde.

Paul Valéry – Deze beroemde Franse schrijver werd in 1871 in Sète geboren. Aan de gemeenteraad van Sète, die hem had gefeliciteerd met zijn verkiezing tot lid van de Académie française, schreef hij in 1925: "Ik geloof dat mijn hele oeuvre de sporen van mijn afkomst vertoont." In *Charmes*, dat in 1922 verscheen, vereeuwigt de dichter het zeemanskerkhof waar hijzelf in juli 1945 zou worden begraven. *Zie verderop: Musée Paul-Valéry.*

Georges Brassens – Een andere beroemde zoon van Sète, de chansonnier, dichter en componist Georges Brassens (1921-1981), bezong de plaats waar hij zijn jeugd doorbracht in zijn lied *Supplique pour être enterré à la plage de Sète* (smeekbede om begraven te worden op het strand van Sète). *Zie verderop: Espace Brassens.*

HET LEVEN IN SÈTE

Door zijn handels-, zijn vissers- en zijn jachthaven is Sète een zeer levendig centrum. Het is de belangrijkste haven voor verse vis en de tweede handelshaven aan de Franse Middellandse-Zeekust. De agglomeratie van Sète (waarvan ook Frontignan, La Peyrade en Balaruc deel uitmaken) vormt een industriële enclave in de vlakte van de Bas Languedoc, waar voornamelijk aan wijnbouw wordt gedaan. Vele activiteiten zijn met de haven verbonden: chemische industrie (kunstmest), cementindustrie, houtzagerijen, voedingsindustrie (conserven van olijven, specerijen en vis).

Festiviteiten – Sinds de stichting van de stad in 1666 organiseert Sète beroemd geworden watersteekspelen, de zogenaamde joutes nautiques. *Zie de Praktische inlichtingen achter in de gids.*

De watersteekspelen (Joutes nautiques) – Twee boten, een rode en een blauwe, dragen op de achterplecht de tintaine, een platform dat 3 m over het water uitsteekt. In elke boot zitten tien roeiers die de op elkaar af varende schuiten manoeuvreren. De in het wit geklede jouteurs dragen ter bescherming een borstschild. Zij staan op het platform, gewapend met een ongeveer 3 m lange lans waarvan het metalen uiteinde voorzien is van drie punten. De jouteurs trachten elkaar met een goed gerichte stoot ten val te brengen. Het commentaar en het gelach zijn niet van de lucht als de verliezer in het water duikelt. De overwinnaar, steunend op zijn lans, zet een hoge borst op onder luid gejuich van de menigte. Op de voorplecht van beide boten spelen een hoboïst en een trommelslager het drie eeuwen oude wijsje van de joutes. De toernooien trekken met name veel toeschouwers in augustus, op de feestdag van de H. Lodewijk, de schutspatroon van de stad.

Ph. Roy/EXPLORER

Watersteekspelen in Sète.

Le Grand Pardon de la Saint-Pierre – Op de feestdag van de H. Petrus wordt het beeld van de beschermheilige van de vissers op een bootje vanaf de Église St-Louis naar de vissershaven gevaren, waar het op een met bloemen versierde trawler wordt overgezet en vervolgens gezegend. Daarna worden de bloemen in het water geworpen als eerbetoon aan de zeelieden die nooit terugkeerden.

Theaterfestival – Dit festival trekt veel publiek naar Sète. Het wordt sinds 1960 gehouden, in het openluchttheater dat ruim 2 000 plaatsen telt. Dit theater is ingericht in een voormalig fort, dat door Vauban werd gebouwd en fraai gelegen is aan zee, aan de voet van het zeemanskerkhof.

DE HAVEN

Opgravingen op de Pointe du Barrou, ten noorden van de Mont St-Clair, hebben aangetoond dat het Ile de Sète al in de Gallo-Romeinse tijd werd bewoond. Maar de stad zelf ontstaat pas in de 17de eeuw, als Colbert besluit een haven aan te leggen, een plan dat al eerder was opgevat door Hendrik IV: Sète moet aan de Middellandse Zee de monding vormen van het Canal des Deux-Mers. De eerste steen wordt op 29 juli 1666 gelegd. Vanaf dat moment is de geschiedenis van de stad verbonden met die van de haven.
De Franse ingenieur **Pierre-Paul Riquet,** die het Canal du Midi realiseerde, krijgt in 1669 de opdracht de werkzaamheden te voltooien. Sète bestaat dan alleen maar uit een paar vissershutten. Om de ontwikkeling van het stadje te stimuleren, verklaart Lodewijk XIV in 1673 dat iedereen huizen mag bouwen en allerlei goederen mag verkopen en produceren zonder tol te betalen. In enkele jaren tijd ontstaat er een handels- en industriestad. In die tijd laat Riquet de twee havenhoofden bouwen die de voorhaven beschermen. Ook laat hij het Canal de Sète graven, dat de Étang de Thau met de zee verbindt.
Toch ontwikkelen stad en haven zich maar langzaam gedurende de hele 18de eeuw, want Montpellier, dat een machtig handelscentrum is, bepaalt wat er in Sète gebeurt. In de 19de eeuw beleeft Sète een gouden tijd. Om verzanding van de haven te voorkomen, wordt in 1821 een aparte pier of "golfbreker" gebouwd, die vrijwel parallel ligt aan de kustlijn en de ingang van de haven beschermt.
In 1839 wordt begonnen met het graven van het nieuwe havenbassin en het zeekanaal, terwijl de spoorwegmaatschappijen Sète verbinden met de spoorlijn Paris-Lyon-Méditerranée en het spoorwegnet in het zuiden. Tegen 1840 is Sète de vijfde Franse haven. Na de verovering van Algerije vindt Sète, dat gespecialiseerd is in de wijnhandel, zijn belangrijkste afzetgebieden in Noord-Afrika.

De huidige industrie- en handelshaven – In 1994 werd in Sète ongeveer 4 miljoen ton goederen verhandeld, waarmee Sète de tweede Franse haven aan de Middellandse Zee is. Met de onafhankelijkheid van Algerije is de import van wijn een ondergeschikte rol gaan spelen. Tegenwoordig betreffen de havenactiviteiten vooral massagoederen (ertsen, steenkool, veevoer), de invoer van tropische houtsoorten, de uitvoer van papierpap en containeroverslag. Sète onderhoudt regelmatige diensten met de Noord-Afrikaanse landen, de westkust van Afrika, de Antillen, Zuid-Amerika en Australië. Bovendien varen er passagiersschepen naar Marokko (Tanger en Nador) en de Balearen.

LE VIEUX PORT (De oude haven) (**ABZ**) *bezichtiging: drie kwartier*

De oude haven met haar pleziervaartuigen en vissersboten is het meest pittoreske deel van de haven van Sète.
Langs **La Marine** liggen vele visrestaurants, waarvan de terrassen uitkijken op het Canal de Sète. Er kunnen vandaar **rondvaarten** ⊙ door de haven en het Bassin de Thau gemaakt worden; verder worden er vistochten georganiseerd.
Iets verderop is de **Criée électronique** (de elektronische visafslag) waar vissers en nieuwsgierigen samendrommen bij de terugkeer van de boten.
Vanaf de Quai de l'Aspirant-Herber heeft men een prachtig uitzicht op de stad, die zich terrasgewijs uitstrekt tegen de helling van de Mont St-Clair. Al slenterend zal menigeen geboeid raken door de bedrijvigheid in de andere havenbassins en op de kanalen.

★ MONT ST-CLAIR *ongeveer een halve dag – schema, zie verderop*

Vanaf de Promenade Maréchal-Leclerc (via ② op de plattegrond te bereiken) de Avenue du Tennis volgen en rechts de Montée des Pierres Blanches inslaan.
Een tocht naar de top van de Mont St-Clair is beslist de moeite waard. Deze heuvel, die vroeger was begroeid met dennen- en eikenbossen, verheft zich 175 m boven de zee en biedt een voortreffelijk uitzicht op de omgeving.

Parc panoramique des Pierres Blanches – In dit park zijn wandelpaden uitgezet. Men kan er heerlijk slenteren en zo de omgeving leren kennen. Bij de oriëntatietafel heeft men een weids **uitzicht**★ op het westelijk deel van het Bassin de Thau, de laagvlakte van de Hérault, de volle zee, de Corniche en het strand.

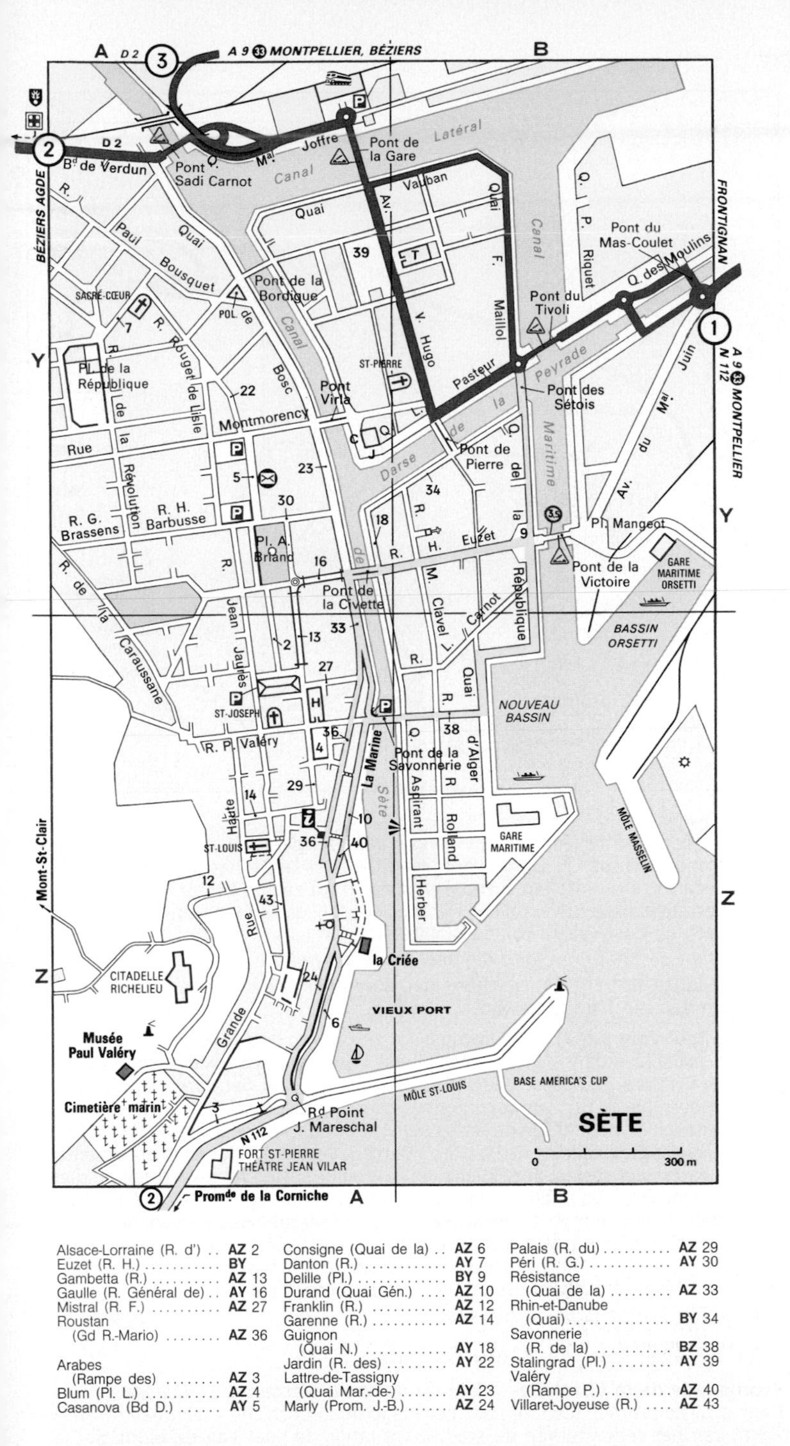

Alsace-Lorraine (R. d') .. AZ 2
Euzet (R. H.) .... BY
Gambetta (R.) .... AZ 13
Gaulle (R. Général de) .. AY 16
Mistral (R. F.) .... AZ 27
Roustan
(Gd R.-Mario) .... AZ 36

Arabes
(Rampe des) .... AZ 3
Blum (Pl. L.) .... AZ 4
Casanova (Bd D.) ...... AY 5
Consigne (Quai de la) .. AZ 6
Danton (R.) .... AY 7
Delille (Pl.) .... BY 9
Durand (Quai Gén.) .... AZ 10
Franklin (R.) .... AZ 12
Garenne (R.) .... AZ 14
Guignon
(Quai N.) .... AY 18
Jardin (R. des) .... AY 22
Lattre-de-Tassigny
(Quai Mar.-de-) ...... AY 23
Marly (Prom. J.-B.) ...... AZ 24
Palais (R. du) .... AZ 29
Péri (R. G.) .... AY 30
Résistance
(Quai de la) .... AZ 33
Rhin-et-Danube
(Quai) .... BY 34
Savonnerie
(R. de la) .... BZ 38
Stalingrad (Pl.) .... AY 39
Valéry
(Rampe P.) .... AZ 40
Villaret-Joyeuse (R.) .... AZ 43

Chapelle Notre-Dame-de-la-Salette – De Mont St-Clair dankt zijn naam aan de heilige die hier al in de late middeleeuwen werd vereerd. In de 17de eeuw was er nog een ermitage bij het kleine fort dat La Montmorencette werd genoemd. Dit fort werd gebouwd door de hertog van Montmorency ter bescherming tegen de Berbers. Toen de hertog in opstand was gekomen, liet de koning het fort ontmantelen en een voormalige bunker tot boetkapel verbouwen. In 1864 werd de kapel gewijd aan Notre-Dame-de-la-Salette. Het gehele jaar door, maar vooral in september en oktober, trekt deze kapel vele pelgrims.

Uitzichtpunten – Vanaf de esplanade tegenover de kapel, waar elke nacht een groot kruis wordt verlicht, heeft men een prachtig **uitzicht★** op Sète, het oostelijk deel van het Bassin de Thau, de Garrigues, de Cevennen, de Pic St-Loup, de Montagne de la Gardiole en de kust met haar lagunen en stadjes.

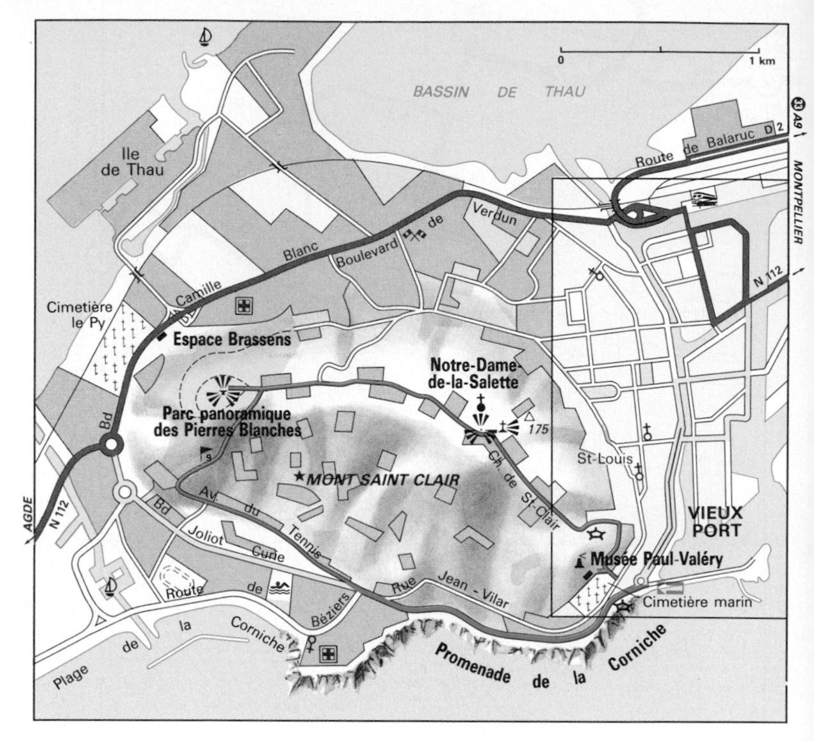

Vanaf een uitzichttoren op het terras van de pastorie ontvouwt zich een schitterend **panorama★★**. Op de voorgrond trilt het landschap van licht en kleur, maar in de verte versmelten vormen en kleuren tot zachte tinten. Bij helder weer reikt het zicht in zuidwestelijke richting voorbij de lagunen en de zee tot de Pyreneeën en oostwaarts tot de Alpilles.

De Chemin de St-Clair volgen die heel sterk afdaalt.

Rechts liggen het zeemanskerkhof dat door Paul Valéry is bezongen, en het museum dat aan hem is gewijd.

Musée Paul-Valéry (AZ) ⓥ – Dit museum ziet uit op de zee en staat vlak bij het **cimetière marin** (zeemanskerkhof) waar Paul Valéry *(in het hooggelegen deel)* en de beroemde Franse acteur Jean Vilar (1912-1971) *(in het lagere deel)* rusten. Het museum bevat tal van documenten over de geschiedenis van Sète.
Op de benedenverdieping zijn de archeologische vondsten ondergebracht die afkomstig zijn van opgravingen op de Pointe du Barrou. Verder vindt men er documentatie over de watersteekspelen; deze kleurrijke en vrolijke spelen waren een geliefd thema voor de schilders. Door de eeuwen heen zijn voor de spelen talrijke kostuums ontworpen, waarvan men de ontwikkeling van 1666 tot 1891 kan volgen.
Op de eerste verdieping is een zaal gewijd aan Paul Valéry, vanaf zijn kinderjaren in Sète. Hij was niet alleen dichter en filosoof, maar wist zich ook prachtig uit te drukken met het tekenpotlood, de schilderskwast en de beeldhouwersbeitel.
Via de Grande-Rue-Haute terug naar Sète.

Aan de voet van de Mont St-Clair

Promenade de la Corniche – *Sète via ② op de plattegrond uitrijden.*
Deze drukke promenade, die naar het Plage de la Corniche voert, een strand op 2 km van het centrum van de stad, loopt langs de voet van de Mont St-Clair, waar tegen de hellingen talrijke villa's zijn gebouwd.

Espace Brassens ⓥ – *Boulevard Camille-Blanc 67.*
In een origineel decor worden hier het leven en het werk belicht van de zanger-dichter Brassens (1921-1981), die in Sète werd geboren. Met woorden (soms vol schaamteloosheid) en eenvoudige melodieën die met gitaarakkoorden werden gescandeerd, bezong hij eeuwige thema's als vriendschap *(Chanson pour l'Auvergnat)*, liefde *(Je me suis fait tout petit)* of de dood *(Pauvre Martin)*.
De bezoeker krijgt een indruk van Brassens' kinderjaren in Sète, zijn vertrek naar Parijs en zijn eerste successen, het werk van de schrijvers door wie hij werd geïnspireerd (*Ballade des Dames au temps jadis* van Villon, *Il n'y a pas d'amour heureux* van Aragon). Georges Brassens rust op het kerkhof Le Puy aan de overkant.

SÉVÉRAC-LE-CHÂTEAU★

2 486 inwoners
Michelinkaart nr. 80 vouwblad 4, of 240 vouwblad 6.
Schema, zie onder Grands Causses.

Dit dorp, dat vroeger versterkt was, is gebouwd tegen de hellingen van een alleenstaande heuvel in een inzinkingsdal, waar de Aveyron en haar zijrivieren doorheen stromen. Boven het dorp verheft zich een steile rots, waarop de overblijfselen staan van een imposant kasteel.
Sévérac, dat zowel een kruispunt is van wegen als een spoorwegknooppunt, dankt zijn economische bedrijvigheid deels aan de meubelindustrie en de constructiewerkplaatsen.

De baronie van Sévérac – Deze baronie, een van de oudste en machtigste van Frankrijk, telt in haar gelederen veldmaarschalk **Amaury de Sévérac** (1365-1427), die heer werd van Sévérac-le-Château in 1416. Hij was kamerheer van de kroonprins (de latere Karel VII), voordat hij diens rechterhand werd. Hij gedroeg zich als een echte "condottiere uit de Rouergue" en nam deel aan talloze wapenfeiten. Op 26-jarige leeftijd, toen zijn neef Jean d'Armagnac sneuvelde in Lombardije, bracht hij diens leger terug naar Frankrijk. In 1421 werd hij benoemd tot veldmaarschalk. Hij had geen nakomelingen en werd vermoord door een van zijn neven, in het kasteel van Gages, ten noordoosten van Rodez.
Met veldmaarschalk Amaury de Sévérac stierf de oudste tak uit van de baronnen van Sévérac. Een zijtak heeft zich sinds 1300 gehandhaafd in Entraygues en daarna in St-Félix-Lauragais (Haute-Garonne); de componist Déodat de Sévérac (1873-1921) is daarvan een bekende afstammeling.
Een andere bekende figuur is **Louis d'Arpajon**, door afstamming erfgenaam van de heerlijkheid Sévérac-le-Château; hij was een befaamd krijgsman en een moordlustige echtgenoot. Vanwege zijn dapperheid en talenten krijgt hij in 1637 de titel "général d'armée", en later die van graaf van Rodez. Zijn populariteit groeit nog wanneer hij de Orde van Malta (johannieterorde) te hulp schiet, die oorlog voert tegen de Turken. Het markizaat Sévérac wordt verheven tot hertogdom. Louis wordt benoemd tot minister van Staat. In zijn herenhuis te Parijs verschaft hij onderdak aan Cyrano de Bergerac.
In 1663, op het toppunt van zijn roem, trekt Arpajon zich terug op zijn kasteel. Hij slijt er al filosoferend zijn dagen en bemoeit zich alleen nog met zijn landerijen. In 1622 was hij met Gloriande de Thémines getrouwd, die al van kindsbeen af voor hem was bestemd. Gloriande, die erg trots is op haar "dappere heer", verandert het kasteel in een schitterend verblijf waar het ene na het andere feest wordt gegeven. Haar schoonmoeder, een strenge calviniste die tot het katholicisme was bekeerd, vergeeft haar dat niet. Louis d'Arpajon biedt lange tijd weerstand aan de druk van zijn moeder en al haar lasterpraat. In 1632 wordt een zoon geboren. De familie, die door de schoonmoeder in het complot is betrokken, slaagt erin hem te doen geloven dat het kind niet van hem is. D'Arpajon is woedend van jaloezie en doodt zijn vermeende rivaal; hij sluit zijn vrouw op tot het tijd is voor de bedevaart naar Notre-Dame-de-Ceignac.
Gloriande onderneemt de reis. Onderweg lopen de dragers een bos in waar gewapende mannen, die in het struikgewas verborgen zitten, zich meester maken van de draagstoel. Zij houden Gloriande vast, terwijl een chirurgijn-barbier de slagaderen van haar polsen en enkels doorsnijdt. Wanneer de dood is ingetreden, verbindt men de wonden en wordt het ontzielde lichaam naar het kasteel teruggebracht. Niemand durft de versie van een plotselinge hartaanval tegen te spreken.

BEZIENSWAARDIGHEDEN

Kasteel (Château) ⓥ – Een 17de-eeuwse entree geeft toegang tot het voorplein van dit kasteel. Aan de noordkant staan oudere constructies (11de en 13de eeuw): overblijfselen van courtines, twee ronde torens en een kapel; aan de zuidkant ziet men de ruïnes van 17de-eeuwse gebouwen en de restanten van een monumentale trap die uit twee delen bestaat.
Het uitzicht vanaf het terras aan de oostkant van het voorplein omvat het dorp en het Bassin de Sévérac, de Causse de Sévérac en de Causse de Sauveterre, de Cevennen en, meer naar rechts, de Lévézou.
Vanaf de westkant van het voorplein heeft men een weids uitzicht over het dal van de Aveyron, waar in de verte het kasteel van Loupiac met zijn vier ronde hoektorens te zien is.

Oude huizen – 15de-16de eeuw. In de straatjes die naar het kasteel leiden, staan huizen die met hun vensteromlijstingen, uitkragende torentjes en over de weg uitstekende verdiepingen een bijzonder pittoresk geheel vormen.

ⓥ ►► Château de Vezins ⓥ *(21 km via de N 88 en de D 96).* In dit kasteel (familiebezit) worden 's zomers concerten gegeven.

Le SIDOBRE*

Michelinkaart nr. 83 vouwbladen 1, 2, of 235 vouwblad 31.

Ten oosten van Castres strekt zich de Sidobre uit. Dit granietplateau wordt begrensd door de Agout, die tussen diepe kloven ligt ingesloten, en door de Durenque, een zijrivier van de Agout.
Het massief, dat binnen de grenzen ligt van het Parc naturel régional du Haut Languedoc *(zie de Inleiding)*, is in twee opzichten interessant. Enerzijds zijn er gigantische steengroeven uitgehouwen, die hier en daar een gapende wond in het landschap vormen. Zij getuigen van het economische belang van het massief. Het is een van de belangrijkste vindplaatsen van graniet in Europa en een deel van het gesteente wordt ter plekke bewerkt en gepolijst om er grafstenen, monumenten, enz. van te maken. Anderzijds biedt het massief de aanblik van een bizar landschap van granietrotsen die door erosie een bolle vorm hebben gekregen. Enorme afgeronde rotsmassa's die volkomen in evenwicht op elkaar staan en zogenaamde rotsrivieren, de **compayrés**, grillig opeengestapelde rotsbrokken die door de eronder stromende rivier zijn meegesleept, hebben dit gebied tot een beroemde toeristische attractie gemaakt.

RONDRIT VANUIT CASTRES

53 km - ongeveer drie uur

* **Castres** - *Zie onder deze naam.*

Castres uitrijden via de D 622 richting Brassac, ② op de plattegrond. Bij het dorp La Fontasse rechts afslaan.

Chaos de St-Dominique - In een aangename, bosrijke omgeving bedekt deze rotsrivier de Lézert over een lengte van ongeveer 4 km *(bij regenval zijn de rotsen glad).*

Grotte de St-Dominique - *Een kwartier lopen heen en terug. Toegankelijk voor personen die normaal kunnen lopen.*
Langs de rechteroever van de rivier naar beneden lopen en deze vervolgens oversteken. De grot, die uitkomt op een open plek in het bos, zou onderdak hebben geboden aan de H. Dominicus zelf of ten minste aan een van zijn verre discipelen, die tijdens de Franse Revolutie werd achtervolgd.

Terugkeren naar de D 622 en verder rijden richting Brassac. Na 5 km, vlak na een café, links afslaan. In het dorpje Loustalou stoppen bij café-tabac "Au rocher tremblant".

Rocher de Sept-Faux - Dit is het mooiste voorbeeld van een trillende rots in de Sidobre. Twee op elkaar staande rotsblokken, met een gewicht van 900 t, kunnen in beweging worden gebracht door eenvoudig op een houten hefboom te drukken.

De weg naar Brassac vervolgen en links afslaan naar Lacrouzette.

Lac du Merle - Uit dit prachtige meer, dat wordt gevoed door de Lignon, steken reusachtige ronde rotsblokken omhoog. Het meer is omgeven door bossen.

Chaos de la Resse - Deze rotswoestenij wordt ook wel **Rivière de Rochers** (rotsrivier) genoemd. Wanneer men dichterbij komt, is het geraas van de rivier de Lignon te horen, die volledig onder deze chaos van rotsen verdwijnt.

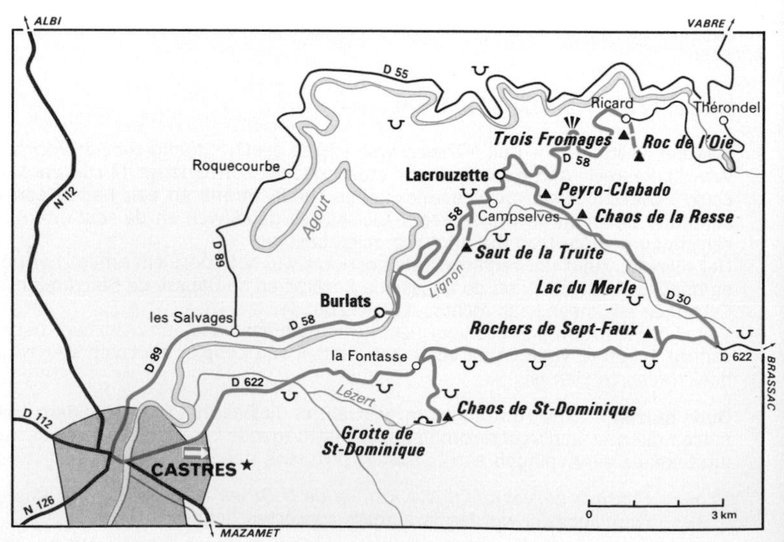

Peyro Clabado - De Peyro Clabado (of Roc Clabat) is de meest indrukwekkende bezienswaardigheid van de Sidobre. Een granieten rotsblok, waarvan het gewicht wordt geschat op 780 t, houdt zich op een uiterst kleine sokkel in evenwicht. Een wigje dat door de natuur is gevormd tussen het voetstuk en de rots zelf, zorgt voor de stabiliteit van het geheel.

Lacrouzette - Een groot deel van de bevolking leeft van de winning en de bewerking van graniet.

Vanaf Lacrouzette de D 58 volgen, richting Thérondel.

Deze prachtige weg biedt op diverse plaatsen een duizelingwekkend uitzicht op het dal van de Agout.

Stoppen in het dorpje Ricard. Vanuit het dorpje het voetpad nemen naar de Trois Fromages en de Roc de l'Oie.

Le Sidobre - De Peyro Clabado.

Trois Fromages; Roc de l'Oie - *Drie kwartier lopen heen en terug. De rood-witte bewegwijzering van de GR volgen, een aangenaam, schaduwrijk pad.*
Trois Fromages (drie kazen) is de naam van een rotsblok dat in drieën is gespleten. De drie "kazen" hebben door erosie een afgeronde vorm gekregen. Verderop ligt de Roc de l'Oie (ganzenrots) die, gezien vanaf het pad dat uit de richting van Crémaussel komt, een treffende gelijkenis vertoont met dit dier.

De D 58 verder volgen richting Lacrouzette en Burlats. Ongeveer 2 km voorbij Lacrouzette, na de afslag naar Campselves, is links een weggetje aangegeven.

Saut de la Truite - *Stoppen bij de Lignon en rechts van de stroom een weggetje nemen. Naar de voet van de waterval is het 10 min. lopen heen en terug.*
Het landschap, dat in het algemeen groen is, ziet er ter hoogte van deze cascade met zijn kolkende water vrij dor uit.

Burlats - Aan het eind van de Gorges de l'Agout staan de overblijfselen van een benedictijnenabdij uit de 10de eeuw, met portalen in Romaanse stijl, kapitelen, profiellijsten en kruisvensters. Ernaast staat het **Pavillon d'Adélaïde,** een prachtig Romaans huis met schitterende ramen, waar in de 12de eeuw Adelaïde van Toulouse verbleef. Zij hield er een Cour d'Amour (liefdeshof) waar troubadours kwamen zingen.

Terugrijden naar Castres via Les Salvages en de D 89.

Réserve africaine de SIGEAN★

Michelinkaart nr. 86 vouwbladen 9, 10, of 240 vouwblad 33.
7 km ten noordwesten van Sigean - Schema, zie onder Corbières.

Dit **reservaat** ⏲ van 133 ha dankt zijn bijzondere karakter aan het woeste landschap dat kenmerkend is voor de kuststreek van de Languedoc, aan het laag groeiende struikgewas waartussen vele meertjes liggen, en vooral aan het feit dat voor elke diersoort grote ruimten zijn gecreëerd die zoveel mogelijk het oorspronkelijke leefmilieu benaderen.

Bezichtiging per auto - *Een halfuur. Men dient zich strikt aan de veiligheidsvoorschriften te houden die bij de ingang worden gegeven.* De rondrit is in lussen uitgezet in twee gebieden waar de dieren in vrijheid leven: leeuwen, beren uit Tibet (herkenbaar aan de witte V op hun borst) en witte neushoorns.

Bezichtiging te voet - *Twee uur. Vertrekken vanaf de centrale parkeerterreinen binnen het reservaat.*
Op deze wijze raakt de bezoeker vertrouwd met dieren van de verschillende continenten: dromedarissen, antilopen, zebra's, jachtluipaarden, kaaimannen (ondergebracht in een zonnehuis) en vooral, bij het Étang de l'Oeil de Ca, met allerlei vogels: roze flamingo's, kraanvogels, eenden, maraboes, ara's, zwanen en pelikanen.
Wie geduldig is en bereid de stilte te respecteren, kan vanuit drie observatieposten de dieren van de Afrikaanse vlakte gadeslaan.

Gorges du TARN★★★

Michelinkaart nr. 80 vouwbladen 4 t/m 6, of 240 vouwbladen 6, 10.
Schema, zie onder Grands Causses.

De Gorges du Tarn zijn de belangrijkste bezienswaardigheid in het gebied van de Causses. Over ruim 50 km bieden de gorges een fantastische aaneenschakeling van perspectieven en prachtige plekjes.

GEOGRAFISCHE ONTWIKKELING

De loop van de Tarn - De Tarn ontspringt op de Mont Lozère, op 1 575 m hoogte. Als een onstuimige bergstroom daalt de rivier snel af langs de hellingen van de Cevennen. Onderweg stromen er vele riviertjes in uit, zoals de Tarnon bij Florac. Dan dringt de rivier het gebied van de Causses binnen. Daar heeft de Tarn zich een weg gebaand door een reeks breuken in de aardkorst, die vervolgens door de rivier zelf tot cañons zijn uitgesleten. In dit kalkachtige gebied stroomt er tot Le Rozier geen enkele rivier bovengronds in uit. De Tarn wordt uitsluitend gevoed door een veertigtal résurgences *(zie de Inleiding)*, die van de Causse Méjean of de Causse de Sauveterre komen. Slechts drie daarvan vormen een riviertje over een traject van enkele honderden meters. De meeste storten zich direct als een waterval in de Tarn.

Het profiel van het dal - De ondergrond van de causse bestaat uit zuivere kalkrotsen, dolomietgesteente en mergel. Deze verschillende steensoorten bieden niet alle evenveel weerstand tegen erosie en corrosie, waardoor de dalen en kloven die erin uitgeslepen zijn, een wisselend beeld laten zien. De compacte kalk- en dolomietlagen, die van binnenuit onderspoeld en ondermijnd werden, braken in grote platen uiteen, waaruit steile kliffen of rotsstompen ontstonden. De dunne kalklagen en het mergel boden minder weerstand. Zij verweerden, brokkelden af en vormden hellingen. Afhankelijk van de volgorde waarin de sedimenten voorkomen, wordt het profiel complexer. Soms worden de schuin aflopende hellingen bekroond door hoge, loodrecht oprijzende wanden (**1** - *zie tekening hiernaast*). Elders vormden de loodrechte rotswanden prachtige, nauwe en langgerekte dalen die de rivierbedding inklemmen (**2**). Her en der steken die steile wanden zelfs over de rivier uit. Soms ook rijzen de rotswanden zowel bovenaan als onder in de cañon loodrecht omhoog, en strekken zich daar tussenin hellingen van steenpuin uit die veelal bebost zijn (**3**). Onderin is de cañon 30 tot 500 m breed; boven aan de rotswanden liggen de corniches van de Causses maximaal 2 km van elkaar verwijderd; op drie punten is die afstand zelfs niet groter dan 1 200 m.

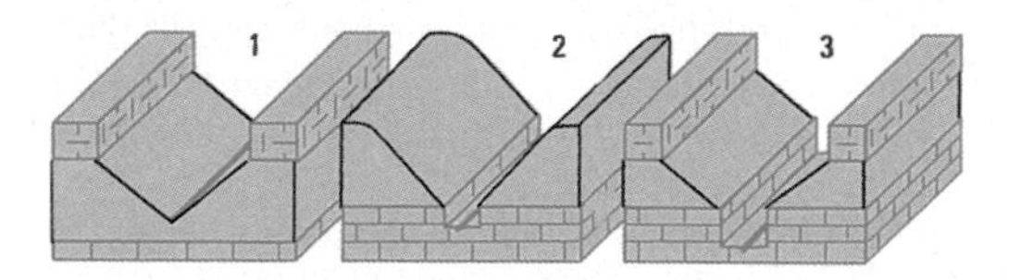

De mens in de Gorges - In de kloof, waar het 's zomers verschrikkelijk heet is, liggen slechts een gering aantal woonkernen, die klein zijn en soms bedreigd worden door het plotseling wassende water. Zij liggen aan de uitgang van een droog ravijn of op plaatsen waar het dal wat breder is. De omringende hellingen zijn bedekt met boomgaarden en wijnstokken.
De sterke woonconcentratie op sommige punten in de gorges vormt een schril contrast met de verlaten Causses. Dit is een verrassing voor de reiziger die tientallen kilometers over de plateaus van de Causses heeft afgelegd zonder ook maar enig gehucht tegen te komen, en hier plotseling dorpen ziet liggen. Aan de oevers van de Tarn of hoog op de hellingen rijzen vaak kastelen op die in de middeleeuwen veelal een schuilplaats boden aan roofridders.
De gorges laten een steeds levendiger beeld zien dankzij de ontwikkeling van recreatieve activiteiten, met name voor jongeren die hun hart kunnen ophalen aan kano- en kajakvaren, speleologie, klimmen, enz. Dergelijke activiteiten worden georganiseerd in Florac, Ispagnac, Ste-Énimie, Le Rozier-Peyreleau, Meyrueis (Gorges de la Jonte) en, meer stroomafwaarts, Millau, St-Rome-du-Tarn, Trébas en Albi-Aiguleze.

BEZICHTIGING

De toerist kan de Gorges du Tarn op drie manieren ontdekken, die uiteraard ook gecombineerd kunnen worden: per auto via de Route des Gorges, per bootje door het meest spectaculaire deel van het dal, of te voet via de paden hoog over de Corniches du Causse Méjean. De snelste of gemakkelijkste manier is niet altijd de meest boeiende.
Langs de D 907bis, die van het begin tot het einde van de gorges loopt, volgen kastelen, belvédères en pittoreske dorpjes elkaar onafgebroken op en vormen een prachtig geheel. Door verbreding van de weg en de aanleg van parkeerplaat-

Stroomversnellingen van de Tarn.

sen zijn de gorges gemakkelijker toegankelijk voor verkeer, maar de ongeschonden schoonheid van sommige plekjes is er wel door aangetast.
Met een kano of bootje kan men dicht bij de steile rotswanden komen en heeft men op diverse plaatsen een prachtig zicht op de rechte flank van de gorges. Die uitzichten blijven vanaf de weg onopgemerkt, omdat deze te dicht langs de rotswand loopt. Alleen vanaf de Tarn kan men twee van de mooiste bezienswaardigheden van de cañon goed bekijken: Les Détroits en het Cirque des Baumes. Maar de meest verrassende aspecten, het meest intieme contact met de rotswanden zijn voorbehouden aan hen die het aandurven een voettocht te maken. Een weergaloze ervaring waardoor zij zich één zullen voelen met dit grootse natuurfenomeen.

LA ROUTE DES GORGES

De D 907bis, die voortdurend beneden door de gorges loopt, over de rechteroever van de Tarn, is een schilderachtige weg die nergens monotoon wordt. Dit is te danken aan de talloze aspecten van de gorge, die naar gelang het uur van de dag een andere tint hebben. Tegen het einde van de middag, wanneer de schuine stralen van de zon de rotswanden in een gouden glans hullen, is de cañon op zijn mooist.

Van Florac naar Ste-Énimie

30 km - ongeveer anderhalf uur - schema, zie verderop.

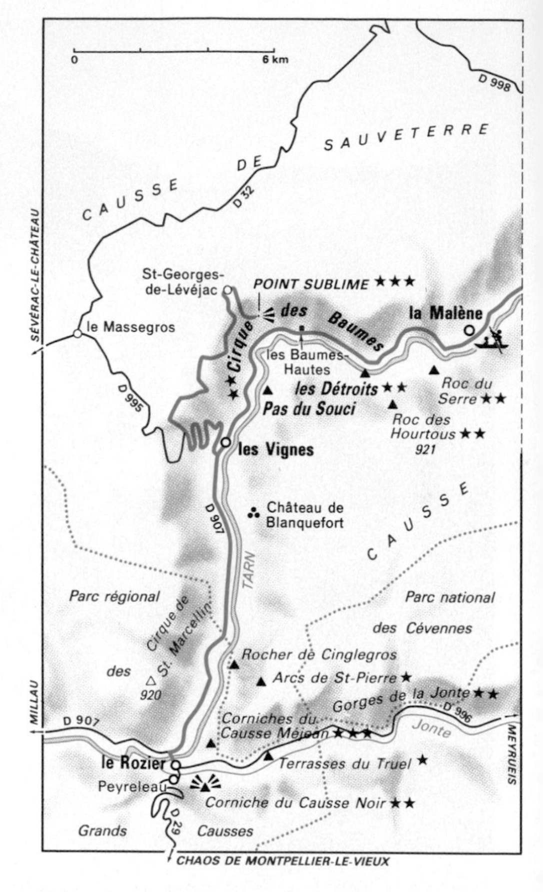

Langs dit traject ziet men nog enkele huizen waarvan de originele leistenen daken bewaard zijn gebleven: de centrale nok is gemaakt van platen die gelegd zijn in de vorm van "molenwieken" of als lignolets (schuin opstaand), wat herinnert aan de nabijheid van de Cevennen.

Florac - *Zie onder deze naam.*

Florac noordwaarts uitrijden via de N 106.

De weg volgt het dal van de Tarn. Aan de oostkant liggen de Cevennen, aan de westkant de steile hellingen van de Causse Méjean, die 500 m boven de rivierbedding uitsteken.

Wanneer het dorpje Biesset in het zicht komt, op de andere oever van de Tarn, de weg naar Mende via de Col de Montmirat rechts laten liggen en links de D 907bis oprijden, die langs de rechteroever van de rivier loopt.

Ter hoogte van Ispagnac maakt de Tarn plotseling een bocht; daar begint pas echt de cañon, een gigantische zaagsnede van 400 tot 600 m diep, die de Causse Méjean en de Causse de Sauveterre van elkaar scheidt.

Ispagnac - Aan het begin van de cañon van de Tarn ligt het bassin van Ispagnac, waar fruitbomen en wijnstokken staan en de aardbeienteelt in ontwikkeling is. De dalkom ligt beschut tegen de wind uit het noorden en noordwesten en is al van oudsher bekend vanwege het zachte klimaat. Deze "tuin van de Lozère", die vroeger de edellieden uit de Lozère trok, is nu 's zomers een geliefd vakantieoord.

De **kerk van Ispagnac**, die dateert uit de 11de en 12de eeuw, heeft een Romaans portaal met daarboven een fraai roosvenster. Het interieur, met driebeukig schip, is bijzonder mooi, met name door het koor en de kapitelen. Op de koepel boven de viering staat een achthoekige klokkentoren; de andere klokkentoren is van recente datum. Rechts van de ingang bevindt zich een drukknop waarmee een ingesproken rondleiding kan worden gestart, met muzikale omlijsting (15 min.). De kerk staat tegen de overblijfselen van een priorij waarin restanten van vestingwerken bewaard zijn gebleven. Het portaal van het voormalige kasteel is nog te zien, evenals enkele gotische huizen uit de 14de eeuw, met prachtige kruisvensters.

Ongeveer een kilometer voorbij Ispagnac links afslaan.

Quézac - Over de Tarn ligt de **Pont de Quézac**, een gotische brug. Paus Urbanus V, die afkomstig was uit Grizac in de Lozère, had het plan opgevat die brug te bouwen, zodat de pelgrims het heiligdom konden bereiken dat hij in Quézac had laten oprichten. Maar het was zijn opvolger die dat plan uitvoerde. De brug werd tijdens de godsdienstoorlogen verwoest, maar door de bisschop van Mende in haar oorspronkelijke vorm herbouwd aan het begin van de 17de eeuw.

Een smal straatje waarlangs oude huizen staan, leidt naar de **Eglise de Quézac**, een kerk die gebouwd is op de plek waar in 1050 het beeld van de Heilige Maagd werd ontdekt, waar vele bedevaartgangers nu bij komen bidden.

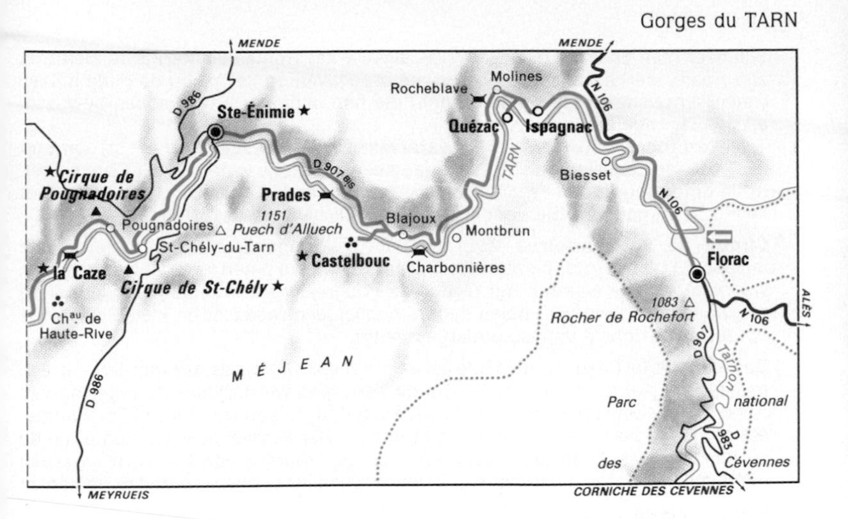

Het portaal van de kerk dateert uit de 16de eeuw. Binnen prijkt op de sluitstenen en op enkele kapitelen het wapen van paus Urbanus V. In september vindt er altijd een grote bedevaart plaats.

Terugkeren naar de D 907bis.

Tussen Molines en Blajoux komen twee kastelen in zicht.
Allereerst, op de rechteroever, het kasteel van **Rocheblave** (16de eeuw), herkenbaar aan de machicoulis, waarboven de ruïnes uitsteken van een kasteeltje uit de 12de eeuw en een eigenaardige kalkstenen naald. Iets verder ligt op de linkeroever het kasteel van **Charbonnières** (16de eeuw), stroomafwaarts van het dorpje Montbrun.

★ **Castelbouc** - *Op de linkeroever van de Tarn.*
Het zeer merkwaardige dorpje Castelbouc is vanaf de weg te zien. De naam Castelbouc zou afkomstig zijn uit de tijd van de kruistochten. Een kasteelheer, die als enige man was achtergebleven tussen zijn vrouwelijke onderdanen, kweet zich zo overmatig van zijn zinnenstrelende taak jegens hen dat hij eraan bezweek. Toen zijn ziel opsteeg, zo zegt de kroniek, zag men een enorme bok boven het kasteel zweven, dat sindsdien Castelbouc (bokkenkasteel) wordt genoemd. Het gebouw werd in de 16de eeuw afgebroken om de bewoners te verjagen die de bevolking in het dal uitpersten.
De ruïne van Castelbouc staat boven op een steile rots van 60 m hoog. Deze rots steekt over een dorpje uit dat als het ware in het rotsgesteente is uitgehouwen: de rotswand is gebruikt als achtermuur van de huizen.
Het water van een uiterst krachtige karstbron of résurgence spuit door drie openingen naar buiten, twee in een grot en een in het dorp. Het water is afkomstig uit een bassin dat zich ruim 10 km zuidwaarts uitstrekt, onder de Causse Méjean, tot aan de Aven de Hures (grot).

Even daarna verschijnt links van de weg het kasteel van Prades.

Château de Prades - Dit kasteel prijkt op een rotsklif die over de Tarn uitsteekt. Het werd in het begin van de 13de eeuw gebouwd om de abdij van Ste-Énimie te beschermen en de toegang tot de gorges te bewaken. Eerst was het eigendom van de bisschoppen van Mende, en van 1280 tot de Franse Revolutie van de heren-abten van de abdij van Ste-Énimie. In 1581 werd het beroemd doordat het standhield tegen de aanvallen van de protestantse soldaten van kapitein Merle *(zie onder Mende).*
De bezichtiging van de verdedigingswerken en van de zalen met kruisribgewelven, die alle een monumentale schouw hebben, geeft een goed beeld van het leven van de landheren die er hebben gewoond.

★ **Ste-Énimie** - *Zie onder deze naam.*

Van Ste-Énimie naar Le Rozier

60 km - ongeveer twee en een half uur - schema, zie verderop.

★ **Ste-Énimie** - *Zie onder deze naam.*
Ste-Énimie in zuidelijke richting uitrijden via de D 907bis.

★ **Cirque de St-Chély** - Het lieflijke dorpje St-Chély ligt op de linkeroever van de Tarn, aan de voet van de Causse Méjean, bij de ingang van het Cirque de St-Chély. Dit reusachtige keteldal met zijn schitterende rotswanden lijkt echt het "einde van de wereld".

Wanneer men de Tarn oversteekt, is algauw het Romaanse kerkje te zien met zijn fraaie, vierkante klokkentoren, de broodoven op het plein, de oude huizen (renaissancedeuren en -schoorstenen) die hun oude karakter hebben bewaard, en de prachtige boomgaarden.
Twee résurgences storten zich als watervallen in de Tarn. Een daarvan stroomt uit de Grotte de Cénaret, waar bij de ingang een kapelletje is gebouwd (12de eeuw). In de omgeving liggen fraaie grotten, met name de Grotte du Grand-Duc met haar 150 m gangen, die voor de toerist wellicht interessant zijn.

★ **Cirque de Pougnadoires** – In het dorpje Pougnadoires staan de huizen ingeklemd tussen rotsspleten. Het dorpje is gebouwd tegen de gigantische rotsen waarvan de hoge wanden het Cirque de Pougnadoires (keteldal) vormen. Deze rotswanden, waarin veel holen liggen, hebben een roodachtige kleur, wat wijst op de aanwezigheid van dolomietgesteente.

★ **Château de la Caze** – Dit 15de-eeuwse kasteel *(hotel-restaurant)* ligt op een romantisch plekje, aan de oever van de Tarn. Het werd tijdens de regering van Karel VIII gebouwd door Soubeyrane Alamand, nicht van een prior in Ste-Énimie, die getrouwd was met de Heer van Montclar. Het kasteel bewaart nog altijd de herinnering aan haar acht dochters die de "Nimfen van de Tarn" werden genoemd. Zij waren allen van een legendarische schoonheid en deden de harten van de jonge edellieden uit de hele omgeving sneller kloppen.
Dit lommerrijke decor van oude stenen en overhangende rotsen lijkt zo uit een sprookje te komen.
Meer naar het zuiden ziet men op de andere oever de ruïne van het kasteel Haute-Rive, die uitsteekt boven een dorpje waarvan de prachtige oude huizen, die opgetrokken zijn uit grijze en goudbruine stenen, bijzonder fraai zijn gerestaureerd.

La Malène – *Zie onder deze naam.*

★★ **Roc des Hourtous** en **Roc du Serre** – *Vertrek vanuit La Malène; zie onder deze naam.*
Na La Malène loopt de weg door het nauwste deel van de Gorges du Tarn, dat bekendstaat als **Les Détroits**★★ *(zie verderop).* Aan de linkerkant van de weg bevindt zich een **belvédère** vanwaar men een mooi uitzicht heeft op die plek. Verderop rijdt men onderlangs het keteldal **Cirque des Baumes**★★ *(zie verderop).*

Pas de Soucy – Hier verdwijnt de Tarn onder een enorme stapel rotsblokken, een chaos die werd veroorzaakt door twee enorme instortingen (soussitch in dialect), waarvan de meest recente te wijten zou zijn aan de aardbeving van 580. Poëtischer is de legende die het ontstaan van deze chaos aldus vertelt: de duivel, die door Ste-Énimie achterna werd gezeten, vluchtte van rots tot rots langs de steile wand boven de Tarn. Toen de heilige zag dat zij hem niet kon inhalen, riep zij de rotsen te hulp. Een gigantische ineenstorting beantwoordde haar gebed. Een rots, de Roque Sourde, stortte zich met haar enorme gewicht op Satan. Maar de duivel liet zich in een rotsspleet in de bedding van de Tarn glijden en kwam zwaar gehavend in de hel terug.
Naar de oever van de rivier lopen *(een kwartier heen en terug).* Van daaraf ziet men de Roque Sourde, die naar beneden is gestort zonder in stukken te breken. Op 150 m daarboven helt de 80 m hoge Roche Aiguille naar de afgrond over. Het kan gevaarlijk zijn de Tarn van rots tot rots over te steken, want de stenen zijn glad en de stroom is onstuimig.
Voor een uitzicht over de Pas de Soucy kan men naar de **belvédère** ⊙ op de **Roque Sourde** lopen *(een kwartier heen en terug).*

Les Vignes – Dit dorpje ligt op een kruispunt van wegen, in een breder deel van het dal, waar de zon overvloedig schijnt.

Les Vignes uitrijden via de D 995, een weg bovenlangs de steile rotswand, met nauwe haarspeldbochten. Na 5 km rechtsaf de D 46 nemen die over de Causse de Sauveterre loopt en, bij St-Georges-de-Lévéjac, nogmaals rechts afslaan.

★★★ **Point Sublime** – Vanaf het Point Sublime kan men genieten van een schitterend panorama dat de cañon van de Tarn omvat, van Les Détroits tot de Pas de Soucy en de Roche Aiguille. Aan de voet van het kleine plateau, dat ruim 400 m boven de Tarn ligt, strekt zich een prachtig keteldal uit met gigantische kalkwanden, het Cirque des Baumes.

Omkeren en terugrijden naar Les Vignes.

Voorbij dit dorpje biedt de Route des Gorges fraaie uitzichten. Weldra ziet men tegen de helling van de Causse Méjean, op een grote rots, de schamele ruïne van het **Château de Blanquefort** liggen.
Verderop verrijst de enorme **Rocher de Cinglegros** *(zie verderop),* een rots die zich van de Causse Méjean heeft losgemaakt. Op de rechteroever wenden de steile hellingen van de Causse de Sauveterre zich van de Tarn af en vormen het Cirque de St-Marcellin (keteldal).

Vervolgens tekent zich links de Rocher de Capluc af, die te herkennen is aan het kruis dat erbovenop staat: als een scheepsboeg aan het einde van de Causse Méjean steekt deze rots uit boven de plaats waar Tarn en Jonte samenvloeien. Nadat men de brug over de rivier is overgestoken, waarop een monument staat ter nagedachtenis aan Edouard-Alfred Martel *(zie de Inleiding)*, komt men tenslotte in Le Rozier.

Le Rozier - *Zie onder Jonte.*

TOCHT PER BOOT OF KANO

Tocht per boot van La Malène tot het Cirque des Baumes ⓥ - *Aanbevolen wordt de tocht 's morgens te maken, wanneer het licht in dit deel van de cañon het gunstigst is.*
De Tarn stroomt nu eens snel, dan weer rustig, maar het water is altijd doorschijnend. Zelfs op de diepste plaatsen in de rivier kan men op de bodem nog de rolstenen zien liggen.

★★ **Les Détroits** - Dit is het mooiste en tevens het smalste deel van de cañon. De boot vaart langs een opening die de Grotte de la Momie wordt genoemd. Vervolgens gaat men tussen twee hoge rotswanden door die loodrecht in de rivier verdwijnen. Hogerop strekt een tweede rotswand zich trapsgewijs omhoog tot ruim 400 m boven de Tarn. Deze bergengte met haar gekleurde wanden die de rivier omklemmen, is prachtig.

★★ **Cirque des Baumes** - Als men Les Détroits uitvaart, wordt de cañon breder. Daar komt men in een schitterend keteldal, het Cirque des Baumes (baume betekent grot). Het rood overheerst er, maar het wit, zwart, blauw, grijs en geel vormen prachtige kleurschakeringen op de wanden. Groepjes bomen en struikgewas zorgen voor een combinatie van groene en donkere tinten. De tocht eindigt bij Les Baumes-Hautes.

Tocht over de Tarn per kano - Deze tocht kan worden gemaakt door kanovaarders die al enige ervaring hebben opgedaan op snelstromende rivieren. Van Florac naar Ste-Énimie kan de tocht 's zomers belemmerd worden door gebrek aan water. Afgezien van enkele stroomversnellingen is het traject van Ste-Énimie naar de Pas du Soucy makkelijk. Van daaraf moet de kano naar de Pont des Vignes worden gedragen, omdat dit stukje te gevaarlijk is. Het gedeelte tussen de Pont des Vignes en Le Rozier is wat onstuimiger dan het eerste stuk; er zijn een paar stroomversnellingen die voorzichtig moeten worden genomen. De ware liefhebbers van gorges, die 's morgens vanaf La Malène vertrekken, kunnen proviand meenemen, bivakkeren op een strandje in Les Détroits, het water ingaan, picknicken aan de oever van de Tarn en de hele middag te voet of per kano door de gorges trekken.

WANDELTOCHTEN

In de gorges en op de causse kunnen vele wandeltochten worden gemaakt. De drie routes die wij hierna beschrijven, behoren tot de meest interessante.
Bovendien lopen andere uitgezette routes van de voet van de Rocher de Cinglegros naar de Pas de l'Arc onder de corniche, van de Pas des Trois Fondus naar de Baousse del Biel op de corniche, en tenslotte binnendoor over de causse van Le Bindous naar La Bourgarie via Volcégure.

★★★ Corniches du Causse Méjean

Tocht vanuit Le Rozier - ongeveer zeven uur. Zie ook onder Grands Causses.

Het pad volgt een prachtig traject en is goed onderhouden. De wandeltocht is niet echt moeilijk, hoewel er bovenlangs de steile rotswand een paar indrukwekkende passages zijn. Eten en drinken voor de hele dag meenemen. Achter de kerk in Le Rozier het pad nemen op het punt waar de twee wegen samenkomen.

Capluc - Na een halfuur omhoog te hebben gelopen, komt men in het pittoreske dorpje Capluc, dat geheel verlaten is.

Rocher de Capluc - *Afgeraden voor personen die last hebben van duizeligheid. Links afslaan, richting de Rocher de Capluc.* Deze rots, die te herkennen is aan het metalen kruis dat op de top staat, vormt het uiterste punt van een voorgebergte dat in zuidwestelijke richting de Causse Méjean afsluit. Nadat men een stenen trap heeft beklommen, laat men rechts een huis liggen dat tegen de rotswand is aangebouwd en waarvan de ingang de vorm heeft van een spitsboog. Dan volgen een hellend, met metaalplaten afgedekt gedeelte en opnieuw een stenen trap die naar het terrasvormige platform rond de rots leiden. De klim naar de top via ijzeren ladders is een duizelingwekkende ervaring.

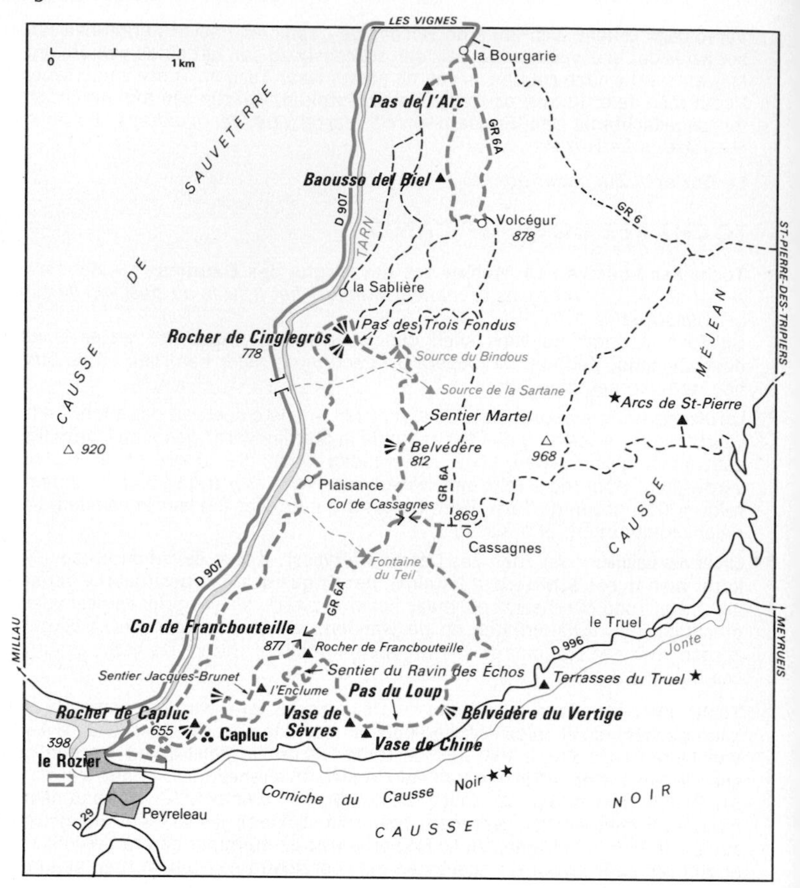

Van bovenaf is in de diepte Peyreleau te zien en de plaats waar Jonte en Tarn samenvloeien. Verder heeft men een prachtig uitzicht op de hooggelegen dorpjes Liaucous en Mostuéjouls.

Teruglopen naar Capluc.

Tocht naar de Col de Francbouteille – 200 m voorbij het dorpje Capluc doen zich twee mogelijkheden voor om naar de Col de Francbouteille te lopen.
De Sentier du Ravin des Echos *(een pad dat voor iedereen begaanbaar is)*, dat een deel van de GR 6^A volgt, stijgt langzaam omhoog via enkele haarspeldbochten, waarbij men op diverse punten een prachtig uitzicht heeft op de causse.
De Sentier Jacques-Brunet *(een steil pad, soms duizelingwekkend)*, dat begint met een trap, loopt omhoog tussen jeneverstruiken, buksen en dennen. Het kronkelt door nauwe verticale doorgangen, bereikt de top van een bergkam vanwaar men een grandioos uitzicht heeft op de cañon van de Tarn en die van de Jonte, en loopt verder over de helling aan de kant van de Tarn. Tussen schitterende rotsmuren tekent zich de Enclume (Aambeeld) af, waar men omheen loopt. Na een verfrissende wandeling onder laag geboomte, met doorkijkjes op het dal van de Tarn, komt het pad op de pas uit.

Col de Francbouteille – Op deze pas, die ook wel de pas van de twee cañons wordt genoemd, staat een stèle van de Franse Alpenclub. Rechts verheft zich de Rocher de Francbouteille als een reusachtige scheepsboeg.

De pijlen naar de GR 6^A volgen.

Weldra ziet men links het water van de Fontaine du Teil opwellen. Bronnen zijn zeldzaam op de hoogvlakte van de Causse Méjean en deze is bij wandelaars bijzonder in trek.

Op de Col de Cassagnes het Sentier Martel naar de Rocher de Cinglegros (zie verderop) links laten liggen en schuin rechts afslaan naar het afgelegen dorpje Cassagnes (illustratie, zie de Inleiding).

De oversteek van de causse begint eentonig. Alleen het geschreeuw van de vale gier, die op de Méjean opnieuw is uitgezet, verbreekt de stilte. Men laat een aanplant van dennen rechts liggen en neemt vervolgens rechts de Sentier des Corniches de la Jonte.

Belvédère du Vertige - Na ongeveer een uur lopen ontvouwt zich een grandioos panorama. Vanaf een belvédère, die beschermd is door een balustrade, kijkt men recht naar beneden in de cañon van de Jonte. De rivier stroomt ruim 400 m lager, in de diepte. Iets stroomopwaarts kan men de belvédères van Les Terrasses du Truel zien, die zich langs de weg door het dal bevinden en minuscuul klein lijken. Op de voorgrond heeft zich een complete rots van de wand losgemaakt.

Pas du Loup; Vase de Chine; Vase de Sèvres - Vervolgens loopt men langs een grot die vroeger als schaapskooi werd gebruikt, en dan tussen twee natuurlijke bruggen door. De steile afdaling, waarop halverwege een hek staat om ervoor te zorgen dat de schapen niet in het ravijn vallen, draagt de naam Pas du Loup. Zodra men door het hek is, doemt eerst de Vase de Chine (Chinese vaas) op, bij de uitgang van de bergengte, en vervolgens de Vase de Sèvres (Vaas uit Sèvres), een geweldige beloning voor alle moeite die men zich getroost heeft om zover te komen. Beide reusachtige monolieten bieden een prachtig uitzicht op elkaar. In de verte: Peyreleau en Le Rozier, de Rocher de Capluc, de steile hellingen van de Causse Noir boven de linkeroever van de Jonte.

Het pad vervolgen dat nu afdaalt tussen grilliggevormde rotsen. Het pad naar de Col de Francbouteille rechts laten liggen. Via het Ravin des Echos en de Brèche Magnifique komt men terug in Capluc en Le Rozier.

Rocher de Cinglegros

Tocht vanuit Le Rozier - een dag lopen

Deze tocht mag alleen ondernomen worden door toeristen die in zeer goede conditie zijn en niet gauw last hebben van duizeligheid. De route volgen van de Corniches du Causse Méjean, die eerder in dit hoofdstuk is beschreven, tot de Col de Cassagnes en dan links afslaan richting Rocher de Cinglegros.

Het fraai uitgezette pad biedt allereerst een prachtig uitzicht op de rotswanden die over de rechteroever van de Tarn hangen. Na ongeveer 20 min. lopen, heeft men vanaf een natuurlijke **belvédère** van rotsen een duizelingwekkend uitzicht op een indrukwekkend ravijn. Dan komt men bij de Source de la Sartane (een bron die soms droog staat), waarna het pad direct breder wordt. Links van het pad ziet men nog een kleine plas: de Source du Bindous.
Bij de volgende splitsing het pad naar Volcégure rechts laten liggen en linksaf het bos inlopen, richting Pas des Trois Fondus. Na een afdaling komt men weldra bij een terras dat een prachtig uitzicht biedt op de Rocher de Cinglegros.

Links het pad nemen dat steil naar beneden loopt.

Via de **Pas des Trois Fondus** kan men tot onder in het ravijn komen dat de Rocher de Cinglegros isoleert. Eerst gaat men twee metalen ladders op, dan volgen twee passages via krammen die in de rots zijn geslagen, en dan trappen die in het gesteente zijn uitgehouwen.
Een pad tussen bomen door leidt naar de voet van de rots. De voorzieningen waardoor men naar de top kan klimmen, worden bijzonder goed onderhouden, maar het traject is er niet minder indrukwekkend om. De weg naar boven loopt via negen metalen ladders en zes leuningen, waartussen trappen in het gesteente zijn uitgehouwen of krammen in de rotswand zijn geslagen. Eenmaal boven kan men in alle rust over het platform wandelen op de top van de rots, vanwaar men een weergaloos uitzicht heeft op de cañon van de Tarn.

Teruglopen via een pad dat afdaalt naar het dorpje Plaisance en weer terug naar Le Rozier via de Chemin de la Sablière.

Corniche du Tarn

Tocht vanaf Le Rozier - 21 km per auto, plus drie en een half uur te voet

Vanaf Le Rozier de Route des Gorges du Tarn (D 907) nemen tot Les Vignes. Deze weg is eerder in dit hoofdstuk in omgekeerde richting beschreven. Rechts afslaan richting Florac. De weg loopt in haarspeldbochten omhoog, boven de gorges. Afslaan naar La Bourgarie en daar de auto laten staan.

Aan het einde van het dorpje het pad volgen dat met rood is aangegeven. Het loopt langs de bron die de naam Le Bout du Monde (einde van de wereld) draagt. Vlak daarna, bij een splitsing, daalt de rechterweg af naar de Pas de l'Arc.

Pas de l'Arc - Dit is een natuurlijke opening in de vorm van een spitsboog die door erosie in de rots is uitgesleten.

Teruglopen en, bij de splitsing, verder gaan naar Baousso del Biel.

Baousso del Biel - Met zijn 40 m hoge opening onder het gewelf is dit de grootste natuurlijke boog in de regio. Het pad loopt naar het punt waar de boog bij het plateau aansluit. Na deze brug een paar honderd meter doorlopen en links omhooggaan tot de verlaten boerderij in Volcégure.

Vandaar loopt een bospad (de GR 6^A) terug naar La Bourgarie.

Musée de TAUTAVEL**

Michelinkaart nr. 86 links onder aan vouwblad 9, of 235 vouwblad 48, of 240 vouwblad 37 – 9 km ten noorden van Estagel – Schema, zie onder Corbières.

Tautavel, een dorpje in de Corbières, gelegen aan de Verdouble, is een belangrijk prehistorisch centrum geworden, omdat er vondsten werden gedaan die van essentieel belang zijn voor de studie van de oorsprong van de mens.
In een grot in de **Caune de l'Arago** (een karstpijp van 40 m lang en 10 tot 15 m breed, ten westen van de D 9 richting Vingrau) werden in 1971 en vervolgens in 1979 resten gevonden van een menselijke schedel die tot de oudste behoort die thans in Europa bekend zijn. Hiermee kon het uiterlijk van de **"Mens van Tautavel"** worden gereconstrueerd: een prehistorische jager die ongeveer 450 000 jaar geleden leefde in de Roussillon-vlakte.
Dankzij de hoeveelheid archeologisch materiaal die op diverse vindplaatsen werd aangetroffen (er worden nog altijd opgravingen gedaan) kon worden vastgesteld dat deze schuilplaats, die ongeveer 100 m boven het dal van Tautavel uitsteekt, in de prehistorie, tussen 700 000 en 100 000 v.Chr., beurtelings werd bewoond door mens en dier.

CENTRE EUROPÉEN DE PRÉHISTOIRE ⊙

Bezichtiging: ongeveer twee uur

Dit enorme museologische complex is gewijd aan de evolutie van de mens en zijn omgeving (op basis van de omvangrijke ontdekkingen in de Caune de l'Arago en de omgeving). Er wordt hier gebruik gemaakt van de meest geavanceerde technieken en een hypermoderne scenografie om de bezoeker een boeiende reis door de tijd te bieden, op zoek naar zijn verste oorsprong.
De zalen liggen rondom een patio met beeldhouwwerk van Raymond Moretti, dat is gewijd aan de Mens van Tautavel. In de zalen zijn interactieve consoles en videoschermen aanwezig waarop informatie wordt gegeven over diverse onderwerpen: de plaats van de mens in het heelal, de eerste werktuigen die zijn gevonden op de terrassen van de kustrivieren van de Roussillon, de geologische formatie van de grot en de samenstelling daarvan (een stratigrafische doorsnede laat de steriele en de archeologische niveaus zien), de klimatologische veranderingen en de bijbehorende fauna, alsmede de werktuigen van de Mens van Tautavel.
Met behulp van beeld en geluid is een hele verdieping gewijd aan de evolutie van het leven in het vroeg-Paleolithicum. Naast de zeer realistische diorama's met jachttaferelen en de muur met afbeeldingen die de geschiedenis belichten van het landschap in de Roussillon, is de belangrijkste attractie de **facsimile** van de Caune de l'Arago (grot). Deze is gemaakt met behulp van afgietsels van het plafond en de wanden van de echte grot. De bezoeker die achter in de grot staat, ziet diverse filmscènes aan zich voorbijtrekken die verschillende woonsituaties belichten: eerst ziet men prehistorische mensen die terugkeren van de jacht, het gevangen wild in stukken scheuren en opeten; dan een beer die zich in zijn hol nestelt voor zijn winterslaap en tot slot de geleidelijke verandering van de grot tot aan de huidige vorm. Vanuit een zaal met een groot raam, waar een oriëntatietafel staat, kan men de vlakte van de Devèze en die van de Caune d'Arague overzien. In de rotswand van de Caune d'Arague, rechts, ligt de Caune de l'Arago, boven de Gorges des Gouleyrous.
De volgende ruimte is gewijd aan de schedelresten en de reconstructie van het skelet van de Mens van Tautavel. De **schedel** zelf bestaat uit het aangezicht, het voorhoofdsbeen en een wandbeen van een en dezelfde man van ongeveer twintig jaar oud; de andere delen zijn afgietsels van resten die op andere plaatsen zijn gevonden.
De **reconstructie van het skelet van de Mens van Tautavel**, een van de oudste mensen die thans buiten Afrika bekend zijn, geeft een idee van zijn gestalte: rechtop, ongeveer 1,65 m. De mobiliteit van zijn onderste ledematen was anders dan bij ons. Hij is ingedeeld bij de homo erectus en leefde ongeveer 300 000 jaar vóór de Neanderthaler.
In Tautavel is het Europees Centrum voor Prehistorisch Onderzoek gevestigd; het wordt geleid door specialisten die vanuit interdisciplinair oogpunt samenwerken.

Bassin de THAU

Michelinkaart nr. 83 vouwblad 16, of 240 vouwbladen 26, 27.

Dit bassin, dat zich uitstrekt over 8 000 ha, is de grootste lagune langs de kust van de Languedoc, van de zee gescheiden door de landengte van Les Onglous (strand bij Sète). Ten oosten van het bassin is een industrieel complex gevestigd. De kuststrook aan de zuidkant wordt als strand geëxploiteerd, terwijl op de noordelijke oever enkele dorpjes liggen die hun ontstaan aan de visserij te danken hebben en waar men zich aan de mossel- en oesterteelt wijdt. Lange tijd leefden de vissers geïsoleerd in rieten hutjes, maar later zijn zij gaan wonen in dorpjes als Marseillan en Mèze.

Boottochten ⓥ – Een goede manier om kennis te maken met de oester- en mosselteelt in het bassin.

Oester- en mosselteelt – Aan de Middellandse Zee worden platte en bolle of Portugese oesters gekweekt. De oesters uit het Bassin de Thau worden als **huîtres de Bouzigues** in de handel gebracht, genoemd naar het dorpje waar ooit de oestercultuur in het bassin is begonnen. De oesters worden met cement vastgezet op touwen of latten, waarna zij onder water worden uitgezet tot zij de juiste grootte hebben.
De **mosselen** worden als mosselzaad (nog geen 2 cm) in trossen bij elkaar geplaatst en langs touwen en buisnetten gehangen. De aldus gevormde, reusachtige snoeren worden onder water gedompeld.

RONDRIT VANUIT SÈTE *74 km – ongeveer vier uur*

★ **Sète** – *Zie onder deze naam.*
Sète uitrijden via ③ op de plattegrond, langs de oostelijke oever van het Bassin de Thau rijden en vervolgens richting Balaruc-les-Bains.

Balaruc-les-Bains, Balaruc-le-Vieux – *Zie onder Balaruc-les-Bains.*
In Balaruc-le-Vieux de D 2 nemen en vervolgens de N 113 richting Gigean. Daarna de borden naar St-Félix-de-Montceau volgen.

Ancienne abbaye St-Félix-de-Montceau ⓥ – Deze voormalige abdij is prachtig gelegen op een heuvel vanwaar zich een weids **uitzicht** ontvouwt over de vlakte en het Bassin de Thau. De overblijfselen van deze benedictijnenabdij, die werd gebouwd in de 11de en 13de eeuw, laten een combinatie zien van een Romaanse kapel met een gotische kerk. De koorsluiting van deze kerk bestaat uit zeven muurvakken met drie tweelichtvensters.
Vanaf Gigean weer de N 113 nemen, richting Béziers.

Bouzigues – Dit rustige dorpje is het centrum van de schelpdierenteelt. In het **Musée de l'Étang de Thau** ⓥ, aan de kade van de vissershaven, wordt het belangrijkste middel van bestaan van de bewoners belicht. In een aantrekkelijk decor volgt men er de ontwikkeling van de technieken op het gebied van de visserij en de schelpdierenteelt (schelpdierenkwekerij uit de jaren vijftig, een winkel met visserijartikelen, aquaria met de soorten die in de lagune leven, videofilm).
De N 113 weer oprijden en rechts afslaan, richting Loupian.

Loupian – Dit is een klein wijnbouwersdorp met twee kerken: de **Église St-Hippolyte** ⓥ, een 12de-eeuwse kerk met tongewelf, die deel uitmaakt van de muren van het kasteel, en de **Église Ste-Cécile** ⓥ uit de 14de eeuw. Laatstgenoemde kerk heeft sterk uitspringende steunberen en een eenbeukig schip, beide kenmerken van de gotische kunst uit de Languedoc. Bij opgravingen langs de D 158^{E} *(richting Mèze)* zijn overblijfselen van een **Gallo-Romeinse villa** ⓥ ontdekt: polychrome mozaïeken uit de 4de en 5de eeuw.
Weer de N 113 nemen en naar Mèze rijden.

Mèze – Deze stad is een belangrijk centrum van schelpdierenteelt; de haven en de smalle straatjes trekken vele toeristen. De gotische kerk dateert uit de 15de eeuw. In het **Station de lagunage** ⓥ zijn interessante experimenten met diverse vormen van aquacultuur te zien (films en fototentoonstelling). Ook is er een **aquarium** met diverse tropische vissen.
De N 113 weer nemen richting Béziers, dan linksaf de D 51 oprijden richting Agde.

Marseillan – Dit stadje werd vermoedelijk in de 6de eeuw v.Chr. gesticht door zeelieden uit het oude Marseille *(1)*. In Marseillan wonen nog altijd vissers. Voor de pleziervaart op de binnenwateren is Marseillan een aangename etappe. Vlak bij de haven liggen de **Wijnkelders van Noilly-Prat** ⓥ (Chais). In deze kelders wordt getoond hoe de vermouth dry (ontwikkeld in 1813 door Joseph Noilly) en de vins doux naturels (zoete aperitiefwijnen) worden bereid. Een van de karakteristieke fasen in de bereiding is de rijping in de open lucht van het mengsel van de druivensoorten Picpoul en Clairette, in vaten met elk een inhoud van 600 l.
Op 6 km van Marseillan ligt **Marseillan-Plage** met zijn kilometers lange zandstranden.
Terugrijden naar Sète via de kuststrook, waarlangs het strand van Sète ligt. Bij de corniche kan men de panoramische tocht maken over de Mont St-Clair (zie onder Sète).

(1) *In de klassieke oudheid en tot de 16de eeuw konden kleine zeeschepen door de "graus" (vaargeulen) de lagunen van de Languedoc opvaren. Toen deze nauwe doorvaarten geleidelijk dichtslibden, leek aan de maritieme bedrijvigheid langs de kust een einde te komen. Vandaar dat de vestiging van Sète zo belangrijk was.*

TOULOUSE★★★

agglomeratie 608 430 inwoners
Michelinkaart nr. 82 vouwblad 8, of 235 vouwblad 30.

Toulouse, dat vroeger de hoofdstad was van de gebieden waar de langue d'oc oftewel het Occitaans werd gesproken, is thans de zesde stedelijke agglomeratie van Frankrijk.
De stad is een belangrijk industriecentrum, waar de vliegtuigbouw een overheersende rol speelt; rond deze activiteit hebben zich talloze geavanceerde industrieën gevestigd. Ook beschikt Toulouse over uitstekende universitaire en wetenschappelijke faciliteiten.
Op het gebied van cultuur, muziek, theater en musea biedt de stad een grote keuze aan mogelijkheden voor vrijetijdsbesteding. Mede daardoor ontwikkelt Toulouse zich tot de hoofdstad van de regio Midi-Pyrénées.
In juli 1993 werd in Toulouse de metro in gebruik genomen.

De rode stad – "Roze bij het ochtendgloren, rood in de felle zon en mauve in de avondschemer." Baksteen, het enige materiaal waarvoor de grondstof overvloedig aanwezig is in de aanslibbingsvlakte van de Garonne, is in Toulouse lange tijd het meest gebruikte bouwmateriaal geweest en heeft zo de stad een eigen cachet gegeven. Baksteen is licht en hecht gemakkelijk aan mortel, waardoor de bouwmeesters brede gewelven konden maken als overdekking van een eenbeukig schip.

Een bruisende stad – Toulouse is een bijzonder gezellige stad en tot diep in de nacht bruist het er van leven.
In de lange Rue Alsace-Lorraine, die de spil vormt van al die bedrijvigheid en die het druk bezochte Place Esquirol verbindt met de markten op de boulevards, zijn luxe winkeltjes en warenhuizen te vinden, evenals in de aangrenzende straten. In de smalle Rue des Changes, die overgaat in de Rue St-Rome, laten boetiekjes eerbiedwaardige gevels tot leven komen.
De Place Wilson, waar rond de fontein het groen en roze domineren, vormt 's avonds een charmant decor en de plaatselijke bevolking komt er graag om op een terras van een groot café een aperitiefje te drinken. De fontein is gewijd aan de dichter Godolin (1579-1648), "de laatste van de troubadours of de eerste van de félibres (schrijvers in het Provençaals)".

PIX

Toulouse in de 19de eeuw.

GESCHIEDENIS

De stad van de "capitouls" – De Volcae, een stam van de Keltische overheersers, hadden zich vermoedelijk gevestigd bij Vieille-Toulouse (9 km zuidwaarts). Het oorspronkelijke oppidum verplaatst zich en verandert in een grote stad. Onder het Romeinse bestuur wordt deze stad het intellectuele centrum van de provincia Gallia Narbonensis. In de 3de eeuw, wanneer zij zich tot het christendom heeft bekeerd, wordt zij de derde stad van Gallië. In de 5de eeuw is de stad in handen van de Visigoten en komt daarna onder het gezag van de Franken.
Na Karel de Grote wordt Toulouse bestuurd door graven, maar omdat de stad ver verwijderd ligt van het centrum van de Frankische macht, blijft zij een grote mate van zelfstandigheid houden. Van de 9de tot en met de 13de eeuw, onder het bewind

van de graven Raymond, is Toulouse de zetel van het meest verfijnde en het prachtigste hof van Europa. Consuls oftewel capitouls besturen de stad. Zij adviseren de graaf over de verdediging van de stad en over alle onderhandelingen met de leenheren uit de omgeving. Nadat het graafschap in 1271 bij de kroon was ingelijfd, waren er nog maar twaalf capitouls over. Het Parlement, dat in 1420 werd ingesteld en in 1443 opnieuw geïnstalleerd, houdt toezicht over de rechtspraak en de financiën.
Onder het bestuur van de capitouls konden kooplieden in de adelstand worden verheven (om hun nieuwe status te benadrukken, flankeerden de kersverse edelen hun woningen met torentjes).

De strijd tegen de Albigenzen – In het begin van de 13de eeuw strekken de domeinen van de graaf van Toulouse en zijn vazallen zich uit van Marmande, op de grens van het rijk van de koning van Engeland, die hertog van Aquitanië is, tot het markgraafschap Provence, het latere Comtat Venaissin, dat toen deel uitmaakte van het Heilige Roomse Rijk. Maar het gravelijk bestuur is zwak vergeleken met dat van de Franse koning. Het bestuur van de Haut Languedoc wordt het meest verwaarloosd, waardoor de kathaarse ketterij zich kan verspreiden.
In de strijd tegen de ketterij, die door de pausen krachtig wordt voorgestaan, worden eerst kerkelijke sancties toegepast, zoals excommunicatie van personen, interdict op de provincie en schorsing van bisschoppen. Vervolgens worden reguliere geestelijken ingezet om er te prediken. De missie van Dominicus de Guzuran en zijn eerste broeders lijkt het meest succesvol, maar in 1208 wordt de pauselijke legaat Pierre de Castelnau bij St-Gilles vermoord *(zie de groene Michelingids Provence)*. Paus Innocentius III reageert hierop door excommunicatie van de graaf van Toulouse, Raymond VI, die wordt beschuldigd van medeplichtigheid. Bovendien roept hij op tot een kruistocht tegen de ketters. Filips II August wijst het verzoek van de hand.

De kruistocht (1209-1218) – De nieuwe kruisvaarders, met helm of mijter, zijn voornamelijk afkomstig uit het noorden (Ile de France, Champagne, Bourgogne, Vlaanderen en ook Duitsland) en genieten dezelfde geestelijke voorrechten als de vrijwilligers voor het Heilige Land: absolutie van de zonden, aflaten, enz. Ofschoon zij zeker ook gedreven worden door de wens de Kerk te dienen, heeft de kans op verovering van grond van leenheren die uit hun rechten zijn ontzet omdat zij gekant waren tegen de zaak van de rechtzinnigheid, zeer zeker een rol gespeeld. Volgens het strikte feodale recht zijn zij slechts verplicht tot een diensttijd van veertig dagen, de zogenoemde quarantaine.
Simon de Montfort, die de leiding heeft gekregen over de expeditie, maakt zich na het bloedbad te Béziers en de inname van Carcassonne (1209) meester van het burggraafschap Trencavel. Langzaam wordt Toulouse omsingeld. Het dwaze optreden, in Muret, van koning Pieter II van Aragon, die een bondgenootschap heeft gesloten met het trouwe Languedoc, loopt uit op een ramp (1213).
Tijdens een bijeenkomst in Pamiers (1212) wordt bepaald dat de strijdmakkers van De Montfort, onder anderen Guy de Lévis, zich mogen vestigen op de geconfisqueerde grond en worden de geestelijkheid talrijke privileges toegekend. Toch blijft Toulouse trouw aan graaf Raymond VI en maakt zich achter de stadsmuren op voor de strijd. In juni 1218 wordt Simon de Montfort, die voor de tweede maal het beleg slaat voor de stad, gedood door een projectiel dat met een katapult is gelanceerd.

Onderwerping aan de Kroon (1224-1229) – De kruistocht van de baronnen valt uiteen. Amaury, zoon van Simon de Montfort, wordt achtervolgd door Raymond VII, die Toulouse heeft geërfd. Amaury geeft het Zuiden op en draagt al zijn rechten over aan Lodewijk VIII van Frankrijk (1224).
De graaf van Toulouse verliest echter op diplomatiek terrein. Hij wordt buiten de besprekingen gehouden tussen het hof van Lodewijk de Heilige en kardinaal Romain de Saint-Ange, een van de bekendste diplomaten van het Vaticaan. Doelwit van de onverzettelijke vijandschap van de bisschoppen, gedemoraliseerd door de tactiek van de "verschroeide aarde" die op zijn gebied wordt toegepast door de luitenant van de koning, verklaart Raymond zich bereid tot onderhandelen.
Op witte donderdag 12 april 1229 verschijnt hij als boeteling op het voorplein van de Notre-Dame te Parijs en zweert de bepalingen van het zogenoemde Verdrag van Parijs (of van Meaux) na te komen. De graaf krijgt slechts de Haut Languedoc terug en dan nog alleen maar in vruchtgebruik. Zijn enige dochter Jeanne wordt uitgehuwelijkt aan Alphonse van Poitiers, broer van Lodewijk de Heilige.
De opvolging wordt zo geregeld dat ook het graafschap aan de koning toekomt, tenzij er kinderen uit dit huwelijk worden geboren. Raymond verplicht zich tot de ontmanteling van de stadswallen van Toulouse. Ook moet hij tien jaar lang in het levensonderhoud voorzien van "vier meesters in de theologie, twee in het kerkelijk recht, zes meesters in de kunsten en twee grammaticadocenten". Deze formule, die leidt tot de oprichting van de Universiteit van Toulouse in 1271, getuigt van de scherpzinnigheid van de Franse onderhandelaars. Alphonse en Jeanne sterven kinderloos, drie dagen na elkaar. De Languedoc wordt dan in zijn geheel bij de Kroon ingelijfd.

De nestor van de academies – Na de woelige tijd der katharen hervindt Toulouse haar artistieke en literaire prestige. In 1324 stichten zeven notabelen die de langue d'oc in stand willen houden, de Compagnie du Gai-Savoir, het oudste literaire genootschap van Europa. Jaarlijks, op 3 april, ontvangen de beste "zeggers" onder de dichters een sieraad in de vorm van een bloem. Ronsard en Victor Hugo werden hiermee vereerd evenals Nazaire-François Fabre (1755-1794), aan wie Frankrijk de republikeinse kalender en het beroemde liedje "Il pleut, il pleut bergère" heeft te danken. Deze dichter veranderde zijn naam in Fabre d'Églantine om zijn ereprijs te vereeuwigen.
In 1694 verheft Lodewijk XIV het genootschap tot **Académie des Jeux floraux.**

Onthoofding – Een episode van de opstand van de edelen tegen Richelieu krijgt een tragisch einde in Toulouse. **Henri de Montmorency,** gouverneur van de Languedoc, is een telg uit het grootste geslacht van Frankrijk. Hij is knap en edelmoedig en door zijn opzienbarende moed wordt hij in zijn tweede "vaderland" snel populair. Meegesleept door Gaston d'Orléans, broer van Lodewijk XIII, grijpt hij in 1632 naar de wapens. Beiden worden bij Castelnaudery verslagen. Montmorency vecht met de moed der wanhoop en heeft zeventien verwondingen opgelopen als hij gevangen wordt genomen. Het Parlement van Toulouse veroordeelt hem ter dood.
Niemand acht het mogelijk dat een zo hooggeplaatst persoon ter dood wordt gebracht; maar de koning, die in hoogsteigen persoon met de kardinaal naar Toulouse is gekomen, zwicht niet voor de smeekbeden van de familie, het hof en het volk. "Ik zou geen koning zijn, als ik dezelfde gevoelens had als een gewoon mens", antwoordt hij. De enige gunst die de veroordeelde wordt verleend, is dat hij binnen het Capitole wordt onthoofd, zodat hij zijn straf niet in de overdekte markt hoeft te ondergaan. Het schavot wordt opgezet op de binnenplaats, aan de voet van het standbeeld van Hendrik IV. De hertog – die dan 37 jaar is – sterft met de waardigheid die een groot edelman eigen is.

De bloei van de pastelhandel – Dankzij de handel in pastelbolletjes *(zie onder Magrin)* raken de handelaren uit Toulouse in de 15de eeuw betrokken bij het grote avontuur van de internationale handel: Londen en Antwerpen behoren tot de belangrijkste afzetgebieden. Door speculatie kunnen de families Bernuy en Assézat een vorstelijk leven leiden. In die tijd worden schitterende herenhuizen gebouwd, symbool van het fortuin, de macht en de rijkdom van de "koningen van de pastel". De Italiaanse invloed en met name de nieuwe impulsen die uit Florence komen, doen het aanzien van het welvarende Toulouse, dat toen nog grotendeels een middeleeuws karakter droeg, op harmonieuze wijze veranderen. Maar vanaf 1560 komt de indigo naar Europa en met de godsdienstoorlogen breken slechte tijden aan. Het systeem stort ineen.

TOULOUSE, CENTRUM VAN DE LUCHTVAART

De "lijn" – Tussen de twee wereldoorlogen ging Toulouse een belangrijke rol spelen als basis van de eerste vaste lijndienst die vanuit Frankrijk wordt geëxploiteerd. Dit was mede te danken aan de inspanningen van industriëlen als P. Latécoère, organisatoren als D. Daurat, piloten als Mermoz, Saint-Exupéry, Guillaumet, enz.

25 december 1918: eerste verkenningsvlucht op het traject Toulouse-Barcelona.

1 september 1919: officiële opening van de eerste postverbinding tussen Frankrijk en Marokko. Militaire toestellen, waaraan nauwelijks iets is veranderd, onderhouden de verbinding tussen Toulouse-Montaudran en Rabat, met tussenlandingen in Barcelona, Alicante, Malaga en Tanger.

1 juni 1925: Dakar wordt aangedaan. "Pioniers" opereren in Zuid-Amerika.

12 mei 1930: eerste commerciële vlucht over de zuidelijke Atlantische Oceaan, door de bemanning Mermoz-Dabry-Gimié. De luchtverbinding tussen Frankrijk en Zuid-Amerika is nu een feit.

21 april 1949: eerste testvlucht van de Leduc 010, het prototype van de zeer snelle toestellen.

Naoorlogse periode – Na de Tweede Wereldoorlog hebben vier grote projecten bijgedragen aan de wederopbloei van de Franse en Europese luchtvaart. Met twee militaire vliegtuigen (Transall, Breguet Atlantic) en twee toestellen voor de burgerluchtvaart (Caravelle, Concorde) konden de Franse ingenieurs en ontwikkelingsbureaus hun talenten als vliegtuigbouwers bewijzen en met hun Engelse en Duitse collega's een samenwerkingsverband opzetten.

1 mei 1959: eerste vlucht van de Caravelle op de route Parijs-Athene-Istanbul, eerste straalvliegtuig voor commercieel transport.

2 maart 1969: eerste testvlucht met de "Concorde 001" door André Turcat. Het is het eerste supersonische vliegtuig voor commercieel transport. Ofschoon de twee civiele projecten in technologisch opzicht beslist een succes waren, hebben zij niet de gehoopte industriële ontwikkeling teweeggebracht. De commerciële en financiële mislukking van de Concorde zal een les zijn voor de Airbus.

1 januari 1970: oprichting van Aérospatiale, een integratie van Nord-Aviation, Sud-Aviation en Sereb.

Dumas/IMAGES PHOTOTHÈQUE

Vluchtsimulator in de Airbus 340.

Het succes van de Airbus – Airbus Industrie, dat het resultaat is van Europese initiatieven (eerst Frans-Engels, vanaf 1969 Frans-Duits en vanaf 1987 Spaans), werd in twintig jaar tijd de tweede vliegtuigbouwer van de wereld. Zo kon het Oude Continent op basis van een eerste geslaagd model, de A 300, een complete serie vliegtuigen met 150 tot 330 zitplaatsen op de markt brengen. Dit was te danken aan het doorzettingsvermogen van drie mannen, Roger Béteille, coördinator van de werkzaamheden voor het Airbus-project, Henri Ziegler, directeur van Airbus Industrie, en Franz-Josef Strauss, voorzitter van de raad van toezicht. Wat in het begin iets van een avontuur weg had, veranderde in een industrie van mondiale omvang, die op alle continenten als zodanig wordt erkend.

Speerpunttechnologie – Het succes van de Airbus is grotendeels te danken aan de wil telkens weer een vliegtuig te bieden dat in de behoeften van de klant voorziet. Maar ook een indrukwekkende reeks technologische ontwikkelingen, zoals de komst van de elektrische besturing (fly-by-wire), de realisatie van een uitstekend aerodynamisch draagvlak en het ontwerp van een cockpit voor twee bemanningsleden als gevolg van een compleet nieuw vluchtbeheerssysteem hebben aan het succes bijgedragen.
Parallel aan de ontwikkeling van de Airbus-serie ontstond uit de Frans-Amerikaanse samenwerking tussen de Snecma en General Electric in 1981 de CFM-56 motor, een van de best verkochte vliegtuigmotoren ter wereld.

Usine (Vliegtuigfabriek) Clément-Ader ⌚ – *In Colomiers, aan de westkant van Toulouse.*
In deze fabriek, die een halve kilometer lang is en 200 m breed, worden de intercontinentale vliegtuigen A 330/A 340 geassembleerd. Er is een projectiezaal ingericht en er zijn maquettes opgesteld; in de hal Clément-Ader zijn documenten uitgestald om een beter inzicht te geven in het Airbus-programma. Bijzonder is dat de fabriek zodanig werd ontworpen, dat bezoekers kunnen worden ontvangen. Hiervoor werd een loopbrug gebouwd vanwaar men een goed zicht heeft op al de lopende assemblagewerkzaamheden.

STADSCENTRUM

De twee aanbevolen routes voeren door het hart van de stad. Voor beide wandelingen samen een dag uittrekken.

1 Van St-Sernin naar de Place de la Daurade

★★★ **Basilique St-Sernin** (**DX**) – Dit is de beroemdste en mooiste van de grote Romaanse bedevaartkerken in Zuid-Frankrijk, en tevens de rijkste aan relieken van heel Frankrijk. Eind 4de eeuw stond daar een basiliek waarin het lichaam van de H. Sernin (of Saturnin) was bijgezet. Deze apostel uit de Languedoc, eerste bisschop van Toulouse, stierf in 250 de marteldood nadat men hem aan een stier had vastgebonden.
Karel de Grote had vele relieken aan de kerk geschonken, die men vanuit alle hoeken van Europa kwam aanbidden. Ook vormde de kerk een etappeplaats voor de pelgrims die op weg waren naar Santiago de Compostela in Spanje.

De huidige kerk werd gebouwd om in die nieuwe behoeften te voorzien. Omstreeks 1080 werd met de bouw begonnen en in het midden van de 14de eeuw was de kerk gereed. Viollet-le-Duc startte in 1855 met de algehele restauratie, die door Baudot werd voltooid. Sinds 1990 wordt gewerkt aan het herstel van de daken. De twee kruisarmen van het dwarsschip zijn voorzien van een nieuwe bedekking waaronder openingen met rondbogen zijn aangebracht. Deze zijn vanaf de Place St-Sernin te zien.

Buitenkant – De basiliek St-Sernin is opgetrokken uit baksteen en natuursteen. In de koorsluiting, waarvan de bouw aan het eind van de 11de eeuw begon, overheerst natuursteen, terwijl voor het schip voornamelijk baksteen is gebruikt. De klokkentoren is uitsluitend uit baksteen opgetrokken.

De 11de-eeuwse **koorsluiting** is het oudste deel van het monument. De vijf straalkapellen en de vier kapellen van het dwarsschip, de trapsgewijs oplopende daken van het koor en het dwarsschip, waarboven de klokkentoren uitsteekt, vormen een prachtig geheel.

De achthoekige **klokkentoren**, die uit vijf verdiepingen bestaat, prijkt op de viering van het dwarsschip. De drie onderste verdiepingen hebben Romaanse rondboogarcaden (begin 12de eeuw). De twee bovenste verdiepingen zijn 150 jaar later bijgebouwd; de mijtervormige galmgaten zijn bekroond met een klein, decoratief fronton. De torenspits werd in de 15de eeuw geplaatst.

De **Porte des Comtes**, die oorspronkelijk aan St-Sernin was gewijd, geeft toegang tot de zuidelijke kruisarm. De kapitelen van de colonnetten *(het verloop van de taferelen van rechts naar links volgen)*, die nog primitief van stijl zijn, hebben betrekking op de gelijkenis van de rijke man en de arme Lazarus, en vooral op de straf die de rijke moest ondergaan vanwege zijn zonden van hovaardigheid (rechter portaal, 1ste kapiteel links), van gierigheid (linkerportaal, 1ste kapiteel links) en van onkuisheid (linker portaal, 2de kapiteel links); aan weerszijden van de centrale pijler: de rijke, die vraagt naar de aarde terug te mogen keren om zijn broeder te waarschuwen, wordt in de hel vastgehouden (de herhaling van hetzelfde motief drukt de eeuwigheid van de straf uit).

Links van het portaal bevinden zich in een getraliede nis drie sarcofagen die als graf hebben gediend voor graven van Toulouse, vanwaar de naam van de deur. Nog iets verder naar links ziet men een arcade in renaissancestijl. Deze is een overblijfsel van de muur die tot het begin van de 19de eeuw de kerk, de kapittelgebouwen van de kanunniken en de aangrenzende kerkhoven omringde.

Het romaanse beeldhouwwerk van de **Porte Miégeville** heeft in heel Zuid-Frankrijk school gemaakt. Uit deze deur, die dateert uit het begin van de 12de eeuw, blijkt dat men toen, veel meer dan in de voorgaande eeuw, vorm trachtte te geven aan uitdrukking en beweging.

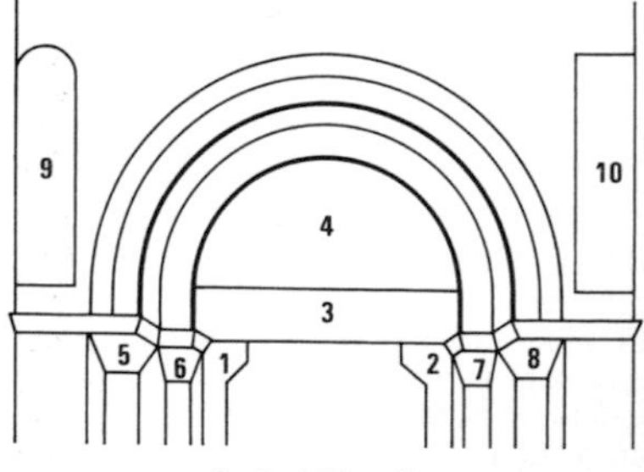

Porte Miégeville.

1) Koning David – 2) Twee vrouwen gezeten op leeuwen – 3) De apostelen kijken met het hoofd achterover naar de Hemelvaart van Christus – 4) Hemelvaart van Christus omringd door de engelen – 5) De kindermoord te Bethlehem – 6) De Aankondiging en de Visitatie – 7) Adam en Eva uit het aardse paradijs verjaagd – 8) Twee leeuwen rug aan rug – 9) H. Jacobus – 10) H. Petrus.

Interieur – De St-Sernin is een voortreffelijk voorbeeld van een grote bedevaartkerk. De plattegrond van de kerk is zodanig ontworpen dat een groot aantal gelovigen er gemakkelijk tegelijkertijd kon bidden en dat een koor van kanunniken er de mis kon opdragen (zij bewoonden vroeger het klooster en de gebouwen aan de noordkant van de kerk, maar werden tijdens de Revolutie uiteengejaagd): de kerk heeft een middenschip met aan weerskanten dubbele zijbeuken, een immens dwarsschip en een koor met omgang waaraan vijf straalkapellen liggen.

Voor een Romaanse kerk is de St-Sernin bijzonder groot: lengte 115 m, breedte over het dwarsschip 64 m, hoogte onder het gewelf 21 m. Het middenschip is indrukwekkend. Het perspectief van het koor wordt echter enigszins verstoord door de dikke pijlers van het dwarsschip, die zijn verzwaard toen de klokkentoren erboven werd geplaatst.

De doorsnede van de kerk laat de perfectie zien waarmee opstand en evenwicht zijn gerealiseerd. Het middenschip, dat een tongewelf heeft, wordt gestut door een eerste zijbeuk met kruisgewelf, waarboven zich bijzonder decoratieve tribunes bevinden (met halftongewelf). Deze eerste zijbeuk steunt zelf op een tweede zijbeuk, ook met kruisgewelf, die minder hoog is en tegen een steunbeer leunt. Zo dragen alle elementen van dit enorme gebouw op harmonieuze wijze bij tot een stevig geheel.

Koor – Onder de koepel van de viering staat een prachtige altaartafel die gemaakt is van marmer uit St-Béat. De tafel is afkomstig van het voormalige Romaanse altaar, dat is gemaakt door Bernard Gilduin en in 1096 door paus Urbanus II werd gewijd.

Dwarsschip en kooromgang – Het ruime dwarsschip bestaat uit drie beuken en georiënteerde kapellen. De kapitelen van de tribunegalerij en de Romaanse muurschilderingen zijn zeker het bekijken waard.
In de zuidelijke kruisarm met name letten op de georiënteerde kapel die is gewijd aan de H. Maagd (beeld van N.-D.-la-Belle uit de 14de eeuw): in de koornis, boven elkaar geplaatste fresco's waarin de thema's van de H. Maagd gezeten in heerlijkheid (13de eeuw) en de Kroning van de H. Maagd door elkaar heen lopen.

A. Allemand/ARTEPHOT
Kapiteel van de Basilique St-Sernin.

Tegen de muur van de **crypte** zijn zeven indrukwekkende **bas-reliëfs★★** aangebracht die dateren uit het einde van de 11de eeuw en gemaakt zijn van marmer uit St-Béat. De bas-reliëfs zijn afkomstig uit het atelier van Bernard Gilduin en stellen Christus Koning voor, met de symbolen van de evangelisten, omringd door engelen en apostelen.
In de noordelijke kruisarm zijn Romaanse muurschilderingen aan het licht gebracht. Op de westelijke muur van de 1ste travee, de Wederopstanding: van beneden naar boven, de heilige vrouwen bij het graf en de engel, twee profeten uit de Wet van Mozes, de uit het graf herrezen Christus tussen Maria en Johannes de Doper; aan het gewelf: het Lam Gods gedragen door engelen (hetzelfde tafereel aan het gewelf van de tweede georiënteerde kapel van het dwarsschip).

Bovenste delen – Vanaf de tribune kan men de kapitelen bewonderen.

★★ **Musée St-Raymond** (**DX**) ⓥ – Dit is het archeologisch museum van de stad Toulouse. Het is sinds 1891 gehuisvest in het gebouw van het voormalige College, dat in 1523 werd herbouwd door Louis Privat en in 1852 gerestaureerd door Viollet-le-Duc. Vanuit de tuin is het zicht op de St-Sernin prachtig.
De Romaanse beeldhouwkunst is hier bijzonder mooi tentoongesteld: duizenden voorwerpen van brons, ijzer, ivoor, been, glas, hout en keramiek, die overal vandaan komen. Er is met name een prachtige collectie bronzen sleutels en figuren te zien en ook de mooiste verzameling Franse keizerlijke portretten. Een ruimte is gewijd aan toegepaste kunst, vanaf de allereerste mens tot het jaar duizend. Behalve een zeer uitgebreide collectie munten uit de oudheid en de middeleeuwen, zijn er beeldhouwwerken te zien, alsmede inscripties, kerklampen, liturgische vazen, sieraden, enz.

Ancienne Chapelle des Carmélites (**DX**) ⓥ – De decoratie van deze voormalige karmelietenkapel bestaat uit lambriseringen en schilderijen die de roem verheerlijken van de orde die genoemd werd naar de berg Karmel (werk van Despax, een schilder uit Toulouse). Het fraaie geheel dateert uit de 18de eeuw.

Église N.-D.-du-Taur (**DX**) – Deze kerk, die tot de 16de eeuw St-Sernin-du-Taur werd genoemd, heeft het heiligdom vervangen dat op de plaats stond waar het lichaam van de martelaar werd begraven. De puntgevel aan de voorzijde *(illustratie, zie de Inleiding)*, met keperbogen (in de vorm van een mijter), komt veel voor in deze streek en stond model voor talloze plattelandskerkjes. De klokkentoren, die is voorzien van kantelen en machicoulis, is een van de weinige overblijfselen van de voormalige omwalling. Hier kan men de decoratieve combinaties bewonderen die met baksteen mogelijk zijn: ruitvormige galmgaten, friezen met tandlijst.

★★ **Les Jacobins** (**DY**) ⓥ – De H. Dominicus, die ontsteld was over de uitbreiding van de kathaarse ketterij, had in 1215 de orde der predikheren oftewel dominicanen gesticht *(zie onder Fanjeaux)*. Het eerste dominicanenklooster werd in 1216 gevestigd in Toulouse; een jaar later doen de religieuzen van deze orde hun intrede in Parijs en vestigen zich in een kapel die gewijd is aan de H. Jacobus, waaraan zij de naam Jacobijnen te danken hebben. Met de bouw van de kerk en het klooster – de eerste universiteit van Toulouse – werd in 1230 begonnen en de werkzaamheden duurden voort tot in de 13de en 14de eeuw.

Het complex heeft veel geleden toen het is omgebouwd tot onderkomen voor de artillerie onder het Eerste Keizerrijk en de kerk als paardenstal werd gebruikt. Ontruimings- en restauratiewerkzaamheden hebben in 1974 geleid tot renovatie van de kerk, de kloostergang en de kloostergebouwen die van de ondergang waren gered, waaronder de grote sacristie *(gesloten voor het publiek).*

Kerk - De bakstenen kerk is een meesterwerk van de Zuid-Franse, gotische bouwschool, waarvan de ontwikkeling hier duidelijk is te zien. In de moederkerk van de orde der predikheren, die omstreeks 1340 werd voltooid, is in 1369 het stoffelijk overschot van de H. Thomas van Aquino bijgezet. De buitenkant van de kerk valt op door de grote ontlastingsbogen tussen de steunberen, waarboven rondvensters zijn aangebracht. Ook bijzonder is de achthoekige klokkentoren die een minder zwaar karakter heeft door de keperbogen. Deze toren diende als model voor vele klokkentorens op kerken in de streek; bij de voltooiing (1299) werd in de toren de enige klok van de universiteit van de dominicanen gehangen.

Het grandioze tweebeukige **schip★★★** is geleidelijk ontstaan door opeenvolgende uitbreidingen en verhogingen. Het getuigt van de grote invloed die uitging van de orde uitging, haar welvaart en de twee duidelijk afgebakende missies: eredienst en prediking.

Op de vloer is met vijf zwartmarmeren tegels (sokkel van de voormalige pijlers) en een rij eveneens zwarte tegels (de voormalige muren) de plattegrond aangegeven van het eerste heiligdom (1234), dat rechthoekig was en met een kap overdekt. De zeven zuilen dragen het gewelf dat onder de sluitsteen 28 m hoog is. Op de laatste zuil (**1**) rust het palmgewelf van de absis: de 22 beurtelings dunne en dikke gewelfribben doen denken aan de bladeren van een palm. De veelkleurige decoratie op de muren was grotendeels bewaard gebleven, waardoor de restaurateurs de oorspronkelijke sfeer van de kerk hebben kunnen herstellen. Tot de afzaat onder de bovenramen laten de muren imitatiemetselwerk zien van okerkleurige en roze steen.

Andere kleurcontrasten accentueren het elan van de halfzuilen en de souplesse van de gewelfribben. In 1923 is men begonnen met het plaatsen van de ramen (grauwe kleuren in het koor, gebrandschilderde ramen met warmere kleuren in het schip). Alleen de twee roosvensters in de voorgevel dateren uit de 14de eeuw. Sinds de plechtigheden ter gelegenheid van de 700ste sterfdag van Thomas van Aquino in 1974 liggen de relieken van de doctor angelicus opnieuw uitgestald onder een hoofdaltaar (**2**) van grijs marmer, afkomstig uit Prouille *(zie onder Fanjeaux).*

K Galerie municipale du Château d'eau

Kloostergang – De deur aan de noordzijde van de kerk komt uit op een kloostergang met gekoppelde colonnetten. Deze kloostergang is kenmerkend voor de gotische stijl van de Languedoc (andere voorbeelden in St-Hilaire en Arles-sur-Tech). De zuidelijke en oostelijke galerijen, die waren verdwenen, konden worden gereconstrueerd aan de hand van overblijfselen die her en der in de streek werden teruggevonden, of met behulp van fragmenten van dezelfde bouwschool.

Grote refter – De grote refter bevindt zich in de noordoosthoek van de kloostergang. De refter werd gebouwd in 1303 en heeft een groot schip met een kap die gedragen wordt door zes scheibogen. De ruimte wordt gebruikt voor wisselende tentoonstellingen.

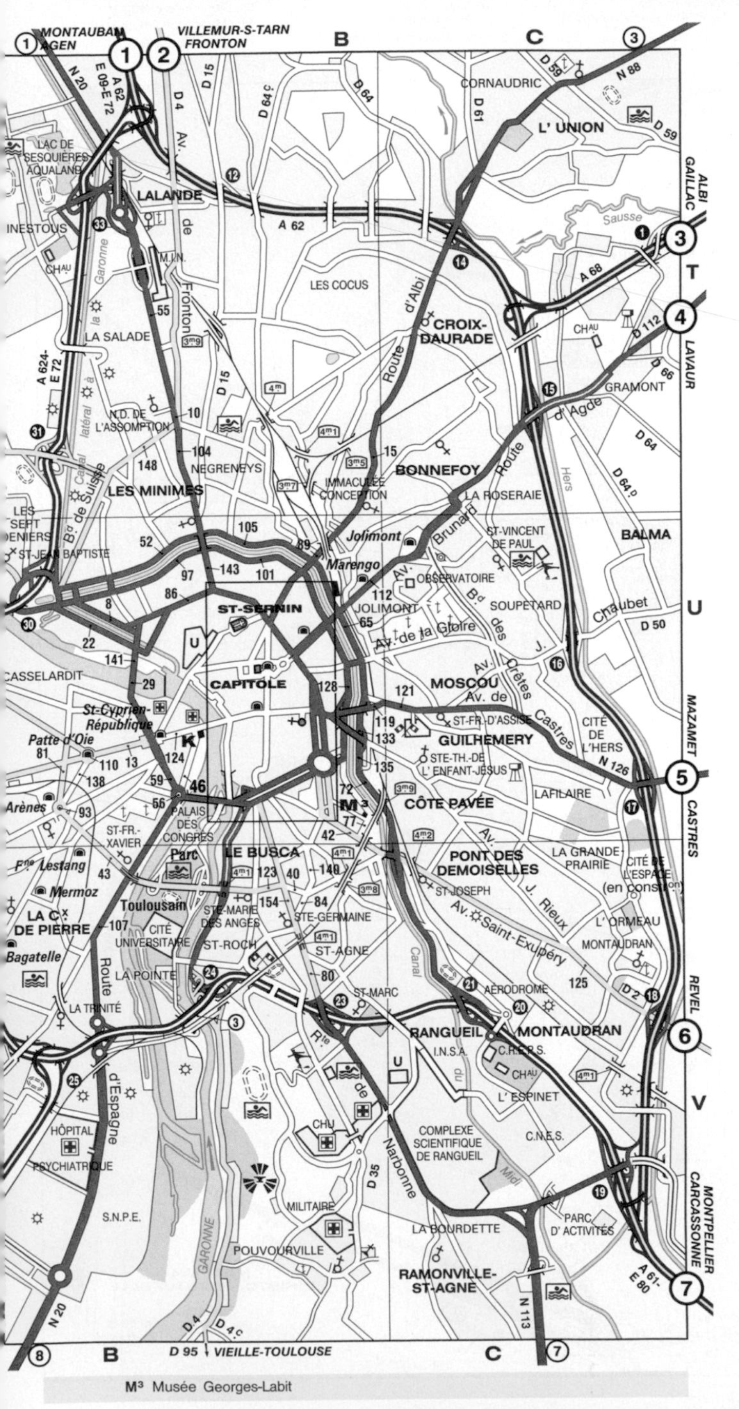

M³ Musée Georges-Labit

TOULOUSE

Alsace-Lorraine (R. d') .... DXY
Capitole (Pl. du) .... DY
Lafayette (R.) .... DY
Metz (R. de) .... DEY
Rémusat (R. de) .... DX
St-Antoine du T. (R.) ...... EY
St-Rome (R.) .... DY
Wilson (Pl. Prés.) .... EY

Arnaud-Bernard (R.) .... DX 4
Astorg (R. d') .... EY 5
Baour-Lormian (R.) .... DY 7
Boulbonne (R.) .... EY 18
Bouquières (R.) .... EZ 19
Bourse (Pl. de la) .... DY 20
Cantegril (R.) .... EY 23
Cartailhac (R. E.) .... DX 26
Chaîne (R. de la) .... DX 31
Cujas (R.) .... DY 36
Daurade (Quai de la) .... DY 38
Esquirol (Pl.) .... DY 54
Fonderie (R. de la) .... DZ 60
Frères Lion (R.) .... EY 62
Henry-de-Gorsse (R.) .... DZ 76
Jules-Chalande (R.) .... DY 79
Lapeyrouse (R.) .... EY 85
Magre (R. Genty) .... DY 91
Malcousinat (R.) .... DY 92
Marchands (R. des) .... DY 95
Mercié (R. Antonin) .... DEY 103
Pélissier (R. du Lieut.-Col.) . EY 112
Peyras (R.) .... DY 113
Pleau (R. de la) .... EZ 114
Poids-de-l'Huile (R.) ...... DY 115
Polinaires (R. des) .... DZ 116
Pomme (R. de la) .... DEY 117
Riguepels (R.) .... EY 127
Romiguières (R.) .... DY 129
St-Michel (Grande-Rue) ..... DZ 134
Ste-Ursule (R.) .... DY 137
Sémard (Bd Pierre) .... EX 142
Suau (R. Jean) .... DY 146
Temponières (R.) .... DY 147
Trinité (R. de la) .... DY 149
3-Journées (R. des) .... EY 152
3-Piliers (R. des) .... DX 153

C Hôtel de Fumel (Chambre de Commerce)
D Basilique N.-D.-de-la-Daurade
E Hôtel Béringuier-Maynier
L Tour Pierre Séguy
M¹ Musée du Vieux-Toulouse
R Tour de Sarta

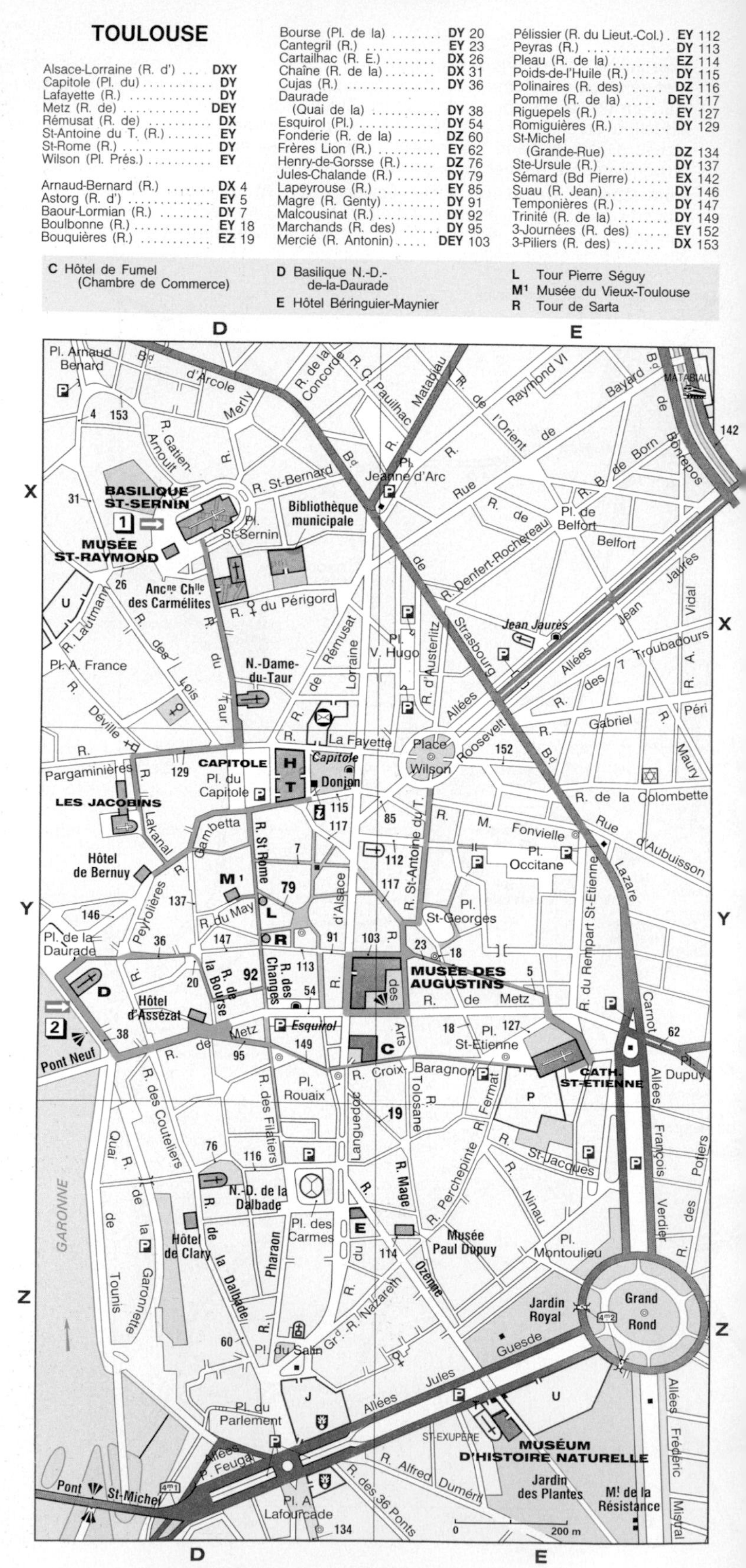

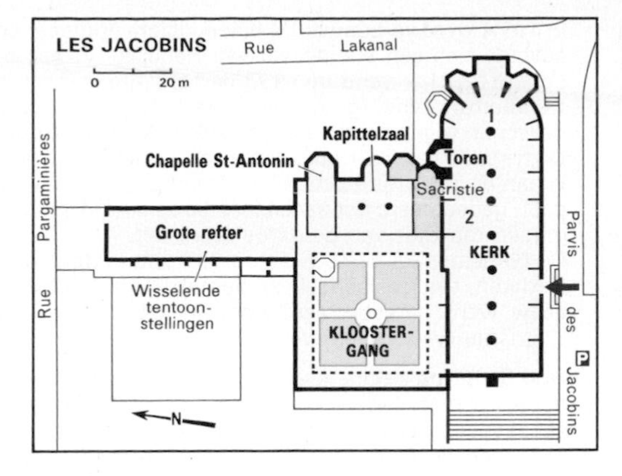

Chapelle St-Antonin – Deze kapel, links van de kapittelzaal, werd tussen 1337 en 1341 als grafkapel gebouwd door broeder Dominique Grima, die bisschop van Pamiers was geworden (sluitsteen boven het hoofd van de Christus van de Apocalyps).

Toen er grafkelders werden gegraven onder de vloer van het schip, werden de beenderen van de Heilige Antoninus overgebracht naar een ossuarium onder het verhoogde altaar. De kapel is een verfijnd gotisch bouwwerk, dat in 1341 werd verfraaid met muurschilderingen waarin het blauw overheerst. De medaillons in de gewelfvakken zijn gewijd aan het tweede Visioen van de Apocalyps: het onbevlekte Lam met de poten op de boekrol met de zeven zegels, Christus als heerser over de wereld, omringd door de symbolen van de evangelisten en de 24 oudsten. Op de muren, onder musicerende engelen, spelen zich in twee registers de episoden af van de legende van de H. Antoninus van Pamiers, waarvan op de sluitsteen van de absis het slot te zien is: de relieken van de martelaar varen onder de hoede van twee witte adelaars.

Kapittelzaal – Deze werd omstreeks 1300 gebouwd. Twee prismatische pijlers ondersteunen het gewelf. De sierlijke absidiool heeft haar veelkleurige decor herkregen.

Hôtel de Bernuy (Lycée Pierre-de-Fermat) (DY) ⓥ – Dit herenhuis is in twee fasen gebouwd aan het begin van de 16de eeuw. De deur (rue Gambetta 1) in gotische stijl is versierd met medaillons. De eerste binnenplaats is ter afwisseling opgetrokken uit natuursteen. De luister van de renaissance komt er tot uiting in een portiek met loggia, aan de achterzijde van de ingang, en in een sterk gedrukte arcade aan de rechterkant. Via de passage met kruisribgewelf naar de tweede binnenhof gaan, waar weer de charme te vinden is van de "rode stad". De achthoekige **traptoren**★ op tromp, de hoogste van het oude Toulouse, krijgt licht via ramen die sierlijk zijn ingepast op het raakpunt van twee muurvakken.

★ **Capitole (DY H)** ⓥ – *Illustratie, blz. 374.*
Dit is het stadhuis van Toulouse. Het gebouw heeft zijn naam te danken aan de capitouls, die de stad vroeger bestuurden. De 18de-eeuwse voorgevel aan het plein is 128 m lang en heeft Ionische pilasters. Dit is een prachtig voorbeeld van kleurrijke architectuur, waarbij op bekwame wijze afwisselend gebruik is gemaakt van bak- en natuursteen. In de vleugel bevindt zich het theater, dat

Novali/IMAGES PHOTOTHÈQUE

Place du Capitole - De arcaden.

in 1974 werd verbouwd. De binnenplaats oplopen: boven een renaissanceportaal bevindt zich een standbeeld van Hendrik IV, dat nog onder zijn bewind werd opgericht. Hier vond in 1632 de beruchte terechtstelling plaats van de hertog van Montmorency, gouverneur van de Languedoc, die in gewapende opstand was gekomen tegen de macht van Lodewijk XIII (herdenkingstegel in het plaveisel). De trap, de vestibule en diverse zalen, met name de Salle des Illustres die gewijd is aan de roemrijke zonen van Toulouse, zijn, met alle pracht en praal die erbij past, gedecoreerd door schilders die de officiële kunstopvattingen vertegenwoordigden ten tijde van de derde republiek.
De binnenplaats oversteken en dan schuin door de tuin lopen om de donjon te bekijken, een overblijfsel van het vroegere Capitole (16de eeuw), dat in de 19de eeuw werd gerestaureerd door Viollet-le-Duc. In de donjon is het Office de Tourisme (VVV) gehuisvest.

Rue St-Rome (**DY**) - *Alleen toegankelijk voor voetgangers.*
In deze straat, een deel van de weg die in de oudheid van noord naar zuid door de stad liep, komen steeds meer boetiekjes. Aan het begin van de straat (nr. 39) staat het prachtige huis van de arts van Catharina de Medici (Augier Ferrier). In de **Rue Jules-Chalande** (**DY 79**) is de fraaie gotische toren van Pierre Séguy (**L**) te zien.

Musée du Vieux-Toulouse (**DY M**[1]) ⏲ - In dit museum, dat is gehuisvest in het Hôtel du May (16de-17de eeuw), zijn collecties bijeengebracht die betrekking hebben op de geschiedenis van de stad en de regionale volkskunst. Ook is er keramiek tentoongesteld.

Rue des Changes (**DY**) - Het kruispunt met de naam "Quatre Coins des Changes" wordt beheerst door de Tour de Sarta (**R**). Bijzonder fraai zijn de nummers 20, 19 en 17; op nummer 16 bevindt zich het Hôtel d'Astorg et St-Germain, een herenhuis uit de 16de eeuw, dat een voorgevel heeft met zogenaamde mirandes - brede openingen of galerijen onder het dak - en een pittoreske binnenplaats met galerijen en houten trappen.

Rue Malcousinat (**DY 92**) - Op nr. 11 een fraai woonverblijf dat kenmerken vertoont van zowel de gotische als de renaissancestijl; het wordt geflankeerd door een statige donjon uit de 15de eeuw.

Rue de la Bourse (**DY**) - Blijven staan bij nr. 20: huis van Pierre Del Fau (15de eeuw), die hoopte capitoul te worden - vanwaar de toren - maar het nooit werd. De toren, die 24 m hoog is en vijf grote openingen heeft, is bijzonder fraai. Twee van die openingen, op de 2de en 5de verdieping, zijn voorzien van een sierlijke latei in de vorm van een accoladeboog.

Via de Rue Cujas naar de Place de la Daurade lopen.

Basilique N.-D.-de-la-Daurade (**DY D**) - De huidige kerk, die dateert uit de 18de eeuw, is ontstaan uit een heidense tempel die al in de 5de eeuw een aan de H. Maagd gewijde kerk werd, en uit een benedictijnenklooster. De inwoners van Toulouse zijn erg gehecht aan deze kerk (pelgrimstocht naar N.-D.-la-Noire, plechtigheden met gebeden voor de aanstaande moeders en de zegening van de bloemen die uitgereikt worden aan de winnaars van de Jeux floraux). De voorgevel met de zware zuilengalerij die uitkijkt over de Garonne, is interessant.

2 Van de Place de la Daurade naar de Place Wilson

Een stukje over de Quai de la Daurade slenteren, stroomafwaarts van de Pont Neuf (16de-17de eeuw): uitzicht op de St-Cyprien-wijk (linkeroever) met het Hôtel-Dieu (ziekenhuis) en de koepel van het Hospice de la Grave.

Linksaf de Rue de Metz inlopen en opnieuw schuin links afslaan.

★★ **Hôtel d'Assézat** (**DY**) ⏲ - Dit is het mooiste herenhuis van Toulouse. Het werd tussen 1555 en 1557 gebouwd, naar het ontwerp van Nicolas Bachelier, de grootste architect van Toulouse in de renaissancetijd. Het was bestemd voor de capitoul Assézat, een koopman die fortuin had gemaakt in de pastelhandel. De gevels van de gebouwen aan de linkerzijde en de voorzijde zijn de eerste in Toulouse die getuigen van de klassieke bouwstijl in al zijn waardigheid. Deze kenmerkt zich door toepassing van de drie klassieke orden boven elkaar: Dorisch, Ionisch en Corinthisch. Om wat verscheidenheid in deze gevels aan te brengen, heeft de architect op de benedenverdieping en de 1ste etage rechthoekige ramen geplaatst onder ontlastingsbogen. Op de 2de etage is dat precies tegenovergesteld: de ramen met rondboog zijn onder een recht hoofdgestel aangebracht. Bij deze verfijnde smaak past de ver doorgevoerde decoratie van de twee deuren, de een met schroefzuilen, de andere met cartouches en festoenen. In de renaissance herleefde namelijk de beeldhouwkunst, waarbij in Toulouse natuursteen opnieuw in combinatie met baksteen werd gebruikt.
Aan de achterkant van de gevel die uitkijkt op de straat bevindt zich een elegante portiek met vier arcaden, waarboven een galerij loopt. De vierde zijde is nooit

voltooid, omdat Assézat, die bekeerd was tot het protestantisme, verbannen werd en geruïneerd. De muur is slechts getooid met een overdekte galerij die op sierlijke consoles rust.

★ **Fondation Bemberg** – *Bezichtiging: 45 min.* Tegenwoordig zijn in het Hôtel d'Assézat kunstwerken van privéverzamelaar Georges Bemberg ondergebracht. De indrukwekkende verzameling bestaat uit werken van oude meesters (16de t/m 18de eeuw) die op de eerste verdieping zijn tentoongesteld, en werken van kunstenaars uit de 19de en 20ste eeuw (tweede verdieping).
Zaal 1 is gewijd aan de 18de-eeuwse Venetiaanse schilders (Canaletto, Guardi, Tiepolo). Zaal 2 bevat diverse 16de-eeuwse kunstvoorwerpen, waaronder Vlaamse wandtapijten, Spaans houtsnijwerk, email uit Limoges, Chinees porselein en ook schilderijen van Vlaamse en Hollandse meesters (twee portretten van de H. Maagd met Kind van Van der Weyden en Isenbrandt en een *Musicerend echtpaar* van De Hoogh). Daarop volgt een portrettengalerij (zaal 3) met o.a. werken van Cranach de Oude *(Venus en Cupido* en *Portret van een jong meisje)* en van Clouet. In zaal 4 bevinden zich leren boekbanden, diverse kunstvoorwerpen, en schilderijen van Bassano *(Kruisweg)*, Tintoretto *(Opdracht in de tempel, Portret van Scipione Venero, Allegorie)* en Veronese *(Procurator Barbaro)*.
Een open gaanderij voert naar een trap die naar de tweede verdieping leidt. Daar zijn in zaal 5 portretten tentoongesteld van Valtat, Fontaine-Latour, Pissarro, Matisse, Monet en Gauguin. Zaal 6 is gewijd aan landschappen van fauvisten (Matisse, Dufy, Braque, Vlaminck, Signac, Valtat) en pointillisten (H.E. Cross), terwijl in zaal 7 vooral stillevens en landschappen te zien zijn, met name van Bonnard (verschillende scènes in Parijse cafés). Tot slot ziet men in zaal 8 landschappen van Dufy, Marquet, Lebourg, Monet, Sisley, Caillebotte en Boudin en in zaal 9 waterverfschilderijen en gouaches van o.a. Bonnard, Toulouse-Lautrec, Degas, Utrillo en Dufy.

Rechts de Rue des Marchands volgen, dan de Rue de la Trinité en vervolgens de Rue Croix-Baragnon.

Diverse huizen van antiquairs zijn gerestaureerd: op nr. 15 "het oudste huis van Toulouse", uit de 13de eeuw, dat herkenbaar is aan de tweelichtvensters.

Hôtel de Fumel (Consulair paleis) (DEY C) – In dit herenhuis zetelt de Kamer van Koophandel. Fraaie, overhoekse voorgevel uit de 18de eeuw, die uitkijkt op de tuin.
Op de hoek van de Rue Tolosane ziet men recht voor zich de voorgevel en de toren van de kathedraal, terwijl links de Tour des Augustins staat met rondom groen.
Op nr. 24 van de Rue Croix-Baragnon bevindt zich het culturele centrum van de stad.
Op de Place St-Étienne staat een fontein uit de 16de eeuw, die "le Griffoul" wordt genoemd.

★ **Cathédrale St-Étienne (EY)** – Vergeleken met de St-Sernin-basiliek lijkt deze kathedraal een merkwaardige mengelmoes. De kathedraal werd gebouwd tussen de 13de en de 17de eeuw; de gotische bouwscholen van het zuiden en het noorden hebben hier met elkaar gewedijverd.

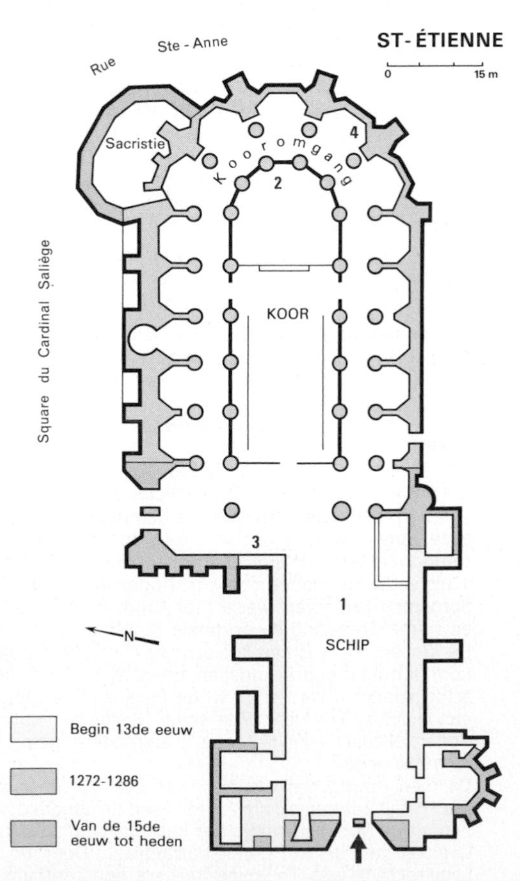

Aangezien er niet voldoende financiële middelen waren, kon de bouw van het schip en de opstand van het koor niet worden voltooid. In de voorgevel van de oorspronkelijke kerk, waarvan de bouw in 1078 werd begonnen, hebben de bisschoppen en het kapittel in de 13de eeuw een roosvenster laten plaatsen; vervolgens werd in de 15de eeuw een portaal toegevoegd; tot slot heeft men in de 16de eeuw een rechthoekige donjon-klokkentoren gebouwd, die geen enkele overeenkomst vertoont met de veelhoekige, opengewerkte klokkentorens in de streek.

Naar binnen gaan via het portaal in de voorgevel.

Interieur – Het schip en het koor liggen niet in elkaars verlengde en wekken de indruk niet bij elkaar te passen. Dit komt omdat men, na de hereniging van het graafschap met de Kroon, begonnen is met de herbouw van het koor zonder zich iets aan te trekken van het in 1209 gebouwde schip, dat men van plan was af te breken. Men nam genoegen met een provisorische verbinding waarvoor bouwkundige hoogstandjes nodig waren in wat de linkerarm van het dwarsschip had moeten worden.

Het eenbeukige schip, dat even breed is als hoog, is de eerste uiting van de Zuid-Franse gotische bouwschool *(zie de Inleiding)*. Men kan zelf oordelen over de geboekte vooruitgang: het gewelf van de St-Étienne is 19 m breed, terwijl het Romaanse gewelf van de St-Sernin slechts 9 m breed is.

De soberheid van de muren wordt opgevangen door een prachtige collectie wandtapijten uit de 16de en 17de eeuw, met afbeeldingen uit het leven van de H. Étienne, die in Toulouse zijn gemaakt. Bij de sluitsteen van de 3de travee is het "kruis met de twaalf parels" (**1**) te zien, dat het wapen was van de graven van Toulouse en later van de provincie Languedoc.

De bouw van het koor, waarmee in 1272 is begonnen, werd na veertien jaar gestaakt. Twee eeuwen later werden de muren voltooid en het bouwwerk met een kap overdekt. Nadat de kap door brand was verwoest, werd deze in 1609 vervangen door het huidige gewelf, dat slechts 28 m hoog is in plaats van de oorspronkelijk geplande 37 m.

Het altaarstuk van het hoofdaltaar (**2**), de koorbanken, de orgelkast en de vijf gebrandschilderde ramen van de absis dateren uit de 17de eeuw. In de kooromgang ziet men oude gebrandschilderde ramen. Bijzonder fraai, in de kapel direct rechts van de centrale straalkapel, is een gebrandschilderd raam uit de 15de eeuw, waarop de gelaatstrekken te zien zijn van koning Karel VII (met kroon en gekleed in een blauwe mantel met gouden leliën, en van kroonprins Lodewijk, de latere Lodewijk XI (knielend, gekleed als ridder). Dit raam wordt wel het "Vitrail du roi de France" (het raam van de koning van Frankrijk) (**4**) genoemd.

Door de rechterdeur naar buiten gaan en om de kerk heenlopen; aan de buitenkant getuigen de zware steunberen van het koor van de ambitieuze plannen die nooit werden gerealiseerd.

De Rue de Metz oversteken, dan door de Rue d'Astorg, de Rue Cantegril en de Rue Antonin-Mercié naar de Rue d'Alsace-Lorraine lopen. De ingang van het Musée des Augustins bevindt zich links.

★★ **Musée des Augustins** (**DEY**) ⏲ – Dit museum is gevestigd in de gebouwen van het voormalige augustijnenklooster, dat is gebouwd in de Zuid-Franse gotische stijl (14de en 15de eeuw): kapittelzaal, grote kloostergang en kleine kloostergang.

Het gebouw aan de Rue d'Alsace-Lorraine werd in de 19de eeuw gebouwd door Viollet-le-Duc en Darcy.

Te bezichtigen zijn de grote kloostergang (14de eeuw), die werkelijk prachtig is en waar een interessante collectie stenen uit de vroeg-christelijke tijd te zien is, en verder de sacristie en de Chapelle Notre-Dame de Pitié (14de eeuw). In deze kapel worden gotische beeldhouwwerken uit de 13de en 14de eeuw tentoongesteld; tot slot de kapittelzaal (eind 15de eeuw) waarin werken uit de 15de eeuw zijn ondergebracht, onder andere de *Piëta van de recollecten* en het beroemde beeld van Maria met Kind, de *Nostre-Dame de Grasse,* met soepele en ruime drapering en originele houding.

De kloosterkerk is een typisch voorbeeld van Zuid-Franse gotiek: zij heeft een koorsluiting met drie kapellen, die rechtstreeks uitkomt op een breed, eenbeukig schip zonder dwarsschip. In de kerk zijn religieuze schilderijen ondergebracht uit de 15de, 16de en 17de eeuw (Perugino, Rubens, Murillo, Guercino, Simon Vouet, Nicolas Tournier, enz.), alsmede enkele beeldhouwwerken uit de 16de en 17de eeuw.

De meesterstukken van het museum zijn de prachtige **Romaanse beeldhouwwerken**★★★ (12de eeuw), uit Toulouse en de Languedoc, die hoofdzakelijk afkomstig zijn uit de St-Sernin-abdij, het klooster van La Daurade en de gebouwen van het kapittel van de St-Étienne-kathedraal. Door de pelgrimstochten en later de kruistochten was Toulouse immers een centrum geworden van de Romaanse beschaving.

Bijzondere aandacht verdienen de kapitelen, met voorstellingen van de wijze en de dwaze maagden, het verhaal van Job, de dood van Johannes de Doper, enz.
In de schilderijenverzameling zijn de Italiaanse, Vlaamse en Hollandse school goed vertegenwoordigd, evenals de Franse school van de 15de tot en met de 20ste eeuw. De kunstenaars die uit Toulouse efkomstig zijn, nemen een bevoorrechte plaats in.
Wanneer men het museum verlaat, verder om de gebouwen van het klooster lopen; vanuit de tuin (ingang Rue de Metz) kijkt men op de klokkentoren en het schip van de voormalige augustijnenkerk.

De Rue St-Antoine-du-Taur voert naar de Place du Président-Wilson, het elegante centrum van Toulouse.

VERDERE BEZIENSWAARDIGHEDEN

★ **Musée Paul-Dupuy** (**EZ**) ⓥ - Dit museum is gewijd aan de toegepaste kunst vanaf de middeleeuwen tot heden: metaal- en houtbewerking, smeedwerk, klokken, maten en gewichten, munten en penningen, reconstructie van de apotheek van het Collège des Jésuites (1632). De verzameling tekeningen en prenten omvat een rijke iconografie van de Languedoc en de naburige provincies.

★★ **Muséum d'Histoire naturelle** (**EZ**) ⓥ - In dit natuurhistorisch museum worden zeer belangrijke collecties tentoongesteld, in het bijzonder op ornithologisch, prehistorisch en etnografisch gebied.

Jardin des Plantes, Jardin Royal en Grand Rond (**EZ**) - In de Jardin des Plantes staat het natuurhistorisch museum. Aan het einde van de Allées Frédéric-Mistral, in zuidelijke richting, staat het **Monument de la Résistance** (verzetsmonument) ⓥ. Via een stel lenzen dringt het zonlicht alleen op 19 augustus in de crypte door, dag waarop Toulouse werd bevrijd.

Musée Georges-Labit (**BU M**[3]) ⓥ - *Toegang: zie plattegrond op blz. 313.*
Dit museum is gehuisvest in de Moorse villa waar Georges Labit (1862-1899) de voorwerpen bijeen had gebracht die hij van zijn reizen meenam. Hij was een verzamelaar uit Toulouse, die bijzonder geboeid was door Azië, Indië en het Verre Oosten.
In de loop van de tijd werden aan zijn collectie vele voorwerpen toegevoegd en het museum bezit thans een opmerkelijke verzameling beeldhouwwerken, schilderijen, textiel, keramiek en allerlei andere voorwerpen die herinneren aan de grote beschavingen in Azië (China, Japan, Cambodja, Indië, Tibet, Nepal en Thailand); ook de Egyptische oudheid en de Koptische kunst zijn vertegenwoordigd.

Pont St-Michel en de oevers van de Garonne (**DZ**) - De brug, een bouwwerk van voorgespannen beton met een uiterst eenvoudige lijn, biedt een interessant uitzicht. Tussen het midden van de brug en de linkeroever gaan staan: bij helder weer tekenen zich in het zuiden de Pyreneeën af.
Aan de andere kant is een groot deel van de stad te zien: van de Église des Jacobins tot de wijk La Dalbade zijn de meeste monumenten gemakkelijk te herkennen; de stad is het mooist bij ondergaande zon, wanneer de rode gloed van het baksteen voor een schitterend decor zorgt.
De Cours Dillon (**BU 46**) en de linkeroever van de Garonne vormen een schaduwrijk gebied dat uitsluitend voor voetgangers is bestemd. Op sommige punten heeft men er een onverwacht uitzicht op de stad.

Galerie municipale du Château d'eau (**BU K**) ⓥ - De bakstenen toren van een voormalig waterreservoir (1822), bij het begin van de Pont Neuf, werd in 1974 ingericht als galerie voor fotografische kunst.
Het is een documentatiecentrum over de oude en de hedendaagse geschiedenis van de fotografie (4 500 werken).

Parc toulousain (**BV**) - *Toegang: zie plattegrond op blz. 313.*
Dit park is aangelegd op een eiland in de Garonne en telt drie openluchtzwembaden en een overdekt zwembad. Ook het stadion, het Parc des Expositions en het Palais des Congrès bevinden zich daar.

►► Bibliothèque municipale (**DX**) (gebouw uit 1930 met indrukwekkende gevel van natuur- en baksteen; ijzersmeedwerk en bas-reliëfs) - Rue Mage (**EZ**), een van de best bewaard gebleven straten van Toulouse met woningen uit de tijd van Lodewijk XIV en Lodewijk XIII - Rue Bouquières (**EZ 19**) - Hôtel Béringuier-Maynier (**DZ E**) - Rue Pharaon (**DZ**) - Rue de la Dalbade (**DZ**) met op nummer 25 het Hôtel de Clary met binnenplaats in renaissancestijl - Église N.-D.-de-la-Dalbade (**DZ**) - Rue Ozenne (**EZ**) met op nummer 9 het Hôtel Dahus en de Tour de Tournoër, beide uit de 15de eeuw.

KASTELEN IN DE OMGEVING VAN TOULOUSE

De omgeving van Toulouse is rijk aan kastelen (hoewel in particulier eigendom, kunnen sommige bezichtigd worden). Hieronder staan de telefoonnummers waar belangstellenden inlichtingen kunnen vragen over bezoekdagen, openingstijden en toegangsprijzen:

Caumont - Renaissancestijl - ☎ 62 07 94 20.

Fourquevaux - Kasteelhotel - ☎ 61 81 45 90.

Gaudiès - Overblijfselen van de omwalling, eind 13de eeuw - Klassieke zuidgevel - ☎ 61 67 10 23.

Larra - 18de eeuw - ☎ 61 82 62 51.

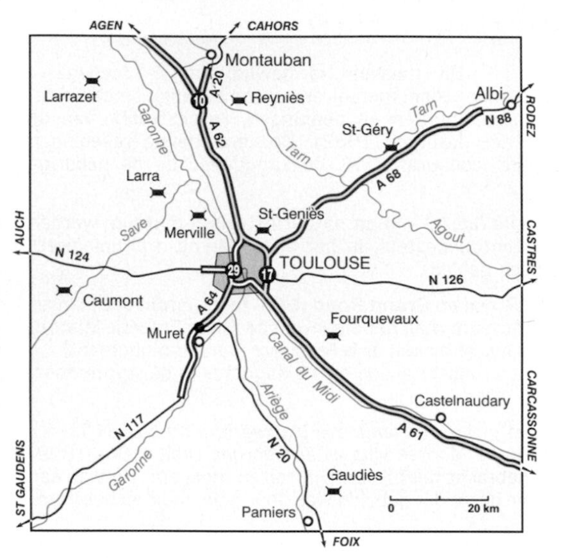

Larrazet - Monumentale trap met rechte leuningen - ☎ 61 21 68 20.

Merville - 18de eeuw - ☎ 61 85 15 38.

Reyniès - Alleen buitenkant te bezichtigen - ☎ 63 64 04 02.

St-Geniès - Renaissancekasteel - ☎ 61 74 26 45.

St-Géry - Alleen buitenkant te bezichtigen. Oostvleugel 14de-eeuws; voorgevel aan de binnenplaats eind 18de-eeuws.

In de Groene Michelingidsen wordt verwezen
naar de Rode Michelingidsen en naar de Michelinkaarten
U reist gemakkelijker en sneller als u het gebruik van deze drie combineert.

Grotte de TRABUC★★

Michelinkaart nr. 80 boven aan vouwblad 17, of 240 vouwblad 11.
11 km ten noorden van Anduze.

De grot van Trabuc, de grootste van de Cevennen, werd in het Neolithicum bewoond en deed aan het begin van onze jaartelling dienst als onderkomen voor de Romeinen. Korter geleden, tijdens de godsdienstoorlogen, zochten de camisards (protestantse opstandelingen) er hun toevlucht in het wijd vertakte gangenstelsel dat een uiterst veilige schuilplaats bood. Ook struikrovers, de Trabucaires, hebben zich er schuilgehouden. De grot werd naar hen genoemd, want trabuc was de naam van het pistool dat de bandieten bij zich droegen.
In de 19de eeuw werd de grot verschillende malen geëxploreerd; het meest doorslaggevende onderzoek was dat van Mazauric in 1899. De door G. Vaucher in 1945 begonnen werkzaamheden brachten de lengte van de onderzochte gangen op ruim 7 km. Thans zijn de grote gangen over een lengte van 12 km geëxploreerd.

BEZICHTIGING ⊙

Ongeveer een uur - temperatuur: 14°C

Men loopt de grot in via een gang van 40 m lengte, die 120 m boven de natuurlijke ingang door de mijnwerkers uit Alès werd uitgeboord.
In de Salle du Gong (zaal van de gong) heeft de grote draperie in de vorm van een olifantsoor de weerklank van een gong. Verder ziet men zogenaamde gours (bassins gevormd door kalkstenen dammetjes), langgerekte dunne stalactieten in de grote gang, door oxydatie gekleurde, versteende kalkstromen die rode

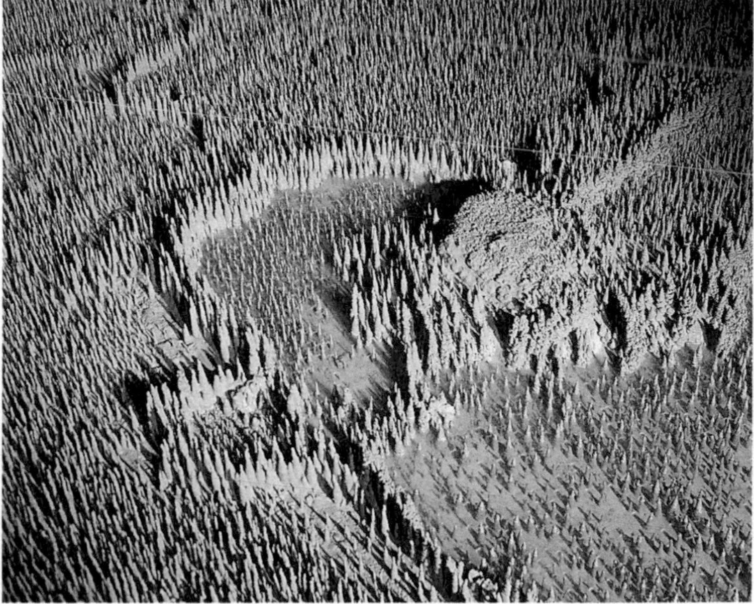

Trabuc - "De honderdduizend soldaten".

watervallen worden genoemd, en merkwaardige aragonietkristallen die door mangaan zwart getint zijn. Dan komt men bij een heel bijzonder ondergronds natuurverschijnsel dat de **Cent mille soldats**★★ (honderdduizend soldaten) wordt genoemd: fraaie kalkafzettingen in sommige gours, die doen denken aan de Chinese muur. Hoe ze ontstaan zijn, blijft een raadsel. Zij vormen een wonderlijk schouwspel: de kalkafzettingen, die enkele centimeters hoog zijn en heel dicht bij elkaar staan, wekken de illusie van een leger infanteristen die een vestingstad belegeren. De terugweg voert door de Salle du Lac (zaal van het meer) met de prachtige Grand Papillon (grote vlinder) aan het gewelf, medusa's, excentrieken (fijne druipsteenformaties die door kristallisatie zijn ontstaan) en vooral het Lac de Minuit (middernachtmeer), een meertje waarvan het groenachtige water op sommige plaatsen 25 m diep is.

Gorges de la TRUYÈRE★★

Michelinkaart nr. 76 vouwbladen 12 t/m 14, of 239 vouwbladen 41, 42.

De Truyère heeft in de granietplateaus van de Haute Auvergne smalle, diepe, bochtige, vaak beboste en woeste kloven uitgesleten. Deze gorges behoren tot de mooiste natuurfenomenen van Midden-Frankrijk. Stuwdammen, die gebouwd werden voor de industrie van de witte steenkool, hebben deze kloven over een grote afstand in meren veranderd. Hiermee is het aanzien van de gorges gewijzigd, maar het schilderachtige karakter is behouden gebleven (behalve wanneer het water laag staat). Geen enkele weg volgt het dal over een grote afstand, maar vele wegen kruisen het en bieden op diverse punten een prachtig uitzicht.

In deze gids geven wij slechts een beschrijving van het zuidwestelijke deel van de gorges.

Een andere loop - Vroeger stroomde de Truyère naar het noorden; het was een zijrivier van de Alagnon en daardoor indirect van de Allier. Tot in de omgeving van St-Flour kan men nog de oude aanslibsels volgen, waarvan de hoogte naar het noorden afneemt; ze bestaan uit steeds ronder afgesleten stenen. Deze oude bedding ligt er thans verlaten bij. Bij Gabarit maakt de rivier een scherpe bocht, stroomt naar het zuidwesten en mondt tenslotte uit in de Lot; zo is de Truyère indirect een zijrivier van de Garonne. Deze koersverandering is het gevolg van een "aftapping" van de voormalige bovenloop van de Truyère door een zijrivier van de Lot, die in het noordoosten ontsprong en waarvan de bedding lager lag dan die van de Alagnon.
De weerslag van de plooiing waaruit de Pyreneeën zijn ontstaan, heeft het plateau waar de rivier stroomde sterk omhooggeduwd en breuken veroorzaakt in de oorspronkelijke sokkel van het Centraal Massief. Bij de grote uitbarstingen in de

Cantal werd de lava rond het vulkanische massief verspreid. Een stroom lava heeft zich vastgezet in het voormalige dal van de Truyère en heeft er zo toe bijgedragen dat de loop van de rivier naar het zuidwesten werd omgebogen. Na de bocht bij Gabarit heeft de Truyère een diepe bedding uitgesleten. De rivier duikt daar bochtige gorges in, waar de balans in het verval, dat door de koersverandering teniet was gedaan, zich herstelt.

De hydro-elektrische installaties - Het dal van de Truyère is nauw en de granietrotsen van de steile hellingen bieden grote weerstand.
Hierdoor was het dal van de Truyère uitstekend geschikt voor de aanleg van stuwmeren. Anderzijds lagen er weinig dorpjes en wegen onder in het dal, wat een voordeel was bij het verwerven van grond en de aanleg van grote reservoirs.
In 1928 werd met de omvangrijke werkzaamheden begonnen. Al in 1933 was de centrale van Brommat gereed en in 1934 de stuwdam van Sarrans. Dit stuwmeer strekt zich uit over 35 km, tot de Pont de Lanau. Een tweede grote stuwdam werd voltooid in 1950: de Barrage de Couesque, waarvan het meer 13 km lang is. De Barrage de Cambeyrac, die het debiet van de stuwmeren verder stroomopwaarts regelt, werd in 1957 voltooid; die van Grandval in 1960. In 1963 werd stroomopwaarts van de Pont de Lanau nog een stuwdam gebouwd, waardoor het hoogteverschil tussen Gabarit en Entraygues-sur-Truyère nu optimaal wordt benut.

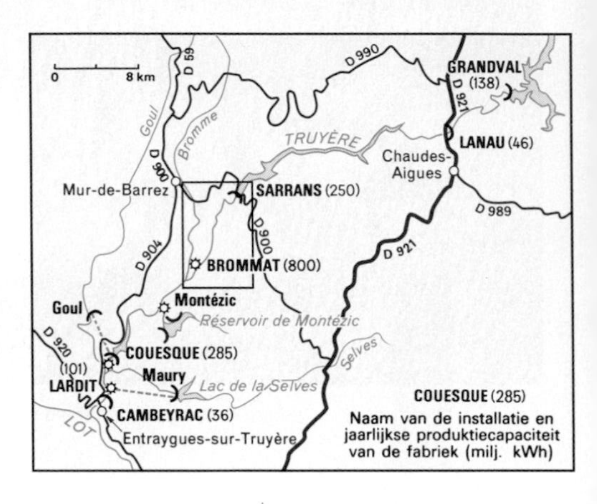

Met de installaties die later aan sommige zijrivieren werden gebouwd, zoals aan de Bromme, de Plane, de Goul en de Selves, bedraagt de totale productiecapaciteit van het hydro-elektrische complex van de Truyère nu 1 634 miljard kWh per jaar. Hierbij komt een vermogen van 1 150 miljard kWh dat wordt geproduceerd door de ondergrondse centrale van Montézic, die in 1982 in gebruik werd genomen en een pompstation voor energietransport omvat. Alle centrales aan de Truyère worden op afstand bediend door de hydraulische controlepost in Brive-la-Gaillarde (departement Corrèze).

RONDRIT VANUIT ENTRAYGUES

128 km - ongeveer een halve dag

★ **Entraygues-sur-Truyère** - *Zie onder deze naam.*

In noordelijke richting de D 34 nemen en de Truyère bij de Barrage de Cambeyrac oversteken.

De weg volgt het dal van de Truyère over ongeveer 6 km. De **Barrage de Cambeyrac,** die het niveau van de rivier regelt, is het laatste onderdeel van het hydro-elektrische complex van het dal van de Truyère voordat dit dal uitkomt op dat van de Lot. De dam is 14,5 m hoog en beschikt over twee bulbturbines van 5 150 kW. De productiecapaciteit bedraagt 36 miljoen kWh per jaar. In 1988 werd op de rechteroever een extra bulbturbine van 10 000 kW in gebruik genomen. Iets verder stroomopwaarts, na een bocht in de rivier, is op de andere oever de hydro-elektrische centrale van Lardit te zien.

Usine hydro-électrique de Lardit - Deze hydro-elektrische centrale, die een productiecapaciteit heeft van 105 miljoen kWh per jaar, gebruikt het water van de Selves en van de zijrivier de Selvet, die worden gecontroleerd door de barrage de Maury. Het water wordt naar de fabriek van Lardit geleid via een tunnel van 6 km en vervolgens via een in 1985 toegevoegde persleiding.
Het dal, waar eerst weidevelden liggen te midden van wijnstokken en fruitbomen, wordt woester naarmate men verder naar het noorden gaat.

Na de Pont de Couesque, over de Goul, rechtsaf een weg inslaan die langs de Truyère loopt en naar de centrale en de stuwdam van Couesque leidt.

★ **Barrage de Couesque** - Deze slanke boogdam, die stroomafwaarts over het water steekt, is 60 m hoog. Het waterreservoir strekt zich uit tot het punt waar de Bromme en de Truyère samenvloeien. Daar mondt ook het waterafvoerkanaal uit van de ondergrondse centrale van Brommat. In het stuwmeer, dat een capaciteit heeft van 56 miljoen m^3, wordt ook het water van de Goul opgeslagen, dat aangevoerd wordt via een ondergronds omleidingskanaal van 3,3 km lengte. De centrale die 300 m stroomafwaarts van de dam is gebouwd, heeft een productiecapaciteit van 285 miljoen kWh per jaar.

In de **Espace Truyère**, onderdeel van de hydraulische centrale, wordt een overzicht gegeven van de ontwikkeling van de hydro-elektrische industrie in het dal. Ook wordt aan de hand van maquettes en videofilms uitgelegd hoe de productiegroepen functioneren.

Terugrijden naar de Pont de Couesque en rechtsaf de D 904 nemen in noordelijke richting.

De weg klimt nu naar boven en biedt, als men zich omdraait, een uitzicht op het dal van de Goul en daarna op de bijzonder diepe Gorges de la Truyère, de Barrage de Couesque en het bijbehorende stuwmeer. Tot slot komt men bij het plateau en het dorpje **Rouens**, rechts van de weg. Beneden naast de kerk heeft men een prachtig uitzicht op het Lac de Couesque en de Pont de Phalip.

Verder noordwaarts rijden richting Lacroix-Barrez. Voor het dorp rechtsaf de D 97 nemen.

Men rijdt een diep ravijn in met veel bomen. Bij het dorpje **Vallon** heeft men vanaf een belvédère een uitzicht op de Gorges de la Truyère. Vervolgens rijdt men om de ruïnes van het kasteel van Vallon heen, die op een rots hoog boven het dal liggen. De weg komt uit in de prachtige Gorges de la Truyère en steekt via de hangbrug van Phalip het stuwmeer van Couesque over.

Even verderop, in een haarspeldbocht, links de D 621 nemen.

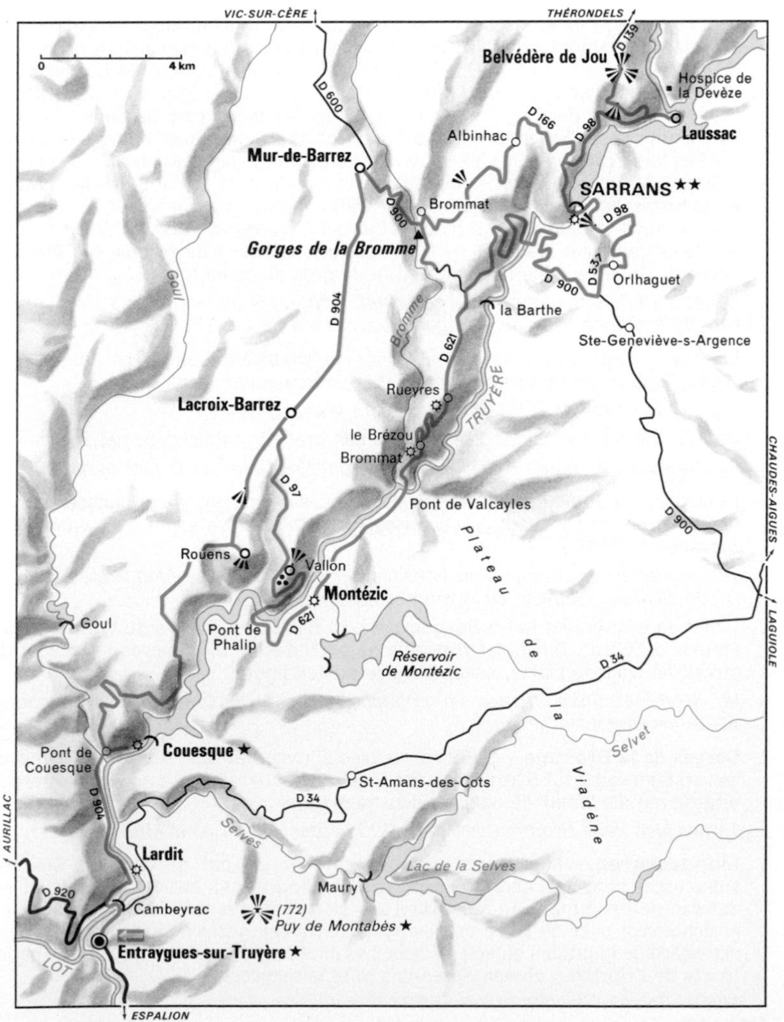

De weg volgt enige tijd de linkeroever van de Truyère die hier door de stuwdam van Couesque, stroomafwaarts, in een stuwmeer is veranderd. Men bevindt zich ter hoogte van de **Usine souterraine** (ondergrondse fabriek) **de Montézic.** Dit is een ondergronds pompstation voor energietransport, waar in de daluren de overtollige elektrische energie in hydraulische energie wordt omgezet, opgeslagen en tijdens piekuren opnieuw gedistribueerd in de vorm van elektrische energie.
Het **Réservoir de Montmézic,** op het granietplateau van La Viadène, wordt gevormd door twee stuwdammen in het riviertje de Plane. Dit stuwmeer, dat een oppervlakte heeft van 245 ha en een capaciteit van 32,5 miljoen m^3, doet dienst als bovenste reservoir ten opzichte van het stuwmeer van Couesque en voorziet de ondergrondse centrale via hogedrukgangen. Vanaf de centrale, die zich binnenin de rots bevindt, loopt een lagedrukgang naar het stuwmeer van Couesque.
Iets verder stroomopwaarts steekt de weg de Truyère over bij de Pont de Valcayles. Bij het dorpje Brézou bevinden zich de ondergrondse centrale van Brommat en het koppelstation van Rueyres, die beide deel uitmaken van het hydro-elektrische complex van **Sarrans-Brommat.** Hiertoe behoren ook de Barrage de la Barthe en de Barrage de Sarrans. Via tal van haarspeldbochten daalt de D 900 af naar de rivier en loopt op de andere oever weer omhoog naar het plateau.

Op het kruispunt La Croix-l'Evêque, vlak voor Ste-Geneviève-sur-Argence, linksaf de D 537 nemen die door het dorpje Orlhaguet loopt. Bij een van de kruisbeelden links de D 98 inslaan.

Kort daarna heeft men vanaf een belvédère uitzicht op de hoge muur van de Barrage de Sarrans.

★★ **Barrage de Sarrans** – Door de aanleg van de stuwdam van Sarrans, een van de belangrijkste hydro-elektrische werken van het Centraal Massief, is een deel van de Gorges de la Truyère veranderd in een meer. De **stuwdam**★★ is 220 m lang, 105 m hoog en 75 m breed (aan de basis). De oppervlakte van het stuwmeer bedraagt 1 000 ha en de capaciteit 296,2 miljoen m^3. Aan de voet van de dam staat de **waterkrachtcentrale van Sarrans** (Usine de Sarrans) met drie groepen van 38 500 kW en een van 63 500 kW. De centrale kan niet bezichtigd worden maar de installaties van Sarrans zijn goed te zien vanaf de D 98 *(route de Cantoin, linkeroever van de Truyère),* waar 1,5 km verderop een belvédère is. Het **waterkrachtcomplex Sarrans-Brommat** behoort tot de belangrijkste hydro-elektrische werken van Frankrijk. De elektriciteitsproductie bedraagt per jaar meer dan een miljard kW. Vijf kilometer stroomafwaarts van Sarrans bevindt zich de **stuwdam van La Barthe** (barrage de la Barthe); het water van de Truyère wordt daar via een ondergronds kanaal van 10,5 km afgevoerd en vervolgens via drie verticale persleidingen naar de 250 m lager gelegen **ondergrondse centrale van Brommat** gevoerd. Deze centrale is aangelegd in de granietrotsen.

Nadat men de stuwdam is overgestoken, loopt de D 98 langs het stuwmeer tot vlak bij het dorp Laussac, dat bereikbaar is via de D 537.

Laussac – Het dorpje is gebouwd op een vooruitstekende rots die in een schiereiland is veranderd toen het dal is ondergelopen.

Terugrijden naar de D 98 en deze rechts inslaan.

Op 1,5 km van de splitsing heeft men een prachtig uitzicht op het meer.

De D 98 verder volgen tot een kruising; daar rechtsaf de D 139 oprijden.

Belvédère de Jou – Na het dorpje Jou ontvouwt zich een mooi panorama over het schiereiland van Laussac, het Hospice de la Dévèze en het stuwmeer van Sarrans.

Terugrijden naar Laussac door linksaf weer de D 98 op te rijden. Vervolgens de D 166 richting Albinhac en Brommat nemen.

Vanaf de weg omvat het weidse uitzicht Le Barrez, de Monts du Cantal en het Plateau d'Aubrac. Bijzonder fraai zijn de schilddaken, die typerend zijn voor de streek en waarop platte, schubvormige stenen liggen.

Bij Brommat links afslaan en nogmaals linksaf de D 900 nemen, richting Ste-Geneviève-sur-Argence.

Gorges de la Bromme – De Bromme (een zijrivier van de Truyère) volgen over een afstand van 2 tot 3 km. Het water heeft in het basalt diepe en woeste gorges uitgesleten die vanaf de weg goed te zien zijn.

Terugrijden naar Brommat en de D 900 verder volgen naar Mur-de-Barrez.

Mur-de-Barrez – Mur is een schilderachtig dorpje dat op de kam van een vulkanische berg ligt; de berg vormt de scheiding tussen het dal van de Goul en dat van de Bromme. Van het **kasteel** zijn slechts ruïnes over; het uitzicht reikt er echter tot over de verre omgeving. Behalve een gotische **kerk** met een paar eigenaardige kapitelen en een 17de-eeuws altaarstuk, heeft Mur een oude poort (porte de l'Horloge) en een herenhuis in renaissancestijl.

Mur-de-Barrez uitrijden via de D 904 in zuidelijke richting.

De rechte en vlakke weg loopt over het Plateau de Barrez, tussen de dalen van de Goul en de Bromme.

Lacroix-Barrez - Dit is de geboorteplaats van kardinaal Verdier, aartsbisschop van Parijs, die rond de Franse hoofdstad, tussen 1930 en 1940, meer dan 100 kerken en kapellen liet bouwen. Midden in het dorp is in 1949 een monument opgericht ter nagedachtenis aan Verdier.
Op 3 km van Lacroix-Barrez biedt de D 904 een mooi vergezicht, rechts op het Plateau de la Châtaigneraie, links op het Plateau de la Viadène.

De D 904 voert weer terug naar Entraygues.

In deze richting zijn de duizelingwekkende uitzichten vanaf de weg hoog bovenlangs de Gorges de la Truyère bijzonder mooi.

Terug naar Entraygues-sur-Truyère.

Le VALLESPIR*

Michelinkaart nr. 86 vouwbladen 18 t/m 20, of 235 vouwbladen 52, 56, of 240 vouwbladen 45, 46.

Le Vallespir is de streek van de Pyrénées-Orientales die wordt gevormd door het dal van de Tech. Stroomopwaarts van Amélie-les-Bains laat dit bergachtige en tevens landelijke gebied sterk wisselende aspecten zien die alle even bekoorlijk zijn. Bovendien is Le Vallespir geografisch gezien een bijzonderheid, in die zin dat er de meest zuidelijke gemeenten van Frankrijk liggen. Voor de boomgaarden en gewassen is alleen nog ruimte beneden in het dal. Elders wordt hun plaats ingenomen door kastanje- en beukenbossen, en vooral door uitgestrekte weilanden. Een krachtige industriële bedrijvigheid en nog steeds levendige folkloristische tradities verlenen deze streek tot slot een bijzonder karakter.
In de feestelijkheden komt de Catalaanse volksaard het best tot uitdrukking, ook al lijkt het "regionalistische" karakter ervan in eerste instantie een beetje magertjes, omdat de lokale klederdracht geleidelijk aan het verdwijnen is. Wie het geluk heeft de sardana te zien dansen of liever te zien vieren, deze "meest menselijke uiting van emotie en vervoering van een collectieve ziel", zal dit niet gauw vergeten.

De staf en de degen - Het graafschap Cerdagne van Wilfred le Velu werd in 990 bij erfopvolging verdeeld: Bernard de "IJzersnijder" neemt de titel aan van graaf van Bésalu (stadje in de Ampurdan, ten zuiden van de Albères) en krijgt het bovendal van de Tech. In 1111 sterft deze tak uit en de domeinen gaan over op de graven van Barcelona.
De benedictijnenabdij van Ste-Marie d'Arles is in de middeleeuwen het religieuze middelpunt van de streek. De invloed van deze abdij neemt tegen het einde van de 10de eeuw nog steeds toe, dankzij het overbrengen van de relieken van de heilige, oosterse martelaren Abdon en Sennen, die nog steeds bijzonder geliefd zijn in de streek. De abten oefenen de wereldse jurisdictie uit over vele landerijen. De monniken, die het bovendal van de Tech willen ontginnen, stichten een agrarische kolonie die al snel een stadje wordt, Prats-de-Mollo. Het stadje, dat bij de koningen van Aragon al bijzonder in trek was vanwege zijn ligging en het klimaat, wordt een van hun meest geliefde zomerverblijven. De heren van Serralongue en Corsavy laten kastelen bouwen en wachttorens die, ook vandaag nog, de aandacht trekken.

VAN DE COL D'ARES NAAR LE BOULOU

68 km - ongeveer vijf uur

★ **Col d'Ares** - 1 513 m. Deze pas, die aan de grens ligt, vormt de toegang tot Spanje (Ripoli, Vic, Barcelona).
In de afdaling ziet men onmiddellijk in noordelijke richting de Tour de Mir, een van de hoogste seintorens van de Roussillon. Weldra ziet men rechts de chapelle N.-D.-du-Coral. Verderop, in de beboste dalen die alle in de richting van Serralongue lopen, zijn de torens van Cabrens te onderscheiden. Voorbij de Col de la Seille (1 185 m) heeft men een fraai uitzicht op Prats-de-Mollo, waarvan de huizen bijeen staan aan de voet van Fort Lagarde. De weg daalt tussen kastanjebomen door, recht tegenover het Massif du Canigou en de wijde, landelijke uitlopers van de zuidelijke berghelling.

★ **Prats-de-Mollo** - *Zie onder deze naam.*

De D 115 verder volgen.

Défilé de la Baillanouse - De weg door deze bergengte werd in oktober 1940 door de catastrofale overstromingen meegesleurd, maar is later hogerop weer aangelegd. Links ziet men nog een losgerukt stuk terrein liggen tegen de helling van de Puig Cabrès. Daar ontstond een enorme verschuiving (6 tot 7 miljoen m^3 grond) die in het dal een versperring van 40 m hoog opwierp.

Le Tech - Dit dorpje ligt op een uitloper van het gebergte, bij het punt waar de Tech en de Coumelade samenvloeien. De benedenwijk van het dorpje werd tijdens de overstroming van 1940 weggevaagd. Het monument voor de gevallenen van 1914-1918 werd in 1964 vervangen door een sober gedenkteken. De kerk is herbouwd op de vooruitstekende rotspunt.

1 km na Le Tech rechts de D 144 nemen.

Serralongue - *Te voet naar boven naar de kerk lopen.*
Op het plein voor de kerk staat een netelboom, waarvan het hout vroeger werd gebruikt voor de vervaardiging van de beroemde zwepen die perpignans werden genoemd.
Doorlopen naar de top van de heuvel om de ruïne te zien van een conjurador, een kapelletje met vier openingen met nissen erboven, waarin vroeger de beelden van de vier evangelisten stonden. Als de oogst door onweer werd bedreigd, kwam de pastoor er de gepaste gebeden zeggen om het gevaar te "bezweren". Hij keerde zich daarbij naar de horizon die door de wolken in duisternis was gehuld.

Omkeren en rechtsaf de pittoreske D 64 nemen. Bij Forge-del-Mitg links de D 3 oprijden.

De weg volgt een aangenaam tracé over de schaduwrijke helling van Le Vallespir, waar het groen welig tiert (esdoorns, tamme kastanjebomen) en waar talloze beekjes klaterend doorheen stromen. Naar achteren en links verdwijnen de drie torens van Cabrens uit het zicht.

De D 3 komt uit op de D 115, waar men rechts moet afslaan.

Arles-sur-Tech - *Zie onder deze naam.*

Voorbij Arles steekt de weg over van de linkeroever naar de rechteroever van de Tech.

★ **Amélie-les-Bains-Palalda** - *Zie onder deze naam.*

Als men Amélie-les-Bains uitrijdt, ziet men links direct Palalda liggen, tegen de steile oever van de Tech. De D 115, waarlangs hier en daar platanen staan, verlaat nu Le Vallespir en zijn bergachtige omgeving, en loopt het bassin in van Céret-le-Boulou.

★ **Céret** - *Zie onder deze naam.*

Via de D 618 komt men weer op de N 9 naar Le Boulou.

‡ **Le Boulou** - *Zie onder deze naam.*

Abbaye de VALMAGNE★

Michelinkaart nr. 83 vouwblad 16, of 240 vouwblad 26.
8 km ten noorden van Mèze.

Deze grote abdij uit roze steen staat op een afgelegen plek, tussen een groepje dennen, te midden van de wijngaarden van de Languedoc.
De abdij van Valmagne werd in 1138 gesticht door Raymond Trencavel, burggraaf van Béziers, die de abdij had toevertrouwd aan benedictijnen. Deze sloten zich al spoedig aan bij Cîteaux (1159) en bouwden hun klooster in de trant van de cisterciënzers. Van de 12de tot de 14de eeuw was het een van de rijkste abdijen van Zuid-Frankrijk, die ongeveer 300 monniken telde. Door de Honderdjarige Oorlog en later de godsdienstoorlogen werd de abdij geleidelijk geruïneerd. In 1573 koos een van de commende genietende abten de kant van de Reformatie; hij kwam zijn eigen abdij belegeren en er de monniken vermoorden.
In de 17de en 18de eeuw werden de gebouwen door enkele rijke abten gerestaureerd. Kardinaal De Bonzi maakte er een waar paleis van. Maar toen de Revolutie kwam, had het verval al ingezet en leefden er nog slechts vijf monniken. Valmagne werd geplunderd en daarna verkocht. De nieuwe eigenaar maakte er een wijngoed van en diens opvolger, de graaf van Turenne, zorgde ervoor dat de abdij haar prachtige allure van weleer herkreeg.
Sinds 1975 is de Association des Amis de Valmagne (de Vereniging van vrienden van Valmagne) er gevestigd, die de gebouwen restaureert.

BEZICHTIGING ⏲ *ongeveer een uur*

Kerk - De bouw van de kerk werd halverwege de 13de eeuw begonnen en was in de 14de eeuw voltooid. De architectuur en de hoogte van het schip getuigen van een klassieke gotische stijl die net zo ver afstaat van de tradities in de Languedoc als van de cisterciënzer bouwpraktijk. De kerk doet veeleer denken aan de kathedralen van Noord-Frankrijk, niet alleen door haar afmetingen (23 m hoog en 83 m lang), maar ook door de met torens geflankeerde voorgevel, het door luchtbogen gestutte schip, de uiterst opengewerkte muren (de bovenramen werden in de 17de eeuw helaas dichtgemetseld),

het halfronde koor met de grote, gelijkzijdige spitsbogen en de kooromgang met straalkapellen.
Sinds de Franse Revolutie is de kerk een opslagplaats voor wijn die nog moet rijpen, waardoor het gebouw goed is onderhouden.

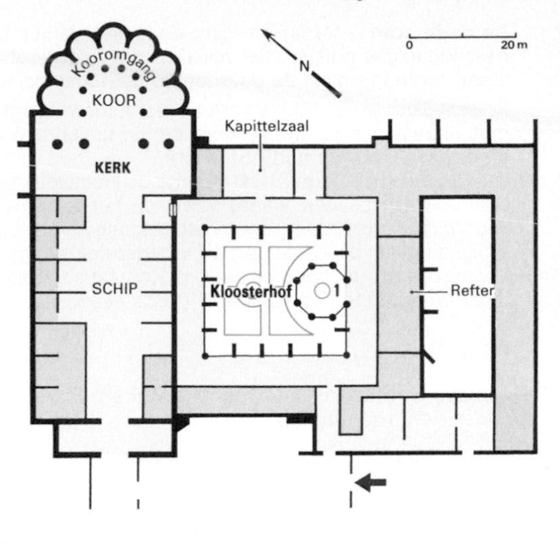

Kloostergebouwen – Deze zijn sinds de 13de eeuw ingrijpend gerenoveerd en dateren nog deels uit de tijd dat het klooster werd gesticht (12de eeuw). De in de 14de eeuw herbouwde **kloostergang** heeft met zijn goudgele stenen een bijzondere charme.
De galerijen en openingen zijn vrijwel verstoken van decor. Meer fantasie is te vinden in de 12de-eeuwse **kapittelzaal** waar de colonnetten en kapitelen een zekere afwisseling laten zien, en vooral in de schitterende **fontein** (**1**) waarboven een sierlijke, 18de-eeuwse koepel prijkt. Deze bestaat uit acht ribben die door een hangende sluitsteen met elkaar zijn verbonden. De grote **refter** heeft een opmerkelijke renaissanceschouw *(uitsluitend geopend tijdens concerten)*.

VERNET-LES-BAINS★

1 489 inwoners
Michelinkaart nr. 86 vouwblad 17, of 235 vouwblad 51.
Schema, zie onder Canigou. Plattegrond in de Rode Michelingids.

Vernet heeft een fraaie **ligging**★ aan de voet van de beboste uitlopers van de Canigou, waartegen de klokkentoren van St-Martin zich scherp aftekent; het is een van de koelste plaatsen in de oostelijke Pyreneeën. Het geraas van de Cady op de achtergrond roept de sfeer van de bergen op, wat men niet direct zou verwachten in deze mediterrane omgeving waar de Britse schrijver Rudyard Kipling zo van hield.
In dit kuuroord met zijn warmwaterbronnen worden reuma, keel-, neus- en ooraandoeningen behandeld in een centrum waaraan tevens een revalidatiekliniek is verbonden.
In de glooiende steegjes van Le Vieux Vernet, het oude centrum op de rechteroever van de Cady, is het heerlijk slenteren.

Vernet-les-Bains en de Canigou.

De oude stad - Vanaf de Place de la République door de Rue J.-Mercader met haar kleurrijke huisjes, die veelal met wingerdloof zijn begroeid en vol bloemen staan, omhoog naar de puig lopen, de hoge top waarop de kerk staat.

Église St-Saturnin ⌚ - Deze kerk is vooral interessant vanwege haar fraaie ligging, met uitzicht op de gletsjerkom die de bovenloop van de Cady heeft gevormd, en de toren van de abdij St-Martin.
De 12de-eeuwse kapel Notre-Dame-del-Puig, die tegen een (herbouwde) burcht staat, is een bezoek waard vanwege het kerkmeubilair en een aantal stenen voorwerpen, zoals een doopvont (tegenover de ingang), een predella met een afbeelding van de kruisiging die vroeger deel uitmaakte van een handbeschilderd altaarstuk uit de 15de eeuw, het Romaanse altaarblad en in het bijzonder het indrukwekkende Christusbeeld (16de eeuw) dat in de absis hangt.

EXCURSIES

★★ **Abbaye St-Martin-du Canigou** - *2,5 km in zuidelijke richting tot Casteil. Zie onder St-Martin-du Canigou.*

★ **Col de Mantet** - *20 km in zuidwestelijke richting - ongeveer een uur rijden. De tocht voert langs een zeer steile weg die voorbij Py erg smal wordt (probleem met tegenliggers).*
Vernet via de D 27 in westelijke richting uitrijden en bij Sahorre naar het bovendal van de Rotja volgen, eerst langs appelboomgaarden en daarna door een kloof in de granietrotsen.
Na **Py**, een pittoresk dorpje op 1 023 m hoogte, loopt de weg langs steile berghellingen waarop hier en daar granietblokken liggen. Na 3,5 km, in een brede bocht, **belvédère**★ met uitzicht op het dorp met zijn rode daken en de Canigou. De Col de Mantet ligt op 1 761 m hoogte bij de harsbomen van het Forêt de la Ville. Op de andere helling ligt **Mantet**, een vrijwel uitgestorven dorp dat in een plooi van de aardkorst verscholen ligt en indruk maakt door zijn soberheid.

Le VIGAN

4 523 inwoners
Michelinkaart nr. 80 vouwblad 16, of 240 vouwblad 14.
Schema's, zie onder Aigoual en onder Grands Causses.

Le Vigan is een industriestadje dat bekend is om zijn gebreide en geweven artikelen en om zijn zijdespinnerijen. De plaats ligt gunstig aan de voet van de zuidelijke helling van de Mont Aigoual en in de vallei van de Arre, die aan de samenloop van de Souls en de Coudoulous een bijzonder vruchtbaar keteldal vormt.

BEZIENSWAARDIGHEDEN

Promenade des Châtaigniers - Het is prettig wandelen onder de reusachtige, honderden jaren oude kastanjebomen van deze promenade.

Vieux pont - Deze oude brug over de Arre dateert van voor de 13de eeuw. Even voorbij de brug, stroomopwaarts, heeft men vanaf een verhoging aan de oever van de rivier een goed zicht op de Vieux Pont.

★ **Musée cévenol** ⌚ - In een voormalige 18de-eeuwse zijdespinnerij is dit museum gevestigd; het is vrijwel geheel gewijd aan de ambachten en de folklore in de Cevennen.
In de Salle des Métiers komt een aantal oude beroepen aan bod: het werk van de mandenmaker, vlechtwerker, goudwasser, blikslager, enz. Tevens zijn er winkeltjes en een interieur in de stijl van de Cevennen nagebouwd. Een andere zaal is gewijd aan André Chamson (1900-1983), een schrijver uit Le Vigan die veel van zijn werk in deze streek heeft gesitueerd. In de Salle du Temple herleeft de geschiedenis vanaf het begin der tijden (geologie, prehistorie) tot de Reformatie; uit de 19de eeuw dateert een fraaie collectie kostuums van uit de Cevennen afkomstige zijde.

►► Col des Mourèzes (560 m) ; vanaf deze pas: uitzicht op het dal van de Aulas - Vallée de l'Arre ; de dorre zuidhelling van dit dal bestaat uit kalksteen terwijl de leistenen noordhelling bebost is. Hier en daar staan de gebouwen van 18de- en 19de-eeuwse zijdespinnerijen. Het dorpje Arre is gespecialiseerd in het verven van textiel. Een schilderachtige weg voert naar het hooggelegen dorp Esparon.

*In deze gids geven de plattegronden vooral de belangrijkste straten en de toegang tot de bezienswaardigheden aan.
Op de schema's vindt u de hoofdwegen en de reisroutes.*

VILLEFRANCHE-DE-CONFLENT★

261 inwoners

Michelinkaart nr. 86 vouwblad 17, of 235 vouwblad 51.

Aan de samenloop van de Cady en de Têt ligt Villefranche, de stad die in 1090 door de graaf van Cerdagne, Guillaume Raymond, werd gesticht op een verbazingwekkend lage en ingesloten plek: volgens het rapport van de hoofdopzichter van het geniekorps zouden scherpschutters vanuit de omliggende rotsen kunnen "schieten op alles wat zich op straat beweegt".
Na het verdrag van Corbeil (1258) werd deze strategische "grendelstelling" vooral een vooruitgeschoven post van het vorstendom Aragon tegenover de linie van de "zonen van Carcassonne" *(zie onder Corbières)*. Hierdoor is Villefranche van meet af aan een versterkte stad geweest. De verdedigingswerken werden in de loop der jaren aangevuld, met name in de 17de eeuw door Vauban. Van het vredesverdrag van de Pyreneeën (1659) tot 1925 was er een Frans garnizoen gelegerd.
Het roze marmer dat de vele monumenten in Villefranche en ook talrijke andere steden in de Roussillon zo'n prachtig aanzien geeft, is afkomstig uit naburige steengroeven.
De Foire de la Saint-Luc (jaarmarkt van de H. Lucas), die al sinds 1303 wordt gehouden, getuigt van de bloeiende economie van de stad, die in de middeleeuwen een belangrijke rol speelde, met name in de verf- en lakenhandel.

★ LA VILLE FORTE

Bezichtiging: twee uur

De auto buiten de stadswallen laten staan op het parkeerterrein aan de samenloop van de Têt en de Cady.

De vesting binnengaan via de ten tijde van Lodewijk XVI aangebrachte Porte de France, links van de oude Porte Comtale (gravenpoort).

Wallen ⓥ - *Te bereiken via de Rue St-Jacques 23.*
De rondwandeling langs de wallen voert door twee boven elkaar gelegen gangen: de onderste rondweg die dateert uit de beginperiode van de vesting (11de eeuw) en daarboven de omloop uit de 17de eeuw.
In de 13de en 14de eeuw werden de courtines (eind 11de-begin 12de eeuw) aan weerszijden van ronde torens voorzien en later, in de 17de eeuw, van zes bastions.
Teruggekomen bij de Porte de France, kan men de hele stad doorkruisen via de Rue St-Jean (let op het 14de-eeuwse houten standbeeld van Johannes de Evangelist), waar de 13de- en 14de-eeuwse huizen vaak nog hun oorspronkelijke portaal met rond- of spitsboog hebben bewaard. Mooie smeedijzeren uithangborden van gilden.

J.D. Sudres/SCOPE

Villefranche-de-Conflent - Uitkijktorentje.

Église St-Jacques - Deze kerk uit de 12de en 13de eeuw heeft twee evenwijdige schepen. De kerk binnengaan door het portaal "met de vier zuilen" en ineengestrengelde archivolt; de kapitelen komen uit de ateliers van St-Michel-de-Cuxa.
In het linkerschip staat een doopvont van roze marmer, die diep is omdat in Catalonië tot de 14de eeuw dopelingen helemaal werden ondergedompeld.
Bij een 14de-eeuws marmeren beeld van Maria met Kind wordt de hulp van Notre-Dame-de-Bon-Succès tegen epidemieën ingeroepen: het Kind houdt een vrucht in zijn rechter- en een vogel in zijn linkerhand. Het altaar van het kleine schip heeft een altaarstuk van de hand van Sunyer, dat aan Notre-Dame-de-Vie is gewijd.
De zijkapel in het midden van het rechterschip bevat een groot beeld van Christus aan het kruis (14de eeuw), in de stijl van het Catalaans realisme. In de andere zijkapellen staan interessante altaarstukken uit de baroktijd.

Achter in de kerk bevindt zich, naar Spaanse traditie, het westelijk koor (het woord komt van chorus: koorzang), dat het koor van de koorstoelen wordt genoemd; deze dateren uit de 15de eeuw (flamboyante rozetten op de wangen); op het podium rust een liggende Christus, een aangrijpend staaltje volkskunst uit de 14de eeuw. Het beeld van Jozef van Arimatea hoorde oorspronkelijk niet bij de kerk en is van latere datum.

Porte d'Espagne – Onder Lodewijk XVI werd van deze poort een monumentale entree gemaakt, waaraan men de naam Porte de France heeft gegeven.
De machinerie van de oude ophaalbrug is nog intact.

★ **Fort-Liberia** ⓥ – Villefranche vormde een te gemakkelijke prooi voor de vijand, als die vanuit het omringende gebergte van Belloc de stad zou aanvallen. Daarom besloot Vauban, die de leiding had over de noodzakelijke werkzaamheden om de vestingplaats te versterken, in 1679 deze beter te beschermen door de bouw van een fort. Dit fort, dat een reservoir en diverse kruitmagazijnen omvat, is een goed voorbeeld van Vaubans strategisch inzicht. Het werd in de loop van de 19de eeuw verbouwd (andere ingang), met name door de aanleg van een trap van roze marmer uit de Conflent, die de "trap van de duizend treden" wordt genoemd (feitelijk zijn het er slechts 734) en de verbinding vormt met de stad, ter hoogte van de kleine versterkte brug St-Pierre over de Têt.
Vanwege het sterk glooiende terrein bestaat het fort uit drie boven elkaar gebouwde wallen. De hoogste, aan de kant van de bergen, heeft de vorm van een scheepsboeg en wordt beschermd door een gracht. Een gang in de contrescarp dient ter versterking van het verdedigingsapparaat. Het paviljoen met overdekt balkon heeft op de benedenverdieping een broodoven en in de kelder een hok waar vier vrouwen werden vastgehouden wegens hun betrokkenheid bij de gifschandalen die Parijs tussen 1673 en 1679 opschrikten: de laatste, bijgenaamd "la Chopelin", stierf er in 1724 na 43 jaar gevangenschap.
Opvallend zijn ook de hoge stenen muren die aan de bovenkant met bakstenen zijn afgewerkt en de smeedijzeren trapleuningen. Vanaf het fort heeft men een **schitterend uitzicht**★★ op de lager gelegen valleien en de Canigou.

Aanbevolen wordt naar de stad terug te lopen via de "trap van de duizend treden".

VERDERE BEZIENSWAARDIGHEDEN

Grotte des Canalettes ⓥ – *Parkeerplaats 700 m ten zuiden van de grot.*
Grillig gevormde kalkafzettingen van een verbazingwekkende verscheidenheid, waarvan een van de mooiste de "tafel" is, een soort heuvel die langzamerhand door calciet is gevormd, en een aantal fraaie, stralend witte druipsteenformaties.

Grotte des Grandes Canalettes ⓥ – Deze grot behoort tot hetzelfde ondergrondse netwerk als de Grotte des Canalettes. Vanaf de ingang (expositie van geoden) voert een gang naar een atelier waar men voorwerpen kan laten verstenen, de Salle de la Fontaine, de Couloir des Cupules, de Salle du Balcon, het Lac des Atolls, de Armandines (zuilen met plateaus) en de Salle d'Angkor. Het Balcon des Ténèbres (balkon der duisternis) in de Salle du Dôme Rouge (zaal met de rode koepel), helemaal aan het einde, steekt boven een afgrond uit.

Cova Bastera ⓥ – Deze laatste grot van het netwerk van de Canalettes ligt op de weg naar Andorra, tegenover de stadswallen. Hier zijn de onderaardse versterkingen van Vauban te zien en krijgt men door middel van afbeeldingen op ware grootte een indruk van de wijze waarop mens en dier achtereenvolgens de grot hebben bewoond.

VILLEFRANCHE-DE-ROUERGUE★

12 291 inwoners
Michelinkaart nr. 79 boven aan vouwblad 20, of 235 vouwblad 15.

Aan de uiterste grens van de Rouergue en de Quercy ligt, verscholen in een dalkom omringd door groene heuvels, de oude bastide Villefranche. De huizen staan dicht aaneen aan de voet van de zware kerktoren van de Notre-Dame. De Aveyron en de Alzou komen bij Villefranche samen.

Handel en welvaart – Dankzij de gunstige ligging dicht bij de Causse en de Ségala, op de kruising van wegen die al in de oudheid druk werden begaan, wordt Villefranche in de middeleeuwen een belangrijk handelscentrum; het is tevens een pleisterplaats op de pelgrimsroute naar Santiago de Compostela. In de 15de eeuw krijgt de stad van Karel V het recht munten te slaan; de ontginning van koper- en zilvermijnen draagt bij aan de welvaart van Villefranche, dat ook de zetel is van de rechtbank van de baljuw van de Rouergue en de hoofdstad van de Haute Guyenne. Tegenwoordig speelt Villefranche een belangrijke rol op het gebied van de voedingsmiddelen- en de metaalindustrie (bouten).

BEZIENSWAARDIGHEDEN

★ **De bastide** – Villefranche wordt in 1099 gesticht door Raymond IV de Saint-Gilles, de graaf van Toulouse, op de linkeroever van de Aveyron en maakt opnieuw een bloeitijd door als Alphonse de Poitiers, een broer van koning Lodewijk de Heilige, in 1252 besluit een nieuwe stad op de rechteroever van de rivier te bouwen. Deze nieuwe stad wordt als een bastide opgetrokken *(voor meer bijzonderheden, zie de Inleiding)* en is in 1256 gereed. Ondanks onenigheid tussen de stichter van de stad en de bisschop van Rodez, die de nieuwkomers zelfs in de ban doet, raakt deze stad snel bevolkt.
Door de verwoesting van de grachten, stadsmuren en versterkte poorten heeft Villefranche nu een deel van zijn middeleeuwse karakter verloren, maar het ziet er nog steeds als een bastide uit, met een plein in het midden en een regelmatig stratenplan.

★ **Place Notre-Dame** – In het hart van de stad ligt dit mooie plein, waar het op marktdagen heel gezellig is. Het wordt omringd door huizen die een overdekte passage vormen; van sommige zijn de kruisvensters en stenen siertorentjes bewaard gebleven. Aan een van de zijden van het plein verheft zich het hoge, massieve silhouet van de voormalige kapittelkerk. Door de galerijen om het plein heenlopen *(uitkijken voor auto's!)* en de arcaden en oude gebeeldhouwde deuren bekijken. Vlak voor het terras aan de noordkant van het plein staat een groot Christusbeeld van siersmeedwerk. Het geheel doet wat Spaans aan, waardoor André Malraux besloot hier enkele scènes uit zijn film *L'Espoir* (De hoop) op te nemen. Op de hoek van de Rue Marcellin-Fabre en het plein staat een prachtig huis met vakwerk uit de 15de eeuw. In het middendeel van dit zeven verdiepingen hoge huis geeft een mooie **stenen deur** met een luifel waarvan de onderkant met rankendecoraties en bladwerk is versierd, toegang tot een trap met kruisvensters waar het licht doorheen valt.

Carcanague/IMAGES PHOTOTHÈQUE

Villefranche-de-Rouergue – Marktdag op de Place Notre-Dame.

In de Rue du Sergent-Boriès, aan de zuidkant van het plein, heeft het eerste **huis** rechts ook een mooie traptoren met pilasters en een gebeeldhouwd timpaan (eind 15de eeuw).

Maison du Président Raynal – Dit huis heeft een fraaie 15de-eeuwse voorgevel, waarin de aan elkaar grenzende ramen in Romaanse stijl over drie verdiepingen zijn aangebracht.

Maison Dardennes – *Dit huis grenst aan het vorige.* De renaissancetraptoren op de binnenplaats heeft twee galerijen met gebeeldhouwde portretten, zoals toen in de mode was.

★ **Église Notre-Dame** – De bouw van deze kerk begon in 1260 met de absis en zou door allerlei tegenslagen drie eeuwen duren. De 59 m hoge poorttoren illustreert de rivaliteit tussen Villefranche-de-Rouergue en Rodez, die elk de hoogste toren wilden hebben. Te oordelen naar de bijzonder zware funderingen van de klokkentoren van Villefranche, had deze stad grootse plannen, die door oorlogen en geldgebrek echter geen doorgang konden vinden; in 1585 werd een overkapping aangebracht die er nog steeds op ligt.
Deze poorttoren, waar een weg onderdoor loopt, doet denken aan een fort, met zijn zware steunberen die op de hoeken met pinakels zijn versierd.
Op de 2de verdieping loopt een galerij met balustrade langs de vier inspringende of uitstekende zijden onder de steunberen door.

Een portaal met opengewerkt frontaal geeft toegang tot het grote eenbeukige schip met aan weerskanten kapellen tussen de inwendige steunberen, geheel in de traditie van de Zuid-Franse gotiek *(zie de Inleiding)*. In de linker dwarsbeuk bevindt zich op het altaar een marmeren medaillon, dat aan de school van Pierre Puget wordt toegeschreven en de Visitatie voorstelt. In het koor valt het licht door hoge, smalle vensters naar binnen; de twee gebrandschilderde ramen uit de 15de eeuw zijn een geschenk van Karel VII. De 36 eikenhouten koorstoelen zijn afkomstig uit het atelier van André Sulpice (1473-1487), doch werden tijdens de godsdienstoorlogen zwaar beschadigd; opmerkelijk zijn de rijk versierde panelen (Maria, de profeten) en misericorden (fabeldieren, menselijke figuren). Bezienswaardig is ook het smeedijzeren hek om de doopvont, links van de ingang.

Chapelle des Pénitents Noirs ⓥ – Deze kapel met haar merkwaardige dubbele klokkentorentje werd in de loop van de 17de eeuw gebouwd als oratorium voor de zwarte broeders penitenten. Deze broederschap werd in 1609 opgericht, tengevolge van een geloofsopleving na de roerige periode van de godsdienstoorlogen. De gemeenschap telde zo'n 200 leden en floreerde tot 1789; in 1904 kwam er een einde aan haar bestaan.
De kapel in de vorm van een Grieks kruis is versierd met plafondschilderingen van een kunstenaar uit de streek en heeft een houten altaarstuk met bladgoud uit de 18de eeuw waarop het lijdensverhaal staat afgebeeld. In de sacristie liggen nog 18de-eeuwse priestergewaden, het eerste register van de broederschap, het grote processiekruis, monniksmantels en pelgrimsstokken met religieuze voorstellingen die de boetelingen droegen.

Musée Urbain-Cabrol ⓥ – In een elegant Louis-XV-herenhuis zijn de archeologische, historische en folkloristische verzamelingen van Urbain Cabrol bijeengebracht.
Voor het museum staat een mooie fontein uit de 14de eeuw die haar naam aan het plein heeft gegeven.

★ **Ancienne chartreuse St-Sauveur** ⓥ – *Te bereiken via ③ op de plattegrond.* Dit voormalige kartuizerklooster werd in 1451 gesticht door Vézian-Valette, een rijke koopman uit Villefranche.
Het gebouw werd in acht jaar tijd in zuiver gotische stijl opgetrokken. Tijdens de Franse Revolutie werd het tot staatseigendom verklaard en men was van plan het te slopen toen de gemeente Villefranche, die een ziekenhuis nodig had, het kocht.

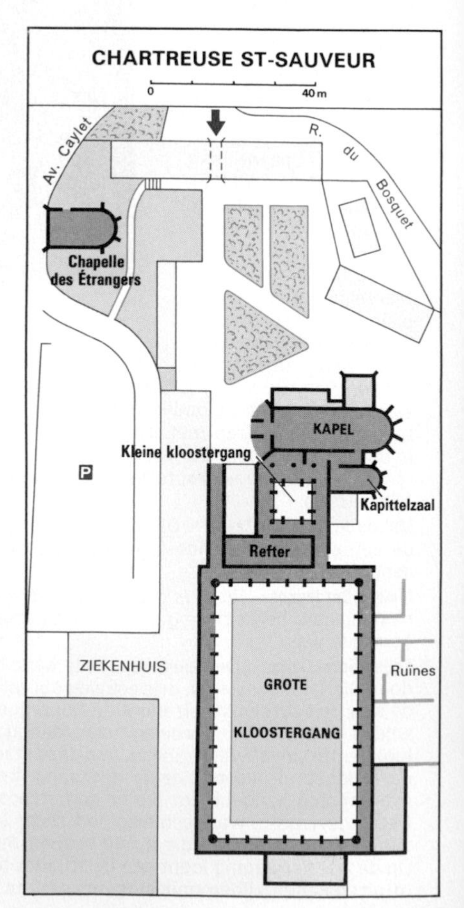

Chapelle des Étrangers – In deze "Kapel van de Vreemdelingen", even buiten het kloosterterrein, kwamen vroeger de bedevaartgangers op weg naar Santiago de Compostela en de gelovigen uit de buurt om de mis te horen. Fraaie stergewelven.

Grote kloostergang – Deze kloostergang is een van de grootste van Frankrijk (66 m x 44 m) en valt op door zijn harmonieuze vormen. Aan weerskanten van de gang stonden vroeger de 13 huizen van de kartuizers. Elk huis had een tuintje en telde vier vertrekken: twee op de benedenverdieping – een houtopslagplaats en een werkplaats – en twee op de bovenverdieping – een huiskapel ("Ave Maria" genoemd) en een slaapkamer.

Kleine kloostergang – De kleine kloostergang is eigenlijk de enige echte in de monachale betekenis van het woord (galerij waarop de gemeenschappelijke ruimten uitkomen).

De door kruisribben overwelfde gang is een waar meesterwerk van de flamboyante gotiek met prachtig bewerkte sluitstenen, sierlijk maaswerk voor de ramen en sluitversieringen bij de gewelfaanzet.
Bij de ingang van de eetzaal staat een fontein die de voetwassing uitbeeldt en de invloed van de Bourgondische school verraadt.

Refter – Volgens de regels van de kloosterorde werd de refter alleen op zon- en feestdagen gebruikt. Het is een grote rechthoekige zaal met drie traveeën met kruisribgewelven. In de muur is een katheder uitgehouwen met een flamboyant versierde balustrade. Kartuizers spreken nooit in de eetzaal; in de loop van het jaar wordt hun in de kerk of tijdens de gezamenlijke maaltijden de bijbel bijna in zijn geheel voorgelezen.

Kapittelzaal – In de kapittelzaal valt het licht naar binnen door 16de-eeuwse glas-in-loodramen die, in het midden, de Aankondiging van Christus' geboorte aan de herders en, aan weerszijden, de stichters van het klooster voorstellen.

Kapel – Deze heeft een ruim portaal en bestaat uit een schip met drie traveeën en een koor met een polygonale absis. Bezienswaardig zijn hier de deur waarvan de vleugels twee kartuizers voorstellen die het wapen van de stichters dragen, de koorbanken uit de tweede helft van de 15de eeuw van de meesterschrijnwerker André Sulpice, het altaar van verguld hout in Louis-XV-stijl en de grafnis in flamboyantstijl waarin de stichter en zijn vrouw rusten.

Vallée de la VIS★

Michelinkaart nr. 80 vouwbladen 15, 16, of 240 vouwbladen 14, 15, 18.

De rivier de Vis ontspringt op 997 m hoogte op de Col des Tempêtes, in het Lingas-gebergte, op de zuidhelling van het Massif de l'Aigoual.
Aanvankelijk is het een bergstroom die langs de granieten hellingen naar beneden loopt; bij Alzon verandert de rivier van aanzien: de Vis loopt dan over de kalkgrond uit het Mesozoïcum en wordt een echte causse-rivier.

VAN ALZON NAAR GANGES

57 km - ongeveer twee uur

Voorbij Alzon loopt de weg naar beneden de vallei in, waarvan de met beuken en naaldbomen begroeide hellingen steeds steiler worden, en steekt de rivier over. Vervolgens ziet men banken van ijzerhoudende kalksteen en resten van terrascultuur. In de vlakke vallei worden de bochten in de Vis steeds wijder. Via de D 133 beneden in de gorge en een brug die de vaak droogvallende Vis oversteekt, bereikt men Vissec.

Vissec – Door de grote droogte en de helwitte stenen heeft deze afgelegen plek een heel bijzonder aanzien. Dit dorp, dat diep in de cañon ligt weggedoken, bestaat uit twee delen die ieder apart op een uitstekende rots liggen. Een van de twee rotsen vormt een soort schiereiland in de Vis. Er is een oud kasteel.

★ **Cirque de Vissec** – Als men over de steile weg (9%) naar Blandas rijdt, heeft men uitzicht op de kale rotswanden van de cañon. Voor liefhebbers van ruige landschappen is het keteldal van Vissec zeker de moeite waard, al is het kleiner dan het keteldal van Navacelles. Pas na de bron van Lafoux, de plek waar de Vis en de Virangue weer boven de grond komen, nadat ze in de buurt van Alzon waren "verdwenen", wordt de rivier breder.
Via de causse loopt de weg naar Blandas.

★★★ **Cirque de Navacelles** – *Zie onder Navacelles.*

Na La Baume-Auriol loopt de weg naar St-Maurice-Navacelles, waar men links afslaat richting Ganges.

Verderop volgt een steile afdaling met vele haarspeldbochten, via de Rau de Fontenilles, naar de cañon van de Vis. Aan het begin van deze afdaling naar Madières is het uitzicht mooi.

★★ **Gorges de la Vis** – Voorbij Madières loopt de weg langs kwekerijen met vooral coniferen, en vervolgens dicht langs de nog steeds schilderachtige rivier, die een scheiding vormt tussen de hoge rotswanden van de Causse de Blandas links en de hellingen van de Montagne de la Séranne rechts. Voorbij het boswachtershuis van Grenouillet verschijnen enkele wijngaarden zowel als moerbei- en olijfbomen. Voorbij Claux ziet men recht voor zich de ruïnes van het kasteel van Castelas, dat aan het einde van het ravijn tegen de rostwand aangeplakt lijkt.
Voorbij Gorniès steekt de brug de Vis over. Daar heeft men een mooi uitzicht op het schilderachtige dorpje **Beauquiniès**, waar de huizen terrasgewijs boven elkaar zijn gebouwd, en op de **Roc de Senescal** die op de linkeroever naar voren steekt. De vallei wordt woest en smal en komt tenslotte uit in de Gorges de l'Hérault, waarvan men de oevers blijft volgen tot aan Le Pont en Ganges.

Praktische inlichtingen

Pichon/PRESSE SPORTS

Wetenswaardigheden

VOOR HET VERTREK

Toeristische inlichtingen

Deze zijn verkrijgbaar bij:

Het Franse Verkeersbureau (Maison de la France),

- Prinsengracht 670, 1017 Amsterdam, fax (020) 620 33 39 (geen telefonische informatie).
- Gulden Vlieslaan 21, 1060 Brussel, ☎ (02) 513 58 86.

ANWB-kantoren - Hoofdkantoor: Wassenaarseweg 220, 2596 EC Den Haag, ☎ (070) 314 71 47.

Regionale of departementale toeristische comités - In de alfabetische inhoudsopgave achter in de gids staan de plaatsen die in deze gids zijn beschreven. De naam van het departement waarin de plaats ligt, staat er cursief gedrukt achter.

Comités Régionaux du Tourisme:

Languedoc Roussillon: 20, rue de la République, 34000 Montpellier, ☎ 67 22 81 00. Op hetzelfde adres bevindt zich het Maison de la Lozère, 67 66 36 10.

Midi-Pyrénées: 54, boulevard de l'Embouchure, 31022 Toulouse. ☎ 61 13 55 55.
Comités départementaux du Tourisme:

Ariège: 31bis, avenue du Général De Gaulle, B.P. 143, 09004 Foix Cedex, ☎ 61 02 30 70.

Aude: 57, rue d'Alsace, 11000 Carcassonne. ☎ 68 11 42 00.

Aveyron: 33, avenue Victor-Hugo, 12000 Rodez. ☎ 65 73 63 15.

Gard: 3, place des Arènes, BP 122, 30010 Nîmes Cedex. ☎ 66 21 02 51.

Haute-Garonne: 14, rue Bayard - 31000 Toulouse. ☎ 61 99 44 00.

Hérault: avenue des Moulins, BP 3067, 34034 Montpellier Cedex. ☎ 67 84 71 70.

Lozère: 14, boulevard Henri-Bourrillon, B.P. 4, 48001 Mende Cedex. ☎ 66 65 60 00.

Pyrénées-Orientales: 7, quai De-Lattre-de-Tassigny, B.P. 540 - 66005 Perpignan Cedex. ☎ 68 34 29 94.

Tarn: Moulins Albigeois, 41, rue Porta, 81013 Albi Cedex 09. ☎ 63 77 32 10.

Tarn-et-Garonne: 2, boulevard Midi-Pyrénées, 82000 Montauban. ☎ 63 63 31 40.

Informatie voor gehandicapten

Een aantal van de in deze gids beschreven bezienswaardigheden is toegankelijk voor gehandicapten. In het hoofdstuk Openingstijden en toegangsprijzen achter in de gids staat bij deze bezienswaardigheden het teken ♿. In de brochure "Reiswijzer voor gehandicapten", die bij de ANWB-kantoren verkrijgbaar is, staat ook veel nuttige informatie.
Voor nadere inlichtingen kunt u ook contact opnemen met de Direction des Musées de France, service Accueil des Publics Spécifiques, 6, rue des Pyramides, 75041 Paris Cedex 01, ☎ (1) 40 15 35 88.
In de Rode Michelingids France wordt aangeduid of de hotelkamers toegankelijk zijn voor lichamelijk gehandicapten; de Michelingids Camping Caravaning France vermeldt de aanwezigheid van sanitaire installaties voor gehandicapten.

Valuta

Begin 1996 kwam 100 NLG overeen met ongeveer 325 FRF en 1 000 BEF met ongeveer 167 FRF.

Telefoneren naar Frankrijk

Om vanuit Nederland of België naar Frankrijk te bellen: 00 33 + het abonneenummer.

LET OP: op 18 oktober 1996 wordt in Frankrijk de nieuwe nummering ingevoerd - Alle abonnees krijgen in totaal tien nummers. In de departementen Aude, Gard, Hérault, Lozère en Pyrénées-Orientales wordt 04 voor het oude nummer gezet. In de departementen Ariège, Aveyron, Haute-Garonne, Tarn en Tarn-et-Garonne komt voor het oude nummer 05. Wie uit het buitenland belt, moet de eerste 0 van het abonneenummer weglaten.
Om vanuit Nederland of België naar Andorra te bellen: 00 376 + het abonneenummer met een 8 ervoor.

REIZEN NAAR FRANKRIJK

Met de auto – Automobilisten die naar de in deze gids beschreven streken willen rijden, kunnen kiezen uit een aantal grote reisroutes. Raadpleeg de Michelinkaarten 407 (Benelux) en 989 (Frankrijk) voor het uitstippelen van uw reisroute. Frankrijk telt een groot aantal autosnelwegen waar tol geheven wordt, iets waar rekening mee moet worden gehouden bij het bepalen van een vakantiebudget.

Met de trein – Er bestaat een (nacht)treinverbinding tussen Amsterdam, Den Haag, Rotterdam, Roosendaal, Brussel-Zuid (overstappen), Mons, Toulouse, Narbonne Perpignan, Argelès-sur-Mer, Collioure, Port-Vendres en Cerbère. Verder rijden er het hele jaar door autoslaaptreinen van 's-Hertogenbosch via Avignon naar Narbonne; in het toeristenseizoen is er ook een autoslaaptrein uit 's-Hertogenbosch die via Brive naar Toulouse en Narbonne rijdt. Vanuit Schaarbeek (Brussel) vertrekken ook autoslaaptreinen naar Zuid-Frankrijk: via Avignon naar Narbonne.

Met het vliegtuig – De KLM onderhoudt rechtstreekse vluchten Amsterdam – Toulouse, terwijl Sabena vanuit Brussel rechtstreeks naar Bordeaux en naar Marseille vliegt. Voor nadere inlichtingen contact opnemen met de KLM, Sabena of Air France.

Douaneformaliteiten

Identiteitspapieren – Men dient in het bezit te zijn van een geldig paspoort, een geldige toeristenkaart of een geldige Europese identiteitskaart.

Documenten voor de auto – Een geldig rijbewijs en een geldige groene kaart. Aanhangwagens en caravans dienen verzekerd te zijn en bijgeschreven op de groene kaart. Belgen dienen voor een aanhangwagen een grijze kaart te bezitten.

Huisdieren – Voor honden en katten dient een gezondheidsverklaring en een geldig bewijs van inenting tegen hondsdolheid meegenomen te worden. Informeer tijdig bij uw dierenarts naar de termijnen voor inenting.

Medische hulpverlening – Nederlandse toeristen die lid zijn van een ziekenfonds wordt aangeraden hun ziekenfondskaart mee te nemen.
Belgen doen er verstandig aan voor hun vertrek bij het ziekenfonds een E111-formulier te halen.

IN FRANKRIJK

Feestdagen

1 januari, eerste en tweede paasdag, hemelvaartsdag, 1 mei en 8 mei, eerste en tweede pinksterdag, 14 juli, 15 augustus, 1 en 11 november en 25 december.

Geldzaken en post

Banken – Deze zijn meestal geopend van 9 u. tot 12 u. en van 14 u. tot 16 u. Zij zijn gesloten op zaterdag of op maandag afhankelijk van de plaatselijke marktdag. Op werkdagen die voorafgaan aan een feestdag sluiten de banken om 12 u.

Creditcards en eurocheques – Mocht u uw creditcard of Eurochèques verliezen, dan dient u zo snel mogelijk melding te doen bij de volgende alarmnummers:
Verlies van eurocheques: Nederlanders ☎ 19/31 60 313; Belgen ☎ 19/32 70 344 344.
Verlies van girobetaalkaarten: ☎ 19/31 58 95 80 05.
Verlies van American Express Card: Nederlanders ☎ 19/31 206 42 44 88; Belgen ☎ 19/32 2 676 21 21.
Verlies van Visa Card: ☎ 19/31 206 60 06 11; Belgen ☎ 19/32 70 344 344.
Verder moet aangifte worden gedaan bij de plaatselijke politie.

Postkantoren – Deze zijn geopend van maandag t/m vrijdag van 9 u. tot 18 u. (17.30 u. in de kleine steden) en op zaterdag van 9 u. tot 12 u.

Telefoneren

Om vanuit Frankrijk naar Nederland te bellen: 19 31 + het netnummer zonder de eerste 0 en daarna het abonneenummer. Om vanuit Frankrijk naar België te bellen: 19 32 + het netnummer zonder de eerste 0 en daarna het abonneenummer.
LET OP: op 18 oktober 1996 wordt in Frankrijk de nieuwe nummering ingevoerd en wordt het nummer 19 (zoals hierboven vermeld) vervangen door 00.
Telefoonkaarten (télécartes van 50 of van 120 eenheden) zijn verkrijgbaar op het postkantoor.

Enkele nuttige telefoonnummers **(let op: deze nummers veranderen in oktober 1996):**
15: Medische noodhulp
17: Politie
18: Brandweer

Apotheken

Apotheken zijn herkenbaar aan het groene kruis aan de buitengevel.

Winkels

Deze zijn over het algemeen open van dinsdag t/m zaterdag van 9 u. tot 12 u. en van 14 u. tot 19 u. Levensmiddelenwinkels zijn vaak op zondagochtend open en sommige bakkers zijn de hele zondag open.

Autorijden

Wegenkaarten – Gebruik voor een overzicht van heel Frankrijk **Michelinkaart** nummer 989, schaal 1: 1 000 000, en voor een overzicht van Zuid-Frankrijk Michelinkaart nummer 919, op dezelfde schaal. De streken die in deze gids zijn beschreven, worden door Michelin ook in kaart gebracht op een schaal van 1: 200 000: de streekkaarten nummers 235, 239 en 240 en de detailkaarten nummers 76, 79, 80, 82, 83 en 86.
Op Michelinkaart nummer 910 (schaal 1: 2 200 000) zijn de Franse departementen in kaart gebracht.

Brandstof – Loodvrije benzine 95 octaan = Euro sans plomb, of super sans plomb 95.
Loodvrije benzine 98 octaan = Super plus of super sans plomb 98.
Gelode superbenzine = Essence super
Diesel = diesel
LPG = GPL

Maximumsnelheden – De volgende snelheidsbeperkingen moeten in acht worden genomen:
autosnelwegen 130 km/u (110 km/u op nat wegdek; d.w.z. bij gebruik van ruitenwissers)
wegen met gescheiden rijbanen 110 km/u (100 km/u op nat wegdek)
andere wegen 90 km/u (80 km/u op nat wegdek)
in de bebouwde kom 50 km/u

Veiligheidsgordels – Het dragen daarvan is verplicht, zowel voorin als achterin. Kinderen onder 10 jaar moeten achterin vervoerd worden.

Pech onderweg of ongevallen – Frankrijk heeft geen dienst die te vergelijken is met de Nederlandse Wegenwacht of de Belgische Touring Wegenhulp. Voor hulp van een garage (dépanneur) kan de politie ingeschakeld worden. Op snelwegen kan dit via de praatpalen, op andere wegen via telefoonnummer 17. Nederlanders die lid zijn van de ANWB doen er verstandig aan om voor het vertrek inlichtingen in te winnen over de mogelijkheden die de IRK-credietcoupons en de IRK Credit Card bieden. In geval van problemen kan het hele jaar door, dag en nacht, contact worden opgenomen met het ANWB-steunpunt in Lyon:
Royal Touring Club des Pays-Bas, Centre Touristique
"Porte de Lyon", 69570 Dardilly
☎ 72 17 12 12 (na 18 oktober voor dit nummer 04 draaien of intoetsen).
Ook de ANWB-Alarmcentrale kan hulp bieden: ☎ 19 31-70 314 14 14.
Leden van Touring Assistance kunnen in Frankrijk terecht op telefoonnummer 05 089 222, in België op telefoonnummer 19 32-2 233 23 45. Het alarmnummer van de KACB is 19 32-2 287 09 00, dat van de VTB-VAB 19 32-2 253 65 65.

Ambassades en consulaten

Toeristen die in ernstige moeilijkheden geraken, kunnen zich wenden tot:

De Nederlandse Ambassade
7, rue Eblé, 75007 **Paris**
☎ 40.62.33.00 (fax 40.62.34.62)

Nederlandse Consulaten
32, Grand'Rue Jean Moulin, BP 3100, 34034 **Montpellier** Cedex
☎ 67.60.90.20

23-bis, rue Rempart Villeneuve, 66000 **Perpignan**
☎ 68.35.23.53

54-bis, rue Alsace Lorraine, 31000 **Toulouse**
☎ 61.13.64.94

De Belgische Ambassade
9, rue de Tilsit, 75840 **Paris** Cedex 17
☎ 44.09.39.39

Belgisch Consulaat
24, rue Childebert, 69002 **Lyon**
☎ 78.42.54.87

Help ons met het voortdurend en nauwkeurig bijwerken van deze Michelingids

Zend ons uw opmerkingen en suggesties.

Michelin
Willebroekkaai 33
1000 Brussel.

Logies

De keuze van een verblijfplaats

Op de kaart op blz. 9 en 10 vindt u een selectie verblijfplaatsen die uitgekozen zijn wegens hun hotelaccommodatie, hun ligging en de ontspanningsmogelijkheden die zij bieden.
Op deze kaart staan de steden voor een etappe, plaatsen die wat groter zijn en goede overnachtingsmogelijkheden bieden; een bezoek aan deze steden is aan te bevelen. Behalve de badplaatsen, de wintersportplaatsen en de kuuroorden zijn ook de andere verblijfplaatsen met goede overnachtingsmogelijkheden en een gunstige ligging aangegeven.
Montpellier en Toulouse zijn goede voorbeelden van **weekendbestemmingen**, omdat het gezellige steden zijn die veel te bieden hebben op het gebied van kunst en cultuur.

De Rode Michelingids France

Deze gids wordt ieder jaar bijgewerkt en biedt een ruime keuze hotels die ter plaatse door de inspecteurs van Michelin zijn uitgezocht. Tot de informatie die u in de gids kunt vinden, behoren het geboden comfort, de prijzen van het lopende jaar, de creditcards die geaccepteerd worden en het telefoon- en faxnummer voor een reservering. Het teken 🪑 signaleert rustig gelegen hotels.
In de gids staat ook een ruime keuze restaurants; niet alleen de zogenaamde sterrenrestaurants maar ook eenvoudiger eetgelegenheden waar streekgerechten worden geserveerd, worden vermeld. Als het woord "Repas" rood gedrukt is, duidt dit op een verzorgde maaltijd voor een schappelijke prijs. Het is de moeite waard eens te gaan eten in deze restaurants.

De Michelingids Camping Caravaning France

Deze gids biedt een selectie van kampeerterreinen, die jaarlijks wordt bijgewerkt. Bij elk terrein staat vermeld welk comfort u er kunt vinden, hoe het terrein gelegen is, hoeveel plaatsen er zijn en wat het telefoon- en het faxnummer zijn voor reservering. Speciale tekens duiden erop of de mogelijkheid bestaat om een caravan, een mobilhome, bungalow of chalet te huren.

Bent u op doorreis in Parijs?

Ga dan eens langs bij La Boutique MICHELIN, 32 avenue de l'Opéra, 75002 Paris. Behalve alle Michelinkaarten en -gidsen vindt u er heel veel interessante informatie over de geschiedenis van het bedrijf Michelin, over de banden en Bibendum, het bekende Michelinmannetje. La Boutique MICHELIN is open op maandag van 12 u. tot 19 u. en van dinsdag tot en met zaterdag van 10 u. tot 19 u.

Thema's en routes

Parc national des Cévennes

Het ontvangst- en informatiecentrum, dat is ondergebracht in het Château de Florac (B.P. 15, 48400 Florac, ☎ 66 49 53 01), is het hele jaar geopend. De andere centra (schema, zie Inleiding, Streken en landschappen) zijn slechts gedurende een bepaalde periode geopend.

Documentatie – I.G.N.-kaarten schaal 1: 100 000 van het Parc national des Cévennes en schaal 1: 25 000 (serie TOP 25); de topo-guides van de Sentiers de Grande Randonnée, de lange-afstandswandelpaden die dwars door de streek lopen, de toeristische gids "Parc national des Cévennes"; talloze andere publicaties over het natuurlijke en culturele erfgoed van de streek.

Parc naturel régional du Haut Languedoc

Kantooradres: B.P. 9, 13 rue du Cloître, 34220 St-Pons-de-Thomières, ☎ 67 97 38 22. Het openluchtmuseum van Mons-la-Trivalle biedt diverse stages voor beginners en gevorderden.

Parc naturel régional des Grands Causses

Kantooradres: 38 boulevard de l'Ayolle, B.P. 145, 1201 Millau Cedex, ☎ 65 59 59 09.

Historische routes

Deze routes zijn toegespitst op het architecturale erfgoed, dat in zijn historische context wordt geplaatst. Van elk van deze routes is een brochure verkrijgbaar bij de Offices de Tourisme of de Caisse Nationale des Monuments Historiques et des Sites (CNMHS), 62 rue St-Antoine, 75004 Paris, ☎ (1) 44 61 21 50/51.
Negen historische routes doorkruisen de in deze gids beschreven streken: de **Route du Gévaudan au Golfe du Lion**, de **Route Gaston Fébus**, de **Route des Comtes de Toulouse**, de **Route du Pastel au pays de cocagne**, de **Route Historique en Terre catalane**, de **Route de l'Homme de Tautavel à Picasso**, de **Route Vauban**, de **Route de la Catalogne romane** en de **Via Domitia**.
Bij het CNMHS is bovendien een "laissez-passer" verkrijgbaar, een paspoort dat gratis toegang verleent tot ruim 100 monumenten die door deze instelling worden beheerd, en tot de tentoonstellingen die in deze monumenten worden georganiseerd. Dit laissez-passer is in heel Frankrijk een jaar (vanaf de aankoopdatum) geldig. Men kan het bij de betreffende monumenten ter plaatse aanschaffen. De prijs bedraagt 280F (1996).

Andere routes

In Catalonië organiseert het Centre d'Art sacré d'Ille-sur-Têt voor groepen van minimaal 10 personen "barokroutes" (itinéraires baroques). Hierbij gaat het om de bezichtiging van kerken die een grote artistieke waarde hebben *(voor gegevens, zie onder Ille-sur-Têt in het hoofdstuk Openingstijden en toegangsprijzen).*
In het departement Aude is een route langs de katharenkastelen uitgezet en in de Pyrénées-Orientales kan men genieten van de vele historische en archeologische bezienswaardigheden in de Vallée de la Rome.

Wijnkelders

In de wijnstreken de Roussillon en de Corbières zijn wijnroutes uitgezet en worden vanaf carnavalstijd tot Sint-Maarten velerlei evenementen georganiseerd. De Fédération des Interprofessionnels des vins du Roussillon (9 Cours Mirabeau, 11000 Narbonne, ☎ 68 90 38 30) en het Maison des Terroirs en Corbières (RN 113, 11201 Lézignan, ☎ 68 27 04 34) geven hierover allerlei informatie.

Toeristentreintjes

Een tocht met deze treintjes voert langs ongekend natuurschoon. Men krijgt een compleet ander beeld van het landschap in de Cevennen en het dal van de Orb. De treintjes rijden tussen Anduze en St-Jean-du-Gard (Train à vapeur des Cévennes) en tussen Bédarieux en Mons-la-Trivalle (Train touristique de la Vallée de l'Orb).

Enkele tradities

Stierengevechten

In de Languedoc, die vlak bij de Camargue ligt, worden in talloze steden stierengevechten georganiseerd. De corrida's in Béziers, waar de namen van de beroemdste torero's prijken, trekken horden liefhebbers. De stierenrennen en de courses à la cocarde die overal elders worden gehouden, doen hier echter niet voor onder.
Inlichtingen over plaatsen en data van deze evenementen zijn verkrijgbaar bij de Syndicats d'Initiative en de Offices de Tourisme.

De sardana, een Catalaanse dans

De sardana, een reidans met een afwisselend snel en langzaam ritme, is waarschijnlijk de meest uitgesproken traditie van het Catalaanse land. Eraan ten grondslag ligt de cobla, een heel bijzonder ensemble waarin twaalf landelijke instrumenten spelen, zoals **tenores, primes, fiscorns,** schuiftrompetten, een trombone, een contrabas, een **flaviol** en een tamboerijn. Deze instrumenten zijn in staat een heel scala aan gevoelens uit te drukken, van de grootste vertedering tot de hevigste passie.

Rugby

Deze sport, die in het begin van deze eeuw werd geïntroduceerd, is een grote rol gaan spelen langs de hele bergketen van de Pyreneeën.
De ovale bal brengt de gemoederen flink in beroering in deze streek van Zuid-Frankrijk, zowel het klassieke rugby met vijftien spelers als het zogenaamde Jeu à XIII, een variant met dertien spelers. Elke stad, elk dorp heeft z'n eigen team. Alleen al in Béziers zijn drie rugbyscholen gevestigd. Als lid van de Sporting Club Mazamétain speelde Lucien Mias in zo'n dertig internationale wedstrijden.
Van oktober tot en met mei krijgt elke zondagse ontmoeting de allure van een heldendicht, dat vaak met veel esprit wordt verteld. Het lokale team staat dan in het middelpunt van de belangstelling en er lijkt geen einde te komen aan de discussies, die voortdurend worden aangewakkerd door de subtiele spelregels en de beslissingen van de scheidsrechter.

Dumas/IMAGES PHOTOTHÈQUE

Rugbywedstrijd tussen Narbonne en Toulon.

Eten en drinken

De plaatselijke producten

Cevennen en Languedoc – In deze streken wordt veel gekookt met knoflook en olijfolie; aan deze basisproducten worden soms truffels toegevoegd die aan de voet van steeneiken op de hellingen van de Hérault en de Gard worden gevonden.
Het wild krijgt een heerlijke smaak doordat het zich te goed doet aan kruiden, jeneverbes en tijm. Het schapenvlees van de dieren die op de causses hebben gegraasd, is verrukkelijk van smaak. Er zijn nauwelijks nog rivierkreeften te vinden in de beken, en ze staan nog maar zelden op de kaart van de restaurants in de vorm van kreeftensoep, gegratineerd, in bladerdeeg of gewoon gekookt. Het heldere en schone rivierwater is heel geschikt voor forellen.
In het zuiden maken de wijnboeren nog hun ouillade, een soep met kool en bonen, die in twee pannen worden gekookt en pas op het laatste moment bij elkaar worden gedaan.
De tonijnvissers van Palavas ontdoen de tonijn op zee van hun ingewanden. Die worden gekookt in witte wijn met aromatische kruiden en een flinke scheut zeewater. In de burons van de Aubrac (zie de Inleiding) wordt op basis van rauwe en volle koeienmelk de Froume de Laguiole of kortweg de Laguiole gefabriceerd. Dit is een geperste, harde en rauwe kaassoort met een dikke, bruine korst. Het woord "fourme" is afgeleid van "forme", een vorm van dun hout waarin de kaas wordt bewaard. Ook de woorden "formage" en vervolgens "fromage" stammen hiervan af. Behalve de Laguiole worden in de Aveyron nog twee kazen geproduceerd, die beide de aanduiding Appellation d'Origine Contrôlée voeren: de Bleu des Causses, een niet geperste, rauwmelkse schimmelkaas van volle koeienmelk, en de vermaarde Roquefort die gemaakt wordt van schapenmelk.

Drie soorten cassoulet – Er bestaat cassoulet uit Castelnaudary (de "enige echte"), uit Toulouse en uit Carcassonne. Cassoulet is een stoofpot op basis van witte bonen waaraan stukjes ganzen- of eendenvlees en stukjes droge worst worden toegevoegd. De keus van de ingrediënten is heel belangrijk. De witte bonen of mongettes die in de Lauragais in de buurt van Castelnaudary worden verbouwd, zijn van een stevige, lange en sappige soort met een dun vliesje, waardoor het aroma van de andere ingrediënten, zoals confit d'oie of de canard (ganzen- of eendenbouten die in hun eigen vet zijn ingelegd) en stukken boerenworst uit Toulouse goed kan intrekken.
Het gerecht moet zachtjes sudderen in een pot van gebakken klei (een cassolo of toupin), waarin de verfijnde geuren en smaken goed op elkaar kunnen inwerken.

De Catalaanse keuken – In deze keuken zijn de mediterrane invloeden goed merkbaar; er wordt o.a. veel gebruik gemaakt van olie, aïoli (in het Catalaans ail y oli, een soort knoflookmayonaise) en anchoïade (el pa y all, een mengsel van olie, ansjovis en kruiden).

Bouillinade – Deze plaatselijke variant op de bouillabaisse (vissoep) en een gerecht van kreeft, klaargemaakt met wijn uit Banyuls, gaan bijzonder goed samen met de ansjovis uit Collioure. De droge wijn uit Banyuls is zeer geschikt om in gerechten te verwerken, en de zoete leent zich uitstekend voor de bereiding van nagerechten en fruitsalades. In de Aspres eet men de **escalade**, een soep die met tijm, knoflook, olie en eieren op smaak wordt gebracht.
Een gerecht van in olie gebakken boleten met een olijvensaus past erg goed bij wild (patrijs en haas). Catalaanse vleeswaren hebben een heel eigen karakter; zo is er bloedworst (boutifare), worst gemaakt van varkenslever, en vooral ham en harde worst uit de bergen van de Cerdagne.
Cargolade, een gerecht van gegrilde segrijnslakken uit de garrigues op een bedje van wijnranken werd vroeger genuttigd tijdens de maaltijden die in de openlucht plaatsvonden nadat men zijn religieuze verplichtingen was nagekomen.

De wijnen

Wijn uit Gaillac – De wijngaarden van Gaillac strekken zich ten westen van Albi uit op de hellingen die het predikaat Appellation d'Origine Contrôlée hebben gekregen.

De Blanquette de Limoux – De Mauzac en de Clairette, druivensoorten die op de hellingen van de Limouxin rijpen, geven een mousserende en sprankelende wijn die zeer in trek is vanwege zijn uitstekende kwaliteit.

De wijnen uit de Roussillon en de Corbières – De wijngaarden van de Roussillon produceren zoete kwaliteitswijnen met een natuurlijk hoog suikergehalte, die het predikaat **Côtes du Roussillon** en **Côtes du Roussillon Village** mogen voeren; uit dit gebied komen ook volle en pittige landwijnen.
De van nature zoete wijnen uit deze streken vertegenwoordigen het grootste deel van de totale Franse productie in deze categorie. De edele druivensoorten die hiervoor worden gebruikt, o.a. de Grenache, de Maccabeu, de Carignan en de Malvoisie verlenen aan deze wijnen hun bouquet en hun volle smaak.

Door de temperatuur en de juiste ligging op de zon wordt een volmaakte graad van rijpheid bereikt en hebben de druiven een zeer hoog natuurlijk suikergehalte. De meest bekende wijnen zijn de **Banyuls**, de **Maury**, de **Muscat de Rivesaltes** en de **Rivesaltes**. De Appellation d'Origine Contrôlée **"Fitou"** is voorbehouden aan een rode wijn uit de Corbières. Het alcoholgehalte mag niet lager zijn dan 12%, de opbrengst per hectare niet hoger dan 30 hectoliter, en de wijn moet minimaal negen maanden rijpen in de kelders. De Fitou-wijnen, gemaakt van geselecteerde druivensoorten, zijn vol en krachtig.
Het gebied waarvoor de Appellation d'Origine Contrôlée **"Corbières"** geldt, ligt verspreid over elf stukken grond, zodat een groot aantal wijnen wordt geproduceerd, ieder met zijn eigen specifieke smaak. Behalve fijne rode wijnen met een mooi bouquet, komen hier ook fruitige roséwijnen en een enkele droge witte wijn vandaan.

Coteaux du Languedoc – In de Languedoc, Frankrijks meest productieve streek van land- en tafelwijnen, legt men zich voortdurend toe op de verbetering van de druivesoorten en de combinaties ervan. Hierdoor blijft het aantal appellations groeien.
De diverse bodemsoorten die de streek rijk is (schistlagen en kiezelterrassen met rode klei) en het Middellandse-Zeeklimaat spelen hierbij een belangrijke rol.
De aanduiding **Coteaux du Languedoc**, die in 1985 een Appellation d'Origine Contrôlée (A.O.C.) werd, betreft rode en witte wijnen en rosés die alle worden geproduceerd in de departementen Hérault, Gard en Aude. Hiertoe behoren niet de Faugères en St-Chinian, die met hun koppige en krachtige wijnen een eigen appellation voeren.
De aanduiding A.O.C. wordt gekoppeld aan namen van bijzondere wijnen: voor de rode wijnen en de rosés zijn dit Cabrières, La Clape, La Méjanelle, Montpeyroux, Pic-St-Loup, Quatourze, St-Christol, St-Drézéry, St-Georges d'Orques, St-Saturnin en Vérrargues; voor de witte wijnen zijn dit La Calpe en Picpoul-de-Pinet, die in eikenhouten vaten worden gerijpt en uitstekend smaken bij de oesters uit de Étang de Thau. De carignan is de bealngrijkste druivensoort.
Het wijngebied de Cabrières produceert de **Clarette du Languedoc**, een droge witte wijn van de Clairette-druif, die een Appellation d'Origine Contrôlée voert.
De **Vins du Pays**, de zogenaamde landwijnen, worden verkocht onder de naam Vins de Pays d'Oc of Vins de Pays gevolgd door de naam van het departement van herkomst.
Ook genoemd dienen te worden de vins doux naturels, de zoete dessertwijnen waartoe de muskaatwijnen uit Frontignan, Mireval en Lunel behoren.

Minervois – De wijngaarden van de Minervois (A.O.C.) strekken zich uit op de terrassen die tegen de Montagne Noire aanliggen en geleidelijk aflopen naar de Aude. Ze zijn vooral bekend om de fruitige en evenwichtige rode wijnen met een fraaie, helderrode kleur. Op de hoger gelegen kalkgronden in het noordwesten ligt het wijngebied St-Jean-de-Minervois, dat een bijzonder aromatische muskaatwijn voortbrengt.

De wijngaarden in de Aveyron – De wijngaarden van de Aveyron, een wijnstreek die vroeger zeer welvarend was dankzij het werk van de monniken van Conques, liggen op steile hellingen in een bergachtig landschap. De rode wijnen uit **Marcillac** (A.O.C.) zijn koppig en smaken licht naar frambozen. Ze zijn uitstekend te drinken bij de tripoux rouerguats, een typisch streekgerecht van ingewanden met varkenspoot.

Wijngaarden in de omgeving van Félines-Minervois.

De rode wijnen uit **Entraygues** en **Fel** (V.D.Q.S.) zijn charmante, fruitige wijnen. De witte wijnen zijn fijn van smaak en licht. In het dal van de Lot liggen op de hellingen, tot op een hoogte van 450 m, de wijngaarden van **Estaing** (V.D.Q.S.), die geraffineerde, rode wijnen met een vol bouquet voortbrengen en aangename, droge witte wijnen. In het dal van de Tarn; tussen Peyreleau en Broquiès, liggen de heuvels goed beschermd tegen de koude wind. Hier bevindt zich het wijngebied **Côtes de Millau** (V.D.Q.S.), waar voornamelijk rode wijnen en rosés worden geproduceerd. De **Cerno** is een lokale aperitief op basis van wijn van de Côtes de Millau en plantenextracten.

Lexicon

Aigo bouillido – Knoflooksoep met aromatische kruiden, eieren en croûtons.

Alicuit – Ragout van kippenpootjes en -vleugels.

Aligot – *Zie het recept verderop.*

Amellonades – Amandelbroodje.

Bougnette – Varkensworst.

Bourride – Ragout van vis en kruiden.

Cabassols – Een gerecht van lamspens, -hart, -lever en -nieren.

Cabecou – Geitenkaas.

Estofinado – *Zie het recept hieronder.*

Flaunes – Soesjes gevuld met schapenkaas.

Fouace – Zoet broodje met engelwortel gearomatiseerd.

Gâtis – Kaasbroodje.

Grisettes – Dropjes met honing.

Nene – Koekjes met anijszaad.

Oreillettes – In olijfolie gefrituurde koekjes met sinaasappelsmaak, die vooral met Driekoningen en Vastenavond worden gegeten.

Pélardon – Geitenkaas.

Petits patés de Pézenas – Pasteitjes gevuld met gehakt.

Picoussel – Zachte koek van boekweitmeel met verse kruiden en pruimen.

Soleil – Een gele taart in de vorm van de zon, met gedroogde amandelen en oranjebloesemwater.

Tielle – Tomaat gevuld met stukjes verschillende soorten inktvis en in deeg gewikkeld.

Trénels – Schapenpens gevuld met ham, knoflook, peterselie en eieren.

Enkele recepten van streekgerechten
(voor vier personen)

Aligot – Dit smakelijke gerecht, op basis van tomme (kaas), wordt bereid in de Aubrac en de Rouergue. Maak eerst een aardappelpuree (ongeveer 600 g). In een gietijzeren pan, op hoog vuur, 150 g boter en 150 g room laten smelten. Vervolgens de aardappelpuree daarin opwarmen en dan in één keer 400 g verse tomme uit Laguiole of in dunne plakjes gesneden cantal toevoegen. Met een pollepel blijven roeren en af en toe een mespuntje fijngestampte knoflook toevoegen (de binnenkant van de pan kan ook vooraf met een teentje knoflook worden ingewreven). Steeds in dezelfde richting blijven roeren om de draad van de kaas niet te breken. Als de smeuïge massa niet meer aan de wand van de pan vastkleeft, is het gerecht klaar.

Estofinade – Dit gerecht wordt met stokvis (gedroogde kabeljauw uit Noorwegen) bereid en is een typisch hoofdgerecht uit de streek rond Villefranche-de-Rouergue. Een stokvis van 2 kg in stukjes snijden en vier dagen laten weken in water dat dagelijks wordt ververst. De vis een goed kwartier laten koken. In het kooknat een pond aardappelen koken; die men vervolgens fijngemaakt in een pan doet. Daar bovenop de vis leggen nadat men de graten heeft verwijderd. Toevoegen: knoflook, gehakte peterselie, zout, peper, 5 rauwe eieren en 5 in plakjes gesneden hardgekookte eieren. In een koekenpan 350 g notenolie heet maken. Dit over het mengsel gieten en doorroeren terwijl men 1 dl melk en het sap van een citroen toevoegt. Heet opdienen.

Bourride sétoise – Een mengsel maken van gehakte uien, fijngestampte knoflook, gepelde en ontpitte tomaten, tijm, saffraan, zout, peper, 1 dl olie, 1/4 liter witte wijn en 1,5 dl water. Dit mengsel in een pan aan de kook brengen en 20 minuten laten doorkoken. Stukjes zeeduivel toevoegen. Dit alles nog een kwartier laten koken, de vis laten uitlekken en warm houden.
De bouillon zeven en opnieuw aan de kook brengen. Een aïoli (knoflook-mayonaise) maken en een deel ervan mengen met 2 eierdooiers en wat bouillon. Dit alles al roerend bij de rest van de bouillon doen. Serveren met gebakken croûtons of sneetjes geroosterd brood.

Sport en ontspanning

Nuttige adressen

Voor degenen die tijdens hun verblijf in Frankrijk een sport willen beoefenen, volgen hieronder enkele adressen waar zij nadere inlichtingen kunnen krijgen.

Watersport

Pleziervaart (Middellandse-Zeekust) - Jachthavens: Association des Ports de Plaisance du Languedoc-Roussillon, La Capitainerie de la Grand-Motte, ☎ 67 56 50 06.

Zeilsport:

- Ligue Régionale de Voile du Languedoc-Roussillon: Maison des sports, 200, avenue du Père-Soulas, 34094 Montpellier Cedex, ☎ 67 41 78 35.
- Fédération française de Voile, 55, avenue Kléber, 75084 Paris Cedex 16, ☎ 45 53 68 00.
- Comité Départemental de Voile, les Pardalets - 66500 Los Masos, ☎ 68 96 13 93.

B. Henry/MARINA CEDRI

Het Canal du Midi.

Binnenvaart voor toeristen - Wie een zogenaamde house-boat huurt, kan op een originele manier kennis maken met het Canal du Midi, het Canal du Rhône à Sète en het Canal de la Robine. House-boats zijn over het algemeen ingericht om onderdak te bieden aan zes of acht personen.
Voor boten met motorkracht van minder dan 10 pk is geen vaarbewijs nodig.
Het is wel verstandig om voor het vertrek waterkaarten en -gidsen aan te schaffen; deze zijn verkrijgbaar bij:

- Éditions GRAFOCARTE, 125 rue Jean-Jacques Rousseau, 92132 Issy-les-Moulineaux, ☎ (1) 41 09 19 00.
- Éditions du Plaisancier, B.P. 27, 100 avenue du Général-Leclerc, 69300 Caluire, ☎ 78 23 31 14.

Bij het Comité Régional du Tourisme van de streek Languedoc-Roussillon is een folder "Tourisme fluvial" verkrijgbaar met Nederlandstalige gegevens. Zie voor het adres de rubriek Toeristische informatie.

Bootverhuur:

- Locaboat Plaisance, quai du Port-du-Bois, 89300 Joigny. ☎ 86 91 72 72.
- Crown Blue Line, Le Grand Bassin, B.P. 21, 11401 Castelnaudary. ☎ 68 23 17 51.
- Rive de France, 172, boulevard Berthier, 75017 Paris. ☎ 46 22 10 86.
- France Passion Plaisance, B.P. 89, 71600 Paray-le-Monial. ☎ 85 81 73 51.
- "Luc Lines", 20, quai du Canal, 30800 St-Gilles. ☎ 66 87 27 74.
- Camargue Midi Navigation, Base fluviale de Carnon, 34280 Carnon. ☎ 67 68 01 90.

Kanosport - De aanwezigheid van veel rivieren met snelstromend water en het zuidelijke klimaat maken dat er een groeiende belangstelling bestaat voor deze vorm van sport. De Garonne, de Tarn, de Dourbie, de Truyère, de Orb en de Hérault, bergstromen en -meren en ook stuwmeren bieden uitstekende mogelijkheden voor liefhebbers van kano en kajak.

Kanosport.

De **kano** is van Canadese oorsprong. De kanovaarder roeit met een pagaai die uit een enkel blad bestaat. Dit soort boten is geschikt om een tocht met de hele familie te maken; men kan een kanocentrum als vertrekpunt kiezen voor een dagtocht of een rivier afvaren om zo het dal te leren kennen.
De oorsprong van de **kajak** ligt bij de Eskimo's; deze bootjes worden voortbewogen met een pagaai met twee bladen. Meren en benedenstromen van rivieren lenen zich goed voor deze vorm van kanosport.
Sportcentra waar kanosport kan worden beoefend:
- Canoë-kayak Club du canton de Lunel à Boisseron (Hérault, Michelinkaart 83 vouwblad 8).
- M.U.C. Canoë-kayak in Brissac (Hérault, Michelinkaart 83 vouwblad 6, rechts bovenaan)
- Castres Burlats Canoë-kayak (Tarn, Michelinkaart 83 onder aan vouwblad 6)
- Base de Réals in Cessenon-sur-Orb (Hérault, Michelinkaart 83 boven aan vouwblad 14)
- Sporting Club Floracois à Florac (Tarn, Michelinkaart 80 vouwblad 6)
- A.A.G.A.C., sportcentrum (base de loisirs) van Najac (Aveyron, Michelinkaart 79 vouwblad 20)
- Le Merlet in St-Jean-du-Gard (Gard, Michelinkaart 80 vouwblad 17)
- U.C.P.A. Montbrun in Ste-Enimie (Lozère, Michelinkaart 80 vouwblad 5).
- Watersportcentrum (base nautique) du Piolet in Albi (Tarn, Michelinkaart 83 vouwblad 1).
- Watersportcentrum (base nautique) du Saut de Sabo in Arthes (Tarn, Michelinkaart 80 vouwblad 11).
- ASPTT Canoë-kayak in Foix (Ariège, Michelinkaart 86 vouwblad 4).
- Base Eaux Vives in Marquixanes (Pyrénées-Orientales, Michelinkaart 86 vouwblad 18).
- Pyrénées Loisirs Nautisme in Montbel (Ariège, Michelinkaart 86 vouwblad 6).
- Muret Olympique Canoë-kayak in Muret (Haute-Garonne, Michelinkaart 82 vouwblad 17).
- Centre Loisirs-Nature de la Forge in Quillan (Aude, Michelinkaart 86 vouwblad 7).
- Lo Capial in St-Juéry (Tarn, Michelinkaart 83 vouwblad 1).
- Vénerque Eaux-Vives (Haute-Garonne, Michelinkaart 82 vouwblad 18).

Algemene informatie kan verkregen worden bij de Fédération Française de Canoë-Kayak, 87 quai de la Marne, 9340 Joinville-le-Pont, ☎ (1) 45 11 08 50. Deze federatie geeft ook een kaart uit, France canoë-kayak, waarop alle voor kanovaarders begaanbare waterwegen met hun moeilijkheidsgraad zijn aangegeven.
Ook de Ligue Midi-Pyrénées de Canoë-Kayak, Z.A. La Tuilerie, 31810 Venerque, kan inlichtingen verschaffen.

Rafting - Dit is de meest toegankelijke wildwatersport. De platte rubberboten bieden plaats aan 6 of 8 personen die allemaal een pagaai hebben. De stuurman zit achterin en heeft de leiding over de gang van zaken. Het is een makkelijke sport, maar het welslagen van de tocht hangt in grote mate af van de saamhorigheid van de opvarenden... Waterdichte en beschermende kleding wordt door de organisatoren verschaft.

Meschinet/CAMPAGNE CAMPAGNE

Rafting in de Gorges du Tarn.

Sportvisserij (zoet water)

Het koude water van de meren, rivieren en bergstromen die te vinden zijn in de streken die deze gids beschrijft, is aanlokkelijk voor sportvissers. Waar u ook wilt gaan vissen, u bent verplicht de landelijke en plaatselijke restricties te respecteren; om te weten wat u wel of niet mag en hoe u aan een vergunning kunt komen, dient u contact op te nemen met de Offices de tourisme, met de sportvissersverenigingen of met de sportvissersfederaties.
Bij de Conseil Supérieur de la pêche, 134 avenue Malakoff, 75016 Paris, ☎ 45 02 20 20, kan een folder met kaart besteld worden: *Pêche en France* (Vissen in Frankrijk). Deze kaart is ook beschikbaar bij de departementale vissersvereningen (Associations départementales de Pêche et de Pisciculture) in Albi, Carcassonne, Mende, Montpellier, Nîmes, Perpignan, Rodez en Toulouse.
Het **plateau des Bouillouses** telt een twintigtal meren; voor inlichtingen over de vismogelijkheden in deze streek kan men terecht bij het Office de Tourisme in Font-Romeu.

Fietsen

Wie besloten heeft zijn eigen fiets thuis te laten, kan bij de Offices de Tourisme en Syndicats d'initiative lijsten krijgen van adressen van verhuurders.
Op sommige stations (Agde, Béziers, Carcassonne, Langogne, Marvejols, Millau, Moissac, Montauban, Narbonne) kunnen ook voor een halve of een hele dag of voor meerdere dagen fietsen gehuurd worden. Men kan kiezen uit drie soorten fietsen: een gewone fiets, een eenvoudige racefiets of een mountainbike (vélo tout terrain of VTT). In de stations zijn een folder en een kaart verkrijgbaar.

Speleologie

Liefhebbers van speleologie kunnen contact opnemen met de volgende instanties:
- la Fédération Française de Spéléologie, 130 rue St-Maur, 75011 Paris. ☎ (1) 43 57 56 54.
- l'École Française de Spéléologie, 23 rue de Nuits, 69004 Lyon. ☎ 78 39 43 30.
- le Comité Régional de Spéléologie, Midi-Pyrénées, 7 rue André Citroën, 31300 Balma.

Wandeltochten

Talrijke Grote Routepaden of sentiers de Grande Randonnée doorkruisen de in deze gids beschreven streken en bieden de wandelaar de gelegenheid om bijvoorbeeld de Causses, de Cevennen, de Haut Languedoc, de Rouergue of de Pyreneeën te voet te verkennen. De paden zijn bewegwijzerd door middel van horizontale rood-witte strepen die op rotsen, bomen e.d. zijn aangebracht.
De belangrijkste paden zijn:
de GR 7, het pad dat van de Vogezen naar de Pyreneeën loopt en dat de streek tussen de Mont Aigoual en het Canal du Midi doorkruist;
de GR 6, het pad dat van de Franse Alpen naar de Atlantische Oceaan loopt en een oost-westroute volgt;
de varianten van de GR 6: de GR 66 (tocht over de Mont Aigoual), de GR 67 (tocht in de Cevennen), de GR 68 (tocht over de Mont Lozère), de GR 62 van Meyrueis naar Conques, de GR 70 en de GR 71 ("weg van de tempeliers en hospitaalridders") die de Larzac doorkruist;
de GR 10, die van Banyuls naar Mérens-les-Vals loopt.
In de Franse reeks topo-guides worden de routes in details beschreven; deze gidsjes worden uitgegeven door de Fédération française de la Randonnée pédestre, 64 rue de Gergovie, 75014 Paris; ☎ (1) 45 45 31 02.
In de Gorges du Tarn kunnen de Offices de Tourisme en syndicats d'initiative inlichtingen geven over de "sentiers de pays", wandelpaden die een gele bewegwijzering hebben en de sentiers de petite randonnée (kleine routepaden). Het pad Florac-Albi, dat in de Gorges du Tarn is aangelegd, kan over een lengte van 250 km te voet, met een mountainbike of te paard afgelegd worden.
Het Parc national des Cévennes en het Parc naturel régional du Haut-Languedoc geven eveneens een aantal brochures uit over de wandelpaden in de natuurparken.
Wandelaars die een trektocht willen maken, kunnen overnachten in de zogenaamde **"gîtes d'étape"**, eenvoudige onderkomens langs de paden.

Trektochten met ezels en lama's – Wie een originele trektocht wil maken in het gezelschap van een ezel die de bagage draagt, kan contact opnemen met de Fédération nationale Anes et Randonnées, Ladevèze, 49090 Cours, ☎ 65 31 42 79, of met Sud Escapades (les Vailhés, 34700 Lodève, ☎ 67 44 22 78), die tochten organiseert in de Cevennen met pakezels of lama's. Reisbureau Nouvelles Frontières (5 avenue de l'Opéra, 75001 Paris, ☎ (1) 42 60 36 37) organiseert trektochten met lama's in het zuidelijke deel van de Cevennen.
Voor het huren van een ezel voor een of meer dagen of voor een week kan contact opgenomen worden met "Gentiane" in Castagnols-Vials, 48220 Le Pont-de-Montvert, ☎ 66 41 04 16.

D. Faure/SCOPE

Trektocht te paard in de omgeving van Florac.

Trektochten te paard

In de Causses, de Cevennen en de Aubrac worden door veel maneges stages en trektochten van meerdere dagen georganiseerd.
Inlichtingen zijn verkrijgbaar bij de Association régionale pour le Tourisme Équestre et l'Équitation de loisir en Cévennes, Roussillon et Languedoc (ATECREL): M. Segui, 14 rue des Logis, Loupian; 34140 Mèze, ☎ 67 43 82 50, of bij het Comité Départemental d'Équitation (Aveyron), 33 avenue Victor-Hugo, 12000 Rodez, ☎ 65 68 27 72.

Langlaufen

De grote vlakten van de Aubrac, op de Mont Lozère en rond de Aigoual lenen zich uitstekend voor het beoefenen van deze sport. Raadpleeg ook de kaart van de verblijfplaatsen voor in de gids.

Inlichtingen kunnen verkregen worden bij de departementale Offices de Tourisme of bij:

- de Association Nationale des Centres de Ski de fond (ANCEFSF), BP 112 - 05000 Gap. ☎ 92 51 69 26;
- het Comité Régional de Ski des Cévennes, Maison des Sports, 200, avenue du Père Soulas - 34094 Montpellier. ☎ 67 41 78 58.
- het Espace Nordique des Monts d'Aubrac, 33 rue du Faubourg, 12210 Laguiole. ☎ 65 44 33 77.
- het Comité départemental de Ski en Lozère, Place De Gaulle - 48000 Mende. ☎ 66 49 12 12.

Deltavliegen

In de omgeving van Millau worden stages deltavliegen (deltaplane) en parapente voor beginners en gevorderden georganiseerd:

- Millau Vol Libre, 79 avenue Jean-Jaurès, 12100 Millau, ☎ 65 60 83 77.
- Évasion Vol Libre, La Borie Blanque, 12520 Millau, ☎ 65 61 02 03.

Golf

Liefhebbers van deze sport kunnen de kaart *Golfs, Les Parcours Français* raadplegen; deze kaart heeft als basis de **Michelinkaart nr. 989** en wordt uitgegeven door Éditions Plein Sud, 65 rue Danton, 92300 Levallois-Perret. ☎ 47 48 03 03. Op de kaart worden de ligging, het adres en telefoonnummer van de golfbanen aangegeven.

Jacht

Voor de jacht op groot wild zijn de Pyreneeën een goed terrein. In de hotels, die hoog in de bergen liggen, kan men jagers tegenkomen die op zoek gaan naar zeldzame dieren zoals het sneeuwhoen of de korhaan.
Algemener is de jacht op houtduiven in oktober.
Voor algemene inlichtingen over jacht in Frankrijk, kan men terecht bij de "Saint-Hubert Club de France", 10 rue de Lisbonne, 75008 Paris, ☎ 45 22 38 90.

Ambachtskunst

Voor inlichtingen over stages: ADALPA, 25 avenue Victor-Hugo, 12000 Rodez. ☏ 65 73 80 40.
Inlichtingen, tentoonstellingen en verkoop: Coopérative lozérienne des artisans et paysans, 4 rue de l'Ange, 48000 Mende, ☏ 66 65 01 57, en in Parijs: 1 bis rue Hautefeuille, 75006 Paris, ☏ (1) 43 26 93 99.
De Offices de Tourisme kunnen inlichtingen verschaffen over andere stages.

Enkele boeken

Kunst

Kennismaking met Middeleeuwse Kunst, door Annie SHAVER-CRANDELL (Cambridge Kunstreeks) *(Kosmos)*

Godsdienst

Wie is wie, Het Oude Testament, door JOHN COMAY *(Becht)*
Wie is wie, Het Nieuwe Testament, door RONALD BROWNRIGG *(Becht)*

Natuur

Natuurreisgids Frankrijk, door DOUGLAS BOTTING e.a. *(Cantecleer)*

Wandelen en fietsen

De G.R.-10, Voetpad in de Pyreneeën, door AD VAN HATTEM (Elmar Wandelgidsen) *(Elmar)*
Fietsen in Frankrijk (midden en zuid), door LUC OTEMAN *(Pirola)*
Wegwijzer voor de Pyreneeën, door PAUL JENNER en CHRISTINE SMITH *(Sunflower Books)*

Taal

Wat en Hoe in het Frans *(Kosmos)*

Logies

Café-Couette (Le Bed & Breakfast à la française) *(Uitgever: Les Editions "Nous - Vous - Ils" 8, rue de l'Isly, 75008 Paris)*

Eten en drinken

Uit eten in Frankrijk, door ONNO KLEYN *(Kosmos)*

Pottenbakken.

Voornaamste toeristische evenementen

Onderstaande lijst bevat een selectie van de vele toeristische evenementen die plaatsvinden in de streken die deze gids beschrijft. Voor nadere informatie over muziekevenementen, son et lumière-voorstellingen, markten waar streekproducten e.d. worden verkocht, raden wij aan om contact op te nemen met de plaatselijke Offices de Tourisme, vooral in de zomermaanden.

Van januari tot de zondag voor Palmpasen

Limoux .... Elke zondag traditionele carnavalsviering met drie optochten: 11 u., 17 u. en 21 u. Op zondag voor Palmpasen om 24 u.: Koning Carnaval wordt veroordeeld, waarna de hele nacht feest wordt gevierd (Nuit de la Blanquette).

Goede Vrijdag

Arles-sur-Tech .... Nachtelijke processie van de broeders penitenten.

Collioure .... Processie van de penitenten broederschappen.

Perpignan .... Processie van de Pénitents de la Sanch.

Palmzondag, Eerste en tweede paasdag

St-Félix-Lauragais ...... "Foire à la Cocagne" (concerten, circusvoorstellingen, goochelaars, historische optocht); ☎ 61 83 01 71.

Laatste zondag van mei

Aubrac .... "Fête de la transhumance": het vee wordt naar de zomerweiden gebracht; ☎ 65 48 01 76.

Half juni tot half juli

Perpignan .... Estivales (toneelfestival).

Laatste week van juni en eerste week van juli

Montpellier .... "Montpellier-Danse"-festival (traditionele muziek- en balletuitvoeringen); ☎ 67 60 83 60.

Juli

Carcassonne .... Festival (concerten, toneel, opera, ballet, variété).

Perpignan en de kust van de Roussillon ...... Festival (concerten).

Juli en augustus

Agde .... Watersteekspelen (Joutes nautiques).

Toulouse .... Zomermuziekfestival (klassieke muziek, jazz, enz.).

Pézenas .... "Mirondela dels Arts".

St-Guilhem-le-Désert .... Muziekuitvoeringen in de abdij; ☎ 67 63 14 99 of ☎ 67 57 42 95.

Eerste weekend van juli

Sète .... Fête de la Saint-Pierre.

Tweede weekend van juli

Céret .... "Céret de Toros". Stierengevechten, voorstellingen sardana-dansen.

Half juli tot begin augustus

Montpellier .... Festival de Radio-France et de Montpellier (operavoorstellingen, concerten, kamermuziek, jazz); ☎ 67 02 02 01.

Half juli tot half augustus

Conques .... Festival de Conques (klassieke muziek, o.a. barok); ☎ 65 72 85 00.

Sète .... Festival de Sète (muziek, ballet, variété); ☎ 67 74 71 71.

Tweede week van juli – eind augustus

Foix .... "Journées médiévales de Gaston Fébus" (grote gekostumeerde optocht, middeleeuwse markt, concerten); ☎ 61 65 12 12.

14 juli

Carcassonne .... De middeleeuwse stad wordt verlicht door een groot vuurwerk.

Cordes .... "Fête médiévale du Grand Fauconnier" (grote optocht in oude kostuums, acrobaten, ruiters, enz.); ☎ 63 56 00 52.

Derde weekend van juli

Mirepoix .... Middeleeuwse festiviteiten.

Derde week van juli

Frontignan .... Muskaatwijnfestival.

24 en 25 juli

Cap d'Agde .... "Fête de la Mer"; ☎ 67 26 38 58.

Eind juli – begin augustus

Albi .... Soirées musicales; ☎ 63 54 22 30. Internationaal amateur-filmfestival (9,5 mm).

St-Michel-de Cuxa-Prades .... Pablo Casalsfestival (concerten in de abdij).

Eerste weekend van augustus

Gaillac .... Wijnfestival.

Banyuls-sur-Mer .... Sardana-dansfestival.

Eerste helft augustus

Carcassonne .... "Les Médiévales". Toernooi en voorstelling met middeleeuwse ridders te paard.

Omstreeks 15 augustus

Béziers .... Féria de Béziers; ☎ 67 76 13 45.

La Grande-Motte .... Jazzfestival; ☎ 67 29 03 37.

Voorlaatste zondag van augustus

Céret .... Sardana-dansfestival (400 gekostumeerde deelnemers); ☎ 68 87 00 53.

Eind augustus

Sète .... Fête de la Saint-Louis: watersteekspelen, vuurwerk, zwemmen in de kanalen van de stad.

Laatste week van augustus

Bouzigues .... Oestermarkt.

September

Toulouse .... Pianorecitals in Les Jacobins; ☎ 61 22 40 05.

8 september

Méritxell .... Nationale feestdag.

Half oktober (10 dagen)

Montpellier .... Foire internationale (in Montpellier-Fréjorgues).

Derde zondag van oktober

Béziers .... Wijnfestival van de nieuwe oogst (dansen, zegening van de nieuwe wijn, enz.).

U wilt zelf uw reisprogramma's opstellen:

Raadpleeg eerst de kaart van de reisroutes.
Daarop vindt u de beschreven routes, de toeristische streken, de belangrijkste steden en bezienswaardigheden.
Zoek vervolgens de beschrijvingen op. De belangrijkste toeristische centra zijn tevens het uitgangspunt voor tochten in de omgeving.

Openingstijden en toegangsprijzen

Omdat zij onderhevig zijn aan prijsschommelingen en voortdurende veranderingen kunnen de gegevens hieronder slechts beschouwd worden als leidraad.

De gegevens gelden voor individueel reizende toeristen. Groepen kunnen meestal ook op andere uren en tegen gereduceerde tarieven terecht, mits dit van tevoren is aangevraagd.

Als het niet mogelijk bleek de meest recente gegevens te verkrijgen, geven wij de openingsuren en toegangsprijzen van het afgelopen jaar aan; deze zijn cursief gedrukt.

Kerkelijke gebouwen mogen niet tijdens de diensten worden bezocht. Sommige kerken en kapellen zijn vaak gesloten. In deze gids staan de openingstijden en toegangsprijzen alleen aangegeven als het kerkinterieur de bezichtiging waard is. Kan een kerk alleen maar bezocht worden in het bijzijn van de persoon die de sleutel bezit, zorg dan wat kleingeld bij de hand te hebben.

In een aantal steden worden in het zomerseizoen rondleidingen georganiseerd, ofwel door de hele stad of door de historische wijken. Deze rondleidingen worden uiteraard in het Frans gehouden, soms ook in een andere taal.

Is een bezienswaardigheid toegankelijk voor rolstoelgangers dankzij speciale faciliteiten, dan wordt dit aangeduid met het teken ♿.

A

AGDE

1, Place Molière - 34300 - ☎ 67 94 29 68

Rondleidingen door de stad - Inlichtingen bij het Office de Tourisme.

Ancienne cathédrale St-Étienne - Bezichtiging in het kader van de rondleidingen die door het Office de Tourisme worden georganiseerd; verder uitsluitend tijdens kerkdiensten geopend.

Musée agathois - Geopend: 10-12 u. en 14-18 u. Dinsdags gesloten van 16 september t/m 14 juni. 12 F. ☎ 67 94 82 51.

Grottes de l'AGUZOU

Sportieve rondleiding in de vorm van een "speleologische safari" (een dag onder de grond). Inlichtingen bij het Office de Tourisme van Quillan. 200 F met inbegrip van speciale kleding en materiaal, maar niet de picknick. ☎ 68 20 07 78.

Massif de l'AIGOUAL

Expositie Météo-France - Geopend: 10-19 u. de weekends in mei en dagelijks van 1 juni t/m 30 september. ☎ 67 82 60 01.

ALBI

Palais de la Berbie, Place Ste-Cécile - 81000 - ☎ 63 54 22 30

Cathédrale Ste-Cécile - Inlichtingen over rondleidingen bij het Office de Tourisme. **Koor** - 3 F.

Musée Toulouse-Lautrec - Geopend: van 1 juni t/m 30 september 9-12 u. en 14-18 u.; in april en mei 10-12 u. en 14-18 u.; de rest van het jaar dagelijks (behalve dinsdag) 10-12 u. en 14-17 u. Gesloten: 1 januari, 1 mei, 1 november en 25 december. 20 F. ☎ 63 54 14 09.

Musée Lapérouse - Bezichtiging met of zonder rondleiding (anderhalf uur): dagelijks (behalve dinsdag) van 1 april t/m 30 september 9-12 u. en 14-18 u., de rest van het jaar 10-12 u. en 14-17 u. Gesloten: 1 januari en 25 december. ☎ 63 46 01 87.

Musée de Cire - Geopend: van 1 juni t/m 31 augustus 10-12 u. en 14-18 u.; de rest van het jaar dagelijks (behalve maandag) 14-17 u. 15 F. In januari gesloten. ☎ 63 54 87 55.

ALÈS

ℹ Place Gabriel-Péri - 30100 - ☎ 66 52 32 15

Cathédrale St-Jean-Baptiste - Vrije bezichtiging of rondleiding, behalve zondagmiddag.

Musée du Colombier - Vrije bezichtiging of rondleiding op afspraak twee weken van tevoren (dagelijks behalve dinsdag) 10-12 u. en 14-17 u. Op feestdagen gesloten. 12 F, woensdag toegang gratis. ☎ 66 86 30 40.

Musée minéralogique de l'École des Mines - ♿. Rondleidingen (anderhalf uur) van 15 juni t/m 15 september 14-18 u.; de rest van het jaar uitsluitend op afspraak. Gesloten: zaterdag, zon- en feestdagen. 25 F. ☎ 66 78 51 69.

Musée-Bibliothèque Pierre-André Benoît - Geopend: in juli en augustus dagelijks 12-19 u.; de rest van het jaar alleen woensdag t/m zondag 12-19 u. Gesloten: 1 januari, 1 mei, 25 december en de maand februari. 20 F. ☎ 66 86 98 69.

Mine-témoin - Rondleidingen (1 uur): van 1 juni t/m 31 augustus 9.30-19 u.; van 1 april t/m 31 mei en van 1 september t/m 30 november 9-12.30 u. en 14-17.30 u. De laatste rondleiding begint anderhalf uur voor sluitingstijd. Gesloten: 1 december t/m 31 maart. 34 F, kinderen 19 F. ☎ 66 30 45 15.

ALÈT-LES-BAINS

ℹ Place de la République - 11580 - ☎ 68 69 92 94

Rondleidingen door de stad - Inlichtingen bij het Office de Tourisme.

Ruïnes van de kathedraal - Bezichtiging met of zonder rondleiding (anderhalf uur): van 15 mei t/m 15 september 10-12 u. en 15-18 u.; de rest van het jaar alleen vrije bezichtiging. Zich wenden tot de bakkerswinkel. 15 F (rondleiding), 10 F (vrije bezichtiging). ☎ 68 69 92 94.

AMÉLIE-LES-BAINS-PALALDA

ℹ Quai du 8 Mai - 66110 - ☎ 68 39 01 98

Musée des Traditions et Arts populaires; Musée de la Poste en Roussillon - Geopend: van 1 april t/m 10 oktober 10-12 u. en 14-19 u.; de rest van het jaar dagelijks (behalve dinsdag) 10-12 u. en 14-18 u. Gesloten: 15 december t/m 15 februari. 12 F. ☎ 68 39 34 90.

ANDORRA

ℹ Rue Dr-Vilanova - ☎ (628) 2 02 14

Casa de la Vall - Rondleidingen (een halfuur) dagelijks (behalve zaterdag en zondag) 10-13 u. en 15-18 u. Mogelijk ook geopend op zaterdag en op zondagmorgen: inlichtingen inwinnen. Gesloten: 1 januari, 8 september en 25 december. ☎ 82 91 29.

Sant Joan de Caselles - Geopend: in de pinksterweek en in de zomer 10-18 u.; de rest van het jaar uitsluitend op afspraak. ☎ 85 11 15 of 85 14 34.

ANDUZE

ℹ Plan de Brie - 30140 - ☎ 66 61 98 17

ANGOUSTRINE

Kerk - Voor bezichtiging zich wenden tot het stadhuis.

ANIANE

Géospace d'Aniane - Rondleidingen (drie kwartier): in juli en augustus dagelijks (behalve maandag) 10-12 u. en 14-18 u.; de rest van het jaar alleen op zondag 14-17 u. Op feestdagen gesloten. 20 F in het seizoen, 10 F buiten het seizoen. Inlichtingen over thema-avonden en stages bij Géospace d'Aniane, B.P. 22 - 34150 Aniane. ☎ 67 03 49 49.

ARGELÈS-SUR-MER

ℹ Place de l'Europe - 66700 - ☎ 68 81 15 85

Rondleidingen door de stad - Inlichtingen bij het Casa de les Alberes.

Casa de les Alberes - Geopend: dagelijks (behalve zaterdagmiddag en zondag) 9-12 u. en 15-18 u. Gesloten: 1 mei en de tweede helft van december. 10 F. ☎ 68 81 42 74.

ARLES-SUR-TECH

ℹ Rue Barjau - 66150 - ☎ 68 39 11 99

El Palau Santa Maria - Geopend: 1 maart t/m 31 oktober dagelijks (behalve maandag) 10-12 u. en 15-18 u. 15 F. ☎ 68 83 90 83.

Aven ARMAND

Rondleidingen (drie kwartier): 1 juni t/m 31 augustus 9.30-19 u.; 15 maart t/m 31 mei en de maand september 9.30-12 u. en 13.30-18 u.; 1 oktober t/m 3 november 9.30-12 u. en 13.30-17 u.; de rest van het jaar op afspraak. 40 F, kinderen 20 F. Kaartje in combinatie met de Chaos de Montpellier-le-Vieux 50 F, kinderen 25 F. ☎ 66 45 61 31.

CASTELET

Aven Armand.

ARQUES

Donjon - Geopend: 1 juli t/m 15 september dagelijks 10-13 u. en 14-19 u.; de rest van het jaar op zaterdag, zon- en feestdagen en tijdens de schoolvakanties, op dezelfde tijden. In januari gesloten. 15 F. ☎ 68 69 85 62.

AX-BONASCRE-LE SAQUET

Kabelbaan naar het Plateau du Saquet - Zomerseizoen 13.15-17 u.; in de winter 9-17 u. 35 F. ☎ 61 64 20 06.

B

BAGNOLS-LES-BAINS

ℹ 48190 - ☎ 66 47 64 79

BALARUC-LES-BAINS

ℹ 6, Av. du Port - B.P. 72 - 34540 - ☎ 67 48 50 07

BANYULS-SUR-MER

ℹ Av. République - 66650 - ☎ 68 88 31 58

Aquarium - Geopend: 9-12 u. en 14-18.30 u. (22 u. in juli en augustus). 20 F. ☎ 68 88 73 39.

Nimetz/IMAGES PHOTOTHÈQUE

Wijnkelders – Cave l'Étoile, Avenue du Puig-del-Mas: bezichtiging tijdens het seizoen maandag t/m zaterdag 8-12 u. en 14-18 u.; buiten het seizoen maandag t/m vrijdag 8-12 u. en 14-17.45 u. De Cellier des Templiers, Route du Balcon de Madeloc: 1 april t/m 31 oktober 9-19 u.; de rest van het jaar dagelijks (behalve zondag) 9-12 u. en 14-18 u. De Cave souterraine de vieillissement des Templiers, Route du Balcon de Madeloc: 1 juni t/m 30 september 9-19 u.; in mei dagelijks (behalve zaterdag en zondag) 9-12 u. en 14-18 u.

Château de la BAUME

Rondleidingen (drie kwartier): 15 juni t/m 15 september dagelijks 10-12 u. en 14-18 u., de rest van het jaar uitsluitend op afspraak. 25 F. ☎ 66 32 51 59.

Grotte de BÉDEILHAC

Rondleidingen (5 kwartier): in juli en augustus 10-17.30 u.; 1 april t/m 30 juni en in september dagelijks (behalve dinsdag) om 14.30 u. en om 16 u.; tijdens de schoolvakantie rond Allerheiligen, in de kerstvakantie en in de voorjaarsvakantie, alsmede op zon- en feestdagen van 1 oktober t/m 15 november om 14.30 u., 15.15 u. en 16 u. Van 1 april t/m 30 juni en in september op dinsdag gesloten. 40 F. ☎ 61 05 95 06.

BÉLESTA

Château-musée – Geopend: in juli en augustus 10-19.30 u.; 1 maart t/m 30 juni en 1 september t/m 31 oktober 10-12 u. en 14-18.30 u.; de rest van het jaar dagelijks (behalve zaterdagmorgen) 10-12 u. en 14-17 u. Gesloten: 1 januari en 25 december. 21 F. ☎ 68 84 55 55.

Fort de BELLEGARDE

Rondleiding (1 uur) of vrije bezichtiging 11-18 u. van 1 juli t/m 30 september. 15 F. ☎ 68 83 60 15.

BÉZIERS

ℹ 27, Rue du 4-Septembre - 34500 - ☎ 67 49 24 19

Rondleidingen door de stad – Deze worden in juli en augustus door de Association Promotion Patrimoine du Biterrois georganiseerd. Vertrekpunt: Place de la Fontaine, Rue du 4-Septembre. ☎ 67 36 74 76.

Musée St-Jacques – ♿ Geopend: 1 juni t/m 31 oktober dagelijks (behalve maandag) 10-19 u.; de rest van het jaar 9-12 u. en 14-18 u. Gesloten: 1 januari, Pasen, 1 mei en 25 december. 10 F, kaartje in combinatie met het Musée des Beaux-Arts 15 F. ☎ 67 49 34 00.

Musée des Beaux-Arts – Geopend: dagelijks, behalve maandag en zondagmorgen, 9-12 u. en 14-18 u. Gesloten: 1 januari, Pasen, 1 mei en 25 december. 10 F, kaartje in combinatie met het Musée St-Jacques 15 F. ☎ 67 28 38 78.

Le BOULOU

ℹ Rue des Écoles - ☎ 68 83 36 32

Château du BOUSQUET

Rondleiding (anderhalf uur): gedurende de schoolvakanties dagelijks behalve dinsdag, vanaf 14.30 u.; de rest van het jaar op afspraak. 25 F. ☎ 65 48 41 13.

BOUZIGUES

Musée de l'étang de Thau – Geopend: 1 juni t/m 30 september 10-12 u. en 14-19 u.; 1 maart t/m 31 mei en in oktober 10-12 u. en 14-18 u.; de rest van het jaar 10-12 u. en 14-17 u. Gesloten: 1 januari en 25 december. 20 F, kinderen 7-12 jaar 15 F. ☎ 67 78 33 57.

Abîme de BRAMABIAU

Rondleidingen (anderhalf uur): 15 juni t/m 15 september 9-19 u.; 1 april t/m 14 juni 9-18 u.; de rest van het jaar 10-17 u. Gesloten: half november tot eind maart. 30 F, kinderen 12 F. ☎ 67 82 60 78.

C

Gouffre de CABRESPINE

♿. Rondleidingen (drie kwartier): 1 maart t/m 30 november 10-12 u. en 14-18 u. 35 F, kinderen 20 F. ☎ 68 26 14 22. Op afspraak kan het hele jaar door een ondergrondse tocht worden gemaakt onder leiding van speleologen. Duur: 5 uur. Prijs: 200 F per persoon (6 personen per groep). ☎ 67 66 11 11.

Château de CALMON D'OLT

Geopend: 9-19 u., in juli en augustus dagelijks, in mei, juni en september niet op donderdag en vrijdag. 20 F. ☎ 65 44 15 89.

CANET-PLAGE

🅸 Place de la Méditerranée - 66141 - ☎ 68 73 25 20

Aquarium - Geopend: in juli en augustus dagelijks (behalve dinsdag, uitgezonderd tijdens de schoolvakanties) 10-20 u., de rest van het jaar 10-12 u. en 14.30-18.30 u. 25 F. ☎ 68 80 49 64.

Musée de l'Auto - Geopend: in juli en augustus 10.30-12.30 en 14.30-18.30; de rest van het jaar 14-18 u. op woensdag, zaterdag, zon- en feestdagen en dagelijks tijdens de schoolvakanties. Gesloten: 20 december t/m 15 februari. 24 F. ☎ 68 73 22 56.

Musée du Bateau - Dezelfde openingstijden en dezelfde toegangsprijs als voor het Musée de l'Auto. ☎ 68 73 12 43.

Musée du Jouet - Geopend: in juli en augustus 10-20 u.; de rest van het jaar dagelijks (behalve dinsdag, uitgezonderd tijdens de schoolvakanties) 14.30-18.30 u. Gesloten: 1 januari t/m 15 februari, alsmede op dinsdag (uitgezonderd in de schoolvakanties). 24 F. ☎ 68 73 20 29.

Le CANIGOU

Toegang tot de bergtop - Zie onder Vernet-les-Bains en Prades.

CAP D'AGDE

🅸 Rond-Point du Bon Accueil - 34300 - ☎ 67 26 38 58

Musée de l'Éphèbe - ♿. Vrije bezichtiging of rondleiding (een uur): in juli en augustus dagelijks (behalve dinsdag) 9.30-12.30 u. en 14.30-18.30 u.; de rest van het jaar dagelijks (behalve dinsdag en zondagmorgen) 9-12 u. en 14-18 u. Gesloten: 1 januari en 25 december. 12 F. ☎ 67 26 81 00.

Aqualand - ♿. Geopend: half juli tot eind augustus 10-20 u. (zaterdag en zondag tot 19 u.); de eerste helft van juli en de laatste week van augustus 10-19 u.; in juni en september 10-18 u. Gesloten van half september tot begin juni. 90 F, kinderen onder de 10 jaar 75 F. ☎ 67 26 85 94.

CARCASSONNE

🅸 15, Boulevard Camille-Pelletan - 11000 - ☎ 68 25 07 04

Château Comtal - Geopend: in juli en augustus 9-19.30 u.; in juni en september 9-19 u.; in april en mei 9.30-12.30 u. en 14-18 u.; oktober 10-12 u. en 14-18 u.; de rest van het jaar 10-12 u. en 14-17 u. Gesloten: 1 januari, 1 mei, 1 en 11 november, 25 december. Een halfuur vóór sluitingstijd worden geen kaartjes meer verkocht. 27 F of 45 F (rondleiding). ☎ 68 72 63 81.

Musée des Beaux-Arts - Geopend: 15 juni t/m 15 september dagelijks (behalve maandag, dinsdag en op feestdagen) 10-12 u. en 14-18 u.; de rest van het jaar dagelijks (behalve zondag, maandag en op feestdagen). ☎ 68 77 73 70.

Château de CASTANET

Rondleidingen (anderhalf uur): van half juni tot half september dagelijks 10-12 u. en 14-18 u. 15 F. ☎ 66 46 81 11.

CASTELNAUDARY

🅸 Place République - 11400 - ☎ 68 23 05 73

Boottochten op de rivier - Verhuur: Société CROWN BLUE LINE, Le grand Bassin, 11400 Castelnaudary. ☎ 68 23 17 51.

Musée archéologique du Présidial - Vrije bezichtiging of rondleiding (drie kwartier): dagelijks (behalve dinsdag) 10-12 u. en 15-19 u. Op zon- en feestdagen 's morgens gesloten, alsmede op 14 juli en 15 augustus. 16 F. ☎ 68 23 05 73.

Moulin de Cugarel - Vrije bezichtiging of rondleiding (een halfuur): van 15 juni t/m 15 september, maandag t/m zaterdag 10-12 u. en 15-18.30 u., zon- en feestdagen 15-18 u.; de rest van het jaar uitsluitend voor groepen van minimaal 10 personen. ☎ 68 23 05 73.

CASTELNOU

Kasteel - Geopend: eind juni tot begin september 10-20 u.; inlichtingen inwinnen voor de openingstijden gedurende de rest van het jaar. 28 F. ☎ 68 53 22 91.

CASTRES

🅸 3, rue Milhau-Ducommun - 81100 - ☎ 63 62 63 62
🅸 rue Raymond Vittoz (1 juni - 15 okt.) - 81100 - ☎ 63 51 20 37

Rondleidingen door de stad - Inlichtingen bij de Association pour le Développement du Tourisme. ☎ 63 71 56 58.

Tochten per trekschuit - De "Miredames", een reconstructie van de originele trekschuit, vaart over de Agout tot aan het Parc de loisirs de Gourjade. Vertrek aanlegsteiger Pont Vieux: in juli en augustus dagelijks om 10.30 u., 14 u., 15.20 u., 16.40 u. en 18 u.; in mei, juni, september en oktober op woensdag, zaterdag, zon- en feestdagen om 14 u., 15.20 u., 16.40 u. en 18 u. (behalve in oktober). Vertrek aanlegsteiger Parc de Gourjade: in juli en augustus dagelijks om 11.20 u., 14.45 u., 16 u., 17.20 u. en 18.30 u.; in mei, juni, september en oktober op woensdag, zaterdag, zon- en feestdagen om 14.45 u., 16 u., 17.20 u. en 18.30 u. (behalve in oktober). 25 F. ☎ 63 71 56 58.

Musée Goya - Geopend: in juli en augustus dagelijks 9-12 u. (zon- en feestdagen 10-12 u.) en 14-18 u.; 1 april t/m 30 juni en 1 t/m 21 september dagelijks (behalve maandag) op dezelfde tijden; de rest van het jaar dagelijks (behalve maandag) 9-12 u. (zon- en feestdagen 10-12 u.) en 14-17 u. Gesloten: 1 januari, 1 mei, 1 november en 25 december. 20 F in juli en augustus, anders 15 F. ☎ 63 71 59 30.

Centre national en **Musée Jean-Jaurès** - ♿. Dezelfde tijden als het Musée Goya. 10 F. ☎ 63 72 01 01.

Hôtel de Viviès: Centre d'Art contemporain - Geopend: 1 juli t/m 30 september dagelijks 9-12 u. (zondag 10-12 u.) en 14-19 u.; de rest van het jaar maandag t/m zaterdag 10-12 u. en 14-18 u., zondag 15-17 u. Op feestdagen gesloten. Juli t/m september 5 F, de rest van het jaar gratis toegang. ☎ 63 59 30 20.

Château de CASTRIES

Vrije bezichtiging van de terrassen en tuinen, in het kasteel zelf uitsluitend rondleidingen (een uur): dagelijks (behalve maandag) om 14.45 u., 16 u. en 17.15 u. Gesloten: 1 mei, 15 december t/m 15 januari. 25 F. ☎ 67 70 68 66.

Le CAYLA

ℹ Pl. de la Libération - 81600 - ☎ 63 57 14 65

Museum - Rondleidingen (anderhalf uur): 1 mei t/m 30 september dagelijks (behalve dinsdag) 10-12 u. en 14-18 u.; de rest van het jaar dagelijks (behalve maandag en dinsdag) 14-18 u. 5 F. ☎ 63 33 90 30.

Chapelle de CENTEILLES

Bezichtiging uitsluitend op zondagmiddag. Indien gesloten, zich wenden tot de heer Gérard Laboire, Rue de la Promenade, 34210 Siran. ☎ 68 91 52 62 (bellen op etenstijden); bij overhandiging van de sleutels wordt een identiteitsbewijs gevraagd.

CERDAGNE

Le "petit train jaune" - Regelmatige dienstregeling. Folders verkrijgbaar op de stations van de SNCF in de regio.

CÉRET

ℹ 1, Av. G.-Clemenceau - 66400 - ☎ 68 87 00 53

Musée d'Art moderne - ♿. Vrije bezichtiging of rondleiding (een uur) op aanvraag: 1 juli t/m 30 september 10-19 u.; de rest van het jaar dagelijks (behalve dinsdag) 10-18 u. Gesloten: 1 januari, 1 mei, 1 november en 25 december. 35 F. ☎ 68 87 27 76.

Train à vapeur des CÉVENNES

Deze rijdt 4 maal daags van begin april tot 1 november tussen de stations van St-Jean-du-Gard, het bamboebos van Prafrance en het station van Anduze; uitsluitend op zaterdag en zondag, de eerste 9 dagen van april en in de maand oktober; dagelijks van 11 april t/m 30 juni (behalve maandag als dit niet een feestdag is); in september uitsluitend op dinsdag, donderdag, zaterdag en zondag. 44 F (54 F heen en terug); kinderen 32 F (37 F heen en terug). ☎ 66 85 13 17 (station van de stoomtrein in St-Jean).

Grotte de CLAMOUSE

Rondleidingen (drie kwartier): in juli en augustus 10-20 u. (laatste vertrek om 19 u.); de rest van het jaar 12-18 u. (laatste vertrek om 17 u.). 40 F, kinderen 19 F. De bar het hele jaar geopend, de snackbar uitsluitend in juli en augustus. ☎ 67 57 71 05.

Les CLUSES

Église St-Nazaire - Geopend: maandag 14-17 u., dinsdag en vrijdag 9-12 u. en 14-17 u., donderdag en zaterdag 9-12 u. ☎ 68 87 77 20 (gemeentehuis van Les Cluses).

COLLIOURE

🅸 Place du 18-Juin - 66190 - ☎ 68 82 15 47

Notre-Dame-des-Anges - Kerkschat: wegens verbouwingswerkzaamheden in de kerk gesloten.

Château Royal - Geopend: 1 juni t/m 30 september 10-18 u.; de rest van het jaar 9-17 u. Drie kwartier vóór sluitingstijd worden geen kaartjes meer verkocht. 20 F. ☎ 68 82 06 43.

Prieuré de COMBEROUMAL

Bezichtiging dagelijks, het hele jaar door.

CONQUES

🅸 ☎ 65 72 85 00

Centre européen d'Art et de Civilisation médiévale - *Voor inlichtingen over de activiteiten van dit centrum, telefoneren naar het Office de Tourisme: ☎ 65 69 85 11.*

Abbatiale Ste-Foy - Inlichtingen over rondleidingen bij het Office de Tourisme.

Kerkschat - Bezichtiging: in juli en augustus 9-19 u.; de rest van het jaar 9-12 u. (tot 11 u. op zon- en feestdagen) en 14-18 u. Gesloten op 1 januari. 26 F (kaartje in combinatie met de bezichtiging van kerkschat Trésor II). ☎ 65 72 85 00.

CORDES-SUR-CIEL

🅸 Grand'rue - 81170 - ☎ 63 56 00 52

Rondleidingen door de stad - Inlichtingen bij het Office de Tourisme.

Musée Charles-Portal - Geopend: in juli en augustus 14-18 u.; Pasen t/m 30 juni en 1 september tot 1 november 14-17 u. 10 F. ☎ 61 80 88 88.

Musée de l'Art du sucre - Geopend: 1 februari t/m 31 december 10-12 u. en 14.30-18 u. In januari gesloten. 10 F. ☎ 63 56 02 40.

Musée Yves-Brayer - Geopend: in juli en augustus dagelijks (behalve 's morgens op zon- en feestdagen) 10-12 u. en 14-18 u.; van Palmpasen tot 1 november uitsluitend op zon- en feestdagen 14-18 u. Op zaterdag gesloten van 1 september t/m 30 juni. 5 F. ☎ 63 56 00 40.

Musée de la Broderie cordaise - Uitsluitend te bezichtigen in het kader van de rondleidingen die door het Office de Tourisme worden georganiseerd.

Musée "L'univers des cristaux et des pierres précieuses" - Geopend: 1 april tot 1 november 10-12.30 u. en 14.15-18.30 u.; de rest van het jaar uitsluitend op afspraak. 12 F. ☎ 63 56 09 55.

Église St-Michel - Inlichtingen bij het Syndicat d'Initiative.

Palais des Scènes - Inlichtingen bij het Syndicat d'Initiative.

La Capelette - Inlichtingen bij het Syndicat d'Initiative.

CORNEILLA-DE-CONFLENT

Église Ste-Marie - Rondleidingen: 10-12 u. en 14-18 u.

COUIZA

Kasteel - Bezichtiging van de binnenplaats en de Salle d'honneur: van april t/m oktober dagelijks, de rest van het jaar dagelijks (behalve maandag). Bij de receptie is een brochure verkrijgbaar. ☎ 68 74 02 80.

La COUVERTOIRADE

Vestingmuren - Bezichtiging: 1 juni t/m 31 augustus 9.30-18.30 u.; 1 maart t/m 31 mei en 1 september t/m 11 november 10-12 u. en 14-17.30 u. Gesloten: 12 november t/m 28 februari. 25 F. ☎ 65 62 25 81 of 65 62 11 62.

D

Grotte de DARGILAN

Rondleidingen (1 uur): in juli en augustus 9-19 u.; in april, mei, juni en september 9-12 u. en 14-18 u.; in oktober 10-12 u. en 14-17 u. Gesloten: 1 november t/m 31 maart. 35 F, kinderen 20 F, de laatste zondag in juni gratis toegang. ☎ 66 45 60 20.

Grotte des DEMOISELLES

Rondleidingen: in juli en augustus 9-19 u.; 1 april t/m 30 juni en in september 9-12 u. en 14-19 u.; de rest van het jaar 9.30-12 u. en 14-17 u. Gesloten: 1 januari en 25 december. 36 F, kinderen 18 F. ☎ 67 73 70 02.

Grotte de la DEVÈZE

Rondleidingen (1 uur): in juli en augustus 10-18 u.; 1 april t/m 30 juni en in september 14-17 u.; de rest van het jaar uitsluitend op zon- en feestdagen 14-17 u. 33 F, kinderen 18 F, kaartje inclusief de bezichtiging van het museum. ☎ 67 97 03 24.

Musée français de la Spéléologie - Dezelfde openingstijden als voor de grot. 33 F, kinderen 18 F, kaartje inclusief de bezichtiging van de grot.

E

ELNE

ℹ Mairie - 66200 - ☎ 68 22 17 84

Kloostergang, Musée d'Histoire et d'Archéologie - Geopend: in juli en augustus 9.30-18.45 u.; in juni en september 9.30-12.15 u. en 14-18.45 u.; in april en mei 9.30-12.15 u. en 14-17.45 u.; de rest van het jaar 9.30-11.45 u. en 14-17.45 u. Gesloten: 1 januari, 1 mei en 25 december. 20 F, inclusief de bezichtiging van het Musée Terrus. ☎ 68 22 70 90.

EN OLIVIER

Musée Nostra Terra Occitana - Geopend: dagelijks, in juli en augustus de hele dag (behalve maandag), van 16 april t/m 31 december 14-18 u.; de rest van het jaar uitsluitend op afspraak. 20 F. ☎ 63 75 72 93.

Oppidum d'ENSÉRUNE

Bezichtiging - Dagelijks 9.30-19.30 u. (tot 18.30 u. in april, mei en september, tot 17.30 u. van 1 oktober t/m 31 maart). ☎ 67 37 01 23.

Museum - Geopend: 1 juni t/m 31 augustus 9.30-19 u.; in april, mei en september 10-12 u. en 14-18 u.; de rest van het jaar 10-12 u. en 14-16 u. (op zondag tot 16.30 u.). Gesloten: 1 januari, 1 mei, 1 en 11 november, 25 december. 21 F. ☎ 67 37 01 23.

ENTRAYGUES-SUR-TRUYÈRE

ℹ 30 Tour de ville - 12140 - ☎ 65 44 56 10

ESPALION

ℹ Mairie, B.P. 52 - 12500 - ☎ 65 44 10 63

Rondleidingen door de stad - Inlichtingen bij het Office de Tourisme.

Musée Joseph-Vaylet - Geopend: in juli en augustus 10-12 u. en 14-18.30 u.; in juni en september 10-12 u. en 14-18 u.; de rest van het jaar op afspraak. 15 F. ☎ 65 44 09 18.

Musée du Rouergue - Geopend: dagelijks (behalve zaterdagmorgen), in juli en augustus 10-12.30 u. en 14-19 u., de tweede helft van juni en in september 14-18 u. Gesloten van oktober tot half juni. 15 F. ☎ 65 44 19 91.

Église de Perse - Bezichtiging van de kerk in juli en augustus. Voor de rest van het jaar inlichtingen bij het stadhuis van Espalion (☎ 65 44 05 46).

ESPERAZA

Musée de la Chapellerie - Dezelfde openingstijden als het Musée des Dinosaures. 15 F. ☎ 68 74 00 75.

Musée des Dinosaures - Geopend: in juli en augustus 10-19 u., de rest van het jaar tijdens de schoolvakanties 10-18 u., buiten de schoolvakanties 10-12 u. en 14-18 u. Gesloten op 1 januari en 25 december 's morgens. 21 F. ☎ 68 74 02 08.

Monts de l'ESPINOUSE

Prat d'Alaric - Bezichtiging van de boerderij van half juli tot eind augustus 14.30-18.30 u. ☎ 67 97 38 22.

ESTAING

ℹ Mairie - 12190 - ☎ 65 44 72 72

Kasteel - Bezichtiging van het terras en de donjon: 1 april t/m 30 september dagelijks (behalve dinsdag) 9.30-12 u. en 14.30-18 u.; de rest van het jaar 9.30-12 u. en 14.30-17 u.

F

FABREZAN

Musée Charles-Cros - Geopend: dagelijks (behalve zaterdag en zondag) 9-12 u. en 14-18 u. ☏ 68 43 61 11.

FANJEAUX

Kerk en kerkschat - *Bezichtiging: in juli en augustus dagelijks 10-17 u., de rest van het jaar uitsluitend op zondag. ☏ 68 24 70 22.*

Château de FLAUGERGUES

Vrije bezichtiging van het park en de tuinen dagelijks (behalve zondag, uitgezonderd in juli en augustus van 14.30-19 u.) 9-12.30 u. en 14-19 u.; rondleiding (een uur) door het kasteel dagelijks (behalve maandag) 14.30-18.30 u. in juli en augustus, de rest van het jaar uitsluitend op afspraak. 38 F volledige bezichtiging, 20 F voor uitsluitend het buitengedeelte. ☏ 67 65 51 72.

FLORAC

ℹ Av. J.-Monestier - 48400 - ☏ 66 45 01 14

Château: Centre d'information du Parc national des Cévennes - Geopend: 1 juli t/m 3 september 9-19 u.; begin april t/m 30 juni en begin september t/m 12 november 9-12.30 u. (zaterdag, zon- en feestdagen vanaf 10 u.) en 14-18.30 u. (tot 18 u. op zaterdag, zon- en feestdagen); de rest van het jaar dagelijks (behalve zaterdag, zon- en feestdagen) 9-12 u. en 14-18 u. Audiovisueel programma. Gesloten: 1 januari en 25 december. Gratis toegang tot het informatiecentrum, 20 F voor de permanente tentoonstelling. ☏ 66 49 53 01.

FOIX

ℹ 45, Cours G.-Fauré - 09000 - ☏ 61 65 12 12

Château et musée départemental de l'Ariège - Geopend: in juni en september 9.45-12 u. en 14-18 u.; in juli en augustus 9.30-18.30 u.; de rest van het jaar 10.30-12 u. en 14-17.30 u. Gesloten: 1 januari, de eerste maandag in september en op 25 december. 25 F. ☏ 61 65 56 05.

Abbaye de FONTCAUDE

Abdijkerk, Kloostergebouwen, Museum - Geopend: 1 juni t/m 30 september en tijdens de schoolvakanties dagelijks (behalve zondagmorgen) 10.30-12 u. en 14.30-18 u.; 1 oktober t/m 31 mei uitsluitend op zon- en feestdagen 14.30-16.30 u. (tot 18 u. bij het ingaan van de zomertijd). Gesloten in januari, behalve op zondagmiddag. 15 F. ☏ 67 38 23 85.

Abbaye de FONTFROIDE

♿ Rondleidingen (1 uur): van 10 juli t/m 31 augustus elk halfuur van 9.30-18.30 u.; van 1 maart t/m 9 juli en 1 september t/m 31 oktober elke drie kwartier van 10-12 u. en 14-17 u.; de rest van het jaar elk heel uur van 10-12 u. en 14-16 u. 32 F. ☏ 68 45 11 08.

FONT-ROMEU

Kapel (Ermitage) - Bezichtiging van juni t/m 8 september. Het beeld van de H. Maagd wordt op Drievuldigheidszondag van Odeillo naar de ermitage gebracht, en op 8 september in de middag weer terug naar Odeillo. ☏ 68 30 11 18.

Gorges de la FOU

Bezichtiging: 1 april t/m 31 oktober dagelijks 10-18 u. 25 F. ☏ 68 39 12 44.

FRONTIGNAN

ℹ Rue de la Raffinerie - 34110 - ☏ 67 48 33 94

Coopérative du Muscat - ♿. Rondleidingen (een halfuur): 1 mei t/m 30 september dagelijks (behalve zaterdag, zon- en feestdagen) 9.30-13 u. en 15-20 u.; 2 maart t/m 30 april 9.30-12.30 u. en 15-18.30 u.; de rest van het jaar 9.30-12.30 u. en 15-18 u. Geen bezichtiging in januari en februari, maar het verkoopkantoor is dan wel geopend. ☏ 67 43 96 75.

Musée d'Histoire locale - Rondleiding mogelijk op afspraak. Geopend 10-12 u. en 14.30-19 u., dagelijks (behalve op zo.) van 1 juni t/m 31 aug., dagelijks (behalve ma. en zo.) de rest van het jaar. Gesloten van 1 december tot eind februari. ☏ 67 46 31 19.

G - H

GAILLAC

ℹ Place de la Libération - 81600 - ☏ 63 57 14 65

Musée du Compagnonnage, de la Vigne et du Vin - Geopend: van 15 juni t/m 15 september dagelijks (behalve dinsdag) 10-12 u. en 14-18 u.; de rest van het jaar 14-18 u. Gesloten: 1 januari, 1 mei, 11 november en 25 december. 10 F. ☏ 63 41 03 81.

Musée des Beaux-Arts - Dezelfde openingstijden als voor het Musée du Compagnonnage, de la Vigne et du Vin. 30 F. ☏ 63 57 18 25.

Musée d'Histoire naturelle Philadelphe-Thomas - Dezelfde openingstijden als voor het Musée du Compagnonnage, de la Vigne et du Vin. 10 F. ☏ 63 57 36 31.

GANGES

ℹ Plan de l'Ormeau - 34190 - ☏ 67 73 66 40

GASPARETS

Musée de la Faune - Dagelijks geopend 9.30-12 u. en 14-18 u. 30 F. ☏ 68 27 57 02.

Château de GAUSSAN

Bezichtiging van het interieur (rondleiding: een halfuur): 10-19 u. ☏ 68 45 16 32.

GÉNOLHAC

Centre d'information sur le Parc national des Cévennes - Geopend: van 1 mei t/m 31 oktober dagelijks (behalve woensdag) van 9-12 u. en 14-18 u. ☏ 66 61 18 32.

Parc à loups du GÉVAUDAN

♿. Geopend: van 1 mei t/m 15 september 10-18 u.; de rest van het jaar 10-17 u. Gesloten in januari. 32 F, kinderen 18 F. ☏ 66 32 09 22.

GINESTAS

Kerk - Alleen 's ochtends geopend.

La GRANDE-MOTTE

ℹ Place du 1er octobre 1974 - 34280 - ☏ 67 29 03 37

Gorges d'HÉRIC

Toeristisch treintje op luchtbanden - Rijdt in april, mei en oktober op zaterdag, zon- en feestdagen; van 1 juni t/m 30 september dagelijks; de rest van het jaar uitsluitend voor groepen, op aanvraag. 35 F retour volwassenen, kinderen 25 F. Inlichtingen en reserveringen: ☏ 67 29 73 74.

HIX

Kerk - Rondleiding. Inlichtingen bij het stadhuis van Bourg-Madame. ☏ 68 04 52 41.

HYELZAS

Ferme caussenarde d'autrefois - Geopend: in juli en augustus 10-20 u.; van 1 mei t/m 30 juni 10-12 u. en 14-19 u.; van 21 maart t/m 30 april en van 1 september t/m 31 oktober 10-12 u. en 14-18 u. Gesloten van 1 november t/m 20 maart. 18 F, kinderen 9 F. ☏ 66 45 65 25.

I

ILLE-SUR-TÊT

ℹ Av. Pasteur - 66130 - ☏ 68 84 62 02

Rondleidingen door de stad - Inlichtingen bij het Centre d'Art sacré.

Centre d'Art sacré - Geopend: in juli en augustus dagelijks (behalve dinsdag) 10-12 u. en 16-19 u. (vanaf 14 u. op zaterdag, zon- en feestdagen); de rest van het jaar dagelijks (behalve dinsdag en zondagmorgen). Gesloten: 1 januari en 25 december. 15 F. ☏ 68 84 83 96.

Musée départemental du Sapeur-Pompier - Geopend: van 15 juni t/m 15 september 10-19.30 u.; de rest van het jaar dagelijks (behalve dinsdag) 10-12 u. en 14-18 u. 12 F. ☏ 68 84 03 54 (kazerne).

Parc ornithologique des ISLES

♿. Geopend: van 1 maart t/m 30 september dagelijks 9-19 u.; de rest van het jaar 9-12 u. en 13-17 u. 30 F, kinderen 20 F. ☏ 66 25 66 13.

L

Rivière souterraine de LABOUICHE

Onderaardse gang – Tocht in bootjes voor 12 personen (75 minuten). Geopend: 1 april t/m 11 november 10-12 u. en 14-18 u. tijdens de schoolvakanties en op zon- en feestdagen; 1 april tot Pinksteren 14-18 u.; van Pinksteren t/m 30 september 10-12 u. en 14-18 u. (in juli en augustus zonder onderbreking van 10-18 u.); van 1 oktober t/m 11 november op zon- en feestdagen en tijdens de schoolvakanties 10-12 u. en 14-18 u. Laatste vertrektijden om 11.15 u. en om 17.15 u. 39 F, kinderen onder de 12 jaar 28 F. ☎ 61 65 04 11.

LAGRASSE

Abdijgebouwen en Donjon – Geopend: van mei t/m september dagelijks (behalve zondagmorgen) 10-12 u. en 14-18.30 u., van 14-17 u. de rest van het jaar en bovendien van 10-12 u. tijdens de schoolvakanties. Gesloten: 1 januari en 25 december. 20 F. ☎ 68 43 13 97.

Vroegere woonverblijf van de abt – Dezelfde openingstijden en dezelfde toegangsprijs als voor de abdijgebouwen en de donjon.

LAGUIOLE

Place du Foirail - 12210 - ☎ 65 44 35 94

Musée du Haut-Rouergue – Geopend: in juli en augustus 15-18.30 u., de rest van het jaar uitsluitend voor groepen. Een bijdrage wordt op prijs gesteld. ☎ 65 44 34 48.

LAMALOU-LES-BAINS

2, Av. du Dr.-Mènard - 34240 - ☎ 67 95 70 91

Rondleidingen door de stad – Inlichtingen bij het Office de Tourisme.

Train touristique Bédarieux – Mons-la-Trivalle – ♿. Het treintje rijdt in juli en augustus dagelijks (behalve maandag); in juni en september op zaterdag, zon- en feestdagen en op pinkstermaandag; in april, mei en november op zaterdag en zondag, paasdag, 1 en 8 mei, de donderdag van Hemelvaart, 1, 4, 5, 11 en 12 november. Vertrek uit Bédarieux om 10.30 u. en 14.30 u., vertrek uit Lamalou-les-Bains om 10.50 u. en 14.50 u., vertrek uit Mons-la-Trivalle om 11.50 u. en 18 u. (in oktober en november om 17.15 u.). Uitsluitend retourkaartjes: Bédarieux-Mons-la-Trivalle 60 F, kinderen 30 F; Lamalou-Mons-la-Trivalle 40 F, kinderen 20 F. ☎ 67 95 77 00.

St-Pierre-de-Rhèdes – De kapel kan bezichtigd worden van maart t/m november op woensdagmiddag om 14.30 u. Inlichtingen bij het Office de Tourisme.

LANGOGNE

15, Bd. des Capucins - 48300 - ☎ 66 69 01 38

Filature des Calquières – Vrije bezichtiging of rondleiding (anderhalf uur): in juli en augustus 10-19 u.; de rest van het jaar 10-12 u. en 14-18 u. Gesloten: 1 januari, 1 mei en 25 december. 25 F. ☎ 66 69 25 56.

LAROQUE

Aven des Lauriers – ♿. Rondleiding (1 uur) 10-18.30 u. in juli en augustus; 14-17 u. in april, mei en juni, 10-18 u. in september. Gesloten van 1 oktober t/m 31 maart. 35 F; kinderen 20 F. ☎ 67 73 55 57.

Causse du LARZAC

Maison du Larzac (Écomusée) – Geopend: van 1 juli t/m 10 september 10-19 u. Proeven van regionale producten. ☎ 65 60 43 58.

Châteaux de LASTOURS

Geopend: in juli en augustus 9-20 u.; van 1 april t/m 30 juni en in september 10-18 u.; in oktober en in de weekends, op feestdagen en tijdens de schoolvakanties in februari, maart, november en december 10-17 u. Gesloten: in januari en op 25 december. 15 F. ☎ 68 77 56 02.

LATTES

Musée archéologique Henri-Prades – Geopend: 10-12 u. en 14-17.30 u. Gesloten: dinsdag, 1 januari, 14 juli en 25 december. 15 F. ☎ 67 65 31 55. Voor rondleidingen bellen naar ☎ 67 22 23 16.

LAVAUR

22, Grande-Rue - 81500 - ☎ 63 58 02 00

Cathédrale St-Alain – Voor bezichtiging gewoon geopend. Voor rondleidingen, inlichtingen bij het Syndicat d'Initiative.

LAVERUNE

Château: Musée Hofer-Bury - Geopend op zaterdag en zondag 15-18 u.; de rest van de week op aanvraag (bij het stadhuis). 10 F. ☎ 67 27 59 54 (stadhuis).

LESCURE

Église St-Michel - Geopend van juni t/m september, 14.30-18.30 u. Inlichtingen bij het stadhuis van Lescure. ☎ 63 60 76 73.

LÉZIGNAN-CORBIÈRES

1, Square Marcellin-Albert - 11200 - ☎ 68 27 05 42

Musée de la Vigne et du Vin - Dagelijks geopend 9-19 u. 20 F. ☎ 68 27 07 57.

Grotte de LIMOUSIS

Rondleidingen (drie kwartier): in juli en augustus 10-18 u.; van 1 april t/m 30 juni dagelijks 10-12 u. en 14-18 u.; de rest van het jaar alleen op zondagmiddag en tijdens de schoolvakanties elke middag. 33 F, kinderen 18 F. ☎ 68 77 50 26.

LIMOUX

Promenade Tivoli - 11303 - ☎ 68 31 11 82

Wijnkelders - Voor adressen van wijnbouwers die hun kelders ter bezichtiging openstellen, inlichtingen bij het Office de Tourisme.

LISLE-SUR-TARN

Mairie - 81310 - ☎ 63 33 35 18

Musée Raymond-Lafage - Geopend: door de week (behalve dinsdag) 10-12 u. en 14-18 u., op zaterdag van 1 mei t/m 31 oktober 14-18 u.; de rest van het jaar uitsluitend op donderdag en vrijdag 10-12 u. en 14-18 u. Gesloten: 1 januari, Pasen, 1 mei, 1 november en 25 december. 10 F. ☎ 63 40 45 45.

LODÈVE

7, Place de la République - 34700 - ☎ 67 88 86 44

Musée Cardinal-de-Fleury - Geopend: dagelijks (behalve maandag) 9-12 u. en 14-18 u. Op feestdagen gesloten. 20 F. ☎ 67 88 86 10.

Grotte de LOMBRIVES

Rondleidingen (anderhalf uur): alle zaterdagen, zon- en feestdagen van Palmpasen t/m 31 mei en van 1 oktober t/m 10 november; dagelijks in de voorjaarsvakantie en in juni en september. Vertrek treintje en bezichtiging om 10 u., 10.45 u. en voorts elke drie kwartier van 14-17.30 u. Tijdens de zomervakantie dagelijks: vertrek treintje en bezichtiging elke 20 min. van 10-19 u. Tijdens de schoolvakanties rond Allerheiligen en Kerstmis dagelijks om 15 u. Normaal 36 F. Treintje 6 F. Inlichtingen inwinnen voor andere bezoekmogelijkheden. ☎ 61 05 98 40.

LOUBENS-LAURAGAIS

Kasteel - Geopend: 15 t/m 31 augustus van donderdag t/m zondag en op de feestdagen 14.30-18.30 u.; van 1 mei t/m 14 augustus en van 1 september t/m 1 november uitsluitend op zon- en feestdagen. 30 F. ☎ 61 83 12 08.

LOUPIAN

Église St-Hippolyte - Geopend: van 30 juni tot 15 september, dagelijks (behalve dinsdag). Rondleidingen op verzoek. ☎ 67 43 87 73.

Église Ste-Cécile - Geopend: zondag. Rondleiding op aanvraag. ☎ 67 43 87 73.

Gallo-Romeinse Villa - Wegens restauratiewerkzaamheden tijdelijk gesloten. ☎ 67 43 82 07 (gemeentehuis).

Mont LOZÈRE

Le Mazel: Centre d'information du Parc national des Cévennes - Geopend: van 14 juli t/m 15 augustus dagelijks (behalve dinsdag) 9-12 u. en 14.30-19 u.

Mas de la Barque - ♿. Het pad is het hele jaar geopend; in de winter langlaufskie's meenemen. 20 F, inclusief de bezichtiging van het Maison du Mont Lozère, de Ferme du Troubat en het parcours van het Sentier du Mas Camargues. ☎ 66 45 80 73.

Parc zoologique de LUNARET

♿ Geopend: in de zomer 8-19 u., in de winter 8-17.30 u. Gratis toegang. ☎ 67 63 27 63.

M

MAGRIN

Château-Musée du Pastel - Geopend: van 1 juli t/m 30 september dagelijks (behalve op zon- en feestdagen) 15-18 u.; de rest van het jaar op zon- en feestdagen 15-18 u. 35 F. ☎ 63 70 63 82.

MAGUELONE

Ancienne cathédrale - Geopend: van 1 juni t/m 30 september 9-19 u., met verplicht parkeren (20 F) op de parkeerplaats en vervolgens gratis vervoer met het treintje; de rest van het jaar rechtstreeks toegang tot de kathedraal, 9-18 u. ☎ 67 50 63 63.

La MALÈNE

🅘 48210 - ☎ 66 48 50 77 (juli-aug.) of 66 48 51 16 (stadhuis, buiten het zomerseizoen)

MARCEVOL

Association du Monastir - De kerk van de priorij kan het hele jaar door bezichtigd worden. Voor inlichtingen over de activiteiten van deze vereniging, contact opnemen met ☎ 68 05 24 25.

MARSEILLAN

Wijnkelders van Noilly-Prat - Rondleidingen (drie kwartier): van 1 maart t/m 31 oktober 10-12 u. en 14.30-18 u.; de rest van het jaar dagelijks (behalve maandag) 10-12 u. en 14.30-17.30 u. Toegang gratis, proeven en verkoop. ☎ 67 77 20 15.

MARVEJOLS

🅘 Place du Soubeyran - 48100 - ☎ 66 32 02 14

Le MAS SOUBEYRAN

Musée du Désert - Vrije bezichtiging of rondleiding (een uur): van 1 juli t/m de eerste zondag van september 9.30-18.30 u.; van 1 maart t/m 30 juni en begin september t/m 30 november 9.30-12 u. en 14.30-18 u. Gesloten: 1 december t/m 28 februari. 20 F. ☎ 66 85 02 72.

Grotte du MAS-D'AZIL

Rondleidingen (40 min.): van 1 juni t/m 30 september 10-12 u. en 14-18 u.; van 1 april t/m 30 mei 14-18 u. (bovendien van 10-12 u. op zon- en feestdagen); in maart en van 1 oktober t/m 30 november uitsluitend op zon- en feestdagen 14-18 u. Gesloten van begin december tot eind februari. Kaartje in combinatie met het museum 20 F. ☎ 61 69 97 71.

Musée de la Préhistoire - Geopend: van 1 juni t/m 30 september 10-12 u. en 14-18 u.; in april en mei 14-18 u. (bovendien op zon- en feestdagen 10-12 u.); de rest van het jaar uitsluitend op zondag 10-12 u. en 14-18 u. 10 F of 20 F (inclusief de grot). ☎ 61 69 97 22.

MAS-PALÉGRY

Musée d'aviation - ♿. Geopend: van 15 juni t/m 15 september dagelijks (behalve maandagmorgen en zondagmorgen) 10-12 u. en 15-19 u.; de rest van het jaar uitsluitend op zondag 14.30-18.30 u. of op aanvraag. 15 F. ☎ 68 54 08 79.

MAUREILLAS-LAS-ILLAS

Musée du Liège - Geopend: van 15 juni t/m 15 september 10.30-12 u. en 15.30-19 u.; de rest van het jaar dagelijks (behalve dinsdag) 14-17 u. Gesloten: 1 januari, 1 mei, 1 november en 25 december. 10 F. ☎ 68 83 15 41.

Château de MAURIAC

Rondleiding (5 kwartier): dagelijks 15-18 u. 30 F. ☎ 63 41 71 18.

MAZAMET

🅘 Rue des Casernes - 81200 - ☎ 63 61 27 07

MENDE

🅘 14, Bd. Bourrillon - 48000 - ☎ 66 65 02 69

Rondleidingen door de stad - Inlichtingen bij het Office de Tourisme.

Musée Ignon-Fabre - Tijdens de herdruk van deze gids werd het museum gerenoveerd. Inlichtingen ☎ 66 65 05 02.

Coopérative des artisans de Lozère - Verkoop: in juli en augustus dagelijks (behalve zon- en feestdagen) 9-12 u. en 14-19 u.; de rest van het jaar dagelijks (behalve maandag, zon- en feestdagen) op dezelfde tijden.

MEYRUEIS

ℹ Tour de l'Horloge - 48150 - ☎ 66 45 60 33

Rondleidingen door de stad - Inlichtingen bij het Office de Tourisme.

Château de Roquedols en informatiecentrum - Geopend: dagelijks (behalve op maandagochtend en zondagmiddag) 9.30-12.30 u. en 15-18.30 u. in juli en augustus. ☎ 66 45 62 81.

MÈZE

Station de lagunage - Rondleidingen (anderhalf uur): in juli en augustus 10-19.30 u. (laatste vertrektijd 18 u.); de rest van het jaar dagelijks (behalve op zaterdag van 15 november t/m 15 februari) 14-18 u. (laatste vertrektijd 16.30 u.). 30 F, kinderen 20 F. ☎ 67 46 64 94.

MILLAU

ℹ Av. Alfred-Merle, B.P. 45 - 12103 Cedex - ☎ 65 60 02 42

Musée de Millau - Geopend: 10-12 u. en 14-18 u. Gesloten: de zondagen van 1 oktober t/m 31 maart, op 1 januari, 1 mei, 1 en 11 november, 25 december. 22 F. ☎ 65 59 01 08.

Beffroi - Rondleidingen (een halfuur): in juli en augustus 10-11.30 u. en 15.30-18.30 u. (zaterdag vanaf 15 u., zon- en feestdagen vanaf 16 u.); in juni en september dagelijks (behalve zon- en feestdagen) 10-11.30 u. en 15-17.30 u. Gesloten: van 1 oktober t/m 31 mei. 15 F. Inlichtingen bij het Office de Tourisme.

Fouilles de la Graufesenque - Geopend: 9-12 u. en 14-18.30 u. Gesloten: 1 januari, 1 mei, 1 en 11 november, 25 december. 21 F. ☎ 65 60 11 37.

MINERVE

ℹ Mairie - 34210 - ☎ 68 91 81 43

Stadsrondleiding - Inlichtingen bij het Syndicat d'Initiative, ☎ 68 91 81 43, of ☎ 68 46 10 28.

Église St-Étienne - Alleen te bezichtigen tijdens de rondleiding door de stad.

Musée - Geopend: van 1 juli t/m 15 september 10.30-17.30 u.; van 1 april t/m 30 juni en de rest van het jaar uitsluitend op zon- en feestdagen 13.30-17.30 u. 6 F. ☎ 67 89 47 98.

Musée Hurepel - Geopend: in juli en augustus 11-19 u.; de rest van het jaar 14-18 u. Gesloten: van 16 oktober t/m 31 maart. 15 F. ☎ 68 46 10 28 of 68 91 12 26.

Château de la MOGÈRE

♿. Rondleidingen (1 uur): van Pinksteren tot eind september 14.30-18.30 u.; de rest van het jaar uitsluitend op zaterdag, zon- en feestdagen, op dezelfde tijden. 25 F of 10 F (alleen de tuin). ☎ 67 65 72 01.

MOISSAC

ℹ Place Durand-de-Bredon - 82200 - ☎ 63 04 01 85

Kloostergang - ♿. Geopend: in juli en augustus 9-19 u.; van 16 maart t/m 30 juni en 1 september t/m 15 oktober 9-12 u. en 14-18 u.; de rest van het jaar 9-12 u. en 14-17 u. Gesloten: 1 januari en 25 december. 20 F. ☎ 63 04 01 85.

Musée moissagais - Geopend: in juli en augustus dagelijks (behalve maandag en op zondagmorgen) 10-12.30 u. en 14-19.30 u.; van 16 maart t/m 30 juni en 1 september t/m 15 oktober 10-12.30 u. en 14-18.30 u.; de rest van het jaar 10-12.30 u. en 14-17.30 u. Gesloten: 20 december t/m 20 januari. 10 F. ☎ 63 04 03 08.

MONESTIÈS

Chapelle St-Jacques - *Rondleidingen dagelijks 10-12 u. en 14-18 u. ☎ 63 76 11 78.*

MONTAUBAN

ℹ Ancien collège, Place Prax - 82000 - ☎ 63 63 60 60

Musée Ingres - Geopend: in juli en augustus 9.30-12 u. en 13.30-18 u.; van Palmzondag tot eind juni en van 1 september t/m de tweede zondag van oktober dagelijks (behalve maandag) 10-12 u. en 14-18 u.; de rest van het jaar dagelijks (behalve zondagmorgen en maandag) 10-12 u. en 14-18 u. Op feestdagen gesloten. 15 F of 20 F (in geval van een tentoonstelling). ☎ 63 22 12 91.

Musée du Terroir - Geopend: het hele jaar door, dagelijks (behalve zondag en maandag) 10-12 u. en 14-18 u. Gesloten op feestdagen. 12 F, woensdag gratis toegang. ☎ 63 66 46 34.

Musée d'Histoire naturelle et de Préhistoire - Geopend: dagelijks (behalve zondagmorgen en maandag) 10-12 u. en 14-18 u. Op feestdagen gesloten. 12 F, woensdag gratis toegang. ☎ 63 22 13 85.

MONTGEY

Château – *Bezichtiging van de terrassen en de binnenplaats op zaterdag- en zondagmiddag. Binnen uitsluitend te bezichtigen voor groepen, op afspraak.* ☎ 63 59 18 29.

MONT-LOUIS

ℹ Rue du Marché - 66210 - ☎ 68 04 21 97

Four solaire – ♿. Rondleidingen (halfuur): in juli en augustus 9.30-12.30 u. en 13.30-18.30 u.; de rest van het jaar 10-12.30 u. en 14-18 u. Toegang 25 F. ☎ 68 04 14 89.

MONTPELLIER

ℹ "Le Triangle" Passage du Tourisme - 34000 - ☎ 67 58 67 58 of 78, Av. du Pirée - ☎ 67 22 06 16 of SNCF-station Rue Jules-Ferry - ☎ 67 92 90 03.

Rondleidingen door de stad – Inlichtingen bij het Office de Tourisme.

Hôtel des Trésoriers de France: Musée languedocien – Vrije bezichtiging of rondleiding (5 kwartier): in juli en augustus dagelijks (behalve zondag) 14-18 u.; de rest van het jaar 14-17 u. Op feestdagen gesloten. 20 F. ☎ 67 52 93 03.

Crypte N.-D.-des-Tables – Wegens verbouwingswerkzaamheden momenteel gesloten.

Hôtel de Manse – De deur die uitkomt op de binnenplaats is vaak gesloten.

Musée du Vieux Montpellier – Geopend: dagelijks (behalve zondag en maandag), door de week 9.30-12 u. en 13.30-17 u., zaterdag 13.15-17.15 u. Op feestdagen gesloten. ☎ 67 66 02 94.

Musée Fougau – Geopend op woensdag en donderdag (tenzij dit feestdagen zijn) 15-18 u. ☎ 67 60 53 73.

Hôtel Sabatier d'Espeyran – Bezichtiging mogelijk in het kader van de rondleidingen door de stad. Inlichtingen bij het Office de Tourisme.

Musée Fabre – Geopend van 9-17.30 u. (tot 17 u. op zaterdag en zondag). Gesloten op maandag en sommige feestdagen. 18 F. ☎ 67 14 83 00.

Hôtel St-Côme – Rondleidingen (een kwartier): dagelijks (behalve zaterdag en zondag) van 14-16 u. Men dient te reserveren bij mevrouw Goetzmann, hôtel St-Côme. Op feestdagen gesloten. ☎ 67 10 24 01.

Musée Atger – Vrije bezichtiging of rondleiding (een uur): dagelijks (behalve zaterdag en zondag) 13.30-16.30 u. Gesloten op feestdagen en in de maand augustus. ☎ 67 66 27 77.

Musée d'Anatomie – Geopend: dagelijks (behalve zaterdag en zondag) van 14.15-17 u. Op feestdagen gesloten. Kinderen zonder begeleiding geen toegang. ☎ 67 60 73 71.

Le Corum – ♿. Rondleidingen (een uur) op zaterdag 14-19 u., anders op afspraak. ☎ 67 61 67 61.

Terrasse du Corum – Geopend: van 1 mei t/m 30 september 10-22 u.; de rest van het jaar 10-19 u.

Jardin des Plantes – ♿. Geopend: van 1 april t/m 31 oktober dagelijks (behalve zondag) 8.30-12 u. en 14-18 u.; de rest van het jaar 8-12 u. en 14-17.30 u. Op feestdagen gesloten. ☎ 67 63 43 22.

Musée de l'Infanterie – Geopend: dagelijks (behalve zaterdag en zondag) 8-11 u. en 14-17 u. (vrijdag tot 16 u.). Gesloten op feestdagen. ☎ 67 07 20 23 of 67 07 21 39.

Chaos de MONTPELLIER-LE-VIEUX

Bezichtiging: van 15 maart t/m 14 september 9.30-19 u., van 15 september t/m 3 november 9.30-18 u., de rest van het jaar op afspraak. 25 F, kinderen 10 F. Gesloten van 7 november t/m 31 januari. Supplement "treintje": 15 F (retour), 10 F (enkele reis); kinderen 10 F (retour), 5 F (enkele reis). ☎ 66 45 67 38.

MONTSÉGUR

Burcht – Geopend: in juli en augustus 9-19 u.; uitsluitend voor groepen van minimaal 15 personen en op afspraak, van 1 april t/m 30 juni en in september 9-19 u., in februari, maart, oktober en november 10-18 u. Gesloten van 1 december t/m 11 februari. Kaartje in combinatie met de bezichtiging van het archeologisch museum 16 F. ☎ 61 01 06 94.

Archeologisch Museum – Geopend: van 1 mei t/m 30 september 10-13 u. en 14-19 u.; van 1 februari t/m 30 april en 1 oktober t/m 30 november 11-16 u. Gesloten van 1 december tot de schoolvakantie in februari. 16 F, inclusief de bezichtiging van het kasteel. ☎ 61 01 10 27.

Cirque de MOURÈZE

Parc des Courtinals – Vrije bezichtiging of rondleiding (drie kwartier, op aanvraag): van 1 april t/m 31 oktober 9-18 u.; de rest van het jaar uitsluitend op zaterdag, zon- en feestdagen 13-17 u. 20 F. ☎ 67 96 08 42.

N

NAJAC

ℹ Place du Faubourg - 12270 - ☎ 65 29 72 05

Burcht - Vrije bezichtiging of rondleiding (een uur): van 1 juni t/m 30 september 10-12 u. en 14-18 u.; van 1 april t/m 31 mei, alsmede in oktober uitsluitend op zaterdag en zondag 10-12 u. en 14-17 u. Gesloten van 1 november t/m 31 maart. 16 F. ☎ 65 29 71 65.

NARBONNE

ℹ Place Roger-Salengro - 11100 - ☎ 68 65 15 60

Rondleidingen door de stad - Inlichtingen en reserveringen: Ville de Narbonne, Service Culture Communication, B.P. 823 - 11108 Narbonne Cedex. ☎ 68 90 30 66.

Cathédrale St-Just - Rondleidingen (een uur): dagelijks, behalve op zon- en feestdagen, 9.30-11.50 u. en 14-17.50 u. (maandag t/m donderdag tot 18.50 u.). ☎ 68 32 09 52.

Terrassen en noordertoren - Geopend: van 15 juni t/m 15 september dagelijks (behalve zondag) 9.30-17.30 u. 10 F. ☎ 68 32 09 52.

Kerkschat - Te bezichtigen van 15 juni t/m 15 september 9.30-11.30 u. en 14-17.30 u.; de rest van het jaar dagelijks (behalve maandag en woensdag) 14.15-16 u. 10 F. ☎ 68 33 70 18.

Palais des Archevêques - Rondleidingen: van 15 juni t/m 30 september dagelijks om 10 u., 14 u. en 16 u.; de rest van het jaar op aanvraag voor groepen van minimaal 5 personen. Vertrek vanaf de receptie van het Hôtel de Ville (zaal op de benedenverdieping van de donjon Gilles-Aycelin). 25 F. Inlichtingen bij de Service Culture Communication, B.P. 823 - 11108 Narbonne Cedex. ☎ 68 90 30 66.

Musée archéologique, Musée d'Art et d'Histoire - Vrije bezichtiging of rondleiding (☎ 68 90 30 54): van 2 mei t/m 30 september 9.30-12.15 u. en 14-18 u.; de rest van het jaar dagelijks (behalve maandag) 10-12 u. en 14-17 u. Gesloten: 1 januari, 1 mei, 14 juli, 1 november en 25 december. 10 F. ☎ 68 90 30 54.

Donjon Gilles-Aycelin - Rondleiding aanvragen bij de Service Culture Communication. ☎ 68 90 30 66.

Vroeg-christelijke crypte van de Basilique St-Paul-Serge - Geopend: maandag t/m zaterdag 10-12 u. en 14-18 u., zondag 14-18 u.

Musée lapidaire - Vrije bezichtiging of rondleiding (☎ 68 90 30 66): van 1 juli t/m 31 augustus 9.30-12.15 u. en 14-18 u. Op 14 juli gesloten. 10 F.

Église St-Sébastien - Dagelijks geopend van 14-18 u. ☎ 68 32 09 52.

NASBINALS

Veemarkt - Deze wordt gehouden op 17 augustus en 9 september. De paardenmarkt op 7 november. Indien deze data op een zondag vallen, wordt de markt de volgende dag gehouden.

Grotte de NIAUX

In de grot is het aantal bezoekers beperkt tot 20 per rondleiding. Men dient dus zo vroeg mogelijk te reserveren. Rondleidingen (5 kwartier): van 1 juli t/m 30 september elke drie kwartier van 8.30-11.30 u. en 13.30-17.15 u.; de rest van het jaar om 11 u., 15 u. en 16.30 u. Gesloten: 1 januari en 25 december. 50 F. ☎ 61 05 88 37.

Chaos de NÎMES-LE-VIEUX

Bezichtiging: vanuit Veygalier, van 1 april t/m 30 september, de hele dag (8 F toegang tot het kleine museum), vanuit Hom of Gally vrije bezichtiging.

NISSAN-LES-ENSÉRUNE

ℹ 17, Avenue de Lespignan - 34440 - ☎ 67 37 14 12

Museum (in de kerk) - Rondleiding (drie kwartier) dagelijks (behalve op zon- en feestdagen) 9-12 u. en 14-18 u. Toegang gratis. ☎ 67 37 01 46.

NOTRE-DAME-DE-LA-DRÈCHE

Musée-sacristie - ♿. Geopend: maandag t/m zaterdag 9.30-12 u. en 14-18 u., zondags 14-15 u. en 16-19 u. Een offer wordt op prijs gesteld. ☎ 63 53 75 00.

NOTRE-DAME-DE-LAVAL

Voormalige ermitage - *Voor bezichtiging dient men zich te wenden tot het gemeentehuis in Caudiès.* ☎ *68 59 92 25.*

O

Château d'O

Uitsluitend toegankelijk tijdens exposities en de evenementen van het festival "Printemps des Comédiens" in juni en juli.

ODEILLO

Four solaire – ♿. Bezichtiging van de expositiehal (informatieborden, maquettes, videovoorstellingen): in juli en augustus van 10-12.30 u. en 13-19.30 u. (op zaterdag, zon- en feestdagen vanaf 13.30 u.); de rest van het jaar 10-12.30 u. en 13.30-17.30 u. Gesloten van 15 november t/m 15 december, op 1 januari en 25 december. 25 F. ☎ 68 30 77 86.

OLARGUES

ℹ Rue de la Place - 34390 - ☎ 67 97 71 26

Museum – Vrije bezichtiging of rondleiding (drie kwartier): van 1 juli t/m 12 september, van maandag t/m zaterdag 10.30-12 u. en 15-18 u., zondag 10.30-12 u. ('s middags uitsluitend na reservering). 10 F. ☎ 67 97 70 79 of ☎ 67 97 88 00.

P – Q

PALAVAS-LES-FLOTS

Musée Albert-Dubout – Bezichtiging (anderhalf uur, inclusief de boottocht, aanlegsteiger: quai Paul-Cunq): in juli en augustus 16-24 u.; in juni en september 14-19 u.; in april, mei en oktober, alsmede tijdens de schoolvakanties van 1 november t/m 31 maart 14-18 u. Een halfuur vóór sluitingstijd worden geen kaartjes meer verkocht. Gesloten: maandag (behalve in juli en augustus), 1 januari en 25 december. 20 F, kinderen 10 F. Nadere inlichtingen bij het Office de Tourisme.

PERPIGNAN

ℹ Palais des Congrès, Pl. A.-Lanoux - 66000 - ☎ 68 66 30 30

Rondleidingen door de oude stad – Inlichtingen bij het Office de Tourisme. Duur: 2 uur.

Palais des rois de Majorque – Geopend: van 1 juni t/m 30 september 10-18 u.; de rest van het jaar 9-17 u. Drie kwartier vóór sluitingstijd worden geen kaartjes meer verkocht. Gesloten op 1 januari, 1 mei, 1 november en 25 december. 20 F. ☎ 68 66 38 83.

Musée Hyacinthe-Rigaud – Geopend: van half juni tot half september dagelijks (behalve dinsdag) 9.30-12 u. en 14.30-19 u.; de rest van het jaar 9-12 u. en 14-18 u. ☎ 68 35 43 40.

Hôtel de Ville – Geopend: het hele jaar van maandag t/m donderdag 8-12 u. en 14-18 u., vrijdag 9-12 u. en 14-17 u. Gesloten: zaterdag, zon- en feestdagen.

Campo Santo – Geopend: van begin tot half augustus, dagelijks (behalve dinsdag), door de week 9-12 u. en 15-19 u., zondag 15-19 u.; van 1 oktober t/m 15 mei door de week 10-12 u. en 14-17 u., zondag 14-17 u. Gesloten: 1 januari, 1 mei en 25 december, alsmede van half mei tot eind juli, en een tiental dagen aan het einde van augustus wegens een festival. ☎ 68 66 30 30.

Casa Pairal – Geopend: van 15 juni t/m 15 september dagelijks (behalve dinsdag) 9.30-19 u. (18 u. op zondag); de rest van het jaar 9-18 u. (17 u. op zondag). Op feestdagen gesloten. Toegang gratis. ☎ 68 35 42 05.

Musée numismatique Joseph-Puig – Geopend: dagelijks (behalve zondag en maandag) 8.15-12 u. en 14-18 u. Op feestdagen gesloten. ☎ 68 34 11 70.

Centre d'artisanat d'art Sant Vicens – ♿. Geopend van 10-12 u. en 14-19 u. ☎ 68 50 02 18.

Église St-Jacques – Zie de openingstijden op de deur.

Château de PEYREPERTUSE

Bezichtiging: dagelijks, het hele jaar door, in de zomer van 10-19 u.; de rest van het jaar tot zonsondergang. Stevige schoenen aantrekken. 15 F. ☎ 68 45 40 55.

PEYRIAC-DE-MER

Musée archéologique – Inlichtingen bij het stadhuis. ☎ 68 41 49 90.

PEYRUSSE-LE-ROC

🅸 12220 - ☏ 65 80 40 02

Archeologisch Museum - Geopend: in juli en augustus 10-12 u. en 14-19 u.; de rest van het jaar op aanvraag. ☏ 65 80 40 02.

Middeleeuwse wijk -Bezichtiging: in juli en augustus dagelijks, van 1 maart t/m 30 juni en van 1 september t/m 30 oktober alleen op zon- en feestdagen. 10 F. ☏ 65 80 40 02.

PÉZENAS

🅸 6, Rue Four de la Ville ou Place Gambetta - 34120 - ☏ 67 98 35 45/11 82

Rondleidingen door de stad - Inlichtingen bij het Office de Tourisme.

Hôtel d'Alfonce - Geopend: in juli en augustus dagelijks (behalve zaterdag, zon- en feestdagen) 10-12 u. en 14-18 u.; de rest van het jaar uitsluitend op afspraak. 10 F. ☏ 67 98 36 40.

Musée Vulliod-St-Germain - Geopend: in het seizoen van 10-12 u. en 15-19 u.; de rest van het jaar 10-12 u. en 14-17 u. Gesloten: zondagmorgen in het seizoen, maandag in het laagseizoen, en op feestdagen. 10 F. ☏ 67 98 90 59.

PLANÈS

Kerk - *Voor bezichtiging dient men zich te wenden tot mevrouw Allies, eerste huis links als men Planès binnenrijdt.*

Le PONT-DE-MONTVERT

Maison du Mont Lozère - Geopend: van 1 juni t/m 30 september dagelijks (behalve zondagmiddag en maandagmorgen) van 10.30-12.30 u. en 14.30-18.30 u.; in mei en oktober dagelijks (behalve zaterdag en zondag) 9-12 u. 20 F, inclusief bezichtiging van de Ferme de Troubat en het parcours van het Sentier des Mas Camargues en het Sentier du Mas de la Barque. ☏ 66 45 81 94.

Mas Camargues - Geopend: in juli en augustus 10.30-12.30 u. en 14.30-18.30 u. 20 F, inclusief bezichtiging van het Maison de Mont Lozère, de Ferme du Troubat en het parcours van het Sentier du Mas de la Barque. ☏ 66 45 80 73.

Ferme du Troubat - Geopend: van 15 juni t/m 15 september dagelijks (behalve donderdag en vrijdag) van 10.30-12.30 u. en 14.30-18.30 u. 20 F, inclusief bezichtiging van het Maison du Mont Lozère en het parcours van het Sentier des Mas Camargues en het Sentier du Mas de la Barque. ☏ 66 45 80 73.

PORT-BARCARES

Passagiersschip "Lydia" - Bezichtiging: in juli en augustus 10-19 u.; in september 10-12 u. en 14-19 u.; de rest van het jaar uitsluitend in het weekend van 14-19 u. 25 F. ☏ 68 86 07 13.

PORT-LAURAGAIS

Centre Pierre-Paul Riquet - Geopend: van 15 mei t/m 15 september 9-20 u.; de rest van het jaar 10-18 u. 25 F. ☏ 61 27 14 63.

PORT-VENDRES

🅸 Quai P.-Forgas - 66660 - ☏ 68 82 07 54

Château de PORTES

Rondleidingen (drie kwartier): van 1 juli t/m 20 september dagelijks behalve maandag (behalve indien een feestdag) 9-12 u. en 15-20 u.; van 1 maart t/m 30 juni op zaterdag, zon- en feestdagen van 14-19 u.; van 21 september t/m 30 november op zaterdag, zon- en feestdagen van 14-18 u. Gesloten van 1 december tot eind februari. 17 F. ☏ 66 34 35 90.

PRADES

🅸 Rue Victor-Hugo - 66500 - ☏ 68 96 27 58

Excursies naar de Canigou - Inlichtingen bij de heer Almaric, ☏ 68 96 26 47 of bij de heer Le Bohec, ☏ 68 05 20 48. Excursie ook te maken vanuit Vernet-les-Bains: zie onder deze naam.

PRAFRANCE

Bambouseraie - ♿. Geopend: van 1 april t/m 26 september 9.30-19 u.; in maart van 9.30-18 u.; voor de periode van 27 september t/m 31 december, inlichtingen inwinnen over de openingstijden. Gesloten: op maandag en dinsdag in november en december, alsmede de maanden januari en februari. 28 F; kinderen 16 F. ☏ 66 61 70 47.

PRATS-DE-MOLLO

🅸 Place Le Foiral - 66230 - ☏ 68 39 70 83

Château de PUILAURENS

Bezichtiging van 1 april t/m 30 november 8-19 u. 15 F. ☏ 68 20 52 07.

PUIVERT

Kasteel - Geopend van 1 april tot 1 oktober 9-19 u.; de rest van het jaar uitsluitend tijdens de schoolvakanties 11-18 u. 25 F (toegangsbiljet ook geldig voor het Musée du Quercorb). ☎ 68 69 21 94.

Musée du Quercorb ☎ - Geopend van 1 april tot 1 oktober 10-20 u.; de rest van het jaar alleen tijdens de schoolvakanties 11-18 u. 25 F (toegangsbiljet ook geldig voor het kasteel). ☎ 68 69 21 94.

Château de QUÉRIBUS

Bezichtiging: in juli en augustus 9-21 u.; van 1 april t/m 30 juni en van 1 september t/m 31 oktober 10-18 u.; de rest van het jaar in de weekends en tijdens de schoolvakanties 10-17 u. 20 F, inclusief de voorstelling van "Le sermon du curé de Cucugnan" in het Théâtre Achille Mir à Cucugnan. ☎ 68 45 03 69.

R

RENNES-LE-CHATEAU

Museum - Geopend: van 1 juli t/m 31 oktober 10-13 u. en 14-19 u.; de rest van het jaar dagelijks (behalve maandag) van 10-12 u. en 14-17 u. In januari gesloten. 15 F. ☎ 68 74 14 56.

RIVESALTES

Museum - Geopend: van 1 april t/m 30 september dagelijks (behalve zaterdagmorgen en zondagmorgen) van 8-12 u. en 14-18 u.; de rest van het jaar dagelijks (behalve zaterdag en zondag) 8-12 u. en 14-18 u. (17 u. op vrijdag). 10 F. ☎ 68 64 24 98.

RODEZ

ℹ Place Foch - 12000 - ☎ 65 68 02 27

Rondleidingen door de stad - Inlichtingen bij het Office de Tourisme.

Musée Fenaille - Wegens restauratie gesloten. ☎ 65 77 88 00.

Musée des Beaux-Arts Denys-Puech - Geopend: van 21 juni t/m 20 september dagelijks (behalve maandagmorgen, dinsdag en zondagmorgen) 10-12 u. en 15-19 u. (maandag 14 u., woensdag 11 u.); de rest van het jaar dagelijks (behalve maandagmorgen, dinsdag en zondagmorgen) 10-12 u. en 14 u. (woensdag 11 u.) tot 18 u. (maandag 19 u.). Gesloten: 1 januari, 1 mei, 1 november en 25 december. 15 F, maandag gratis toegang. ☎ 65 42 70 64.

ROME

Vallée - Vanuit Le Boulou worden excursies georganiseerd door de Association pour le patrimoine de la vallée de la Rome. Men brengt o.a. een bezoek aan het Musée du Liège in Maureillas-las-Illas, de Chapelle St-Martin-de-Fenollar, Les Cluses, het Fort de Bellegarde en de archeologische vindplaats Panissars. Inlichtingen en inschrijvingen: Hôtel Le Domitien, Route d'Espagne - 66 160 Le Boulou. ☎ 68 83 49 50.

ROQUEFORT-SUR-SOULZON

ℹ Halle polyvalente Conteynes - 12250 - ☎ 65 59 93 19

Roquefortkelders - Rondleiding (een uur): in juli en augustus 9.30-18.30 u.; de rest van het jaar 9.30-11.30 u. en 14-17 u. Gesloten: 1 januari en 25 december. Warme kleren meenemen. 15 F. ☎ 65 58 58 58 of ☎ 65 59 93 30.

Musée de Préhistoire - Geopend: van eind juni tot half september 10-13 u. en 14-19 u. ☎ 65 59 91 95.

Muriot/CAMPAGNE CAMPAGNE

Fabricage van Roquefortkaas.

Belvédère de ROQUE SOURDE

Bereikbaar van 1 april tot en met 30 september, 8 u. tot 20 u.; in oktober van 8.30 u. tot 18 u. 2 F. ☎ 66 48 82 00 of ☎ 66 48 81 40.

Château de ROQUEVIDAL

Men kan het kasteel van buiten bezichtigen. ☎ 63 41 32 32.

Château de ROUSSON

Rondleidingen (een halfuur): in juli en augustus 10-19 u.; de rest van het jaar uitsluitend voor groepen. 20 F. ☎ 66 85 60 31.

S

Ancienne abbaye de ST-FÉLIX-DE-MONTCEAU

Vrije bezichtiging van de abdij of rondleiding (een halfuur): van 1 maart t/m 29 oktober uitsluitend op zaterdag, zon- en feestdagen 14.30-18 u.; de rest van het jaar 14-17 u. ☎ 67 43 34 81.

ST-GUILHEM-LE-DÉSERT

ℹ 9, Rue Font-Portal - 34150 - ☎ 67 57 44 33

Museum in de abdijkerk - Geopend: van 1 juli t/m 30 september 14.30-17.30 u.; de rest van het jaar dagelijks (behalve woensdag) 14-17.30 u. (14.30 u. op zon- en feestdagen). ☎ 67 57 71 45.

ST-JEAN-DU-GARD

ℹ Place Rambaut St-Étienne/Grand'Rue - ☎ 66 85 32 11

Musée des vallées cévenoles - Geopend: in juli en augustus dagelijks 10.30-19 u.; in mei, juni en september dagelijks (behalve maandag en zondagmorgen) 10.30-12.30 u. en 14-19 u.; de rest van het jaar uitsluitend tijdens de schoolvakanties, dagelijks (behalve maandag en zaterdag). Gesloten: 1 januari en 25 december. 17 F. ☎ 66 85 10 48.

"Voyage dans le temps" - ♿. Geopend: van Pasen t/m 30 september 10-18.30 u.; de rest van het jaar uitsluitend op zon- en feestdagen 10-18 u. 30 F, kinderen boven de 12 jaar 25 F, 6-12 jaar 20 F. ☎ 66 85 30 44.

Atlandide Parc - ♿. Bezichtiging van 9.30-19 u. 44 F, kinderen 13-16 jaar 32 F, kinderen 4-12 jaar 26 F. ☎ 66 85 32 32.

Train à vapeur des Cévennes - Zie onder Cévennes.

ST-LAURENT-DE-TRÈVES

Audiovisuele presentatie - In juli en augustus 10-19 u.; van 1 mei t/m 30 juni en van 1 september t/m 31 oktober dagelijks (behalve dinsdag) 10-12 u. en 14-18 u. 20 F, kinderen 15 F. ☎ 66 49 53 00.

ST-LIEUX-LES-LAVAUR

Promenade en train touristique à vapeur - Van 14 juli t/m 31 augustus rijdt het stoomtreintje op zaterdag, zondag en maandag 14.30-18.30 u.; op dezelfde tijden op zon-en feestdagen van Pasen tot eind oktober. 23 F. ☎ 61 47 44 52.

ST-MARTIN-DE-FENOLLAR

Kapel - Bezichtiging: van 2 mei t/m 30 september 10.30-12 u. en 15-17.30 u.; de rest van het jaar dagelijks (behalve dinsdag) 14-16 u. Gesloten: 1 januari, 1 mei, 1 november en 25 december. 15 F. ☎ 68 87 73 82.

ST-MARTIN-DU-CANIGOU

De weg naar de abdij is verboden voor voertuigen. De abdij is uitsluitend bereikbaar te voet. Ook kan men gebruik maken van de jeepservice. Inlichtingen bij het Office de Tourisme in Vernet-les-Bains. ☎ 68 05 55 35.

Abdij - Rondleidingen (drie kwartier): van 15 juni t/m 14 september, maandag t/m zaterdag om 10 u., 12 u., 14 u., 15 u., 16 u. en 17 u., zon- en feestdagen om 10 u., 12.10 u., 14 u., 15 u., 16 u. en 17 u.; de rest van het jaar, door de week (behalve op dinsdag van 1 oktober tot Pasen) om 10 u., 12 u., 14.30 u., 15.30 u. en 16.30 u., zon- en feestdagen om 10 u., 12.10 u., 14.30 u., 15.30 u. en 16.30 u. 15 F. ☎ 68 05 50 03.

ST-MICHEL-DE-CUXA

Abdij - Geopend: het hele jaar door, dagelijks (behalve op zondagmorgen en op feestdagen 's morgens) 9.30-11.50 u. en 14-18 u. (17 u. van 1 oktober t/m 30 april). 10 F. ☏ 68 96 15 35.

Prieuré ST-MICHEL-DE-GRANDMONT

Rondleidingen (anderhalf uur): in juli en augustus om 10.30 u., 15 u., 16 u., 17 u. en 18 u.; van Pasen t/m 30 juni en in september om 10.30 u., 15 u. en 17 u.; de rest van het jaar uitsluitend op zon- en feestdagen om 15 u. 28 F. ☏ 67 44 09 31.

ST-PAPOUL

Abdij - Vrije bezichtiging of rondleiding (anderhalf uur): van 1 april t/m 31 oktober 9.30-12 u. en 14-19 u. 10 F indien er een tentoonstelling is. ☏ 68 94 97 75.

ST-PONS-DE-THOMIÈRES

ℹ Place du Foirail, B.P. 16 - 34220 - ☏ 67 97 06 65

Voormalige kathedraal - Voor inlichtingen over rondleidingen contact opnemen met ☏ 67 97 02 24.

Musée de Préhistoire regionale - Geopend: van 15 juni t/m 15 september van 10-12 u. en 15-18 u.; de rest van het jaar op dinsdag, donderdag en vrijdag van 10-12 u., woensdag en zaterdag van 14.30-17.30 u.; zondag 10-12 u. en 14.30-17.30 u. Op maandag gesloten. 15 F. ☏ 67 97 22 61.

STE-ÉNIMIE

ℹ Mairie - 48210 - ☏ 66 48 53 44

"Le Vieux Logis" - Geopend: in juli en augustus 10-12.30 u. en 14-19 u.; van 1 april t/m 30 juni en in september 10-12 u. en 14.30-18 u. Gesloten van 1 oktober t/m 31 maart. 10 F. ☏ 66 48 53 44.

Grot - Voor bezichtiging zich wenden tot de pastorie (bedevaart naar de grot op de eerste zondag van oktober).

A. Kumurdjian

Ste-Énimie.

SAISSAC

Museum - Te bezichtigen van 15 juni t/m 15 september 10-18 u. 10 F.

SALLÈLES-D'AUDE

Amphoralis - musée des Potiers gallo-romains - Geopend: van 1 juli t/m 30 september 10-12 u. en 15-19 u.; de rest van het jaar dagelijks (behalve maandag) 14-18 u. (bovendien op zaterdag en zondag 10-12 u.). Gesloten: 1 januari, 1 mei en 25 december. 20 F. ☏ 68 46 89 48.

Fort de SALSES

Bezichtiging: in juli en augustus 9.30-19 u.; in juni en september 9.30-18.30 u.; van 1 april t/m 31 mei en in oktober 9.30-12.30 u. en 14-18 u.; de rest van het jaar 10-12 u. en 14-17 u. Gesloten: 1 januari, 1 mei, 1 en 11 november, 25 december. 27 F. ☏ 68 38 60 13.

Prieuré de SERRABONE

Bezichtiging: dagelijks 10-18 u. 10 F. ☏ 68 84 09 30.

SÈTE

🅘 60, Grand'Rue Mario-Roustan - 34200 - ☎ 67 74 71 71

Rondleidingen door de stad - Inlichtingen bij het Office de Tourisme.

Boottochten - Voor inlichtingen over zeevissen, bezichtiging van de wonderbare diepzeewereld (vision des fonds sous-marins) en boottochten op het Bassin de Thau en het Canal du Midi kan men terecht bij SÈTE CROISIÈRES, B.P. 429, 34204 Sète Cedex, ☎ 67 46 00 46.

Musée Paul-Valéry - Geopend: in juli en augustus dagelijks en van september t/m juni dagelijks (behalve dinsdag) 10-12 u. en 14-18 u. Gesloten op feestdagen, behalve op 14 juli en 15 augustus. 10 F of 20 F (indien tentoonstelling); op woensdag gratis toegang, behalve in juli en augustus. ☎ 67 46 20 98.

Espace Brassens - ♿. Geopend: in juli en augustus 10-12 u. en 14-19 u.; de rest van het jaar dagelijks (behalve op de maandag van oktober t/m mei) 10-12 u. en 14-18 u. Gesloten: 1 januari, 1ste en 2de paasdag, 1 en 8 mei, 11 november en 25 december. 30 F, kinderen boven de 10 jaar 10 F. ☎ 67 53 32 77.

SÉVÉRAC-LE-CHÂTEAU

🅘 Rue des Douves - 12150 - ☎ 65 47 67 31

Kasteel - Vrije bezichtiging: van 1 juli t/m 15 september 9.30-12.30 u. en 13.30-18.30 u.; in juni 10-12.30 u. en 13.30-18.30 u. 10 F.

Réserve africaine de SIGEAN

Reservaat - ♿. Geopend: in de zomer 9-18.30 u.; in de winter 9-16 u. 85 F, kinderen 4-14 jaar 65 F.

Le SOMAIL

Musée de la Chapellerie - Geopend: van 1 april t/m 30 oktober, maandag t/m zaterdag 9-12 u. en 14-18 u., zondag 14-18 u.; de rest van het jaar 14-18 u. 20 F. ☎ 68 46 19 26.

SORÈZE

Collège - Rondleiding (een uur): in juli en augustus 10.30-12.30 u. en 15-19 u.; van 1 april t/m 30 juni en van 1 september t/m 31 oktober uitsluitend van 14-18 u.; de rest van het jaar alleen op afspraak. 10 F. ☎ 63 74 24 68.

T

TARASCON-SUR-ARIÈGE

🅘 B.P. 33 - 09400 - ☎ 61 05 81 30

Parc pyrénéen de l'Art préhistorique - Geopend: van 8 april t/m 12 november 10-19 u. 55 F, kinderen 6-10 jaar 35 F. ☎ 61 05 10 10.

Gorges du TARN

Boottocht van La Malène naar het Cirque des Baumes - Onder leiding van een schipper. Het tarief is 368 F per bootje van 4 personen ofwel 92 F per persoon (er zijn ook boten voor 5 personen). Duur: 5 kwartier heen en terug. Aanbevolen wordt de boot al om 8.30 u. te reserveren. Inlichtingen bij de Coopérative des Bateliers des Gorges du Tarn, 48210 La Malène, ☎ 66 48 51 10.

TAUTAVEL

Musée de Tautavel - Centre européen de la Préhistoire - Geopend: van begin juli tot eind augustus 9-21 u.; van begin juni tot begin juli en van 1 september t/m 31 oktober 10-19 u.; van 1 april t/m 31 mei 10-12.30 u. en 14-19 u.; de rest van het jaar 10-12.30 u. en 14-18 u. Gesloten: op 1 januari en 25 december, beide 's morgens. Drie kwartier vóór sluitingstijd worden geen kaartjes meer verkocht. Audiogidsen in het Frans, Engels, Duits en Catalaans. 30 F, kinderen 7-14 jaar 16 F. ☎ 68 29 07 76.

Château de TERMES

Geopend: in juli en augustus 9.30-19.30 u.; de rest van het jaar 10-18 u. (of 17 u. afhankelijk van het seizoen). 15 F. ☎ 68 70 09 20.

Bassin de THAU

Boottochten - *Voor inlichtingen over tochten op de Étang de Thau zich wenden tot Sète Croisières, B.P. 429, 34024 Sète Cedex, ☎ 67 46 00 46 of ☎ 67 46 00 10.*

THUIR

Wijnkelders Byrrh - ♿. Rondleiding (45 minuten): in juli en augustus dagelijks 10-11.45 u. en 14-18.45 u.; van 1 april t/m 30 juni en in september dagelijks (behalve zondag en 1 mei) 9-11.45 u. en 14.30-17.45 u.; in oktober dagelijks (behalve zaterdag en zondag) 9-11.45 u. en 14.30-17.45 u.; de rest van het jaar uitsluitend op afspraak. Proeverij na afloop van de rondleiding. ☎ 68 53 05 42.

TOULOUSE

🅸 Donjon du Capitole - 31080 Cedex - ☎ 61 11 02 22

Musea in Toulouse - Voor de volgende zes musea is een paspoort verkrijgbaar waarmee men toegang heeft tot 3 musea (20 F) of tot alle zes (30 F): Musée St-Raymond, les Jacobins, Musée des Augustins, Musée Paul-Dupuy, Musée d'Histoire naturelle en het Musée Georges-Labit.

Rondleidingen door de stad - Inlichtingen bij het Office de Tourisme.

Vliegtuigfabriek Clément-Ader - Rondleidingen (anderhalf uur) een week van tevoren aanvragen bij Taxiway, Avenue Jean-Monnet, 31770 Colomiers. Rondleidingen worden gegeven van 9-12.30 u. en 14-18 u. (vrijdag 17 u.). Geen bezichtiging op zon- en feestdagen. 55 F. ☎ 61 15 44 00.

Musée St-Raymond - Wegens verbouwingswerkzaamheden gesloten. ☎ 61 22 21 85.

Ancienne chapelle des Carmélites - *Bezichtiging dagelijks (behalve maandag en dinsdag) van 1 juni t/m 31 oktober. ☎ 61 29 21 45 (Direction régionale des Affaires culturelles de Midi-Pyrénées).*

Les Jacobins - Geopend: van 1 juli t/m 15 september, door de week 10-18.30 u., zon- en feestdagen 14.30-18.30 u.; de rest van het jaar, door de week 10-12 u. en 14.30-18 u., zon- en feestdagen 14.30-18 u. 10 F. ☎ 61 22 21 92.

Hôtel de Bernuy - Op zaterdag, zon- en feestdagen niet geopend.

Capitole - ♿. Door de week 8.30-17 u., op de vrije dagen tussen zon- en feestdagen 10-18 u. Gesloten zaterdagmiddag en zondag.

Musée du Vieux-Toulouse - Geopend: van 1 juni t/m 30 september 15-18 u. Gesloten op zon- en feestdagen. 10 F.

Hôtel d'Assézat (fondation Bemberg) - ♿. Geopend: van 1 juni t/m 30 september dagelijks (behalve dinsdag) 10-18 u.; de rest van het jaar 10-17 u. (zondag 11-18 u.). 25 F. ☎ 61 12 06 89.

Musée des Augustins - Geopend: van 1 juni t/m 30 september 10-18 u.; de rest van het jaar 10-17 u. Gesloten op dinsdag; op feestdagen zijn alleen de exposities geopend. Bezichtiging 's avonds: in de zomer op woensdagavond tot 22 u., in de winter tot 21 u. 10 F. ☎ 61 22 21 82.

Toulouse - Le Capitole.

Musée Paul-Dupuy - ♿. Geopend: van 1 juni t/m 30 september 10-18 u.; van 1 oktober t/m 31 mei 10-17 u. Gesloten op dinsdagmorgen en op alle feestdagen. 10 F of 20 F (tijdens de wisselende tentoonstellingen). ☎ 61 22 21 75.

Muséum d'Histoire naturelle - Geopend: van 1 juni t/m 30 september dagelijks (behalve dinsdag) 10-18 u.; de rest van het jaar 10-17 u. Op feestdagen gesloten. 10 F. ☎ 61 52 00 14.

Monument de la Résistance - ♿. Geopend: 10-12 u. en 14-17 u. Gesloten op zaterdag, zon- en feestdagen. ☎ 61 22 21 83.

Musée Georges-Labit - Gesloten wegens restauratiewerkzaamheden. ☎ 61 22 21 84.

Galerie municipale du Château d'eau - ♿. Geopend: dagelijks (behalve dinsdag, zaterdag en zondag) 13-19 u. Gesloten op feestdagen. 15 F. ☎ 61 42 61 72.

Grotte de TRABUC

Rondleidingen (drie kwartier): van 15 juni t/m 10 september 9.30-18.30 u.; van 15 maart t/m 14 juni en van 11 september t/m 15 oktober 9.30-12 u. en 14-18 u.; van 16 oktober t/m 30 november uitsluitend op zon- en feestdagen 14-18 u. Gesloten: 1 december t/m 14 maart. 35 F, kinderen 20 F. ☎ 66 85 03 28. Een ondergrondse tocht van 5 uur onder leiding van speleologen is het hele jaar mogelijk op afspraak. Prijs per persoon 200 F (groepen van zes personen). ☎ 67 66 11 11.

TRIMOUNS

Carrière - Rondleiding in de zomervakantie om 10 u., 11 u., 14 u., 15 u. en 16 u.; van half mei tot begin juli en van begin september tot half oktober uitsluitend om 16 u. 25 F. ☎ 61 64 60 60 (Office de Tourisme des vallées d'Ax). Geen rondleiding bij slecht weer.

Gorges de la TRUYÈRE

Barrage de Couesque: Espace Truyère - Rondleidingen (twee uur): van 1 juli t/m 15 september dagelijks (behalve zondag, tenzij op afspraak) 15-19 u.; de rest van het jaar uitsluitend op afspraak een week van tevoren. ☎ 65 44 56 10 (Syndicat d'Initiative van Entraygues-sur-Truyère).

V

Grotte de la VACHE - Rondleidingen (een uur): in juli en augustus dagelijks 10-17.30 u.; van 1 april t/m 30 juni en in september dagelijks (behalve dinsdag) om 14.30 u. en 16 u.; van 1 oktober t/m 15 november uitsluitend op zon- en feestdagen om 14.30 u. en 16 u.; tijdens de vakantie rond Allerheiligen, de kerstvakantie en de voorjaarsvakantie dagelijks om 14.30 u. en 16 u. 35 F. ☎ 61 05 95 06.

Abbaye de VALMAGNE

♿. Rondleidingen (een uur): van 15 juni t/m 30 september 10-12 u. en 14.30-18.30 u.; de rest van het jaar 14-18 u. Gesloten op 25 december. 25 F.

VERNET-LES-BAINS

Place de la Mairie - 66820 - ☎ 68 05 55 35

Église St-Saturnin - 's Zomers rondleiding op aanvraag bij het Office de Tourisme.

Toegang tot de Canigou - Inlichtingen bij de Garage Villacèque ☎ 68 05 51 14, bij de stationstaxi's ☎ 68 05 62 28, bij Transports Taurigna ☎ 68 05 54 39, of bij de heer Bouzan ☎ 68 05 62 28.

Château de VEZINS

Rondleidingen (een uur): dagelijks (behalve woensdag) 10-12 u. en 14.30-19 u. Gesloten van 1 november t/m 31 maart. 25 F. ☎ 65 61 87 02.

Le VIGAN

Place du Marché - 30120 - ☎ 67 81 01 72

Musée cévenol - Vrije bezichtiging of rondleiding (een uur): van 1 april t/m 31 oktober dagelijks (behalve dinsdag) 10-12 u. en 14-18 u.; de rest van het jaar uitsluitend op woensdag. Gesloten op 1 mei. 13,50 F. ☎ 67 81 06 86.

VILLEFORT

Rue de l'Église - 48800 - ☎ 66 46 87 30

Informatiecentrum van het Parc national des Cévennes - Geopend: in juli en augustus dagelijks (behalve zondagmiddag) 9-12.30 u. en 14-19 u. ☎ 66 46 87 30.

VILLEFRANCHE-DE-CONFLENT
Place de l'Église (Saison) - 66500 - ☎ 68 96 22 96

Rondleidingen door de stad - Inlichtingen bij het Office de Tourisme.

Wallen - Vrije bezichtiging of rondleiding: in juli en augustus 10-19.30 u.; in juni en september 10-18.30 u.; de rest van het jaar 14-17 u. en bovendien tijdens de schoolvakanties 10-12 u. ☎ 68 96 22 96.

Fort-Liberia - Bereikbaar via de trap genaamd "mille marches" of met terreinwagens 4WD, vertrek binnen de stadswallen, rechts van de Porte de France. Vrije bezichtiging of rondleiding (een uur): van 1 juni t/m 30 september 9-20 u., de rest van het jaar 10-18 u. 28 F. ☎ 68 96 34 01.

Grotte des Canalettes - Rondleiding (drie kwartier): in juli en augustus 9.30-19 u.; van Palmpasen t/m 30 juni en 1 september t/m 11 november 10-18 u. 28 F. ☎ 68 05 20 76.

Grotte des Grandes Canalettes - Vrije bezichtiging of rondleiding (5 kwartier): van 1 juni t/m 30 september 10-18 u.; in april, mei, september en oktober 10-12 u. en 14-18 u.; de rest van het jaar op zondag en tijdens de schoolvakanties 14-17 u. Gesloten in januari en februari. 35 F. ☎ 68 96 23 11.

Cova Bastera - Geopend: van 1 februari t/m 31 oktober en tijdens de schoolvakanties 10-12 u. en 14-18.30 u. Kaartje: 18 F, inclusief reductie voor de Grotte des Canalettes. ☎ 68 05 20 76.

VILLEFRANCHE-DE-ROUERGUE
Promenade Guiraudet - 12200 - ☎ 65 45 13 18

Rondleidingen door de stad - Inlichtingen bij het Office de Tourisme.

Chapelle des Pénitents Noirs - Geopend: van 1 juli t/m 20 september 10-12 u. en 14-18.30 u. Inlichtingen bij mevrouw Colette Terrasse. ☎ 65 45 13 18.

Musée Urbain-Cabrol - Geopend: van 1 juni t/m 30 september dagelijks (behalve zaterdag en zondag) 10-12 u. en 14-18 u.; de rest van het jaar dagelijks (behalve zaterdag en zondag) 10.30-12 u. en 14.30-17 u. Op feestdagen gesloten. 10 F. ☎ 65 45 44 37.

Ancienne chartreuse St-Sauveur - Rondleiding (een uur): van 1 juli t/m 20 september 10-12 u. en 14-18.30 u. 20 F. ☎ 65 45 13 18.

VILLEROUGE-TERMENÈS

Kasteel - Geopend: van begin juli tot eind augustus 10-20 u., van 1 mei tot begin juli en van eind augustus tot 1 oktober 10-19 u., van 2 oktober t/m 31 december 10.30-17.30 u. 20 F. ☎ 68 70 09 11.

VINDRAC

Musée de l'Outil et des Métiers anciens - Geopend: dagelijks (behalve dinsdag, uitgezonderd in juli en augustus) 10-19 u. Gesloten: 1 december t/m 31 januari. 15 F. ☎ 63 56 05 77.

Carcanague-Obellianne/IMAGES PHOTOTHÈQUE

De Gorges du Tarn gezien van de Roc des Hourtous.

Alfabetische inhoudsopgave

Agde .... Plaats, bezienswaardigheid of toeristisch gebied.
Hérault .... Naam van het departement.
Toulouse-Lautrec (Henri de) .... Naam uit de geschiedenis, van een beroemdheid en van termen die in de teksten voorkomen.

Afgelegen bezienswaardigheden (kastelen, abdijen, grotten, enz.) staan in de inhoudsopgave onder hun eigennaam.

Zie voor de vertaling van Franse woorden als abbaye, col, gorges, mont, enz. de woordenlijst op bladzijde 11.

A

Able (Défilé) *Aude* 287
Agde *Hérault* 56
Aguilar (Château) 131
Aguzou (Grottes) *Aude* 86
Aigoual (Massif) 57
Aigoual (Mont) 58
Albères (Route) *Pyrénées-Orientales* 96
Albi *Tarn* 49, 60
Albigenzen 60, 214, 239, 307
Alès *Gard* 68
Alet-les-Bains *Aude* 87
Aligot 344
Alric (Orientatietafel van de Mont) 213
Alzeau (Prise d'eau) 212
Amboise (Louis d') 60
Amélie-les-Bains-Palalda *Pyrénées-Orientales* 71
Andorra (Vorstendom) 73
Andorra la Vella 74
Anduze *Gard* 76
Les Angles *Pyrénées-Orientales* .. 85
Angoustrine *Pyrénées-Orientales* 116
Aniane *Hérault* 176
Ansignan (Aquaduct) 157
Arago (Caune de l') 33, 304
Ares (Col) *Pyrénées-Orientales* . 325
Arfons *Tarn* 212
Argelès-Plage *Pyrénées-Orientales* 275
Argelès-sur-Mer *Pyrénées-Orientales* 275
Arget (Vallée de) 161
Ariège (Haute vallée) *Ariège* 78
Arles-sur-Tech *Pyrénées-Orientales* 79
Armand (Louis) 88
Arnette (Gorges) 215
Arpajon (Louis d') 293
Arques (Donjon) *Aude* 131
L'Asclier (Col) 81
Les Aspres *Pyrénées-Orientales* 30, 82
Aubaret (Ferme) 264
Aubrac 16, 20, 50, 83
Aubrac *Aveyron* 83
Aude (Gorges) *Aude* 86
Aude (Haute vallée) *Aude, Ariège, Pyrénées-Orientales* 85
Auriac (Château) *Aude* 131
Auriol (Vincent) 211
Aven 23
Aven Armand 88
Aviler (Charles d') 50, 221
Ax-Bonascre-Le Saquet 90
Ax-les-Thermes *Ariège* 89

B

Bages (Étang) *Aude* 131
Bagnols-les-Bains *Lozère* 191
Baillanouse (Défilé) *Pyrénées-Orientales* 325
Balaruc-le-Vieux *Hérault* 91
Balaruc-les-Bains *Hérault* 91
Balsièges *Lozère* 220
Bancarel (Site) 130
Banyuls 91
Banyuls-sur-Mer *Pyrénées-Orientales* 91
Baousso del Biel 303
Barre-des-Cévennes *Lozère* 159
Bas Languedoc 16, 22
Bastides 46
La Baume (Château) 197
La Baume-Auriol *Hérault* 248
Les Baumes (Cirque) 301
Béar (Cap) *Pyrénées-Orientales* 140
Beauquiniès *Hérault* 333
Bédarieux *Hérault* 179
Bédeilhac (Grotte de) *Ariège* 79
Bedos (Col) *Aude* 131
Belcaire *Aude* 286
Bélesta *Pyrénées-Orientales* ... 256
Bellegarde (Fort) *Pyrénées-Orientales* 98
Belpuig (Château) *Pyrénées-Orientales* 82
Bez-Bedène *Aveyron* 148
Béziers *Hérault* 92
Blanquefort (Château) 196, 300
Le Bleymard *Lozère* 190
Bonascre (Plateau de) *Ariège* ... 89
Bonnecombe (Col) 85
Bonnefon *Aveyron* 83
Bons *Andorra* 75
Botanistes (Sentier) 58
Boudou *Tarn-et-Garonne* 210
Bouillac *Tarn-et-Garonne* 173
Bouillinade 342
Bouillouses (Lac) *Pyrénées-Orientales* 220
Le Boulou *Pyrénées-Orientales* .. 96
Bourdelle (Émile-Antoine) 216
Bourg-Madame *Pyrénées-Orientales* 116
Bourride sétoise 344
Bousquet (Château) 179
Bouzèdes (Belvédère) 192
Bouzigues *Hérault* 305
Bozouls *Aveyron* 98
Bramabiau (Abîme) 99

Brameloup *Aveyron* 84
Brassens (Georges) 289, 292
Brissac *Hérault* 175
Bromme (Gorges) 324
Bugarach (Pic) *Aude* 131
Burlats *Tarn* 295

C

Le Cabardès 213
Cabestany *Pyrénées-Orientales* . 254
Cabrespine (Gouffre) 215
Calmont d'Olt (Château) 150
Cambeyrac (Barrage) 322
Camisards 199
Cammazes (Barrage) 212
Camon *Ariège* 207
Canet-Plage
Pyrénées-Orientales 275
Le Canigou (Pic)
Pyrénées-Orientales 102
Canigou
Pyrénées-Orientales 29, 100
Canillo *Andorra* 75
Cantobre *Aveyron* 145
Cañon 19
Le Cap d'Agde *Hérault* 103
Cap Leucate *Aude* 274
Le Capcir
Pyrénées-Orientales 29, 86
Capitouls 306
Capluc (Rocher) 301
Carcassonne *Aude* 104
Cargolade 342
Carnon-Plage *Hérault* 169
Carol (Vallée)
Pyrénées-Orientales 116
Le Caroux (Mont) 153
Cassoulet 342
Castanet (Château) 191
Castanet, Bernard de 60
Castelbouc 299
Castelnau-de-Lévis *Tarn* 68
Castelnau-de-Montmiral *Tarn* .. 167
Castelnaudary *Aude* 109
Castelnou *Pyrénées-Orientales* . 255
Castres *Tarn* 111
Castries *Hérault* 114
Catalaans 53
Catalonië 250
Caudiès-de-Fenouillèdes
Pyrénées-Orientales 157
Caumont (Château) *Gers* 320
Caune de l'Arago 33, 304
Causses 16, 17, 50
Causses (Grands) 169
Causses (Petits) 169
La Cavalerie *Aveyron* 182
Cavalier (Jean) 199
Cayla (Musée) *Tarn* 138
Le Caylar *Hérault* 115
La Caze (Château) 300
Le Cendié (Site) 130
Centeilles (Chapelle) 206
Centrale Pyreneeën 29
Cerbère *Pyrénées-Orientales* ... 139
La Cerdagne
Pyrénées-Orientales 29, 115
Céret *Pyrénées-Orientales* 119
Le Cerisier (Gouffre) 176
Cesse (Canyon) 206
Cevennen 16, 21, 52
Cévennes (Corniche) 120, 279
Cévennes
(Parc national) 28, 157, 340
Cévennes (Porte des) 76
Cévennes (Train à vapeur) 279
Champ (Château) 191
Charbonnières (Château) 299
Chayla, Abt Du 264
La Chèvre (Grotte) 177
Chioula (Signal) *Ariège* 90
Cinglegros (Rocher) 303
Clamouse (Grotte) 122
Clamoux (Gorges) 215
Clape (Montagne) *Aude* 245
La Cluse Haute (Fort)
Pyrénées-Orientales 97
Les Cluses *Pyrénées-Orientales* .. 97
Coeur (Jacques) 221
Coffre de Pech Redon *Aude* ... 246
Collioure *Pyrénées-Orientales* .. 122
Colombières (Gorges) 180
Comberoumal (Prieuré) 125
Combret (Bernard de) 60
Comus (Forêt) *Aude* 286
Conflent *Pyrénées-Orientales* .. 125
Conques *Aveyron* 127
Corbières 130
Les Corbières *Aude,*
Pyrenées-Orientales 29, 130
Cordes-sur-Ciel *Tarn* 135
Corneilla-de-Conflent
Pyrénées-Orientales 126
Corps (Moulin) 145
Corsavy *Pyrénées-Orientales* 80
Cortalets (Chalet-Hôtel)
Pyrénées-Orientales 102
La Cortinada *Andorra* 76
La Côte Vermeille
Pyrénées-Orientales 139
Couesque (Barrage) 322
Couiza *Aude* 86
Coustouges *Pyrénées-Orientales* . 80
La Couvertoirade *Aveyron* 140
Crouzet (Forêt) 153
Crouzette (Route) *Ariège* 162
Cubières (Moulin) *Aude* 131
Cucugnan *Aude* 131
Les **Cuns** *Aveyron* 145

D

Dargilan (Grotte) 141
Demoiselles (Grotte) 142
Déroc (Grotte, cascade) 84
Les Détroits 301
Devèze (Grotte) 143
Diable (Pont) *Ariège* 176
Dominicus (heilige) 155
Le Donézan 86
Dorres
Pyrénées-Orientales 116
Douch *Hérault* 154
Dourbie (Canyon) 145
Dourbie (Vallée) 144
Dourgne *Tarn* 213
Draille 26, 83
Draille du Languedoc 58
Dugommier (Generaal) 98
Duilhac-sous-Peyrepertuse *Aude* 132
Durfort (Château) *Aude* 213
Durfort *Tarn* 132

E

Écrivains Combattants (Forêt) . 154
Elne *Pyrénées-Orientales* 145
En Calcat *Tarn* 213
En Olivier 194
Engarran (Château) 233
Engolasters (Llach)
Andorra 76
Énimie (heilige) 283
Ensérune (Oppidum) 147
Entraygues-sur-Truyère
Aveyron 148
Envalira (Port) *Andorra* 75
Escala de l'Ours
Pyrénées-Orientales 102
Escalade 342
Espalion *Aveyron* 149
Esparon 328
Espéraza *Aude* 86
Espérou *Gard* 59
Espinouse 152
Espinouse (Forêt) 152
Espinouse (Monts) 52, 150
Estaing *Aveyron* 154
Estaing (Familie) 154
Estofinade 344
Eus *Pyrénées-Orientales* 265
Eyne *Pyrénées-Orientales* 118

F

Fabre (François-Xavier) 227
Fabre (Georges) 57
Fabrezan *Aude* 185
Faïsses (Col) 121
La Fajolle *Aude* 287
Fanges (Forêt) 132
Fanjeaux *Aude* 155
Farrières (Cirque) 176
Fauzan (Grotte) 206
Fébus (Gaston) 160
Le Fenouillèdes
Pyrénées-Orientales 29, 156
Fenouillet *Pyrénées-Orientales* . 157
Finiels (Col) 190
Finiels (Sommet) 190
Fitou 130
Flaugergues (Château) 232
Florac *Lozère* 157
Foix *Ariège* 159
Foix (Graven van) 160
Fonséranes (Écluses) 95
Font-Nègre (Cirque) *Andorra* 75
Font-Romeu
Pyrénées-Orientales 164
Fontbruno (Monument) 212
Fontcaude (Abbaye) 95
Fontcouverte (Église)
Pyrénées-Orientales 255
Fontestorbes (Fontaine) *Ariège* . 287
Fontfrède (Pic)
Pyrénées-Orientales 96
Fontfroide (Abbaye) *Aude* 163
Fontfroide (Col) 152
Fontmort (Plan) 159
Fontpédrouse
Pyrénées-Orientales 125
Font-Romeu
Pyrénées-Orientales 164
Força Réal (Ermitage)
Pyrénées-Orientales 256
Formiguères *Pyrénées-Orientales* 85
Fou (Gorges de la)
Pyrénées-Orientales 81
Fourquevaux (Château)
Haute-Garonne 320
Fourtou (Col)
Pyrénées-Orientales 82
Fraisse-sur-Agout *Hérault* 151
Francbouteille (Col) 302
La Franqui *Aude* 274
Frau (Gorges) *Ariège, Aude* ... 286
Fresquel (Veldslag) 109
Frontignan *Hérault* 165

G

Gaillac 342
Gaillac Tarn 166
Galamus (Gorges) *Aude,*
Pyrénées-Orientales 167
Ganges Hérault 175
La Garde-Guérin *Lozère* 168
Garonne 23
Garrigues 22
Gasparets *Aude* 185
Gaudiès (Château) *Ariège* 320
Gaussan (Château) *Aude* 164
Génolhac *Gard* 192
Le Gévaudan 21, 157, 197
Gévaudan (Parc à loups) 197
Gignac (Pont) 176
Ginestas Aude 246
Giral (gebroeders) 221
Gisclard (Pont)
Pyrénées-Orientales 125
Golinhac (Barrage) 188
Goya (Francisco de) 112
Grand-Vabre *Aveyron* 188
La Grande-Motte *Hérault* 168
Grands Causses
(Parc naturel régional) .. 27, 340
Grau de Maury *Aude,*
Pyrénées-Orientales 133
Le Grau-d'Agde *Hérault* 56
Graufesenque (Fouilles) 204
Graufesenque (Aardewerk) 202
Grenade *Haute-Garonne* 173
Grésou 169
Gruissan *Aude* 174
Gruissan-Plage *Aude* 174
Guilhem 53

H – I

Hannibal 284
Haut-Languedoc
(Parc naturel régional) .. 26, 340
Haut Minervois 206
Hautpoul *Tarn* 215
Hérault (Gorges) 176
Hérault (Vallée) 175
Héric (Gorges) 152, 176
Hix *Pyrénées-Orientales* 118
Hort-de-Dieu (Arboretum) 58
Hospitaalridders 181
L'Hospitalet *Ariège* 78

Hourtous (Roc) 196
Huntziger (Generaal) 60
Hyelzas (Boerderij) 171
Ille-sur-Têt *Pyrénées-Orientales* . 255
Ingres (Dominique) 216, 217
Injalbert (J.-A.) 94
Innocentius III (paus) 60
Isles (Parc ornithologique) 71
Ispagnac *Lozère* 298

J – K

Jardin de l'Aveyron 145
Jaurès (Jean) 111
Joffre (Maarschalk) 256
Jonte (Gorges) 177
Jou (Belvédère) 324
Joucou (Défilé) *Aude* 286
Joucou *Aude* 287
Karst 18
Karstpijpen 23
Kastanje 26, 278
Katharen 39

L

Labouiche (Rivière souterraine)
Ariège 178
Lacamp (Plateau) *Aude* 133
Lacroix-Barrez *Aveyron* 325
Lacrouzette *Tarn* 295
Laffon (Tour) *Ariège* 162
Lagrasse *Aude* 178
Laguiole *Aveyron* 179
Lamalou-les-Bains *Hérault* 179
Lampy (Bassin) 212
Langarail (Pâturage) *Aude* 286
Langogne *Lozère* 180
Langue d'Oc 53
Lardit (Usine) 322
Laroque-de-Fâ *Aude* 133
Larra (Château) *Haute-Garonne* . 320
Larrazet (Château)
Tarn-et-Garonne 320
Larzac (Causse) 181
Larzac (Maison) 182
Lastours (Châteaux) 214
Lattes 233
Le Lauragais 276
Lauriers (Aven des) 175
Laussac *Aveyron* 324
Lavaur *Tarn* 183
Lavérune (Château) 233
Lavogne 18
Lers (Étang) *Ariège* 184
Lers (Route du port)
Ariège 162, 184
Lescure (Église St-Michel) *Tarn* . . 67
Lévézou 19
Lézignan-Corbières *Aude* 185
Lidos 22
Limousis (Grotte) 214
Limoux *Aude* 87
Lisle-sur-Tarn *Tarn* 166
Llo *Pyrénées-Orientales* 118
Lodève *Hérault* 186
Lombrives (Grotte) *Ariège* 187
Lordat (Château) *Ariège* 90
Lot (Vallée, gorges) 188
La Loubatière (Forêt) 212
Loubens-Lauragais
Haute-Garonne 194
Loupian Hérault 305
Lozère (Chalet du mont) 190
Lozère (Mont) 189
Luchtvaart 308
Lunaret (Parc zoologique) 232
Luzenac Ariège 78, 90

M

Madeloc (Tour)
Pyrénées-Orientales 139
Magrin *Tarn* 192
Maguelone *Hérault* 194
Maillol (Aristide) 91
La Malène *Lozère* 196
Malepeyre (Sabot) 170
Mantet (Col)
Pyrénées-Orientales 328
Marcevol *Pyrénées-Orientales* . . 265
Margeride 16, 20
Marquixanes
Pyrénées-Orientales 126
Marrous (Col) *Ariège* 161
Marsa *Aude* 287
Marseillan *Hérault* 305
Martel (Édouard-Alfred) 24
Marvejols *Lozère* 196
Mas-Cabardès 214
Mas d'Azil (Grotte) 34, 198
Mas Camargues *Lozère* . . . 189, 264
Mas de la Barque 192
Mas Palégry
Pyrénées-Orientales 254
Mas-Raynal (Aven) 181
Le Mas Soubeyran 198
Mas-Cabardès *Aude* 214
Mas-d'Azil (Grotte) *Ariège* 198
Maureillas-Las-Illas
Pyrénées-Orientales 97
Maures (Château)
Pyrénées-Orientales 97
Mauriac (Château) 167
Maury 343
Maury (Barrage) 149
Maury (Grau) 133
Mazamet *Tarn* 213
Le Mazel *Lozère* 190
Meaux (Vredesverdrag van) 61
Mediterrane Pyreneeën 29
Méjean (Causse) 170
Méjean (Corniches du Causse) . 301
Mende *Lozère* 200
Mercus-Garrabet (Église) *Ariège* . 79
Mérens (Centrale) *Ariège* 78
Mérens-les-Vals *Ariège* 78
Meritxell (Kapel) *Andorra* 75
Merle (Lac) 294
Merle (Kapitein) 200
Merville (Château)
Haute-Garonne 320
Meyrueis *Lozère* 58
Mèze *Hérault* 305
Midi (Canal) *Haute-Garonne,
Aude, Hérault* 246
Millau *Aveyron* 202
Minerve *Hérault* 204
Le Minier (Col) 60

Mirepoix *Ariège* 207
La Mogère (Château) 232
Moissac
Tarn-et-Garonne 47, 207
Molasse 23
Molière 260
Molitg-les-Bains
Pyrénées-Orientales 265
Le Monastier *Lozère* 85
Mondony (Gorges, Vallée) 72
Monestiés *Tarn* 138
Mont-Louis
Pyrénées-Orientales 219
Montabès (Puy) 149
Montagne Noire 211
Montagne Noire (Forêt) 212
Montagnés (Lac) 214
Montauban
Tarn-et-Garonne 216
Montbrun-des-Corbières *Aude* . . 184
Montcalm (Marquis de) 145
Montézic (Reservoir) 324
Montferrand *Aude* 247
Montferrer *Pyrénées-Orientales* . 80
Montfort (Simon de) 61
Montgey *Tarn* 276
Montmirat (Route du col) . 192, 220
Montmorency (Henri de) 308
Montpellier *Hérault* 221
Montpellier-le-Vieux (Chaos) . . . 234
Montségur *Ariège* 236
Mosset
Pyrénées-Orientales 265
La Mosson (Château) 233
Mourel des Fades (Dolmen) . . . 206
Mourèze (Cirque) 238
Les Mourèzes (Col) 328
Mur-de-Barrez *Aveyron* 324
Muscat de Rivesaltes 343

N

Najac *Aveyron* 239
Nant *Aveyron* 145
Nantes (Edict van) 68
Nantes (Herroeping van het Edict) 198
Narbonne *Aude* 240
Narbonne-Plage *Aude* 245
Nasbinals *Lozère* 83
Naurouze (Seuil) *Aude* 246
Naussac (Plan d'eau) 181
Navacelles (Cirque) 248
Navacelles *Hérault* 248
Niaux (Grotte) *Ariège* 249
Nîmes-le-Vieux (Chaos) 249
Niort *Aude* 287
Nissan-les-Ensérune *Hérault* . . . 147
Noir (Causse) 172
Nore (Pic) 215
Notre-Dame-de-Capimont (Sanctuaire) 180
Notre-Dame-de-Colombier *Aude* 185
Notre-Dame-de-Consolation (Kerk) *Pyrénées-Orientales* 139
Notre-Dame-de-la-Drèche *Tarn* . . . 67
Notre-Dame-de-Laval (Ermitage) *Pyrénées-Orientales* 157
Notre-Dame-de-Pène (Ermitage) *Pyrénées-Orientales* 256

O

O (Château) 232
Occitaans 53
Odeillo *Pyrénées-Orientales* 117
L'Oie (Roc) 295
Olargues *Hérault* 152
Olette *Pyrénées-Orientales* 126
Ombrée (Route) *Pyrénées-Orientales* 118
Ordino *Andorra* 76
Orlu (Vallée) *Ariège* 89
Osséja *Pyrénées-Orientales* 118
Ouillat (Col) *Pyrénées-Orientales* . 98
L'Ouradou (Chapelle) 155
L'Ourtigas (Col) 153

P

Padern *Aude* 134
Palalda *Pyrénées-Orientales* 72
Palavas-les-Flots *Hérault* 234
Pam (Col) *Pyrénées-Orientales* . 165
Pamiers *Ariège* 79
Panissars (Site archéologique) *Pyrénées-Orientales* 98
Pas de l'Arc 303
Pas de l'Escale *Pyrénées-Orientales* 132
Pas de l'Escalette 183
Pas de l'Ours (Belvédère) *Aude* . 286
Pas de la Casa *Andorra* 75
Pas de la Lauze 153
Pas de Soucy 300
Pas des Trois Fondus 303
Pas du Loup 303
Pastel 192
Pasteur (Louis) 68
Pays de Razès *Aude* 86
Pégairolles-de-l'Escalette *Hérault* 183
Péguère (Col) *Ariège* 161
Perfecti 39
Perpignan *Pyrénées-Orientales* . 250
Le Perthus *Pyrénées-Orientales* . . 97
Petits Causses 169
Peyre (Roc) 197
Peyre Auselère *Ariège* 184
Peyrepertuse (Château) *Aude* . . 257
Peyriac-de-Mer *Aude* 131
Peyro Clabado 295
Peyrusse-le-Roc *Aveyron* 258
Pézenas *Hérault* 260
Pierre Plantée (Col) 144
Pierre-Lys (Défilé) *Aude* 86
La Plaine (Forêt) *Aude* 286
Planès *Pyrénées-Orientales* 219
Plo de la Bise 214
Plo des Brus 153
Point Sublime 300
Pont d'Orbieu *Aude* 134
Pont-d'Hérault *Hérault* 82
Le Pont-de-Montvert 264
Pont-du-Tarn 264
Port (Col) *Ariège* 162
Portail du Pas 76
Port-Barcarès *Pyrénées-Orientales* 274
Port d'Envalira *Andorra* 75
Port Lauragais *Haute-Garonne* . 248

Port-Leucate *Aude* 274
Port-Vendres
Pyrénées-Orientales 140
Portel (Sommet) *Ariège* 162
Portes (Château de) 70
Port-la-Nouvelle *Aude* 131
Pougnadoires (Cirque) 300
Pradel (Col) *Ariège, Aude* 90
Prades (Château) 299
Prades *Pyrénées-Orientales* 265
Prades-d'Aubrac *Aveyron* 84
Prafrance (Bambouseraie) 266
Prat d'Alaric (boerderij) 151
Prat-Peyrot *Gard* 59
Prats-de-Mollo
Pyrénées-Orientales 267
La Preste *Pyrénées-Orientales* . . 268
Puéchagut (boswachtershuis) . . . 60
Puigmal 2900
Pyrénées-Orientales 118
Puilaurens (Château) *Aude* 134
Puivert *Aude* 287
Puymorens (Col)
Pyrénées-Orientales 74, 78
Py *Pyrénées-Orientales* 328
Pyreneeën 16
Pyreneeën (Vrede van de) 219

Q

Quéribus (Château) *Aude* 268
Quézac *Lozère* 298
Quillan *Aude* 86

R

Rabelais (François) 221
Rajol (Chaos) 173
Ras del Prat Cabrera
Pyrénées-Orientales 102
La Raviège (Lac) 152
Rebenty (Gorges) *Aude* 287
Rec d'Agout 153
Réderis (Cap)
Pyrénées-Orientales 140
Redoulade (Col) *Aude* 134
Rennes-le-Château *Aude* 134
Resse (Chaos) 294
Revel *Haute-Garonne* 211
Reyniès (Château)
Tarn-et-Garonne 320
Rialsesse (Forêt) *Aude* 134
Riquet (Pierre-Paul) 92, 246
Rivesaltes 343
Rivesaltes *Pyrénées-Orientales* . 256
Rodez *Aveyron* 269
Rohan (Hertog van) 68, 77
Roland 199
Rome (Vallée)
Pyrénées-Orientales 97
La Roque-Ste-Marguerite
Aveyron 145
Roquedols (Château) 58
Roquefort 272
Roquefort-sur-Soulzon *Aveyron* . 272
Roquelaure (Château) 150
Roquesaltes (Chaos) 173
Roquevidal (Château) *Tarn* 193
Rosis (Kerk) 153
Rouens *Aveyron* 323
Rouergue 52
Roussillon 29
Roussillon (Plages du) *Aude, Pyrénées-Orientales* 274
Rousson (Château) 71
Le Rozier *Lozère* 178
Rude (Jaufré) 53
Rugby 341
Rûnes (Cascade) 265

S

Sabot de Malepeyre 170
Saillagouse *Pyrénées-Orientales* 118
St-André-de-Valborgne *Gard* . . . 121
St-Antoine-de-Galamus (Ermitage)
Pyrénées-Orientales 167
St-Chély (Cirque) 299
St-Côme-d'Olt *Aveyron* 84
St-Cyprien *Pyrénées-Orientales* . 275
St-Dominique (Chaos, Grotte) . . 294
St-Etiennne d'Issensac
(Chapelle) 175
St-Félix-de-Montceau
(Ancienne abbaye) 305
St-Félix-Lauragais
Haute-Garonne 275
St-Ferréol (Bassin)
Haute-Garonne 212
St-Geniès (Château)
Haute-Garonne 320
St-Georges (Gorges) *Aude* 86
St-Germain (Chapelle) 206
St-Gervais (Roc) 177
St-Géry (Château) *Tarn* 320
St-Guilhem-le-Désert *Hérault* . . . 276
St-Jean-du-Bruel *Aveyron* 144
St-Jean-du-Gard *Gard* 278
St-Julia *Haute-Garonne* 276
St-Laurent-de-Trèves *Lozère* . . . 121
St-Lieux-les-Lavaur *Tarn* 184
St-Loup (Pic) 280
St-Martin-de-Fenollar (Chapelle)
Pyrénées-Orientales 97
St-Martin-du-Canigou (Abbaye)
Pyrénées-Orientales 47, 280
St-Michel-de-Cuxa (Abbaye)
Pyrénées-Orientales 47, 281
St-Michel-de-Grandmont
(Prieuré) 187
St-Michel de Mourcairol
(Château) 180
St-Michel-de-Rouviac (Chapelle) . 145
St-Papoul *Aude* 110
St-Paul-de-Fenouillet
Pyrénées-Orientales 157
St-Pierre (Arcs) 178, 282
St-Pierre-de-Bessuéjouls (Église) 150
St-Pierre-sur-Mer *Aude* 246
St-Polycarpe *Aude* 134
St-Pons-de-Thomières *Hérault* . . 151
St-Roman-de-Tousque *Lozère* . . 121
Ste-Énimie *Lozère* 283
Ste-Eulalie-de-Cernon *Aveyron* . . 182
Ste-Léocadie (Oriëntatietafel)
Pyrénées-Orientales 118
Saillagouse
Pyrénées-Orientales 118
Saissac *Aude* 212
Sallèles d'Aude *Aude* 245

Salses (Fort)
Pyrénées-Orientales 284
Salsigne *Aude* 214
La Salvetat-sur-Agout
Hérault 151
Sant Antoni (Garg.)
Andorra 75
Sant Joan de Caselles
Andorra 75
Saquet (Plateau) *Ariège* 90
Sardana 341
Sarrans (Barrage) 324
Sault (Plateau) *Aude* 29, 286
Sauveterre (Causse) 170
Sauveterre *Lozère* 170
Ségalas 16, 20
Sègre (Gorges)
Pyrénées-Orientales 118
Le Seignadou 156
Séjourné (Pont)
Pyrénées-Orientales 125
Senescal (Roc) 333
Sept-Faux (Rocher) 294
Sérembarre (Pic) *Ariège* 90
La Séreyrède (Col) 58
Sérignan *Hérault* 95
Serrabone (Prieuré)
Pyrénées-Orientales 47, 288
Serralongue
Pyrénées-Orientales 326
Serre (Roc) 196
Sète *Hérault* 289
Sévérac (Amaury de) 293
Séverac (Déodat de) 275
Sévérac-le-Château 293
Sidobre 294
Sigean *Aude* 131
Sigean (Étang) *Aude* 131
Sigean (Réserve africaine)
Aude 295
Soldeu El Tarter *Andorra* 75
Le Somail 246
Somail (Mont) 151
Sorèze *Tarn* 213
Soulane (Route)
Pyrénées-Orientales 116
Stierengevechten 341

T – U

Tarascon-sur-Ariège *Ariège* 78
Targasonne (Chaos)
Pyrénées-Orientales 117
Tarn (Corniche) 303
Tarn (Gorges) 296
Tautavel (Mens van) 304
Tautavel (Musée)
Pyrénées-Orientales 304
Le Tech
Pyrénées-Orientales 326
Tempelridders 181
Termes (Château) *Aude* 134
Terminet (Gorges) *Aude* 135
Thau (Bassin) 305
Thaurac (Plateau) 142, 175
Thuès-les-Bains
Pyrénées-Orientales 126
Thuir *Pyrénées-Orientales* 255
Toulouges
Pyrénées-Orientales 254
Toulouse *Haute-Garonne* . . . 48, 306
Toulouse-Lautrec
(Henri de) 61, 64
Trabuc (Grotte) 320
Trencavel (Raymond-Roger) . . . 105
Trévezel (Gorges) 144
La Triballe (Col de) 82
Trimouns (Carrière)
Ariège 90
Trinité (Chapelle de la)
Pyrénées-Orientales 82
Trois Fromages 295
Trois Termes (Pic)
Pyrénées-Orientales 98
Troubadours 53
Troubat (Ferme) 189, 264
Truel (Terrasses) 178
Truite (Saut) 295
Truyère (Gorges) 321
Tuchan *Aude* 135
Uitverkorenen 39
Unac *Ariège* 90
Usson-les-Bains *Ariège* 86

V – W – Z

Vache (Grotte de la) 79
Valéry (Paul) 289
Valira del Orient (Vall)
Andorra 74
Valira del Nord (Vall)
Andorra 75
Le Vallespir
Pyrénées-Orientales 325
Valmagne (Abbaye) 326
Valmigère *Aude* 135
Valras-Plage *Hérault* 95
Vase de Chine 303
Vase de Sèvres 303
Vauban 46
Ventadour (Bernard de) 53
Vernaux *Ariège* 90
Vernet-les-Bains
Pyrénées-Orientales 327
Verte (Route) *Ariège* 161
Vertige (Belvédère) 303
Vésoles (Saut) 151
Veygalier 249
Vézénobres *Gard* 71
Vezins (Château) 293
Via Domitia 38
Vicdessos *Ariège* 184
Vidal (Peire) 53
Vieillevie *Cantal* 188
Le Vigan *Gard* 328
Vigne (Grotte) 177
Les Vignes *Lozère* 300
Villefort *Lozère* 191
Villefranche-de-Conflent
Pyrénées-Orientales 329
Villefranche-de-Rouergue
Aveyron 330
Villerouge-Termenès
Aude 135
Vinça *Pyrénées-Orientales* 126
Vindrac *Tarn* 138
Vis (Gorges) 333
Vis (Vallée) 333
Vissec *Gard* 333
Voltes (Col)
Pyrénées-Orientales 102
Watersteekspelen 289
Zijderupsen 279

Notities

ANUFACTURE FRANÇAISE DES PNEUMATIQUES MICHELIN

Société en commandite par actions au capital de 2 000 000 000 de francs

Place des Carmes-Déchaux – 63 Clermont-Ferrand (France)

R.C.S. Clermont-Fd B 855 200 507

Dépôt légal mai 1996 – ISBN 2 06-536501-3– ISSN 0763-1391

Printed in the EC 05.96

Photocomposition : MAURY Imprimeur S.A., Malesherbes.

Impression et brochage : I.F.C., Saint-Germain-du-Puy.

Illustration de la couverture par Nathalie BENAVIDES